電気通信事業法
逐条解説
再訂増補版

多賀谷 一照 監修　電気通信事業法研究会 編著

一般財団法人　情報通信振興会

監修の辞

　電気通信事業法は1984年に制定され、今年は40年を迎えるに至っている。日本電信電話公社の民営化に伴い、電気通信業務を公営から民間事業者が担い得る事業とすることを前提とする「事業法」として出発した本法は、当初第一種電気通信事業の許可制と第二種電気通信事業の登録・届出制という事業区分毎の規律を設けていたが、通信サービスのグローバルな展開、規制緩和の動きなどにより、基礎的電気通信役務を除くと、事業の事前規制の見直し・緩和が一貫として進み、平成16年には一種・二種の事業区分を廃止するに至った。インターネットの普及とともに、距離の制約や国境を越えて展開されるグローバル・ビジネスに必要な社会インフラとしての役割を果たすために、通信回線をオープンにし、通信の自由を確保することが求められたのである。今日、有線回線・無線回線上に多数の事業・サービスが展開されており、本法の規律内容は事業自体の内容的規制を行うよりも、設備の接続や電気通信番号の管理・事業者間の紛争の解決など、事業の円滑な運行を図る役割を中心としてきている。

　しかしながら、通信の自由として、ネットワーク上で制約なくサービス・事業を展開することを専ら図るという自由競争の原則は、令和の時代には限界を迎えてきている。道路上を走行する悪質なドライバーによる事故があるように、通信ネットワーク上でも悪質なサイバー攻撃や詐欺的な通信などへの対処が必要となり、ドメイン名・検索・媒介相当電気通信役務を適用除外から外すなど、関連する規定改正が本法の中にも定められている。

　サイバー攻撃が国内の民間のみならず、他国から行われていることから、いずれ通信管制が必要となる可能性がある。通信ネットワーク上での事業・サービスの活発な展開と、通信管制・通信品質の保証とを、どう折合いを付けていくかが、本法の今後の課題・役割となるであろう。

　令和6年6月

　　　　　　　　　　　　　　　　　　　　　　　　　　　多賀谷　一照

再訂増補版まえがき

『電気通信事業法逐条解説改訂版』を世に出した令和元年5月から5年が経過し、改めてこれを改訂増補する再訂増補版を刊行する。

今般重ねて多賀谷一照先生に監修いただき、この5年間にあった令和元年、2年及び4年の大規模な改正を含むアップデートを行い、また、次のような見直しを行った。

第一に、従来は関係条項の解説の中で記載していた主な制度の沿革の解説を、独立単元として増補・集約し、「Ⅱ　主な制度の沿革」としてまとめた。そして、その中で、電気通信事業の事業主体、ユニバーサルサービス、料金、接続、端末開放、公益事業者特権に関する各制度について、明治2年から今日に到る変遷の経過を記述した。

第二に、本論である「Ⅲ　逐条解説」では、従来どおり、法制定時、法改正時の考え方の解説を基軸とし、その運用実態も見えるように、関係法令・条約、下位法令、行政運用の実例や判例も取り上げる構成としたが、その内容を増補し、罰則・原始附則全条の解説や、業務改善命令などの運用実例、通信の秘密に関する判例の採録などを行った。

第三に、関連する法律として、聴覚障害者等による電話の利用の円滑化に関する法律（令和2年法律第53号）の逐条解説を併せて掲載する増補版。

旧版・改訂版同様、編集・執筆の責任は、編著者個人にあり、その各々が所属する組織の見解を述べるものではない。

再訂増補版執筆に際して多大で有益な支援をいただいた髙橋真紀様、その刊行を終始牽引していただいた一般財団法人情報通信振興会の倉橋誠専務理事、前回を遙かに上回る大規模な原稿の修正・追記にも関わらず、それを芸術的なまでに整序して下さった多田悦子様をはじめとする校正の方々に御礼を申し上げる。

令和6年6月

電気通信事業法研究会

改訂版まえがき

　我が国の公衆電気通信は、明治2年の電信創業以来、間もなく150年を迎えることになる。電信条例（明治7年・18年）、電信法（明治33年）、公衆電気通信法（昭和28年）等の基本法の系譜を引き継ぎ、競争原理の導入という大きな節目をなした電気通信事業法（昭和59年）も、その中で、既に昭和60年4月の施行から34年を経過した。

　この34年間の法制の経過は、それまでの1世紀余りと比べても大きな変動の連続だった。その最初の20年余りが経過した当時の電気通信事業法の解説を行うために編まれたのが旧版の『電気通信事業法逐条解説』であった。その中では、通信の秘密の保護、不当な差別的取扱いの禁止、重要通信の確保といった基本的な規律についての蓄積の深化と共に、接続ルール等の公正競争確保のルールやユニバーサルサービスの確保や消費者保護等の新しい法規定整備が進められた成果をできるだけ平易に解説するようにした。

　それから既に11年が経過した。その間、電気通信事業法では幾つもの改正が行われ、ブロードバンド展開、固定・モバイル市場の公正競争促進、固定電話のIP網への移行といった電気通信市場の公正競争市場環境下での拡大や変化に向けた規定が更に整備される一方で、事故防止、消費者保護やサイバーセキュリティ対策の強化、インターネットのDNSの信頼性確保といったネットワーク利用が安心して行われるようにするための規定の整備が進められた。情報通信のIP・デジタル化、モバイル・ブロードバンドの進展という大きな転換点における諸課題への取組を進める見直しが進められてきた。

　そこで、旧版の『電気通信事業法逐条解説』を刷新し、必要な増補・アップデート等を行う改訂版を世に問うことにした。改訂版では、旧版以来の編著者により電気通信事業法研究会を発足させ、同研究会の編著とすることにした。これは、今回の改訂や今後の再訂、三訂の作業を行う際の執筆担当を組織的に決めることができるようにしたものである。

　本改訂版では、旧版同様、法制定時、法改正時の考え方を解説することを基軸としつつ、関係法令・条約、下位法令、行政運用の実例や判例も取り上げることで、その運用実態も見えるような構成とした。旧版同様、編集・執筆の責任は、編著者個人にあり、その各々が所属する組織の見解を述べるものではないことをお断りしておきたい。

情報通信分野に御関心のある方々の実務や研究等の一助にでもなれば幸いである。

　終わりに、監修をお願いした多賀谷一照先生、改訂に当たり有益なコメントを多数いただいた石谷寧希様、改訂版の刊行を終始リードしていただいた一般財団法人情報通信振興会の竹内英俊専務理事、度重なる原稿の修正・追記にも関わらず改訂版を旧版にも増して綺麗に整序して下さった校正の皆様にこの場を借りて御礼申し上げたい。

　令和元年5月

電気通信事業法研究会

旧版まえがき

　電気通信事業法は昭和60年（1985）4月に施行された。それまで日本電信電話公社と国際電信電話株式会社の独占事業であった電気通信事業に競争原理が導入され、あらゆる分野に新規事業者が参入し、料金の低廉化・サービスの多様化が進展した。競争原理の導入は、まさに電気通信分野における一大改革であった。

　それから20年以上が経過し、その間、数多くの改正が行われた。これらの改正は、規制緩和を進めるものだけではなく、規制体系そのものを再構築するものが多いのが特徴と言えよう。

　法改正を電気通信政策見直しの節目とみるならば、日本電信電話株式会社の再編成と共に行われた事業者間の接続ルールの整備等を内容とする平成9年（1997）の改正は大きな節目と言える。その後、非対称規制の拡充、ユニバーサルサービス基金制度の導入、電気通信事業紛争処理委員会の設置等の改正が行われたが、平成9年の改正は、それまでの競争市場の構築に主眼がおかれていた電気通信政策が、新たな競争ルールの整備を通じた「公正競争の促進」を中心に据えた政策に変貌した一つの転換期ではなかったかと思う。

　さらに、平成15年（2003）の改正においては、それまでの規制体系の根幹ともいうべき第一種電気通信事業と第二種電気通信事業の事業区分が見直され、事業区分によって一律に適用されていた規制内容を事業の規模等に応じた規制内容へと変更するとともに、事前規制から事後措置中心の法体系に大きく転換された。また、最近では、通信・放送の総合的な法体系の見直しの議論も起こっている。電気通信政策は新たな転換期に入ったと言っても過言ではないだろう。

　本書は、平成17年に刊行した『改正電気通信事業法逐条解説』を全面改訂し、現行の電気通信事業法の全条文について、個々の条文内容に関して解説を加えたものである。また、制定から現在までの改正経緯も合わせてできる限り盛り込んでいる。電気通信事業分野に関心のある実務家、研究者、学生その他の読者の皆様のご参考になれば幸いである。

　なお、本書の内容及び構成については、5名の編著者が共同で企画し、分担して執筆したものの、編集は共同で行った。したがって、編集及び執筆の責任は5名全員に帰属する。

終わりに、本書の刊行にあたり財団法人電気通信振興会の比留川実氏、三宅誠次郎氏、独立行政法人情報通信研究機構の木村公彦氏、総務省の嶋田信哉氏、堀内隆広氏に多大のご協力をいただいた。この場を借りて御礼申し上げたい。

平成20年1月

多賀谷　一照

岡﨑俊一

岡崎　毅

豊嶋基暢

藤野　克

目　次

Ⅰ　電気通信事業法の制定・改正経緯
　　1　電気通信事業法制定の背景・目的……………………………………………　1
　　2　主な改正経緯……………………………………………………………………　2

Ⅱ　主な制度の沿革
　　1　公衆電気通信事業の事業主体に関する制度の沿革（第9条関係）……　17
　　2　基本的な公衆電気通信役務の確保に関する制度の沿革（第7条等関係）
　　　………………………………………………………………………………………　27
　　3　公衆電気通信役務の料金に関する制度の沿革（第19条等関係）………　30
　　4　電気通信事業の展開上重要な電気通信設備との接続の円滑化に関する
　　　制度の沿革（第33条、第34条等関係）………………………………………　36
　　5　端末設備の利用者設置と技術基準適合性確保のための制度の沿革
　　　（第52条等関係）………………………………………………………………　45
　　6　公衆電気通信事業の事業主体による土地等の使用の制度の沿革
　　　（第128条等関係）……………………………………………………………　48
　　7　主な参考文献……………………………………………………………………　54

Ⅲ　逐条解説
　　〈凡例〉……………………………………………………………………………　57

　　第1章　総　則
　　　第1条（目的）………………………………………………………………　59
　　　第2条（定義）………………………………………………………………　64
　　　第3条（検閲の禁止）………………………………………………………　74
　　　第4条（秘密の保護）………………………………………………………　76
　　　　【電気通信事業従事者等による通信の内容の確認についての主要判例】　81
　　　　【電気通信事業における個人情報保護等に関するガイドラインの経過】　82
　　　第5条（電気通信事業に関する条約）…………………………………　84

　　第2章　電気通信事業
　　　第1節　総　則
　　　　第6条（利用の公平）……………………………………………………　86
　　　　第7条（基礎的電気通信役務の提供）………………………………　87
　　　　第8条（重要通信の確保）……………………………………………　90
　　　第2節　事業の登録等
　　　　総　説………………………………………………………………………　94

I

第9条（電気通信事業の登録）……………………………………… 95

第10条 ……………………………………………………………… 98

第11条（登録の実施）……………………………………………… 101

第12条（登録の拒否）……………………………………………… 103

第12条の2（登録の更新）………………………………………… 106

第13条（変更登録等）……………………………………………… 120

第14条（登録の取消し）…………………………………………… 123

第15条（登録の抹消）……………………………………………… 125

第16条（電気通信事業の届出）…………………………………… 126

第17条（承継）……………………………………………………… 131

第18条（事業の休止及び廃止並びに法人の解散）…………… 134

第3節　電気通信事業者等の業務

総　説 ……………………………………………………………… 136

第19条（基礎的電気通信役務の届出契約約款）……………… 139

第20条（指定電気通信役務の保障契約約款）………………… 145

第21条（特定電気通信役務の料金）…………………………… 150

第22条（通信量等の記録）………………………………………… 155

第23条（届出契約約款等の掲示等）…………………………… 156

第24条（会計の整理）……………………………………………… 157

第25条（提供義務）………………………………………………… 160

第26条（提供条件の説明）………………………………………… 163

【消費者契約法との関係】……………………………………… 169

第26条の2（書面の交付）………………………………………… 170

第26条の3（書面による解除）…………………………………… 173

第26条の4（電気通信業務の休止及び廃止の周知）………… 179

第26条の5（電気通信業務の休止及び廃止に関する情報の公表）…… 182

第27条（苦情等の処理）…………………………………………… 183

第27条の2（電気通信事業者等の禁止行為）………………… 185

第27条の3（移動電気通信役務を提供する電気通信事業者の禁止行
　　　　　　為）…………………………………………………… 190

第27条の4（媒介等業務受託者に対する指導）……………… 197

第27条の5（特定利用者情報を適正に取り扱うべき電気通信事業者の
　　　　　　指定）………………………………………………… 199

第27条の6（情報取扱規程）……………………………………… 202

第27条の7（情報取扱規程の変更命令等）…………………… 204

第27条の8（情報取扱方針）……………………………………… 205

第27条の9（特定利用者情報の取扱状況の評価等）………… 207

第27条の10（特定利用者情報統括管理者）…………………… 208

第27条の11（特定利用者情報統括管理者等の義務）‥‥‥‥‥‥ 209

第27条の12（情報送信指令通信に係る通知等）‥‥‥‥‥‥‥ 210

第28条（業務の停止等の報告）‥‥‥‥‥‥‥‥‥‥‥‥‥‥ 220

第29条（業務の改善命令）‥‥‥‥‥‥‥‥‥‥‥‥‥‥‥‥ 222

　【業務改善命令の運用事例】‥‥‥‥‥‥‥‥‥‥‥‥‥‥ 230

第30条（第一種指定電気通信設備を設置する電気通信事業者等の
　　　　禁止行為等）‥‥‥‥‥‥‥‥‥‥‥‥‥‥‥‥‥‥ 231

第31条 ‥‥‥‥‥‥‥‥‥‥‥‥‥‥‥‥‥‥‥‥‥‥‥‥ 239

第32条（電気通信回線設備との接続）‥‥‥‥‥‥‥‥‥‥‥ 249

第33条（第一種指定電気通信設備との接続）‥‥‥‥‥‥‥‥ 251

第33条の２（第一種指定電気通信設備との接続に係る機能の休止
　　　　及び廃止の周知）‥‥‥‥‥‥‥‥‥‥‥‥‥‥‥‥ 270

第34条（第二種指定電気通信設備との接続）‥‥‥‥‥‥‥‥ 271

第34条の２（第二種指定電気通信設備との接続に係る機能の休止
　　　　及び廃止の周知）‥‥‥‥‥‥‥‥‥‥‥‥‥‥‥‥ 281

第35条（電気通信設備の接続に関する命令等）‥‥‥‥‥‥‥ 282

　【接続に関する命令・裁定制度の運用事例】‥‥‥‥‥‥‥ 294

第36条（第一種指定電気通信設備の機能の変更又は追加に関する
　　　　計画）‥‥‥‥‥‥‥‥‥‥‥‥‥‥‥‥‥‥‥‥‥ 299

第37条（第一種指定電気通信設備の共用に関する協定）‥‥‥‥ 302

第38条（電気通信設備等の共用に関する命令等）‥‥‥‥‥‥ 304

第38条の２（第一種指定電気通信設備又は第二種指定電気通信設
　　　　備を用いる卸電気通信役務の提供）‥‥‥‥‥‥‥‥ 307

第39条（卸電気通信役務の提供についての準用）‥‥‥‥‥‥ 311

　【卸電気通信役務に関する裁定制度の運用事例】‥‥‥‥‥‥ 317

第39条の２（第一種指定電気通信設備及び第二種指定電気通信設
　　　　備に関する情報の公表）‥‥‥‥‥‥‥‥‥‥‥‥‥ 318

第39条の３（特定ドメイン名電気通信役務を提供する電気通信事
　　　　業者の提供義務等）‥‥‥‥‥‥‥‥‥‥‥‥‥‥‥ 320

第40条（外国政府等との協定等の認可）‥‥‥‥‥‥‥‥‥‥ 321

第４節　電気通信設備

総　説‥‥‥‥‥‥‥‥‥‥‥‥‥‥‥‥‥‥‥‥‥‥‥‥‥‥ 324

第１款　電気通信事業の用に供する電気通信設備

第41条（電気通信設備の維持）‥‥‥‥‥‥‥‥‥‥‥‥‥‥ 326

第41条の２ ‥‥‥‥‥‥‥‥‥‥‥‥‥‥‥‥‥‥‥‥‥‥ 332

第42条（電気通信事業者による電気通信設備の自己確認）‥‥‥ 333

第43条（技術基準適合命令）‥‥‥‥‥‥‥‥‥‥‥‥‥‥‥ 337

第44条（管理規程）‥‥‥‥‥‥‥‥‥‥‥‥‥‥‥‥‥‥‥ 339

第44条の2（管理規程の変更命令等）‥‥‥‥‥‥‥‥‥‥‥‥ 341
第44条の3（電気通信設備統括管理者）‥‥‥‥‥‥‥‥‥‥‥ 342
第44条の4（電気通信設備統括管理者等の義務）‥‥‥‥‥‥‥ 345
第44条の5（電気通信設備統括管理者の解任命令）‥‥‥‥‥‥ 345
第45条（電気通信主任技術者）‥‥‥‥‥‥‥‥‥‥‥‥‥‥‥ 346
第46条（電気通信主任技術者資格者証）‥‥‥‥‥‥‥‥‥‥‥ 351
第47条（電気通信主任技術者資格者証の返納）‥‥‥‥‥‥‥‥ 354
第48条（電気通信主任技術者試験）‥‥‥‥‥‥‥‥‥‥‥‥‥ 355
第49条（電気通信主任技術者等の義務）‥‥‥‥‥‥‥‥‥‥‥ 357

第2款　電気通信番号
第50条（電気通信番号の使用及び電気通信番号計画）‥‥‥‥‥ 359
第50条の2（電気通信番号使用計画の認定等）‥‥‥‥‥‥‥‥ 366
第50条の3（欠格事由）‥‥‥‥‥‥‥‥‥‥‥‥‥‥‥‥‥‥ 371
第50条の4（認定の基準）‥‥‥‥‥‥‥‥‥‥‥‥‥‥‥‥‥ 373
第50条の5（電気通信事業を営もうとする者等への適用）‥‥‥ 375
第50条の6（変更の認定等）‥‥‥‥‥‥‥‥‥‥‥‥‥‥‥‥ 377
第50条の7（承継）‥‥‥‥‥‥‥‥‥‥‥‥‥‥‥‥‥‥‥‥ 379
第50条の8（認定の失効）‥‥‥‥‥‥‥‥‥‥‥‥‥‥‥‥‥ 380
第50条の9（認定の取消し）‥‥‥‥‥‥‥‥‥‥‥‥‥‥‥‥ 381
第50条の10（指定の失効等の場合における利用者設備識別番号
　　　　　　の管理の引継ぎ等）‥‥‥‥‥‥‥‥‥‥‥‥‥‥ 383
第50条の11（利用者設備識別番号以外の電気通信番号の指定等）‥ 385
第50条の12（電気通信番号計画への記載）‥‥‥‥‥‥‥‥‥‥ 386
第51条（適合命令）‥‥‥‥‥‥‥‥‥‥‥‥‥‥‥‥‥‥‥‥ 387

第3款　端末設備の接続等
第52条（端末設備の接続の技術基準）‥‥‥‥‥‥‥‥‥‥‥‥ 388
第53条（端末機器技術基準適合認定）‥‥‥‥‥‥‥‥‥‥‥‥ 392
第54条（妨害防止命令）‥‥‥‥‥‥‥‥‥‥‥‥‥‥‥‥‥‥ 400
第55条（表示が付されていないものとみなす場合）‥‥‥‥‥‥ 402
第56条（端末機器の設計についての認証）‥‥‥‥‥‥‥‥‥‥ 404
第57条（設計合致義務等）‥‥‥‥‥‥‥‥‥‥‥‥‥‥‥‥‥ 406
第58条（認証設計に基づく端末機器の表示）‥‥‥‥‥‥‥‥‥ 409
第59条（認証取扱業者に対する措置命令）‥‥‥‥‥‥‥‥‥‥ 409
第60条（表示の禁止）‥‥‥‥‥‥‥‥‥‥‥‥‥‥‥‥‥‥‥ 410
第61条（準用）‥‥‥‥‥‥‥‥‥‥‥‥‥‥‥‥‥‥‥‥‥‥ 414
第62条（外国取扱業者）‥‥‥‥‥‥‥‥‥‥‥‥‥‥‥‥‥‥ 414
第63条（技術基準適合自己確認等）‥‥‥‥‥‥‥‥‥‥‥‥‥ 416
第64条（設計合致義務等）‥‥‥‥‥‥‥‥‥‥‥‥‥‥‥‥‥ 420

第65条（表示）……………………………………………………… 422

第66条（表示の禁止）……………………………………………… 424

第67条 ……………………………………………………………… 427

第68条（準用）……………………………………………………… 429

第68条の2（同一の表示を付することができる場合）………… 430

第68条の3（修理業者の登録）…………………………………… 432

第68条の4（登録の基準）………………………………………… 433

第68条の5（登録簿）……………………………………………… 435

第68条の6（変更登録等）………………………………………… 435

第68条の7（登録修理業者の義務）……………………………… 436

第68条の8（表示）………………………………………………… 437

第68条の9（登録修理業者に対する改善命令等）……………… 438

第68条の10（廃止の届出）………………………………………… 439

第68条の11（登録の取消し）……………………………………… 440

第68条の12（登録の抹消）………………………………………… 441

第69条（端末設備の接続の検査）………………………………… 441

第70条（自営電気通信設備の接続）……………………………… 444

第71条（工事担任者による工事の実施及び監督）……………… 447

第72条（工事担任者資格者証）…………………………………… 449

第73条（工事担任者試験）………………………………………… 451

第5節　届出媒介等業務受託者

　総　説……………………………………………………………… 454

第73条の2（媒介等の業務の届出等）…………………………… 455

第73条の3（電気通信事業者の業務に関する規定の準用）…… 458

第73条の4（業務の改善命令）…………………………………… 460

第6節　指定試験機関等

　総　説……………………………………………………………… 461

第1款　指定試験機関

第74条（指定試験機関の指定等）………………………………… 463

第75条（指定試験機関の指定の基準）…………………………… 465

第76条（試験員）…………………………………………………… 468

第77条（役員等の選任及び解任）………………………………… 470

第78条（秘密保持義務等）………………………………………… 471

第79条（試験事務規程）…………………………………………… 473

第80条（事業計画等）……………………………………………… 475

第81条（帳簿の備付け等）………………………………………… 476

第82条（監督命令）………………………………………………… 477

第83条（業務の休廃止）…………………………………………… 478

V

第84条（指定の取消し等）……………………………………… 480
第85条（総務大臣による試験事務の実施）…………………… 482
第2款　登録講習機関
第85条の2（登録講習機関の登録）…………………………… 484
第85条の3（登録の基準）……………………………………… 485
第85条の4（登録の更新）……………………………………… 487
第85条の5（登録簿）…………………………………………… 488
第85条の6（登録の公示等）…………………………………… 488
第85条の7（講習事務の実施に係る義務）…………………… 490
第85条の8（講習事務規程）…………………………………… 491
第85条の9（財務諸表等の備付け及び閲覧等）……………… 492
第85条の10（帳簿の備付け等）……………………………… 494
第85条の11（改善命令等）…………………………………… 495
第85条の12（講習事務の休廃止）…………………………… 496
第85条の13（登録の取消し等）……………………………… 496
第85条の14（登録の抹消）…………………………………… 498
第85条の15（総務大臣による講習事務の実施）…………… 498
第3款　登録認定機関
第86条（登録認定機関の登録）………………………………… 500
第87条（登録の基準）…………………………………………… 502
第88条（登録の更新）…………………………………………… 506
第89条（登録簿）………………………………………………… 507
第90条（登録の公示等）………………………………………… 507
第91条（技術基準適合認定の義務等）………………………… 509
第92条（技術基準適合認定の報告等）………………………… 510
第93条（役員等の選任及び解任）……………………………… 511
第94条（業務規程）……………………………………………… 512
第95条（財務諸表等の備付け及び閲覧等）…………………… 513
第96条（帳簿の備付け等）……………………………………… 515
第97条（改善命令等）…………………………………………… 515
第98条（技術基準適合認定についての申請及び総務大臣の命令）… 517
第99条（業務の休廃止）………………………………………… 518
第100条（登録の取消し等）…………………………………… 519
第101条（登録の抹消）………………………………………… 521
第102条（総務大臣による技術基準適合認定の実施）……… 522
第103条（準用）………………………………………………… 523
第4款　承認認定機関
第104条（承認認定機関の承認等）…………………………… 525

第105条（承認の取消し）……………………………………………… 530
　第7節　基礎的電気通信役務支援機関
　　総　説………………………………………………………………………… 535
　　第106条（基礎的電気通信役務支援機関の指定）…………………… 536
　　第107条（業務）……………………………………………………………… 538
　　第108条（第一種適格電気通信事業者の指定）……………………… 543
　　第109条（第一種交付金の交付）………………………………………… 548
　　第110条（第一種負担金の徴収）………………………………………… 550
　　第110条の2（第2号基礎的電気通信役務一般支援区域等の指定）… 557
　　第110条の3（第二種適格電気通信事業者の指定）………………… 563
　　第110条の4（第二種交付金の交付）…………………………………… 570
　　第110条の5（第二種負担金の徴収）…………………………………… 572
　　第111条（資料の提出の請求）…………………………………………… 577
　　第112条（区分経理）……………………………………………………… 577
　　第113条（支援業務諮問委員会）………………………………………… 578
　　第114条（支援機関の指定を取り消した場合における経過措置）…… 579
　　第115条（支援機関への情報提供等）…………………………………… 580
　　第116条（準用）…………………………………………………………… 581
　第8節　認定送信型対電気通信設備サイバー攻撃対処協会
　　総　説………………………………………………………………………… 587
　　第116条の2（認定送信型対電気通信設備サイバー攻撃対処協会
　　　　　　　　　の認定）…………………………………………………… 588
　　第116条の3（特定会員名簿の縦覧等）………………………………… 604
　　第116条の4（秘密保持義務）…………………………………………… 605
　　第116条の5（帳簿の備付け等）………………………………………… 606
　　第116条の6（認定送信型対電気通信設備サイバー攻撃対処協会
　　　　　　　　　に対する監督命令等）………………………………… 607
　　第116条の7（認定送信型対電気通信設備サイバー攻撃対処協会
　　　　　　　　　への情報提供）………………………………………… 608
　　第116条の8（公示）……………………………………………………… 609

第3章　土地の使用等
　第1節　事業の認定
　　総　説………………………………………………………………………… 611
　　第117条（事業の認定）…………………………………………………… 612
　　第118条（欠格事由）……………………………………………………… 615
　　第119条（認定の基準）…………………………………………………… 618
　　第120条（事業の開始の義務）…………………………………………… 620

VII

第121条（提供義務） ……………………………………………… 623

第122条（変更の認定等） ………………………………………… 624

第123条（承継） …………………………………………………… 626

第124条（事業の休止及び廃止） ………………………………… 627

第125条（認定の失効） …………………………………………… 629

第126条（認定の取消し） ………………………………………… 630

第127条（変更の認定の取消し） ………………………………… 633

第2節　土地の使用

総　説………………………………………………………………… 634

第128条（土地等の使用権） ……………………………………… 635

第129条（裁定の申請） …………………………………………… 649

第130条（裁定） …………………………………………………… 650

第131条 ……………………………………………………………… 652

第132条 ……………………………………………………………… 652

第133条（土地等の一時使用） …………………………………… 657

第134条（土地の立入り） ………………………………………… 661

第135条（通行） …………………………………………………… 662

第136条（植物の伐採） …………………………………………… 663

第137条（損失補償） ……………………………………………… 664

第138条（線路の移転等） ………………………………………… 667

第139条（原状回復の義務） ……………………………………… 670

第140条（公用水面の使用） ……………………………………… 671

第141条（水底線路の保護） ……………………………………… 675

第142条 ……………………………………………………………… 689

第143条 ……………………………………………………………… 692

第4章　電気通信紛争処理委員会

総　説………………………………………………………………… 695

第1節　設置及び組織

第144条（設置及び権限） ………………………………………… 696

第145条（組織） …………………………………………………… 698

第146条（委員長） ………………………………………………… 699

第147条（委員の任命） …………………………………………… 700

第148条（任期） …………………………………………………… 701

第149条（委員の罷免） …………………………………………… 702

第150条（委員の服務） …………………………………………… 703

第151条（委員の給与） …………………………………………… 704

第152条（事務局） ………………………………………………… 704

第153条（政令への委任） ……………………………………………… 705
第2節　あつせん及び仲裁
第154条（電気通信設備の接続に関するあつせん） ………………… 708
第155条（電気通信設備の接続に関する仲裁） ……………………… 713
第156条（準用） ………………………………………………………… 726
第157条（その他の協定等に関するあつせん等） …………………… 727
第157条の2 ……………………………………………………………… 729
第158条（申請の経由） ………………………………………………… 732
第159条（政令への委任） ……………………………………………… 732
第3節　諮問等
第160条（委員会への諮問） …………………………………………… 735
第161条（聴聞の特例） ………………………………………………… 738
第162条（勧告） ………………………………………………………… 741
【電気通信紛争処理委員会の勧告の運用】………………………… 742

第5章　雑則
第163条（登録等の条件） ……………………………………………… 744
【線路設備の設置に不可欠又は重要な電柱・管路等に関する条件の運用】 746
【電波法の規定による特定基地局開設計画の認定を受けた者に対する
条件の運用】………………………………………………………… 748
第164条（適用除外等） ………………………………………………… 748
第165条（営利を目的としない電気通信事業を行う地方公共団体
の取扱い） ………………………………………………… 766
第166条（報告及び検査） ……………………………………………… 769
第167条（端末機器等の提出） ………………………………………… 773
第167条の2（法令等違反行為を行つた者の氏名等の公表） ………… 775
第167条の3（民法の特例） …………………………………………… 777
第168条（協議等） ……………………………………………………… 780
第169条（審議会等への諮問） ………………………………………… 784
第170条（聴聞の特例） ………………………………………………… 794
第171条（審査請求の手続における意見の聴取） …………………… 795
第172条（意見の申出） ………………………………………………… 797
第173条（指定試験機関の処分等についての審査請求） …………… 799
第174条（手数料） ……………………………………………………… 799
第175条（経過措置） …………………………………………………… 802
第176条（事務の区分） ………………………………………………… 803
第176条の2（総務省令への委任） …………………………………… 804

IX

第6章　罰則‥‥‥‥‥‥‥‥　805
　　第177条‥‥‥‥‥‥‥‥‥　806
　　第178条‥‥‥‥‥‥‥‥‥　806
　　第179条‥‥‥‥‥‥‥‥‥　808
　　第180条‥‥‥‥‥‥‥‥‥　809
　　第181条‥‥‥‥‥‥‥‥‥　812
　　第182条‥‥‥‥‥‥‥‥‥　813
　　第183条‥‥‥‥‥‥‥‥‥　814
　　第184条‥‥‥‥‥‥‥‥‥　814

　　第185条‥‥‥‥‥‥‥‥‥　815
　　第186条‥‥‥‥‥‥‥‥‥　815
　　第187条‥‥‥‥‥‥‥‥‥　819
　　第188条‥‥‥‥‥‥‥‥‥　820
　　第189条‥‥‥‥‥‥‥‥‥　825
　　第190条‥‥‥‥‥‥‥‥‥　826
　　第191条‥‥‥‥‥‥‥‥‥　828
　　第192条‥‥‥‥‥‥‥‥‥　829
　　第193条‥‥‥‥‥‥‥‥‥　830

附則
　　第1条‥‥‥‥‥‥‥‥‥‥　832
　　第2条‥‥‥‥‥‥‥‥‥‥　832
　　第3条‥‥‥‥‥‥‥‥‥‥　832
　　第4条‥‥‥‥‥‥‥‥‥‥　833
　　第5条‥‥‥‥‥‥‥‥‥‥　834
　　第6条‥‥‥‥‥‥‥‥‥‥　839
　　第7条‥‥‥‥‥‥‥‥‥‥　839
　　第8条‥‥‥‥‥‥‥‥‥‥　840
　　第9条‥‥‥‥‥‥‥‥‥‥　840
　　第10条‥‥‥‥‥‥‥‥‥　844
　　第11条‥‥‥‥‥‥‥‥‥　845
　　第12条‥‥‥‥‥‥‥‥‥　845

　　第13条‥‥‥‥‥‥‥‥‥　845
　　第14条‥‥‥‥‥‥‥‥‥　846
　　第15条‥‥‥‥‥‥‥‥‥　846
　　第16条‥‥‥‥‥‥‥‥‥　847
　　第17条‥‥‥‥‥‥‥‥‥　847
　　第18条‥‥‥‥‥‥‥‥‥　847
　　第19条‥‥‥‥‥‥‥‥‥　848
　　第20条‥‥‥‥‥‥‥‥‥　848

別表第1‥‥‥‥‥‥‥‥‥‥　849
別表第2‥‥‥‥‥‥‥‥‥‥　851
別表第3‥‥‥‥‥‥‥‥‥‥　852

聴覚障害者等による電話の利用の円滑化に関する法律（令和2年法律第53号）
　第1章　総則（第1条から第7条）‥‥‥‥‥‥‥‥‥‥‥‥‥‥‥　855
　第2章　指定法人‥‥‥‥‥‥‥‥‥‥‥‥‥‥‥‥‥‥‥‥‥　875
　　第1節　電話リレーサービス提供機関（第8条から第19条）‥‥‥‥‥　875
　　第2節　電話リレーサービス支援機関（第20条から第29条）‥‥‥‥‥　898
　第3章　雑則（第30条・第31条）‥‥‥‥‥‥‥‥‥‥‥‥‥‥　923
　第4章　罰則（第32条・第33条）‥‥‥‥‥‥‥‥‥‥‥‥‥‥　925
　附則‥‥‥‥‥‥‥‥‥‥‥‥‥‥‥‥‥‥‥‥‥‥‥‥‥‥‥　928

電気通信事業法関係法令条文目次

電気通信事業法関係政令

電気通信事業法施行令（昭和60年政令第75号）

第1条 …………………………… 118
第2条 …………………………… 172
第3条 …………………………… 487
第4条 …………………………… 506
第5条 …………………………… 554
第5条の2 ……………………… 575
第6条 …………………………… 641
第7条 …………………………… 646
第8条 …………………………… 655
第9条 …………………………… 684
第10条 ………………………… 729
第11条 ………………………… 782
第12条 ………………………… 794
第13条 ………………………… 801
別表第1 ………………………… 655
別表第2 ………………………… 801

電気通信紛争処理委員会令（平成13年政令第362号）

第1条 …………………………… 706
第2条 …………………………… 706
第3条 …………………………… 706
第4条 …………………………… 706
第4条の2 ……………………… 706
第4条の3 ……………………… 706
第5条 …………………………… 709
第6条 …………………………… 711
第7条 …………………………… 717
第8条 …………………………… 717
第9条 …………………………… 718

第10条 ………………………… 716
第11条 ………………………… 716
第12条 ………………………… 716
第13条 ………………………… 712
第14条 ………………………… 734
第15条 ………………………… 710
第16条 ………………………… 707

現行の法律

民法（明治29年法律第89号）（抄）

第548条の2 …………………… 778
第548条の3 …………………… 779
第548条の4 …………………… 779

漁業法（昭和24年法律第267号）（抄）

第66条（抄）…………………… 675
第93条（抄）…………………… 688
第177条（抄）………………… 691

土地収用法（昭和26年法律第219号）（抄）

第3条（抄）…………………… 643

電話加入権質に関する臨時特例法（昭和33年法律第138号）（抄）

第1条 …………………………… 844

公海に関する条約の実施に伴う海底電線等の損壊行為の処罰に関する法律（昭和43年法律第102号）（抄）

第1条 …………………………… 683
第3条 …………………………… 683

電気通信分野における規制の合理化の
ための関係法律の整備等に関する法律
（平成10年法律第58号）（抄）

　附則第6条（抄）……………… 836

特定機器に係る適合性評価手続の結果
の外国との相互承認の実施に関する法
律（平成13年法律第111号）（抄）

　第2条（抄）………………… 395
　第29条 ……………………… 396
　第30条 ……………………… 396
　第31条 ……………………… 396
　第31条2項 ………………… 407
　第32条 ……………………… 397

放送法等の一部を改正する法律（平成
22年法律第65号）（抄）

　附則第7条 ………………… 446

効力を有する非現行の法律

旧公衆電気通信法（昭和28年法律第97
号）（抄）

　第38条 ……………………… 843
　第38条の2 ………………… 843
　第38条の3 ………………… 843

平成22年法律第65号による廃止前
の有線放送電話に関する法律（昭和
32年法律第152号）（抄）

　第7条………………………… 446

平成10年法律第58号による改正前
の電気通信事業法第31条（抄）

　………………………………… 836

平成15年法律第125号による改正前
の電気通信事業法第31条の4（抄）

　………………………………… 837

条約

海底電信線保護万国連合条約（明治18
年太政官布告第17号）（抄）

　第1条 ……………………… 680
　第2条 ……………………… 680
　第3条 ……………………… 680
　第4条 ……………………… 680
　第5条 ……………………… 681
　第6条（抄）………………… 681
　第12条 ……………………… 681

海底電信線保護万国連合条約罰則（大
正5年法律第20号）（抄）

　第1条 ……………………… 681
　第2条 ……………………… 681
　第3条 ……………………… 682

公海に関する条約（昭和43年条約第10
号）（抄）

　第26条 ……………………… 682
　第27条 ……………………… 682
　第28条 ……………………… 682

サービスの貿易に関する一般協定の第
4議定書（平成10年条約第1号）（抄）

　………………………………… 285

環太平洋パートナーシップに関する包
括的及び先進的な協定（平成30年条約
第16号）（抄）

　第1条………………………… 287
　第13・5条（抄）…………… 288
　第13・11条 ………………… 288

I 電気通信事業法の制定・改正経緯

1 電気通信事業法制定の背景・目的（昭和59年当時）

　高度経済成長期を経た昭和50年代半ばには、加入電話の積滞解消（昭和53年3月）及び全国自動即時化（昭和54年3月）という公衆電気通信の2大目標が達成されることとなった。しかし、同時に、コンピュータ技術及び通信技術の革新を背景として、情報通信のニーズが高度化・多様化し、付加価値データ通信、企業内通信、ニューメディアなど、完成したばかりの公衆電話サービスにとどまらない新たな情報通信サービスを円滑かつ的確に提供していく重要性が認識されるようになった（注1）。

　こうした中、データ通信分野への競争原理の導入と日本電信電話公社の経営形態の検討を提言した旧郵政省の電気通信政策懇談会の報告書「80年代の電気通信政策の在り方」（昭和56年8月24日）や、日本電信電話公社の分割民営化を提言した第2次臨時行政調査会の第3次答申（昭和57年7月30日）等を受けて、電気通信事業の効率化・活性化を図るため、長らく独占事業であった電気通信事業に全面的に競争原理を導入するとともに、端末機器や回線利用の制約を緩和することを内容とする「電気通信事業法」（昭和59年法律第86号）が制定された。併せて、日本電信電話公社の株式会社（特殊会社）化を内容とする「日本電信電話株式会社法」（昭和59年法律第85号）及び「日本電信電話株式会社法及び電気通信事業法の施行に伴う関係法律の整備に関する法律」（昭和59年法律第87号）も制定された（注2）。施行は、いずれも昭和60年4月1日であった。

　制定時においては、電気通信事業者全体を通じての規律として、通信の秘密の保護、利用の公平、重要通信の確保等が規定されるとともに、電気通信回線設備を設置する電気通信事業（第一種電気通信事業）については、電力、ガス事業と同等の参入・退出の許可制、料金等の認可制等の規律が、電気通信回線設備を設置しない事業者については、一定以上の規模の事業又は国際通信を行う電気通信事業（特別第二種電気通信事業）について参入の登録制、料金等の届出制等が、それ以外の電気通信事業（一般第二種電気通信事業）は参入・退出の届出制等の最小限の規律が適用されるという事業区分ごとの規律が設けられた。

2 主な改正経緯

（昭和62年法律第57号による改正）

　国際付加価値通信サービスを第二種電気通信事業者が提供するためには、当時の国際電気通信連合のＣＣＩＴＴ勧告Ｄ．１に従い再販が禁止されている国際専用線サービスでなく、二国間合意に基づく第一種電気通信事業者の約款外の役務を利用する必要があったこと、国内事業者に対する公正な相互接続を確保するため接続・共用協定を認可の対象とする必要があったことから、特別第二種電気通信事業者による国際付加価値通信サービス（ＶＡＮ）の提供を可能とするため、第一種電気通信事業者から第二種電気通信事業者に対して約款によらない提供条件で電気通信役務を提供するための約款外役務制度の新設、国際条約その他の国際約束遵守の確保のための業務改善命令規定の整備、国際特別第二種電気通信事業者との接続・共用の確保のための認可・命令制度の整備等が行われた。

（平成6年法律第73号による改正）

　インテルサット以外の外国通信衛星による国際衛星通信サービスの提供を可能とするため、国際衛星通信サービスのみを提供する事業者について、第一種電気通信事業の許可の欠格事由のうち外国性の制限規定の適用を排除する改正が行われた。

（平成7年法律第82号による改正）

　多様なサービスの迅速な提供と競争の促進を図る観点から、第一種電気通信事業者の電気通信役務のうち利用者の利益に及ぼす影響が比較的少ないものの料金を認可制から届出制に規制緩和するとともに、第一種電気通信事業者の契約約款について郵政大臣の定める標準契約約款に合致するものは認可を受けたこととみなす等の改正が行われた。

（平成9年法律第97号による改正）

　電気通信事業への新規参入の円滑化と事業者間の公正競争を促進するため、従来第一種電気通信事業者間で規制のレベルに差を設けていなかった体系を見直し、

(1)　「規制緩和推進計画」（平成8年3月29日閣議決定）等を踏まえ、第一種電気通信事業の許可基準から過剰設備防止条項等を削除すること、

(2)　第一種電気通信事業者に対して他の電気通信事業者との原則的接続義務を課

すとともに、接続することが他の電気通信事業者の事業展開上不可欠な電気通信設備として郵政大臣が指定するもの（指定電気通信設備）を設置する第一種電気通信事業者に対して当該指定電気通信設備に係る接続約款の作成、それに従った接続協定の締結、接続会計の整理、接続に必要な情報の提供、当該指定電気通信設備の機能の変更・追加に関する計画の公表の義務等を課すこと

(3)　第一種電気通信事業者との接続命令、裁定制度を拡充すること

(4)　電気通信事業者は電気通信番号の利用に当たって郵政省令で定める基準に適合することを義務付けること

等の改正が行われた (注3)。

（平成 9 年法律第 100 号による改正）

世界貿易機関（ＷＴＯ）の「サービスの貿易に関する一般協定第 4 議定書」の実施に伴い、第一種電気通信事業の許可の欠格事由のうち外国性の制限に係るものを削除するとともに、外国人等の取得した株式の取扱いに関する規定を削除することとし、平成 6 年に緩和された国際衛星通信サービスを含め全ての分野へ外国企業の参入を可能とする改正が行われた (注4)。

（平成 10 年法律第 58 号による改正）

民間事業者の規制の軽減と行政の合理化を図るため、

(1)　多様化する利用者ニーズに第二種電気通信事業の枠組みのままで応えることを可能とするため、第二種電気通信事業者について、当該第二種電気通信事業者のネットワークの一部を利用する場合であって、利用者の選択により通常回線に代えて提供される場合に限り、端末系伝送路設備を自ら設置することを認めること

(2)　国内特別第二種電気通信事業の従来の規模による基準を見直して、公－専－公接続（電話サービスなどの提供のために専用線の両端に公衆網を接続すること）により音声伝送役務を提供する場合に限定すること

(3)　第一種電気通信事業者の料金について原則事前届出制に規制緩和し、電話等の基本的サービス（特定電気通信役務）についてはいわゆるプライスキャップ規制を導入すること

(4)　端末機器の技術基準適合認定の申請者の負担軽減と基準認証制度の国際的整合性を図る観点から、端末機器の技術基準適合認定において端末機器の試験を

行う内外の民間事業者の試験データの活用、一定の要件を満たす外国の認定機
関による認定の受入れ、端末機器の設計毎の認証制度の導入を行うこと
等の改正が行われた。また、併せて、

(5) 昭和60年以来国際電信電話株式会社のシェアが低下し、競争が進展してい
ること、競争事業者の国際電気通信ネットワークの構築も世界各地に対してほ
ぼ同等の水準に達しつつあることから、国際電信電話株式会社法を廃止して、
国際電信電話株式会社を純粋な民間会社とした (注5)。

（平成12年法律第79号による改正）

電気通信事業者間の公正競争の促進のため、指定電気通信設備を設置する第一
種電気通信事業者の接続料の原価算定方式として「長期増分費用方式」を導入す
るため、接続料の原価の算定方法を改めるとともに、当該接続に係る機能毎に通
信量等の記録を義務付けること等の改正が行われた。

高度で新しい電気通信技術の導入によって役務の提供の効率化が見込まれる機
能については、その効率化による費用の低廉化を接続料の原価算定に反映させる
ため、現実に発生した費用に基づき算定される従来の方式（歴史的費用方式）で
はなく、現時点で利用可能な効率的な設備を用いて、接続により増加する通信量
又は回線数に応じて新たに構築した場合の費用に基づき算定される方式（長期増
分費用方式）を採用することとしたものである。

（平成13年法律第62号による改正）

電気通信事業の公正競争の促進等を図る観点から、

(1) 移動通信用の電気通信設備についても相当な規模で設置されるものについて
指定電気通信設備の制度の対象（第二種指定電気通信設備）とし、接続約款の
作成・公表等を義務付けること

(2) 第一種指定電気通信設備又は第二種指定電気通信設備を設置する市場支配的
事業者に対して、市場支配力を利用した一定の反競争的行為を禁止するととも
に、第一種指定電気通信設備を設置する第一種電気通信事業者に対し、特定関
係事業者との役員兼任禁止及び不公正取扱いの禁止（ファイアウォール規制）
を義務付けること

(3) 電気通信役務の契約約款及び電気通信設備の接続・共用に関する協定の認可
制を緩和し、第一種指定電気通信設備に係るもの（接続協定については第一種

指定電気通信設備又は第二種指定電気通信設備に係るもの）を除き、事前届出
制とすること

⑷　約款外役務制度を拡大して、特別第二種電気通信事業者が提供することがで
き、かつ、第一種電気通信事業者が提供を受けることもできる卸電気通信役務
制度とし、第一種電気通信事業者については個別認可制を契約約款の事前届
出・個別契約の事後届出制に緩和すること

⑸　「規制緩和推進３か年計画（再改定）」（平成12年12月31日閣議決定）を踏ま
えて、端末機器の技術基準適合認定を行う機関の公益法人要件を撤廃すること

⑹　地域通信市場においても競争が進展しつつある中、電話等あまねく全国に提
供されるべき電気通信役務（基礎的電気通信役務）の提供を確保するため、一
定の接続電気通信事業者から、収益額に応じた負担金を徴収して、一定の要件
を満たす基礎的電気通信役務を提供する事業者として指定された事業者（適格
電気通信事業者）に対して、基礎的電気通信役務の提供に要する費用が収益を上
回る額の一部に充てるための交付金を交付する制度負担金制度を導入すること

⑺　電気通信事業者間の接続形態の複雑化、紛争事案の高度化・多様化に対応し、
かつ紛争処理の迅速化を図るため、電気通信事業者間の接続等に係る紛争に対
してあっせん・仲裁を行う電気通信事業紛争処理委員会を総務省内に国家行政
組織法（昭和23年法律第120号）第８条に基づく機関として設置すること

等の改正が行われた。

（平成15年法律第125号による改正）

法制定後17年余りを経て、インターネットの普及など急激な技術革新や事業
者間の競争の進展など、電気通信事業における環境の変化を踏まえ、

⑴　電気通信事業の参入制度の見直しとして、第一種電気通信事業及び第二種電
気通信事業の区分を廃止するとともに、第一種電気通信事業の許可制を廃止し
て登録制（一定の規模以上の電気通信回線設備を設置する場合）又は事前届出
制に改めること、また、第一種電気通信事業の休廃止の許可制及び事業の承継
の認可制を廃止して事後届出制に改めること

⑵　業務に係る規定の見直しとして、

①　料金及び契約約款に関する規制の緩和

電気通信役務に係る料金その他の提供条件についての事前規制を原則とし
て廃止すること。ただし、基礎的電気通信役務の適切、公平かつ安定的な提

供を確保するため、基礎的電気通信役務の料金その他の提供条件について契約約款を定め、事前届出する義務を残すとともに、指定電気通信役務について、適正な料金その他の提供条件に基づく提供を保障することにより利用者の利益を保護するため、その料金及び提供条件について保障契約約款を作成し、事前届出する義務を残すこと

② 利用者保護に関する規定の創設

電気通信事業者及び電気通信役務の提供に関する契約の締結の媒介、取次ぎ又は代理を業として行う者に対し、国民の日常生活に係る電気通信役務の提供に関する契約の締結等をするときは、料金その他の提供条件の概要について説明義務を課すとともに、電気通信事業者に対し、その業務の方法等についての苦情及び問合せについて適切かつ迅速に処理する義務を課すこととし、併せて、電気通信事業者が事業を休廃止しようとするときは、利用者に事前に周知しなければならないこととすること

③ 接続・共用等に関する規制の緩和

接続約款及び接続協定の事前届出義務を第一種又は第二種指定電気通信設備を設置する電気通信事業者を除き廃止、第一種若しくは第二種指定電気通信設備に係る認可接続約款又は届出接続約款により締結した個別の接続協定の届出義務を廃止、第一種指定電気通信設備の共用に関する協定の認可制度を事前届出制に緩和、その他の電気通信設備の共用に関する協定の事前届出義務を廃止、及び、卸電気通信役務の提供契約の事前届出義務を廃止すること

④ 事後的な担保措置等に関する規定整備

事前規制の緩和・廃止に伴い、事後的な担保措置として、業務改善命令、接続・共用等に係る総務大臣の裁定・命令制度等を拡充するとともに、接続の際に重要通信の円滑な実施を確保するための必要な措置を講ずることを電気通信事業者に義務付けること

(3) 事業用電気通信設備の技術基準適合維持義務を、電気通信回線設備を設置する電気通信事業者及び基礎的電気通信役務を提供する電気通信事業者に限定するとともに、事業開始前の技術基準適合性の確認を総務大臣による確認制度から自己確認制度に緩和すること

(4) 端末機器の技術基準適合認定を国の代行機関としての指定認定機関による認定制度から、一定の要件を満たせば登録を受け得る登録認定機関による認定制

度又は製造業者等による自己確認制度（特定端末機器に限る。）に改めるとともに、認定試験事業者制度を廃止すること。事後的な監督措置として、報告・検査規定の拡充、端末提出命令、措置命令、妨害防止命令、表示禁止措置等の規定を創設すること

(5) 第一種電気通信事業の許可制度の廃止に伴い、電気通信回線設備を設置する電気通信事業者は、土地等の使用その他いわゆる公益事業特権の付与が必要な場合には、その電気通信事業の全部又は一部について総務大臣の認定を受けることができる制度を創設し、認定を受けた電気通信事業者は、公益事業特権を得る代わりに、事業開始義務、役務提供義務、事業承継の認可制等の規制が課せられることとすること

等の改正が行われた。

　これら（(4)を除く。）については、①電気通信事業者間の相互接続の円滑化のための接続制度の整備や卸電気通信役務の導入などの施策により、各事業者が大規模な回線設備を全て自前で設置しなくても、他の電気通信事業者の電気通信回線設備との接続や、卸電気通信役務契約を通じてネットワークの構築が可能となってきたことや、②ＩＰ（インターネットプロトコル）化の進展により、各事業者が共通のプロトコルを利用してネットワークを接続することが一般化し、電気通信ネットワーク自体が電話のような利用者間のエンド・エンドの回線設定を行う統合型の全国的なネットワークから、多数の事業者による分散型のＩＰネットワークへ急速に移行しつつあるとともに、ルータ等の汎用的な設備を活用できることから、各電気通信事業者にとってはネットワーク構築が急速に容易化しつつあり、電気通信回線設備の設置の有無による新規参入の容易性や想定される事業規模といった事業の形態による事業の性質の差異は減少してきたこと、また、③法制定当初、第一種電気通信事業及び特別第二種電気通信事業において音声サービスや国際通信サービス等経済的・社会的に影響の大きいサービスの提供を想定し、一般第二種電気通信事業において企業向けサービスを想定していたものが、（ア）ＩＰ電話サービス等不特定多数の利用者への音声サービスを一般第二種電気通信事業者が提供することも可能となったこと、（イ）インターネットの普及を背景に一般第二種電気通信事業が提供するインターネット接続サービス等についても国民生活や社会経済活動に占める比重が高まってきたこと、（ウ）一方、第一種電気通信事業者においても専ら卸電気通信役務を提供するものや企業向けのＩＰ・データ系の電気通信役務を提供するものも登場したこと、（エ）か

つて各国の独占事業体による共同事業として想定されていた国際通信サービスについても、ＷＴＯでの基本電気通信合意等による国際通信の自由化やインターネットの世界的な普及により、その特殊性が低下しつつあることから、実態的にも電気通信回線設備の設置の有無や、国際通信サービスの提供の有無といった事業の形態によって事業規律に差異を設ける必然性は乏しくなってきたことといった環境の変化が前提となっている。

こうした状況を踏まえ、平成14年度に総務省において電気通信事業法の見直しの検討が行われ、第一種、特別第二種、一般第二種という事業区分を設け、その事業区分ごとに一律に差異を設けた規律体系を設けるのではなく、参入・退出、業務、電気通信設備、紛争処理、土地の使用等電気通信事業に関する規律の種類ごとに、現在の市場やネットワーク構造等を踏まえつつ、必要な事業者に対して適切な規律を課すことができるような規律の体系に変更するとともに、全般的に規制緩和し、事後規制型の規律とすることとなったものである。

なお、(4)については、政府全体の指定法人制度の見直しの方針等を受け端末機器の技術基準適合認定制度を大幅に見直し、登録認定機関や自己確認制度を導入することとしたものである (注6)。

（平成19年法律第136号による改正）

一部の電気通信事業者の事業運営に不適切な事例があったことを踏まえ、電気通信事業者に対する業務改善命令の強化のため、電気通信事業者に対する業務改善命令の対象を、電気通信役務提供上の問題のみならず、事業の運営が適正かつ合理的でないため、電気通信の健全な発達又は国民の利便の確保に支障が生ずるおそれがある場合に拡大する改正が行われた。

（平成22年法律第65号による改正）

放送法制の大改正や通信・放送分野のデジタル化の進展に対応した制度の整理・合理化のため、

(1)　放送局設備供給役務は形式的に電気通信事業に該当するが、放送法の規律を優先させるため、基幹放送局設備を基幹放送の業務の用に供する役務を電気通信事業の定義から除外すること

(2)　放送事業と電気通信事業の相互参入の促進のため、基幹放送に付随して無線局の無線設備を基幹放送以外の無線通信の用に供する役務の提供について、電

気通信事業法の登録の対象とせず、届出制に緩和すること

(3) 第二種指定電気通信設備を設置する電気通信事業者に対し、接続会計の整理・公表を義務付けること

(4) 電気通信設備設置用工作物の共用に関する電気通信事業者間の紛争について、電気通信事業紛争処理委員会(注7)のあっせん、仲裁の対象とするとともに、総務大臣が協議命令及び裁定を可能とすること

(5) 電気通信事業紛争処理委員会の扱う紛争の対象に、届出制の適用除外となる第3号事業を営む者（電気通信設備を用いて他人の通信を媒介する電気通信役務以外の電気通信役務（ドメイン名電気通信役務を除く。）を、電気通信回線設備を設置することなく提供する電気通信事業を営む者）を追加すること

等の改正が行われた。

（平成23年法律第58号による改正）

市場支配的事業者の業務委託先子会社による反競争的行為が発生したことに対応するため、大きな市場支配力を有する第一種指定電気通信設備を設置する電気通信事業者（市場支配的事業者）による子会社を通じた反競争的行為を禁止するため、禁止行為として、①当該子会社が反競争的行為を行わないよう、市場支配的事業者に対して、当該子会社の適切な監督を義務付けること、②市場支配的事業者と他の電気通信事業者との間の適正な競争関係を確保するため、市場支配的事業者に対して、その設備部門と営業部門との隔離等、接続業務に関して知り得た情報を適正に管理するための体制（ファイアウォール）の整備を義務付けること、を追加する等の改正が行われた。

なお、併せて東日本電信電話株式会社及び西日本電信電話株式会社が地域電気通信業務を営むために保有する設備を活用して行う電気通信業務等に係る認可制を事前届出制に緩和するための日本電信電話株式会社等に関する法律の改正が行われた。

（平成26年法律第63号による改正）

携帯電話を中心とするサービスの多様化による電気通信設備構成の複雑化、及びスマートフォンの普及等による通信量増加等に対応できず、電気通信サービスの重大な事故が増加したことに鑑み、電気通信事業者による事故防止の取組を適切に確保するため、

(1) 電気通信設備の技術基準維持義務の対象者に、内容、利用者の範囲等からみて利用者の利益に及ぼす影響が大きいサービスを提供する電気通信事業者として総務大臣が指定する者を追加すること

(2) 事業用電気通信設備について定められる管理規程の実効性を確保するために、記載事項に設備管理の方針、体制、方法等の記載を義務付けるとともに、総務大臣による管理規程の変更命令、遵守命令を可能とすること

(3) 設備管理の業務について経営レベルの統括管理責任者として、電気通信設備統括管理者を選任し、総務大臣に届け出ることを義務付け、必要な場合に総務大臣による解任命令を可能とすること

(4) 電気通信主任技術者による監督の実効性を確保するため、その職務及び権限の内容を総務省令で定めることにより明確化し、電気通信事業者に対しその地位の強化を義務付けるとともに、登録講習機関による講習の受講を義務付けること

(5) 技術基準適合認定等の表示が付されている端末機器を組み込んだ製品に、同一の表示を付することができることとすること、及び、携帯電話端末について、総務大臣に登録を行った修理業者については、修理の適切性を自己確認し、表示を付することができること

等の改正が行われた。

（平成27年法律第26号による改正）

電気通信事業の公正な競争の一層の促進及び電気通信サービスの利用者の利益の保護を図るため、

(1) ＦＴＴＨアクセスサービスの卸電気通信役務の提供等、第一種指定電気通信設備又は第二種指定電気通信設備を用いる卸電気通信役務の提供について、事後届出制とするとともに、届出内容を総務大臣が整理・公表する制度を整備すること

(2) 移動体通信の禁止行為規制を緩和し、第二種指定電気通信設備を設置する市場支配的事業者のグループ外に限り関連企業との連携を可能とすること

(3) 第二種指定電気通信設備を設置する電気通信事業者の接続ルールについて、総務省令で定める部分のみを接続（アンバンドル）できるようにするとともに、接続料の算定制度を明確化すること

(4) 電気通信事業の登録制度について、第一種指定電気通信設備又は第二種指定

電気通信設備を設置する電気通信事業者が他の主要事業者等と合併・株式取得等をする場合には、登録の更新を義務付け、事業運営や公正競争に与える影響を審査すること

⑸　電気通信事業者に対し、契約締結後に契約締結書面の交付を義務付けるとともに、利用者は書面受領後8日間以内に書面により契約解除をできることとすること

⑹　電気通信事業者及び媒介等業務受託者に対して、主要なサービスに関して、料金等の利用者の判断に影響を及ぼす重要事項について不実告知や事実不告知を禁止するとともに、強引な勧誘を継続する行為を禁止すること

⑺　インターネットのドメイン名の名前解決サービスの信頼性を確保するため、主要な事業者に対し、電気通信事業の届出、管理規程の作成・届出等を義務付けるとともに、公共性の高い特定の事業者に会計の整理、公表等を義務付けること

等の改正が行われた。

　⑴は、第一種指定電気通信設備又は第二種指定電気通信設備を用いる卸電気通信役務の提供の公平性、適正性、透明性を確保するため、平成15年法律第125号による本法の改正で非規制となった分野に改めて事後届出制等を導入するものである。⑵は、移動通信市場における市場支配的事業者の禁止行為規制を緩和し、グループ外の製造業者等との連携を可能とすることで多様な新サービスの創出に資するものである。⑶は、ＭＶＮＯの事業展開を促進するため、第二種指定電気通信設備を設置する電気通信事業者との接続について、必要な部分だけを、総務省令で定めた接続料の算定制度で借りることができるようにするものである。⑷は、第一種指定電気通信設備又は第二種指定電気通信設備を設置する電気通信事業者が他の主要事業者と合併・株式取得等をする場合に公正競争に与える影響等を審査するため、登録の更新を新たに義務付けるものである。⑸及び⑹は、電気通信サービスの利用者の一層の保護の観点から、契約の締結後に契約締結書面の交付を義務付けるとともに、初期契約解除制度を導入し、併せて、重要事項の不実告知や事実不告知、執拗な勧誘行為を禁止行為として定め、これらについて媒介等業務受託者に対する電気通信事業者の指導等の措置を義務付けるものである。⑺は、インターネットが重要な社会インフラとなった状況を踏まえ、インターネットのドメイン名の管理をする主要な事業者について、その業務の確実かつ安定的な提供を確保するため、電気通信事業者として必要最小限の規律を課すこととし

たものである。

（平成30年法律第24号による改正）

　ＩｏＴ化に伴う電気通信設備に対するサイバー攻撃の深刻化やネットワークの
ＩＰ網への移行に対応するため、

(1)　サイバー攻撃の送信元となるマルウェア感染機器やそれらに指令を出すサー
　バへの対処を促進するため、第三者機関を通じて電気通信事業者が必要な情報
　共有をすることができるよう認定送信型対電気通信設備サイバー攻撃対処協会
　の認定制度を創設し、電気通信設備に対するサイバー攻撃の送信元の電気通信
　設備に係る電気通信事業者に対して、当該サイバー攻撃への対処を求める通知
　を行う等の業務を行わせること (注8)

(2)　モバイル化やＩｏＴ化に伴うニーズ増大による番号の逼迫やＩＰ網移行に対
　応した全ての事業者による番号管理の必要性から、電気通信番号の公平・効率
　的な使用と電話サービスの円滑な提供のため、総務大臣は、使用条件等を記載
　した電気通信番号計画を作成し、電気通信番号を使用しようとする電気通信事
　業者は、電気通信番号使用計画を作成し、総務大臣の認定を受けなければなら
　ない等の規定を整備すること

(3)　利用者の利益に大きな影響を及ぼす電気通信サービスの終了が予定されてい
　ることから、電気通信業務を休廃止する電気通信事業者は、あらかじめ、利用
　者に対して総務省令で定める事項を周知させるとともに、利用者の利益に及ぼ
　す影響が大きい電気通信役務に関る業務の休廃止については、その周知に係る
　事項を総務大臣に事前に届け出なければならないこととすること

等の改正が行われた。

（令和元年法律第5号による改正）

　電気通信事業の公正な競争の促進及び電気通信役務の利用者の利益の保護を図
るため、

(1)　適正な競争関係を確保するために必要があるものとして指定された移動電気
　通信役務を提供する電気通信事業者に対して、適正な競争関係を阻害するおそ
　れのある利益の提供や、契約の解除を不当に妨げることにより適正な競争関係
　を阻害するおそれのある料金その他の提供条件を約し、又は約させることを禁
　止すること

⑵　利用者の利益を保護する必要性の高い一定の電気通信役務を提供する電気通信事業者の禁止行為に、契約の締結に先立って、自己の名称等を告げずに勧誘する行為等を追加すること

⑶　販売代理店等の媒介等業務受託者（利用者の利益を保護する必要性の高い一定の電気通信役務の提供に関する契約の締結の媒介等の業務を行おうとする者）に対し総務省への届出制度を導入し、電気通信事業者の業務に関する規定を準用し、適切な業務の実施を確保すること

等の改正が行われた。

（令和２年法律第30号による改正）

　人口減少等の社会構造の変化、電気通信市場のグローバル化等に対応し、電気通信サービスに係る利用者利益等を確保するため、

⑴　外国法人等が提供するプラットフォームサービス（電気通信事業に該当）の普及に鑑み、国内の利用者の保護、国内外の電気事業者間の競争上の公平性を確保するため、外国法人等が電気通信事業を営もうとする場合には、登録・届出の際に国内代表者等を定めなければならないこととすること

⑵　外国法人等に対する規律の実効性を高めるため、総務大臣は電気通信役務の利用者の利益の保護又はその円滑な提供を確保するため必要かつ適当であると認めるときは、電気通信事業法令又は処分に違反する行為を行った者の氏名又は名称等を公表できることとすること

⑶　適格電気通信事業者は基礎的電気通信役務を提供する電気通信設備を技術基準に適合するように維持しなければならないこととすること

⑷　第一種指定電気通信設備を設置する電気通信事業者の役員が兼任を禁止される会社の対象範囲を画する子会社の定義を拡大し、当該法人が議決権の過半数を直接保有する場合に加え、間接に保有する場合を含むものとすること

等の改正が行われた。

　なお、併せてＮＴＴ東日本及びＮＴＴ西日本によるユニバーサルサービスの維持のための経済的負担の増大に鑑み、無線設備等他の電気通信事業者が設置する電気通信設備を用いて電話サービスを提供することを可能とするため、ＮＴＴ東日本及びＮＴＴ西日本が、所要の要件を満たす場合に限って、総務大臣の認可を受けて、他の電気通信事業者の電気通信設備を用いて電話の役務を提供できるようにするために、日本電信電話株式会社等に関する法律の改正が行われた。

（令和４年法律第70号による改正）

　電気通信事業を取り巻く環境変化を踏まえ、電気通信役務の利用者の利益の保護等を図るため、

⑴　従来の電話の役務に加え、高速度データ伝送電気通信役務（ブロードバンドサービス）を第２号基礎的電気通信役務（ユニバーサルサービス）として位置づけ、不採算地域における提供を確保するための交付金制度を創設すること、具体的には、第２号基礎的電気通信役務の範囲等を総務省令で定め、全国の地域を不採算の度合いに応じ一定の要件に該当するものを一般支援区域と、特別支援区域に指定し、支援区域ごとに第二種適格電気通信事業者を指定し、年度ごとに基礎的電気通信役務支援機関が第二種交付金を算定、ブロードバンドサービス事業者から徴収した負担金を原資に、指定された第二種適格電気通信事業者に第二種交付金として交付することとした。

⑵　利用者の利益に及ぼす影響が大きい電気通信役務を提供する者として指定された電気通信事業者において、特定利用者情報（通信の秘密に該当する情報や利用者を識別することができる情報）の適正な取扱いを確保するため、当該指定された電気通信事業者に対し、情報取扱規程の策定及び届出、情報取扱指針の策定及び公表、特定利用者情報の取扱状況の評価、特定利用者情報統括管理者の選任及び届出、特定利用者情報の漏えい時の報告を義務付け、総務大臣が必要と認める場合には、業務改善命令等により是正を求めることができることとした。また、電気通信事業者又は第３号事業を営む者が、利用者の端末設備に記録された当該利用者に関する情報を、当該利用者以外の者に送信させようとするときには、送信されることとなる利用者に関する情報の内容、当該情報を取り扱うこととなる者の氏名又は名称、当該情報の利用目的について、利用者に対して通知する又は容易に知り得る状態に置くこと等を義務付けた。

⑶　第一種指定電気通信設備又は第二種指定電気通信設備を用いた卸電気通信役務が、広く一般利用者が利用するサービスの提供のために多くの事業者に用いられているものの、料金が高止まりしているとの指摘があったこと等に鑑み、第一種指定電気通信設備及び第二種指定電気通信設備を用いる特定卸電気通信役務に提供義務を課し、提供を受けようとする電気通信事業者との契約締結に関する協議において、協議の円滑化に資する事項として総務省令で定める事項の提示を正当な理由なく拒否できないこととすること

⑷　電気通信事業法の適用除外の例外として、従来のドメイン名電気通信役務の

ほか、利用者の利益に及ぼす影響が大きいものとして総務省令で定める検索情報電気通信役務及び媒介相当電気通信役務を追加し、当該役務を提供する者として総務大臣が指定する者を電気通信事業の届出の対象とすること

(5) 認定送信型対電気通信設備サイバー攻撃対処協会が行う業務の対象となるサイバー攻撃の範囲について、攻撃に先立って行われる攻撃先となる電気通信設備を探査する行為と合理的に特定できる電気通信の送信（攻撃先設備探査）を追加すること

等の改正が行われた。特に、課題であったブロードバンドサービスの不採算地域での提供を確保する方策と、検索サービスやＳＮＳの提供事業者を含む大規模な電気通信事業者による特定利用者情報の適正取扱いの確保が盛りこまれたことが大きな改正となった。

（注1）　電信は、明治２年、電話は明治23年に明治政府により開業されたことにさかのぼる。当初電信は政府の利用に限定されていたが、明治18年の電信条例（明治18年太政官布告第８号）の制定により、均一料金制のもとで一般国民の利用が可能となり、明治23年には電話が電信事業に加えられた。明治33年には、電信条例を改め、電信電話の政府（通信省）独占、私設電気通信設備の許可制、電信電話の利用料金、利用条件等を定めた電信法（明治33年法律第59号）が施行された。

第二次大戦後引き続き通信省による国営事業であった電信電話事業は、昭和24年６月通信省から分離して設置された電気通信省の所管となり、さらに、日本電信電話公社法（昭和27年法律第250号）に基づき、昭和27年８月から日本電信電話公社による独占事業として運営されることとなり（電気通信省は廃止。）、間もなく、国際電信電話株式会社法（昭和27年法律第301号）に基づき昭和28年４月に国際通信は日本電信電話公社から分離され、国際電信電話株式会社の独占事業として運営されることとなった。さらに、これに伴い、昭和28年８月には、有線電気通信設備の規律と公衆電気通信の取扱いに関する事項を併せて規律していた電信法が廃止され、公社等による公衆電気通信サービスの提供に関する利用関係について民法（明治29年法律第89号）の特例等を定めた公衆電気通信法（昭和28年法律第97号）が制定された。

国内通信を公社という公共事業体に移行したのは、戦災からの電信電話の復興と増大する電信電話需要に応えるためには、予算の制約や財務、会計、人事管理等で制約の多い国営事業から、企業的能率的経営を可能とする独立の企業体とする必要があるとともに、事業の公共性、独占性、国家による保護の必要性から、民間事業と国営事業の中間である公共企業体が適当と判断されたことによる。一方、国際通信は、国際通信分野での通信権益をめぐる外国事業者との競争があること、技術・

業務面で特殊な分野であること、外国事業者も民営形態が多いことから、政府の保護・監督のもとで、自主性・機動性をもった株式会社とすることが適当であると判断されたことによる。

（注２）　これらの三法を合わせて電電改革三法と称することがある。

（注３）　電気通信事業法の改正ではないが、この年に日本信電電話株式会社を持株会社と東西の事業会社に再編成することを内容とする日本電信電話株式会社法の改正が行われた（平成９年法律第98号）。

（注４）　例外として、日本電信電話株式会社において外資制限がある（日本電信電話株式会社等に関する法律第６条）。

（注５）　ただし、国際電報については、利用が減少しつつあり、競争事業者の参入も期待できないため、引き続き国際電信電話株式会社（その承継会社を含む。）の独占が維持された。

（注６）　なお、これらを併せて改正前の170か条中90か条を改正する大改正を機に従来の条番号を統一整理し、本則を193か条の通し条に整理することとした。

（注７）　併せて地上基幹放送の再放送の同意に関する紛争処理の事務も追加したことから、電気通信事業紛争処理委員会の名称が電気通信紛争処理委員会に改められた。

（注８）　同時に国立研究開発法人情報通信研究機構の業務に、パスワード設定に不備がある機器にアクセスして特定し、そのＩＰアドレス等を第三者機関を通じて電気通信事業者に通知する業務を追加（５年間の時限）することにより、当該電気通信事業者が行う利用者への注意喚起等の対策を促進することを内容とする国立研究開発法人情報通信研究機構法（平成11年法律第162号）の改正が行われた。

（参考文献）

電気通信関係法コンメンタール編集委員会編
　　　『電気通信関係法詳解（上・下）』（一二三書房1973）
電気通信法制研究会編著
　　　『逐条解説電気通信事業法』（第一法規出版1987）
多賀谷一照・岡崎俊一編著
　　　『改正電気通信事業法逐条解説』（電気通信振興会2005）
多賀谷一照、岡崎俊一、岡崎毅、豊嶋基暢、藤野克編著
　　　『電気通信事業法逐条解説』（電気通信振興会2008）
藤田潔・高部豊彦監修、高島幹夫著
　　　『実務電気通信事業法』（ＮＴＴ出版 2015）
多賀谷一照監修　電気通信事業法研究会編著
　　　『逐条解説電気通信事業法（改訂版）』（情報通信振興会2019）

Ⅱ　主な制度の沿革

1　公衆電気通信事業の事業主体に関する制度の沿革（第9条等関係）

① 電信の創業（明治2年）と官設独占の決定（明治5年）

　我が国の公衆電気通信は、明治2年12月に横浜・東京間の有線電気通信設備により公衆向けの電信が取り扱われた（東京・横浜伝信局「伝信機之布告」（明治2年11月））ことをもって嚆矢とし、その当初から日本政府による取扱いが行われた。電信線の私設は、その当初禁じられていたわけではなかったが、明治5年9月、工部省では、今後は伝送路の私設を認めないこととする方針を打ち出し、太政官で裁可を受けて、電信線の官設独占が政府の方針として決定された。その理由としては、第一に、民間設置の伝送路では政府の機密保持に不便であること、第二に、国際上影響があることが挙げられた（大蔵省『工部省沿革報告』（明治21年）501頁、通信省電務局『帝国大日本電信沿革史』（明治25年）159頁）。

　明治7年7月、電信線の私設は、「各地官設ノ本線ヘ接続スル支線架設」について解禁する（明治7年工部省布達第18号）こととされた。これは、電信線の私設は、あくまで官設の公衆電信網の補助手段としてのみ認めるということであり、この旨は、同年8月に電信私線規則（明治7年工部省布達第21号）が定められ、「私線ヲ許可スルト雖モ必官線ニ接続セシムル事」（第2条）として、明示された。同年9月に制定された日本帝国電信条例（明治7年太政官布告第98号）では、その第3条において「日本政府電信寮ハ日本帝国外ノ各地ヘ又ハ各地ヨリ伝送スル電報ヲ除キ日本帝国中ニ電報ヲ伝送シ及ヒ受取リ取集メ届渡等一切関係ノ事務ヲ取扱フ専任ノ権ヲ有ス」と定められ、国内通信については専ら政府により取扱いがなされることが明示された。これを改正した明治18年5月（施行は7月）の電信条例（明治18年太政官布告第8号）は、「従来電信料ノ義ハ土地ノ遠近ニ依テ料金ニ等差ヲ立ルノ制ニ有之候処」、これを改めて、「電信料金ヲ一定シ其切手ヲ発行スル」こととするもので、この中でも、第19条の規定において、「電信切手ハ日本政府ニ於テ発行セシモノタルヘシ」ことが明定された（「電信条例改正ノ件」『公文録』明治18年第127巻）。

　国際公衆電気通信の始まりは、明治4年、デンマークの大北電信会社がウラジオストックや上海からの海底電信線を長崎に陸揚げして運用し、外国電報の取扱いを開始したことによる。日本政府による取扱いは、明治11年3月に

沿革（第9条関係）

始められた（明治11年工部省布達第4号）。（大北電信会社による海底電信線の運用は、昭和15年6月1日に海底線長崎端の運用を逓信省に引き渡し、長崎での海底線の陸揚げを昭和18年4月30日限りで終了するまで継続された。）（「大北電信会社ニ対スル措置ニ関スル件」『公文雑纂』昭和15年第57巻）

②　官設による電話の創業（明治23年）

　電信に次いで、電話の業務の開始が検討された。明治16年から18年にかけて、工部省から電話創業の建議が太政官に対してなされ、官設を主張する工部省に対し、太政官では民設の検討を指令した（若宮正音「電話創業の回顧」『逓信協会雑誌』第29号電話創業廿年記念号（通信協会、明治43年）14頁、「第三拾壱号電話線新設之儀ニ付再伺」『公文録』明治十七年）。しかしながら、内閣制度発足後、逓信省では電話を政府の事業として行うこととし、明治22年に政府としてその方針を決定した（逓信省編纂『逓信事業史』第4巻（通信協会、昭和15年）75-80頁）。

　明治22年1月、東京・熱海間で試験的に公衆に対して電話通信が開かれ（明治21年逓信省告示第215号）、明治23年12月、東京・横浜間で電話交換の業務が開始された（明治23年逓信省告示第262号）。

③　「政府之ヲ管掌ス」の原則の法定（明治33年）

　明治33年、「現行電信条例ハ明治十八年ノ制定ニ係リ電信事業、電話事業ノ著シキ発達ヲ為セル今日ニ在リテハ斯業行動ノ準縄タル可キ法規ノ不備欠漏ヲ感スルコト尠カラサル」ものがある（「電信法案理由書」『公文類聚』第24編第26巻）との認識のもとに、公衆通信の用に供する電信・電話に適用する法律として、新たに電信法（明治33年法律第59号）が制定された。

　同法では、その第1条において「電信及電話ハ政府之ヲ管掌ス」と規定し、電信・電話については、政府が自ら経営し、その事業を専掌する原則を明らかにした。設備の私設は、第2条の規定において認められたが、その対象としては、専用に供するため施設するもの等に限定された。事業の政府専有の論拠としては、軍事、外交、内政就中警察における秘密の保護等が挙げられている（川村竹治『電信法要義』（交通學館、明治33年）5-15頁）。

　無線通信については、明治33年逓信省令第77号が電信法を無線電信に準用させ、政府管掌の原則が無線電信にも適用されることとされた。この省令では、設備私設について定める電信法第2条の規定は準用されず、無線設備の私設は、認められないこととなったが、この点については、大正4年、「無線電信電話

沿革（第9条関係）

ノ進歩発達ニ伴ヒ其ノ私設ヲ認ムル」（「無線電信法案理由書」『公文類聚』第39
編第16巻）ために、無線電信法（大正4年法律第26号）が制定されることで
改められた。いずれにしても、無線電信法では、その第1条で「無線電信及無
線電話ハ政府之ヲ管掌ス」と定められたことに明らかなように、政府管掌の原
則には変わりなく、無線設備の私設は、航行安全目的、実験専用目的等につき
逓信大臣の許可により認めることとされた。

　国内通信においては、公衆通信の取扱いと共にその設備も国の独占が長く維
持されてきたが、国際通信については、昭和22年までは、政府以外の事業体
による設備の建設等も行われてきた。大正14年、日本無線電信株式会社法（大
正14年法律第30号）により設立された日本無線電信株式会社が対外無線電信
施設の建設保守を行うこととされ、昭和7年には国際電話株式会社が設立され、
国際無線電話施設の建設保守を行うこととされた（国際電話株式会社『国際電
話株式会社事業誌』）。両社は昭和13年に合併し、国際電気通信株式会社が発
足した（日本無線電信株式会社法は、国際電気通信株式会社法と改称（昭和
12年法律第44号））。（「日本無線電信株式会社法中ヲ改正ス」『公文類聚』第61
編第78巻）

　戦後になり、昭和22年、連合国最高司令官覚書を受けて国際電気通信株式
会社法が廃止され（昭和20年勅令第542号ポツダム宣言の受諾に伴い発する命
令に関する件に基き国際電気通信株式会社法を廃止する等の政令（昭和22年
政令第53号））、解散された国際電気通信株式会社の施設は、政府に引き継が
れた。

④　電電公社・国際電電による一元的運営体制への移行（昭和27年、28年）

　公衆電気通信事業の国営は、昭和27年に終了し、公共企業体・特殊会社に
よる一元的運営に順次移行した。

　公衆電気通信事業の合理的・能率的な経営の体制を確立し、公衆電気通信設
備の整備・拡充を促進し、電気通信による国民の利便を確保することで、公共
の福祉を増進するためには、国会及び政府から必要な監督を受けることによっ
て公共性を確保するとともに、事業経営上財務、会計、人事管理等の面におい
て国にある制約を脱し、民営の能率的経営技術を取り入れた自主的な企業活動
を行い得る企業体である公社形態での事業経営が最も適当であるとして、日本
電信電話公社法（昭和27年法律第250号）が制定され、公共企業体である日本
電信電話公社（電電公社）が昭和27年8月に発足することとなった。国際電

沿革（第9条関係）

気通信については、他国との競争関係等により、一層徹底した企業活動の自由
と機動性とを確保するため民営とすることとして、国際電信電話株式会社法
（昭和27年法律第301号）が制定され、特殊会社である国際電信電話株式会社
（国際電電）が昭和28年4月に発足することとなった。

　この動きと並行して、電信・電話の政府管掌を定めた電信法・無線電信法に
ついても見直しが進められた。電信法では、日本電信電話公社法の制定に際し
て、第1条ノ2の規定が設けられ、「公衆通信ノ用ニ供スル電信及電話ニ関ス
ル業務ハ日本電信電話公社ヲシテ之ヲ行ワシム」とし、また、国際電信電話株
式会社法の制定に際しては、この条文にただし書が加えられて、「但シ主務大
臣ハ日本国外国間ニ於ケル電信及電話ニ関スルモノハ国際電信電話株式会社ヲ
シテ之ヲ行ワシムルコトヲ得」とされて、公衆通信業務は、電電公社と国際電
電が一元的に行うこととした。電信法を廃止して新たに定められた有線電気通
信法（昭和28年法律第96号）では、政府管掌の考え方はなくなったが、一元
的な公衆通信業務の考え方は引き継ぎ、「有線電気通信設備を設置した者（公
社及び会社を除く。）は、業としてその設備を用いて他人の通信を媒介し、そ
の他その設備を他人の通信の用に供してはならない」（有線電気通信法第10条。
ただし書あり。）との規定が設けられた。また、電波の政府管掌から有効適切
な利用へと方針を展開させるため、無線電信法を廃止して新たに制定された電
波法（昭和25年法律第131号）においては、当初こそ、その第4条の規定にお
いて、公衆通信業務を行うことを目的とする無線局は、国でなければ、開設す
ることができないものとしていたが、上述の日本電信電話公社法及び国際電信
電話株式会社法の制定を経て、「公衆通信業務（公衆の一般的利用に供する無
線通信の業務をいう。・・・）を行うことを目的とする無線局は、日本電信電
話公社又は国際電信電話株式会社でなければ、開設することができない」（電波
法第4条第2項）等と規定されることとなった。このように、国内の公衆電気
通信役務は電電公社が、国際公衆電気通信は国際電電が各々一元的に提供する
こととされ、「日本電信電話公社及び国際電信電話株式会社が迅速且つ確実な
公衆電気通信役務を合理的な料金で、あまねく、且つ、公平に提供することを
図る」（第1条）ことを目的とする公衆電気通信法（昭和28年法律第96号）が
制定され、昭和28年8月1日に施行された。

　公衆電気通信業務の一元的運営の論拠としては、国家や企業の秘密、個人の
プライバシー等に関する通信の秘密を取り扱うものであるため、その業務主体

には高度の信頼性が要求されていること等が挙げられた。（郵政省電気通信監理官室監修、電気通信関係法コンメンタール編集委員会編著『電気通信関係法詳解』上巻（一二三書房、昭和48年）15頁）

⑤　データ通信回線使用契約による回線利用制度の創設（昭和46年、57年）

　昭和39年頃のデータ通信の登場を契機として、昭和46年5月の公衆電気通信法改正（昭和46年法律第66号）（データ通信関係規定は、一部を除き、9月1日施行。）により、電電公社・国際電電によるデータ通信サービスの提供をデータ通信設備使用契約として制度化（当時の公衆電気通信法第55条の19から第55条の22まで）し、引き続き電電公社・国際電電による一元的運営体制を原則としつつも、データ通信のための通信回線の利用形態として、電気通信回線に利用者が設置する電子計算機等を接続してデータ通信を行うデータ通信回線使用契約の制度が設けられた。これに併せて有線電気通信法が改正され、有線電気通信設備を設置した者（電電公社・国際電電を除く。）について、「その設備が公衆電気通信法第55条の9に規定するデータ通信回線使用契約に基づき接続したものであるとき」（第10条第8号の2）には、業としてその設備を用いて他人の通信を媒介し、その他その設備を他人の通信の用に供する途が開かれた。

　ただ、これには大きな制限があった。データ通信回線使用契約のうち電電公社・国際電電の専用線に電子計算機等を接続して行うものは、当時特定通信回線使用契約と分類され（当時の公衆電気通信法第55条の10第1号）、その契約に係る電気通信回線を他人の通信の用に供する（他人使用）ための契約は、電電公社・国際電電が郵政大臣の認可を受けて定める基準に適合する場合に限り電電公社・国際電電はその申し込みを承諾することができるとされており（同法第55条の13第1項）、その基準で認められていたのは、一の電子計算機の本体と一の入出力装置との間に終始するデータ通信（いわゆる「行って帰って来い」）のためのものであった。特定通信回線使用契約では、2人以上の者が同一の電気通信回線を使用する形態（共同使用）も想定されていた（同法第55条の11第2項）が、これについても、郵政省令で定める基準において、製造又は販売についての継続的な契約を締結する製造業者・卸売業者・小売業者間等の特定の業務上の関係を有する者の共同使用（内容を変更することなく情報を媒介する電子計算機の本体の使用に係る場合を除く。）に限定されていた（当時の公衆電気通信法施行規則第4条の13）。

沿革（第9条関係）

　昭和57年、上記の他人使用の限定が緩和され（電電公社・国際電電の定めた基準において、①全ての電子計算機の本体で内容を変更することなく情報を媒介する電子計算機の本体の使用に係る場合、②電子計算機等を用いて内容を変更することなく他人の通信を媒介する場合を除外。）、また、共同使用における限定も緩和された（郵政省令で定める基準で、同一の業務を行う又は業務上緊密な関係を有する2人以上の者等の共同使用（①全ての電子計算機の本体で内容を変更することなく情報を媒介する電子計算機の本体の使用に係る場合、②共同使用の一方が電子計算機等を用いて内容を変更することなく他方の通信を媒介する場合を除く。）に限定（当時の公衆電気通信法施行規則第4条の13））。他人使用については、中小企業者についての暫定的な特例措置が採られた。即ち、「公衆電気通信法第55条の13第2項の場合等を定める臨時暫定措置に関する省令」（昭和57年郵政省令第55号）が定められ、電電公社や国際電電以外の者であっても、「当分の間、中小企業者（・・・）を主とし、業務上その間の通信を必要とする特定の者のため、内容を変更することなく当該中小企業者等の通信を媒介する業務」については、データ通信回線使用契約に基づき、業としてその設備を用いて他人の通信を媒介することができるようになった。

⑥　競争原理の導入と第一種・第二種電気通信事業の制度の創設（昭和60年）

　電電公社及び国際電電による事業運営によって、戦争により荒廃した電気通信設備が復興し、電気通信網の整備拡充が進められ、昭和53年3月には加入電話の積滞解消、翌年3月には電話の全国自動即時化が達成されるに到った。昭和56年3月に設置された臨時行政調査会は、翌年7月の「行政改革に関する第3次答申—基本答申—」において、「今後の電気通信事業は技術革新を基礎として、量的拡大から質的充実の時代に移行していくものと考えられ」るとし、そのためには、今後の電電公社「の経営形態は基本的には民営化の方向で改革すべきであ」り、「基幹回線分野における有効な競争を確保するため、・・・当該分野における新規参入を一定の条件を満たせば認める」ことを提言した。

　こういった動きを受けて、電気通信技術の発展に伴い、電気通信役務に対する国民の需要も著しく高度化・多様化しつつあり、単一の事業体では適切に対応することが次第に困難となりつつあるとの認識のもと、高度情報社会を形成していくためには、その基盤的役割を担う電気通信分野に競争原理を導入することにより、電気通信事業の一層の効率化・活性化を図ることが不可欠であるとして、これまでの公衆電気通信法にかえて、新たに競争原理と民間活力を生

沿革（第9条関係）

かした電気通信事業法（昭和59年法律第86号。以下「本法」という。）が制定
され、昭和60年4月1日から施行された。（また、日本電信電話株式会社法（昭
和59年法律第85号）が制定され、電電公社は民営化されて日本電信電話株式
会社（NTT）に移行、日本電信電話公社法は廃止された。）

　制定当初の本法では、電気通信事業の種類を、電気通信回線設備を設置して
電気通信役務を提供する第一種電気通信事業と、それ以外の第二種電気通信事
業とした（第6条）。

　そして、第一種電気通信事業を営もうとする者については、事業の安定性、
確実性を確保するため、郵政大臣の許可を受けなければならないこととし（第
9条）、1）その事業の提供に係る電気通信役務が需要に照らし適切なもので
あること、2）電気通信回線設備が著しく過剰とならないこと、3）経理的基
礎及び技術的能力があること、4）事業の計画が確実で合理的であること、5）
事業の開始が電気通信の健全な発達のために適切であることが審査されること
とされ（第10条）、法令違反者等と外国性のある者（外資比率3分の1以上等）
について許可の欠格事由が定められた（第11条）。外国性の制限の論拠として
は、電気通信は国民経済・国民生活を支える中枢的機能を担うとともに、警察・
防災等国としての基本的な機能の維持にも関わるため、国の安全保障、国民の
生命・財産の保護の見地から、非常時における重要通信の確保等に万全を期す
ことが必要であること、とりわけ、第一種電気通信事業については、その設備
産業的性格や役務提供の基盤たる伝送路設備がインフラストラクチャー的性格
を有することに鑑み、外国企業等による支配は国益を害するおそれが強いこと
が挙げられた。

　また、第二種電気通信事業を営もうとする者については、多種多様な通信需
要に応じた電気通信役務の提供が予想される分野であるので、原則として届け
出なければならないこととし（第22条）、特別第二種電気通信事業、すなわち、
不特定多数を対象とする全国的・基幹的事業及び外国との間の事業を営もうと
する者については、この社会的・経済的重要性に鑑みて適切な業務運営が行わ
れるよう、郵政大臣の登録を受けなければならないこととして（第24条）、法
令違反者等、経理的基礎・技術的能力を有しない者等については、登録が拒否
されるものとした（第26条）。

　併せて、有線電気通信法、電波法等の関係法律中、公衆電気通信業務の一元
的運営を前提としていた規定については、所要の改正が行われた。

23

沿革（第9条関係）

⑦　電気通信事業者の参入要件の緩和（平成6年から10年まで）

　本法の施行後、その数次にわたる改正により、電気通信事業者の参入要件が緩和された。

　平成6年法律第73号による本法の改正では、第一種電気通信事業者の許可の欠格事由のうち外国性の制限に係るものについては、人工衛星の無線局の無線設備等のみを設置して国際電気通信事業を営もうとする者であって、国内に営業所を有する者には、適用しないこととした。

　平成9年法律第97号による本法の改正では、「規制緩和推進計画の改定について」（平成8年3月29日閣議決定）において「過剰設備防止条項等（電気通信事業法第10条第1号及び第2号）を削除する」ことが決定された（別紙1「規制緩和等の具体的措置」2（1）①（c）（i））のを受け、第一種電気通信事業者の許可の基準のうち、「その事業の提供に係る電気通信役務が需要に照らし適切なものであること」及び「電気通信回線設備が著しく過剰とならないこと」を撤廃した。

　平成9年法律第100号による本法の改正では、サービスの貿易に関する一般協定の第4議定書の実施に伴い、第一種電気通信事業の欠格事由のうち外国性の制限に係るものについて削除することとした（外国性の制限は、日本電信電話株式会社法及び国際電信電話株式会社法で維持された）。

　平成9年11月18日、経済対策閣僚会議において「21世紀を切りひらく緊急経済対策」がとりまとめられ、「特別第二種電気通信事業の範囲を、国際通信を提供する第二種電気通信事業及び、公専公接続により不特定かつ多数の者に対して音声役務を提供する第二種電気通信事業に限定し、これに該当しないものは一般第二種電気通信事業とする」ことと「第二種電気通信事業者に対する回線設備の保有につき一部解禁する」ことが決定された。これを受け、平成10年法律第58号による本法の改正では、第二種電気通信事業者について、一定の要件の下で、自ら設置した端末系伝送路設備を用いて電気通信役務を提供することができるようにし、また、国内業務を営む特別第二種電気通信事業について、規模基準を廃止し、専用回線を介して公衆網を相互に接続して不特定かつ多数の者に音声を伝送する電気通信役務を提供する第二種電気通信事業に限定することとした。

　なお、平成10年法律第58号では、国際電信電話株式会社法が廃止され、国際電電の完全民営化が実現した。

沿革（第9条関係）

第一種・第二種電気通信事業者の参入状況
（昭和60年から平成16年まで。4月1日現在（平成16年のみ3月1日現在）。）

	昭和60年 （1985）	昭和61年 （1986）	昭和62年 （1987）	昭和63年 （1988）	平成元年 （1989）	平成2年 （1990）	平成3年 （1991）
第一種電気通信事業者	2	7	13	37	45	62	68
特別第二種電気通信事業者	0	9	10	18	25	28	31
一般第二種電気通信事業者	85	200	346	512	668	813	912
合計	87	216	369	567	738	903	1,011

	平成4年 （1992）	平成5年 （1993）	平成6年 （1994）	平成7年 （1995）	平成8年 （1996）	平成9年 （1997）	平成10年 （1998）
第一種電気通信事業者	70	80	86	111	126	138	153
特別第二種電気通信事業者	36	39	44	44	50	78	95
一般第二種電気通信事業者	1,000	1,498	2,028	2,063	3,084	4,510	5,776
合計	1,106	1,617	2,158	2,218	3,260	4,726	6,024

	平成11年 （1999）	平成12年 （2000）	平成13年 （2001）	平成14年 （2002）	平成15年 （2003）	平成16年 （2004）
第一種電気通信事業者	178	249	342	384	414	422
特別第二種電気通信事業者	88	101	113	112	115	114
一般第二種電気通信事業者	6,514	7,550	8,893	10,025	10,789	11,930
合計	6,780	7,900	9,348	10,521	11,318	12,466

⑧　第一種・第二種電気通信事業の事業区分の廃止（平成16年）

　　平成14年8月、情報通信審議会は、「ＩＴ革命を推進するための電気通信事業における競争政策の在り方についての最終答申」を取りまとめ、「ネットワーク構築の柔軟性の向上やインフラ設備の多様化の進展により、事業者がＩＰ化やブロードバンド化に対応した様々なネットワークやサービスを自由に組み合わせた事業展開が可能となるものであること等を勘案すると、回線設備の設置の有無に着目した現行の一種・二種の事業区分を廃止し、参入規制の大幅な緩和（一種事業に係る許可制の廃止）を図ることにより、柔軟な事業展開を可能とすることが適当であると考えられる」と提言した。規制改革推進3か年計画（再改定）（平成15年3月28日閣議決定）では、「電気通信事業における事業区分について、新規参入を一層促進する観点から、一種・二種の事業区分の廃止、参入規制の大幅な緩和（許可制の廃止）等、全般的に規制水準を引き下げる方向で抜本的に制度を見直していく」こととされた。

沿革（第9条関係）

　これらに対応して、平成15年法律第125号による本法の改正により、電気通信事業におけるネットワーク構造や市場構造の変化に柔軟に対応するとともに電気通信事業者の多様な事業展開を促すため、第一種・第二種電気通信事業の区分を廃止するとともに、第一種電気通信事業の許可制を廃止して登録制又は事前届出制へと改めることとされた（平成16年4月1日施行）。

登録事業者・届出事業者の参入状況
（平成16年から令和6年まで。4月1日現在。）

	平成16年 (2004)	平成17年 (2005)	平成18年 (2006)	平成19年 (2007)	平成20年 (2008)	平成21年 (2009)	平成22年 (2010)
登録事業者	299	312	315	324	324	320	323
届出事業者	12,155	12,778	13,459	13,972	14,171	14,763	14,927
合計	12,454	13,090	13,774	14,296	14,495	15,083	15,250

	平成23年 (2011)	平成24年 (2012)	平成25年 (2013)	平成26年 (2014)	平成27年 (2015)	平成28年 (2016)	平成29年 (2017)
登録事業者	323	329	324	322	314	309	315
届出事業者	15,246	15,180	15,692	15,999	16,409	17,210	17,862
合計	15,569	15,509	16,016	16,321	16,723	17,519	18,177

	平成30年 (2018)	平成31年 (2019)	令和2年 (2020)	令和3年 (2021)	令和4年 (2022)	令和5年 (2023)	令和6年 (2024)
登録事業者	319	327	327	332	330	334	338
届出事業者	18,760	19,491	20,620	21,581	22,781	23,938	25,196
合計	19,079	19,818	20,947	21,913	23,111	24,272	25,534

⑨　インターネット接続関連事業の拡大（平成28年、令和5年）

　本法では、電気通信設備を用いて他人の通信を媒介する電気通信役務以外の電気通信役務を電気通信回線設備を設置することなく提供する電気通信事業について、第3条、第4条及び第157条の2（平成22年法律第65号により追加。）の規定を除き、本法の規定は適用しないこととしてきた。しかしながら、インターネット利用の拡大の中で、これら事業のうち、インターネットの基本的機能の信頼性に強い影響を及ぼすものや、社会経済活動において重要なものについて、本法の適用が見直されてきた。

　具体的には、まず、平成27年法律第26号により、DNS（Domain Name System）の信頼性に強い影響を及ぼすドメイン名電気通信役務（入力された

ドメイン名の一部又は全部に対応してIPアドレスを出力する機能を有する電気通信設備を電気通信事業者の通信の用に供する電気通信役務のうち、確実で安定的な提供を確保する必要があるもの）を提供する電気通信事業が本法の適用を受けることになった。

そして、令和4年法律第70号により、社会経済活動における重要性を有する検索情報電気通信役務（入力された検索情報に対応して当該検索情報が記録されたウェブページのドメイン名等を回答する電気通信役務であって、大規模なもの）を提供する電気通信事業及び媒介相当電気通信役務（不特定の者から情報を受信し、電気通信設備に記録又は入力をされた当該情報を不特定の者の求めに応じて送信する電気通信役務（SNS等）であって、大規模なもの）を提供する電気通信事業が、本法の適用を受けることとなった。

2 基本的な公衆電気通信役務の確保に関する制度の沿革（第7条等関係）

① 独占により提供される公衆電気通信役務の確保（昭和60年まで）

基本的な公衆電気通信役務の全国における提供の確保については、本法の制定前は、独占的な事業体による役務の提供条件を法令で定めることで図られてきた。

それが包括的に整備された昭和28年の公衆電気通信法では、同法の目的を、「日本電信電話公社及び国際電信電話株式会社が迅速且つ確実な公衆電気通信役務を・・・、あまねく・・・提供することを図ることによつて、公共の福祉を増進すること」においた（同法第1条）ように、公衆電気通信役務が都市、農山漁村などを問わず全国あまねく提供されるべきことは、電電公社及び国際電電に対して公衆電気通信役務の独占的提供を認めた趣旨から当然のことと考えられた。そして、公衆電気通信役務は、天災事変その他の非常事態が発生した場合その他特にやむを得ない事由がある場合で重要通信を確保するため必要があるときを除き、これを停止できないこととし（同法第6条）、電報については、あて所配達の義務規定（同法第19条）を、電話については、加入電話加入申込に対する電電公社の承諾の義務規定（同法第30条）を設け、また、加入電話加入者が一定の条件に該当する行為をした場合に限り、その加入電話契約を解除することができることとする（同法第42条）等、同法第2章から第4章までの各規定で基本的な公衆電気通信役務を定め、その利用権、請求権

27

沿革（第7条関係）

を保障する考えが採られた。（郵政省電気通信監理官室監修、電気通信関係法コンメンタール編集委員会編著『電気通信関係法詳解』下巻（一二三書房、昭和48年）4、5頁等）

　なお、その公衆電気通信役務を担う電電公社を設立する日本電信電話公社法では、電電公社の目的を、「公衆電気通信事業の合理的且つ能率的な経営の体制を確立し、公衆電気通信設備の整備及び拡充を促進し、並びに電気通信による国民の利便を確保することによつて、公共の福祉を増進すること」（同法第1条）と法定し、電電公社は、その「目的を達成するために必要な業務を行う」こととした。当時においては、電電公社の目的・業務として、設備の整備・拡充に力点が置かれていた。

② 　競争原理導入後の公衆電気通信役務の確保

　1⑥で見たとおり、電気通信分野に競争原理を導入することとなり、これまでの公衆電気通信法にかえて、本法が制定され、また、日本電信電話公社法にかわる日本電信電話株式会社法が制定され、昭和60年までに施行された。

　公衆電気通信役務の確保については、制定当時の日本電信電話株式会社法において、同法で設立したＮＴＴは、「国内電気通信事業を経営することを目的とする株式会社とする」（同法第1条第1項）とされ、また、国内電気通信事業の中でも電話の役務の重要性に鑑み、電電公社の全国的ネットワークを受け継ぐＮＴＴに対して、「国民生活に不可欠な電話の役務を適切な条件で公平に提供することにより、当該役務のあまねく日本全国における安定的な供給の確保に寄与」し、「もつて公共の福祉の増進に資するよう努めなければならない」（同法第2条）と規定することで担保を図った。

　ＮＴＴは、日本電信電話株式会社法の一部を改正する法律（平成9年法律第98号）により再編成され、同法による改正後の日本電信電話株式会社等に関する法律により、それまでのＮＴＴの業務のうち同法第2条第3項第1号に規定する地域電気通信業務に該当する業務を東日本電信電話株式会社（ＮＴＴ東日本）及び西日本電信電話株式会社（ＮＴＴ西日本）に引き継がせることとなった。改正された同法では、改正前の規定による一定の電気通信役務の確保を新しい枠組みで規定し直した。即ち、同法では、まず、ＮＴＴ東日本及びＮＴＴ西日本は、「地域電気通信事業を経営することを目的とする株式会社とする」（第1条第2項）とし、両社は、「その目的を達成するため、次の業務（筆者註：地域電気通信業務）を営むものとする」とした。そして、両社の持株会

社として同法で設立したＮＴＴ及びＮＴＴ東日本・ＮＴＴ西日本は、「それぞれその事業を営むに当たつては、・・・国民生活に不可欠な電話の役務のあまねく日本全国における適切、公平かつ安定的な提供の確保に寄与」し、「もつて公共の福祉の増進に資するよう努めなければならない」(第3条) と定めた。

③　基礎的電気通信役務の提供支援の制度の創設

　　ただ、電気通信市場の競争が進展した中で、採算地域において、電話サービスに係る地域間費用補填のための原資の確保が他方で困難になってきたことから、電話に係る基礎的電気通信役務の提供を確保するための新しい枠組みとして、平成13年法律第62号による本法の改正において基礎的電気通信役務支援機関の支援業務の制度が創設された。

　　本制度において、適格電気通信事業者 (現在の第一種適格電気通信事業者)による基礎的電気通信役務 (現在の第1号基礎的電気通信役務) の提供に要する費用について、他の電気通信事業者が応分の負担を行うこととされた。その理由は、①接続電気通信事業者等は、適格電気通信事業者の加入者回線等により利益を受けている一方、加入者回線等に係る費用は一部を加入者が基本料として負担する以外は全て適格電気通信事業者が負担することとなり、接続電気通信事業者等は負担していないこと、②仮に、加入者回線等の費用を接続電気通信事業者等から回収しようとすると、各地域の加入者回線等の費用の算定とそのためのシステムの整備・運用に膨大な費用がかかると予想されるため、個別の回収は困難と考えられたことにある。

　　本制度は平成14年から施行されたものの、当初は現実には稼働していなかった。平成17年になり、交付金 (現在の第一種交付金) 及び負担金 (現在の第一種負担金) の額の算定方法を変更するとともに、社団法人電気通信事業者協会 (現在の一般社団法人電気通信事業者協会) の支援機関としての指定 (平成17年12月27日)、ＮＴＴ東日本・ＮＴＴ西日本の適格電気通信事業者としての指定 (平成18年3月) が行われ、平成18年度より制度が稼働している。

　　高速度データ伝送電気通信役務に係る基礎的電気通信役務の提供の確保については、令和4年法律第70号による本法の改正で、基礎的電気通信役務支援機関の支援業務に追加する形で第2号基礎的電気通信役務を提供する第二種適格電気通信事業者へ第二種交付金を交付する制度が創設された。(これに伴い、従前からの電話に係る基礎的電気通信役務は第1号基礎的電気通信役務、適格電気通信事業者は第一種適格電気通信事業者、負担金は第一種負担金、交付金

沿革（第7条関係、第19条）

は第一種交付金とされた。）

3　公衆電気通信役務の料金に関する制度の沿革（第19条等関係）

① 電信料金の布告（明治2年）

　　明治2年 12 月に横浜・東京間の有線電気通信設備による公衆向け電信が開始されるに際し、東京・横浜伝信局は、我が国最初の公衆電気通信法令である「伝信機之布告」（明治2年11月）において7箇条を規定した。その第3箇条は、「代銀ノ定メハカナ一字ニ付価銀壹分ノ割合ヲ以可払事」とするもので、仮名1文字当たり銀1分（1／4両）の料金を定めており、また、東京・横浜の伝信局から離れた場所には早飛脚の料金が里数に応じて加算されることが第4箇条で定められた。

　　このように、公衆電気通信役務の料金は、その当初から法令で定められた。この後、電信線路の開通や電信局の増加に伴いその都度布告などで提供条件が定められ、その内容は区々になっていた。明治6年8月13日の大日本政府電信取扱規則（明治6年太政官布告第300号）は、「和文ハ宛名住所ヲ除キ仮字20字迄ヲ1音信ト定メ其余ハ10字ヲ限リトス」（第5）といった基本事項を一括した規定を設けたが、料金は個別に定められ、例えば、明治5年4月15日の工部省の布告（音信表）では、東京より横浜、沼津をはじめとする電信局までの音信料を記載しており、電信局から経過局を経る毎に音信料が逓増していくものとなっていた。

　　大日本政府電信取扱規則を明治12年5月に全面改正した電信取扱規則（明治12年工部省布達第9号）（7月施行。）においては、字数の計算方法などを含め、提供条件が詳細化されたが、他方で、料金については、「但各地ノ通信料ハ別ニ賃銭表アリ」（第3篇第1章）として依然として個別に定めるものとした。

② 布達・省令による料金の設定

1）布達・省令による電信料金の均一設定（明治18年）

　　明治 18 年5月（施行は7月）、太政官は、電信条例（明治 18 年太政官布告第8号）により従前の日本帝国電信条例及び電信取扱規則等を廃止して法令を一新し、「従来電信料ノ義ハ土地ノ遠近ニ依テ料金ニ等差ヲ立ルノ制ニ有之候処」、これを改めて、「電信料金ヲ一定シ其切手ヲ発行スル」こととした（「電信条例改正ノ件」『公文録』明治18年第127巻）。これは、国内の料金を均一的に規定しようとするもので、具体的には、その第8条において、

沿革（第19条関係）

「凡電報料ハ国内ヲ通シテ同一ト為ス但一市内ニ発著スルモノハ此限ニアラ
ス」とし、第9条では、「電報料及手数料ノ金額ハ別ニ布達ヲ以テ之ヲ定ム」
とする規定を置き、電信の料金については、布達（内閣制移行後は省令）で
定められることとなった。これを受けて、新しく定められた電信取扱規則
（明治18年太政官布達第7号）では、第37条の規定で「国内（一市内ヲ除ク）
通スル電報料左ノ如シ」として、和文の場合、片仮名10字以内は1音信で金
15銭、10字以内を加える毎に金10銭を増額するとし、第38条の規定で、「一
市内ニ発著スル電報料左ノ如シ」として、和文の場合、片仮名10字以内は1
音信で金5銭、10字以内を加える毎に金10銭を増額すると定めた。

2）　電話交換の業務開始と省令による料金の規定（明治23年）

通信省では電話交換の業務開始を検討、明治22年1月に東京・熱海間で
試験的に公衆に対して電話通信が開かれたが、その際の提供条件は、これに
先立ち、明治21年12月29日に5箇条の電話通信手続（明治21年通信省告示
第215号）で、「電話料ハ5分時間以内ヲ金15銭トス5分時間以内ヲ加フル
毎ニ金15銭ヲ増課ス」（第2条）等と定められた。

明治23年12月、東京・横浜間で電話交換の業務が開始された（明治23年
通信省告示第262号）。電話の料金等の提供条件については、これに先立ち、
省令で定められた。即ち、電話交換規則（明治23年通信省令第7号）が同
年4月に定められ、その中で、料金である「電話線及電話器ノ使用料」、「電
話料」については、別に定めるとし（同省令第11条及び第15条）、これを受
けて、同日に明治23年通信省令第8号において、東京市内について、前者
は1箇所年額50円、後者は1通信時（5分）5銭と定められた。

電話業務の拡大に伴い、省令の規定が整備された。明治30年の第2次電
話交換規則（明治30年通信省令第31号）では、第29条で「加入登記料、電
話使用料、附加使用料、電話料、電話線接続料及機械移転料ノ金額ハ別ニ之
ヲ定ム」とし、その具体的金額は、同日の明治30年通信省令第32号で定め
られた。

3）　電信法による省令委任（明治33年）

明治33年、公衆通信の用に供する電信・電話に適用する法律として、新
たに電信法（明治33年法律第59号）が制定された。そこでは、第17条の規
定において、「電信又ハ電話ニ関スル料金・・・ハ命令ノ定ムル所ニ依ル」
とし、料金を通信省令で定めることが改めて明示された。

沿革（第19条関係）

　これを受けて、電信（電報）の料金は、電報規則（明治33年逓信省令第
46号）で規定された。
　また、電話の料金に関しては、従来からの電話交換規則は明治39年に廃
止され、それに替わる電話規則（明治39年逓信省令第25号）で規定された
（第35条）。電話の発展に伴い、その提供条件も詳細となり、大正３年には、
省令の規定を分けて、電話規則で「電話ニ関スル料金」(電話使用料（年額の
基本料及び市内通話の度数料等）及び加入登記料等）を、また、電話通話規
則（大正３年逓信省令第38号）で「通話ニ関スル料金」(通話料及び呼出料
等）を規定した。このうちの前者は、昭和12年に単行省令七つと共に廃止
され、包括的に規定を整備した第２次電話規則（昭和12年逓信省令第73号）
（加入料、電話使用料（年額の基本料及び市内通話の度数料等）、附加使用料
等の各種料金を第50条から第68条までに規定。）に合流した。
③　電信・電話料金の法定制（昭和23年、28年）
　戦後、新憲法の下で昭和22年に財政法（昭和22年法律第34号）が制定され、
その第３条で「租税を除く外、国が国権に基いて収納する課徴金及び法律上又
は事実上国の独占に属する事業における専売価格若しくは事業料金については、
すべて法律又は国会の議決に基いて定めなければならない」とする原則が定め
られた。これに関しては、財政法第３条の特例に関する法律（昭和23年法律
第27号）において、その特例が設けられたが、当時は、電信電話に関する料
金はこの特例の対象から除外されており、電信電話料金法（昭和23年法律第
105号）が定められ、電信及び電話に関する料金が法定された。即ち、同法の
第１条では、「公衆通信の用に供する電信（無線電信を含む。以下同じ。）及び
電話（無線電話を含む。以下同じ。）に関する料金は、この法律の定めるとこ
ろによる」とし、全ての公衆電気通信料金が同法の第２条の規定を受けて、別
表１（電信に関する料金）及び別表２（電話に関する料金）で法定された（電
信法第17条における料金の省令委任の規定は、電信電話料金法附則により削
られた）。
　電電公社及び国際電電による公衆電気通信役務の一元的運営が導入されると、
昭和28年、「日本電信電話公社及び国際電信電話株式会社が迅速且つ確実な公
衆電気通信役務を合理的な料金で、あまねく、且つ、公平に提供することを図
る」(第１条）ことを目的とする公衆電気通信法が制定されて電信電話料金法が
廃止された。公衆電気通信法では、料金法定の原則を踏襲する一方で、法定の

対象は、通常電報の料金、電話使用料、通話料、公衆電話料、専用設備たる回線の専用の料金等のうちの主要な料金として、これを同法別表で定め、それ以外は、原則として、電電公社又は国際電電が「郵政大臣の認可を受けて定める」（第67条第2項）こととされた。

④　第一種電気通信事業者の料金の認可制（昭和60年）

公衆電気通信役務の一元的運営が廃止され、競争原理を導入する本法が制定されると、料金法定の原則も廃止され、電気通信役務の料金は電気通信事業者において定めることとされた。

昭和60年に施行された制定当時の本法では、電気通信回線設備を設置して電気通信役務を提供する第一種電気通信事業者の料金については、原則として認可制とした。即ち、当時のその第31条の規定において、「第一種電気通信事業者は、電気通信役務に関する料金その他の提供条件（郵政省令で定める事項・・・に係るものを除く。）について契約約款を定め、郵政大臣の認可を受けなければならない」（第1項）とし、「郵政大臣は、前項の認可の申請が次の各号に適合していると認めるときは、同項の認可をしなければならない」として、次の6号について適合性の審査が行われることとされた（第2項）。

1)　料金が能率的な経営の下における適正な原価に照らし公正妥当なものであること

2)　料金の額の算出方法が適正かつ明確に定められていること

3)　第一種電気通信事業者及びその利用者の責任に関する事項並びに電気通信設備の設置の工事その他の工事に関する費用の負担の方法が適正かつ明確に定められていること

4)　電気通信回線設備の使用の態様を不当に制限するものでないこと

5)　特定の者に対し不当な差別的取扱いをするものでないこと

6)　重要通信に関する事項について適切に配慮されているものであること

また、第二種電気通信事業（第一種電気通信事業以外の電気通信事業）であって不特定多数を対象とする全国的・基幹的事業及び外国との間の事業を営む特別第二種電気通信事業者については、当時の第31条第5項において、「特別第二種電気通信事業者は、電気通信役務に関する料金その他の提供条件（郵政省令で定める事項に係るものを除く。）について契約約款を定め、その実施前に、郵政大臣に届け出なければならない」として、届出制が採られた。

認可対象料金の具体的な算定方法については、昭和61年1月30日の電気通

沿革（第19条関係）

信審議会答申「電気通信料金の算定方法に関する基本的な考え方」が、総括原価方式での具体的な算定方法を提言し、郵政省では、これを踏まえて、サービス単位の料金収入見込額を原則として総括原価に一致させるよう料金を算定するものとする「電気通信料金算定要領」（昭和61年3月17日郵電業第19号）を策定した。

　この後、行政手続法の施行に際して、改めて、平成6年に電気通信事業法関係審査基準（平成6年達第2号）の別紙として上記の内容を基本的に踏襲した「電気通信料金算定要領」が定められ、この算定方法が認可の審査基準として明示された。平成13年の省庁再編後は、電気通信事業法関係審査基準（平成13年総務省訓令第75号）がこれを踏襲している。

⑤　認可制から届出・業務改善命令制への移行と上限価格方式の導入（平成7年、10年）

　電気通信事業の競争促進の観点から、平成7年法律第82号による本法の改正により、第一種電気通信事業者の電気通信役務に関する料金について届出制が創設され、電気通信役務のうちその内容、利用者の範囲等からみて利用者の利益に及ぼす影響が比較的少ないものとして郵政省令で定めるものに関する料金が認可制から届出制に移行された。（契約約款は、料金等を除く電気通信役務に関する提供条件について定めるものとされ、認可制が維持された（当時の第31条の2）。平成13年法律第62号による本法の改正で、第一種指定電気通信設備を用いる電気通信役務の提供に関するものを除き、契約約款も届出制に移行している。）

　平成9年11月18日、経済対策閣僚会議で「21世紀を切りひらく緊急経済対策」が取りまとめられ、「民間活力を活用した経済全体の体質強化、活性化を図るとともに、我が国経済の構造変革を大胆に進めるため」として、「電気通信料金の個別認可制を原則廃止し、届出制に移行するとともに、インセンティブ方式を導入する旨、具体的内容を年内に決定した上、次期通常国会に所要の法律案を提出する」ことが決定された。

　これを受けた平成10年法律第58号による本法の改正では、第一種電気通信事業者の料金について、原則として届出制とし（当時の第31条第1項）、料金の適正性を事後的に担保する料金変更命令の制度を設け（同第2項）、1）料金の額の算出方法が適正かつ明確に定められていないとき、2）特定の者に対し不当な差別的取扱いをするものであるとき、3）他の電気通信事業者との間

沿革（第19条関係）

に不当な競争を引き起こすものであり、その他社会的経済的事情に照らして著しく不適当であるため、利用者の利益を阻害するものであるときのいずれかに該当すると認めるときは、郵政大臣は、第一種電気通信事業者に対し、相当の期限を定め、当該料金を変更すべきことを命ずることができることとされた。

また、特定電気通信役務の制度を創設し、特定電気通信役務（指定電気通信設備を設置する第一種電気通信事業者が当該指定電気通信設備を用いて提供する電気通信役務であって、その内容、利用者の範囲等からみて利用者の利益に及ぼす影響が大きいものとして郵政省令で定めるもの）に関する料金については、上限価格方式による規制が導入された（当時の第31条第3項から第7項まで）。これは、郵政大臣が定めた基準料金指数を超える水準に変更する場合のみ郵政大臣の認可の対象とするものである。

ただし、電報の料金については、ＮＴＴ及び国際電電（又はその承継人）の独占性が維持されるため、料金認可制が維持されることとされた（附則第5条の解説を参照のこと）。

⑥　電話に係る基礎的電気通信役務の契約約款及び指定電気通信役務の保障契約約款制度の創設（平成16年）

平成15年法律第125号による本法の改正では、第一種・第二種電気通信事業者の区分の廃止に合わせ、電話に係る基礎的電気通信役務の適切、公平かつ安定的な提供を確保するため、基礎的電気通信役務に関する料金その他の提供条件について契約約款を定め、届出をする義務を設け、当該契約約款によらない相対取引は認めないこととした。また、指定電気通信役務について、適正な料金その他の提供条件に基づく提供を保障することにより利用者の利益を保護するため、指定電気通信役務に関する料金その他の提供条件について保障契約約款を作成し、届出をする義務を設けた。（特定電気通信役務は指定電気通信役務に含まれるところ、その上限価格規制は維持された。）そして、これら以外の電気通信役務（電報を除く。）に関する料金その他の提供条件について認可・届出制を廃止した。

また、従前の料金変更命令は、全ての電気通信事業者に対する制度として業務改善命令の制度の中に合流した（第29条第1項）（ただし、基礎的電気通信役務及び指定電気通信役務に関する料金については、その各々の約款変更命令の制度とされた）。

⑦　高速度データ伝送電気通信役務に係る第2号基礎的電気通信役務の制度の創

35

沿革（第19条、33条、34条等関係）

設（令和5年）

　令和4年法律第70号による本法の改正により、高速度データ伝送電気通信役務に係る第2号基礎的電気通信役務の制度を創設し、従前の電話に係る基礎的電気通信役務は、第1号基礎的電気通信役務とした。

　第2号基礎的電気通信役務については、その適切、公平かつ安定的な提供を確保するため、第1号基礎的電気通信役務と同様に料金その他の提供条件について契約約款を定め、届出をする義務を設けた（総務省令において、その適用対象を、第2号基礎的電気通信役務の契約数が30万を超える電気通信事業者及び第二種適格電気通信事業者と規定している（施行規則第14条の3第2項））。他方で、第1号基礎的電気通信役務とは異なり、当該役務の提供の相手方と料金その他の提供条件について別段の合意がある場合には届出契約約款によらない提供（相対契約による提供）を認めることとした。

4　電気通信事業の展開上重要な電気通信設備との接続の円滑化に関する制度の沿革（第33条、第34条等関係）

【不可欠設備との接続に関する制度の沿革】

① 「日本電信電話株式会社法附則第2条に基づき講ずる措置」による接続の円滑化等（平成2年から9年頃まで）

　電気通信事業に競争原理を導入した本法の制定により、電気通信事業者間で電気通信設備の接続に関する協定を締結することに関する制度が創設された。特に接続が確保されることが欠かせない電気通信設備との接続の円滑化については、まず、ＮＴＴに係る事項として施策の展開が進められた。すなわち、日本電信電話株式会社法附則第2条において「政府は、会社の成立の日から5年以内に、この法律の施行の状況及びこの法律の施行後の諸事情の変化等を勘案して会社の在り方について検討を加え、その結果に基づいて必要な措置を講ずるものとする」と規定されたのを受けて、電気通信審議会答申「今後の電気通信産業の在り方　中間答申」（平成元年10月2日）では、「すべての事業者が、利用者へのサービス提供に当たりＮＴＴのネットワークに依存せざるを得ない特異な状況下では、・・・利用者へのサービス提供条件の公平化、ＮＴＴの独占支配力の排除等を図るため、関係当事者間に対等な接続関係を確保する必要がある」とされ、その最終答申に当たる「日本電信電話株式会社法附則第2条に基づき講ずるべき措置、方策等の在り方　答申」（平成2年3月2日）

沿革（第33条、34条等関係）

では、「ＮＴＴのネットワークは・・・、その他の電気通信事業者も対等な条件で利用できる『オープンなネットワーク』であるべきであるという観点から、政府としても、今後具体的な政策的措置を講じていく必要がある」と提言された。これらを踏まえ、平成２年３月30日に、政府において「日本電信電話株式会社法附則第２条に基づき講ずる措置」(同年４月２日にＮＴＴに通知（平成２年４月２日郵電政第38号）され、同年５月18日に告示された（平成２年郵政省告示第288号）。）が定められた。この中で、「接続の円滑化」及び「ネットワークのオープン性の確保」についての方針が示され、これにしたがった措置が講ぜられることとされた。

　これを受けて、接続点の設置の円滑化や交換機のＩＤ化促進等を求めた「接続の円滑化について」(平成３年３月18日郵電業第44号）、第二種電気通信事業者への網機能・網情報の提供等に関する協議等について求めた「ネットワークのオープン性の確保について」(平成３年７月17日郵電通第75号）、「平成５年に地域通信事業部の収支等のコストデータが整備されることから、これらを踏まえ、平成６年４月頃を目途に新たな事業者間接続料金制度を導入する」ことを求めた「日本電信電話株式会社と長距離系ＮＣＣとの間の接続条件等の改善について」(平成３年８月６日郵電業第76号）（この結果、長距離電話会社がＮＴＴの役務提供区間も含めて通話料を設定するいわゆるエンドエンド料金の設定が平成５年度より試行的に、次いで平成６年度より本格的に実施され、その結果、エンドエンド料金を設定する事業者が接続する他の事業者に支払いを行う形で、事業者間での接続料の支払いが始まった。）、接続に関する手続を整備し、また、接続料の費用範囲について見直しを行うこと等を求めた「ＮＴＴ地域通信網との接続協議の手順等の明確化について」(平成７年２月23日郵電業第165号、同年６月30日郵電業第48号）、その他の行政指導文書がＮＴＴに宛てて発出された。これらは、②③の中で整備された接続ルール等で現在は代替されている。

② 接続ルールの整備（平成９年から10年頃）

　平成元年から６年にかけて、フレームリレーサービスや仮想専用網（ＶＰＮ）サービスの提供のための接続について、電気通信事業者とＮＴＴとの間で接続協議が長期間難航する事例（第35条の解説【接続に関する命令・裁定制度の運用事例】②を参照のこと。）が生じ、平成８年４月、「ＮＴＴ地域通信網のように他事業者が当該ネットワークと接続することが不可欠な設備とその他の通

沿革（第33条、34条等関係）

信網との接続の確保を図ることが、公正有効競争を確保する上で重要な政策課題となっている」として、電気通信事業における公正有効競争の促進を図るための接続の基本的ルールの在り方について、郵政大臣から電気通信審議会に諮問された。

同審議会は、平成8年12月19日、答申を行い（「接続の基本的ルールの在り方について」）、接続の義務化についての提言を行ったほか、「加入者回線を相当な規模で有する事業者のネットワークへの接続は、他事業者の事業展開上不可欠であり、また、利用者の利便性の増進の観点から極めて重要なものとなっている」とし、「このようなネットワークへの透明、公平、迅速かつ合理的な条件による接続を確保することにより、競争を促進し、かつ、透明な接続ルールを策定」することを提言した。

特に、接続料については、同答申において、厳正なコストベースで算定されることを目指して、「接続料金の適正な算定に資するため、接続に関する会計の基準を国が定め、特定事業者に対して、接続会計の整理を義務づけることが適当である」とし、「適正な接続料金の算定のためには、新たに創設する接続会計との連携を前提に、郵政大臣が接続料金の算定要領を定め、特定事業者に対しこれに従った料金算定を義務づけることが適当である」として、規制会計である接続会計の整理と、これを基礎とした接続料算定の導入を提言した。そして、接続料の原価に含めるべき費用を特定して、次のように述べた。

「具体的には、接続料金原価は、接続会計において設備の区分ごとに集計・区分した不可欠設備管理部門の費用を基礎として算定しなければならないこととする。これにより、営業費は接続に関連がないため原則的に接続料金原価から除外される。また、試験研究費についても、不可欠設備の管理運営に要することが明確にされたもののみが接続料金原価に算入され、それ以外の部分は原価から除外される。」

この答申を踏まえ、平成9年法律第97号による本法の改正が行われ、接続の義務の法定や、不可欠設備に関する指定電気通信設備（現在の第一種指定電気通信設備）制度の創設等が実現し、電気通信役務の利用状況と都道府県の区域を勘案して、社会経済生活圏としての一体性を反映して電話トラヒックの多くが同一都道府県に終始していること、こういった実態等も踏まえネットワークが多く都道府県を構成単位としていること等から、都道府県の区域を基本とした単位により指定電気通信設備の指定がなされることとなった。指定電気通

信設備との接続に関する接続料については、原価主義が採られ、その原価算定について、指定電気通信設備との接続に関する接続会計の整理とその整理の結果に基づく接続料の再計算が指定電気通信設備を設置する電気通信事業者に義務付けられた。平成9年12月にNTTの電気通信設備について指定電気通信設備の指定が行われ、平成10年3月には指定電気通信設備との接続条件等をあらかじめ接続事業者に対して明示するよう新たに定められた接続約款が認可された。

③　電話サービス等の公正競争促進に向けた接続ルールの進展（平成11年から）

1)　接続料の算定方式の見直し

指定電気通信設備（現在の第一種指定電気通信設備）との接続に関する接続料の原価算定については、平成9年法律第97号により、会計結果を基礎として算定する実際費用方式が採られてきたが、この方式では除外できない指定電気通信設備における非効率性を除外して費用を算定する方式とされる長期増分費用方式の導入について、「規制緩和推進3か年計画」（平成10年3月31日閣議決定）において、「平成11年度末までを目途に関係者の意見調整を図り、その取扱いを決定するなどの措置により、接続料の引下げを促進する」とされた。そして、日米両首脳に報告された「規制緩和及び競争政策に関する日米間の強化されたイニシアティブ　第1回日米共同現状報告」（平成10年5月15日）でも、「日本政府は、出来るだけ早期に接続料に長期増分費用方式を導入することができるよう、所要の電気通信事業法改正案を2000年春の通常国会に提出する意図を有する」ことが示された。そして、電気通信審議会答申「接続料算定の在り方について」（平成12年2月9日郵通議第120号）においてその具体的な導入方策の在り方について提言が行われた。

これらを踏まえ、平成12年法律第79号による本法の改正によって、高度で新しい技術の導入による効率化が相当程度図られる機能に係る接続料の原価算定方式として、長期増分費用方式を導入する根拠規定が設けられ、これによる具体的な算定方式を定める総務省令（接続料規則）が整備され、平成12年度に導入された。

2)　優先接続

優先接続（電気通信事業者の電気通信回線設備の識別番号（00XY等）を加入者交換機に登録することで、当該識別番号のダイヤリングを省略した通話を可能とする仕組み。従来は、NTTグループ各社のみこのダイヤリング

沿革（第33条、34条等関係）

が不要になっていた。）は、電気通信審議会答申「日本電信電話株式会社の在り方について」（平成8年2月29日）の提言を踏まえ、当時の本法第38条の2（現在の第33条）第4項第1号ロの省令で定める機能を新設する平成11年の省令改正（平成11年郵政省令第38号。接続料規則の制定後は、同規則第4条において規定。）を受けて、平成13年5月に開始された。

　ＮＴＴ東日本・西日本の電話サービスを令和6年1月から同7年1月にかけてインターネットプロトコルベースの網による提供に切り替えていくのに当たって、電気通信事業者間での通話に用いる電話番号の桁数の同等性の確保は、番号ポータビリティを行うことで可能となる見通しとなったため、情報通信審議会答申「固定電話網の円滑な移行の在り方　二次答申」（平成29年9月27日）等を踏まえて、令和5年の接続料規則の改正（令和5年総務省令第99号）により、上記の優先接続に係る機能の規定は削られることとなった。

3)　固定電話に係る番号ポータビリティ

　番号ポータビリティ（電話の利用者が加入している電気通信事業者を変更する際に、これまでと同じ番号を変更後の電気通信事業者においても引き続き使用できるようにする仕組み）は、電気通信審議会答申「接続の基本的ルールの在り方について」（平成8年12月9日）の提言を踏まえ、固定電話の電気通信事業者間（地域系及び着信課金サービス）について、当時の本法第38条の2（現在の第33条）第4項第1号ロの省令で定める機能を新設する平成11年の省令改正（平成11年郵政省令第63号。現在は接続料規則第4条において規定。）及びＮＴＴ東日本・ＮＴＴ西日本あて「番号ポータビリティの実現について」（平成11年8月6日郵電業第83号）を受けて、平成13年3月に開始された。

　平成30年法律第24号による本法の改正により、番号ポータビリティが法律事項となり、電気通信番号制度の中で規律されることとなった。

④　ブロードバンドによるインターネット接続の展開に向けた接続ルールの進展（平成11年から）

1)　加入者回線及びダークファイバのアンバンドル（既存の伝送装置を介さない加入者回線及び光ファイバ設備との接続）

　電気通信事業者が高速伝送を可能とする新規の伝送装置を容易に調達できるようになってきたことに伴い、インターネット接続のためのブロードバン

ドサービス等を提供するために、これを既存の伝送装置を介さずに不可欠設備である加入者回線や光ファイバ設備と接続させるニーズが高まった。

　加入者回線のアンバンドル（既存の伝送装置を介さない加入者回線との接続）については、ＮＴＴ東日本・ＮＴＴ西日本あて「ＤＳＬ（デジタル加入者回線）の接続について」（平成11年8月31日郵電業第101号の2）により平成11年12月に実現し、当時の本法第38条の2（現在の第33条）第4項第1号ロの省令で定める機能を細分化する関連の省令整備（平成12年郵政省令第53号及び第54号）が平成12年9月に行われた。

　ダークファイバのアンバンドル（既存の伝送装置を介さない光ファイバ設備との接続）については、電気通信審議会答申「接続ルールの見直しについて（『電気通信事業法の一部を改正する法律（平成9年法律第97号）附則第15条を踏まえた接続ルールの見直しについて』第一次答申）」（平成12年12月21日郵通議第3205号）の提言を踏まえ、ＮＴＴ東日本・ＮＴＴ西日本あて「光ファイバ設備の接続について」（平成12年12月21日郵電業第3135号の3）を受けて、平成12年12月に最初の接続協定の締結が行われ、当時の本法第38条の2（現在の第33条）第4項第1号ロの総務省令で定める機能を細分化する関連の省令整備（平成13年総務省令第59号・第60号）が翌年4月に行われた。

2）　コロケーション

　接続のためには、しばしば、電気通信事業者が自ら調達した伝送装置等の設備を第一種指定電気通信設備を設置する電気通信事業者の建物等に設置すること（コロケーション）が必要になる。そのための手続や負担料金のルール整備は、当時の本法第38条の2（現在の第33条）第4項第1号ホの接続を円滑に行うために必要なものを定める平成11年からの累次の省令整備（平成11年郵政省令第94号、平成12年郵政省令第55号並びに平成13年総務省令第59号及び第163号）等によって行われた。

　平成19年には、情報通信審議会答申「コロケーションルールの見直し等に係る接続ルールの整備について」（平成19年3月30日情審通第34号）の提言を受け、コロケーションルールの対象を電柱への設備の設置に拡大するための省令改正（平成19年総務省令第81号）が行われた。

　また、平成30年2月には、コロケーションの実現が困難な場合の代替措置（バーチャルコロケーション等）に関するルール整備が行われた（平成

沿革（第33条、34条等関係）

30年総務省令第6号）。

3）　ＮＧＮのアンバンドル

　　平成20年3月にＮＴＴ東日本・ＮＴＴ西日本によりインターネットプロトコルベースの基幹網であるＮＧＮ（Next Generation Network）の商用サービスが開始され、同年7月には、ＮＧＮの本法第33条第4項第1号ロの総務省令で定める機能を設定する省令整備（平成20年総務省令第80号）が行われた。

　　平成28年12月、他の電気通信事業者がＮＧＮの優先パケットに係る機能を利用するために本法第33条第4項第1号ロの機能を新設する省令改正（平成28年総務省令第97号）が行われ、平成30年2月には、これも含め、同条第4項第1号ロの機能を包括的に再設定してＮＧＮの設備ごとの網機能を電気通信事業者が同等に利用できるようにアンバンドルする省令改正（平成30年総務省令第6号）が行われた。

4）　不当な差別的取扱いを行わないネットワーク管理方針

　　ブロードバンドによるインターネット接続で伝送品質による競争が行われる中、ＮＧＮの優先パケットに係る機能において不当な差別的取扱いが行われないことを確保するため、上記省令改正（平成30年総務省令第6号）では、本法第33条第4項第1号ホの接続を円滑に行うために必要なものとして総務省令で定めるものとして、ＮＧＮの優先パケット関係の機能に関し第一種指定電気通信設備設置事業者がネットワーク管理を行うための方針を接続約款記載事項とし、その中で、①通信の秘密の確保に支障がないこと、②利用者、電気通信事業者に対して不当な差別的取扱いを行わないこと、③通信の内容により不当な差別的取扱いを行わないとすること（コンテンツやアプリケーション等によりトラヒックを不当に差別的に扱わないこと。）についても記載することが規定された。

5）　ブロードバント展開を踏まえた第一種指定電気通信設備の範囲の見直し

　　通信サービスの中心が電話からブロードバンドによるインターネット接続に移行し、トラヒックの動向も都道府県内に閉じたものが少なくなったこと等から、情報通信審議会答申「ＩＰ網への移行の段階を踏まえた接続制度の在り方　最終答申」（令和3年9月1日）の提言等を踏まえて、第一種指定電気通信設備の指定に当たって、利用者の電気通信設備（移動端末設備を除く。）と接続される伝送路設備の設置割合を算定する区域を見直すとともに、

沿革（第33条、34条等関係）

　　加入者回線以外の電気通信設備であって指定の対象となる電気通信設備の範
　囲を見直す本法の改正（令和4年法律第70号）により、第一種指定電気通
　信設備の範囲の見直しが行われ、都道府県の区域間の通信を行う設備も第一
　種指定電気通信設備に加えられた（これを含めた第一種指定電気通信設備の
　具体的な指定の経過は、第33条の解説2(5)を参照のこと）。

【移動体通信役務の提供のための電気通信設備との接続に関する制度の沿革】
①　第二種指定電気通信設備制度の創設（平成13年）
　　移動体通信に関しては、規制緩和推進3か年計画（改定）（平成11年3月30
　日閣議決定）、同（再改定）（平成12年3月31日閣議決定）において、「ＮＴＴ
　ドコモと他社との接続について、その円滑化を図る必要が生じた場合には、公
　平・透明な接続を確保するものとし、その接続の在り方を早急に検討する」こ
　ととされた。平成12年12月、電気通信審議会答申「接続ルールの見直しにつ
　いて」は、「移動体通信市場において市場支配力を有すると認定された事業者
　については、接続政策の観点からは、当該事業者が多数の加入者を直接収容す
　ることから、他の事業者は当該事業者との接続を行わなければ多数の加入者と
　の間で通信が行えないことになるので、当該事業者の設定する接続条件如何に
　よっては市場に参入し、サービスを継続すること自体が困難となる」として、
　「市場からの排除がないようにするための最低限の担保措置として、接続料を
　含む接続条件に関して透明性をより確保することを基本としたルールの整備が
　必要と考えられる」との提言を行った。
　　上記提言を受け、平成13年法律第62号による本法の改正が行われて、移動
　体通信役務の提供のために設置する電気通信設備について総務大臣が指定し、
　接続約款を定め、届け出、公表すること等が義務付けられる第二種指定電気通
　信設備の制度が創設された。（従来の指定電気通信設備の制度は、第一種指定
　電気通信設備の制度に改編された。）（第二種指定電気通信設備の具体的な指定
　の経過は、第34条の解説2(4)を参照のこと。）
②　第二種指定電気通信設備を設置する電気通信事業者が取得すべき金額の算定
　ルール等の整備（平成22年から30年まで）
　　平成20年に既存電気通信事業者との接続によるＭＶＮＯの市場参入が始
　まったこと等を背景として、同21年10月、情報通信審議会では、その答申「電
　気通信市場の環境変化に対応した接続ルールの在り方について」において、「接

続料算定の適正性・透明性の向上を図る観点から、接続料算定の考え方を整理することが必要である」とし、ここで「整理する接続料算定の考え方については、『第二種指定電気通信設備制度の運用に関するガイドライン』において規定することが適当である」と提言、「二種指定制度においても、接続料原価に算入可能な営業費はあくまでも限定的に認められるものであり、・・・接続料原価に算入可能な営業費は、設備との関連性を厳格に判断した上で、できる限り具体的かつ明確な形で整理することが必要である」とした。また、「接続料算定の透明性向上を図り、もって接続事業者の検証可能性を高める観点から、電気通信事業会計をベースとして、二種指定事業者に対する新たな会計制度を導入することが適当である」との提言も併せて行った。

　これらの提言のうち前者を受けて、平成22年3月に総務省で「第二種指定電気通信設備制度の運用に関するガイドライン」が定められた。このガイドラインの「第3」において、第二種指定電気通信設備との接続に関して同設備の設置事業者が取得すべき金額の算定方法が詳述され、原価に算入されるべきでないコスト（営業費の多くと設備費の一部）が示された。また、提言の後者を受けて、平成22年法律第65号による本法の改正により、第二種指定電気通信設備との接続に関する接続会計の制度が導入された。

　平成26年12月の情報通信審議会答申「2020年代に向けた情報通信政策の在り方」では、更にMVNOへの機能開放を進める見地から、「MVNOが技術の進展に合わせて発展していくためには、今後とも、多様なサービスに対応する多様な機能が二種指定事業者によって迅速かつ確実に開放され、利用可能となることが必要不可欠である」とし、「ガイドラインではなく法令により迅速に機能の開放が実現されるよう規定を整備することが適当であ」り、「MVNOがMNOのネットワークを適正な料金で迅速かつ確実に利用できるようにするための規定も整備することが適当である」と提言した。これを受けて、平成27年法律第26号による本法の改正では、第二種指定電気通信設備を設置する電気通信事業者が取得すべき金額の算定方法は総務省令で定められることとなり、そのための省令（第二種指定電気通信設備接続料規則）が、平成28年5月に施行された。この省令は、上記ガイドラインの内容を基本的に踏襲し、これに替わるものだったが、平成29年2月及び9月に同省令等が改正され（平成29年総務省令第5号及び第68号等）、前者では、「適正利潤」の算定方法についてルールが更に整備され（自己資本利益率がモバイルビジネスのリスクに見

沿革（第33条、34条等、52条等関係）

合ったリターンとなるように厳密化された。）、後者では、ＳＩＭカードの提供
に係る金額の算定方法等のルール整備が行われた。

　移動体通信市場における競争が料金のみならず伝送品質によっても行われる
ようになる中、伝送品質に関して不当な差別的取扱いが行われないことを確保
するため、平成 30 年総務省令第60号では、本法第34条第 3 項第 1 号ホの接
続を円滑に行うために必要なものとして総務省令で定めるものとして、第二種
指定電気通信設備を設置する電気通信事業者が、ネットワーク管理において、
利用者、電気通信事業者に対する不当な差別的取扱い及び通信の内容による不
当な差別的取扱い（コンテンツやアプリケーション等によりトラヒックを不当
に差別的に扱うこと。）を行わない旨を接続約款記載事項として定めた。

5　端末設備の利用者設置と技術基準適合性確保のための制度の沿革（第52条等関係）

① 端末設備の例外的な利用者設置の許容（昭和28年から60年）

　端末設備（伝送設備等の一端に接続される電気通信設備であって、設置場所
が同一の構内にあるもの）についても、電信・電話の創業以来、伝送路設備等
と同様に、その私設は制限されてきた。

　昭和28年の公衆電気通信法では、第105条の規定において、公衆電気通信設
備の独占提供の例外として、利用者が設置することができる自営設備の範囲及
び設置の条件を定めた。制定当初の同規定では、構内交換設備（ＰＢＸ）、船
舶に設置する加入電話の設備、専用回線の端末の設備に限定して公衆電気通信
設備（技術基準に適合するもの）の設置を加入電話加入者等が行うことを妨げ
ないとされた。当時、ＰＢＸ自営論者から、独占設置では事務処理が煩雑で工
事が遅く適時迅速なサービスができないこと、生産費がかかること、民間技術
の利用と発展が阻害されることなどが主張されたことが背景にあった（金光
昭・吉田修三『公衆電気通信法解説』（日信出版株式会社、昭和28年 9 月）262
頁）。

　この規定は、その後数次に亘り改正され、加入電話加入者等の設置が妨げら
れない設備に、附属電話機（昭和32年法律第98号による改正。）、地域団体加
入電話の組合交換設備及び電話機並びにこれらの附属設備（昭和33年法律第
137号による改正。）、集団電話の附属設備（昭和44年法律第32号による改正。）
が各々追加された。

45

沿革（第52条等関係）

　端末設備については、また、昭和46年の公衆電気通信法改正（昭和46年法律第66号）によるデータ通信サービスに関するネットワーク回線利用の柔軟化で設けられたデータ通信回線使用契約の枠組みにおいて、利用者自営が原則となった。その中で、昭和57年には、「公衆電気通信法第55条の13第2項の場合等を定める臨時暫定措置に関する省令」（昭和57年郵政省令第55号）により、データ通信回線使用契約に基づき中小企業者等の通信を媒介する業務について、業としてその設備を用いて他人の通信を媒介することが認められた。

　ただ、これらの制度は、電電公社と国際電電の独占の例外として、消極的に認められたものに過ぎなかった。

②　端末設備の開放（昭和60年、平成6年）

　本法では、その施行時（昭和60年）より、電気通信サービスの提供を受けるための端末設備を、原則として利用者が設置できるものとした。即ち、当時の第49条（現在の第52条）第1項の規定は、第一種電気通信事業者は、利用者から、技術基準に適合する端末設備について、ネットワークとの接続の請求があった場合には、原則としてこれを拒むことができないものとした。これは、電気通信における急速な技術の進歩及びそれに呼応した利用者のニーズの高度化・多様化に対応し、端末設備の接続を自由化するものであった。そして、端末設備の接続の技術基準については、原則として国が定めることとした。

　端末設備としては、固定電話の本電話機だけではなく、当時は、既に昭和54年に電電公社がサービス提供を開始した自動車電話サービスのための端末設備が提供されていたが、この当時には、電気通信事業法施行規則（昭和60年郵政省令第25号）第31条の規定により、端末設備であって電波を使用するものは、原則として端末開放の例外とすることとされたことを受けて、自動車電話端末は、開放の例外とされた（同条により、公衆電話機についても、端末開放の例外とされている）。

　しかしながら、移動電話サービスでは、昭和62年にＮＴＴによって、同63年に日本移動通信株式会社によって、携帯電話サービスの提供が開始され、その利用が拡大する中、「緊急経済対策」（経済対策閣僚会議決定）（平成5年9月）において、携帯電話端末売切り制導入の方針が決定された。これを受けて、平成5年11月に端末設備等規則（昭和60年郵政省令第31号）が改正され、翌6年2月4日に「端末設備であつて電波を使用するもののうち、利用者からの接続の請求を拒めないものを定める件」（平成6年郵政省告示第72号）が制定され

46

沿革（第52条等関係）

たことによって、省令で定める技術基準に適合する携帯電話端末との接続の請求を電気通信事業者は拒否できないことになり、携帯電話端末の利用者設置が実現した。

③　端末設備の技術基準適合性確保のための制度の拡充（平成10年、13年、15年、26年）

技術基準適合認定制度は、本法制定時は、総務大臣又は指定法人による個々の端末機器の技術基準適合性の認定の制度のみであったが、平成10年法律第58号による本法の改正により、端末機器の設計ごとの認証制度の導入（現第56条）及び一定の要件を満たす外国の認定機関による認定の受入れ（現第104条）等の措置が講じられ、制度の拡充が図られた。

平成13年に制定され、累次の改正を経てきた特定機器に係る適合性評価手続の結果の外国との相互承認の実施に関する法律（平成13年法律第111号）では、我が国との相互承認協定（ＭＲＡ）（Mutual Recognition Agreement）の締約国（現在は、欧州連合加盟国、シンガポール共和国、アメリカ合衆国及び英国）の登録外国適合性評価機関が我が国の技術基準に適合している旨の認定をした端末機器について、所定の表示を付している場合に本法の技術基準適合認定を受けた端末機器とみなす等の規定が設けられた。

また、平成15年法律第125号による本法の改正により、それまでの指定法人による技術基準適合認定制度から登録認定機関による技術基準適合認定制度に移行された。

この改正により、従前の行政事務としての技術基準適合認定は、民間事業として技術基準適合性を認定することとされ、これに伴い、基準不適合機器の是正のために、行政処分としての技術基準適合認定の取消に代えて、妨害防止命令（第54条）、表示が付されていないものとみなす措置（第55条）、設計認証に係る措置命令（第59条）、表示の禁止措置（第60条）等の規定が設けられたほか、指定認定機関制度の下で民間の試験事業者を認定する制度の廃止も行われた。

さらに、平成15年法律第125号による本法の改正では、特定の端末機器については登録認定機関によらないで、製造業者又は輸入業者が、自ら技術基準適合性の確認を行い、総務大臣に届け出ること等により、設計認証と同様に表示を付すことができる技術基準適合自己確認制度が導入され（第63条から第68条まで）、端末機器の製造業者等の負担の大幅な軽減が図られることとなった。

47

沿革（第52条等、128条等関係）

　平成26年法律第63号による本法の改正では、修理業者が行う修理について、技術基準適合性を毀損することなく可能な修理の範囲を明確化するとともに、修理端末が技術基準に適合するように修理されたこと等を利用者が識別できるようにするため、登録修理業者の制度（第68条の3から第68条の12まで）等が設けられた。

6　公衆電気通信事業の事業主体による土地等の使用の制度の沿革（第128条等関係）

① 逓信省による土地等の使用に関する制度の創設（明治23年）

　公衆通信が明治2年12月に電信により開始され、明治23年12月の逓信省による電話交換業務の開始に向けた準備が進められる中、「公衆通信ノ用ニ供スル電信及電話線ノ建設ハ従来一定ノ法規ナク専ラ慣例ニ依リ適宜ニ必要ノ土地及営造物ヲ使用」する状態にあった。しかしながら、「輓近人民ニ於テ所有権ノ侵害ヲ名トシ利害ノ有無ニ拘ハラス之ヲ拒絶スル者比々輩出シ法律ノ所定ニ依リ之ヲ処分スルニアラサレハ其整理ヲ見ル能ハサルニ至レリ」として、明治23年、電信線電話線建設条例が発案された。これは、「(1)電柱建設ノ為メ土地ヲ使用スル事 (2)電線架設ノ為メ営造物ヲ使用スル事 (3)電線ノ建設又ハ通信ニ障碍アル瓦斯支管水道支管下水支管電灯線電力線及私設電信線電話線ヲ移転スル事 (4)電線ノ建設又ハ通信ニ障碍アル竹木其他植物ヲ伐除若クハ移植スル事 (5)電柱敷地手当金額ヲ一定スル事ノ各項」を法制化するもので、元老院の議を経て同年8月に制定された（明治23年法律第58号）。（「電信線電話線建設条例制定ノ件」等『公文類聚』第14編第61巻）

　この法律における主な規定事項は、次の表のとおりであった。

電信線電話線建設条例（明治23年法律第58号）の主な規定

	主な規定事項
1)	逓信省において公衆通信の用に供する電信線・電話線を建設するため、民有地又は営造物の使用を要するときは、所有者又はその他の権利者はこれを拒むことを得ず、官有の土地又は営造物は、その所管庁に通知して使用することができるものとする（第1条）。
2)	公衆通信の用に供する電信線・電話線の建設に従事する者は、これらの建築・修理又は線路測量のため必要であるときは、他人の所有地に立ち入ることができる（第2条）。

沿革（第128条等関係）

3)	公衆通信の用に供する電信線・電話線の建設又は通信に障碍となるガス・水道・下水の管路又は電灯線・電力線、私設の電信線・電話線は、所有者又はその他の権利者に命じて移転させることができる。竹木その他の植物はやむを得ないものに限って伐除し、若しくは所有者又はその他の権利者に命じてこれを伐除又は移植させることができる（第3条）。
4)	逓信省において民有地に電信線の柱木を建設したときは、所有者又はその他の権利者が望む場合には、1本毎に1年4銭の手当金を給与する（第6条）。
5)	ア）建築修理及び線路測量のため生じた損害、イ）ガス・水道・下水の管路、電灯線・電力線、私設の電信線・電話線を移転した費用及びウ）伐除した竹木その他植物の代価又は移植の費用は、権利者から要求があれば、逓信省はこれを補償しなければならない（第7条）。この補償金額は、双方協議により定める。協議が調わないときは市町村長に評定させる。その評定に不服ある者は、1月以内に裁判所に出訴することができる（第8条）。

注1　上表は、制定当初のもの。
　　2　電信線電話線建設条例の使用権設定に係る規定は、郵政省設置法及び電気通信省設置法の施行に伴う関係法令の整理に関する法律（昭和24年法律第161号）により改正され、「逓信省」とあったのが「電気通信省」に改められた。また、日本電信電話公社法施行法（昭和27年法律第251号）による改正で、「電気通信省」とあったのが「日本電信電話公社」に改められた他、第3条の竹木その他の植物に関する規定が、竹木その他の植物はやむを得ないものに限って伐除し、又は移植することができる旨の規定に改められた。

②　電電公社による土地等の使用に関する制度の整備（昭和28年）

　　昭和28年、明治中期に制定せられて以来、長年月の間殆んど据え置かれていた電信線電話線建設条例を廃止し、電電公社がその電気通信設備を建設保全するため必要とする土地等の使用に関する事項を規定するため、新たに制定された公衆電気通信法において、第6章の第81条から第99条までの土地等の使用に関する規定が設けられた。

　　ここにおける主な規定事項は、次の表のとおりであった。

公衆電気通信法（昭和28年法律第96号）の土地等の使用に関する主な規定

	主な規定事項
1)	電電公社は、公衆電気通信業務の用に供する線路及び空中線並びにこれらの附属設備を設置するため他人の土地及びこれに定着する建物その他の工作物を利用することが必要且つ適当であるときは、その土地等の利用を著しく妨げない限度において、これを使用することができる（第81条）。この場合、電電公社は、土地等を使用しようとするときは、都道府県知事の認可を受けて、その土地等の所有者等とその土地等の使用について協議しなければならない（第82条）。

49

沿革（第128条等関係）

1)	この協議をすることができず、又は協議がととのわないときは、電電公社は、都道府県知事の裁定を申請することができる（第83条）。
2)	電電公社は、線路に関する工事の施行のため必要な資材及び車両の置き場並びに土石の捨場の設置、非常事態等における重要な通信を確保するための線路の設置、測標の設置のため他人の土地等を利用することが必要であって、やむを得ないときは、その土地等の利用を著しく妨げない限度において、一時これを使用することができる（第91条）。電電公社は、線路に関する測量又は実地調査のため必要があるときは、他人の土地に立ち入ることができる（第92条）。電電公社は、線路に関する工事のため必要があるときは、他人の土地を通行することができる（第93条）。
3)	電電公社は、植物が線路に障害を及ぼし、若しくは及ぼすおそれがある場合又は植物が線路に関する測量若しくは実地調査に支障を及ぼす場合において、やむを得ないときは、都道府県知事の許可を受けて、その植物を伐採し、又は移植することができる（第95条）。線路が設置されている土地等又はこれに近接する土地等の利用の目的又は方法が変更されたため、その線路が土地等の利用に著しく支障を及ぼすようになったときは、その土地等の所有者は、電電公社に、線路の移転その他支障の除去に必要な措置を請求することができる（第97条）。
4)	電電公社は、第81条の規定により土地等を使用するときは、これに対し対価を支払わなければならない。この対価の額は、その使用により通常生じる損失を償うように、政令で定める（第90条）。
5)	電電公社は、ア）第91条の規定により他人の土地等を一時使用し、イ）第92条の規定により他人の土地に立ち入り、ウ）第93条の規定により他人の土地を通行し、又はエ）第95条の規定により植物を伐採し、若しくは移植したことによって損失を生じたときは、損失を受けた者に対し、これを補償しなければならない。この損失補償について、電電公社と損失を受けた者との間に協議をすることができず、又は協議がととのわないときは、電電公社又は損失を受けた者は、都道府県知事の裁定を申請することができる。裁定では、補償金の額等を定めなければならない（第96条）。補償金の額に不服のある者は、訴（当事者訴訟）をもってその額の増減を請求することができる（第98条）。

注1 上表は、制定当初のもの。
 2 公衆電気通信法の使用権設定に係る規定は、地方自治法の一部を改正する法律（昭和31年法律第148号）では、市町村長に関する規定を特別区の区長などについて適用する場合について改正があり、行政事件訴訟法の施行に伴う関係法律の整理等に関する法律（昭和37年法律第140号）では、土地等の使用に関する裁定に不服がある場合の訴えを提起することのできる期間について30日を3か月に改める改正があった。また、行政不服審査法の施行に伴う関係法律の整理等に関する法律（昭和37年法律第161号）では、土地等の使用に関する裁定についての審査請求においては、補償金の額等についての不服をその裁定についての不服の理由とすることができない旨の規定を加える改正があった。

沿革（第128条等関係）

③　第一種電気通信事業者の土地等による使用に関する制度の創設（昭和60年）

　　公衆電気通信法を廃止し、独占事業であった電気通信事業に競争原理を導入する本法が制定された際には、土地等の使用に関する規定は、第一種電気通信事業者に係る制度として、本法の第3章の第73条から第84条までに設けられた。

　　ここにおける主な規定事項は、次の表のとおりであった。

本法（制定当初）の土地等の使用に関する主な規定

	主な規定事項
1)	第一種電気通信事業者は、第一種電気通信事業の用に供する線路及び空中線並びにこれらの附属設備（「線路」と総括。）を設置するため他人の土地及びこれに定着する建物その他の工作物を利用することが必要かつ適当であるときは、都道府県知事の認可を受けて、その土地等の所有者等に対し、その土地等の使用権の設定に関する協議を求めることができる。この認可は、第一種電気通信事業者がその土地等の利用を著しく妨げない限度において、これを使用する場合にすることができる（第73条）。この協議が調わないとき、又は協議をすることができないときは、第一種電気通信事業者は、都道府県知事の裁定を申請することができる（第74条）。
2)	第一種電気通信事業者は、線路に関する工事の施行のため必要な資財及び車両の置場並びに土石の捨場の設置、非常事態等における重要な通信を確保するための線路その他の電気通信設備の設置、測標の設置のため他人の土地等を利用することが必要であって、やむを得ないときは、その土地等の利用を著しく妨げない限度において、一時これを使用することができる（第78条）。第一種電気通信事業者は、線路に関する測量、実地調査又は工事のため必要があるときは、他人の土地に立ち入ることができる（第79条）。第一種電気通信事業者は、線路に関する工事又は線路の維持のため必要があるときは、他人の土地を通行することができる（第80条）。
3)	第一種電気通信事業者は、植物が線路に障害を及ぼし、若しくは及ぼすおそれがある場合又は植物が線路に関する測量、実地調査若しくは工事に支障を及ぼす場合において、やむを得ないときは、都道府県知事の許可を受けて、その植物を伐採し、又は移植することができる（第81条）。線路が設置されている土地等又はこれに近接する土地等の利用の目的又は方法が変更されたため、その線路が土地等の利用に著しく支障を及ぼすようになったときは、その土地等の所有者は、第一種電気通信事業者に、線路の移転その他支障の除去に必要な措置を請求することができる（第83条）。
4)	使用権を設定すべき旨を定める都道府県知事の裁定においては、第一種電気通信事業者が支払う対価の額を定めなければならない。この場合において、対価の額の基準は、その使用により通常生じる損失を償うように、政令で定める（第77条）。

51

沿革（第128条等関係）

5)	第一種電気通信事業者は、ア）第78条の規定により他人の土地等を一時使用し、イ）第79条の規定により他人の土地に立ち入り、ウ）第80条の規定により他人の土地を通行し、又はエ）第81条の規定により植物を伐採し、若しくは移植したことによって損失を生じたときは、損失を受けた者に対し、これを補償しなければならない。この損失補償について、第一種電気通信事業者と損失を受けた者との間に協議が調わないとき、又は、協議をすることができないときは、第一種電気通信事業者又は損失を受けた者は、都道府県知事の裁定を申請することができる。裁定では、補償金の額等を定めなければならない（第82条）。補償金の額に不服のある者は、訴え（当事者訴訟）をもってその額の増減を請求することができる（第82条において準用する第39条）。

④　地方分権推進のための本法の改正（平成12年）

　本法第3章の規定では、当初、第一種電気通信事業者の土地の使用に関する国の事務の一部が機関委任事務として、地方公共団体に委任されていた。これに対し、地方分権推進計画（平成10年5月29日閣議決定）において、機関委任事務制度を廃止し、第一種電気通信事業者の土地の使用等に関する事務のうち、1）他人の土地等の使用権の設定に関する協議の認可、協議が不調等のときの裁定及び線路の移転等の裁定等については、国の直接執行事務に整理し、2）他人の土地等の一時使用等の損失補償の裁定については、自治事務に整理することとされたことから、地方分権の推進を図るための関係法律の整備等に関する法律（平成11年法律第87号）により、本法が改正され、必要な法制上の措置が講じられた（平成12年4月1日施行）。

⑤　光ファイバ網の整備促進のための措置（平成13年）

　平成12年11月6日、IT戦略会議・情報通信技術（IT）戦略本部合同会議において、取組方針である「線路敷設の円滑化について」（平成12年11月6日第5回IT戦略会議・IT戦略本部合同会議）が取りまとめられた。ここにおいては、「超高速インターネットの整備に不可欠な光ファイバー網の整備を促進するため」に「電柱・管路等の開放・・・を進める」とされ、具体的な措置内容として、「ガイドラインの策定」及び「担保措置」が示された。

　このうち、「ガイドラインの策定」については、上記取組方針にのっとり、平成13年4月に本法第73条（現在の第128条）第1項に規定する「他人の土地等の使用権」に関する協議の認可、裁定の運用基準として、「公益事業者の電柱・管路等使用に関するガイドライン」が総務省により策定された。

　また、「担保措置」については、平成13年法律第62号による本法の改正により措置された。これは、光ファイバ網をはじめとする高速大容量のネットワー

ク整備を迅速に進めるためには、既設の電柱・管路等を活用することにより、線路敷設の円滑化を図ることが重要であるとの認識のもとに、国公有地（その使用に関し占用許可等の公物管理者の許可が必要となる行政財産等）上の既設の電柱・管路等についても、これを第一種電気通信事業者が円滑に利用できるよう環境整備を図るため、既設の電柱・管路等を第一種電気通信事業者が使用する際の協議認可（第73条）の対象範囲を明確化するとともに、第73条の認可及び当該認可により公用使用権の設定の対象となった電柱・管路等に実際に線路を敷設する際の使用条件等に係る当事者間の紛争についての裁定（第74条から第77条まで、第83条（現在の第129条から第132条まで、第138条））を、電気通信事業紛争処理委員会（現在の電気通信紛争処理委員会）の諮問事項とする等、所要の規定整備を行うものであった。

⑥　公衆が通行・集合する公共的空間における土地等の使用のための措置（平成16年）

平成14年3月19日、本法第73条（当時）の規定に基づく土地等の使用権の設定を求める認可の申請がモバイルインターネットサービス株式会社（MIS）から総務大臣に行われた。MISは、これにより、無線LANの役務を提供するための有線線路、アンテナ、無線ルータ等を設置するため、東日本旅客鉄道株式会社が所有する新宿等の6駅のホーム、コンコース及びそこに至る上流回線提供業者との責任分界点までの有線線路設置場所の使用に係る公用使用権の設定を求めていた。

同年6月17日に総務大臣から諮問された電気通信事業紛争処理委員会は、同年7月30日に総務大臣に答申を行った（平成14年7月30日電委第95号）。その中では、「電気通信事業法第73条第1項が適用対象としている線路は、第一種電気通信事業者が設置を希望するすべての場所における線路を意味するものではなく、その設置が当然に公共の利益と合致し、土地等の権利者の意思に反してでも使用権を主張することが認められる場合に限られるものと解するのが相当である」との認識が示され、「本件無線LAN設備は、隔地者間の通信を行うものではないので、電気通信事業法第73条第1項にいう線路には該当せず、また、その設置に関してその規定により使用権を認めることは、適当でもない」とされ、「そのような設置を促すことが適当であるとすれば、然るべき法令上の根拠を整備する必要がある」のであり、「MISに対し認可をすることは、相当ではないと考える」と結論づけられた。同年8月8日、総務大臣

は、MISに対して認可拒否処分を行った。

　平成15年法律第125号による本法の改正では、鉄道駅、空港といった、公衆が通行し、又は集合する公共的な空間については、当該空間における多様なニーズに応じた通信の疎通を可能とし、利用者利便の向上を図る公益上の必要性が極めて高いと考えられるところから、こういった空間で構内等にいる者の通信の用に供する構内等に設置する線路を土地等の使用の制度の対象とすることとした。

⑦　認定電気通信事業者による土地等の使用に関する制度の創設（平成16年）

　平成15年法律第125号による本法の改正ではまた、回線設備設置事業（第一種電気通信事業）への参入に際して、行政が事業遂行能力を審査した上で、その事業遂行を認めるという許可制を廃止した。そして、回線設備設置事業を営むために特権的地位の付与を希望する者からの任意の申請に基づき、当該申請者の営もうとする事業の全部又は一部について、その事業を確実かつ安定的に遂行可能であることについて、一定の要件に適合すると認められる場合に、総務大臣が当該事業を認定する制度を創設し、当該認定を受けた認定電気通信事業者について、土地の使用等に係る第3章第2節の規定を適用することとした。（併せて第73条から第84条までの規定が、第128条から第139条までに繰り下げられた。）

7　主な参考文献

『官報』

『法令全書』

『公文録』

『公文類聚』

『公文雑纂』

　本文中で触れた各種閣議決定、審議会答申、命令、訓令、指導文書、ガイドラインなど

川村竹治『電信法要義』(交通學館、明治33年)

郵政省『公衆電氣通信國會説明資料』(昭和28年)

金光昭・吉田修三　『公衆電気通信法解説』(日信出版株式会社、昭和28年9月)

郵政省電気通信監理官室監修、電気通信関係法コンメンタール編集委員会編著『電気通信関係法詳解』上・下巻（一二三書房、昭和48年）

電気通信政策局データ通信課『データ通信関係法令早わかり エレクトロニクス8月別冊』(オーム社、昭和58年)

電気通信法制研究会編著『逐条解説　電気通信事業法』(第一法規出版、昭和62年)

多賀谷一照、岡崎俊一、岡崎毅、豊嶋基暢、藤野克編著『電気通信事業法逐条解説』(電気通信振興会、平成20年)

多賀谷一照監修、電気通信事業法研究会編著『電気通信事業法逐条解説改訂版』(情報通信振興会、令和元年)

大蔵省『工部省沿革報告』(明治21年)

逓信省電務局『帝国大日本電信沿革史』(明治25年)

若宮正音「電話創業の回顧」『通信協会雑誌』第29号電話創業廿年記念号（逓信協会、明治43年)

国際電話株式会社編『国際電話株式会社事業誌』(昭和13年)

逓信省編纂『逓信事業史』(逓信協会、昭和15年)

臨調・行革審ＯＢ会監修『日本を変えた10年 臨調と行革審』(行政管理研究センター、平成3年)

武智健二『通信法制七〇年史』(信山社、令和3年)

藤野克「スマートフォンの提供に誰が責任を負うのか－端末設備の政策の150年－」、*Hirao School of Management Review*, Vol.11, pp.123-162（令和3年)

Ⅲ　逐条解説

〈凡　例〉

1　原則として各条文につき「概要」を記述し、必要に応じて、「条文内容」及び「参考」の記述を行った。「条文内容」においては、更に詳細な解説を行い、条項によっては、各項ごとに当該項の趣旨等についての解説を記述して個別の論点に関して説明を付した。そして、「参考」においては、改正経緯や適用事例等参考となる事項について記載した。また、必要に応じて、条文のまとまりごとに総説として規律の趣旨等について解説を加えた。

2　条文中、説明を必要とする字句の下には、⑴、⑵・・・の番号を付し、これらについて、それぞれ本文中の「条文内容」⑴、⑵・・・において解説を加えた。
※番号の順序は、原則として条文の文脈上の前後にしたがって付した。

3　各条文と関係のある現行の諸法令の引用については、本法の解説の中で適宜行った。

4　本文説明中使用した主な略語は、次のとおりである。

施行令	電気通信事業法施行令（昭和60年政令第75号）
委員会令	電気通信紛争処理委員会令（平成13年政令第362号）
施行規則	電気通信事業法施行規則（昭和60年郵政省令第25号）
会計規則	電気通信事業会計規則（昭和60年郵政省令第26号）
主任技術者規則	電気通信主任技術者規則（昭和60年郵政省令第27号）
工担者規則	工事担任者規則（昭和60年郵政省令第28号）
事業用設備規則	事業用電気通信設備規則（昭和60年郵政省令第30号）
端末設備規則	端末設備等規則（昭和60年郵政省令第31号）
接続会計規則	第一種指定電気通信設備接続会計規則（平成9年郵政省令第91号）
接続料規則	第一種指定電気通信設備接続料規則（平成12年郵政省令第64号）
委員会手続規則	電気通信紛争処理委員会手続規則（平成13年総務省令第155号）
交付金等算定規則	第1号基礎的電気通信役務の提供に係る第一種交付金及び第一種負担金算定等規則（平成14年総務省令第64号）

技適規則	端末機器の技術基準適合認定等に関する規則（平成16年総務省令第15号）
番号規則	電気通信番号規則（令和元年総務省令第4号）
運営規程	電気通信紛争処理委員会運営規程（平成13年電気通信事業紛争処理委員会決定第1号）
仲裁準則	電気通信紛争処理委員会仲裁準則（平成15年電気通信事業紛争処理委員会決定第3号）
登録事業者	第9条の登録を受けた電気通信事業者
届出事業者	第16条第1項の届出をした電気通信事業者
ＮＴＴ東日本	東日本電信電話株式会社
ＮＴＴ西日本	西日本電信電話株式会社

5　本書における記述は、令和6年5月1日現在における本法及び関係法令等を基にしたものである。その時点で未施行の本法の改正規定については、その旨を明記して適宜記述した。具体的には、①刑法等の一部を改正する法律の施行に伴う関係法律の整理等に関する法律（令和4年法律第68号（令和7年6月1日までに施行））及び②民事関係手続等における情報通信技術の活用等の推進を図るための関係法律の整備に関する法律（令和5年法律第53号（令和10年6月13日までに施行））の未施行の改正規定については、これが施行されたときの本法の規定（①は、第177条から第182条まで、第184条、第185条及び第190条の罰則規定。②は、附則第9条の規定。）により記述し、本文の関係箇所においてその旨を明記した。

第1章　総　則
第1条（目的）

（目的）

第1条　この法律は、(1) 電気通信事業の公共性に鑑み、その (2) 運営を適正かつ合理的なものとするとともに、その (3) 公正な競争を促進することにより、(4) 電気通信役務の円滑な提供を確保するとともにその (5) 利用者等の利益を保護し、もつて (6) 電気通信の健全な発達及び (7) 国民の利便の確保を図り、(8) 公共の福祉を増進することを目的とする。

改正　平成13年法律第62号
令和 4 年法律第70号

1　概　要

電気通信事業法（昭和59年法律第86号。以下「本法」という。）の目的を定めている。

我が国の電気通信事業は、明治5年から昭和27年までは国営により、その後は、日本電信電話公社（以下「電電公社」という。）及び国際電信電話株式会社（以下「国際電電」という。）により、一元的かつ独占的に運営されてきたが、昭和60年4月の本法の施行により、電気通信事業分野に全面的に競争原理が導入された。本条は、本法全体の解釈・適用の指針となるべきものである。

2　条文内容

我が国の電気通信事業が昭和27年から電電公社（国内電気通信）及び国際電電（国際電気通信）という公的な機関により一元的に運営されてきたのは、

① 　電気通信サービスの公共性
② 　電気通信事業の自然独占性（規模の経済）
③ 　電気通信ネットワークの技術的統一性

に鑑み、限られた資源を集中して戦争により荒廃した電気通信ネットワークの早期復興を図り、国民の旺盛な電気通信需要に応えようとするためであった。

高度経済成長期を経た昭和50年代には、加入電話の積滞解消（昭和53年3月）及び全国自動即時化（昭和54年3月）という公衆電気通信の2大目標が達成されることとなった。他方で、同時に光ファイバ・通信衛星といった大容量かつ経

第1条

済的な通信メディアの出現、コンピュータ技術の飛躍的進歩を背景とした情報通信分野の技術革新に伴い、電気通信を巡る環境は大きく変化し、それまでの電話中心の全国画一的な電気通信サービスの充足にとどまらず、高度化・多様化する新たな利用者のニーズにきめ細かく対応することが求められるようになった。また、社会先導的役割を果たす電気通信事業の効率化・活性化が求められた。

　こうした時代の要請に応えるために、電気通信事業に全面的に競争原理を導入し、民間活力の活用を図るため、従来の公衆電気通信法（昭和28年法律第97号）に代えて、日本電信電話株式会社法（現在の日本電信電話株式会社等に関する法律）（昭和59年法律第85号）及び本法が制定された。

(1)　電気通信事業の公共性

　　電気通信事業は、国民生活及び産業経済活動に必要不可欠な電気通信役務を提供する事業であって、国民必需のサービスを提供する公益事業として高い公共性を有している。また、電気通信事業は、この公益事業としての公共性のほかに、次のような通信という特性に基づく固有の公共性を有している。

①　人間が他者との関わりにおいて初めて社会的存在となり得るとすれば、通信は人間が社会的動物として存在するための根源的役割を果たすこととなり、このため、安心して自由闊達な通信を可能とするための通信の秘密の保護が、近代社会の基本的人権の一つとして確立されてきている。個人の思想・表現の自由及びプライバシーの保護並びに企業秘密及び国家機密の保持は重要な課題であって、これらを確保するため、日本国憲法（以下「憲法」という。）第21条第2項は通信の秘密の保護を規定している。電気通信事業は、通信の秘密の保護と直接関わる事業であって、極めて高い公共性を有している（第3条及び第4条）。

②　災害発生時等の非常事態に際しては、警察・防災通信等国の基本的な行政機能に係る重要通信を確保することが、国家機能の維持及び国民の生命・財産の安全にとって不可欠である。電気通信事業は、国のインフラストラクチャーとして中枢神経的機能を果たすものであり、極めて高い公共性を有している（第8条）。

③　電気通信に対する国民生活及び社会経済の依存度が高まっており、電気通信の停廃又は中断は、重要な社会的機能の麻痺をもたらし、大きな社会的混乱が生じるおそれがある。このような脆弱性を克服するためには、安定的かつ確実な電気通信サービスの提供が必須となり、通信の安全・信頼性の確保

が重要となっている（第41条及び第44条）。

④　電気通信において不当に差別されることは、その者にとって社会・経済活動において著しい支障を生じることとなる。多数の者が相互に情報のやりとりをするネットワークから締め出されることによる不利益は特に大きい。したがって、電気通信サービスの提供において不当な差別的取扱いを受けると、その者の社会・経済活動に著しい支障が生じることとなる。そこで電気通信事業者の提供するサービスについて公平が図られることが必要不可欠となる（第6条）。

(2)　運営を適正かつ合理的なものとする

電気通信事業の「運営を適正かつ合理的なものとする」とは、電気通信事業について行政が一定の規律を行うことを意味する（第2章を参照のこと）。

本法では、電気通信事業に競争原理を導入した趣旨に鑑み、民間活力が最大限発揮できるよう必要最小限の規律を行うこととしている。

(3)　公正な競争を促進

電気通信事業における「公正な競争」とは、電気通信事業の公共性及びネットワーク産業としての特質に鑑み、不当な競争を排除し、公正妥当な競争ルールの整備を行い、そのルールに則り事業者が創意工夫の下で事業活動を行い、事業者間で徹底した競争が行われている状態をいう。

こうした状態を「促進」するため、電気通信事業における競争環境の整備（第2章第2節及び第3節並びに第4章）により、事業の効率化、合理化を進め、サービスの多様化、料金の低廉化等を図ることとし、目的として明示している。

(4)　電気通信役務の円滑な提供を確保

「電気通信役務の円滑な提供」とは、電気通信役務の確実かつ安定的な提供（第44条第2項）とほぼ同義である。

(1)に述べたとおり、電気通信役務は国民必需のサービスであり、国民生活及び社会経済の電気通信役務への依存度が高いことから、その停廃又は中断は、大きな社会的混乱を引き起こすおそれがある。電気通信事業に対する規律の一環として電気通信の安全・信頼性及びネットワークの健全性を確保することとしており（第41条及び第44条）、これにより「電気通信役務の円滑な提供」の確保を図っている。

なお、「電気通信役務の円滑な提供の確保」と次の「利用者等の利益の保護」は、必ずしも分離されるものではなく、「電気通信役務の円滑な提供の確保」が「利

第1条

用者等の利益の保護」となる場合が多い。

(5) 利用者等の利益を保護

本法の理念は、電気通信役務の利用者等が、いつでも、どこでも、低廉で、かつ、良質な電気通信役務を享受できるようにすることであり、これを実現することが「利用者等の利益」につながるものと考えられる。

ここで、「利用者」とは、第2条第7号において規定する「利用者」、即ち、電気通信事業者又は第3号事業（第164条第1項第3号に掲げる電気通信事業。電気通信設備を用いて他人の通信を媒介する電気通信役務以外の電気通信役務（ドメイン名電気通信役務・検索情報電気通信役務・媒介相当電気通信役務を除く。）を電気通信回線設備を設置することなく提供する電気通信事業。）を営む者から電気通信役務の提供を受ける者を指している。

「利用者等」には、「利用者」のほかに、電気通信事業者又は第3号事業を営む者から電気通信役務の提供を受けようとする者（契約の申込みの誘引を受けている者、契約を申し込もうとする者、契約の申込みに対し承諾しようとする者、契約の締結が行われない電気通信役務の提供を受けようとする者が含まれる。）、第26条第1項第1号又は第2号に掲げる電気通信役務の提供に関する契約の解除をした者（第26条の3第3項及び第4項）並びに第26条第1項各号に掲げる電気通信役務の提供に関する契約の締結の勧誘の相手方及び勧誘を受けた者（いずれも電気通信事業者である者を除く。）（第27条の2第2号及び第3号）が含まれており、本条で、これらの者が本法による保護の対象に含まれることを明示している。

本法では、「利用者等の利益を保護」するための直接的な規定を設け、例えば、次のように措置されている。

① 電気通信事業者の取扱中に係る通信の秘密を保護する規定（第3条及び第4条）のほか、事業用電気通信設備の技術基準やその管理についても通信の秘密が維持されるよう所要の措置が講じられている（第41条及び第44条）。

② 基礎的電気通信役務又は指定電気通信役務を提供する電気通信事業者がその優越的地位を背景に恣意的にサービスを提供しないようにするため、料金その他の提供条件に係る契約約款について届出制とするとともに、その公表を義務付け（第19条、第20条及び第23条）、業務区域においては提供義務を課している（第25条）。

③ 電気通信事業者及び媒介等業務受託者は、一定の電気通信役務に関する料

金その他の提供条件について、電気通信役務の提供を受けようとする者に説明しなければならない（第26条第1項（第73条の3において準用する場合を含む。））。また、書面の交付（第26条の2）、書面による解除（第26条の3）、電気通信業務の休止及び廃止の周知・公表（第26条の4第1項及び第26条の5）、苦情等の処理（第27条）、事実不告知・不実告知の禁止（第27条の2第1号（第73条の3において準用する場合を含む。））、自己の名称等を告げずに勧誘する行為の禁止（第27条の2第2号（第73条の3において準用する場合を含む。））、勧誘継続行為の禁止（第27条の2第3号（第73条の3において準用する場合を含む。））の制度が設けられている。

④　利用者の利益に及ぼす影響が大きい電気通信役務を提供する電気通信事業者には、特定利用者情報の適正な取扱いを確保するための措置が講じられている（第27条の5から第27条の11まで）。

⑤　電気通信事業者の電気通信役務の提供の方法が不適切なため、利用者の利益を阻害しているとき等は、総務大臣は、業務の方法の改善を命令することができることとしている（第29条）。

(6)　電気通信の健全な発達

「電気通信の健全な発達」とは、電気通信分野における技術革新の成果が積極的に取り入れられ、高度化・多様化する利用者のニーズにきめ細かく対応し、多種多様なサービスがより低廉で、かつ、より良質なものとして普遍的・安定的に提供されることをいう。

情報の円滑な流通と必要な情報へのアクセスが確保されることにより、我が国の産業経済の活性化と豊かで快適な国民生活が実現されることが期待される。その中で、基盤的・中核的役割を担うのは、個人・家庭・企業・行政機関等社会の構成員を相互に結ぶネットワークであると考えられる。その意味で、電気通信事業は、社会先導的役割を果たすとともに、豊かな国民生活や産業経済の活性化、地域社会の自立的発展や国際社会における円滑なコミュニケーションに大きく貢献していくことが求められる。

(7)　国民の利便の確保

「国民の利便の確保」とは、電気通信を通じて情報の円滑な流通と必要な情報へのアクセスが確保されることにより、豊かで快適な国民生活が実現するとともに、我が国の産業経済が効率化・活性化することをいう。具体的には、次のようなこと等が想定される。

① 遠隔医療システムやインターネットショッピングの拡大等で社会生活の利便が向上し、豊かで快適な国民生活が可能となる。

② 移動通信の高度化により、いつでもどこでも誰とでも円滑に情報のやりとりができる社会が進展する。

③ テレワークの拡大により働き方の形態が柔軟化し、子育て世代や高齢者・障がい者等の就業機会が増大する。

④ 情報通信産業が発展するとともに、企業内情報システムの高度化や電子（商）取引の普及により企業活動の効率化・活性化が進展する。併せて、地域間の情報格差の是正、工場やオフィスの地方分散化、地域文化の発展・向上が進む。

⑤ 自動翻訳システムやデータベースサービスへのアクセス、映像を含む情報コンテンツの流通が世界規模で拡大することで、国際社会における協調、文化交流及び相互理解が増進する。

(8) 公共の福祉を増進

「公共の福祉」とは、人権相互の矛盾を調整するために認められる実質的衡平の原理をいう。ここで「公共の福祉の増進」とは、個人の財産的自由権を調節し、人権の実質的衡平を図る概念として用いられる。本法をはじめとして、行政法規の最終の目的として多く規定される。

第2条（定義）

（定義）

第2条　この法律において、次の各号に掲げる用語の意義は、当該各号に定めるところによる。

　　一　電気通信　(1) 有線、無線その他の電磁的方式により、(2) 符号、音響又は影像を (3) 送り、伝え、又は受けることをいう。

　　二　(4) 電気通信設備　電気通信を行うための機械、器具、線路その他の電気的設備をいう。

　　三　電気通信役務　電気通信設備を用いて (5) 他人の通信を (6) 媒介し、その他 (7) 電気通信設備を他人の通信の用に供することをいう。

　　四　電気通信事業　電気通信役務を (8) 他人の需要に応ずるために提供す

る ⑼ 事業（放送法（昭和25年法律第132号）第118条第1項に規定する ⑽ 放送局設備供給役務に係る事業を除く。）をいう。

五　電気通信事業者 ⑾ 電気通信事業を営むことについて、⑿ 第9条の登録を受けた者及び第16条第1項（同条第2項の規定により読み替えて適用する場合を含む。）の規定による届出をした者をいう。

六　電気通信業務　電気通信事業者の行う ⒀ 電気通信役務の提供の業務をいう。

七　⒁ 利用者　次のイ又はロに掲げる者をいう。

　　イ　電気通信事業者又は第164条第1項第3号に掲げる電気通信事業（以下「第3号事業」という。）を営む者との間に電気通信役務の提供を受ける契約を締結する者その他これに準ずる者として総務省令で定める者

　　ロ　電気通信事業者又は第3号事業を営む者から電気通信役務（これらの者が営む電気通信事業に係るものに限る。）の提供を受ける者（イに掲げる者を除く。）

改正　平成元年法律第 55号
平成15年法律第125号
平成22年法律第 65号
令和 4 年法律第 70号

1　概　要

　本法及び本法に基づく命令において用いられる用語のうち、重要かつ基本的なものの概念を明らかにしている。本条においては、本法においてしばしば使用される基本的用語を一括して定義しており、「電気通信」、「電気通信設備」及び「電気通信役務」は、旧公衆電気通信法における定義（第2条）が踏襲されている。

　なお、本条のほかにも、本法で用いられる重要な用語の定義を定めている例がある（第7条、第8条第3項、第9条、第12条の2第4項、第20条第1項、第21条第1項、第33条第2項、第34条第2項、第50条第1項、第52条第1項、第164条第2項等）。

2　条文内容

〔第1号〕

(1)　有線、無線その他の電磁的方式

　　電気通信は、情報の伝達の手段の違いにより、①有線電気通信、②無線通信、③その他の通信の三つに区分される。

　　「有線電気通信」とは、線条その他の導体を利用するもの（有線電気通信法（昭和28年法律第96号）第2条第1項）である。導体には、銅線、鉄線など電気伝導に適する一切の有体物のほか、光ファイバ、導波管など電磁波の伝導体も含まれる。また、導体を利用する方法は、同軸ケーブル、平衡対ケーブルのように導体によって直接連絡する場合のほか、コイルのように誘導電磁界の主勢力の範囲内において結合する場合が含まれる。

　　「無線通信」とは、放射により空間を伝搬する電磁波である電波（300万メガヘルツ以下の周波数の電磁波をいう。電波法（昭和25年法律第131号）第2条第1号）を利用するものである。線条に誘起される誘導電界を利用する誘導式通信は、無線通信ではなく有線電気通信である。

　　「その他の通信」とは、光線その他の電波法上の電波以外の電磁波を利用するものである。具体的には、レーザ通信、赤外線通信等光の空間伝送によるものが考えられる。

　　「電磁的方式」とは、広く電磁的現象を利用する方式をいい、静電気、静磁気、電磁誘導現象などを応用するものはもとより、およそ電磁波を発生させ、それによって通信を媒介する一切の方式が含まれる。手旗信号、腕木通信（18世紀から19世紀にかけてフランスで利用された、網と滑車を組み合わせて作った腕木を人間が上下に動かし、その組合せの形を信号として次々と伝達する通信方法）や灯台等の視覚的な光線の利用は、「電磁的方式」によるものでないので電気通信とはならない。

(2)　符号、音響又は影像

　　通信とは、隔地者間に意思、感情、事実等の情報を伝達するものである。本法では、これが符号、音響又は影像により表現されたものを対象としている。

　　「符号」とは、意思、感情、事実などを相手に認識できる形、音、光等の組合せにより表現したものをいい、通常、文字・数字・記号等に対応して定められる。一般に知られているものだけでなく、暗号等、特定人間において意味を了解できるものも含む。ただ、通信主体が何らかの形で認識できる情報でなく

てはならない。「符号」による通信の代表的なものとして、電信（テレックス）、データ伝送がある。

「音響」とは、可聴周波の音波（通常20から1万7000ヘルツまでといわれる。）であって、人の音声、動物の鳴声、自然現象によってひき起こされるもの全てが含まれる。必ずしも空気を媒介する場合には限らない。「音響」による通信の代表的なものとして電話がある。

「影像」とは、静止していると移動しているとを問わず、目に見える一切の事物の光学的現象をいう。「影像」による通信の代表的なものとして、ファクシミリ、ビデオ通話、ビデオ会議がある。

符号、音響又は影像以外の情報は想定されていない。もっとも、それらの複合（マルチメディア）情報もあり、これらを厳密に区別する実益はない。

(3) 送り、伝え、又は受ける

「送る」とは、符号、音響又は影像を電気的信号に変換して送り出すことをいう。「伝える」とは、変換された電気的信号を送信の場所から受信の場所へ伝送し、中継し、又は変換することをいう。また、「受ける」とは、送られてきた電気的信号を受信し、これを符号、音響又は影像に再現することをいう。これら、「送り」、「伝え」、「受ける」の各行為は、それぞれ単独でも「電気通信」となるものであるが、各行為はそれぞれ関連性を有するものと解釈すべきである。

また、「送り、伝え、又は受ける」には、送信の場所と受信の場所との間に距離的観念が存在することが前提であるが、距離の長短には関わらず、また、同一構内であるかどうかを問わない。

「送り、伝え、又は受ける」行為は、通常、人（自然人のほか法人その他社会通念上独立の人格を有するもの）の意思が必要である。したがって、人の意思の入らない事実の伝達、例えば、雷のような自然現象は、電気通信ではないが、コンピュータに人がした指示（プログラム）に基づきなされるコンピュータ間通信は、電気通信となる。

〔第2号〕

(4) 電気通信設備

「電気通信設備」とは、電気通信を行うための一切の物的手段としての機械、器具、線路その他の電気的設備をいう。電話機をはじめとする各種の端末機器、出入力装置、交換機、搬送装置、無線通信設備、電子計算機、ケーブル、通信

用電力装置及びこれらに付属する機器の総称であって、これらの通信資材を相互に結合して、電気通信が可能な状態に構成され、かつ、電気通信を行う主体が支配・管理している状態にあるものをいう。したがって、例えば、自営の端末機器は、利用者が設置した時点で電気通信設備となるのであって、リース会社、販売店やメーカにある時点では、電気通信設備を構成するに至っていないので、単に「物」としての通信資材にすぎないものである。

　また、現用の設備のほか予備用の設備も含むが、工具、在庫品等は電気通信設備ではない。電柱その他の電線の支持物は、従来から、技術基準の適用、土地の使用において電気通信設備として取り扱われている。

〔第3号〕

(5)　他人の通信

　「他人」とは、自己以外の社会通念上独立の人格を有すると考えられる者をいう。法人の代表者又は法人若しくは人（自然人）の使用者その他の従業員が、その法人又は人の業務に関して行う通信の場合は、その者は当該法人又は人の機関たる地位にあり、その効果は直接当該法人又は人に帰属するものであることから、その法人又は人の通信であって、「他人」の通信とはならない。国や地方の機関については、従来から共同使用契約等において、各府省庁単位又は各地方公共団体単位で独立に扱われてきており、各府省庁相互間又は各地方公共団体相互間において他人として扱われている。

　「他人の通信」とは、自己（電気通信設備の設置者）の通信以外の通信であって、他人と他人との間の通信のほか、自己と他人との間の通信も含む。自己の通信は、単なる自家消費であるので、電気通信事業を定義するための道具概念である「電気通信役務」の概念には含まれないが、自己と他人との間の通信は、自己の通信と他人の通信との両面を有するので、他人の通信たる側面に着目して「電気通信役務」の概念に含まれる。したがって、例えば、自己が設置する電気通信設備を用いて自己と他人との間で通信を行う場合は、その自己はその設備を他人の通信の用に供していることとなる。

(6)　媒介

　一般に「媒介する」とは、他人の依頼を受けて、他人間に介在し一定の行為を成立させることをいう。「他人の通信を媒介する」とは、他人の依頼を受けて、情報（符号、音響又は影像）をその内容を変更することなく伝送・交換し、隔地者間の通信を取次ぎ、又は仲介してそれを完成させることをいう。その手段

は、通常機械的であるものである（例：自動交換による電話）が、人為的である（例：手動交換による電話、電報）場合もある。また、双方向通信であると片方向通信であるとを問わない。他人の依頼は、発信者の依頼である場合も受信者の依頼である場合もある。

「他人の通信を媒介する」場合は、他人と他人との通信を媒介する場合であり、自己と他人との間の通信は、他人間に介在しないので、「他人の通信を媒介する」こととはならない。

「他人の通信を媒介する」かどうかは、電気通信システム全体をみて、情報の流れに即し、目的別に判断されるものである。

(7)　電気通信設備を他人の通信の用に供する

「電気通信設備を他人の通信の用に供する」とは、広く電気通信設備を他人の通信のために運用することをいい、電気通信設備を直接他人に利用させることはもとより、「他人の通信を媒介」することも含む。また、「他人の通信」には、自己と他人の通信を含むことから（(5)を参照のこと）、自営端末などの自己の電気通信設備を自己以外の者との通信に使用することは、通信相手たる他人の通信の用にその設備を供していることとなる。

電柱や光ファイバを電気通信設備を構成しない資材として物理的に使用させることは、電気通信設備を他人の通信の用に供することにはならないが、通信回線として使用されている電気通信設備の管理を行いながら、一部を貸与すること、例えば、チャンネル貸し（搬送設備の設置者が周波数帯域を分割してその一部を他人に貸与すること）や通信衛星のトランスポンダ（電波中継器）貸し（通信衛星を設置管理する者が複数のトランスポンダの一部を他人に貸与すること）は、電気通信設備の他人供用に含まれる。

なお、放送は、「公衆によつて直接受信されることを目的とする電気通信の送信」（放送法（昭和25年法律第132号）第2条）と定義され、情報の送信、発射又は受信のうち送信の行為に着目した概念である。放送は、送信目的としては、公衆による直接の受信行為を予定しているとはいえ、視聴者が不特定かつ多数で必ずしもこれを受信していることを要せず、法律上は受信者を通信相手として観念していない（発信者の内心の意思に過ぎない）。

したがって、放送は、放送事業者が送信設備を他人である受信機を有する視聴者との間の通信の用に供しているとは見ず、主として一方的な番組の供給に着目した概念であり、従来の扱いと同様、明示的に適用除外とするまでもなく、

電気通信役務に当たらないものと解されている。

〔第4号〕

(8) 他人の需要に応ずるため

「他人の需要に応ずるため」とは、電気通信役務の提供について他人の需要に応ずることを目的とする場合であり、ある者が業務上の関係を有する者と、その業務の遂行に当たって又はそれに付随して電気通信設備を他人の通信の用に供することは、自己の需要に応じている（自己の取引上の通信を扱っている）ものであるからこれに含まれない（他人性）。

ただし、営利目的で電気通信回線や端末機器を他人の通信の用に供する場合は、それにより業務上の通信を行っていても「他人の需要に応ずる」ために行っていると判断されることがある。その場合の判断要素として、

① 提供者にサービスの提供の誘引行為や宣言的行為があり、それを示す提供条件があること

② 提供者と利用者との社会的関係から、当該サービスの提供に積極的意思が認められること

等が考えられる。

(9) 事業

「事業」とは、主体的・積極的意思、目的をもって行う同種の行為の反復継続的遂行（反復継続的遂行となり得るものも含む）をいう。したがって、次のことは、事業には当たらない。

① 非常事態時に緊急、臨時的に提供すること

（例）災害救助法（昭和22年法律第118号）第11条

水防法（昭和24年法律第193号）第27条第2項

自衛隊法（昭和29年法律第165号）第104条

災害対策基本法（昭和36年法律第223号）第57条、第61条の3及び第79条

大規模地震対策特別措置法（昭和53年法律第73号）第20条及び第26条第1項

原子力災害対策特別措置法（平成11年法律第156号）第27条の5

武力攻撃事態等における国民の保護のための措置に関する法律（平成16年法律第112号）第156条

② 試験的又は一時的に提供すること

③　提供者が利用者の法的権利に応えて提供すること

　（例）消防組織法（昭和22年法律第226号）第41条の消防機関による警察通
　　　　信施設の使用

　　　　郵便物運送委託法（昭和24年法律第284号）第8条により日本郵便株
　　　　式会社が行う鉄道運送業者の通信設備の使用

　　　　警察法（昭和29年法律第162号）第78条第2項の警察機関相互で行う
　　　　警察通信施設の使用

　「事業」性の判断要素として、提供者にサービスを提供するという積極的意
思（これは、提供条件の公示等客観的に判断されるものである。）があること
が必要である。営利目的があることは、事業性があることの判断要素にはなり
得るが、営利性がないからといってそれが「事業」性がないことの根拠にはな
らない。

　また、「事業」である上で、電気通信役務を独立して提供するものでなけれ
ばならず（独立性）、他のサービスに付随して電気通信役務の提供を行うこと
は含まれない。もっとも、電気通信役務以外のサービスと複合させて電気通信
役務を提供することが「事業」に当たらないということではなく、その場合、
電気通信役務の提供が独立した事業として把握できることを要するものである。
すなわち、情報の送受信それ自体にサービスとして独立の意味がある場合に限
られる。

⑽　放送局設備供給役務に係る事業

　「放送局設備供給役務」は、基幹放送（電波法第26条第2項第5号イに掲げ
る周波数の電波を使用する放送。電波法第5条第4項）に関して放送法で定義
された役務で、基幹放送局（基幹放送をする無線局。当該基幹放送に加えて基
幹放送以外の無線通信の送信をするものを含む。電波法第6条第2項）の無線
設備及びその他の電気通信設備のうち総務省令で定めるものの総体（基幹放送
局設備）を認定基幹放送事業者（放送法第93条第1項の認定を受けた者）の基
幹放送の業務の用に供する役務（放送法第118条第1項）のことである。本役
務に係る事業は、形式的には電気通信事業に相当するが、本役務は、通常、基
幹放送局提供事業者（電波法の規定により基幹放送局の免許を受けた者であっ
て、当該基幹放送局の基幹放送局設備を認定基幹放送事業者の基幹放送の業務
の用に供するもの。放送法第2条第24号）が提供し、放送法の適用を受けて、
その規律（国による認定に従った基幹放送に係る放送局設備供給役務の提供条

第2条

件の届出義務など）の対象となることから、これに係る事業について本法の規律を受けないこととしている。

〔第5号〕

(11) 電気通信事業を営む

「電気通信事業を営む」とは、電気通信役務を利用者に反復継続して提供して、電気通信事業自体で利益を上げようとすること、すなわち収益事業を行うことを意味する。具体的には、株式会社等が営利の目的をもって行う事業はもちろんのこと、公益法人や非営利団体が原価を償って多少利益の出る程度の有償性をもって行う収益事業も含まれる。この場合、現実に利益が出る（黒字となる）ことを要しない。

　　　　　　収益：収入－費用　（＝利益）

① 典型例は、営利法人（株式会社等）が行う事業である。

通信会社が、電気通信役務の提供により利用者から料金をとって利益を得ようとする場合は、当該通信会社が顧客を募集していること、料金その他の提供条件を定めていること等から客観的に収益の意図があると判断されることとなる。

通信以外の事業を行っている会社が、顧客へのサービスの一環として電気通信役務を提供する場合であって、実質的にそのことにより利益を上げているときは、たとえ名目上電気通信役務の料金をとっていないとしても、当該サービスは自己の経済的利益を図ろうとするものの一環であるので、名目上電気通信役務の料金がないことのみをもって「電気通信事業を営む」に当たらないとは必ずしもならない（実質的判断）。実質的判断は個別具体的に行われる。

② 営利法人が電気通信役務の提供を行う場合でも、利用者との特殊な関係に基づき、無償・原価ベースでこれを提供する場合は含まれない。

例えば、会社が自己の社員（又は社宅）に対して電気通信役務を提供する場合等である。

③ 非営利目的の法人が無償・原価ベースで電気通信役務を提供する場合は含まれない。

ただし、本来営利目的を有しない団体（公益法人等）がその事業の一部として利益を上げる目的で電気通信役務の提供を行う場合は、「電気通信事業を営む」に該当する。

⑿　第９条の登録を受けた者及び第16条第１項（・・・）の規定による届出を
した者

　　電気通信事業を営もうとする者は、電気通信回線設備の規模及びそれを設置
する区域の範囲について総務省令で定める基準等に応じて、総務大臣の登録を
受け、又は届出をする必要がある（ただし、第164条の適用除外がある）。登
録を受けた時点又は届出をした時点で電気通信事業者となる。現に電気通信事
業を開始している必要はない。

〔第６号〕

⒀　電気通信役務の提供の業務

　　「電気通信役務の提供の業務」とは、業としてなされる電気通信設備を用い
て他人の通信を媒介しその他電気通信設備を他人の通信の用に供する行為をい
う。したがって、電気通信役務の提供に関する契約事務や料金収納事務、又は
電気通信設備の保守業務は「電気通信業務」には当たらない。

　　業としてなされるとは、反復継続的に行われると同義であるが、不特定の人
に対し何時でもサービスを提供し得る状態にあるときは、たとえその提供回数
が１回であっても、ここにいう「電気通信役務の提供の業務」となるものであ
る。

〔第７号〕

⒁　利用者

　　「利用者」は、①電気通信事業者又は第３号事業（電気通信設備を用いて他
人の通信を媒介する電気通信役務以外の電気通信役務（ドメイン名電気通信役
務・検索情報電気通信役務・媒介相当電気通信役務を除く。）を電気通信回線
設備を設置することなく提供する電気通信事業。）を営む者との間に電気通信
役務の提供を受ける契約を締結する者、②　①を除き、電気通信事業者又は第
３号事業を営む者との間に電気通信役務の提供を受ける契約を締結する者に準
ずる者（総務省令において、電気通信事業者又は第３号事業を営む者から継続
的に電気通信役務を利用するための識別符号を付与された者と規定（施行規則
第２条の２）。）、③　①②を除き、電気通信事業者又は第３号事業を営む者から
電気通信役務（これらの者が営む電気通信事業に係るものに限る。）の提供を
受ける者のいずれかとしている。

　　電気通信役務には、明確に契約を締結した上で提供を受けるサービスの他に、
SNS等のように利用登録等を行うかウェブサイトの提供のように利用登録等

を行わないかに関わらず、利用者が利用規約を確認・同意できないままに利用することになる等、利用者が利用契約を締結しているかが明確でないサービスも含まれている。こうした電気通信役務の提供を受ける者についても本法による保護の対象とすることが適当であるため、この定義規定において、このいずれの形態においても、サービスの提供を受ける者が「利用者」に該当することを明示している。

第3条（検閲の禁止）

（検閲の禁止）
第3条　(1) 電気通信事業者の取扱中に係る通信は、(2) 検閲してはならない。

1　概　要

　憲法第21条第2項の規定を受けて、電気通信事業者の取扱中に係る通信の検閲禁止を規定している。

　通信は、人間が他者との関わりの中で初めて社会的存在となるものであることから、その社会的生活を営む上で不可欠なものである。また、表現の自由の基礎となる個人の自由な意思（思想、信条を含む。）の形成に当たっては、多様な情報の収集と他者との意思疎通の自由が保障される必要がある。通信は、このように人間の在り方と深く関わっているので、安心して自由闊達な通信ができるようにするために、通信の秘密の確保が近代社会における基本的人権として確立されてきており、憲法においても基本的人権として思想表現の自由を保障する（憲法第21条第1項）とともに、その一環として通信の秘密に関する規定が設けられている（憲法第21条第2項）。本法では、このような趣旨から、電気通信事業者の取扱中に係る通信について、本条において検閲を禁止するとともに、次条において一般の私人がその秘密を侵すことを禁止している。

2　条文内容

(1)　電気通信事業者の取扱中に係る通信

　「電気通信事業者の取扱中」とは、発信者が通信を発した時点から受信者がその通信を受ける時点までの間をいい、電気通信事業者の管理支配下にある状

態のものを指す。したがって、例えば、利用者の宅内にある自営端末や企業内の情報通信システムのように、発信者又は受信者の支配下にある電気通信設備の中での通信は、「電気通信事業者の取扱中」とはなり得ない。もっとも、蓄積機能を有する自営端末において、すでに蓄積された情報を事後に検閲する場合や企業内の情報通信システムなど自営電気通信設備の中での検閲など電気通信事業者の取扱中から一旦外れた情報の検閲は、本条の禁止している行為ではないものの、憲法第21条第2項及び有線電気通信法第9条又は電波法第59条の規定の違反に該当する行為となり得る。

「取扱中に係る通信」とは、情報の伝達行為が終了した後も、その情報は保護の対象となるという趣旨である。したがって、例えば、通信終了後にも電気通信事業者が保管している通信内容に関する記録（通信記録、交換証、頼信紙等）も保護の対象となるものである。

本条及び第4条の規定による保護に関しては、第164条第3項の規定により、同条第1項各号に掲げる電気通信事業を営む者の取扱中に係る通信が適用を受けるほか、同条第4項及び第5項の規定により、認定送信型対電気通信設備サイバー攻撃対処協会が行う第116条の2第2項第1号ロの通知及び同項第2号ロの通信履歴の電磁的記録は、本条及び第4条の「電気通信事業者の取扱中に係る通信」とみなして本条及び第4条の規定の適用を受ける。

(2) 検閲

「検閲」とは、一般に国その他の公の機関が強権的にある表現又はそれを通じて表現される思想の内容を調べることをいう。

国その他の公の機関は、電気通信事業者の取扱中に係る通信の内容を調べることはできず、また、電気通信事業者は、利用者の通信内容の如何によってサービス提供を拒絶することはできない（第6条）ことから、仮に公の秩序を乱すような通信がなされても直ちにこれを規制することはできない。

ただし、刑事訴訟法（昭和23年法律第131号）の規定に基づき、裁判官の発する令状又は許可状により通信に関する書類を押収し（同法第100条、第102条、第110条の2及び第222条）、捜査機関が現行犯逮捕に際してこれらを現場で押収する（同法第220条）ことや、犯罪捜査のための通信傍受（犯罪捜査のための通信傍受に関する法律（平成11年法律第137号）第3条）など他の法令の規定に基づき正当に行われる行為までもが禁止されるものではない。

なお、次条で通信の秘密の侵害を禁止しているところ、次条の規定の方が、

私人が対象となる点、検閲以外の手段も含む点で適用対象範囲が広いと解される。もっとも、罰則は、通信の秘密を侵した場合にのみ適用され（第179条）、本条には適用がないので、両条の関係を論ずる実益はあまりない。

第4条（秘密の保護）

（秘密の保護）
第4条　⑴ 電気通信事業者の取扱中に係る通信の秘密は、⑵ 侵してはならない。
2　⑶ 電気通信事業に従事する者は、在職中電気通信事業者の取扱中に係る ⑷ 通信に関して知り得た他人の秘密を ⑸ 守らなければならない。 ⑹ その職を退いた後においても、同様とする。

1　概　要

　第1項は、憲法第21条第2項の規定を受けて電気通信事業者の取扱中に係る通信の秘密の保護を規定している。

　通信の秘密を保護する趣旨は、通信が人間の社会生活にとって必要不可欠なコミュニケーションの手段であることから、憲法第21条第2項の規定を受けて思想表現の自由の保障を実効あらしめること（第3条の解説を参照のこと。）にある。これとともに、個人の私生活の自由を保護し、個人生活の安寧を保障する（プライバシーの保護）趣旨があるが、プライバシーは個人の権利であるが本条は法人にも適用されることや、罰則の担保があることから、プライバシー権のみでは本条を基礎付けることはできない。

　第2項は、電気通信事業に従事する者に関する第1項の適用関係を明らかにするとともに、電気通信事業に対する利用者の信頼保持の観点から、電気通信事業に従事する者に対し、第1項より広い範囲の守秘義務を、職務上の義務として課している。

　電気通信事業者の取扱中に係る通信の秘密を侵した場合の処罰規定については、第179条に置かれている。その秘密を侵した者は、2年以下の拘禁刑（令和4年法律第68号の施行後。）又は100万円以下の罰金に処せられる（同条第1項）。電気通信事業に従事する者の場合には、3年以下の拘禁刑（令和4年法律第68号の施行後。）又は200万円以下の罰金に処せられる（同条第2項）。両罰規定（第

190条）の適用もある。

2　条文内容

〔第1項〕

(1)　電気通信事業者の取扱中に係る通信の秘密

　　「電気通信事業者の取扱中に係る通信」については、第3条と同様であり、同条の解説2 (1)を参照のこと。

　　「電気通信事業者の取扱中に係る通信」は、いったん通信当事者の手から離れ電気通信事業者に託されたものであり、通信当事者が秘密を保護するための自衛措置を講ずる余地がなく、また、秘密が侵害される危険にさらされやすいことに鑑み、電気通信事業に対する利用者の信頼を保護するため、その秘密を侵すことを禁止している。なお、電気通信事業者の取扱中に係る通信以外の通信は、有線電気通信法第9条又は電波法第59条の規定の対象となり得る。

　　他の電気通信事業者の回線の提供を受けて事業を営む電気通信事業者が通信を取り扱っている場合、回線を提供する電気通信事業者にとっては、回線の提供を受ける他の電気通信事業者が取り扱っている通信全体も保護の対象となる「取扱中に係る通信」となる。

　　「電気通信事業者の取扱中に係る通信」に関して、昭和38年12月9日法制局一発第24号では、本法制定前の公衆電気通信法第5条第1項の規定の適用について、「捜査官憲が、電話による通信の一方の当事者甲の同意を得て、甲の利用する電話の端末の設備において他方の当事者乙の通話を録音することは、公衆電気通信法第五条第一項に違反しないか」という問いに対して、次のように回答している。

　　「電話による通話の一方の当事者甲がその利用する電話の端末の設備において聴取しうる他方の当事者乙の通話の内容は、甲の支配の下に置かれた事項であつて、法第五条第一項にいう『公社・・・の取扱中に係る通信の秘密』の範囲外にある事項である。したがつて、甲が、その利用する電話の端末の設備において、乙の通話の内容をみずから録音することはもちろん、第三者に録音させることもまた、法第五条第一項の規定に違反することにはならないものと思われる。」

　　「秘密」とは、一般に知られていない事実であって、他人に知られていないことにつき本人が相当の利益を有すると認められる事実をいう。本人が秘密と

考えるもの（主観的秘密）が直ちに法的に保護に値するとはいえず、一般人が通常秘密にしようとする蓋然性（客観的秘密）があることが必要である。なお、通信の内容について、一見それが公知の事実や意味のない内容である場合でも、当事者にとって特別の意味を有する場合があり、「秘密」でないとは言い切れない。したがって、電話や電子メール等の特定者間の通信は、ひとまず秘密性が推定されると解される。他方、電子掲示板やホームページに掲載された情報などで不特定者に向けて表示されることを目的とした通信の内容は、発信者がそれ自体を秘密としていないと解すべきであり、本条の保護の対象外である。ただし、電子掲示板やホームページへアップロードするための通信などには、特定者向けの通信となるものがある。

「通信の秘密」の範囲には、通信内容はもちろんであるが、通信の日時、場所、通信当事者の氏名、住所・居所、電話番号等の当事者の識別符号、通信回数等これらの事項を知られることによって通信の意味内容が推知されるような事項全てを含む。これらの通信の構成要素は、それによって通信の内容を探知される可能性があるし、また、通信の存在の事実を通じて個人の私生活の秘密（プライバシー）が探知される可能性があるからである。

これに関して、最高裁令和3年3月18日第一小法廷決定（令和2年（許）第10号）（民集第75巻3号822頁）は、本項の趣旨について次のように述べ、送信者情報（電気通信の送信者の特定に資する氏名、住所等の情報）は、通信の内容そのものではないが、通信の秘密に含まれるものであると判示している。「電気通信事業法4条1項が通信の秘密を保護する趣旨は、通信が社会生活にとって必要不可欠な意思伝達手段であることから、通信の秘密を保護することによって，表現の自由の保障を実効的なものとするとともに、プライバシーを保護することにあるものと解される。電気通信の利用者は、電気通信事業においてこのような通信の秘密が保護されているという信頼の下に通信を行っており、この信頼は社会的に保護の必要性の高いものということができる。そして，送信者情報は、通信の内容そのものではないが、通信の秘密に含まれるものであるから、その開示によって電気通信の利用者の信頼を害するおそれが強いというべきである。そうである以上、電気通信の送信者は、当該通信の内容にかかわらず、送信者情報を秘匿することについて、単に主観的利益だけではなく、客観的にみて保護に値するような利益を有するものと解される。」

また、東京地裁平成14年4月30日判決（平成11年刑(わ)第3255号）は、通

信の秘密に含まれるものについて、次のように判示している。

「通信の内容のほか、通信当事者の住所・氏名・電話番号、発受信場所、通信の日時・時間・回数なども含まれると解すべきである。けだし、通信の秘密を保障する趣旨は個人のプライバシーの保護、ひいては個人の思想、表現の自由の保障を実効あらしめることにあるところ、通信の相手方の住所・氏名・電話番号などを人に知られることによっても、個人の思想、表現の自由が抑圧されるおそれがあるからである。」

(2) 侵してはならない

「秘密を侵す」とは、一般に故意をもって他人の秘密を暴くことであり、一定の範囲にとどまっている秘密たる事実をその範囲の外に出るようにすることである。

「通信の秘密を侵す」とは、通信当事者以外の第三者が積極的意思をもって知得しようとすることのほか、第三者にとどまっている秘密をその者が漏えい（他人が知り得る状態にしておくこと）すること及び窃用（本人の意思に反して自己又は他人の利益のために用いること）することも、それぞれ独立して「秘密を侵す」ことに該当する。

知得　　　　　漏洩・窃用

通信当事者 ──────→ 第三者 ──────→ 他人

① 知得

積極的に通信の秘密を知ろうという意思のもとでなされる行為であって、偶然に通信の秘密を知ることはこれに当たらない。

電気通信事業の従事者が業務上の必要から行う知得行為や捜査機関等が職務上適法に行う知得行為（通信の秘密の例外措置として第3条の解説2(2)ただし書で掲げた法令に基づく行為。なお、犯罪行為の検挙のための逆探知は、誘拐犯など現に急迫な危険がある場合など一定の要件のもとに適法となる。）は、「正当行為」として違法性が阻却される（刑法（明治40年法律第45号）第35条）。

② 漏えい・窃用

通信の秘密の知得が適法でも違法でも、また、本人が知ろうとする意思がないにもかかわらず通信の秘密を知り得た場合でも、その知り得た通信の秘密を他人に漏えいし、又は窃用すれば、「通信の秘密を侵す」こととな

る。事故や犯罪等本人に責任のない事由により漏えいすることは、故意がなく、本条にいう「通信の秘密を侵す」こととはならない（ただし、第28条第1項にいう「通信の秘密の漏えい」には当たると解される）。

　一般に、通信の当事者以外の第三者からの通信の内容等に関する事項の照会に対し、通信の両当事者の同意を得て回答する場合は、本条の規定に違反しないものと考えられるが、一方の通信当事者のみの同意では、他方にとっては通信当事者間限りで秘密とすべき通信もあり得ることから、本条の規定に違反することとなる場合がある（例えば、発信者の逆探知は、無限定で認められるものではない）。

　なお、刑事訴訟法や犯罪捜査のための通信傍受に関する法律など他の法令の規定に基づき正当に行われる行為は、本条に違反するものではない。

〔第2項〕

　本項は、電気通信事業に従事する者に関する第1項の適用関係を明らかにするとともに、電気通信事業に対する利用者の信頼保持の観点から、電気通信事業に従事する者に対し、第1項より広い範囲の守秘義務を、職務上の義務として課したものである。

　電気通信事業に従事する者は、その業務の取扱い上、通信の秘密を容易に知り得る地位にあることから、その業務の取扱い上必要な限度において通信の秘密を知ることは、第1項の規定に違反しないが、それを第三者に漏えいしたり、窃用したりすることは、第1項の規定にも違反することとなる。

(3)　**電気通信事業に従事する者**

　「電気通信事業に従事する者」とは、電気通信事業者及び電気通信事業者から電気通信業務を受託した者の役員及び職員を含む。第164条第1項各号に掲げる電気通信事業に従事する者についても本項の規定は適用される（第164条第3項）。また、認定送信型対電気通信設備サイバー攻撃対処協会が行う第116条の2第2項第1号及び第2号に掲げる業務に従事する者も、本項の「電気通信事業に従事する者」とみなして本項の規定が適用される（第164条第4項及び第5項）。

(4)　**通信に関して知り得た他人の秘密**

　「通信に関して知り得た他人の秘密」には、通信の内容、通信の構成要素、通信の存在の事実等「通信の秘密」のほか、通信当事者の人相、言葉の訛や契約の際に入手した契約者の個人情報、営業秘密、料金滞納情報、電話帳掲載省

略電話番号等、個々の通信の構成要素とはいえないが、それを推知させる可能性のあるものも含む。

これは、電気通信事業という他人の通信を扱う公共性の高い事業に従事する以上、より幅広い義務を課して、通信の秘密の保護に万全を期したものである。

(5) 守らなければならない

「秘密を守る」とは、一般に、一定の範囲内にとどまっている秘密たる事実をその範囲内にとどめておくことであり、秘密たる事実をその範囲外に出すことは、「秘密を侵す」こととなる。

このような規定とされたのは、電気通信事業に従事する者は、職務上通信に関し他人の秘密を積極的に知得することが当然予測されるところ、単に業務上の正当な行為としての他人の秘密の知得行為は、本項及び第1項違反とならず、その後これを第三者に漏えいし、又は窃用することが本項又は第1項違反となることを明確にするためである。ただし、罰則の適用は、第1項の通信の秘密を侵した場合に限られる（第179条）。

(6) その職を退いた後においても、同様とする

これは、在職中知得した他人の通信の秘密について、電気通信事業に従事する者に対し、その退職後においてもこれを漏えいし、又は窃用することを禁止し、実質的に通信の秘密の確保を図ろうとするものである。

【電気通信事業従事者等による通信の内容の確認についての主要判例】

① 脅迫電報の受付・配達を差し止めるべきとした主張が認められなかった事例

電気通信事業者が受付ないし配達を行おうとする電報の電文が脅迫を内容とすることを覚知した場合に、当該電報の受付ないし配達を差し止めるべきとする原告の主張につき争われた事件において、大阪地裁平成 16 年7月7日第22民事部判決（平15（ワ）第7561号、平16（ワ）第2119号）（判例タイムズ1169号258頁）は、次のように、原告の主張は採用の限りではないと判断した。

「電気通信事業者ないしその従業者が電気通信役務を提供するに際し、その取扱いの過程において通信内容を事実上覚知することがあり得るとしても、その通信に係る情報の内容面については全く関知せず、受信者にそのまま伝達することが当然に求められているものである。したがって、電気通信事業者ないしその従業者が、その取扱いの過程において、通信の内容を何らかの方法で把握し、審査することも全く想定されていないところであると解すべきである。

第4条

　　・・・原告らの主張するような作為義務を電気通信事業者である被告らに課
するとすれば、被告らとしては、・・・取り扱う全ての電報についてその内容
を個別的に把握し、審査しなければならないことになるところ、このことによ
る社会的な悪影響は極めて重大であり、ひいては電報、葉書といった社会的に
有用な通信手段の存立を危うくするものとすらいい得るものである。
　　・・・原告らの主張は、現行制度上許されない作為義務を被告らに求めるも
のであり、被告らないしその従業者らに原告ら主張の措置を採るべき法的義務
を認める余地は全くないというべきである。」

② 脅迫電子メールに関する情報の提示についての申立てが認められなかった事
例

　　抗告人の相手方が、脅迫的表現を含む匿名の電子メールの送信者の氏名、住
所等が記録された電磁的記録媒体等につき、訴えの提起前における証拠保全と
して、検証の申出をするとともに電気通信事業者である抗告人に対する検証物
提示命令の申立てを行ったことに対して、最高裁令和3年3月18日第一小法
廷決定（令和2年（許）第10号）は、電気通信事業従事者等（電気通信事業
に従事する者及びその職を退いた者）は、民事訴訟法第197条第1項第2号の
類推適用により、職務上知り得た事実で黙秘すべきものについて証言を拒むこ
とができると解するのが相当であるとし、また、電気通信事業者は、その管理
する電気通信設備を用いて送信された通信の送信者情報（電気通信の送信者の
特定に資する氏名、住所等の情報）で黙秘の義務が免除されていないものが記
載され、又は記録された文書又は準文書について、当該通信の内容にかかわら
ず、検証の目的として提示する義務を負わないと解するのが相当であると判示
し、本件申立てを却下すべきであるとした。

【電気通信事業における個人情報等の保護に関するガイドラインの経過】

　　通信の秘密が含まれることになる個人情報の電気通信事業者等による取扱いに
関しては、郵政省・総務省において、平成3年以来、指針を設けてきており、次
に見るような変遷を経て、現在に到っている。

　　平成3年8月9日、郵政省電気通信局の「電気通信事業における個人情報保護
に関する研究会」は、その報告書で、「電気通信事業における個人情報保護に関
するガイドライン案」を公表、同年9月6日、郵政省は、電気通信局長名で、関
係業界団体宛に「電気通信事業における個人情報保護に関するガイドラインにつ

いて」を発出した。

　これは、電気通信事業を営む者における個人情報の収集、利用・提供、適正管理、個人参加（本人からの情報開示等の請求への対応）、責任の明確化（内部体制整備）について事業者団体、事業者等においてルールを定める際の指針として策定されたものだった。

　郵政省では、平成10年には、ガイドラインを告示（「電気通信事業における個人情報保護に関するガイドライン」（平成10年郵政省告示第570号））の形で広く公けに示すものとした。

　平成15年に個人情報の保護に関する法律（平成15年法律第57号）が制定されると、同法及び同法第7条の規定に基づく「個人情報の保護に関する基本方針」（平成16年4月2日閣議決定）をも踏まえて、電気通信事業を行う者（電気通信事業を営む者に加えて、営利性のない電気通信事業を行う者を含む。）に対する指針として、あらためて「電気通信事業における個人情報保護に関するガイドライン」（平成16年総務省告示第695号）が制定された。

　平成27年法律第65号による個人情報の保護に関する法律の改正で、個人情報に関する監督が主務大臣から個人情報保護委員会によることに変更され、平成28年に包括的な「個人情報の保護に関する法律についてのガイドライン（通則編）」（平成28年個人情報保護委員会告示第6号）等が制定された後は、これに準拠しつつ、電気通信事業を行う者に適用される規律を一元的に示したガイドラインとして、「電気通信事業における個人情報保護に関するガイドライン」（平成29年総務省告示第152号）が定められた。これは、令和2年法律第44号及び令和3年法律第37号による個人情報の保護に関する法律の改正を踏まえた見直しを行ったことを契機として、令和4年に、個人情報保護委員会と総務省の共同告示に移行した（「電気通信事業における個人情報保護に関するガイドライン」（令和4年個人情報保護委員会・総務省告示第4号））

　同ガイドラインは、令和4年法律第70号による電気通信事業法の改正を受け、令和5年個人情報保護委員会・総務省告示第5号により、特定利用者情報規律及び外部送信規律に関する記載が追加され、「電気通信事業における個人情報等の保護に関するガイドライン」に名称が変更された。

　現行のガイドラインでは、通信の秘密に関しては、上記の電気通信事業を行う者について、通信の秘密に係る個人情報の取得、保存、利用及び第三者提供が原則として禁止される旨の規定（同告示第8条第3項、第11条第2項、第5条第

4項及び第17条第8項）や、通信の秘密に係る個人情報の取扱いに際して、安全管理のために必要かつ適切な措置を講じることが求められる旨の規定（同告示第12条）を設けている。

第5条（電気通信事業に関する条約）

（電気通信事業に関する条約）
第5条　⑴電気通信事業に関し条約に別段の定めがあるときは、その規定による。

1　概　要

本法と電気通信事業に関する条約との関係について明示している。電気通信が本来ボーダーレスな特性を持つことから、電気通信に関する多くの、かつ、詳細な条約が存在している。そのため、本法の規定とこれら条約の規定との抵触を避けるとともに、本法に規定されていない条約規定を国内法的に有効とする本条が設けられている。憲法は、「日本国が締結した条約及び確立された国際法規は、これを誠実に遵守することを必要とする」と規定しており（憲法第98条第2項）、本条の規定がなくとも条約が法律及び命令に優先すると解されるのが通説である。したがって、本条は、電気通信事業について本法以外にも多くの条約の定めがあることを喚起するための為念的規定と解されている。

ただし、憲法の規定からいきなり条約の規定に国内法の効力をもたせることは不十分との考え方もあり、この考え方においては、本条により初めて電気通信事業に関する条約について一般的に国内法としての効力を持たせることが可能となることとなる。

もっとも、条約の締結に当たっては、条約にしたがった国内法令の整備がなされることが通常であり、条約の規定が法令の内容と矛盾する事態は通常は想定されない。

2　条文内容

⑴　電気通信事業に関し条約

「条約」とは、憲法第73条第3号の規定により締結される国家間又は国家

と国際機関との間の文書による合意をいう。その名称が条約というか否かは問わず、協定、規則等の名称である場合が含まれる。

「電気通信事業に関する条約」としては、国際電気通信連合憲章、国際電気通信連合条約、国際電気通信衛星機構に関する協定、国際移動通信衛星機構に関する条約、アジア・太平洋電気通信共同体憲章等のほか、ＷＴＯ協定、ＣＰＴＰＰ協定（環太平洋パートナーシップに関する包括的及び先進的な協定）等の国際貿易協定や公海条約、宇宙関係条約等も電気通信事業に関する規定を含む限りにおいて対象となる。

なお、条約により直接に授権された条約の運用に関する規則（例えば、国際電気通信連合条約の国際電気通信規則及び無線通信規則）を含む。

第6条

第2章　電気通信事業
第1節　総則

第6条（利用の公平）

> （利用の公平）
> 第6条　電気通信事業者は、電気通信役務の提供について、(1) 不当な差別的取扱いをしてはならない。

第7条繰上げ　平成15年法律第125号

1　概　要

　憲法第14条第1項（法の下の平等）の規定を受けて不当な差別的取扱いを禁止している。

　不当な差別的取扱いの禁止とは、電気通信役務の提供契約の締結に当たり、また、その提供に当たって、特定の者を正当な理由なく差別して有利に又は不利に取り扱ってはならないという意味である。通信において不当に差別されることは、その者にとって社会・経済活動において著しい支障を生じることとなる。一つのネットワークで多数の者が相互に情報のやりとりをする場合には、自分だけがそのネットワークから締め出されることは大きな不利益となる。したがって、電気通信固有の法益として不当な差別的取扱いの禁止を基本原則として規定したものである。

2　条文内容

(1)　不当な差別的取扱い

　「不当な差別的取扱い」とは、国籍、人種、性別、年齢、社会的身分、門地、職業、財産等によって、特定の者に差別的待遇を行うことである。すなわち、これらの理由により特定の者に既定の提供条件をまげて提供したり、又は既定の提供条件どおり提供しなかったりすることを意味する。

　したがって、合理的な根拠に基づいて取扱いに差を設けることまで禁止されるものではない。非常災害時における重要通信の優先的取扱い（第8条）や公共的なサービスの料金を減免すること（第19条第4項及び第20条第6項）は、公共的必要性に基づくものであり、「不当な差別的取扱い」とはならないものである。また、第1号基礎的電気通信役務のように届出契約約款による提供が

86

義務付けられている（第19条第3項）ような場合を除き、相対契約による提供が即ち本条の規定に反するものとなるわけではない。

　一般的に不当な差別的取扱いが行われた場合には、業務改善命令の要件に該当する（第29条第1項第2号）ほか、基礎的電気通信役務の届出契約約款及び指定電気通信役務の保障契約約款の変更命令の対象となることがある（第19条第2項及び第20条第3項）。

第7条（基礎的電気通信役務の提供）

（基礎的電気通信役務の提供）

第7条　⑴ 基礎的電気通信役務（国民生活に不可欠であるためあまねく日本全国における提供が確保されるべき次に掲げる電気通信役務をいう。以下同じ。）を提供する電気通信事業者は、その　⑵ 適切、公平かつ安定的な提供に努めなければならない。

　一　⑶ 電話に係る電気通信役務であつて総務省令で定めるもの（以下「第1号基礎的電気通信役務」という。）

　二　⑷ 高速度データ伝送電気通信役務（⑸ その一端が利用者の電気通信設備と接続される伝送路設備及び ⑹ これと一体として設置される電気通信設備であつて、符号、音響又は影像を高速度で送信し、及び受信することが可能なもの（⑺ 専らインターネットへの接続を可能とする電気通信役務を提供するために設置される電気通信設備として総務省令で定めるものを除く。）を用いて他人の通信を媒介する電気通信役務をいう。第110条の5第1項において同じ。）⑷ であつて総務省令で定めるもの（以下「第2号基礎的電気通信役務」という。）

追加　平成13年法律第 62号
第72条の5繰上げ　平成15年法律第125号
改正　令和4年法律第 70号

1　概　要

　基礎的電気通信役務を提供する電気通信事業者が、当該役務の適切、公平かつ安定的な提供に努めなければならない旨を定める。

　基礎的電気通信役務の提供を確保するための枠組みとしては、基礎的電気通信

第7条

役務提供事業者の内部での地域間補填に加え、他の電気通信事業者に応分の費用負担を求めることを可能とするための制度として、交付金（いわゆるユニバーサルサービス交付金）の制度が設けられている（第2章第7節）。

　基礎的電気通信役務の提供に関しては、基礎的電気通信役務の契約約款の届出（第19条）、提供義務（第25条）等の業務の規律及び電気通信設備の規律（第41条第2項等）について規定が設けられている。

2　条文内容

(1)　基礎的電気通信役務

　基礎的電気通信役務は、「国民生活に不可欠であるためあまねく日本全国における提供が確保されるべき電気通信役務」と定義される。これは、国民生活や社会経済活動においてそれが利用できない場合には著しい支障が生じる基礎的な通信手段であって、国民生活に不可欠であると広く認識される電気通信役務について、採算地域、不採算地域を問わず、全国どこでも原則として地域間格差なく利用できることを確保する必要があるものを指す。

(2)　適切、公平かつ安定的な提供に努めなければならない

　電気通信事業者は、基礎的電気通信役務の提供において、

①　誰もが利用可能な低廉な料金で一定の品質水準で提供される適切性

②　誰もが同等の条件で利用することができる公平性（例えば、地域間格差のない料金体系の設定が原則）

③　提供事業者の財政的基礎や技術力により実現される役務提供の安定性（継続性）

が求められることを規定している。

(3)　電話に係る電気通信役務であつて総務省令で定めるもの

　基礎的電気通信役務のうち電話に係るものである第1号基礎的電気通信役務の具体的内容は、総務省令で規定することとしている。

　総務省令では、次を規定している（施行規則第14条）。

①　アナログ固定電話役務で（イ）端末系伝送路設備に係るもの及び（ロ）緊急通報に係るもの（施行規則第14条第1号）

②　社会生活上の安全及び戸外での最低限の通信手段を確保するのに必要な公衆電話機（第一種公衆電話機）を設置して提供する市内通信及び緊急通報に係るもの（施行規則第14条第2号）

③ 災害時に避難所等における公衆による電話の利用を確保するために地方公共団体の要請に基づき電気通信事業者が避難所等の収容人員おおむね100名当たり1回線の基準によりあらかじめ設置する固定端末系伝送路設備を用いて提供する音声伝送役務（施行規則第14条第2号の2）

④ ①を提供する電気通信事業者が提供する①相当の光インターネットプロトコル電話役務（0AB～Jの電気通信番号を用いるもの）（施行規則第14条第3号）

⑤ ①を提供する電気通信事業者がワイヤレス固定電話用設備を用いて提供する①相当の音声伝送役務（施行規則第14条第4号）

(4) **高速度データ伝送電気通信役務・・・であつて総務省令で定めるもの**

　テレワーク、遠隔教育、遠隔医療等は、現在、国民生活に不可欠な役割を果たしているところ、これらのためには、隔地間で大容量の動画をリアルタイムかつ双方向でやりとりすることが必要であり、一定品質以上の高速度（単位時間当たりに通信可能な情報量が多いこと）のデータ伝送を提供する電気通信役務が利用可能であることが前提となる。この役務の利用については、地理的格差が発生することは望ましくなく、採算地域・不採算地域を問わず、あまねく日本全国における提供が確保されるべきものであるため、この役務を第2号基礎的電気通信役務として基礎的電気通信役務に位置付けている。

　総務省令では、具体的には、次に掲げるものであって下り名目速度が30Mbps以上のものを第2号基礎的電気通信役務と定めている（施行規則第14条の3）。

- ・　FTTHアクセスサービスのうちデータ伝送役務として提供されるもの
- ・　CATVアクセスサービスのうちデータ伝送役務として提供されるもので、HFC方式（Hybrid Fiber Coaxial。幹線が光ファイバ、引き込み線が同軸ケーブルにより提供される方式）によるもの
- ・　専用型ワイヤレス固定ブロードバンドアクセスサービスのうちデータ伝送役務として提供されるもの

(5) **その一端が利用者の電気通信設備と接続される伝送路設備**

　利用者の電気通信設備との接続点から収容局内の電気通信設備までの伝送路設備をいう。

(6) **これと一体として設置される電気通信設備**

　「一体として設置される」としており、高速度データ伝送電気通信役務を提供

第7条・第8条

する電気通信事業者は、必ずしも自ら電気通信設備を設置する必要がない。

⑺　専らインターネットへの接続を可能とする電気通信役務を提供するために設置される電気通信設備として総務省令で定めるものを除く

　　インターネットへの接続を可能とする電気通信役務については、自然独占が生じやすい加入者回線の提供を必ずしも必要としておらず、現に電気通信事業者間の競争が活発に行われており、適切、公平かつ安定的な提供が確保される蓋然性が高いとして、高速度データ伝送電気通信役務の提供に用いる電気通信設備から専らインターネットに接続するために設置される電気通信設備を除くこととしている。具体的には、総務省令において、「専らインターネットの接続点間の通信の用に供する電気通信設備」を除くこととしている（施行規則第14条の4）。

第8条（重要通信の確保）

（重要通信の確保）

第8条　電気通信事業者は、⑴ 天災、事変その他の非常事態が発生し、又は発生するおそれがあるときは、災害の予防若しくは救援、交通、通信若しくは電力の供給の確保又は秩序の維持のために必要な事項を内容とする通信を ⑵ 優先的に取り扱わなければならない。 ⑶ 公共の利益のため緊急に行うことを要するその他の通信であつて総務省令で定めるものについても、同様とする。

2　前項の場合において、電気通信事業者は、必要があるときは、⑷ 総務省令で定める基準に従い、電気通信 ⑸ 業務の一部を停止することができる。

3　電気通信事業者は、⑹ 第1項に規定する通信（以下「重要通信」という。）の円滑な実施を他の電気通信事業者と相互に連携を図りつつ確保するため、⑺ 他の電気通信事業者と電気通信設備を相互に接続する場合には、総務省令で定めるところにより、⑻ 重要通信の優先的な取扱いについて取り決めることその他の必要な措置を講じなければならない。

改正　平成11年法律第160号
　　　平成15年法律第125号

1　概　要

電気通信事業者一般に対して、天災、事変その他の非常事態が発生し、又は発

生するおそれがあるときの災害の予防若しくは救援、交通、通信若しくは電力の供給確保又は秩序維持のための通信や、その他の公共の利益のために緊急に行うことを要する通信を、重要通信として、他の通信に優先して取り扱わなければならないとする（第1項）とともに、重要通信を確保するために必要な場合、他のサービスを停止することができることとしている（第2項）。また、電気通信事業者が相互に連携を図ることにより、災害等の非常時において、重要通信がエンド・トゥ・エンドで円滑に確保されるよう、電気通信事業者間で必要な取決めを行うこと等を義務付けている（第3項）。

2 条文内容

〔第1項〕

(1) 天災、事変その他の非常事態

　「天災、事変その他の非常事態」には、地震、台風、洪水、津波、雪害、火災、暴動等、自然的であると人為的であるとを問わず、いっさいの非常事態が含まれている。

(2) 優先的に取り扱わなければならない

　「優先的に取り扱う」とは、具体的には、交換サービスにおいては、優先すべき通信をあらかじめ登録しておいて優先的に接続すること、また、回線設備が一部破損した場合においては他に優先して回線を設定すること等をいう。

(3) 公共の利益のため緊急に行うことを要するその他の通信

　「公共の利益のため緊急に行うことを要するその他の通信」とは、

①　人命の安全に係る事態の予防、救援、復旧等に関し、緊急を要する事項

②　治安の維持のため緊急を要する事項

③　公職の選挙の執行又はその結果に関し、緊急を要する事項

④　災害状況の報道

⑤　気象、水象、地象若しくは地動の観測の報告又は警報に関する緊急通報

⑥　水道、ガス等の役務の提供その他生活基盤を維持するため緊急を要する事項

を内容とする通信であって関係機関が行うものとされている（施行規則第55条）。

〔第2項〕

(4) **総務省令で定める基準**

電気通信業務の一部の停止は、各電気通信事業者が個々に基準を定めるのでは本条の趣旨が十分全うされないと考えられるため、総務省令で基準を定めることとしている。具体的な基準は、施行規則第56条において、気象、水防、消防、災害救助、秩序維持、防衛、海上保安、輸送、通信、電力、水道、ガス、選挙管理、報道及び金融の各機関並びにその他の政府機関であって総務大臣が指定する機関が重要通信を行うため他の通信の接続を制限又は停止することとしている。

(5) **業務の一部を停止する**

「業務の一部を停止する」とは、非常災害時において通信需要が大量に発生している場合、前述のように重要通信を優先的に取り扱った結果、他の通信を物理的に制限し、又は停止する事態をいう。

なお、本条は第6条（利用の公平）並びに第25条及び第121条（提供義務）の特例規定であり、これらの義務を解除している。

〔第3項〕

(6) **第1項に規定する通信（以下「重要通信」という。）の円滑な実施を他の電気通信事業者と相互に連携を図りつつ確保するため**

多数の電気通信事業者が参入している現在、ほとんどの通信は、相互に接続された複数の電気通信事業者のネットワークを介して提供される状況にあり、重要通信を確保するに当たっては、相互に接続されたネットワーク間で確実に優先的取扱いがなされることが重要になっている。しかし、電気通信サービスの内容が高度で複雑となっており、電気通信事業者が相互接続する際に解決すべき技術的課題が多いのにもかかわらず、電気通信事業者間の競争が激しいため、電気通信事業者の自主的な取組だけでは重要通信を確保するために必要な技術情報を共有することが難しくなっている。このため、その中で必要な措置を講じることを義務付ける趣旨を明確にするために、「他の電気通信事業者と相互に連携を図りつつ確保する」ことを法律上明記している。

(7) **他の電気通信事業者と電気通信設備を相互に接続する場合**

第1項及び第2項では、個々の電気通信事業者のネットワーク内における重要通信の優先的取扱い義務を規定している。第3項は、これらの規定に加え、複数の電気通信事業者のネットワークが相互に接続された環境下でエンド・

第8条

トゥ・エンドで重要通信を確保することを担保するために設けられており、本項の規定の対象範囲を明確にするため、「他の電気通信事業者と電気通信設備を相互に接続する場合」としている。

(8) **重要通信の優先的な取扱いについて取り決めることその他の必要な措置**

複数の電気通信事業者が電気通信設備を接続した場合において重要通信を適切に取り扱うことを確保するために必要な取決めを締結することを電気通信事業者に義務付けている。重要通信に関する事項について不備がある場合には、業務改善命令の対象となる（第29条第1項第3号）。

具体的には、総務省令において、次の事項について取決めを行うこととしている（施行規則第56条の2）。

① 重要通信を確保するために必要があるときは、他の通信を制限し、又は停止すること

② 電気通信設備の工事又は保守等により相互に接続する電気通信設備の接続点における重要通信の取扱いを一時的に中断する場合は、あらかじめその旨を通知すること

③ 重要通信を識別することができるよう重要通信に付される信号を識別した場合は、当該重要通信を優先的に取り扱うこと

第2節　事業の登録等

総　説

本節は、電気通信事業の参入規律について規定している。

電気通信回線設備を設置する電気通信事業は、参入に当たっては、大規模なインフラを設置、運営する基幹的な産業であることから、登録制を原則とし（第9条）、法令違反等一定の欠格事項に該当しない場合には、直ちに登録を受けられることとしている（第11条）。

総務省令で定める基準を超えない規模及び区域の範囲の電気通信回線設備を設置する場合（電気通信回線設備を設置しない場合を含む。）又は基幹放送に付随して無線通信の送信をする場合には、事前届出制とし（第16条）、事前の審査は行わないこととしている。

いわゆる公益事業特権の付与が必要な場合には、別に電気通信事業の認定制度を設けている（第3章第1節）。

また、事業の休止又は廃止等の退出規律については、事後届出制としている（第18条）。

第9条

第9条（電気通信事業の登録）

（電気通信事業の登録）

第9条　電気通信事業を営もうとする者は、(1) 総務大臣の登録を受けなければならない。ただし、次に掲げる場合は、(2) この限りでない。

一　その者の (3) 設置する (4) 電気通信回線設備（(5) 送信の場所と受信の場所との間を接続する (6) 伝送路設備及び (7) これと一体として設置される交換設備並びに (8) これらの附属設備をいう。以下同じ。）の規模及び当該電気通信回線設備を設置する区域の範囲が (9) 総務省令で定める基準を超えない場合

二　その者の設置する電気通信回線設備が電波法（昭和25年法律第131号）第7条第2項第7号に規定する (10) 基幹放送に加えて基幹放送以外の無線通信の送信をする無線局の無線設備である場合（前号に掲げる場合を除く。）

改正	平成11年法律第160号
第24条繰上げ改正	平成15年法律第125号
改正	平成22年法律第 65号
	令和 5 年法律第 40号

1　概　要

　電気通信回線設備を設置する電気通信事業は、我が国の電気通信ネットワークの構成全体に相当程度影響を及ぼすものであり、他の電気通信事業者のサービス提供の基盤ともなる大規模なインフラ設備を設置、運営する基幹的な事業であることから、当該事業を営む者が電気通信の秩序を乱す場合には、当該者の利用者のみならず、他の電気通信事業者やその利用者にまで影響が及ぶため、そのような者を事前に排除する必要がある。

　また、線路設備を設置するために不可欠又は重要な電柱・管路等の設備を独占的に保有している事業者がこのような電気通信事業に参入する場合には、当該電柱・管路等の設備を排他的に利用して大規模な電気通信回線設備を設置することにより、他の電気通信事業者と比して競争上優越的な地位を獲得することが想定されることから、公正な競争環境を確保する観点から、そのような者を事前に排除し、又はこれら電柱・管路等の設備を他の電気通信事業者に対して公平に利用させること等の一定の条件を付した上で参入を認めることとする必要がある。

95

第9条

　これらのため、電気通信事業を営もうとする者は、設置する電気通信回線設備が一定の規模及び区域の範囲を超えない場合や基幹放送に付随して無線通信の送信をするものである場合を除き、総務大臣の登録を受けなければならないこととしている。

　本条の規定に違反して電気通信事業を営んだ者は、3年以下の拘禁刑（令和4年法律第68号の施行後。）若しくは200万円以下の罰金に処し、又はこれを併科する（第177条）。両罰規定（第190条）の適用もある。

2　条文内容

(1)　総務大臣の登録を受けなければならない

　電気通信回線設備を設置する電気通信事業への参入については、設置する電気通信回線設備が一定の規模及び区域の範囲を超えない場合や基幹放送に付随して無線通信の送信をするものである場合を除き、総務大臣の登録に係らしめることとし、

① 　通信関係法令に違反した者等の欠格事由に該当しないこと（第12条第1項第1号から第3号まで）

② 　外国法人等であって国内における代表者又は国内における代理人を定めていない者ではないこと（第12条第1項第4号）

③ 　電気通信の健全な発達のために適切でないと認められる者ではないこと（第12条第1項第5号）

について審査を行うこととしている。

　電気通信事業を営もうとする者で登録を要する者は、総務大臣の登録を受け、公簿に記載されることによって、法的に電気通信事業者たる地位を取得する。登録によって、利用者にとっても、その電気通信事業者が事業を営む適格性を有することが明確になる。

(2)　この限りでない

　電気通信事業を営もうとする者の設置する電気通信回線設備の規模及び当該電気通信回線設備を設置する区域の範囲が総務省令で定める基準を超えない場合並びに設置する電気通信回線設備が基幹放送に付随して無線通信の送信をするものである場合には、総務大臣の登録を要せず、届出のみで事業参入可能としている（第16条第1項）。

(3) 設置

　電気通信設備の「設置」とは、通信できるようにされた機械、器具、線路その他の電気的設備を継続的に管理・支配することをいう。

　設置の有無には、所有権の有無は問われない。また、建設工事をすることを意味するものではないので、設置工事の請負人が設置する者となるわけではない。

(4) 電気通信回線設備

　「電気通信回線設備」は、「送信の場所と受信の場所との間を接続する伝送路設備及びこれと一体として設置される交換設備並びにこれらの附属設備」と定義されるとおり、隔地者間を結ぶ伝送路設備に特に意義を置き、これと一体として設置される交換設備と附属設備とを併せた概念である。隔地者間を結ぶ伝送路設備がなければ、電気通信回線設備とはならない。

(5) 送信の場所と受信の場所との間を接続する

　隔地者間を結ぶこと、すなわち、同一の構内（これに準ずる区域内を含む。）又は同一の建物内に通信がとどまらないことを意味する。

　送信・受信の「場所」については、通信が同一の構内（これに準ずる区域内を含む。）又は同一の建物内に通信がとどまっている場合には、通信がその「場所」にとどまっていると解され、通信がその場所を越えて行われることで、送信・受信が行われたことになる。「送信の場所」、「受信の場所」は、最終的に位置する利用者の場所を必ずしも意味するものではない。

(6) 伝送路設備

　電気的な手段により情報の伝達を行う設備であって、光ファイバケーブル、同軸ケーブル、マイクロ波回線などの線路設備のほか、送受信を行う搬送装置も含む。

(7) これと一体として設置される交換設備

　「交換設備」とは、通信経路の設定を行う設備をいう。「これと一体として設置される」とは、伝送路設備の設置者である電気通信事業者が伝送路設備と一体として設置するものであることを意味している。

(8) これらの附属設備

　「これらの附属設備」とは、伝送路設備及び交換設備が有効に機能するために必要な設備であって、これらの設備とは独立のものとなっているものをいう。これに該当するものとして、通信電力装置、集線装置、課金装置、中継器等が考えられる。

第9条・第10条

(9) **総務省令で定める基準を超えない場合**

総務省令において、具体的には、次の2要件を満たす場合には、第16条第1項の届出で足りることとすることを規定している（施行規則第3条）。

① 端末系伝送路設備の設置の区域が一の市町村（特別区のある地にあっては「特別区」、地方自治法（昭和22年法律第67号）第252条の19第1項の指定都市にあっては「区」又は「総合区」。）の区域を超えないこと

② 中継系伝送路設備の設置の区間が一の都道府県の区域を超えないこと

電気通信回線設備を設置することなく電気通信事業を営もうとする場合においても、第16条第1項の届出により電気通信事業に参入することとなる。

(10) **基幹放送に加えて基幹放送以外の無線通信の送信をする無線局**

電波法第7条第2項第6号ハの規定により、「基幹放送以外の無線通信の送信をすることが適正かつ確実に基幹放送をすることに支障を及ぼすおそれがないものとして総務省令で定める基準に合致すること」が審査されるものであり、これを用いて行う電気通信事業は、無線局の主たる目的である基幹放送の適正・確実な実施に支障を及ぼさない範囲内で（例えば、一定の時間において、放送の業務に付随して）行われるものになる。設置する電気通信回線設備がこの無線局の無線設備である場合には、電気通信役務の提供方法の観点から見て、電気通信事業が限定的なものになると考えられるため、総務大臣の登録を要せず、届出のみで事業参入可能としている。

第10条

> 第10条 前条の登録を受けようとする者は、総務省令で定めるところにより、次の事項を記載した申請書を総務大臣に提出しなければならない。
> 一 (1) 氏名又は名称及び住所並びに法人にあつては、その代表者の氏名
> 二 (2) 外国法人等（外国の法人及び団体並びに外国に住所を有する個人をいう。以下この章及び第118条第4号において同じ。）にあつては、国内における代表者又は国内における代理人の氏名又は名称及び国内の住所
> 三 (3) 業務区域
> 四 (4) 電気通信設備の概要

五　⑸その他総務省令で定める事項
　2　前項の申請書には、⑹第12条第1項第1号から第3号までに該当しな
　　いことを誓約する書面その他総務省令で定める書類を添付しなければな
　　らない。

追加　平成15年法律第125号
改正　令和2年法律第 30号

1　概　要

　第9条の登録を受けようとする場合における登録の申請の手続を定めている。

2　条文内容

〔第1項〕

　本項は、登録の申請を行う場合の申請書の記載事項として、①氏名又は名称及
び住所並びに法人にあっては、その代表者の氏名、②外国法人等にあっては、国
内における代表者又は国内における代理人の氏名又は名称及び国内の住所、③業
務区域、④電気通信設備の概要、⑤その他総務省令で定める事項を定め、申請を
行うに際しての詳細を総務省令に委ねている。

　これら記載事項のうち、①、②又は⑤の事項に変更があったときは、遅滞なく、
その旨を総務大臣に届け出ることを要し（第13条第5項）、③又は④の事項を変
更しようとするときは、総務省令で定める軽微な変更を除き、総務大臣の変更登
録を受けることを要する（同条第1項）。

⑴　氏名又は名称及び住所並びに法人にあつては、その代表者の氏名

　　「氏名又は名称」とは、申請者が自然人である場合には「氏名」、法人であ
　る場合には「名称」を意味し、「住所」とは、本社、本店等事業遂行の中心と
　なる場所をいう。

⑵　外国法人等（・・・）にあつては、国内における代表者又は国内における代
　理人の氏名又は名称及び国内の住所

　　外国から国内にある者に対して電気通信役務を提供する電気通信事業を営も
　うとする者が、登録の申請（第9条）を行う際は、国内における代表者又は代
　理人を定めて提出することを義務付けることとしている。これにより、例えば、
　法執行の必要が生じた場合に、国内における代表者又は代理人への文書の送達
　等ができることになり、法執行の実効性の確保が図られる。また、監督官庁と

のコンタクトポイントとして、適時適切に連絡・報告等を行なうことが可能になる。

「国内における代表者」は、日本支店の代表者等、法人の内部の者を、「国内における代理人」は、国内の弁護士等、法人の外部の者を想定している。

サービスの貿易に関する一般協定（ＧＡＴＳ）第16条第2項の規定において、(a)サービス提供者の数の制限及び(e)法定の事業体について特定の形態を制限し又は要求する措置を維持し又はとってはならないとされていることに、我が国では、その約束表において、電気通信サービスについて「制限しない」としている。本法本条の規定は、一定類型のサービスを禁止するものでも、特定の形態の法定事業体又は合弁企業を通じたサービスを要求するものでもなく、ＧＡＴＳ第16条第2項の規定に抵触するものではないと解される。

(3) **業務区域**

電気通信事業の登録申請を行う場合の申請書の記載事項として、「業務区域」を法律上明記している。「業務区域」とは、電気通信事業者がその電気通信役務を提供する場所である。

総務省令においては、具体的に、提供区域（一般的な利用形態において電気通信役務の提供を受けることが可能となる区域）、利用者や他の電気通信事業者の電気通信設備との接続に係る業務区域について記載すべきことを定めている（施行規則第4条第1項及び様式第1）。

(4) **電気通信設備の概要**

電気通信事業の登録申請書の記載事項として、「電気通信設備の概要」を規定している。電気通信設備とは、「電気通信を行うための機械、器具、線路その他の電気的設備」（第2条第2号）である。電気通信役務の定義が「電気通信設備を用いて他人の通信を媒介し、その他電気通信設備を他人の通信の用に供すること」（同条第3号）であるところ、電気通信設備が電気通信事業の重要な要素となっているため、電気通信設備の概要を登録申請書の記載事項としている。

総務省令においては、具体的に、端末系伝送路設備の設置の区域や中継系伝送路設備の設置の区間等について記載すべきことを定めている（施行規則第4条第1項及び様式第1）。

(5) **その他総務省令で定める事項**

総務省令においては、電気通信事業の登録申請書の記載事項として、具体的

に、電話番号及び電子メールアドレスを定めている（施行規則第4条第2項）。

〔第2項〕

本項は、申請書を提出する場合の添付書類に関する規定である。第12条第1項に規定する登録の拒否事由が存しないかどうかについての審査に必要な範囲で、同項第1号から第3号までに該当しないことを誓約する書面その他総務省令で定める書類を申請書に添付しなければならない旨を規定している。

(6) 第12条第1項第1号から第3号までに該当しないことを誓約する書面その他総務省令で定める書類

登録申請に必要な具体的な添付書類については、第12条第1号から第3号までの欠格事由に該当しないことを誓約する書面を法定するほか、総務省令において、ネットワーク構成図、提供する電気通信役務に関する書類や申請者の行う電気通信事業以外の事業の概要等を規定している（施行規則第4条第3項及び第4項並びに様式第2、様式第2の2、様式第3及び様式第4）。

第11条（登録の実施）

（登録の実施）

第11条　総務大臣は、第9条の登録の申請があつた場合においては、(1) 次条第1項の規定により登録を拒否する場合を除き、次の事項を (2) 電気通信事業者登録簿に登録しなければならない。

一　前条第1項各号に掲げる事項

二　登録年月日及び登録番号

2　総務大臣は、前項の規定による登録をしたときは、遅滞なく、その旨を申請者に通知しなければならない。

改正　平成11年法律第160号
第25条繰上げ改正　平成15年法律第125号

1　概　要

総務大臣の行う電気通信事業の登録の実施の手続を規定している。

第11条

2　条文内容

〔第1項〕

　登録の申請があった場合においては、総務大臣は、第12条第1項の規定によりその登録を拒否する場合を除いて、①氏名又は名称及び住所並びに法人にあっては、その代表者の氏名、②外国法人等にあっては、国内における代表者又は国内における代理人の氏名又は名称及び国内の住所、③業務区域、④電気通信設備の概要、⑤その他総務省令で定める事項（電話番号及び電子メールアドレス（施行規則第4条第2項））、⑥登録年月日及び登録番号を電気通信事業者登録簿に登録するものとしている。

(1)　**次条第1項の規定により登録を拒否する場合を除き**

　①　第12条第1項各号に掲げる登録の拒否事由に該当する場合

　又は、

　②　登録申請書若しくはその添付書類のうちに重要な事項について虚偽の記載があり、又は重要な事実の記載が欠けている場合

に該当しない限り、総務大臣の裁量の余地なく登録が行われる旨を規定している。

(2)　**電気通信事業者登録簿に登録**

　　「電気通信事業者登録簿」は、公簿であって、これへの記載は、特定の事実又は法律関係の存否を公に証明する公証行為に当たる。本法では、電気通信回線設備（一定の規模及び区域の範囲を超えない場合や基幹放送に付随して無線通信の送信をするものである場合を除く。）を設置して電気通信事業を営む上での要件という効果を与えている。

　　登録の効果の発生時期は、登録権者である総務大臣が所定の事項を登録簿に記載した時点である。申請時点、申請を受け付けた時点又は第2項の規定により申請者に対し通知がなされた時点ではない。

〔第2項〕

　総務大臣は、電気通信事業者登録簿に登録をしたときは、遅滞なく、その旨を申請者に通知しなければならないとしている。

第12条（登録の拒否）

（登録の拒否）

第12条　総務大臣は、第10条第１項の申請書を提出した者が次の各号のいずれかに該当するとき、又は当該申請書若しくはその添付書類のうちに(1) 重要な事項について虚偽の記載があり、若しくは重要な事実の記載が欠けているときは、その登録を拒否しなければならない。

一　(2) この法律、有線電気通信法（昭和28年法律第96号）若しくは電波法又はこれらに相当する外国の法令の規定により罰金以上の刑（これに相当する外国の法令による刑を含む。）に処せられ、その執行を終わり、又はその執行を受けることがなくなつた日から２年を経過しない者

二　(3) 第14条第１項の規定により登録の取消しを受け、その取消しの日から２年を経過しない者又はこの法律に相当する外国の法令の規定により当該外国において受けている同種類の登録（当該登録に類する許可その他の行政処分を含む。第50条の３第２号において同じ。）の取消しを受け、その取消しの日から２年を経過しない者

三　(4) 法人又は団体であつて、その役員のうちに前２号のいずれかに該当する者があるもの

四　(5) 外国法人等であつて国内における代表者又は国内における代理人を定めていない者

五　(6) その電気通信事業が電気通信の健全な発達のために適切でないと認められる者

２　総務大臣は、前項の規定により登録を拒否したときは、文書によりその理由を付して通知しなければならない。

改正	平成11年法律第160号
第26条繰上げ改正	平成15年法律第125号
改正	平成22年法律第 65号
	平成27年法律第 26号
	令和２年法律第 30号

1　概　要

第９条の登録の拒否事由及び登録を拒否した場合の通知手続について規定している。

第12条

2　条文内容

〔第1項〕

　電気通信回線設備（一定の規模及び区域の範囲を超えない場合や基幹放送に付随して無線通信の送信をするものである場合を除く。）を設置して電気通信役務を提供する電気通信事業について、総務大臣の登録に係らしめている制度の趣旨に即して、

① 申請者が通信関係法令に関して重大な違反を犯し、刑に処せられてから一定の年月を経過していない者その他欠格事由に該当する者（第1号から第3号まで）、外国法人等であって国内における代表者又は国内における代理人を定めていない者（第4号）、その電気通信事業が電気通信の健全な発達のために適切でないと認められる者（第5号）のいずれかである場合、

② 登録申請書若しくはその添付書類のうちに重要な事項について虚偽の記載があり、又は重要な事実の記載が欠けている場合

には、総務大臣は、登録を拒否しなければならないとしている。

(1) **重要な事項について虚偽の記載があり、若しくは重要な事実の記載が欠けているとき**

　　登録を拒否すべきか否かの判断に必要な事項について虚偽の記載があり、若しくは記載が欠けていることを意味する。

(2) **この法律、有線電気通信法（昭和28年法律第96号）若しくは電波法又はこれらに相当する外国の法令の規定により罰金以上の刑（これに相当する外国の法令による刑を含む。）に処せられ、その執行を終わり、又はその執行を受けることがなくなつた日から2年を経過しない者**

　　本法のほか、電気通信事業に特に関係の深い有線電気通信法又は電波法の規定に違反した者について、登録の適格性を欠くものとしている。これにより、電気通信事業者の法令遵守を担保しようとしている。通信関係国内法令に相当する外国の法令に関して重大な違反を犯した者についても、同様に電気通信の秩序を乱すおそれがあることから、登録の適格性を欠くものとしている。

　　「その執行を終わり」とは、拘禁刑等（令和4年法律第68号の施行後。）にあっては刑期の終了を、罰金刑にあっては罰金の完納をいう。「執行を受けることがなくなつた」とは、刑の執行の免除を指し、これには、恩赦法（昭和22年法律第20号）第8条の「刑の執行の免除」、刑法第5条に規定する外国で言い渡された刑の執行を受けたときの刑の「免除」、同法第31条の時効による

「執行の免除」がある。

　執行猶予の判決を受けた者が、これを取り消されることなく猶予期間を満了したときは、刑の言渡しは効力を失うから（同法第27条）、そのときに本号そのものに該当しないことになり、欠格者ではなくなる。

　なお、「２年」の期間は一つの政策判断であり、この程度の期間が経過すれば一定の反省を経て、その欠格性は治癒されるものとみられたものである（第46条第４項第２号、第50条の３第１号、第75条第２項第２号、第85条の３第２項第１号、第87条第２項第１号及び第118条第１号参照）。

(3)　第14条第１項の規定により登録の取消しを受け、その取消しの日から２年を経過しない者又はこの法律に相当する外国の法令の規定により当該外国において受けている同種類の登録（当該登録に類する許可その他の行政処分を含む。・・・）の取消しを受け、その取消しの日から２年を経過しない者

　電気通信事業者が、第14条第１項の規定による登録取消処分を受けた場合には、その処分の日から２年を経過しないと登録の適格性を欠く旨を規定している。本法に相当する外国の法令の規定により当該外国において受けている同種類の登録（当該登録に類する許可その他の行政処分を含む。）の取消しを受けた者についても、電気通信の秩序を乱すおそれがあることから、登録の適格性を欠くこととしている。

(4)　法人又は団体であつて、その役員のうちに前２号のいずれかに該当する者があるもの

　申請者が法人又は団体である場合には、その役員中に前２号の欠格事由に該当する者がいるときにも、登録の適格性を欠くこととしている。

(5)　外国法人等であつて国内における代表者又は国内における代理人を定めていない者

　国内における代表者又は国内における代理人を定める義務の実効性を担保するとともに、これらを定めていない外国法人等の事業参入を排除する観点から、国内における代表者又は国内における代理人を定めていないことを、登録の適格性を欠くこととしている。

(6)　その電気通信事業が電気通信の健全な発達のために適切でないと認められる者

　当該事由に該当する事例としては、次のようなものが想定される。

①　申請時においては通信関係法令違反等の欠格事由には該当しないものの、当該申請に係る業務の内容が本法等の規定に違反する不適切なものであるこ

とが明らかである場合等、利用者の利益又は公共の利益を著しく阻害するおそれがあるとき。

② 他の公益事業分野における法律上の独占的な地位に基づき、線路設備を設置するために不可欠又は重要な電柱・管路等の設備を独占的に保有している事業者が電気通信事業に参入する場合に、当該事業者がこれら電柱・管路等の設備を排他的に利用して大規模な電気通信回線設備を設置しようとし、公正競争を阻害するおそれが大きいとき。

〔第2項〕

本項においては、総務大臣は、登録の拒否という処分をした場合には、いかなる場合においても文書によりその理由を付して通知しなければならないとしている。

本項は、申請者に対する手続的保障を十分に確保する観点から、行政手続法（平成5年法律第88号）の定める手続の特例を定めるものである。同法においては、行政庁は、申請により求められた許認可等を拒否する処分をする場合には、許認可等の要件や審査基準が数量的指標その他の客観的指標により明確に定められており、これらに適合しないことが明らかであって申請者の求めがない場合を除き、申請者に対し、当該処分の理由を示さなければならないとし（同法第8条第1項）、当該処分を書面でするときは、理由を書面により示さなければならないとする（同条第2項）が、本項では、いかなる場合にも例外なく上記の手続が採られるべきことを規定している。

第12条の2　（登録の更新）

（登録の更新）

第12条の2　第9条の登録は、次に掲げる事由が生じた場合において、当該事由が生じた日から起算して　(1) 3月以内にその更新を受けなかつたときは、その効力を失う。

一　第9条の登録を受けた者が設置する電気通信設備が、第33条第1項の規定により新たに指定をされたとき（(2) その者が設置する他の電気通信設備が同項の規定により既に指定をされているときを除く。）、又は第34条第1項の規定により新たに指定をされたとき（(2) その者が設

置する他の電気通信設備が同項の規定により既に指定をされていると
きを除く。）。

二　第９条の登録を受けた者（第一種指定電気通信設備（第33条第２項
に規定する第一種指定電気通信設備をいう。以下第31条までにおいて
同じ。）又は第二種指定電気通信設備（第34条第２項に規定する第二種
指定電気通信設備をいう。第４項第２号ハ及び第30条第１項において
同じ。）を設置する電気通信事業者たる ⑶ 法人である場合に限る。以
下この項において同じ。）が、次のいずれかに該当するとき。

イ　その特定関係法人以外の者（特定電気通信設備を設置する者に限
る。以下この項において同じ。）と合併 ⑷ 合併後存続する法人が当
該第９条の登録を受けた者である場合に限る。）をしたとき。

ロ　その特定関係法人以外の者から ⑸ 分割により電気通信事業（当該
特定電気通信設備を用いて電気通信役務を提供する電気通信事業に
限る。以下この項において同じ。）の全部又は一部を承継したとき。

ハ　その特定関係法人以外の者から電気通信事業の全部又は一部を譲
り受けたとき。

三　第９条の登録を受けた者の特定関係法人が、次のいずれかに該当す
るとき（⑹ 当該同条の登録を受けた者の特定関係法人が引き続いて当
該同条の登録を受けた者の特定関係法人である場合に限る。）。

イ　当該第９条の登録を受けた者の特定関係法人以外の者（⑺ 当該同
条の登録を受けた者を除く。ロ及びハにおいて同じ。）と合併（合併
後存続する法人が当該同条の登録を受けた者の特定関係法人である
場合に限る。）をしたとき。

ロ　当該第９条の登録を受けた者の特定関係法人以外の者から分割に
より電気通信事業の全部又は一部を承継したとき。

ハ　当該第９条の登録を受けた者の特定関係法人以外の者から電気通
信事業の全部又は一部を譲り受けたとき。

四　⑻ 第９条の登録を受けた者の特定関係法人以外の者が、当該同条の
登録を受けた者の特定関係法人となつたとき。

2　⑼ 前３条の規定は、前項の登録の更新について準用する。この場合に
おいて、次の表の上欄に掲げる規定中同表の中欄に掲げる字句は、それ
ぞれ同表の下欄に掲げる字句に読み替えるものとする。

第11条第1項第2号	登録年月日及び	登録及びその更新の年月日並びに
前条第1項	各号	各号（(10)第2号にあつては、この法律に相当する外国の法令の規定に係る部分に限る。）
	五　その電気通信事業が電気通信の健全な発達のために適切でないと認められる者	五　(11)その電気通信事業を適確に遂行するに足りる経理的基礎を有しないと認められる者 六　(12)その電気通信事業を適確に遂行するに足りる体制の整備（第33条第2項に規定する第一種指定電気通信設備を設置する電気通信事業者にあつては、第31条第6項に規定する体制の整備を含む。）が行われていないと認められる者 七　(13)その電気通信事業が電気通信の健全な発達のために適切でないと認められる者

3　第1項の登録の更新の申請があつた場合において、同項に規定する期間内に当該申請に対する処分がされないときは、第9条の登録は、当該期間の経過後も当該処分がされるまでの間は、なおその効力を有する。

4　第1項において、次の各号に掲げる用語の意義は、当該各号に定めるところによる。

一　特定関係法人　(14)電気通信事業者たる法人との間に次に掲げる関係がある法人をいう。

イ　(15)当該法人が当該電気通信事業者たる法人の子会社等（会社法（平成17年法律第86号）第2条第3号の2に規定する子会社等をいう。ロ及びハにおいて同じ。）であること。

ロ　(16)当該電気通信事業者たる法人が当該法人の子会社等であること。

ハ ⒄当該法人が当該電気通信事業者たる法人を子会社等とする法人
の子会社等（当該電気通信事業者たる法人及び当該電気通信事業者
たる法人との間にイ又はロに掲げる関係がある法人を除く。）である
こと。

ニ イからハまでに掲げるもののほか、⒅政令で定める特殊の関係

二 特定電気通信設備 次に掲げる電気通信設備をいう。

イ 第一種指定電気通信設備

ロ ⒆その一端が利用者の電気通信設備（移動端末設備（利用者の電
気通信設備であつて、移動する無線局の無線設備であるものをいう。
以下同じ。）を除く。）と接続される伝送路設備のうち同一の電気通
信事業者が設置するものであつて、その伝送路設備の電気通信回線
の数の、その伝送路設備が設置される都道府県の区域内に設置され
る全ての同種の伝送路設備の電気通信回線の数のうちに占める割合
として第33条第1項の総務省令で定める方法により算定した割合が、
⒇同項の総務省令で定める割合を超えない範囲内で総務省令で定め
る割合を超えるもの及び当該電気通信事業者が ㉑当該伝送路設備を
用いる電気通信役務を提供するために設置する電気通信設備であつ
て同項の総務省令で定めるものの総体（イに掲げるものを除く。）の
うち、総務大臣が総務省令で定めるところにより指定する電気通信
設備

ハ 第二種指定電気通信設備

ニ ㉒その一端が特定移動端末設備（総務省令で定める移動端末設備
をいう。以下このニ及び第34条第1項において同じ。）と接続される
伝送路設備のうち同一の電気通信事業者が設置するものであつて、そ
の伝送路設備に接続される特定移動端末設備の数の、その伝送路設
備を用いる電気通信役務に係る業務区域と同一の区域内に設置され
ている全ての同種の伝送路設備に接続される特定移動端末設備の数
のうちに占める割合が、㉓同項の総務省令で定める割合を超えない範
囲内で総務省令で定める割合を超えるもの及び当該電気通信事業者
が ㉔当該電気通信役務を提供するために設置する電気通信設備であ
つて同項の総務省令で定めるものの総体（ハに掲げるものを除く。）
のうち、総務大臣が総務省令で定めるところにより指定する電気通
信設備

第12条の2

追加　平成27年法律第26号
改正　令和 2 年法律第30号
　　　令和 4 年法律第70号

1　概　要

　第一種指定電気通信設備又は第二種指定電気通信設備を設置する電気通信事業者が、その企業グループの外の主要事業者との間で合併をした場合や、株式取得等によりその企業グループ外の主要事業者が同一の企業グループに属することとなった場合等には、当該電気通信事業者の経営基盤・事業運営体制や公正競争環境に大きな変更が生じ得ることから、当該経営基盤等について総務大臣が審査を行うため、その第 9 条の登録について、合併等の事由の発生後 3 か月以内に更新を受けなければならないこととしている。

2　条文内容

〔第 1 項〕

　第一種指定電気通信設備又は第二種指定電気通信設備を設置する電気通信事業者が設置する有線・無線の通信インフラは、我が国の社会経済活動の基盤であり、当該電気通信事業者は、通信インフラの高度化、サービスの安定的な提供や公正競争の確保のために特に重要な役割を有することから、これらの者が、今後も電気通信技術の発達に応じて継続的な設備投資やサービス提供を行うための能力・体制を有することや、独占的・寡占的地位に基づく競争阻害的な行為を行うおそれがないことを確保することが必要になる。

　そこで、その設置する電気通信設備が第一種指定電気通信設備又は第二種指定電気通信設備に新たに指定をされた場合、その経営基盤・事業運営体制に大きな影響を与えるような変動が生じた場合や更なる寡占化の進展による利用者利益が阻害されるおそれが生じ得る場合に、総務大臣が審査を行うため、第 9 条の登録の更新を要するものとしている。

　設置する電気通信設備が第一種指定電気通信設備又は第二種指定電気通信設備に新たに指定をされた場合（第 1 号）については、経営基盤を有していなかったり事業運営体制が整備されていなかったりした場合には、通信サービスの高度化やサービスの安定的な提供に大きな影響が生じ得るとともに、寡占化の進展による利用者利益が阻害されるおそれが生じ得ると考えられるため、第 9 条の登録の更新を要することとしている。「第一種指定電気通信設備又は第二種指定電気通

110

信設備に新たに指定をされた場合」には、電気通信事業者において新たにその設置設備で要件を満たして指定を受けた場合、第一種指定電気通信設備又は第二種指定電気通信設備を設置する電気通信事業者が消滅会社となる新設合併・新設分割による新設会社や吸収合併・吸収分割による存続会社において指定を受けた場合が想定される。

　第一種指定電気通信設備又は第二種指定電気通信設備を設置する電気通信事業者が、その企業グループ外（特定関係法人（第4項参照。）以外）の特定電気通信設備（第4項参照。）を設置する電気通信事業者と合併した場合や、その企業グループ外の特定電気通信設備を設置する電気通信事業者から分割又は事業譲渡により特定電気通信設備を用いて電気通信役務を提供する電気通信事業の全部又は一部を承継し、又は譲り受けた場合（第2号）については、多額の資金調達や組織再編、シェアの急増等に伴い、経営基盤・事業運営体制や公正競争環境に大きな変更が生じ得るため、第9条の登録の更新を要することとしている。なお、合併等の相手方が既に同一の企業グループ内にいる電気通信事業者である場合は、合併等において改めて審査を行う必要はないことから、第9条の登録の更新義務の対象外としている。

　また、同一企業グループ内では、一体的な事業運営が行われるものであるため、第一種指定電気通信設備又は第二種指定電気通信設備を設置する電気通信事業者の企業グループ内の法人が、企業グループ外の主要事業者を合併した場合（企業グループ内法人が合併後存続法人となる場合に限る。）や、企業グループ外の特定電気通信設備を設置する電気通信事業者から分割又は事業譲渡により特定電気通信設備を用いて電気通信役務を提供する電気通信事業の全部又は一部を承継し、又は譲り受けた場合（第3号）に、第9条の登録の更新を要することとしている。

　同じく、株式取得等により、企業グループ外の特定電気通信設備を設置する電気通信事業者が、第一種指定電気通信設備又は第二種指定電気通信設備を設置する電気通信事業者と同一の企業グループに属することとなった場合（第4号）にも、第9条の登録の更新を要することとしている。

⑴　3月以内にその更新を受けなかつたときは、その効力を失う

　　合併等の事由が生じた日から3か月以内に第9条の登録の更新を受けなかったときは、その効力が失われることとしている。電気通信事業の登録の更新を必要とする事由が電気通信事業の一部の譲受けであった場合でも、当該一部のみの登録を更新するのではなく、電気通信事業全体について、登録の更新を受

第12条の2

ける必要がある。

　3か月を過ぎても登録の更新を受けることなく、電気通信事業を継続していた場合には、第177条の罰則の対象となる。

(2)　**その者が設置する他の電気通信設備が同項の規定により既に指定をされているときを除く**

　既に第一種指定電気通信設備を設置している電気通信事業者が、設備の増設等を行い、当該設備が第一種指定電気通信設備に新たに指定された場合には、改めて登録の更新を受ける必要はないことを規定する。第二種指定電気通信設備についても同様となっている。

　他方、第一種指定電気通信設備を設置している電気通信事業者の設置する電気通信設備が第二種指定電気通信設備に新たに指定をされた場合等には、第9条の登録の更新義務の対象となる。

(3)　**法人である場合に限る**

　第2号の事由が企業グループ外の事業者と合併、分割、事業譲渡等が行われた場合であることから、その規律の対象を法人に限定している。

(4)　**合併後存続する法人が当該第9条の登録を受けた者である場合に限る**

　第一種指定電気通信設備又は第二種指定電気通信設備を設置する電気通信事業者（第9条の登録を受けた者）が、その特定関係法人以外の者と合併した場合のうち、その「特定関係法人以外の者」が存続法人となる場合には、第2号該当による第9条の登録の更新の対象としないこととしている。この場合、この事業者の設備は、合併後当該存続法人が設置することになるため、当該設備が第一種指定電気通信設備又は第二種指定電気通信設備に指定された後に、第1号該当により、当該存続法人が登録の更新を受ける必要が生じることとなる。

(5)　**分割により電気通信事業（当該特定電気通信設備を用いて電気通信役務を提供する電気通信事業に限る。・・・）の全部又は一部を承継したとき**

　第一種指定電気通信設備又は第二種指定電気通信設備を設置する電気通信事業者が、会社分割により、特定電気通信設備を設置する電気通信事業者から、その電気通信事業の全部又は一部を承継した場合に、第9条の登録の更新を要することとしている。合併の場合と異なり、会社分割の場合には、電気通信事業の一部のみを承継する場合もあることから、特定電気通信設備を用いて電気通信役務を提供する電気通信事業を承継する場合に限定している。また、例えば、電気通信事業の全部を承継した場合に限定すると、意図的に一部の電気通

112

信事業のみを承継対象から除外することで、登録の更新制度の潜脱が可能となることから、一部を承継した場合も、第9条の登録の更新を要することとしている。

(6) **当該同条の登録を受けた者の特定関係法人が引き続いて当該同条の登録を受けた者の特定関係法人である場合に限る**

　　第一種指定電気通信設備又は第二種指定電気通信設備を設置する電気通信事業者の特定関係法人が、特定電気通信設備を設置する他の電気通信事業者と合併等を行った場合であっても、当該第一種指定電気通信設備又は第二種指定電気通信設備を設置する電気通信事業者の特定関係法人でなくなる場合には、第9条の登録の更新の対象外としている。

(7) **当該同条の登録を受けた者を除く**

　　第9条の登録を受けた者（第一種指定電気通信設備又は第二種指定電気通信設備を設置する電気通信事業者に限る。）の特定関係法人と、当該同条の登録を受けた者との合併は、同一企業グループ内の事業者同士の合併であるため、第9条の登録の更新の対象外としている。

(8) **第9条の登録を受けた者の特定関係法人以外の者が、当該同条の登録を受けた者の特定関係法人となつたとき**

　　第一種指定電気通信設備又は第二種指定電気通信設備を設置する電気通信事業者の特定関係法人以外の特定電気通信設備を設置する電気通信事業者が、当該第一種指定電気通信設備又は第二種指定電気通信設備を設置する電気通信事業者の特定関係法人となった場合に、第9条の登録の更新を要するものとしている。特定関係法人となった事由を限定しておらず、例えば、第一種指定電気通信設備又は第二種指定電気通信設備を設置する電気通信事業者の株式取得等による場合でも、その特定関係法人の株式取得等による場合でも、第9条の登録の更新義務の対象となる。

〔第2項〕

　　第9条の登録の更新に当たっては、通信インフラの高度化、サービスの安定的な提供及び公正競争を確保するため、通常の登録とは異なる要件として、次の事項を審査することとしている（本項により読み替えて準用する第12条第1項各号）。

① 電気通信事業を適確に遂行するに足りる経理的基礎を有し、体制の整備が行われているか。（合併・株式取得等により、経営基盤が危うくなり、通信イン

第12条の2

フラの高度化を図ることが困難になるとともに、利用者に対する安定的な役務提供が困難となっていないかを確認するため。)

② 電気通信の健全な発達のために適切であるか。(合併・株式取得等があった場合において、公正競争が阻害され、利用者利益が損なわれることがないかを確認するため。)

(9) 前3条の規定は、前項の登録の更新について準用する

　　第10条に規定する申請書の記載事項及び添付書類、第11条に規定する登録簿への登録、第12条に規定する登録の拒否事由について、基本的には、第9条の新規登録の手続に準じる旨規定している。このうち、第11条及び第12条については、読替表において、追加の審査項目等を規定している。

(10) 第2号にあつては、この法律に相当する外国の法令の規定に係る部分に限る

　　第9条の登録の取消しを受けてから2年を経過しない者は、登録をされず、登録の更新を受けることはあり得ない。他方で、本法に相当する外国の法令の規定により当該外国において受けている同種類の登録の取消しを受けてから2年を経過しない者については、登録の更新を受けようとすることがあり得る。このことから、第12条第1項の登録拒否要件のうち第2号について、本法に相当する外国の法令の規定に係る部分のみを登録の更新について準用するよう、読み替えることとしている。

(11) その電気通信事業を適確に遂行するに足りる経理的基礎を有しないと認められる者

　　通信インフラの高度化や、利用者への安定的な役務提供を確保するためには、第一種指定電気通信設備又は第二種指定電気通信設備を設置する電気通信事業者が設備投資や日々の業務運営のための財務基盤を有することが必要であることから、これを審査するために審査項目として追加している。

(12) その電気通信事業を適確に遂行するに足りる体制の整備(第33条第2項に規定する第一種指定電気通信設備を設置する電気通信事業者にあつては、第31条第6項に規定する体制の整備を含む。)が行われていないと認められる者

　　通信インフラの高度化や、利用者への安定的な役務提供を確保するため、第一種指定電気通信設備又は第二種指定電気通信設備を設置する電気通信事業者が適切な設備投資や法令遵守等のための社内体制が整備されているかどうかについて審査することとしている。また、第一種指定電気通信設備を設置する電気通信事業者については、第31条第6項において、機能分離に係る体制整備

が必要とされ、その実施状況を毎年総務大臣に報告することとされており、合併・株式取得等の場合は事業運営体制に大きな変動が生じる可能性があるため、機能分離に係る体制が適切に整備されているかについても合併・株式取得等が生じた際に、速やかに確認することとしている。

⒀　**その電気通信事業が電気通信の健全な発達のために適切でないと認められる者**

　本審査項目は、第9条の登録における審査事項と条文上は同じ規定としている。ただし、第9条の登録の更新の審査は、我が国の社会・経済活動の基盤となる設備を設置する第一種指定電気通信設備又は第二種指定電気通信設備を設置する電気通信事業者において、経営基盤・事業運営体制に大きな影響を与えるような変動が生じていることを踏まえ、審査するものであり、公正な競争を阻害するおそれがないか等を審査することが想定されている。

〔第3項〕

　本条第1項では、登録の更新事由が生じた日から3か月以内に第9条の登録の更新を受ける必要があるとしているが、その審査には時間を要する場合も想定されることから、当該3か月以内に第9条の登録の更新申請が行われた場合には、当該申請に対する処分が行われるまでの間は、なおその登録が有効であることを規定している。

〔第4項〕

　同一の企業グループに属する法人を示す用語として、「特定関係法人」を、一の電気通信事業者を起点とし、会社法（平成17年法律第86号）上の子会社等の定義を用いて、当該電気通信事業者の子会社、親会社、兄弟会社等のほか、政令で定める「特殊の関係」がある者と定義している（第1号）。

　また、第9条の登録の更新の事由となる合併等の相手方が設置する設備を一定規模以上の電気通信設備に限ることとしているため、これを「特定電気通信設備」として、次の設備と定義している（第2号）。

①　第一種指定電気通信設備

②　第一種指定電気通信設備には該当しないが、第一種指定電気通信設備と同種の設備であって、その回線シェアが第一種指定電気通信設備に準ずるシェアを有するものとして総務大臣が指定する電気通信設備

③　第二種指定電気通信設備

④　第二種指定電気通信設備には該当しないが、第二種指定電気通信設備と同種の設備であって、その端末シェアが第二種指定電気通信設備に準ずるシェアを

第12条の2

有するものとして総務大臣が指定する電気通信設備

　上記の回線シェア及び端末シェアについては、総務省令で、各々10分の1、100分の3としている（施行規則第4条の3第1項及び第4条の4第2項）。

⒁　電気通信事業者たる法人との間に次に掲げる関係がある法人

　「特定関係法人」は、一の電気通信事業者を起点として、当該電気通信事業者と一定の関係にある者を規定している。したがって、電気通信事業者から見て特定関係法人に該当する法人があった場合、後者から見ても前者が特定関係法人になるとは限らない。

⒂　当該法人が当該電気通信事業者たる法人の子会社等（会社法（平成17年法律第86号）第2条第3号の2に規定する子会社等をいう。ロ及びハにおいて同じ。）であること

　特定関係法人に当該電気通信事業者の会社法上の子会社等が含まれる旨を規定している。

　会社法上の「子会社」とは、同法第2条第3号で「会社がその総株主の議決権の過半数を有する株式会社その他の当該会社がその経営を支配している法人として法務省令で定めるものをいう」としており、法務省令では、「同号に規定する会社が他の会社等の財務及び事業の方針の決定を支配している場合における当該他の会社等」（会社法施行規則（平成18年法務省令第12号）第3条第1項）と定め、どういう場合に「財務及び事業の方針の決定を支配している場合」となるかの詳細が規定されている（同条第3項）（下表参照）。会社法上の「子会社等」は、同法第2条第3号の2で、この「子会社」（イ）及び「会社以外の者がその経営を支配している法人として法務省令で定めるもの」（ロ）と規定されている。法務省令では、このロの法人を、「ロに規定する者が他の会社等の財務及び事業の方針の決定を支配している場合における当該他の会社等」（会社法施行規則第3条の2第1項）と定め、どういう場合に「財務及び事業の方針の決定を支配している場合」となるかの詳細が規定されている（同条第3項）（下表参照）。

第12条の2

会社法施行規則第3条第3項、第3条の2第3項の「財務及び事業の方針の決定を支配している場合」の要件の概要

1号	自己（その子会社等を含む。）の計算において所有している議決権の数が50%超	
2号	自己（その子会社等を含む。）の計算において所有している議決権の数が40%以上であって	次のいずれか イ　自己所有等議決権数が50%超 ロ　役員等兼任50%超 ハ　事業方針の決定を支配する契約等の存在 ニ　資金調達額の50%超を融資 ホ　その他事業方針の決定を支配することが推測される事実の存在
3号	自己所有等議決権数が50%超であって	次のいずれか ロ　役員等兼任50%超 ハ　事業方針の決定を支配する契約等の存在 ニ　資金調達額の50%超を融資 ホ　その他事業方針の決定を支配することが推測される事実の存在

※自己所有等議決権数：自己の計算において所有している議決権の数と緊密な関係や同意により自己の意思と同一内容の議決権を行使する者の議決権の数の合計。

⒃　当該電気通信事業者たる法人が当該法人の子会社等であること

　　特定関係法人に当該電気通信事業者のいわゆる親の関係にある法人が含まれる旨を規定している。会社法上の「親会社」の定義（同法第2条第4号）では、その子に当たる法人が株式会社に限定されているが、ここでは、そういった限定がなく、株式会社以外の電気通信事業者たる法人が子に当たる法人についても特定関係法人となることになる。

⒄　当該法人が当該電気通信事業者たる法人を子会社等とする法人の子会社等（当該電気通信事業者たる法人及び当該電気通信事業者たる法人との間にイ又はロに掲げる関係がある法人を除く。）であること

　　特定関係法人に当該電気通信事業者のいわゆる兄弟の関係にある法人が含まれる旨を規定している。

⒅　政令で定める特殊の関係

　　施行令第1条において、特定関係法人に、当該電気通信事業者の関連会社等、

117

第12条の2

　当該電気通信事業者が関連会社等である法人、当該電気通信事業者を子会社等とする法人の関連会社等が含まれる旨を規定し、関連会社等の定義について総務省令で定めることとしている（施行規則第4条の2の2で規定）。

電気通信事業法施行令（昭和60年政令第75号）（抄）
（特殊の関係）
第1条　電気通信事業法（以下「法」という。）第12条の2第4項第1号ニの政令で定める特殊の関係は、次に掲げる関係とする。
　一　当該法人が当該電気通信事業者たる法人の関連会社等であること。
　二　当該電気通信事業者たる法人が当該法人（当該電気通信事業者たる法人との間に前号に掲げる関係がある法人を除く。）の関連会社等であること。
　三　当該法人が当該電気通信事業者たる法人を子会社等（会社法（平成17年法律第86号）第2条第3号の2に規定する子会社等をいう。次項において同じ。）とする法人の関連会社等（当該電気通信事業者たる法人との間に前2号に掲げる関係がある法人を除く。）であること。
2　前項の「関連会社等」とは、会社等（会社、組合その他これらに準ずる事業体（外国におけるこれらに相当するものを含む。）をいう。以下この項において同じ。）（当該会社等の子会社等を含む。）が出資、取締役その他これに準ずる役職への当該会社等の役員若しくは使用人である者若しくはこれらであつた者の就任、融資、債務の保証若しくは担保の提供、技術の提供又は営業上若しくは事業上の取引等を通じて、財務及び営業又は事業の方針の決定に対して重要な影響を与えることができる他の会社等（子会社等を除く。）として総務省令で定めるものをいう。

---

⑲　その一端が利用者の電気通信設備（移動端末設備（利用者の電気通信設備であつて、移動する無線局の無線設備であるものをいう。・・・）を除く。）と接続される伝送路設備のうち同一の電気通信事業者が設置するものであつて、その伝送路設備の電気通信回線の数の、その伝送路設備が設置される都道府県の区域内に設置される全ての同種の伝送路設備の電気通信回線の数のうちに占める割合として第33条第1項の総務省令で定める方法により算定した割合
　ロに掲げる特定電気通信設備の指定の基準となる回線シェアの計算方法につ

いて規定する。第一種指定電気通信設備の指定に係る計算方法と同じ内容を規定している。

「無線設備」とは、無線電信、無線電話（電波を利用して、音声その他の音響を送り、又は受けるための通信設備）その他電波を送り、又は受けるための電気的設備をいう。「無線局」とは、無線設備及び無線設備の操作を行う者の総体をいう。ただし、受信のみを目的とするものを含まない。したがって、「移動端末設備」は、具体的には、携帯電話等の端末設備を意味する。

(20)　**同項の総務省令で定める割合を超えない範囲内で総務省令で定める割合**

ロに掲げる特定電気通信設備の指定の基準となる回線シェアは、第一種指定電気通信設備の基準となる回線シェアを超えない範囲内で、総務省令で規定するとしている（施行規則第４条の３第１項で10分の１と規定）。

(21)　**当該伝送路設備を用いる電気通信役務を提供するために設置する電気通信設備であつて同項の総務省令で定めるものの総体**

ロに掲げる特定電気通信設備についても、第一種指定電気通信設備と同様に、加入者回線（端末系伝送路設備）を用いる電気通信役務を提供するために設置する設備を指定の対象とするものであり、具体的な対象設備については、施行規則第23条の２第４項に規定している。

(22)　**その一端が特定移動端末設備（総務省令で定める移動端末設備をいう。・・・）と接続される伝送路設備のうち同一の電気通信事業者が設置するものであつて、その伝送路設備に接続される特定移動端末設備の数の、その伝送路設備を用いる電気通信役務に係る業務区域と同一の区域内に設置されている全ての同種の伝送路設備に接続される特定移動端末設備の数のうちに占める割合**

ニに掲げる特定電気通信設備の指定の基準となる端末シェアの計算方法について規定する。第二種指定電気通信設備の指定に係る計算方法と同じ内容を規定している。ここで、特定移動端末設備について、総務省令で定めることとしている。総務省令においては、①携帯無線通信又は②一定の広帯域無線アクセスシステム（シングルキャリア周波数分割多元接続方式と他の接続方式を組み合わせた接続方式を用いることが可能なもの）の無線局による無線通信を行う移動する無線局の無線設備と定めている（施行規則第４条の４第１項）。

(23)　**同項の総務省令で定める割合を超えない範囲内で総務省令で定める割合を超えるもの**

ニに掲げる特定電気通信設備の指定の基準となる端末シェアは、第二種指定

第12条の2・第13条

電気通信設備の基準となる端末シェアを超えない範囲内で、総務省令で規定するとしている（施行規則第4条の4第2項で100分の3と規定）。

(24) 当該電気通信役務を提供するために設置する電気通信設備であつて同項の総務省令で定めるものの総体

　　ニに掲げる特定電気通信設備についても、第二種指定電気通信設備と同様に、移動通信役務を提供するために設置する設備を指定の対象とするものであり、具体的な対象設備については、施行規則第23条の9の2第3項に規定している。

第13条（変更登録等）

（変更登録等）

第13条　第9条の登録を受けた者は、第10条第1項第3号又は第4号の事項を変更しようとするときは、総務大臣の変更登録を受けなければならない。ただし、(1) 総務省令で定める軽微な変更については、この限りでない。

2　第9条の登録を受けた者が第164条第1項第3号の規定により新たに指定をされた場合において、当該指定により第10条第1項第3号の事項に変更が生じたときにおける前項の規定の適用については、同項中「を変更しようとするときは」とあるのは、「に変更が生じたときは、第164条第1項第3号の規定により新たに指定をされた日から1月以内に」とする。

3　第1項（前項の規定により読み替えて適用する場合を含む。第186条第1号を除き、以下同じ。）の変更登録を受けようとする者は、総務省令で定めるところにより、変更に係る事項を記載した申請書を総務大臣に提出しなければならない。

4　第10条第2項、第11条及び第12条の規定は、第1項の変更登録について準用する。この場合において、第11条第1項中「次の事項」とあるのは「変更に係る事項」と、第12条第1項中「第10条第1項の申請書を提出した者が次の各号」とあるのは「(2) 変更登録に係る申請書を提出した者が次の各号（第2号にあつては、この法律に相当する外国の法令の規定に係る部分に限る。）」と読み替えるものとする。

5　第9条の登録を受けた者は、(3) 第10条第1項第1号、第2号若しくは第5号の事項に変更があつたとき、又は第1項ただし書の総務省令で定め

120

第13条

　る軽微な変更をしたときは、遅滞なく、その旨を総務大臣に届け出なけれ
　ばならない。その届出があつた場合には、総務大臣は、遅滞なく、当該登
　録を変更するものとする。

改正　　昭和62年法律第　57号
　　　　平成11年法律第160号
第27条繰上げ改正　平成15年法律第125号
改正　　平成27年法律第　26号
　　　　令和 2 年法律第 30号
　　　　令和 4 年法律第 70号

1　概　要

　第9条の登録を受けた電気通信回線設備（一定の規模及び区域の範囲を超えな
い場合や基幹放送に付随して無線通信の送信をするものである場合を除く。）を
設置する電気通信事業者が、参入後にその事業の内容を変更する場合等の手続に
ついて規定している。

2　条文内容

〔第1項〕

　第9条の登録を受けた電気通信事業者が、参入後にその業務区域（第10条第
1項第3号）又は電気通信設備の概要（同項第4号）を自由に変更することが可
能とすると、参入について登録制に係らしめた趣旨が没却されるため、これらを
変更する場合には総務大臣の変更登録を要することとしている。

(1)　総務省令で定める軽微な変更

　　総務省令で定める軽微な変更については、第1項の変更登録を要せず、第5
　項の規定により、遅滞なく、その旨を届け出るのみで足りるとしている。

　　「軽微な変更」は、具体的には、総務省令において、既に登録を受けた端末
　系伝送路設備の設置の区域が存する都道府県内における端末系伝送路設備の設
　置の区域の増加等を規定している（施行規則第6条）。

〔第2項〕

　第9条の登録を受けた電気通信事業者が、第164条第1項第3号の検索情報電
気通信役務又は媒介相当電気通信役務を提供する者として、同号の規定による総
務大臣の指定を受け、その結果として、本法の適用を受ける電気通信事業者とし
ての業務区域又は電気通信設備の概要の変更が生じた場合には、本条の規定によ

第13条

る電気通信事業の変更登録が必要となる。しかしながら、本条第1項が規定するようにあらかじめ同号の指定の前に当該変更登録を行うことはできないことから、同号の総務大臣の指定の日から1か月以内に変更登録を行うことを許容している。

〔第3項〕

本項は、変更登録の手続的事項について定めており、その詳細は総務省令に委ねている。

〔第4項〕

第9条の登録を受けた電気通信事業者の変更登録について、事業参入時と同様の基準で登録の拒否事由の有無が審査されることとしている。

第12条第1項の登録拒否要件を準用しているのは、変更登録の際に登録拒否要件を準用しなければ、変更登録を行うことにより、当初の登録の趣旨が形骸化することになるためであり、これを防ぐため規定しているものである。

例えば、登録を受けて既に事業を開始している電気通信事業者が、業務区域や電気通信設備の概要を変更しようとする場合に、当該変更後の事業が「電気通信の健全な発達のために適切でない」と認められる場合には、変更登録の拒否事由に該当する。

より具体的な想定例としては、ある地域において、電気通信事業以外の事業に関し、線路設備を設置するために不可欠又は重要な電柱・管路等の設備を保有する者が、当初はそれ以外の地域を業務区域として電気通信事業を営むとして第9条の登録を受けて事業を開始した後、業務区域を拡大し、これら電柱・管路等の設備を保有する地域でも電気通信事業を行おうとする場合が考えられる。このような場合には、公正競争を阻害するおそれがあることから「電気通信の健全な発達のために適切でない」としてその変更登録を拒否し、又はこれら電柱・管路等の設備を他の電気通信事業者に対して公平に利用させること等の一定の条件を付すことにより変更登録を認めることなどが想定される。

(2) 変更登録に係る申請書を提出した者が次の各号（第2号にあつては、この法律に相当する外国の法令の規定に係る部分に限る。）

第9条の登録の取消しを受けてから2年を経過しない者は、登録をされず、変更登録を行うことはあり得ない。他方で、本法に相当する外国の法令の規定により当該外国において受けている同種類の登録の取消しを受けてから2年を経過しない者については、変更登録を受けようとすることがあり得る。このことから、第12条第1項の登録拒否要件のうち第2号について、本法に相当す

第13条・第14条

る外国の法令の規定に係る部分のみを変更登録について準用するよう、読み替えることとしている。

〔第5項〕

(3) **第10条第1項第1号、第2号若しくは第5号の事項に変更があつたとき**

氏名、名称及び住所等に関しては、これらに変更があったときには、そのために事業の内容及び電気通信事業者の内実に変更があるというわけではないため、遅滞なくその旨を届け出ることで足りるとしている。

第14条（登録の取消し）

（登録の取消し）

第14条 総務大臣は、第9条の登録を受けた者が次の各号のいずれかに該当するときは、同条の登録を取り消すことができる。

一 当該第9条の登録を受けた者がこの法律又はこの法律に基づく命令若しくは処分に違反した場合において、(1) 公共の利益を阻害すると認めるとき。

二 (2) 不正の手段により第9条の登録、第12条の2第1項の登録の更新又は前条第1項の変更登録を受けたとき。

三 (3) 第12条第1項第1号から第4号まで（第2号にあつては、この法律に相当する外国の法令の規定に係る部分に限る。）のいずれかに該当するに至つたとき。

2 第12条第2項の規定は、前項の場合に準用する。

改正　平成11年法律第160号
第28条繰上げ改正　平成15年法律第125号
改正　平成27年法律第 26号
令和2年法律第 30号

1 概 要

第9条の登録を受けた電気通信事業者が、本法に定める義務や本法に基づく命令・処分に違反して公共の利益を阻害すると認められる場合や、欠格事由に該当するに至った場合等には、総務大臣がその登録を取り消すことができる旨を定めている。

第14条

2 条文内容

〔第1項〕

　第9条の登録を受けた電気通信事業者が、本法に定める義務や本法に基づく命令・処分に違反して公共の利益を阻害すると認められる場合や、欠格事由に該当するに至った場合等に、総務大臣は、当事者の情状等を考慮した上で、登録を取り消すかどうかを決定することとしている。

　登録を受けて既に事業を開始している電気通信事業者について登録の取消しを行った場合、その電気通信事業者によるサービスの継続的な提供をその利用者が受けられなくなり、その利用者が不利益を被る場合がある。そのため、法令違反行為や欠格事由に該当する等登録の取消事由に該当する場合であっても、登録を取り消すことにより失われる利用者利益と登録を取り消すことにより回復される公共の利益等について比較衡量して総合的に判断を下すことができるよう、総務大臣に裁量の余地を認め、「登録を取り消すことができる」こととしている。

(1) 公共の利益を阻害すると認めるとき

　登録を受けた電気通信事業者が、本法又は本法に基づく命令・処分に違反した場合には、違反行為の存在に加えて、当該違反行為の軽重・態様や登録取消しに伴う利用者・電気通信事業者の被る不利益との均衡を考慮して、公共の利益を阻害すると認める場合に、登録を取り消すことができることとしている。

(2) 不正の手段により第9条の登録、第12条の2第1項の登録の更新又は前条第1項の変更登録を受けたとき

　申請書における不実記載や詐欺、脅迫その他の不正な手段により登録やその更新、変更登録を受けた場合においても事業が継続できることとすると、利用者保護や公正競争確保の観点からその参入について登録に係らしめた趣旨が没却されることから、不正の手段によりこれを受けたことが判明した場合には登録を取り消すことができることとしている。

(3) 第12条第1項第1号から第4号まで（第2号にあつては、この法律に相当する外国の法令の規定に係る部分に限る。）のいずれかに該当するに至つたとき

　第12条第1項に規定する欠格事由に該当するに至ったときについて、登録を取り消すことができることとしている。

　第12条第1項第1号から第4号までのいずれかに該当するに至った場合を本号の取消事由とするが、同項第2号に該当するに至った場合については、本法に相当する外国の法令の規定に係る部分のみに限っている。これは、第9条

第1項の登録の取消しを受け、その取消しの日から2年を経過しない者は第12条第1項第2号の規定により登録を受けることができないため、現に登録を受けて事業を営んでいる電気通信事業者が同号に該当することは想定されない。他方で、本法に相当する外国の法令の規定により当該外国において受けている同種類の登録の取消しを受けてから2年を経過しない者については、登録の取消しを受けることがあり得るからである。

なお、本条第1項の登録の取消しを受け、その取消しの日から2年を経過しない者が現に登録を受けて事業を営んでいる電気通信事業者の役員となることはあり得るものであるが、このような場合には第12条第1項第3号に該当するものとして、その登録を取り消すことができることとなる。

〔第2項〕

本項においては、総務大臣は、登録の取消しという不利益処分をした場合には、いかなる場合においても文書によりその理由を付して通知しなければならないとしている。

本項は、申請者に対する手続的保障を十分に確保する観点から、行政手続法の定める手続の特例を定めるものである。同法においては、行政庁は不利益処分をする場合には、差し迫った必要がある場合を除き、その名宛人に対し理由を提示しなければならないとし（同法第14条第1項）、不利益処分を書面でするときには、当該理由は書面により示さなければならないとする（同条第3項）が、本項では、いかなる場合にも例外なく上記の手続が採られるべきことを規定している。

第15条（登録の抹消）

（登録の抹消）

第15条　総務大臣は、第18条の規定による電気通信事業の全部の廃止若しくは解散の届出があつたとき、第12条の2第1項の規定により登録がその効力を失つたとき、又は前条第1項の規定による登録の取消しをしたときは、当該第9条の登録を受けた者の登録を抹消しなければならない。

改正　平成11年法律第160号
第29条繰上げ改正　平成15年法律第125号
改正　平成27年法律第　26号
平成30年法律第　24号

概　要

　第9条の登録を受けた電気通信事業者から電気通信事業の全部の廃止の届出（第18条第1項）若しくは解散の届出（同条第2項）があったとき、登録が更新を受けずに効力を失った（第12条の2第1項）とき、又は登録の取消し（第14条第1項）をしたときは、総務大臣は、その登録を抹消しなければならないことを規定している。

　前条の登録の取消しが登録の効力を将来に向けて失わせる実体的効果を有する行為であるのに対し、登録の抹消とは、すでに効力を失った事実を確認する意味で、電気通信事業者登録簿に記載された事項を消し除く行為をいう。

第16条（電気通信事業の届出）

（電気通信事業の届出）

第16条　⑴ 電気通信事業を営もうとする者（第9条の登録を受けるべき者を除く。）は、総務省令で定めるところにより、次の事項を記載した書類を添えて、その旨を総務大臣に届け出なければならない。

　一　⑵ 氏名又は名称及び住所並びに法人にあつては、その代表者の氏名

　二　⑶ 外国法人等にあつては、国内における代表者又は国内における代理人の氏名又は名称及び国内の住所

　三　⑷ 業務区域

　四　⑸ 電気通信設備の概要（第44条第1項に規定する事業用電気通信設備を設置する場合に限る。）

　五　その他総務省令で定める事項

2　電気通信事業者以外の者が第164条第1項第3号の規定により新たに指定をされた場合における前項の規定の適用については、同項中「その旨」とあるのは、「第164条第1項第3号の規定により新たに指定をされた日から1月以内に、その旨」とする。

3　第1項（前項の規定により読み替えて適用する場合を含む。第185条第1号を除き、以下同じ。）の届出をした者は、⑹ 第1項第1号、第2号又は第5号の事項に変更があつたときは、遅滞なく、その旨を総務大臣に届け出なければならない。

4　第1項の届出をした者は、⑺ 同項第3号又は第4号の事項を変更しよう

第16条

とするときは、その旨を総務大臣に届け出なければならない。ただし、(8)
総務省令で定める軽微な変更については、この限りでない。

5　第1項の届出をした者は、第41条第4項の規定により新たに指定をさ
れたときは、(9)総務省令で定めるところにより、(10)その指定の日から1月
以内に、(11)第1項第4号の事項を総務大臣に届け出なければならない。

6　第1項の届出をした者が第164条第1項第3号の規定により新たに指定
をされた場合において、当該指定により第1項第3号の事項に変更が生じ
たときにおける第4項の規定の適用については、同項中「を変更しようと
するときは」とあるのは、「に変更が生じたときは、第164条第1項第3
号の規定により新たに指定をされた日から1月以内に」とする。

追加　平成15年法律第125号
改正　平成26年法律第 63号
　　　令和2年法律第 30号
　　　令和4年法律第 70号

1　概　要

電気通信回線設備（一定の規模及び区域の範囲を超えない場合や基幹放送に付
随して無線通信の送信をするものである場合）を設置し、又は電気通信回線設備
を設置することなく電気通信役務を提供する電気通信事業を営もうとする者は、
総務大臣に届け出ることにより事業参入が可能である旨を規定している。

届出をせず、若しくは虚偽の届出をして電気通信事業を営んだとき、又は第2
項の規定により読み替えて適用する第1項の規定による届出をせず、若しくは虚
偽の届出をしたとき、当該違反行為をした者は、6月以下の拘禁刑（令和4年
法律第68号の施行後。）又は50万円以下の罰金に処する（第185条）。両罰規定
（第190条）の適用もある。

2　条文内容

〔第1項〕

電気通信回線設備（一定の規模及び区域の範囲を超えない場合や基幹放送に付
随して無線通信の送信をするものである場合）を設置し、又は電気通信回線設備
を設置することなく電気通信役務を提供する電気通信事業については、その参入
又は変更について、総務大臣の登録に係らしめる必要性は比較的小さいと考えら

127

れることから（第9条の解説を参照のこと。）、当該電気通信事業を営もうとする場合には、総務大臣にその旨を届け出ることで事業参入できることとしている。

届出を要するとする趣旨は、これらの事業について、参入時において特段の規律を課すこととはしないものの、実際に事業を営む段階において特定の者に対する不当な差別的取扱い等があった場合には業務改善命令を講ずる等、事後的な措置を必要に応じて講ずることがあり得ることから、総務大臣が行政の運営上必要最小限の情報を取得することを目的とするものである。

なお、電気通信回線設備（一定の規模及び区域の範囲を超えない場合や基幹放送に付随して無線通信の送信をするものである場合）を設置し、又は電気通信回線設備を設置することなく電気通信役務を提供する電気通信事業を営もうとして本条の届出をした電気通信事業者が、その後その事業内容を変更し、第9条の登録が必要とされる電気通信回線設備を設置しようとする場合には、新たに第9条の登録を受けることが必要となる。

逆に、同条の登録を受けた電気通信事業者が事業の一部廃止（第18条第1項の届出等の手続が必要）等により、登録を要しない規模等となった場合には、その一部廃止等により、第9条の登録を受けた電気通信事業者から第1項の届出をした電気通信事業者となる。

形式的要件を欠く届出は、届出としての手続上の効果は発生せず、無届出として扱われることとなり、届出をしないまま電気通信事業を営む場合には、本条への違反となる。

(1) **電気通信事業を営もうとする者（第9条の登録を受けるべき者を除く。）**

第9条の登録を受けることを要する電気通信回線設備を設置して電気通信役務を提供する電気通信事業以外の電気通信事業を営もうとする者について、本条の規定が適用される旨を規定するものである。

(2) **氏名又は名称及び住所並びに法人にあつては、その代表者の氏名**

「氏名又は名称」とは、届出を行う者が自然人である場合には「氏名」、法人である場合には「名称」を意味し、「住所」とは、本社、本店等事業遂行の中心となる場所をいう。

(3) **外国法人等にあつては、国内における代表者又は国内における代理人の氏名又は名称及び国内の住所**

外国から国内にある者に対して電気通信役務を提供する電気通信事業を営もうとする者が、届出を行う際は、国内における代表者又は国内における代理人

を定めて提出することを義務付けることとしている。これにより、例えば、法執行の必要が生じた場合に、国内における代表者又は国内における代理人への文書の送達等ができることになり、法執行の実効性の確保が図られる。また、監督官庁とのコンタクトポイントとして、適時適切に連絡・報告等を行なうことが可能になる。

「国内における代表者」は、日本支店の代表者等、法人の内部の者を、「国内における代理人」は、国内の弁護士等、法人の外部の者を想定している。

サービスの貿易に関する一般協定（GATS）第16条第2項の規定において、(a)の措置（サービス提供者の数の制限）及び(e)の措置（法定の事業体について特定の形態を制限し又は要求する措置）を維持し又はとってはならないとされていることに、我が国では、その約束表において、電気通信サービスについて「制限しない」としている。本法本条の規定は、一定類型のサービスを禁止するものでも、特定の形態の法定事業体又は合弁企業を通じたサービスを要求するものでもなく、GATS第16条第2項の規定に抵触するものではないと解される。

⑷　業務区域

業務区域とは、電気通信事業者がその電気通信役務を提供する場所である。

電気通信事業の届出の際の記載事項として法律上明記され、総務省令においては、具体的に、提供区域（一般的な利用形態において電気通信役務の提供を受けることが可能となる区域）、利用者や他の電気通信事業者の電気通信設備との接続に係る業務区域について記載すべきことを定めている（施行規則第9条第1項及び様式第8）。

⑸　電気通信設備の概要(第44条第1項に規定する事業用電気通信設備を設置する場合に限る。)

電気通信設備とは、「電気通信を行うための機械、器具、線路その他の電気的設備」（第2条第2号）である。第44条第1項に規定する事業用電気通信設備については、技術基準適合維持義務等の規律を課していることから、行政においてその設置状況を把握する必要があるため、本条の届出のみで事業参入が可能である電気通信事業者についても、事業用電気通信設備を設置する場合に限って、電気通信事業の届出の際に電気通信設備の概要の記載が求められることとしている。

総務省令においては、具体的に、端末系伝送路設備の設置の区域や中継系伝

第16条

送路設備の設置の区間等について記載すべきことを定めている（施行規則第9
条第1項及び様式第8）。

〔第2項〕

　電気通信事業の届出を行っていない者が、第164条第1項第3号の検索情報
電気通信役務又は媒介相当電気通信役務を提供する者として、同号の規定による
総務大臣の指定を受けた場合、当該指定の前に当該届出を行うことができな
いことから、当該指定の日から1か月以内に届出を行うことを許容している。

〔第3項〕

⑹　**第1項第1号、第2号又は第5号の事項に変更があつたとき**

　参入時の届出事項のうち、氏名、名称及び住所等に係る変更については事後
届出で足りることとしている。

〔第4項〕

⑺　**同項第3号又は第4号の事項を変更しようとするとき**

　参入時の届出事項のうち、業務区域及び電気通信回線設備の概要に係る変更に
ついては、事前に総務大臣に届け出なければならないこととしている。

⑻　**総務省令で定める軽微な変更**

　総務省令で定める軽微な変更については、第4項本文の事前の変更届出を
要しないこととしている。総務省令では、「軽微な変更」として、具体的には、
端末系伝送路設備の設置の区域の増加を伴わない提供区域の増加等を規定して
おり（施行規則第9条第7項）、これについて、遅滞なく、その旨を届け出る
のみで足りるとしている（同規則同条第8項）。

〔第5項〕

　届出事業者であって、第41条第4項の規定により新たに指定をされた電気通
信事業者が行う必要のある、事業用電気通信設備の設置に伴う「電気通信設備の
概要」の届出について、事後届出としている。

⑼　**総務省令で定めるところにより**

　総務省令において、伝送路設備以外の電気通信設備の設置の区域、種類等
について届け出ることを規定している（施行規則第9条第14項及び様式第9の
8）。

⑽　**その指定の日から1月以内に**

　本届出では、既に設置している電気通信設備の概要を届け出ることで足りる
ことから、事後届出の猶予期間を1月間としている。

(11)　第１項第４号の事項

　　届出事業者であって、第41条第３項の規定により新たに指定をされた電気通信事業者について、事業用電気通信設備の設置に伴う「電気通信設備の概要」（第16条第１項第４号の事項）の届出を要するとし、当該届出を事後届出にしている。

〔第６項〕

　　本条第１項の届出をした電気通信事業者が、第164条第１項第３号の検索情報電気通信役務又は媒介相当電気通信役務を提供する者として、同号の規定による総務大臣の指定を受け、その結果として、本法の適用を受ける電気通信事業者としての業務区域の変更が生じた場合には、本条第４項の規定による届出が必要となる。しかしながら、同項が規定するようにあらかじめ同号の指定の前に当該届出を行うことはできないことから、同号の総務大臣の指定の日から１か月以内に届出を行うことを許容している。

第17条（承継）

（承継）

第17条　⑴ 電気通信事業の全部の譲渡しがあつたとき、又は電気通信事業者について合併、分割（電気通信事業の全部を承継させるものに限る。）若しくは相続があつたときは、当該電気通信事業の全部を譲り受けた者又は合併後存続する法人若しくは合併により設立した法人、分割により当該電気通信事業の全部を承継した法人若しくは相続人（相続人が２人以上ある場合においてその協議により当該電気通信事業を承継すべき相続人を定めたときは、その者。以下この項において同じ。）は、⑵ 電気通信事業者の地位を承継する。⑶ ただし、当該電気通信事業者が第９条の登録を受けた者である場合において、当該電気通信事業の全部を譲り受けた者又は合併後存続する法人若しくは合併により設立した法人、分割により当該電気通信事業の全部を承継した法人若しくは相続人が第12条第１項第１号から第４号までのいずれかに該当するときは、この限りでない。

２　前項の規定により電気通信事業者の地位を承継した者は、遅滞なく、その旨を総務大臣に届け出なければならない。

第17条

追加　平成15年法律第125号
改正　令和 2 年法律第 30号

1　概　要

電気通信事業の全部の譲渡し又は電気通信事業者の合併・分割・相続があった場合の電気通信事業者の地位の承継について規定している。

事業の全部譲渡や合併・分割等があった場合には、第 9 条の登録を受けた電気通信事業者から事業を譲り受けた者や当該事業者と合併後に存続する法人等が法令違反者等の欠格事由に該当する場合を除き、原則として事業譲受人や合併存続法人が電気通信事業者の地位を承継することとし、事後の届出義務を課している。

2　条文内容

〔第 1 項〕

(1)　**電気通信事業の全部の譲渡しがあつたとき、又は電気通信事業者について合併、分割（電気通信事業の全部を承継させるものに限る。）若しくは相続があつたとき**

本項は、電気通信事業の譲渡し、電気通信事業者の合併、分割、相続に際して、第 9 条の登録や第18条の届出等で個別に処理することで手続が複雑になることを避け、一括して処理する便法を講じているが、事業の一部のみを譲り受けられた者等については、その承継することとなる地位が必ずしも明らかではないため、本法では、承継の形態が単純で明快な事業の全部の譲渡し等についてのみ承継の規定を明定している。

相続の場合、相続人は一人に限らず、二人以上であってもよいが、二人以上の相続人によって相続されても、電気通信事業者としては、一事業者である。

(2)　**電気通信事業者の地位**

「電気通信事業者の地位」は、本法に基づく権利、義務その他の法律関係の全てをいう。本法以外の法律に基づく地位は、承継の対象ではない。

(3)　**ただし、当該電気通信事業者が第 9 条の登録を受けた者である場合において、当該電気通信事業の全部を譲り受けた者又は合併後存続する法人若しくは合併により設立した法人、分割により当該電気通信事業の全部を承継した法人若しくは相続人が第12条第 1 項第 1 号から第 4 号までのいずれかに該当するときは、**

132

この限りでない

　第9条の登録を受けた電気通信事業者について事業譲渡や合併等がなされ、その地位が承継される場合には、承継人が第16条の規定による届出をした電気通信事業者である場合や、電気通信事業者以外の者である場合であっても、承継後においては第9条の登録を受けた電気通信事業者として扱われることとなる。

　他方で、同条の登録を受けるべき電気通信回線設備を設置して電気通信役務を提供する事業については、電気通信の秩序を乱し、利用者や他の電気通信事業者に悪影響を及ぼすおそれがある者を排除する必要性が極めて高いことから、通信関係法令に違反した者や登録の取消しを受けた者等欠格事由に該当する者についてはその登録を拒否しなければならないとし、登録後に欠格事由に該当するに至った場合には、その登録を取り消すことができるとしている。

　これらに鑑み、同条の登録を受けた電気通信事業者について事業譲渡や合併等に伴い地位の承継がなされる場合についても、承継人が欠格事由に該当しないものであることを確保する必要があることから、承継人が欠格事由に該当する場合には、同条の登録を受けた電気通信事業者の地位を承継しないこととしている。

〔第2項〕

　登録又は届出で事業参入可能である電気通信事業については、事業譲渡・合併等に際して、新たに事業主体となる者の適格性について事前に審査する必要性は比較的小さいと考えられることから、遅滞なくその旨を総務大臣に届け出ることにより、地位を承継することとしている。

　この場合、事業譲渡・合併等により、第16条第1項の届出をした電気通信事業者が同項の届出をした電気通信事業者の地位を承継し、当該承継により第9条の登録を受けるべき電気通信回線設備を設置するに至るときには、地位の承継により自動的に同条の登録を受けたこととみなされるのではなく、新たに同条の登録をあらかじめ受ける必要がある。

第17条・第18条

（参考）

事業譲渡・合併等に伴う地位の承継の概要

承継人＼被承継人	届出事業者	登録事業者
電気通信事業者以外の者	【届出事業者】	【登録事業者】 ※承継人が欠格事由に該当する場合には、地位を承継しない。
届出事業者	【届出事業者】 ※ただし、第9条の登録を受けるべき電気通信回線設備を設置するに至った場合を除く。	【登録事業者】 ※承継人が欠格事由に該当する場合には、地位を承継しない。
登録事業者	【登録事業者】 ※承継人が欠格事由に該当する場合には、地位を承継しない。	【登録事業者】 ※承継人が欠格事由に該当する場合には、地位を承継しない。

注1：【　】内は、被承継人の電気通信事業者の地位の承継後に、承継人が有する地位。
注2：欠格事由に該当する場合とは、第12条第1項第1号から第4号までのいずれかに
　　　該当する場合をいう。

第18条（事業の休止及び廃止並びに法人の解散）

（事業の休止及び廃止並びに法人の解散）

第18条　電気通信事業者は、⑴ 電気通信事業の全部又は一部を ⑵ 休止し、又は廃止したときは、遅滞なく、その旨を総務大臣に届け出なければならない。

2　電気通信事業者たる法人が合併以外の事由により解散したときは、その清算人（解散が破産手続開始の決定による場合にあつては、破産管財人）又は ⑶ 外国の法令上これらに相当する者は、遅滞なく、その旨を総務大臣に届け出なければならない。

追加　平成15年法律第125号
改正　平成16年法律第 76号
　　　平成27年法律第 26号
　　　平成30年法律第 24号
　　　令和 2 年法律第 30号

1　概　要

電気通信事業の全部又は一部の休止又は廃止、及び電気通信事業者たる法人の解散についての総務大臣への届出について規定している。

2　条文内容

〔第1項〕

ある電気通信事業者がその電気通信事業を休廃止した場合においても、その利用者は他の電気通信事業者による代替的なサービスを速やかに利用し得る環境がある場合、休廃止についての一定の周知等がなされるのであれば、むしろ市場において存続困難となった電気通信事業者は速やかに市場から退出することが適当と考えられることから、事業参入に係る登録・届出の違いにかかわらず、電気通信事業の全部又は一部を休止又は廃止したときは、その旨を遅滞なく、総務大臣に届け出ることで足りることとしている。

(1)　電気通信事業の全部又は一部

「電気通信事業の一部」とは、電気通信事業の部分（全部にまで達しない範囲）であって、社会経済的に一つの単位となり得るものをいう。何が「電気通信事業の一部」に該当するかについては個別具体的なケースごとに判断する必要があるところ、利用者から見て独立した電気通信サービスと認知されると考えられるものを提供する事業の部分がこれに該当する。

(2)　休止し、又は廃止したとき

「休止」とは、営業を停止させることをいう。個々の利用者に対する役務の提供の停止や事故等による停止は、事業の休止には当たらない。

「廃止」とは、その営業を消滅させることである。

したがって、「休止」には期間があるが、「廃止」には期間がない。

〔第2項〕

電気通信事業者である法人が合併以外の事由により解散した場合の届出の手続を規定している。

(3)　外国の法令上これらに相当する者

清算人・破産管財人は、会社法（平成17年法律第86号）及び破産法（平成16年法律第75号）上の概念であり、外国法人等について、外国の法令上これに相当する者について規定している。

第3節　電気通信事業者等の業務

総　説

　本節は、電気通信事業者等の業務運営に関する規律について規定している。

　第19条から第25条までは、料金その他の提供条件に関する規律、第26条から第27条の4までは、電気通信事業者との契約等に関して利用者等の利益の保護等を図るための規律、第27条の5から第27条の12までは、利用者に関する情報の適正な取扱いに関する規律、第28条は、電気通信役務の提供に支障が生じたことを国が把握し、必要に応じ業務改善命令等を発動するための規律、第29条は、規律違反の是正措置である業務改善命令に関する規律、第30条から第40条までは、電気通信事業者間の公正競争の促進等に関する規律が規定されている。

　まず、料金その他の提供条件に関しては、

(1)　国民生活に不可欠であるためあまねく日本全国における提供が確保されるべき基礎的電気通信役務について、その極めて高い公共性から、料金その他の提供条件について、行政が事前にその適正性を確保する必要があることから、契約約款を作成し、総務大臣へ事前に届け出た上で、当該契約約款（届出契約約款）により提供することを義務付けている（第19条）。電話役務に係る第1号基礎的電気通信役務については、届出契約約款によらない相対取引は認めない。高速度データ伝送電気通信役務に係る第2号基礎的電気通信役務については、当該役務の提供の相手方と別段の合意がある場合には、届出契約約款によらない相対契約を認めている。

(2)　また、第一種指定電気通信設備を設置する電気通信事業者が、当該設備を用いて提供する役務であって、代替的な役務が十分提供されていない指定電気通信役務については、行政が事前に当該電気通信事業者による不当な提供条件の設定を防止し、料金その他の提供条件の適正性を確保する必要があることから、保障契約約款を作成し、総務大臣へ事前に届け出た上で、利用者と特段の合意がある場合を除き、当該保障契約約款により提供することを義務付けており、相対契約による提供条件も認めている（第20条）。

(3)　指定電気通信役務であって特に利用者の利益に及ぼす影響が大きい特定電気通信役務（電話等）については上限価格方式による規制が適用されている（第21条）。

(4)　上記の役務を除くその他の電気通信役務については、基本的に市場の競争に

委ね、契約約款作成やその事前届出を不要としている。

(参考)

【基礎的電気通信役務、指定電気通信役務、特定電気通信役務に係る規律】

	基礎的電気通信役務		指定電気通信役務	特定電気通信役務
料金	届出 (届出契約約款)		届出 (保障契約約款)	上限価格方式
（相対取引）	不可 (第1号 基礎的電 気通信役 務)	可 (第2号 基礎的電 気通信役 務)	可	可（基準料金指数を超える場合は要認可）
料金以外の 提供条件	届出 (届出契約約款)		届出 (保障契約約款)	－
（相対取引）	不可 (第1号 基礎的電 気通信役 務)	可 (第2号 基礎的電 気通信役 務)	可	－
役務提供義務	有		有 (保障契約約款に基づく 提供を求められた場合)	－
契約約款等 遵守義務	有		有 (保障契約約款に基づく 提供を求められた場合)	料金指数が基準料金指数を超える場合には、認可料金遵守義務
契約約款等 公表義務	有		有	有
会計整理義務	有		有	有

次に、サービス内容、料金その他の提供条件の多様化・複雑化が進み、利用者等の保護の充実を一層図る必要があるため、電気通信事業者は、一定の電気通信役務に関する料金その他の提供条件について、電気通信役務の提供を受けようとする者に説明しなければならない（第26条第1項）こととし、また、書面の交付（第26条の2）、書面による解除（第26条の3）、電気通信業務の休止及び廃止の周知・公表（第26条の4第1項及び第26条の5）、苦情等の処理（第27条）、事実不告知・不実告知の禁止（第27条の2第1号）、自己の名称等を告げずに勧誘する行為の禁止（第27条の2第2号）、勧誘継続行為の禁止（第27条の2第3

号）、移動電気通信役務に係る端末購入等の補助等及び過度な期間拘束契約の禁止（第27条の3）、媒介等業務受託者に対する指導等（第27条の4）の制度を設けている。

電気通信事業者が電気通信役務に関して取得する利用者に関する情報であって、通信の秘密に該当したり利用者を識別することができる情報のうち、一定のものを「特定利用者情報」と定義しており（第27条の5）、その取扱いについて、特定利用者情報の取扱いに関する情報取扱規程及び情報取扱方針の策定・公表（第27条の6から第27条の8まで）、特定利用者情報の取扱いの状況に関する評価の実施等（第27条の9）及び特定利用者情報統括管理者の選任・届出等（第27条の10、第27条の11）の制度を設けている。これらに加えて、電気通信事業者又は第3号事業を営む者がクッキーやウェブサイト閲覧履歴等の利用者に関する情報を当該利用者の電気通信設備から当該利用者以外の電気通信設備に送信するための指令を与える情報送信指令通信に係る当該利用者への通知等を義務付ける（第27条の12）制度を設けている。

また、業務に関する事後的な措置としての業務改善命令の制度を設けている（第29条）。

そして電気通信事業者間の公正競争の促進に関して、接続等に関する規律を設けている。

具体的には、

(1)　まず、電気通信回線設備を設置する電気通信事業者に接続の請求に応じる義務を設け、これに加えて、第一種指定電気通信設備及び第二種指定電気通信設備を設置する電気通信事業者には接続交渉等において強い交渉力があり、他の電気通信事業者との接続等の適正性を確保する必要があるため、接続に係る事前の行政規律を設けている（第33条から第34条の2まで）。

(2)　次に、接続、共用及び卸電気通信役務提供の適正性は当事者の申立てに基づき事後的に確保する必要があり、電気通信紛争処理委員会によるあっせん及び仲裁（第4章を参照のこと。）並びに総務大臣による接続などの協議命令、接続条件の裁定制度を設け、全ての電気通信事業者間の接続、共用及び卸電気通信役務提供を対象としている（第35条及び第38条から第39条まで）。

第19条（基礎的電気通信役務の届出契約約款）

（基礎的電気通信役務の届出契約約款）

第19条　(1) 基礎的電気通信役務を提供する電気通信事業者は、その提供する基礎的電気通信役務に関する (2) 料金その他の提供条件（第52条第１項又は第70条第１項第１号の規定により認可を受けるべき技術的条件に係る事項及び総務省令で定める事項を除く。第３項及び第25条第２項において同じ。）について契約約款を定め、総務省令で定めるところにより、その実施前に、(3) 総務大臣に届け出なければならない。これを変更しようとするときも、同様とする。

2　総務大臣は、前項の規定により届け出た契約約款（以下「届出契約約款」という。）が次の各号のいずれかに該当すると認めるときは、当該届出をした基礎的電気通信役務を提供する電気通信事業者に対し、相当の期限を定め、(4) 当該届出契約約款を変更すべきことを命ずることができる。

一　(5) 料金の額の算出方法が適正かつ明確に定められていないとき。

二　(6) 電気通信事業者及びその利用者の責任に関する事項並びに電気通信設備の設置の工事その他の工事に関する費用の負担の方法が適正かつ明確に定められていないとき。

三　(7) 電気通信回線設備の使用の態様を不当に制限するものであるとき。

四　(8) 特定の者に対し不当な差別的取扱いをするものであるとき。

五　(9) 重要通信に関する事項について適切に配慮されているものでないとき。

六　(10) 他の電気通信事業者との間に不当な競争を引き起こすものであり、その他社会的経済的事情に照らして著しく不適当であるため、利用者の利益を阻害するものであるとき。

3　基礎的電気通信役務を提供する電気通信事業者は、次の各号のいずれかに該当する場合を除き、(11) 届出契約約款に定める料金その他の提供条件によらなければ当該基礎的電気通信役務を提供してはならない。

一　次項の規定により届出契約約款に定める当該基礎的電気通信役務の料金を減免する場合

二　当該基礎的電気通信役務（第２号基礎的電気通信役務に限る。）の提供の相手方と料金その他の提供条件について別段の合意がある場合

第19条

4　基礎的電気通信役務を提供する電気通信事業者は、⑿総務省令で定める基準に従い、届出契約約款に定める当該基礎的電気通信役務の料金を減免することができる。

	改正　昭和62年法律第　57号
	平成 7 年法律第　82号
	平成 9 年法律第　97号
	平成10年法律第　58号
	平成11年法律第160号
	平成13年法律第　62号
第31条繰上げ改正	平成15年法律第125号
	改正　令和 4 年法律第　70号

1　概　要

　基礎的電気通信役務は、全ての利用者に対して適切な料金その他の提供条件で公平に提供されることが求められるものであることから、基礎的電気通信役務を提供する電気通信事業者に対して、その提供する基礎的電気通信役務に関する料金その他の提供条件について契約約款の作成・事前届出義務を課すとともに、届け出た契約約款（届出契約約款）により基礎的電気通信役務を提供する義務を課している。

2　条文内容

〔第 1 項〕

(1)　基礎的電気通信役務

　「基礎的電気通信役務」とは、「国民生活に不可欠であるためあまねく日本全国における提供が確保されるべき電気通信役務」をいう（第 7 条）。具体的には、第 7 条の解説 2 (1)、(3)及び(4)を参照のこと。

(2)　料金その他の提供条件（第 52 条第 1 項又は第 70 条第 1 項第 1 号の規定により認可を受けるべき技術的条件に係る事項及び総務省令で定める事項を除く。・・・）

　具体的に契約約款に定める対象となる事項は、施行規則第16条において次のとおりと規定している。

①　電気通信役務の名称及び内容

②　電気通信役務に関する料金（手数料その他これに類する料金を除く。）

③　電気通信事業者及びその利用者の責任に関する事項

④　電気通信設備の設置の工事その他の工事に関する費用の負担の方法

⑤　電気通信回線設備の使用の態様に関し制限を設けるときは、その事項

⑥　重要通信の取扱方法

⑦　電気通信役務を円滑に提供するために必要な技術的事項

⑧　①から⑦までに掲げるもののほか、利用者の権利又は義務に重要な関係を有する電気通信役務の提供条件に関する事項があるときは、その事項

⑨　有効期間を定めるときは、その期間

　　　また、第2号基礎的電気通信役務を提供する電気通信事業者については、施行規則第14条の3第2項において、契約約款を定める義務の対象は、当該第2号基礎的電気通信役務の契約数が30万を超える電気通信事業者及び第二種適格電気通信事業者としている。

(3)　**総務大臣に届け出なければならない**

　　　契約約款の実施7日前までに、その契約約款を記載した書類を添えて届出書を提出しなければならないとされている（施行規則第15条及び様式第13）。

〔第2項〕

(4)　**当該届出契約約款を変更すべきことを命ずることができる**

　　　基礎的電気通信役務に関する料金その他の提供条件については、届出制としているが、その適正性を担保するため、第1号から第6号までのいずれかに該当すると認めるときは、総務大臣が変更を命ずることができるものとしている。

(5)　**料金の額の算出方法が適正かつ明確に定められていないとき**

　　　電気通信役務に係る契約の中心をなす料金が明確でなければ、利用者が理解しにくいだけではなく、実質的に公正さが阻害されるおそれがある。社会通念上一般利用者にとって具体的な料金の額の算出方法が適正かつ明確でないため予見可能でないと認められる場合、例えば、

①　「時価」や「当社が毎月末に請求する額」等社会通念上利用者にとって料金額が予見可能でないと認められるような料金を設定する

②　その他料金額の算出方法が、定額、定率等により適正かつ明確に示されていない料金を設定する

等のため、利用者の利益を阻害しているときは、本号に該当する。

第19条

(6)　電気通信事業者及びその利用者の責任に関する事項並びに電気通信設備の設置の工事その他の工事に関する費用の負担の方法が適正かつ明確に定められていないとき

①　利用停止、契約解除、損害賠償、料金返還に関する事項が適正かつ明確に規定されていない

②　延滞利息について不当に高額な割合を設定している

③　消費者契約法（平成12年法律第61号）に反するような、電気通信事業者に著しく有利で利用者に不利な規定がある

等の場合が該当する。

(7)　電気通信回線設備の使用の態様を不当に制限するものであるとき

①　公専接続を制限（電話等の電気通信役務を提供する電気通信事業者が、電話役務を提供する契約において、契約者回線と専用回線とを相互に接続して通話を行う場合には電気通信回線の接続の請求を承諾しない旨規定して接続を制限するもの）している

②　利用者の責に帰すべき事由等の合理的な理由なく、利用停止等利用を制限している

等の場合は、本号に該当する。

(8)　特定の者に対し不当な差別的取扱いをするものであるとき

不当な差別的取扱いの禁止とは、電気通信役務の提供に関する契約の締結に当たり、また、その提供に当たって、国籍、人種、性別、年齢、社会的身分、門地、職業、財産等によって、特定の者を正当な理由なく有利に又は不利に取り扱ってはならないという意味である。「不当な」とは、行為又は状態が、実質的に妥当性を欠くこと又は適当でないことを指す。

電気通信事業者が設定する料金その他の提供条件が不当な差別的取扱いに該当するか否かは、社会通念に照らして、個別具体的に判断されることとなるが、電気通信の健全な発達、利用者の利便の確保や公共の福祉増進の観点から、合理的かつ妥当な理由に基づき料金に差異を設けることは、「不当な差別的取扱い」に該当しないと考えられる。

「不当な差別的取扱い」の具体的事例としては、

①　契約回線数その他の利用条件が同一であるにもかかわらず、取引先や子会社等であることを理由として、特定の利用者に対し他の利用者と比較して著しく低い料金を設定すること

142

② 相互接続通話の利用者に対して、利用停止、契約解除、延滞利息、支払期限等について不当に不利な取扱いをすること

等が考えられる。

⑼ <u>重要通信に関する事項について適切に配慮されているものでないとき</u>

「重要通信に関する事項について適切に配慮していないとき」とは、第8条の規定に基づいて事業者が重要通信の優先的な取扱いを行っていない場合や、重要通信の確保のために一般通信の規制を行うことが想定される電気通信役務についてその旨の規定を設けていない契約等が該当する。

⑽ <u>他の電気通信事業者との間に不当な競争を引き起こすものであり、その他社会的経済的事情に照らして著しく不適当であるため、利用者の利益を阻害するものであるとき</u>

本法においては、原則として競争原理を通じ、電気通信の健全な発達を図ることとされており、電気通信事業者間における活発な競争が求められている。しかし、他の電気通信事業者を市場から排除するため原価に比べ著しく低廉な料金を設定すること等、著しく不適当な方法により、かえって電気通信の健全な発達を阻害し利用者の利益を阻害することとなるものについては、規制する必要がある。

このため、本号において、料金その他の提供条件が電気通信事業者間の不当な競争を引き起こす等著しく不適当であるため、利用者の利益を阻害しているときはこれを是正することとしている。

具体的にどのような行為が本号に該当するか否かについては、個別具体的な事例ごとに、市場全体への影響の度合い等を踏まえ総合的に判断されることとなる。 例えば、

① 独占的分野から競争分野への内部相互補助により不当な競争を引き起こす料金を設定している

② 競争事業者のサービスを利用しないことを条件とする割引を設定している

等の場合は、本号に該当する可能性がある。

〔第3項〕

⑾ <u>届出契約約款に定める料金その他の提供条件によらなければ当該基礎的電気通信役務を提供してはならない</u>

基礎的電気通信役務は「国民生活に不可欠であるためあまねく日本全国における提供が確保されるべきもの」であり、また、基礎的電気通信役務を提供す

第19条

る電気通信事業者には、基礎的電気通信役務の「適切、公平かつ安定的な提供」が責務として課されている（第7条）。

したがって、基礎的電気通信役務については、適正な提供条件により、適切、公平かつ安定的に日本全国にあまねく提供されることが確保されることについて十全を期す必要があるので、行政が提供条件の適正性について判断できるようにするため契約約款の事前届出義務を課すとともに、届け出た契約約款に定める料金その他の提供条件によらなければ提供してはならないこととし、届出契約約款によらない相対取引は認めないこととしている。

ただし、第2号基礎的電気通信役務（第7条第2号）は、その伝達する情報の種類（テキスト、音声、画像、映像）が多様であることから、利用者に対する提供条件も多様であり、契約当事者双方の合意を前提に、電気通信事業者の創意工夫による多様な条件でのサービス提供を許容することが、利用者の利便の向上に資すると考えられる。したがって、第2号基礎的電気通信役務については、当該役務の提供の相手方と料金その他の提供条件について別段の合意がある場合には届出契約約款によらない提供（相対契約による提供）を認めている。

〔第4項〕

(12) 総務省令で定める基準に従い、届出契約約款に定める当該基礎的電気通信役務の料金を減免することができる

人命の安全の確保を図る等公益上又は公共上の特別な必要がある場合には、契約約款によらなくても料金の減免を行うことができると規定している。

具体的には、次の通信について料金を減免することができる（施行規則第17条）。

① 船舶又は航空機が重大かつ急迫の危険に陥り、又は陥るおそれがあることを通報する通信

② 船舶又は航空機の航行に対する重大な危険を予防するために発信する通信

③ 天災、事変その他の非常事態が発生し、又は発生するおそれがある場合における人命又は財産の危険を通報する通信

④ 災害に際し罹災者より行う通信及び電気通信事業者が罹災地に特設する電気通信設備から行う通信

⑤ 警察機関又は海上保安機関に犯罪について通報する通信

⑥ 消防機関に出火を報知し、又は人命の救護を求める通信及び海上保安機関

に人命の救護を求める通信

第20条（指定電気通信役務の保障契約約款）

（指定電気通信役務の保障契約約款）

第20条　指定電気通信役務（(1) 第一種指定電気通信設備を設置する電気通信事業者が当該第一種指定電気通信設備を用いて提供する電気通信役務であつて、当該電気通信役務に代わるべき電気通信役務が他の電気通信事業者によつて十分に提供されないことその他の事情を勘案して当該第一種指定電気通信設備を設置する電気通信事業者が当該第一種指定電気通信設備を用いて提供する電気通信役務の適正な料金その他の提供条件に基づく提供を保障することにより利用者の利益を保護するため特に必要があるものとして総務省令で定めるものをいう。以下同じ。）を提供する電気通信事業者は、その提供する指定電気通信役務に関する (2) 料金その他の提供条件（第52条第１項又は第70条第１項第１号の規定により認可を受けるべき技術的条件に係る事項及び総務省令で定める事項を除く。第５項及び第25条第３項において同じ。(2)）について契約約款を定め、(3) 総務省令で定めるところにより、その実施前に、総務大臣に届け出なければならない。これを変更しようとするときも、同様とする。

2　(4) 指定電気通信役務であつて、基礎的電気通信役務である電気通信役務については、前項（第４項の規定により読み替えて適用する場合を含む。次項、次条第２項及び第188条第２号において同じ。）(4) の規定は適用しない。

3　総務大臣は、第１項の規定により届け出た契約約款（以下「保障契約約款」という。）が次の各号のいずれかに該当すると認めるときは、当該届出をした指定電気通信役務を提供する電気通信事業者に対し、相当の期限を定め、当該 (5) 保障契約約款を変更すべきことを命ずることができる。

一　料金の額の算出方法が適正かつ明確に定められていないとき。

二　電気通信事業者及びその利用者の責任に関する事項並びに電気通信設備の設置の工事その他の工事に関する費用の負担の方法が適正かつ明確に定められていないとき。

三　電気通信回線設備の使用の態様を不当に制限するものであるとき。

第20条

四　特定の者に対し不当な差別的取扱いをするものであるとき。

五　重要通信に関する事項について適切に配慮されているものでないとき。

六　他の電気通信事業者との間に不当な競争を引き起こすものであり、その他社会的経済的事情に照らして著しく不適当であるため、利用者の利益を阻害するものであるとき。

4　第33条第1項の規定により新たに指定をされた電気通信設備を設置する電気通信事業者がその指定の日以後最初に第1項の規定により総務大臣に届け出るべき契約約款については、同項中「その実施前に、総務大臣に届け出なければならない。これを変更しようとするときも、同様とする」とあるのは、「第33条第1項の規定により (6) 新たに指定をされた日から3月以内に、総務大臣に届け出なければならない」とする。

5　指定電気通信役務を提供する電気通信事業者は、次の各号のいずれかに該当する場合を除き、保障契約約款に定める料金その他の提供条件によらなければ当該指定電気通信役務を提供してはならない。

一　次項の規定により保障契約約款に定める当該指定電気通信役務の料金を減免する場合

二　当該指定電気通信役務の提供の相手方と料金その他の提供条件について別段の合意がある場合

6　指定電気通信役務を提供する電気通信事業者は、(7) 総務省令で定める基準に従い、保障契約約款に定める当該指定電気通信役務の料金を減免することができる。

追加　平成15年法律第125号
改正　平成27年法律第　26号
　　　令和 4 年法律第　70号

1　概　要

　不可欠設備である第一種指定電気通信設備を設置する電気通信事業者が当該第一種指定電気通信設備を用いて提供するサービスであって、他の電気通信事業者により代替的なサービスが十分に提供されないこと等を勘案して定められる指定電気通信役務については、当該指定電気通信役務を提供する電気通信事業者による不当な提供条件の設定を防止し、料金その他の提供条件の適正性を確保する必

要があるため、指定電気通信役務を提供する電気通信事業者は、指定電気通信役務に関する料金その他の提供条件について契約約款（保障契約約款）を定め、総務大臣にこれを届け出なければならないこととし、利用者から求められた場合には、保障契約約款に定める提供条件により指定電気通信役務を提供しなければならないこととしている。

2 条文内容

〔第1項〕

(1) 第一種指定電気通信設備を設置する電気通信事業者が当該第一種指定電気通信設備を用いて提供する電気通信役務であつて、当該電気通信役務に代わるべき電気通信役務が他の電気通信事業者によつて十分に提供されないことその他の事情を勘案して当該第一種指定電気通信設備を設置する電気通信事業者が当該第一種指定電気通信設備を用いて提供する電気通信役務の適正な料金その他の提供条件に基づく提供を保障することにより利用者の利益を保護するため特に必要があるものとして総務省令で定めるもの

不可欠設備である第一種指定電気通信設備を用いて提供される電気通信役務のうち、

① これに代わるべき電気通信役務が他の電気通信事業者により十分提供されないことその他の事情を勘案し、

② 適正な料金その他の提供条件に基づく提供を保障することにより利用者の利益を保護するため特に必要があると認められるもの

については、利用者にとって代替サービスの提供が十分に確保されず、当該電気通信事業者が提供する当該電気通信役務に依存せざるを得ない蓋然性が高いと考えられ、価格支配力が濫用される等の場合には、利用者に大きな影響が及ぶおそれがあるものと考えられることから、これを指定電気通信役務として定め、保障契約約款の作成を義務付け、料金その他の提供条件について、行政がその適正性を確保することとしている。

具体的には、第一種指定電気通信設備を設置する電気通信事業者が当該第一種指定電気通信設備を利用して提供する音声伝送役務、専用役務及び光端末系伝送路設備又はＩＳＤＮ端末系伝送路設備を用いるベスト・エフォート型インターネット接続サービスであって、付加サービス、特定業務用途サービス、端末レンタル、試験サービス等を除くものが指定電気通信役務に該当するものと

147

第20条

されている（施行規則第18条）。

なお、第一種指定電気通信設備については、第33条の解説を参照のこと。

(2) **料金その他の提供条件（第52条第1項又は第70条第1項第1号の規定に**
より認可を受けるべき技術的条件に係る事項及び総務省令で定める事項を除く。
・・・）

　保障契約約款に定める対象となる事項は、総務省令において、前条第1項の
総務省令（施行規則第16条）の規定が準用されており、前条の解説2(1)を参
照のこと（施行規則第19条の2）。

(3) **総務省令で定めるところにより、その実施前に、総務大臣に届け出なければな**
らない

　総務省令においては、特定の様式による届出書で実施前の届出を求めている。
その中で、特定電気通信役務（第21条の解説2(1)を参照のこと。）に関する料
金の設定又は変更を含む契約約款の届出の場合はその実施の14日前までに届
け出なければならないとしている。ただし、特定電気通信役務に関する料金の
変更を含む契約約款の変更の届出の場合で、料金の変更後の料金指数が基準料
金指数以下であることが明らかな場合は、7日前までに届け出なければならな
いとしている（施行規則第19条及び様式第14）。

〔第2項〕

(4) **指定電気通信役務であつて、基礎的電気通信役務である電気通信役務につい**
ては、前項・・・の規定は適用しない

　基礎的電気通信役務と指定電気通信役務の双方に該当する電気通信役務につ
いては、基礎的電気通信役務に係る規律と、指定電気通信役務に係る規律を比
較すると、双方の役務に係る規律は同じか、あるいは基礎的電気通信役務に係
る規律の方が重いものであるため、指定電気通信役務に係る規律は適用せず、
基礎的電気通信役務に係る規律を適用することとしている。

　なお、指定電気通信役務の中から定められる特定電気通信役務については、
指定電気通信役務に係る規律（基礎的電気通信役務と指定電気通信役務の双方
に該当する電気通信役務については、基礎的電気通信役務に係る規律）に上乗
せして、その料金について上限価格方式が適用される（第21条）。

〔第3項〕

(5) **保障契約約款を変更すべきことを命ずることができる**

　保障契約約款が定める指定電気通信役務に関する提供条件については、その

適正性を担保するため、第1号から第6号までのいずれかに該当すると認める
ときは、総務大臣が変更を命ずることができるものとしている。命令の要件は、
前条第2項各号に定める基礎的電気通信役務に関するものと同様である。

〔第4項〕

(6) 新たに指定をされた日から3月以内

　　新たに第一種指定電気通信設備の指定が行われ、当該第一種指定電気通信設
備により提供される電気通信役務が指定電気通信役務に該当する場合、当該指
定電気通信役務を提供する電気通信事業者に対して、保障契約約款を作成し、
総務大臣に届け出る義務が課されることとなるが、当該保障契約約款を作成す
るための時間が必要であることから、指定が行われた日から3か月以内に届け
出なければならないこととしている。

〔第5項〕

　　指定電気通信役務については、①保障契約約款に定める料金を次項の規定に
より減免する場合、②保障契約約款に定める料金その他の提供条件と異なる提
供条件について利用者と合意をして相対契約を結んだ場合を除き、保障契約約
款に定める提供条件により提供しなければならないこととしている。

〔第6項〕

(7) 総務省令で定める基準に従い、保障契約約款に定める当該指定電気通信役務
の料金を減免することができる

　　本項に料金の減免について規定されている趣旨は、前条第4項と同様である。
総務省令においては、同項の総務省令で定めるもののほか、次の通信について
料金を減免することができることを定めている（②については、当該役務の適
正な原価に適正な利潤を加えた金額を下らない範囲内で減免することができる
ものとしている。）（施行規則第19条の2の2）。

① 　船舶内の傷病者の医療について指示を受けるために発信する通信及びその
返信のための通信

② 　警察法による警察庁若しくは都道府県警察の機関、消防組織法に規定する
国若しくは地方公共団体の消防の機関又は政治、経済、文化その他公共的な
事項を報道し、若しくは論議することを目的としてあまねく発売される日刊
新聞紙（その発行部数が一の題号について8000部以上であるもの）を発行
する新聞社、放送事業者（放送法に規定する基幹放送事業者（同法第2条第
23号）及び基幹放送局提供事業者（同条第24号）をいう。）若しくはこれら

149

にニュース若しくは情報（広告を除く。）を供給することを主たる目的とする通信社の事業のための通信であって専用たる電気通信役務において取り扱われるもの

第21条（特定電気通信役務の料金）

（特定電気通信役務の料金）

第21条　総務大臣は、(1) 毎年少なくとも１回、総務省令で定めるところにより、(2) 指定電気通信役務であつて、その内容、利用者の範囲等からみて利用者の利益に及ぼす影響が大きいものとして総務省令で定めるもの（以下「特定電気通信役務」という。）に関する料金について、(3) 総務省令で定める特定電気通信役務の種別ごとに、(1) 能率的な経営の下における適正な原価及び物価その他の経済事情を考慮して、通常実現することができると認められる水準の料金を　(4) 料金指数（電気通信役務の種別ごとに、料金の水準を表す数値として、通信の距離及び速度その他の区分ごとの料金額並びにそれらが適用される通信量、回線数等を基に総務省令で定める方法により算出される数値をいう。以下同じ。）　により　(1) 定め、その料金指数（以下「基準料金指数」という。）を、(5) その適用の日の総務省令で定める日数前までに、当該特定電気通信役務を提供する電気通信事業者に　(5) 通知しなければならない。

2　特定電気通信役務を提供する電気通信事業者は、その提供する特定電気通信役務に関する料金を変更しようとする場合において、当該変更後の料金の料金指数が当該特定電気通信役務に係る基準料金指数を超えるものであるときは、第19条第１項又は前条第１項の規定にかかわらず、(6) 総務大臣の認可を受けなければならない。

3　総務大臣は、前項の認可の申請があつた場合において、(7) 基準料金指数以下の料金指数の料金により難い特別な事情があり、かつ、当該申請に係る変更後の料金が次の各号のいずれにも該当しないと認めるときは、同項の認可をしなければならない。

一　(8) 料金の額の算出方法が適正かつ明確に定められていないこと。

二　(9) 特定の者に対し不当な差別的取扱いをするものであること。

第21条

三 (10) 他の電気通信事業者との間に不当な競争を引き起こすものであり、その他社会的経済的事情に照らして著しく不適当であるため、利用者の利益を阻害するものであること。

4 総務大臣は、基準料金指数の適用後において、当該基準料金指数が適用される特定電気通信役務に関する料金の料金指数が当該基準料金指数を超えている場合は、当該 (7) 基準料金指数以下の料金指数の料金により難い特別な事情があると認めるときを除き、当該特定電気通信役務を提供する電気通信事業者に対し、(11) 相当の期限を定め、当該特定電気通信役務に関する料金を変更すべきことを命ずるものとする。

5 第一種指定電気通信設備であつた電気通信設備を設置している電気通信事業者が当該電気通信設備を用いて提供する電気通信役務（基礎的電気通信役務に限る。）に関する料金であつて (12) 第33条第1項の規定による指定の解除の際現に第2項の規定により認可を受けているものは、届出契約約款に定める料金とみなす。

6 特定電気通信役務を提供する電気通信事業者は、(13) 第2項の規定により認可を受けるべき料金については、同項の規定により認可を受けた料金によらなければ当該特定電気通信役務を提供してはならない。ただし、次項の規定により当該特定電気通信役務の料金を減免する場合は、この限りでない。

7 特定電気通信役務を提供する電気通信事業者は、(14) 総務省令で定める基準に従い、第2項の規定により認可を受けた当該特定電気通信役務の料金を減免することができる。

追加　平成15年法律第125号
改正　平成27年法律第 26号
　　　令和 4 年法律第 70号

1　概　要

指定電気通信役務のうち、その内容、利用者の範囲等からみて利用者の利益に及ぼす影響が大きい電気通信役務（特定電気通信役務）については、行政が適正な原価や物価等を考慮して、通常実現可能と考えられる水準の料金を料金指数（基準料金指数）により定め、料金指数が基準料金指数以下である場合には、前

151

第21条

条の届出制のもとで料金を設定することができるが、料金指数が基準料金指数を超える料金に変更しようとする場合は、総務大臣の認可を受けなければならないことを内容とする上限価格方式による料金規制を規定している。

2 条文内容

〔第1項〕

(1) 毎年少なくとも1回、総務省令で定めるところにより・・・能率的な経営の下における適正な原価及び物価その他の経済事情を考慮して、通常実現することができると認められる水準の料金を・・・定め

　　特定電気通信役務に関する料金について、不当な料金設定を防止し、着実に効率化を促す観点から、毎年少なくとも1回は、能率的な経営の下における適正な原価及び物価その他の経済事情を考慮して、行政が料金水準の上限である基準料金指数を定めることとしている。具体的には、毎年10月1日から始まる1年間を適用期間として、次の式により算定するものとしている（施行規則第19条の5）。

基準料金指数＝前適用期間の基準料金指数×（1＋消費者物価指数変動率－生産性向上見込率＋外生的要因）

(2) 指定電気通信役務であつて、その内容、利用者の範囲等からみて利用者の利益に及ぼす影響が大きいものとして総務省令で定めるもの（以下「特定電気通信役務」という。）

　　指定電気通信役務の中には役務の内容や利用者の範囲等からみて利用者の利益に及ぼす影響が大きくないものも含まれており、このようなものまで上限価格方式の対象とする必要はないため、総務省令でその対象（特定電気通信役務）を定めるものとしている。総務省令では、加入電話、公衆電話（災害公衆電話を除く。）及びISDNに係る音声伝送役務（国際電話及び国際ISDNに係るものを除く。）を特定電気通信役務としている（施行規則第19条の3）。

(3) 総務省令で定める特定電気通信役務の種別ごとに

　　特定電気通信役務の種別とは、利用者間の公平性の確保や競争制限的な内部相互補助を防止する上で必要な区分の単位であり、具体的には、電話とISDNを合わせた音声伝送役務について基準料金指数を算定することとしている

152

（施行規則第19条の４）。

(4) 料金指数（電気通信役務の種別ごとに、料金の水準を表す数値として、通信の距離及び速度その他の区分ごとの料金額並びにそれらが適用される通信量、回線数等を基に総務省令で定める方法により算出される数値・・・）

料金指数は、個々の役務の料金の水準ではなく、特定電気通信役務の種別ごとの料金全体の水準を、基準時点における当該種別の料金全体の水準との比較で表した数値である。

具体的には、特定電気通信役務の種別ごとに次の式で算出される数値である（施行規則第19条の６）。

$$料金指数 = \frac{\Sigma \, PtiSi}{\Sigma \, PoiSi} \times 100$$

Ptiは、通信の距離及び速度その他の料金の区分ごとの料金額

Poiは、最初の基準料金指数の適用の日の６か月前の料金額

Siは、基準料金指数の適用年度の電気通信役務の通信量

(5) その適用の日の総務省令で定める日数前までに・・・通知しなければならない

基準料金指数適用後は基準料金指数を超える料金指数の料金を設定しようとする場合は認可を受けることを要し（第２項）、適用時点で料金指数が基準料金指数を超えているときは変更命令の対象となるため（第４項）、特定電気通信役務を提供する電気通信事業者に対して、料金を変更するかどうか、認可を申請するかどうか等の検討の時間を与えるために、総務大臣は、90日前までに（施行規則第19条の７）対象事業者に通知することとしている。

〔第２項〕

(6) 総務大臣の認可を受けなければならない

上限価格方式においては、特定電気通信役務の種別ごとの料金指数が基準料金指数以下の場合には、料金水準が適正なものと考え、事前届出により料金設定ができることとしているが、料金指数が基準料金指数を超える場合には、料金水準が適正でない可能性があるため、基準料金指数を超えることとなる料金指数の対象種別の料金全てが認可対象となり、基準料金指数を超える料金指数について特別な事情があること及び個別料金の適正性（第21条第３項の各号に該当しないこと）について審査を受けることになる。

〔第3・4項〕

(7) 基準料金指数以下の料金指数の料金により難い特別な事情

　　基準料金指数は、特定電気通信役務の適正な原価等に基づいて設定されるため、料金指数が基準料金指数を超える料金が適正な料金水準であることは通常はないが、急激なインフレーションや大規模な天災等、基準料金指数が設定される際に予想されていなかった費用や需要の著しい変動が発生したことにより当該役務の収支が赤字になる場合であって、一時的な事象であり見通しが不分明であるため基準料金指数を変えるべきでない場合については、例外的に認可により基準料金指数を超える料金設定を認めることとしている。

(8) 料金の額の算出方法が適正かつ明確に定められていないこと

　　第29条の解説2 (8)を参照のこと。

(9) 特定の者に対し不当な差別的取扱いをするものであること

　　第29条の解説2 (5)を参照のこと。

(10) 他の電気通信事業者との間に不当な競争を引き起こすものであり、その他社会的経済的事情に照らして著しく不適当であるため、利用者の利益を阻害するものであること

　　第29条の解説2 (9)を参照のこと。

(11) 相当の期限を定め、当該特定電気通信役務に関する料金を変更すべきことを命ずる

　　特定電気通信役務に関する料金について、基準料金指数が新たに定められたにもかかわらず、特定電気通信役務を提供する電気通信事業者が料金指数が基準料金指数以下となるよう料金の改定を行わない場合には、そのような料金により難い特別な事情があると認められる場合を除き、通常はその電気通信事業者の料金設定が不適切であるため、総務大臣は、準備のための相当の期限を定めて、その変更を命ずるものとしている。

〔第5項〕

(12) 同条第1項の規定による指定の解除の際現に第2項の規定により認可を受けているものは、届出契約約款に定める料金とみなす

　　第一種指定電気通信設備の指定の解除時に、第2項の規定により認可を受けた基礎的電気通信役務に関する料金がある場合に、別に届出をする必要がないように、第19条第1項の規定により届け出た料金とみなすこととしている。

〔第6項〕

⒀ 第2項の規定により認可を受けるべき料金については、同項の規定により認可を受けた料金によらなければ当該特定電気通信役務を提供してはならない

　　料金指数が基準料金指数を超える場合には、例外的に認可を受けた料金によることを認めるものであるため、これによらない料金設定は認められない。

〔第7項〕

⒁ 総務省令で定める基準に従い、第2項の規定により認可を受けた当該特定電気通信役務の料金を減免することができる

　　本項において料金の減免について規定されている趣旨は第19条第4項及び前条第6項と同様である。総務省令においては、同項の総務省令（施行規則第19条の2の2）を準用することを定めている（施行規則第20条）。

第22条（通信量等の記録）

> （通信量等の記録）
> 第22条　特定電気通信役務を提供する電気通信事業者は、⑴ 総務省令で定める方法により、その提供する特定電気通信役務の通信量、回線数等を記録しておかなければならない。

追加　平成10年法律第　58号
改正　平成11年法律第160号
　　　平成13年法律第　62号
第31条の2繰上げ改正　平成15年法律第125号

1　概　要

　前条第1項の料金指数の算出のために特定電気通信役務を提供する電気通信事業者の通信量等のデータが用いられることとなるため、当該事業者に必要となるデータの測定及び記録を義務付けている。

2　条文内容

⑴　総務省令で定める方法

　　総務省令においては、通信の距離及び速度その他の料金区分ごとに、料金の課金単位により電気通信役務の通信量、回線数その他の供給量を記録する方法

によることを定めている（施行規則第21条）。

第23条（届出契約約款等の掲示等）

（届出契約約款等の掲示等）

第23条　基礎的電気通信役務、指定電気通信役務又は特定電気通信役務を提供する電気通信事業者は、届出契約約款若しくは保障契約約款（第52条第1項又は第70条第1項第1号の規定により認可を受けた技術的条件を含む。）又は第21条第2項の規定により認可を受けた料金を、(1) <u>総務省令で定めるところにより</u>、公表するとともに、営業所その他の事業所において公衆の見やすいように掲示しておかなければならない。

2　前項の規定は、(2) <u>第19条第1項又は第20条第1項の総務省令で定める事項に係る提供条件について準用する。</u>

改正	平成7年法律第　82号
	平成10年法律第　58号
	平成11年法律第160号
	平成13年法律第　62号
第32条繰上げ改正	平成15年法律第125号
改正	令和4年法律第　70号

1　概　要

　基礎的電気通信役務の届出契約約款、指定電気通信役務の保障契約約款及び特定電気通信役務の料金（基準料金指数を超えるものであるとき。）の公表・掲示義務を定めている。

　基礎的電気通信役務の届出契約約款は、利用者に対して原則として一律に適用される提供条件を定めたいわゆる附合契約約款であり、利用者は、たとえその内容を知らなくともこれに拘束されることとなるので、その内容を広く利用者に周知徹底せしめるよう公表・掲示する義務が課されている。

　指定電気通信役務の保障契約約款は、相対取引により指定電気通信役務が提供されない場合の最終の提供条件を定めるものであり、いわばラストリゾートとして保障契約約款による提供が確保される必要があることから、その内容を広く利用者に周知徹底する必要があるため公表・掲示義務が課されている。

第23条・第24条

2 条文内容

〔第1項〕

(1) 総務省令で定めるところにより

　　総務省令においては、契約約款及び料金の公表は、その実施の日から、営業所その他の事業所（商業登記簿に登記した本店又は支店に限る。）において掲示するとともに、インターネットを利用することにより行わなければならないことを定めている（施行規則第22条）。

〔第2項〕

(2) 第19条第1項又は第20条第1項の総務省令で定める事項に係る提供条件について準用する

　　提供条件のうち、第19条第1項又は第20条第1項の総務省令で定める事項は、届出の対象ではないが、利用者との間で提供条件の一部となるものであることから、公表・掲示義務を課すものである。

第24条（会計の整理）

（会計の整理）

第24条　次に掲げる電気通信事業者は、総務省令で定める勘定科目の分類その他会計に関する手続に従い、その会計を整理しなければならない。

　一　次に掲げる電気通信役務を提供する電気通信事業者

　　イ　(1)指定電気通信役務

　　ロ　(2)特定ドメイン名電気通信役務（ドメイン名電気通信役務（第164条第2項第1号に規定するドメイン名電気通信役務をいう。第41条及び第41条の2において同じ。）のうち、確実かつ安定的な提供を特に確保する必要があるものとして総務省令で定めるものをいう。第39条の3において同じ。）

　二　(3)第30条第1項の規定により指定された電気通信事業者

　三　(4)第一種指定電気通信設備を設置する電気通信事業者

改正　平成11年法律第160号
第33条繰上げ改正　平成15年法律第125号
改正　平成27年法律第 26号
令和4年法律第 70号

157

第24条

1 概 要

　指定電気通信役務若しくは特定ドメイン名電気通信役務を提供する電気通信事業者、第30条第1項の規定により指定された電気通信事業者又は第一種指定電気通信設備を設置する電気通信事業者は、総務省令で定めるところにより、その会計を整理しなければならない旨を定めている。

2 条文内容

(1) 指定電気通信役務

　指定電気通信役務を提供する電気通信事業者については、競争事業者を排除又は弱体化させるため、不当な内部相互補助を行うことにより、他の電気通信サービスで得た利益によって、競合サービスの料金について不当に低廉な料金を設定し不当な競争を引き起こしたり（いわゆる「ダンピング」）、過度に高い料金設定をしたりすることなどにより、利用者の利益を阻害するおそれがある。

　したがって、指定電気通信役務については、そのような不当な内部相互補助等による不適当な料金設定が行われないようにすることを担保するため、役務別等によるある程度の区分を設け、その区分ごとに収益、費用、利益を整理する等の会計の整理を義務付けることとしている。具体的な分類・手続等は総務省令で定められている（会計規則）。

　なお、基礎的電気通信役務については、会計整理義務を課していないため、専ら第1号又は第2号基礎的電気通信役務であって指定電気通信役務でない電気通信役務については会計整理義務が課されないことになる。これは、現状において、当該電気通信役務を提供する電気通信事業者が成熟した市場において支配的事業者となることは想定されず、現状として、これらの電気通信事業者の不当な内部相互補助によって不当な競争が生じる蓋然性は低いと考えられることを考慮したものである。

　適格電気通信事業者となって交付金を受け取る電気通信事業者の収支の状況の公表については、別途規定している（第108条第1項第1号及び第110条の3第1項第1号）。

(2) 特定ドメイン名電気通信役務

　第164条第2項第1号に規定するドメイン名電気通信役務のうち、確実かつ安定的な提供を特に確保する必要があるものとして総務省令で定めるものをいう（「ドメイン名」、「ドメイン名電気通信役務」等の意義については、第164

158

第24条

条の解説（第2項）を参照のこと）。

　総務省令では、ドメインの管理者が提供するドメイン名の名前解決サービスであって、国、地方公共団体その他これらに類するものの名称を表す文字及びドットの記号の組合せによるドメイン名の一部として総務大臣が別に告示するもの（平成28年総務省告示第109号により、国別コードトップレベルドメイン（ccTLD）（第164条の解説〔第2項〕を参照のこと。）である「.jp」及び地理的名称一般トップレベルドメイン（地理的名称gTLD）（第164条の解説〔第2項〕を参照のこと。）である「.nagoya」、「.tokyo」、「.okinawa」、「.yokohama」、「.osaka」、「.kyoto」を告示。）に関して提供するものを定めている（施行規則第22条の2）。

　ccTLDである「.jp」は、我が国のドメインである旨を意味する。また、ＩＣＡＮＮ（The Internet Corporation for Assigned Names and Numbers）（国際的にインターネット上の資源管理を行う非営利法人。ドメインやＩＰアドレスの管理方針の策定を行っている。）が、ccTLD又は地理的名称gTLDの管理者となるための要件として、国又は地方公共団体の支持（エンドースメント）を受けることを求めており、ccTLDは、国が支持を与え、「.tokyo」等の地理的名称gTLDは、地方公共団体がその地方公共団体を代表するドメインとして支持を与えたものである。これらについてのドメイン名電気通信役務は、国又は地方公共団体の信用力を期待する利用者や支持を与えた国又は地方公共団体からの、差別なく安定的に提供されることへの要請が特に強い。

　このため、いかなる者に対しても役務が提供されるよう、恣意的な役務提供を禁止（役務提供義務については第39条の3第1項で規定。）するとともに、将来にわたりその名前解決サービスの継続的かつ安定的な提供が図られるかを広く利用者及び国又は地方公共団体が予測できるようにする必要があることから、その会計を整理した上でこれを公表する義務を課している（会計整理については本条で、公表義務については第39条の3第3項で、規定）。

　インターネットは技術革新が早い分野であり、事業者の収支構造の変化等に合わせて適時適切な対応を可能とする必要があるため、整理・公表すべき会計の内容については総務省令で規定することとしている（会計規則）。

(3)　第30条第1項の規定により指定された電気通信事業者

(4)　第一種指定電気通信設備を設置する電気通信事業者

　市場支配力を有する電気通信事業者がその市場支配力を利用してある支配的

分野において得た利潤を用いて当該支配的分野以外の分野（特に競争的分野）
へ内部相互補助を行った場合、当該支配的分野以外の分野において略奪的料金
の設定等が行われ、他の電気通信事業者との間に不当な競争を引き起こし、さ
らにはその分野における電気通信事業者の競争の基盤が失われるおそれがある。
また、当該支配的分野のサービス利用者が当該支配的分野以外の分野のサービ
スに係るコストまで負担させられることとなり、当該支配的分野のサービス利
用者が不当な差別的取扱いを受けることとなるといった弊害が生じるおそれが
ある。

　そこで、市場支配力を有する電気通信事業者がその市場支配力を濫用して行
う不当な内部相互補助を監視・抑止し業務運営の透明性を確保する観点から、
第30条第1項の規定により指定された電気通信事業者及び第一種指定電気通
信設備を設置する電気通信事業者の役務別損益明細表等を整理した上でこれを
公表する義務を課すこととしている（会計整理については本条で、公表義務に
ついては第30条第6項で、規定）。これにより、これら電気通信事業者が不当
な内部相互補助を自己抑制することを期待している。

第25条（提供義務）

（提供義務）

第25条　第1号基礎的電気通信役務を提供する電気通信事業者は、(1) 正当
　な理由がなければ、その業務区域における当該第1号基礎的電気通信役務
　の提供を拒んではならない。

2　第2号基礎的電気通信役務を提供する電気通信事業者は、当該 (2) 第2
　号基礎的電気通信役務の提供の相手方と料金その他の提供条件について別
　段の合意がある場合を除き、(3) 正当な理由がなければ、その業務区域にお
　ける届出契約約款に定める料金その他の提供条件による当該第2号基礎的
　電気通信役務の提供を拒んではならない。

3　指定電気通信役務を提供する電気通信事業者は、当該 (4) 指定電気通信
　役務の提供の相手方と料金その他の提供条件について別段の合意がある場
　合を除き、(5) 正当な理由がなければ、その業務区域における保障契約約款
　に定める料金その他の提供条件による当該指定電気通信役務の提供を拒ん

ではならない。

第34条繰上げ改正　平成15年法律第125号
改正　令和4年法律第70号

1　概　要

　基礎的電気通信役務は、「国民生活に不可欠であるためあまねく日本全国における提供が確保されるべき電気通信役務」と定義され、国民生活や社会・経済活動においてそれが利用できない場合には著しい支障が生じる基礎的な通信手段であって、国民生活に不可欠であると広く認識される電気通信役務であることから、基礎的電気通信役務を提供する電気通信事業者は、当該役務の適切、公平かつ安定的な提供に努めなければならない旨が定められている（第7条）。これを受けて、基礎的電気通信役務を提供する電気通信事業者に対して、その業務区域において、第1号基礎的電気通信役務を提供する場合にはその業務区域における全ての利用者に対し、第2号基礎的電気通信役務を提供する場合にはその提供の相手方と料金その他の提供条件について別段の合意がある場合を除き、正当な理由がなければ、役務の提供を拒んではならないとしている。

　指定電気通信役務は、不可欠設備である第一種指定電気通信設備を設置する電気通信事業者が当該第一種指定電気通信設備を用いて提供するサービスであって、他の電気通信事業者により代替的なサービスが十分に提供されないこと等を勘案して定められるものであり、指定電気通信役務を提供する電気通信事業者による不当な提供条件の設定を防止し、料金その他の提供条件の適正性を確保する必要がある。そのため、指定電気通信役務を提供する電気通信事業者は、指定電気通信役務に関する料金その他の提供条件について契約約款（保障契約約款）を定め、総務大臣にこれを届け出なければならないこととし（第20条第1項）、利用者から求められた場合には、保障契約約款に定める提供条件により指定電気通信役務を提供しなければならないこととしている。

　本条による他、認定電気通信事業者については、認定電気通信事業に係る役務提供義務が課されており、これに対する違反があった場合には、業務改善命令の対象となる（第121条）。

　なお、全ての電気通信事業者について、役務提供の拒否が、特定の者に対する不当な差別的取扱いに当たる場合その他利用者利益の阻害に当たる場合には、業務改善命令の対象となる（第29条）。

第25条

　本条の規定に違反して電気通信役務の提供を拒んだ者は、2年以下の拘禁刑（令和4年法律第68号の施行後。）若しくは100万円以下の罰金に処し、又は併科する（第178条）。両罰規定（第190条）の適用もある。

2　条文内容

〔第1項〕

(1)　正当な理由

　例えば、天災、地変、事故等により電気通信設備に故障を生じ役務提供が不能の場合、料金滞納者に対する場合、その申込を承諾することにより他の利用者に著しい不便をもたらす場合、正常な企業努力にもかかわらず、需要に対して速やかに応ずることができない場合等である。

〔第2項〕

(2)　第2号基礎的電気通信役務の提供の相手方と料金その他の提供条件について別段の合意がある場合

　第2号基礎的電気通信役務の提供の相手方と料金その他の提供条件について届出契約約款に定めるものと異なる提供条件により相対契約を締結している場合を指す。

(3)　正当な理由

　(1)と同様である。

〔第3項〕

(4)　指定電気通信役務の提供の相手方と料金その他の提供条件について別段の合意がある場合

　指定電気通信役務の提供の相手方と料金その他の提供条件について保障契約約款に定めるものと異なる提供条件により相対契約を締結している場合を指す。

(5)　正当な理由

　(1)と同様である。

第26条

第26条（提供条件の説明）

（提供条件の説明）

第26条　電気通信事業者は、(1) 利用者（電気通信役務の提供を受けようとする者を含み、電気通信事業者である者を除く。以下この項、第27条及び第27条の2において同じ。）と次に掲げる電気通信役務の提供に関する契約の締結をしようとするときは、(2) 総務省令で定めるところにより、(3) 当該電気通信役務に関する料金その他の提供条件の概要について、その者に(4) 説明しなければならない。ただし、当該契約の内容その他の事情を勘案し、当該提供条件の概要について利用者に説明しなくても利用者の利益の保護のため支障を生ずることがないと認められるものとして　(5) 総務省令で定める場合は、この限りでない。

一　(6) その一端が移動端末設備と接続される伝送路設備を用いて提供される電気通信役務であつて、その内容、料金その他の提供条件、利用者の範囲及び利用状況を勘案して利用者の利益を保護するため特に必要があるものとして (8) 総務大臣が指定するもの

二　(7) その一端が移動端末設備と接続される伝送路設備を用いて提供される電気通信役務以外の電気通信役務であつて、その内容、料金その他の提供条件、利用者の範囲及び利用状況を勘案して利用者の利益を保護するため特に必要があるものとして (8) 総務大臣が指定するもの

三　前2号に掲げるもののほか、その内容、料金その他の提供条件、利用者の範囲その他の事情を勘案して利用者の利益に及ぼす影響が少なくないものとして (9) 総務大臣が指定する電気通信役務

2　前項各号の規定による指定は、告示によつて行う。

追加　平成15年法律第125号
改正　平成27年法律第 26号
　　　令和元年法律第　5号

1　概　要

　利用者が料金、サービス内容等の契約条件について十分に理解した上で、必要かつ適切なサービスを選択することができるようにすることで、安心してサービスを利用することができるようにすることにより、電気通信役務の円滑な提供を確保し、利用者利益の保護が図られるよう、電気通信事業者が、契約の締結等に

第26条

当たり利用者が最低限理解すべき提供条件を説明しなければならないこととしている。

2 条文内容

〔第1項〕

⑴ 利用者（電気通信役務の提供を受けようとする者を含み、電気通信事業者である者を除く。・・・）

　本項の説明義務の説明の客体が電気通信役務の提供を受けようとする者とそれ以外の利用者であることを明示している。

　「電気通信役務の提供を受けようとする者」とは、電気通信役務の提供に関する契約について、電気通信事業者から契約の申込みの誘引を受けている者、電気通信事業者に契約を申し込もうとする者又は電気通信事業者からの契約の申込みに対し承諾しようとする者を指す。

　ただし、電気通信事業者である利用者については、一般的に電気通信役務について専門的・技術的な知識を有しているものと考えられるので、一般の利用者のような情報の非対称性はないと考えられることから、説明義務により説明を受ける対象とはしていない。

　第26条から第27条の3まで及び第27条の12の規定において利用者保護を図る客体は、次のとおりとなっている。

① 提供条件の説明（第26条）、苦情等の処理（第27条）、事実不告知・不実告知の禁止（第27条の2（第1号））、その他利用者利益の保護に支障のおそれがある行為の禁止（第27条の2（第4号））	利用者（電気通信役務の提供を受けようとする者を含み、電気通信事業者である者を除く。）
② 書面の交付（第26条の2）、書面による解除（第26条の3第1項、第2項及び第5項））	利用者（電気通信事業者である者を除く。）
③ 書面による解除があった場合の金銭の請求・返還（第26条の3第3項、第4項及び第5項）	契約の解除をした者
④ 電気通信業務の休止又は廃止の周知（第26条の4第1項）	利用者（電気通信事業者である者を含む。）
⑤ 自己の名称等を告げずに勧誘する行為の禁止（第27条の2（第2号））	契約の締結の勧誘の相手方（電気通信事業者である者を除く。）

⑥　勧誘継続行為の禁止（第27条の2（第3号））	契約の締結の勧誘を受けた者（電気通信事業者である者を除く。）
⑦　端末購入等の補助等の禁止（第27条の3第2項（第1号））、過度な期間拘束契約の禁止（第27条の3第2項（第2号））、情報送信指令通信に係る通知等（第27条の12）	利用者（電気通信役務の提供を受けようとする者を含む。）（電気通信事業者である者を含む。）

(2)　総務省令で定めるところにより

　　電気通信事業者が行うべき説明の方法及び説明すべき事項について総務省令で定めることとしている。

　　説明の方法としては、総務省令では、説明事項を分かりやすく記載した書面（説明書面）の交付によるものとしており、利用者が了解したときは、説明書面の交付に代えて、電子メールを送信する方法、ウェブページ上に説明事項を表示する方法、電磁的記録に係る記録媒体を交付する方法、ダイレクトメール等に説明事項を表示する方法、電話により説明事項を告げる方法（説明の後、遅滞なく書面を交付する場合等に限る。）のいずれかの方法によることができること、また、利用者の知識及び経験並びに当該電気通信役務の提供に関する契約を締結する目的に照らして、当該利用者に理解されるために必要な方法及び程度によるものでなければならないこと（いわゆる適合性の原則）等を定めている（施行規則第22条の2の3第3項及び第4項）。契約の自動更新の場合は、説明事項の通知によることとされている（同条第5項）。

　　総務省令においては、基本的な説明事項として、
①　電気通信事業者の氏名又は名称
②　電気通信事業者の連絡先
③　電気通信サービスの内容
④　その利用者に適用される料金、利用者が通常負担する経費
⑤　料金その他の経費の減免を行うときは、その実施期間その他の条件
⑥　契約の変更又は解除の連絡先及び方法
⑦　契約の変更又は解除に係る条件（期間拘束や違約金等）があるときは、その条件
⑧　当該契約が書面解除を行うことができるものであるときは、書面解除に関する事項
等を定めている（施行規則第22条の2の3第1項及び第2項）。

第26条

(3) 当該電気通信役務に関する料金その他の提供条件の概要

　電気通信事業者が説明すべき事項は、利用者が自分に必要かつ適切なサービスを選択し、安心して利用することができるようにするための情報であり、具体的には、料金その他の提供条件がこれに該当する。一般的な利用者が自分に必要かつ適切なサービスを選択し、安心して利用することができるようにするために最低限必要な情報であるところの電気通信役務の提供条件の概要を、(2)の総務省令で定めるところにより、説明するものとしている。

(4) 説明しなければならない

　提供条件の説明義務を課す目的は、利用者が料金、サービス内容等の提供条件について十分に理解した上で、自分に必要かつ適切なサービスを選択することが出来るようにすることである。したがって、提供条件の説明とは、本来的には単に情報を伝達するだけではなく、利用者がその情報を十分に理解した上で適切な選択が出来るような状態におくことが必要である。

　利用者利益の保護を十全にするとともに、電気通信事業者の果たすべき義務を明確にするため、説明すべき内容が一般の利用者に理解しやすい方法で確実に伝達され、個別の利用者がその内容を理解したということが一応確認され、説明された内容を利用者が後日検証することが可能であるような方法が(2)の総務省令で定められている。

(5) 総務省令で定める場合は、この限りでない

　提供条件の説明義務の対象外となる場合を例外として総務省令で定めることとしている。具体的には、法人契約、自動締結契約（ローミング契約等）、公衆電話その他の電気通信役務の提供を受けようとする都度締結することとなる契約の締結をしようとする場合などが定められている（施行規則第22条の2の3第6項）。

(6) その一端が移動端末設備と接続される伝送路設備を用いて提供される電気通信役務

　携帯電話をはじめとする移動電気通信役務を意味している。

(7) その一端が移動端末設備と接続される伝送路設備を用いて提供される電気通信役務以外の電気通信役務

　移動電気通信役務以外の電気通信役務、すなわち、いわゆる固定電気通信役務を意味している。

(8) **総務大臣が指定するもの**

説明義務（書面の交付義務（第26条の2）、書面による解除義務（第26条の3）、苦情等処理義務（第27条）、事実不告知・不実告知の禁止（第27条の2（第1号））、自己の名称等を告げずに勧誘する行為の禁止（第27条の2（第2号））、勧誘継続行為の禁止（第27条の2（第3号））でも同様。）の対象となる電気通信役務については、その電気通信役務が一般的な利用者を対象としたものであり、実際に多くの利用者に使われているか、料金体系が複雑であることにより一般的な利用者の理解が難しい等の問題が生じているか等の観点から、利用者の利益の保護の必要性が特に高いものを総務大臣が指定することとしている。

具体的には、第1号の移動電気通信役務では、次のサービス（提供に先立ち対価の全部を受領するものを除く。）を指定している（平成28年総務省告示第106号第2項）。

① MNOの携帯電話端末サービス（電話サービス及びインターネット接続サービス）

② MNOの無線インターネット専用サービス（インターネット接続サービス（電話サービスを含まない。））

③ MVNOの無線インターネット専用サービス（インターネット接続サービス（電話サービスを含まない。））（期間拘束あり）

④ MVNOの携帯電話端末サービス（電話サービス及びインターネット接続サービス）

また、第2号の固定電気通信役務では、次のサービスを指定している（平成28年総務省告示第106号第3項）。

① FTTHサービス（インターネット接続点までの伝送サービス）

② CATVインターネットサービス（インターネット接続点までの伝送サービス）

③ 上記①・②向けのインターネット接続サービス（インターネット接続点までの伝送サービスを含まない。）

④ DSLサービス向けのインターネット接続サービス（インターネット接続点までの伝送サービスを含まない。）

(9) <u>総務大臣が指定する電気通信役務</u>

説明義務（書面の交付義務（第26条の2）、苦情等処理義務（第27条）、事

実不告知・不実告知の禁止（第27条の2（第1号））、自己の名称等を告げずに勧誘する行為の禁止（第27条の2（第2号））、勧誘継続行為の禁止（第27条の2（第3号））でも同様。(8)とは異なり、書面による解除義務（第26条の3）は含まれない。）の対象となる電気通信役務については、(8)の役務の他で、利用者が安心して継続的に電気通信役務を利用することができるよう、電気通信役務の内容（伝送するのが音声かデータか等の役務の種類、提供を受けることができる場所等）、料金その他の提供条件、利用者の範囲（利用者の特殊なニーズを対象とするかどうか等）その他の事情を勘案して利用者の利益に与える影響が少なくない電気通信役務を対象として総務大臣が指定することとしている。

　具体的には、次のサービスを指定している（平成28年総務省告示第106号第4項）。

① 　電話及びＩＳＤＮサービス

② 　ＤＳＬサービス（インターネット接続点までの伝送サービス）

③ 　ＰＨＳ及びＰＨＳインターネット接続サービス

④ 　公衆無線ＬＡＮサービス

⑤ 　ＦＷＡサービス

⑥ 　ＩＰ電話

⑦ 　次のサービスであって、提供に先立ち対価の全部を受領するもの

　　イ）　ＭＮＯの携帯電話端末サービス（電話サービス及びインターネット接続サービス）

　　ロ）　ＭＮＯの無線インターネット専用サービス（インターネット接続サービス（電話サービスを含まない。））

　　ハ）　ＭＶＮＯの無線インターネット専用サービス（インターネット接続サービス（電話サービスを含まない。））（期間拘束あり）

　　ニ）　ＭＶＮＯの携帯電話端末サービス（電話サービス及びインターネット接続サービス）

⑧ 　ＭＶＮＯ無線インターネット専用サービス（インターネット接続サービス（電話サービスを含まない。））（期間拘束なし）

⑨ 　その他のインターネット接続サービス

【消費者契約法との関係】

　事業者の説明が不十分であった結果として消費者との間でトラブルが生じた場合については、契約の無効又は取消しを主張するための分野横断的な一般的事後救済ルールとして消費者契約法が存在する。消費者契約法上、情報提供については為念的な努力義務規定が置かれている。これは、契約毎に異なるであろう説明事項について、取消しという法的効果をもつ義務を課すためには、予見可能性の観点から、説明事項が明らかにされる必要があるが、全ての契約に適用のある一般法で具体的な説明事項を規定することは困難であるため、努力義務となっている（同法第3条第1項）ものである。

　電気通信役務については、高度な技術が用いられているため、利用者が契約内容を正確に理解するためには多くの専門的・技術的な知識が要求されること等電気通信分野に固有の特性が存在する上に、サービスの高度化、サービス内容・料金メニューの多様化が進む中、料金その他の提供条件の改定が頻繁に行われ、利用者が多種多様な高度なサービス・料金メニューの中から、自己に必要かつ適切なサービスを選択し、使いこなすためには、より多くの専門的・技術的な知識が要求されることになっている。本条及び第73条の3の規定により準用される本条では、利用者の利益の確保と電気通信事業の健全な発達のため、電気通信事業者及び届出媒介等業務受託者と利用者との間の情報の非対称性を解消し、利用者が電気通信役務のサービス内容や料金その他の契約の条件について十分に理解した上で、自らの選択と判断により契約を締結することができるようにするように、電気通信役務について豊富な知識を有している電気通信事業者及び届出媒介等業務受託者に対して、電気通信役務の料金その他の提供条件の概要の説明義務を課している。

第26条の2

第26条の2 （書面の交付）

（書面の交付）

第26条の2　(1) 電気通信事業者は、(2) 前条第１項各号に掲げる電気通信役務の提供に関する契約が成立したときは、(3) 遅滞なく、(4) 総務省令で定めるところにより、書面を作成し、これを利用者（(5) 電気通信事業者である者を除く。以下この条並びに次条第１項及び第５項において同じ。）に交付しなければならない。ただし、当該契約の内容その他の事情を勘案し、当該書面を利用者に交付しなくても利用者の利益の保護のため支障を生ずることがないと認められるものとして　(6) 総務省令で定める場合は、この限りでない。

2　電気通信事業者は、前項の規定による書面の交付に代えて、(7) 政令で定めるところにより、利用者の承諾を得て、当該書面に記載すべき事項を(8) 電子情報処理組織を使用する方法その他の情報通信の技術を利用する方法であつて総務省令で定めるものにより提供することができる。この場合において、当該電気通信事業者は、当該書面を交付したものとみなす。

3　前項に規定する方法（(9) 総務省令で定める方法を除く。）により第１項の規定による書面の交付に代えて行われた当該書面に記載すべき事項の提供は、利用者の使用に係る電子計算機に備えられたファイルへの記録がされた時に当該利用者に到達したものとみなす。

追加　平成27年法律第26号
改正　令和４年法律第70号

1　概　要

　利用者が多様で複雑な契約の内容を契約締結時に理解できずに契約し、後で契約内容を容易に確認することができないために電気通信役務を安心して継続的に利用できなくなることを防ぐため、契約が成立したときは、電気通信事業者に対し、利用者が契約の内容に係る情報を分かりやすい形で事後的に確認することができる書面を利用者に交付することを義務付けている（第１項）。

　また、物理的な書面の交付に代えて、書面記載事項の電磁的方法による提供について、利用者の同意があった場合に認めるとともに（第２項）、当該書面の交付が契約の解除に係る民事的規律による契約解除可能期間に係る起算点になることを踏まえ、当該書面の交付に代えた電磁的方法による提供について、到達時点

に係るみなし規定を設けている（第3項）。

2　条文内容

〔第1項〕

(1)　電気通信事業者

　　契約締結の事実を確実に把握することができる契約締結主体である電気通信事業者に契約成立時の書面の交付の義務を課している。

(2)　前条第1項各号に掲げる電気通信役務の提供に関する契約が成立したとき

　　書面交付義務の対象とする電気通信役務は、契約の解除に関する規律の対象とする電気通信役務のほか、提供条件の説明が必要な電気通信役務を対象としている。また、契約の内容を変更する場合についても、契約の成立として、書面交付義務の対象となる。

(3)　遅滞なく

　　本項の書面は、締結した契約の内容及び当該契約に関して法定された事項について利用者が確認できるように交付が必要となるものである。そのため、契約が成立したときから遅滞なく（遠隔地取引といった特段の事情がない限り、契約の締結を行ったその場で交付されることが望ましい。）交付することを義務付けている。

(4)　総務省令で定めるところにより

　　作成すべき書面について、市場における変化が激しい電気通信分野において、機動的に対処するため、総務省令において規定することとしている。総務省令では、書面に記載する事項（基本説明事項、契約の成立の年月日、利用者の氏名・住所等、料金の支払時期・方法等、役務の開始の予定時期、付加的な機能の提供に係る有償継続役務（いわゆるオプションサービス）の内容を明らかにするための事項、契約書面の内容を十分に読むべき旨）及びその基準等を規定している（施行規則第22条の2の4第1項から第5項まで）。

(5)　電気通信事業者である者を除く

　　電気通信事業者である利用者については、一般的に電気通信役務について専門的・技術的な知識を有しているものと考えられるので、一般の利用者のような情報の非対称性はないと考えられることから、書面交付義務により書面の交付を受ける対象とはしないこととしている。

第26条の2

(6) 総務省令で定める場合は、この限りでない

　　書面交付義務の対象外となる場合を例外として総務省令で定めることとしている。具体的には、法人契約、自動締結契約（ローミング契約等）、公衆電話その他の電気通信役務の提供を受けようとする都度締結することとなる契約が成立した場合などが定められている（施行規則第22条の2の4第6項）。

〔第2項〕

(7) 政令で定めるところにより

　　書面の交付義務は、原則として、契約の内容に係る情報を記載した書面を交付することとしているが、利用者の承諾があった場合には、書面記載事項につき、電子情報処理組織を利用する方法その他の情報通信の技術を利用する方法であって総務省令で定めるものにより提供することを可能としているところ、当該承諾の取り方等については、利用者・事業者間でトラブルとならないよう、あらかじめ政令で定めることとしている。政令では、電気通信事業者は、あらかじめ、利用者に電磁的方法の種類及び内容を示し、書面又は電磁的方法による承諾を得なければならないと定めている（施行令第2条）。

電気通信事業法施行令（昭和60年政令第75号）（抄）
（情報通信の技術を利用した提供）
第2条　電気通信事業者は、法第26条の2第2項の規定により同項に規定する事項を提供しようとするときは、総務省令で定めるところにより、あらかじめ、利用者（同条第1項に規定する利用者をいう。次項において同じ。）に対し、その用いる同条第2項に規定する方法（以下この条において「電磁的方法」という。）の種類及び内容を示し、書面又は電磁的方法による承諾を得なければならない。
2　前項の規定による承諾を得た電気通信事業者は、当該利用者から書面又は電磁的方法により電磁的方法による提供を受けない旨の申出があつたときは、当該利用者に対し、法第26条の2第2項に規定する事項の提供を電磁的方法によつてしてはならない。ただし、当該利用者が再び前項の規定による承諾をした場合は、この限りでない。

---

(8) 電子情報処理組織を使用する方法その他の情報通信の技術を利用する方法であつて総務省令で定めるもの

　　書面記載事項の電磁的方法による提供を行うに当たり、電気通信事業者が使

用することができる方法について、書面の交付に係る取引コストの削減を可能
にするため、利用者による書面記載事項の確認や保存を容易にする方法を総務
省令で定めることとしている。総務省令では、電子メールを送信する方法、ウェ
ブページ上に説明事項を表示する方法、電磁的記録に係る記録媒体を交付する
方法について定めている（施行規則第22条の２の５）。

⑼　総務省令で定める方法を除く

　　本項において、書面記載事項の電磁的方法による提供を行う場合に、利用者
の使用に係る電子計算機に備えられたファイルへの記録がされた時当該利用者
に到達したものとみなすこととしているが、電磁的方法のうち、利用者の使用
に係る電子計算機に備えられたファイルへの記録がされないものについては、
対象から除く必要があるため、これを総務省令で定めることとしている。総務
省令では、電磁的記録に係る記録媒体を交付する方法を規定している（施行規
則第22条の２の６）。

第26条の３（書面による解除）

（書面による解除）
第26条の３　電気通信事業者と　⑴第26条第１項第１号又は第２号に掲げ
る電気通信役務の提供に関する契約を締結した利用者は、⑵総務省令で定
める場合を除き、⑶前条第１項の書面を受領した日（当該電気通信役務
（第26条第１項第１号に掲げる電気通信役務に限る。）の提供が開始され
た日が当該受領した日より遅いときは、当該開始された日）から起算して
８日を経過するまでの間（⑷利用者が、電気通信事業者又は届出媒介等
業務受託者（第73条の２第２項に規定する届出媒介等業務受託者をいう。
第27条の３第２項第２号において同じ。）がそれぞれ第27条の２（第１号
に係る部分に限る。以下この項において同じ。）又は第73条の３において
準用する第27条の２の規定に違反してこの項の規定による当該契約の解
除に関する事項につき不実のことを告げる行為をしたことにより当該告げ
られた内容が事実であるとの誤認をし、これによつて当該期間を経過する
までの間にこの項の規定による当該契約の解除を行わなかつた場合には、
当該利用者が、当該電気通信事業者が総務省令で定めるところによりこの

項の規定による当該契約の解除を行うことができる旨を記載して交付した書面を受領した日から起算して8日を経過するまでの間 (3))、(5) 書面により当該 (6) 契約の解除を行うことができる。

2　前項の規定による電気通信役務の提供に関する契約の解除は、(7) 当該契約の解除を行う旨の書面を発した時に、その効力を生ずる。

3　電気通信事業者は、第1項の規定による電気通信役務の提供に関する契約の解除があつた場合には、当該契約の解除をした者に対し、当該契約の解除に伴い損害賠償若しくは違約金を請求し、又はその他の (8) 金銭等（金銭その他の財産をいう。次項において同じ。）の支払若しくは交付を請求することができない。ただし、(9) 当該契約の解除までの期間において提供を受けた電気通信役務に対して当該契約の解除をした者が支払うべき金額その他の当該契約に関して当該契約の解除をした者が支払うべき金額として総務省令で定める額については、この限りでない。

4　電気通信事業者は、第1項の規定による電気通信役務の提供に関する契約の解除があつた場合において、当該契約に関連して金銭等を受領しているときは、当該契約の解除をした者に対し、速やかに、これを返還しなければならない。ただし、当該契約に関連して受領した金銭等のうち前項ただし書の総務省令で定める額については、この限りでない。

5　(10) 前各項の規定に反する特約で利用者に不利なものは、無効とする。

追加　平成27年法律第26号
改正　令和元年法律第5号
　　　令和4年法律第70号

1　概　要

電気通信役務の提供に関する契約の締結後の契約内容や利用に関する電気通信事業者と利用者との間の問題を解決するため、契約の解除に関する民事的規律により電気通信事業者と利用者との間の契約の内容を直接規律することとしている。契約の解除に関わる問題に直面した利用者の利益の確保を担保することで、このような問題により利用者が本来必要な契約締結をためらうことがないように、契約締結後一定期間に限り、利用者が電気通信事業者の合意なく契約を解除できることとしている。

2 条文内容

〔第1項〕

　利用者の利益を特に保護する必要性がある電気通信役務を総務大臣が指定することとした上で、契約締結書面を受領した日から8日を経過するまでの間（移動電気通信役務については、役務の提供の開始と契約締結書面を受領した日のいずれか遅い日から8日を経過するまでの間）は、契約解除できることとしている。

(1)　第26条第1項第1号又は第2号に掲げる電気通信役務の提供に関する契約を締結した利用者

　契約の解除に関する規律（以下「初期契約解除制度」という。）の対象とする電気通信役務は、固定か移動か等の役務の内容、料金体系の複雑性等の料金その他の提供条件、多くの利用者が利用しているか等の利用者の範囲、トラブルが実際に多く発生し、利用者の利用に影響が生じているか等の利用状況を勘案し、電気通信事業者に初期契約解除制度による対応の負担を課したとしても、利用者の利益を特に保護する必要性がある電気通信役務を総務大臣が指定することとしている。具体的には、第26条第1項第1号及び第2号の規定により総務大臣が指定する説明義務の対象となる電気通信役務が本条の初期契約解除制度の対象となっている。第26条の解説2(8)を参照のこと（平成28年総務省告示第106号第2項及び第3項）。

(2)　総務省令で定める場合を除き

　初期契約解除制度の対象とならない場合として、利用者の利益の保護のため支障を生ずることがないと認められる場合を例外として総務省令で定めることとしている。

　具体的には、利用者の住所の変更その他これに準ずる軽微な変更（利用者保護に支障がないもの）のみがされた場合、電気通信事業者又は利用者からの申出により利用者に不利でない変更のみがされた場合、付加的な機能の提供に係る役務に係る変更のみがなされた場合、法人契約、自動締結契約（ローミング契約等）、公衆電話その他の電気通信役務の提供を受けようとする都度締結することとなる契約が成立した場合等が定められている（施行規則第22条の2の7第1項）。

第26条の3

(3) 前条第1項の書面を受領した日（当該電気通信役務（第26条第1項第1号
に掲げる電気通信役務に限る。）の提供が開始された日が当該受領した日より
遅いときは、当該開始された日）から起算して8日を経過するまでの間・・・）

　役務の提供条件を記載した「書面を受領した日」から提供条件の内容の熟慮
が可能となることを踏まえ、書面を受領した日から、当該日を含めて初期契約
解除可能な期間とすることとするものである。

　ただし、第26条第1項第1号に掲げる電気通信役務（いわゆる移動電気通
信役務）については、「電気通信役務の提供が開始された日」からその品質が
実感可能となる（実際に利用を開始してみないと想定している利用場所での利
用可能性が分からない）ことを踏まえ、書面を受領した日又は電気通信役務の
提供が開始された日のいずれかの遅い日から、当該日を含めて初期契約解除可
能な期間としている。

　「8日を経過するまでの間」としているのは、利用が可能かどうかを確認し、
又は提供条件の内容を把握するために休日を含む必要があるためである。

(4) 利用者が、電気通信事業者又は届出媒介等業務受託者（第73条の2第2項
に規定する届出媒介等業務受託者をいう。・・・）がそれぞれ第27条の2（第
1号に係る部分に限る。・・・）又は第73条の3において準用する第27条の
2の規定に違反してこの項の規定による当該契約の解除に関する事項につき不
実のことを告げる行為をしたことにより当該告げられた内容が事実であるとの
誤認をし、これによつて当該期間を経過するまでの間にこの項の規定による当
該契約の解除を行わなかつた場合には、当該利用者が、当該電気通信事業者が
総務省令で定めるところによりこの項の規定による当該契約の解除を行うこと
ができる旨を記載して交付した書面を受領した日から起算して8日を経過する
までの間

　電気通信事業者又は届出媒介等業務受託者が利用者からの初期契約解除を妨
害するため不実の説明を行う行為は、禁止行為として禁止されており、このよ
うな違法行為を受けて、初期契約解除ができなくなった利用者が救済されない
のは妥当ではなく、初期契約解除制度を導入する趣旨が損なわれることにな
る。したがって、このような電気通信事業者又は届出媒介等業務受託者の行為
を受けて、利用者が誤認して初期契約解除をしなかった場合には、その利用者
は、電気通信事業者より、改めて適切な初期契約解除に関する事項を記載した
書面を受領した日（契約の解除を妨げるために不実告知を行った届出媒介等業

務受託者ではなく、契約の当事者であり、契約解除の相手方である電気通信事業者に対し、適切な初期契約解除に関する書面の交付を行わせるものである。）から起算して8日間を経過するまでの間、初期契約解除ができることとしている。

この場合、法律関係の安定性の確保にも配慮し、その電気通信事業者が初期契約解除できる旨を記載した書面を改めて交付し、それから8日間を経過すると、その利用者は初期契約解除できなくすることとしている。

また、電気通信事業者が改めて初期契約解除に関する事項を記載した書面を交付するに当たっては、「総務省令で定めるところにより」交付することとしている。総務省令では、当該書面の記載事項や様式のほか、交付の際に電気通信事業者が、利用者が書面を見ていることを確認した上で、書面解除ができる期間等について利用者に告げなければならないことを定めている（施行規則第22条の2の8）。これは、一度不実告知という初期契約解除の妨害行為を受けた利用者は、初期契約解除ができないと思い込むおそれがあり、単に初期契約解除ができる旨を記載した書面を交付されただけでは、このような利用者にとって十分な救済とはならないことから、このような義務を設けているものである。

(5) 書面により

初期契約解除が利用者からの一方的な意思表示でなされるので、「口頭」ではなく、「書面」によってその意思を表示することにより、当事者間の権利関係を明確にするとともに、後日紛争が生ずることのないようにする趣旨である。

ただし、これは、利用者が書面以外の方法により契約解除を申し出ることを妨げる趣旨ではなく、電子メール等その他手段による利用者からの契約解除の申出を電気通信事業者が受け付けた場合には、両者の合意があれば、初期契約解除と同趣旨の契約解除が成立することになると考えられる。

(6) 契約の解除

契約解除の対象となる電気通信役務の提供に関する契約の解除の効果は、当該契約に含まれる他の電気通信役務にもその効果が及ぶと考えられる。（当該契約とは別に締結された契約に含まれる他の電気通信役務についてはその効果は及ばないものと考えられる。）

〔第2項〕

契約の解除は、利用者が書面を発した際に有効となることとしている。

第26条の3

(7) 当該契約の解除を行う旨の書面を発した時に、その効力を生ずる

民法（明治29年法律第89号）第97条の到達主義の例外を定めたものであり、実質8日間利用者が検討することができることとするものである。したがって、利用者は、この8日間のうちに申込みの撤回等の書面を発送すればよい。

〔第3・4項〕

契約の解除に伴う電気通信事業者による違約金等の請求は認めず、対価請求も原則禁止し、解除までの期間において受けた役務に対して利用者が支払うべき金額その他の当該契約に関して利用者が支払うべき金額として定める額に限り例外的に認めることとし（第3項）、これを超える額の前払いされた金銭等は返還することとしている（第4項）。

(8) 金銭等（金銭その他の財産をいう。・・・）

役務の対価ではない金銭等であり、入会金、預託金、ポイント等を含む。

(9) 当該契約の解除までの期間において提供を受けた電気通信役務に対して当該契約の解除をした者が支払うべき金額その他の当該契約に関して当該契約の解除をした者が支払うべき金額として総務省令で定める額については、この限りでない

契約の解除に伴う電気通信事業者による違約金等の請求は認めず、対価請求も原則禁止するが、解除までの期間において受けた役務に対して利用者が支払うべき金額その他の当該契約に関して利用者が支払うべき金額として定める額に限り例外的に認めるものである。これは、電気通信サービスでは、サービスの利用料や工事費等、契約が解除された際に、電気通信事業者側に費用負担が発生している場合があることを踏まえ、利用者が、初期契約解除制度に基づく解除権を行使した際には、利用者・電気通信事業者間の公平な費用負担を図るためである。

具体的には、この金額について、契約解除までの期間のサービス利用料や実施済の工事費等に相当する額等に法定利率による遅延損害金の額を加算した金額を限度とすることを総務省令で定めている（施行規則第22条の2の9）。

〔第5項〕

当事者の合意によって利用者に不利なものとはできないよう、利用者にとって不利な特約は無効とすることとしている。

(10) 前各項の規定に反する特約で利用者に不利なもの

本条が利用者に不利な特約についてはこれを排除するいわば片面的強行規定

である旨を明らかにしたものである。

第26条の4　（電気通信業務の休止及び廃止の周知）

（電気通信業務の休止及び廃止の周知）

第26条の4　電気通信事業者は、(1) 電気通信業務の全部又は一部を　(2) 休止し、又は廃止しようとするときは、(3) 総務省令で定めるところにより、あらかじめ、当該休止し、又は廃止しようとする電気通信業務に係る利用者に対し、利用者の利益を保護するために必要な事項として　(4) 総務省令で定める事項を周知させなければならない。ただし、(5) 利用者の利益に及ぼす影響が比較的少ないものとして総務省令で定める電気通信役務に係る電気通信業務の休止又は廃止については、この限りでない。

2　前項本文の場合において、電気通信事業者は、利用者の利益に及ぼす影響が大きいものとして　(6) 総務省令で定める電気通信役務に係る電気通信業務の休止又は廃止については、総務省令で定めるところにより、(7) あらかじめ、同項の総務省令で定める事項を総務大臣に届け出なければならない。

追加　平成30年法律第24号

1　概　要

　電気通信事業者は、電気通信業務の全部又は一部の休止又は廃止（以下「業務の休廃止」という。）をしようとするときは、利用者の利益を保護するために必要な事項を利用者に周知させなければならないこととしている（第1項）。また、電気通信事業者は、当該周知を行う場合において、利用者の利益に及ぼす影響が大きい電気通信役務に係る業務の休廃止については、あらかじめ、利用者に周知させるべき事項（以下「周知事項」という。）を総務大臣に届け出なければならないこととしている（第2項）。

2　条文内容

〔第1項〕

　電気通信事業の休廃止自体については事後に遅滞なくその旨を総務大臣に届け出ることで足りることとしている（第18条第1項）が、他方で、電気通信サービスが国民生活や社会経済活動に占める比重が高い中、サービス提供が何の前触

第26条の4

れもなく突然打ち切られた場合には、利用者が不測の不利益を被ることとなるおそれがある。

そのため、業務の休廃止をしようとするときは、原則として、あらかじめ利用者に移行先となり得る電気通信役務の検討・選択に資する情報等利用者の利益を保護するために必要な情報を周知させるために必要な措置を講じなければならないこととしている。

(1) 電気通信業務の全部又は一部

「電気通信業務の一部」とは、電気通信業務の部分（全部にまで達しない範囲）であって、社会経済的に一つの単位となり得るものをいう。何が「電気通信業務の一部」に該当するかについては個別具体的なケースごとに判断する必要があるところ、利用者から見て独立した電気通信サービスと認知されると考えられるものに係る業務の部分がこれに該当する。

(2) 休止し、又は廃止しようとするとき

「休止」とは、営業を停止させることをいう。個々の利用者に対する役務の提供の停止や事故等による停止は、この休止には当たらない。

「廃止」とは、その営業を消滅させることである。

したがって、「休止」には期間があるが、「廃止」には期間がない。

「廃止」のみならず「休止」についても本条の規律の対象とするのは、原因が「休止」か「廃止」かに関わらず、突然電気通信役務が利用者に提供されなくなれば当該利用者に不測の不利益を及ぼすこととなるからである。

(3) 総務省令で定めるところにより

周知の実施時期や周知手段等は、利用者が周知事項の内容を認識し、移行先となり得る電気通信役務を検討・選択するために必要なものであるところ、具体的には、市場環境の変化等を踏まえて柔軟に定める必要があるため、総務省令で規定することとしている。

総務省令では、業務の休廃止の前日から起算して30日前の日（(6)の電気通信役務にあっては、1年前の日）までに、知れたる利用者に対し、対面・電話・郵便・電子メール等のいずれかの方法により、適切に行なうものとしている（施行規則第22条の2の10第1項）。

(4) 総務省令で定める事項

周知事項は、移行先となり得る電気通信役務の検討・選択に資する情報等、業務の休廃止に際して利用者の利益を保護するために必要な事項であるところ、

具体的には、市場環境の変化等を踏まえて柔軟に定める必要があるため、総務省令で規定することとしている。

　総務省令では、休廃止する電気通信業務の内容、年月日、休止の場合はその期間、休廃止の理由、苦情・相談に応ずる営業所等の連絡先、代替となる電気通信役務、被害の発生又は拡大の防止に資する情報が規定されている（施行規則第22条の2の10第2項）。

(5)　利用者の利益に及ぼす影響が比較的少ないものとして総務省令で定める電気通信役務に係る電気通信業務の休止又は廃止

　本規律は、業務の休廃止の際の利用者の利益を保護するために定めるものであることから、利用者の利益に及ぼす影響が比較的少ない電気通信役務に係る電気通信業務の休廃止（総務省令では、電気通信役務の提供を受けようとする都度契約を締結することとなる電気通信役務に係る電気通信業務の休廃止、電気通信業務を承継した者が引き続き当該電気通信業務を行うこととなるもの等を規定（施行規則第22条の2の10第4項)。）については、本規律の対象外としている。

〔第2項〕

　総務大臣において電気通信事業者による周知の実施に関する情報を取得し、適時に電気通信事業者に対する是正措置を講ずることで、利用者における電気通信役務の利用の空白を生じさせないようにすることを可能にするため、あらかじめ、周知事項を総務大臣に届け出なければならないこととしている。

(6)　総務省令で定める電気通信役務に係る電気通信業務

　本規律の対象は、利用者の利益に及ぼす影響が大きいために、周知の適正性確保の必要性が高いと考えられる電気通信役務に係る電気通信業務に限ることとしている。

　総務省令では、その対象として、①第1号基礎的電気通信役務及び第2号基礎的電気通信役務の一部、②指定電気通信役務並びに③周知開始予定年度の前年度末における契約の数（卸電気通信役務を提供している場合には卸先の電気通信業務に係る契約の数を含む。）が100万以上である有償の電気通信役務に係る電気通信業務を規定している（施行規則第22条の2の11第1項）。

(7)　あらかじめ

　周知の開始前に総務大臣が届出を受けることとし、電気通信事業者が行おうとする周知では利用者の利益を保護する観点から明らかに不適切・不十分であ

ると認められる場合には、周知が実際に開始される前に総務大臣が是正措置を講ずることにより、周知が当初から適切・十分なものとなり、利用者の利益が保護されない事態が生じないようにすることとしている（一旦行われた周知を是正して周知の再実施を行うこととした場合、利用者に混乱を来しかねない）。

第26条の5 （電気通信業務の休止及び廃止に関する情報の公表）

（電気通信業務の休止及び廃止に関する情報の公表）

第26条の5　総務大臣は、その保有する前条第2項の総務省令で定める電気通信役務に係る電気通信業務の休止及び廃止に関する次に掲げる情報を整理し、これをインターネットの利用その他の適切な方法により公表するものとする。

一　(1) 第18条第1項及び前条第2項の規定による届出に関して作成し、又は取得した情報

二　(2) その他総務省令で定める情報

追加　平成30年法律第24号

1　概　要

電気通信事業者による業務の休廃止の際の適切かつ十分な周知の実施に資するため、利用者の利益に及ぼす影響が大きい電気通信役務に係る業務の休廃止について、総務大臣が保有する第18条第1項及び第26条の4第2項の届出に関して作成し、又は取得した情報等を整理・公表することとしている。

利用者の利益に及ぼす影響が大きい電気通信役務に係る業務の休廃止については、その周知が不適切・不十分である場合には大きな社会的混乱や経済的損失を招くおそれが高いことから、各電気通信事業者により適切かつ十分な周知が実施されるようにすることが重要である。電気通信事業者において十分な経験・知識の蓄積がない場合、こうした対応を行うことが困難となるおそれがあるため、電気通信事業者による適切かつ十分な周知の実施に資する情報を総務大臣が整理し、一覧性を有した形で公表することにより、周知に関する情報が広く電気通信事業者に共有されるようにしている。

第26条の5・第27条

2 条文内容

(1) 第18条第1項及び前条第2項の規定による届出に関して作成し、又は取得した情報

　利用者の利益に及ぼす影響が大きい電気通信役務に係る業務の休廃止の際に電気通信事業者が実施しようとする周知の内容に関しては、第26条の4第2項の規定により事前届出を義務付けており、事業者が事業の休廃止をしたときは、その旨の事後届出を義務付けている（第18条第1項）。このため、総務大臣において、これらの届出に関して作成し、又は取得した情報を整理・公表することとしている。

(2) その他総務省令で定める情報

　(1)の情報以外の情報について、市場環境の変化等を踏まえて、総務大臣が整理・公表する情報を柔軟に規定できるよう、これを総務省令で規定することとしている。総務省令では、周知に際して行われた他の電気通信事業者等との連携に関する情報、休廃止するサービスの代替サービスの提供に関する情報、及び利用者その他の利害関係者から聴取した意見に関する情報が規定されている（施行規則第22条の2の12）。

第27条（苦情等の処理）

（苦情等の処理）

第27条　電気通信事業者は、(1) 第26条第1項各号に掲げる電気通信役務に係る (2) 当該電気通信事業者の業務の方法又は当該電気通信事業者が提供する同項各号に掲げる電気通信役務についての (3) 利用者からの苦情及び問合せについては、(4) 適切かつ迅速にこれを処理しなければならない。

追加　平成15年法律第125号
改正　平成27年法律第 26号

1 概　要

　電気通信事業者と利用者との間の情報の非対称性に起因する多くの問題やトラブルが生じている等の状況に鑑み、電気通信事業者が利用者からの苦情に適切に対処し、利用者が継続的に安心して電気通信役務を利用することができる環境を整えるため、電気通信事業者に対し、その業務方法又は電気通信役務についての

183

第27条

利用者からの苦情・問合せについては、適切かつ迅速にこれを処理しなければならないこととしている。

2 条文内容

(1) 第26条第1項各号に掲げる電気通信役務

苦情・問合せの処理義務を定める趣旨は、日常生活において用いられる電気通信役務の利用者が安心して継続してサービスを利用することができるようにすることである。したがって、苦情・問合せの処理義務の対象となる電気通信役務は、第26条第1項の説明義務の対象と同じものとしている。

(2) 当該電気通信事業者の業務の方法

苦情・問合せの処理義務の対象となる電気通信役務の提供に関する業務の管理運営方法、窓口業務などの日常業務の取扱方法を指す。

(3) 利用者

本条の苦情等処理義務の苦情等処理の客体が電気通信役務の提供を受けようとする者とそれ以外の利用者であることが第26条第1項において明示されている（「電気通信役務の提供を受けようとする者」については、第26条の解説2 (1)を参照のこと）。

同じく同項で明示されているとおり、電気通信事業者である利用者については、一般的に電気通信役務について専門的・技術的な知識を有しているものと考えられるので、一般の利用者のような情報の非対称性はないと考えられることから、苦情・問合せの処理義務の対象としないこととしている。

(4) 適切かつ迅速にこれを処理しなければならない

苦情・問合せの処理義務が設けられた趣旨は、利用者が電気通信役務に関する契約を締結しようとするときや、電気通信役務を利用している期間中に、電気通信事業者から適時適切な情報提供等の措置を受けられることを確保することにより、安心して継続的に電気通信役務を利用できるようにすることである。

したがって、苦情・問合せに対する適切かつ迅速な処理とは、電気通信役務の提供条件についての詳細な問合せや、電気通信役務を適切に利用するために必要な情報についての問合せに対する回答や、何らかの事情で利用者が適切に電気通信役務を利用できない場合等の苦情に対し、適切かつ迅速な対応を行うことである。

電気通信事業者により、サービス内容、利用者層、利用者数等が様々であり、

また利用者からの苦情・問合せの内容も様々であることから、適切かつ迅速な処理の具体的な内容を全ての電気通信事業者について一律に定めることはできないが、少なくとも、苦情・問合せに対する対応窓口の連絡先や受付時間等を利用者に対して明らかにしていることは必要であると考えられる。また、対応窓口が明らかにされていても実際にはその対応窓口がほとんど利用できないような場合や、利用者からの真摯な問合せに対し何か月も全く回答がなされないような場合には、適切かつ迅速な処理を行っているとはいえないと考えられる。

第27条の2 （電気通信事業者の禁止行為）

（電気通信事業者の禁止行為）

第27条の2　電気通信事業者は、次に掲げる行為をしてはならない。

一　利用者に対し、(1) 第26条第1項各号に掲げる電気通信役務の提供に関する契約に関する事項であつて、(2) 利用者の判断に影響を及ぼすこととなる重要なものにつき、(3) 故意に事実を告げず、又は　(4) 不実のことを告げる行為

二　第26条第1項各号に掲げる電気通信役務の提供に関する契約の締結の (5) 勧誘に先立つて、その相手方（電気通信事業者である者を除く。）に対し、自己の氏名若しくは名称又は当該契約の締結の勧誘である旨を告げずに勧誘する行為（(6) 利用者の利益の保護のため支障を生ずるおそれがないものとして総務省令で定めるものを除く。）

三　(7) 第26条第1項各号に掲げる電気通信役務の提供に関する契約の締結の勧誘を受けた者（電気通信事業者である者を除く。）が当該 (8) 契約を締結しない旨の意思（当該勧誘を引き続き受けることを希望しない旨の意思を含む。）を表示したにもかかわらず、(9) 当該勧誘を継続する行為（(10) 利用者の利益の保護のため支障を生ずるおそれがないものとして総務省令で定めるものを除く。）

四　前3号に掲げるもののほか、(11) 利用者の利益の保護のため支障を生ずるおそれがあるものとして総務省令で定める行為

追加　平成27年法律第26号
改正　令和元年法律第5号

1 概　要

利用者の保護に関して、電気通信事業者が禁止される行為について規定している。

利用者が、故意に事実を告げられず、又は事実でないことを告げられ、契約の締結をしたり、解除をしなかったりすることにより、意に沿わない形で電気通信事業者と契約の締結状態となってしまうことを防ぐために、電気通信事業者が、契約締結前及び締結後において、電気通信役務の提供に関する契約に関する事項であって、利用者の判断に影響を及ぼすこととなる重要なものについて、故意に事実を告げないこと（事実不告知）又は事実でないことを告げること（不実告知）をあらかじめ禁止している（第1号）。

勧誘を行う者が勧誘に先立って自己の氏名・名称を告げなかった場合、勧誘の相手方が勧誘主体について事実と異なる思い込みをしてしまい、思い込みが解消されないまま契約を選択するおそれがある。また、勧誘を行う者が勧誘である旨を告げずに興味を引いて言葉巧みに勧誘した場合、本人が意識しないで契約の選択を行うおそれがある。そこで、勧誘の相手方が勧誘主体の氏名・名称及び勧誘である旨を把握できるようにすることで、契約締結時に、自らの自由な意思形成に基づいた契約の選択を行うことを可能とするため、電気通信事業者に対して、勧誘に先立って、自己の氏名・名称又は勧誘である旨を告げずに勧誘する行為を禁止している（第2号）。

契約締結の勧誘を継続する行為は、利用者が自らの意思で契約を選択する過程を阻害し、意に沿わない契約を締結させることになりかねない。そのため、勧誘の形態に関わらず、電気通信事業者に対して電気通信役務の提供に関する契約を締結しない旨の意思を表示した者については、それと同一の電気通信役務の提供に関する契約の勧誘を継続する行為を禁止している（第3号）。

この他、電気通信事業分野は、電気通信役務の内容、料金等の提供条件等が多様化・複雑化し、その変化も激しく、将来において利用者保護の観点から新たな課題として認識される要因が生じ得ることから、既存の禁止行為及び新たに禁止する行為以外の行為についても迅速・柔軟に対応できるよう、利用者の利益の保護のため支障を生ずるおそれがあるものとして総務省令で定める行為を禁止することとしている（第4号）。

2 条文内容

(1) 第26条第1項各号に掲げる電気通信役務の提供に関する契約に関する事項

契約の解除に関する規律の対象とする電気通信役務のほか、提供条件の説明が必要な電気通信役務を不実告知等の禁止の対象としている。

(2) 利用者の判断に影響を及ぼすこととなる重要なもの

契約を締結する利用者が、正確な情報を知っていたならば、そうした契約をしないと一般に考えられる事項である。契約内容のみならず、例えば、料金をキャンペーン価格といいながら、実際にはそれが通常価格であるような場合、初期契約解除に関し、日数を短く伝えたり、解除できないと伝えたりするような場合に見られるような、契約締結の動機付けとなる背景・事情に関する事項等、当該契約に関連ある事項が広く対象となる。

(3) 故意に事実を告げず

ここで「故意」とは、「当該事実が当該利用者の不利益となるものであることを知っており」、かつ、「当該利用者が当該事実を認識していないことを知っている」ことである。事実不告知は、「故意に事実を告げない行為」であることをもって足り、相手方が錯誤に陥り、契約を締結し又は解除を行わなかったことは必要としない。

(4) 不実のことを告げる行為

不実告知とは、事実と異なることを告げる行為のことである。事実と異なることを告げていることにつき主観的認識を有している必要はなく、告げている内容が客観的に事実と異なっていることで足りる。相手方が錯誤に陥り、契約を締結等し、又は解除を行わなかったことは必要としない。告げている内容が実現するか否かを見通すことが不可能な場合であっても、告げている内容が客観的に事実と異なっていると評価できる限り不実の告知に該当する。告げる方法は、必ずしも口頭によることを必要とせず、書面に記載して利用者に知悉させる等利用者が実際にそれによって認識し得る態様の方法で足りる。

(5) 勧誘に先立って、その相手方（電気通信事業者である者を除く。）に対し

「勧誘」とは、特定の者に対し契約締結の個別の意思形成に直接働きかける行為をいい、ホームページ上での新サービスやキャンペーンの紹介等の不特定多数の者に対し電気通信役務の内容等を示す行為は「広告」に当たり「勧誘」には含まれない。「勧誘に先立って」とは、直接働きかける行為を行うに先立ってという趣旨である。

本号の規定は、利用者が誤った認識の下に契約を選択すること等に対処するものであり、電気通信役務に係る専門的・技術的な知識を有している場合にはそのおそれが少ないため、電気通信事業者が相手方の場合には禁止の客体から除外している。

(6) **利用者の利益の保護のため支障を生ずるおそれがないものとして総務省令で定めるものを除く**

利用者が誤った認識の下に契約を選択すること等のおそれがない行為を禁止の対象から除外する趣旨である。総務省令では、次に掲げる行為を除外としている（施行規則第22条の2の13第1項）。

① 事業所を訪問した相手方に対して、勧誘に先立って、自己の氏名又は名称を告げず、勧誘である旨を告げて勧誘する行為

② 自己の氏名又は名称を告げた相手方に対して、その後の勧誘に先立って、当該自己の氏名又は名称を告げず、勧誘である旨を告げて勧誘する行為

(7) **第26条第1項各号に掲げる電気通信役務の提供に関する契約の締結の勧誘を受けた者（電気通信事業者である者を除く。）**

勧誘継続行為は、勧誘を受けた者に対し、本来意図せざる電気通信役務の提供に関する契約を締結させる誘引となるため、勧誘を受けた者の自由意思を正当に確保するため、その者が電気通信役務の提供を受けようとするか否かに関わらず、勧誘を受けた者に対する勧誘継続行為を禁止するものである。

また、勧誘継続行為の禁止は、望まない契約の締結への誘引の継続により、望まない契約の締結をしてしまうおそれに対処するものであるため、電気通信役務に係る専門的・技術的な知識を有している場合には、そのおそれも少ないため、電気通信事業者が相手方の場合には、禁止の客体から除外している。

(8) **契約を締結しない旨の意思（当該勧誘を引き続き受けることを希望しない旨の意思を含む。）**

同一の電気通信事業者から同一の電気通信役務の提供に関する契約について執拗な勧誘が行われる問題に対処するため、勧誘継続行為の禁止の対象は、勧誘を受けた者が契約を締結しない旨の意思を表示した同一の電気通信役務の提供に関する契約の勧誘としている。また、契約締結に至るおそれは、勧誘を受けた際に契約の締結をしない旨の意思を表示するまでに至らないまでも、勧誘を受けた者が当該勧誘を引き続き受けることを希望しない場合であっても変わらないことから、勧誘自体を引き続き受けることを希望しない旨の意思が表示

された場合についても、本規律の対象としている。

(9)　当該勧誘を継続する行為

　　ここでいう勧誘は、特定の者に対し、契約締結の個別の意思形成に直接働きかける行為である。これに対し、契約締結に至る前の段階で行われる不特定多数の者に対して電気通信役務の品質等の表示を行う行為は、含まれない。契約の内容の変更の勧誘についても契約の締結の勧誘として、勧誘継続行為の禁止の対象となる。

　　禁止される勧誘継続行為に当たるか否かは、勧誘を受けた者が具体的にどのような意思表示をしたかに基づき、個別事例ごとに判断することとなる。

(10)　利用者の利益の保護のため支障を生ずるおそれがないものとして総務省令で定めるものを除く

　　勧誘継続行為の禁止は、執拗な勧誘により、利用者自らの意思で契約を選択することが阻害され、結果自分の意に沿わない契約がなされてしまうという問題に対処するために導入された規律であるため、そういった問題により利用者の利益の保護のため支障を生ずるおそれがない行為については、禁止の対象から除くこととしている。

　　具体的には、総務省令で、法人契約の締結の勧誘及び軽微変更に係る勧誘を、勧誘継続行為の禁止の対象から除くよう定めている（施行規則第22条の2の13第2項）。

(11)　利用者の利益の保護のため支障を生ずるおそれがあるものとして総務省令で定める行為

　　利用者の利益の保護のため支障を生ずるおそれがあるものとして総務省令で定める行為を禁止することとしている。総務省令では、これに該当する行為として、次を定めている（施行規則第22条の2の13の2）。

①　利用者が契約（法人契約を除く。）を遅滞なく解除できるようにするための適切な措置を講じないこと。

②　契約の解除に伴い利用者が支払うべき金額として適正金額を超える金額を請求すること。

第27条の3

第27条の3 （移動電気通信役務を提供する電気通信事業者の禁止行為）

（移動電気通信役務を提供する電気通信事業者の禁止行為）

第27条の3　総務大臣は、総務省令で定めるところにより、(1) 移動電気通信役務（第26条第1項第1号に掲げる電気通信役務又は同項第3号に掲げる電気通信役務（その一端が移動端末設備と接続される伝送路設備を用いて提供されるものに限る。）であつて、電気通信役務の提供の状況その他の事情を勘案して電気通信事業者間の適正な競争関係を確保する必要があるものとして総務大臣が指定するものをいう。以下同じ。）を提供する電気通信事業者（移動電気通信役務（当該電気通信事業者が提供するものと同種のものに限る。）の利用者の総数に占めるその提供する移動電気通信役務の利用者の数の割合が電気通信事業者間の適正な競争関係に及ぼす影響が少ないものとして総務省令で定める割合を超えないものを除く。）を (2) 次項の規定の適用を受ける電気通信事業者として指定することができる。

2　前項の規定により指定された電気通信事業者は、次に掲げる行為をしてはならない。

一　その (3) 移動電気通信役務の提供を受けるために必要な移動端末設備となる (4) 電気通信設備の販売等（販売、賃貸その他これらに類する行為をいう。）に関する契約の締結に際し、当該契約に係る当該移動電気通信役務の利用者（(5) 電気通信役務の提供を受けようとする者を含む。次号、第27条の12、第29条第2項、第39条の3第2項、第73条の4、第121条第2項及び第167条の2において同じ。）に対し、(6) 当該移動電気通信役務の料金を当該契約の締結をしない場合におけるものより有利なものとすることその他 (7) 電気通信事業者間の適正な競争関係を阻害するおそれがある利益の提供として総務省令で定めるものを (8) 約し、又は第三者に約させること。

二　その移動電気通信役務の提供に関する契約の締結に際し、当該移動電気通信役務の利用者に対し、(9) 当該契約の解除を行うことを不当に妨げることにより電気通信事業者間の適正な競争関係を阻害するおそれがあるものとして総務省令で定める当該移動電気通信役務に関する料金その他の提供条件を約し、又は届出媒介等業務受託者に約させること。

3　第1項の規定による移動電気通信役務の指定及び電気通信事業者の指定

は、告示によつて行う。

追加　令和元年法律第 5 号
改正　令和 2 年法律第30号
　　　令和 4 年法律第70号

1　概　要

　移動電気通信役務を提供する電気通信事業者のうち利用者数のシェアが小さくないものによる端末代金負担の補助等や過度な期間拘束契約を禁止している。

2　条文内容

〔第 1 項〕

　その一端が移動端末設備と接続される伝送路設備を用いて提供される電気通信役務であって、電気通信事業者間の適正な競争関係を確保する必要があるものを「移動電気通信役務」として総務大臣が指定した上で、当該移動電気通信役務を提供する電気通信事業者（利用者数のシェアが相対的に小さいものを除く。）を次項の禁止行為規律の対象となる電気通信事業者として総務大臣が指定できることを規定している。

(1)　移動電気通信役務

　端末代金負担の補助等や過度な期間拘束契約は、携帯電話事業者において行われてきたところ、こうした行為による適正な競争関係の阻害は、次のようなことから携帯電話サービス以外のその一端が移動端末設備と接続される伝送路設備を用いて提供される電気通信役務においても生じ得る。

・　携帯電話サービス以外のその一端が移動端末設備と接続される伝送路設備を用いて提供される電気通信役務においても、その利用には端末が不可欠であり、端末においてネットワークの設定等が求められることもあることから、端末との一体販売が一般的であること。

・　携帯電話サービス以外のその一端が移動端末設備と接続される伝送路設備を用いて提供される電気通信役務においても、技術の進歩が急速であり、通信サービス面での積極的な競争が期待されるため、利用者の流動性が損なわれることによる競争への悪影響は携帯電話サービスと同様であること。

　そのため、こうした行為を禁止する外延を、その一端が移動端末設備と接続される伝送路設備を用いて提供される電気通信役務としている。

第27条の3

　他方、規律の対象を必要最小限とする観点から、禁止行為規律の対象とするその一端が移動端末設備と接続される伝送路設備を用いて提供される電気通信役務は、一般性のあるもの（第26条第1項第1号及び第3号に掲げる電気通信役務）であって、競争を促進する必要があるものに限定する。

　これにより、寡占的な市場となっているため、電気通信事業者間の適正な競争関係を確保する必要があると判断される電気通信役務を特定し、その特定された電気通信役務を総務大臣が指定する。

　具体的には、携帯電話、携帯電話インターネット接続サービス及び無線インターネット専用サービス（業務区域が一定の地域に限定されるBWAサービス、当該BWA向けのインターネット接続サービス、卸電気通信役務、法人に対する相対提供役務、特定地点以外での利用を制限して提供される役務、通信モジュール向けサービスを除く。）が指定されている（令和元年総務省告示第166号）。

(2)　次項の規定の適用を受ける電気通信事業者として指定

　移動電気通信役務を提供する電気通信事業者のうち、利用者数のシェア（移動電気通信役務の総体ではなく、対象とする電気通信事業者が提供する移動電気通信役務と同種のもの（移動電気通信役務として指定された電気通信役務の単位での同じ種類のもの）におけるシェア。）が相対的に小さいものは競争環境に及ぼす影響が小さいため、禁止行為規律の対象となる電気通信事業者から利用者数のシェアが総務省令に定める割合を超えない電気通信事業者を除くこととしている。電気通信事業者は自らの利用者数のシェアを把握できず、自らが禁止行為規律の対象かどうかの判断を行うことができないため、禁止行為規律の対象となる電気通信事業者を総務大臣が指定することとしている。

　電気通信事業者間の適正な競争関係に及ぼす影響が少ないとする割合を総務省令で定めるのは、競争環境に一定の影響を及ぼしうるか否かの判断は移動電気通信役務の市場の状況、経緯等を踏まえて柔軟に決定することが適当であることによる。総務省令では、ＭＶＮＯ（ＭＮＯであるもの及びＭＮＯの特定関係法人（第12条の2第4項第1号）であるものを除く。）について100分の4としている（施行規則第22条の2の15）。

　指定は、株式会社ＮＴＴドコモ、沖縄セルラー電話株式会社、ＫＤＤＩ株式会社、ソフトバンク株式会社、ＵＱコミュニケーションズ株式会社、楽天モバイル株式会社、以上の特定関係法人について行なわれている（当初は、令和元

年総務省告示第167号。その廃止後は、令和2年総務省告示第338号、令和3年総務省告示第142号、令和3年総務省告示第344号、令和4年総務省告示第321号を経て、現行は、令和5年総務省告示第291号（令和5年総務省告示第404号で改正）。

〔第2項〕

携帯電話事業者が、利用者の効果的な誘引手段として、自社に新たに加入しようとする者又は自社の既存利用者への端末の販売に際し、端末購入等の補助等によって、通信サービスの料金を端末代金とセットで軽減する場合、次のような競争阻害的な事態が起こりえる。

・　端末購買力で劣り同様の販売手法を採ることができない携帯電話事業者は、端末代金とセットでの競争が主である状況では、契約先に選択される機会が乏しく、市場参入や事業活動の継続が困難になる。

・　また、大手の携帯電話事業者は、端末の購入・買換えを行う利用者を巡る競争を中心に行うため、端末の購入・買換えを行わない利用者を含めた全ての利用者を巡る競争が縮退する。

移動電気通信分野において、こうした競争阻害的な販売手法が行われないようにするため、前項の規定により指定された電気通信事業者が、移動電気通信役務の提供を受けるために必要な電気通信設備の販売等に関する契約の締結に際し、当該契約に係る利用者に対し、当該移動電気通信役務の料金を当該契約の締結をしない場合におけるものより有利なものとすることその他電気通信事業者間の適正な競争関係を阻害するおそれがある利益の提供として総務省令で定めるものを約し、又は第三者に約させること（第1号）を禁止している。

また、期間拘束契約（一定期間の電気通信役務の継続利用及び途中解約の際の違約金の支払等を提供条件に含む契約形態をいい、電気通信役務の継続利用を条件としない契約よりも一般的に料金が安く設定される。）として、期間拘束が過度なものが行われると、利用者が電気通信役務の提供に関する契約を解除して携帯電話事業者を乗り換えることについて、物理的、経済的、心理的な障害（例えば、物理的な障害には拘束期間中の解約手続の煩雑さ、そのための時間の確保の必要等、経済的な障害には違約金等の負担、心理的な障害には電気通信役務の料金の複雑化と相まってなされる限定合理性に基づく消極の判断に陥りやすくなることがある。）が生じて、スイッチングコストが上昇し、電気通信事業者の乗換えを躊躇させる。これにより、次のような競争阻害的な事態が生じる。

第27条の3

・ 利用者の流動性が損なわれ、既存事業者間の通信サービス面での競争の回避が可能となる。

・ 既存事業者が利用者を囲い込むことにより、新規事業者による利用者獲得の機会を奪い、新規参入や事業活動の継続を困難とする。

移動電気通信分野において、こうした過度な期間拘束契約が行われないようにするため、前項の規定により指定された電気通信事業者が、移動電気通信役務の提供に関する契約の締結に際し、当該移動電気通信役務の利用者に対し、当該契約の解除を行うことを不当に妨げることにより電気通信事業者間の適正な競争関係を阻害するおそれがある料金その他の提供条件を約し、又は届出媒介等業務受託者に約させること（第2号）を禁止している。

(3) 移動電気通信役務の提供を受けるために必要な移動端末設備となる電気通信設備

移動電気通信役務を提供する電気通信事業の用に供する電気通信設備に接続することが予定されている端末設備を指す。

移動端末設備とは、「利用者の電気通信設備であつて、移動する無線局の無線設備であるもの（第12条の2第4項第2号ロ）」であり、「無線局の無線設備」が既に無線局として開設されている状態の設備を意味するところ、ここで想定しているような販売等の時点においては、「無線局の無線設備」の要件を満たさないため、「移動端末設備となる電気通信設備」としている。

(4) 電気通信設備の販売等（販売、賃貸その他これらに類する行為をいう。）に関する契約の締結

禁止行為規律の対象となる電気通信事業者が利益の提供を約し、又は第三者に約させる場面としては、電気通信設備の販売契約のほか、電気通信設備の賃貸借契約、電気通信設備の贈与契約、他事業者から電気通信設備を受け取ることができる権利を販売する契約及びこれらの予約などが想定されるため、販売や賃貸に類するこれらの行為を包含して「販売等（販売、賃貸その他これらに類する行為をいう。）」と規定している。

また、上記のような販売等に関する契約の締結は、禁止行為規律の対象となる電気通信事業者自身が行う場合のほか、届出媒介等業務受託者、子会社等の当該電気通信事業者以外の者が行う場合が想定される。これら電気通信事業者以外の者が、当該電気通信事業者との関係や自らの利害のため、当該電気通信事業者に代わって電気通信設備の販売等を行うことが見込まれるところ、当該

電気通信事業者による禁止行為規律の潜脱を防ぐため、ここでは、販売等に関する契約の締結行為の主体を限定していない。

(5) 電気通信役務の提供を受けようとする者を含む

現に電気通信役務の提供を受けていない者も「利用者」の範囲に含む趣旨である。例えば、電気通信事業者が、端末の販売に関する契約の締結に際し、当該契約に係る利用者に対して通信料金の減免をするケースにおいて、既に当該電気通信役務の提供を受けている者が端末を買い替える場合も、現に当該電気通信役務の提供を受けていない者が新規に端末を購入する場合も、同様にここの「利用者」に含まれる。

(6) 当該移動電気通信役務の料金を当該契約の締結をしない場合におけるものより有利なものとすること

端末代金負担の補助等のうち最も典型的といえる通信料金の減免を利益の提供の例示として規定している。(その場合の移動電気通信役務の料金の減免が、端末の販売等の契約をしない場合における料金からの減免であることを明確にしている。)

(7) 電気通信事業者間の適正な競争関係を阻害するおそれがある利益の提供として総務省令で定めるもの

「利益の提供」とは、金銭や商品券、ポイント類、一定の物品など、経済的価値を有するものの提供を指す。

本規律は、電気通信設備の販売等に際して利益の提供を約し、又は第三者に約させることにより、移動電気通信役務の提供に関する継続的な契約の締結又は維持に利用者を誘引することを禁止し、端末と切り離した通信サービスの競争を促進しようとするものであることから、その対象は、電気通信設備の販売等に際して、当該契約に係る利用者に対して行われる利益の提供のうち、利用者を移動電気通信役務の提供に関する継続的な契約の締結又は維持に誘引する効果を有するものに限定する。

具体的な内容については、細目的・技術的な内容を含むとともに、競争環境を踏まえて機動的に判断する必要があることから、総務省令で定めることとしている。

総務省令では、禁止される「利益の提供」を次のとおり規定している（施行規則第22条の2の16）。

① 移動電気通信役務の継続利用及び移動端末設備となる電気通信設備の購入

等を条件とし、又は移動電気通信役務の新規契約締結（継続利用に限る。）を条件とする経済的利益の提供

② 移動端末設備となる電気通信設備の購入等を条件とし、又は移動電気通信役務の新規契約締結を条件とする経済的利益の提供で、4万円（税抜）（当該電気通信設備の対照価格（全ての販売価格及び調達価格のうち最も高い価格）が2万円超8万円以下である場合には、その5割に相当する額又は2万円のいずれか高い額、2万円以下である場合には、その額）と当該電気通信設備の対照価額から当該電気通信設備の先行同型機種をその電気通信事業者が譲り受けるときの対価を減じた額とのいずれか低い額を超える経済的利益の提供（ただし、不良在庫端末、2万円以下の端末、第3世代携帯電話サービス利用者が新通信方式に対応するために購入等する端末の購入等が条件の場合には、特例がある。）

(8) 約し、又は第三者に約させること

「約し」（約する）とは、契約成立の前段階に一方的な行為（意思の表示）として利益の提供を提示することをいう。広告等により意思を示すことについてはその内容等に応じて「約する」と判断されるものもある。これが「約する」と判断されない場合であっても、現に相手方に対し利益の提供が行われ（この場合の利益の提供とは一方的なものも含めて利益を相手が受け取れる状態に置くことをいう。）、それが相手方に受け入れられればその一連の過程に「約する」という行為が含まれると考えられる。

ここでは、禁止行為の対象となる電気通信事業者が、電気通信設備の販売等に関する契約に係る利用者に対し、利益の提供を行うことを一方的に示すことを指す。

「約させる」とは、禁止行為の対象となる電気通信事業者が、当該電気通信事業者以外の者（例えば、電気通信事業者からみた場合の届出媒介等業務受託者、その他の第三者）に対し、「約する」行為を「させる」ことを指す。

電気通信事業者が利益の提供を約することを第三者にさせるといった潜脱行為を防ぐため、「電気通信事業者が約すること」のほか、「電気通信事業者が第三者に約させること」も禁止している。

電気通信事業者が約させる第三者は、子会社や関連会社等の限定された範囲の者に限られず、それが誰であるかは問わない。

(9) 当該契約の解除を行うことを不当に妨げることにより電気通信事業者間の適正な競争関係を阻害するおそれがあるものとして総務省令で定める当該移動電気通信役務に関する料金その他の提供条件

　　総務省令では、禁止される料金その他の提供条件として、違法金等の定めのある期間拘束契約の契約期間が２年を超えること等を定めている（施行規則第22条の２の17）。

第27条の４（媒介等業務受託者に対する指導）

（媒介等業務受託者に対する指導）
第27条の４　電気通信事業者は、電気通信役務の提供に関する契約の締結の(1) 媒介、(2) 取次ぎ又は(3) 代理（以下「媒介等」という。）の業務又は(4) これに付随する業務の(5) 委託をした場合には、(6) 総務省令で定めるところにより、当該(7) 委託を受けた者（その者から委託（二以上の段階にわたる委託を含む。）を受けた者を含む。以下「媒介等業務受託者」という。）に対する指導その他の当該委託に係る業務の適正かつ確実な遂行を確保するために必要な措置を講じなければならない。

追加　平成27年法律第26号
第27条の３繰下げ改正　令和元年法律第５号

1　概　要

　　電気通信事業者は、契約の締結の媒介等の業務及びこれらに付随する業務を委託（二以上にわたる委託を含む。）する際には、当該委託を受けた者（媒介等業務受託者）に対して、指導等の当該委託に係る業務が適切かつ確実に遂行されるための措置を講じなければならないとしている。

2　条文内容

(1)　媒介
　　他人（電気通信事業者及び利用者）の間に立って、他人を当事者とする法律行為（電気通信役務の提供に関する契約）の成立に尽力する事実行為をいう。

第27条の4

(2) 取次ぎ

自己の名をもって、他人（電気通信事業者）の計算において、法律行為（電気通信役務の提供に関する契約）を引き受ける行為をいう。

(3) 代理

本人（電気通信事業者）のためにすることを示してする意思表示（電気通信役務の提供に関する契約の申込み又は承諾）を行うこと。代理する者が行う当該意思表示は、代理権の範囲内において直接本人に対して法律効果を生ずる。

(4) これに付随する業務

付随する業務としては、例えば、勧誘行為を委託することが考えられる。

(5) 委託

委託の形式は、契約によるものや事実行為によるものの如何を問わない。

(6) 総務省令で定めるところにより

媒介等業務受託者が行わなければならない委託に係る業務の適正かつ確実な遂行を確保するために必要な措置に関する事項を総務省令で定めることとしている。総務省令では、媒介等業務を適切かつ確実に遂行する能力を有する者に委託されるための措置（媒介等業務に係る電気通信役務の提供条件を利用者に適切に説明できる能力を確保すること等を含む。）、監督責任者の選任、業務手順書の作成や法令遵守のための研修の実施、媒介等業務が適切に行われない事態が生じた場合の委託解除等媒介等業務が適正かつ確実に遂行されるための措置等を挙げている（施行規則第22条の2の18）。

(7) 委託を受けた者（その者から委託（二以上の段階にわたる委託を含む。）を受けた者を含む。以下「媒介等業務受託者」という。）

電気通信役務の提供に関する契約においては、契約締結の当事者たる電気通信事業者が契約の締結事務を自ら行わず、当該事務については第三者を介して行うことが多い。電気通信事業者が、媒介等の業務に係る委託を受けた者に対し、当該業務による契約の成立等に応じて報酬を支払う形態が取られ、当該委託は、二以上の段階にわたる委託により行われていることが多い。こういった媒介等を業として行う（反復継続して行う）者の業務の実態に即し、電気通信事業者から媒介等の業務の直接の委託を受けた者に加え、さらに、当該委託を受けた者から二以上にわたる委託を受けた者も媒介等業務受託者に含むことを明示している。

第27条の5　（特定利用者情報を適正に取り扱うべき電気通信事業者の指定）

> （特定利用者情報を適正に取り扱うべき電気通信事業者の指定）
> 第27条の5　総務大臣は、総務省令で定めるところにより、(1) 内容、利用者の範囲及び利用状況を勘案して利用者の利益に及ぼす影響が大きいものとして総務省令で定める電気通信役務を提供する電気通信事業者を、(2) 特定利用者情報（当該電気通信役務に関して取得する利用者に関する情報であつて次に掲げるものをいう。以下同じ。）を (3) 適正に取り扱うべき電気通信事業者として指定することができる。
> 一　通信の秘密に該当する情報
> 二　利用者（第2条第7号イに掲げる者に限る。）を識別することができる情報であつて総務省令で定めるもの（前号に掲げるものを除く。）

追加　令和4年法律第70号

1　概　要

　情報が漏えい等した場合に利用者の利益に及ぼす影響が大きい電気通信役務を提供する電気通信事業者に対して次の規律を課すため、利用者の利益に及ぼす影響が大きい総務省令で定める電気通信役務を提供する電気通信事業者を、当該電気通信役務に関する特定利用者情報を適正に取り扱うべき電気通信事業者として総務大臣が指定することとしている。

① 特定利用者情報の適正な取扱いを確保するための情報取扱規程の策定・届出等（第27条の6、第27条の7）

② 特定利用者情報の取扱いの透明性を確保するための情報取扱方針の策定・公表（第27条の8）

③ 特定利用者情報の取扱いの状況に関する評価の実施及び当該評価結果に基づく情報取扱規程及び情報取扱方針の変更（第27条の9）

④ 特定利用者情報統括管理者（特定利用者情報の取扱いに関する業務に関する経営レベルの責任者）の選任・届出等（第27条の10、第27条の11）

2 条文内容

(1) **内容、利用者の範囲及び利用状況を勘案して利用者の利益に及ぼす影響が大きいものとして総務省令で定める電気通信役務**

　特定利用者情報を適正に取り扱うべき電気通信事業者の提供する電気通信役務を、総務省令では、①その提供の開始時において料金の支払を要しない電気通信役務にあっては、前年度の1月当たりの利用者の数の平均が1000万以上であるもの、②その提供の開始時において料金の支払を要する電気通信役務にあっては、前年度の1月当たりの利用者の数の平均が500万以上であるものと規定している（施行規則第22条の2の20）。

(2) **特定利用者情報（当該電気通信役務に関して取得する利用者に関する情報であつて次に掲げるものをいう。・・・）**

　次の情報を特定利用者情報として適正な取扱いの対象としている。なお、特定利用者情報は、電気通信役務に関して「取得する」利用者に関する情報としており、その利用者が電気通信役務の契約を解除する等によりある時点で利用者でなくなったとしても、情報が取得される時点において利用者であれば、利用者であった期間において取得された情報が特定利用者情報に該当する。

① 通信の秘密に該当する情報

　利用者に関する情報のうち、通信の秘密であるものを指す。憲法第21条第2項において通信の秘密の侵害が禁じられており、本法において通信の秘密の漏えい等を防止することは、本法の目的である電気通信事業の健全な発達のために不可欠であることから、適正な取扱いの対象としている。

　利用者を識別することができない情報や電気通信役務の提供を受ける契約を締結する者等以外の者の情報を含み得る点、個々の通信との関係する情報に限られる点で②と異なる。

② 利用者を識別することができる情報であって総務省令で定めるもの（①を除く。）

　通信の秘密に該当しない情報のうち、利用者を識別することができる情報で、電気通信役務の提供を受ける契約を締結し、又は電気通信役務の利用に係る登録などこれに準ずる行為をする者の情報については、当該者が電気通信役務を利用する際に提供等を行った情報が、当該者に関する契約・登録情報（氏名、ID等）に紐付いて蓄積されることとなる。こうした情報は、利用者を識別することが可能なものであり、漏えい等が発生した場合は利用者

の利益に及ぼす影響が大きく、電気通信事業に対する信頼が損なわれ、電気通信の健全な発達に支障を及ぼすおそれがあることから、適正な取扱いの対象としている。

②について、総務省令では、次に掲げる情報の集合物を構成する情報と規定している（施行規則第22条の2の21）。

1) 特定の利用者（電気通信役務の提供を受ける契約を締結する者等）を識別することができる情報を電子計算機を用いて検索することができるように体系的に構成したもの

2) 1）のほか、利用者を識別することができる情報を一定の規則に従って整理することにより特定の利用者を識別することができる情報を容易に検索することができるように体系的に構成した情報の集合物であって、目次、索引その他検索を容易にするためのものを有するもの

(3) **適正に取り扱うべき電気通信事業者として指定**

総務省令では、特定利用者情報を適正に取り扱うべき電気通信事業者の指定は、告示によって行なうこととし、この場合において、総務大臣は、当該指定及びその解除を受けることとなる電気通信事業者にその旨を通知するものとしている（施行規則第22条の2の19）。これを受けて、告示では、次の電気通信事業者を指定している（令和5年総務省告示第416号）。

① iTunes株式会社

② X Corp.

③ エヌ・ティ・ティ・コミュニケーションズ株式会社

④ 株式会社ＮＴＴドコモ

⑤ エヌ・ティ・ティ・ブロードバンドプラットフォーム株式会社

⑥ Google LLC

⑦ ＫＤＤＩ株式会社

⑧ ソフトバンク株式会社

⑨ TikTok Pte. Ltd.

⑩ ＮＴＴ西日本

⑪ ＮＴＴ東日本

⑫ マイクロソフト・コーポレーション

⑬ Meta Platforms, Inc.

⑭ ＵＱコミュニケーションズ株式会社

⑮　LINEヤフー株式会社

⑯　楽天グループ株式会社

⑰　楽天モバイル株式会社

⑱　株式会社ワイヤ・アンド・ワイヤレス

⑲　Wireless City Planning株式会社

第27条の6　（情報取扱規程）

（情報取扱規程）

第27条の6　前条の規定により指定された電気通信事業者は、総務省令で
定めるところにより、特定利用者情報の適正な取扱いを確保するため、次
に掲げる事項に関する規程（以下「情報取扱規程」という。）を定め、当
該指定の日から3月以内に、総務大臣に届け出なければならない。

一　⑴特定利用者情報の漏えい、滅失又は毀損の防止その他の当該特定利
用者情報の安全管理に関する事項

二　⑵特定利用者情報の取扱いを第三者に委託する場合における当該委託
を受けた者に対する監督に関する事項

三　第27条の8第1項に規定する情報取扱方針の策定及び公表に関する
事項

四　第27条の9の規定による評価に関する事項

五　その他総務省令で定める事項

2　前条の規定により指定された電気通信事業者は、情報取扱規程を変更し
たときは、遅滞なく、変更した事項を総務大臣に届け出なければならない。

追加　令和4年法律第70号

1　概　要

　第27条の5の規定により指定された電気通信事業者に対し、特定利用者情報
の安全管理等に関する事項を定めた情報取扱規程の策定・届出義務を課している。

　電気通信事業者の実態に応じた適切な方法等により特定利用者情報の適正な取
扱いの確保を図るため、規程として策定すべき基本的事項を国が定め、電気通信
事業者がその業務実態に応じて必要な取組を定め、それを届け出る義務を課すこ

第27条の6

ととしている。

情報取扱規程には、特定利用者情報の①安全管理、②委託先の監督、③第27条の8に規定する情報取扱方針の策定及び公表、④第27条の9の規定による取扱状況の評価並びに⑤その他総務省令で定める事項を定めなければならないこととしている。

情報取扱規程を変更した場合にも同様に総務大臣に届け出ることを義務付けている。

2 条文内容

(1) 特定利用者情報の漏えい、滅失又は毀損の防止その他の当該特定利用者情報の安全管理に関する事項

情報取扱規程において定める事項として規定するもので、特定利用者情報の取扱い（取得、管理及び利用）のうち、(2)と共に、漏えい等を防止するための情報の管理に主眼を置いた項目である。

総務省令では、情報取扱規程に定める安全管理に関する事項として、次を定めている（施行規則第22条の2の22第1項第1号）。

① 組織的安全管理措置に関すること

② 人的安全管理措置に関すること

③ 物理的安全管理措置に関すること

④ 技術的安全管理措置に関すること

⑤ (i) 外国に設置される電気通信設備に特定利用者情報を保存する場合、(ii) 外国に所在する第三者に特定利用者情報の取扱いを委託する場合、又は(iii) 外国に所在する第三者が提供する情報の保存を目的とする電気通信役務を利用して特定利用者情報を保存する場合にあっては、当該特定利者情報の適正な取扱いに影響を及ぼすおそれのある当該外国の制度の把握の体制に関すること

(2) 特定利用者情報の取扱いを第三者に委託する場合における当該委託を受けた者に対する監督に関する事項

総務省令では、情報取扱規程に定める委託先の監督に関する事項として、次を定めている（施行規則第22条の2の22第1項第2号）。

① 委託先の選定の方法に関すること

② 委託契約において定める特定利用者情報の取扱いに関すること

203

第27条の6・第27条の7

③　委託先における特定利用者情報の取扱状況の把握に関すること

第27条の7　（情報取扱規程の変更命令等）

（情報取扱規程の変更命令等）

第27条の7　総務大臣は、特定利用者情報の適正な取扱いを確保するため必要があると認めるときは、第27条の5の規定により指定された電気通信事業者に対し、当該電気通信事業者が前条各項の規定により (1) 届け出た情報取扱規程を変更すべきことを命ずることができる。

2　総務大臣は、第27条の5の規定により指定された電気通信事業者が情報取扱規程を遵守していないと認めるときは、当該電気通信事業者に対し、(2) 利用者の利益を保護するために必要な限度において、情報取扱規程を遵守すべきことを命ずることができる。

追加　令和4年法律第70号

1　概　要

第27条の5の規定により指定された電気通信事業者に対し、総務大臣が情報取扱規程の変更又は遵守を命ずることができることとしている。

2　条文内容

(1)　届け出た情報取扱規程を変更すべきことを命ずることができる

第27条の5の規定により指定された電気通信事業者が届け出た情報取扱規程について、特定利用者情報の適正な取扱いを確保するために必要があると認められる場合に、当該第27条の5の規定により指定された電気通信事業者に対し、総務大臣が情報取扱規程の変更を命ずることができることとしている。

具体的には、第27条の5の規定により指定された電気通信事業者が特定利用者情報の漏えい等を多発させているにもかかわらず、その再発防止を図るために必要な情報取扱規程の見直しを行わない場合等に変更命令を行うことを想定している。

(2)　利用者の利益を保護するために必要な限度において、情報取扱規程を遵守すべきことを命ずることができる

第27条の5の規定により指定された電気通信事業者が情報取扱規程を遵守

していないと認められる場合に、利用者の利益を保護するために、第27条の5の規定により指定された電気通信事業者に対し、総務大臣が情報取扱規程の遵守を命ずることができることとしている。

具体的には、第27条の5の規定により指定された電気通信事業者が特定利用者情報の漏えい等を多発させ、その原因が情報取扱規程を遵守していないことにある場合等に遵守命令を行うことを想定している。

遵守命令は「利用者の利益を保護するために必要な限度において」行うこととしている。第27条の5の規定により指定された電気通信事業者が情報取扱規程を遵守していないことが直ちに利用者の利益を著しく阻害するとは限らないところ、その遵守義務違反により特定利用者情報の漏えい等を多発させているなど、利用者の利益を保護するために情報取扱規程を遵守させることが必要と判断される場合に限り、遵守命令を行うこととしている。

「利用者の利益を保護するために必要な限度」における「利用者」には、過去に利用者であったが契約を解除等した者が含まれる。これは、利用者は、契約の解除を行うこと等により利用者でなくなったとしても、当然、電気通信事業者が電気通信役務を提供する際に取得した情報の適正な取扱いが期待されるべきであるためである。（その点では、第27条の5及び第27条の11第2項においても同様である。）

第27条の8 （情報取扱方針）

（情報取扱方針）
第27条の8　第27条の5の規定により指定された電気通信事業者は、総務省令で定めるところにより、特定利用者情報の取扱いの透明性を確保するため、次に掲げる事項に関する方針（次項及び次条第2項において「情報取扱方針」という。）を定め、当該指定の日から3月以内に、公表しなければならない。

一　取得する特定利用者情報の内容に関する事項
二　特定利用者情報の利用の目的及び方法に関する事項
三　特定利用者情報の安全管理の方法に関する事項
四　利用者からの苦情又は相談に応ずる営業所、事務所その他の事業場の

第27条の8

　　連絡先に関する事項
　五　その他総務省令で定める事項
２　第27条の５の規定により指定された電気通信事業者は、情報取扱方針
　を変更したときは、遅滞なく、これを公表しなければならない。

追加　令和４年法律第70号

1　概　要

　特定利用者情報の取扱いの透明性を確保する観点から、第27条の５の規定に
より指定された電気通信事業者に対し、特定利用者情報の適正な取扱いに関する
方針を定めた情報取扱方針を策定し、公表することを義務付けている。

2　条文内容

〔第１項〕

　　第27条の５の規定により指定された電気通信事業者に対して、次の事項を
情報取扱方針において定めるとともに、公表することを義務付けている。

①　取得する特定利用者情報の内容に関する事項

②　特定利用者情報の利用の目的及び方法に関する事項

③　特定利用者情報の安全管理の方法に関する事項

④　利用者からの苦情又は相談に応ずる営業所、事務所その他の事業場の連絡
　先に関する事項

⑤　その他総務省令で定める事項（総務省令では、過去10年間に生じた通信
　の秘密の漏えい及び特定利用者情報の漏えいの時期及び内容の公表に関する
　事項を規定（施行規則第22条の２の23）。）

　　公表の方法について、総務省令では、インターネットを利用して公衆の閲覧
に供する方法により公表しなければならないとしている（施行規則第22条の
２の23）。

〔第２項〕

　　第27条の５の規定により指定された電気通信事業者に対して、情報取扱方
針を変更した際に公表することを義務付けている。

第27条の9

第27条の9 （特定利用者情報の取扱状況の評価等）

（特定利用者情報の取扱状況の評価等）
第27条の9　第27条の5の規定により指定された電気通信事業者は、総務
　省令で定めるところにより、毎事業年度、特定利用者情報の取扱いの状況
　について評価を実施しなければならない。
2　第27条の5の規定により指定された電気通信事業者は、前項の規定に
　よる評価の結果に基づき、必要があると認めるときは、情報取扱規程又は
　情報取扱方針を変更しなければならない。

追加　令和4年法律第70号

1　概　要

　電気通信事業を取り巻く環境の変化を踏まえ特定利用者情報の適正な取扱いを
確保するためには、電気通信事業者における取組等の定期的な見直しが必要であ
る。そのため、第27条の5の規定により指定された電気通信事業者に対し、特
定利用者情報の取扱状況に関する評価及び当該評価結果を踏まえた情報取扱規程
又は情報取扱方針の見直しを行うことを義務付けている。

2　条文内容

　特定利用者情報の取扱いの状況に関する評価の方法や評価項目等について、基
本的には第27条の5の規定により指定された電気通信事業者の自主的な判断に
委ねることとしつつ、最低限必要な事項について総務省令において定めることと
している。
　総務省令では、直近の事業年度における社会情勢、技術の動向、外国の制度、
サイバーセキュリティに対する脅威その他の状況の変化を踏まえ、少なくとも次
に掲げる事項について行うものと規定している（施行規則第22条の2の24）。
①　直近の事業年度における情報取扱規程及び情報取扱方針の遵守状況
②　直近の事業年度における特定利用者情報の漏えい

207

第27条の10

第27条の10（特定利用者情報統括管理者）

（特定利用者情報統括管理者）

第27条の10　第27条の５の規定により指定された電気通信事業者は、第27
条の６第１項各号に掲げる事項に関する業務を統括管理させるため、当該
指定の日から３月以内に、(1) 事業運営上の重要な決定に参画する管理的地
位にあり、かつ、利用者に関する情報の取扱いに関する一定の実務の経験
その他の総務省令で定める要件を備える者のうちから、総務省令で定める
ところにより、特定利用者情報統括管理者を選任しなければならない。

２　第27条の５の規定により指定された電気通信事業者は、特定利用者情
報統括管理者を選任し、又は解任したときは、総務省令で定めるところに
より、遅滞なく、その旨を総務大臣に届け出なければならない。

追加　令和４年法律第70号

1　概　要

　第27条の５の規定により指定された電気通信事業者に対し、特定利用者情報
の適正な取扱いに係る業務の適切な実施及び自律的かつ継続的な検証・見直しに
主体的に関与していく責任者として、経営レベルの責任者である特定利用者情報
統括管理者を選任するとともに、特定利用者情報統括管理者を選任又は解任した
際に総務大臣へ届け出ることを義務付けている。

2　条文内容

〔第１項〕

　第27条の５の規定により指定された電気通信事業者に対し、情報取扱規程に
おいて定めた事項に関する業務を統括管理させるため、事業運営上の重要な決定
に参画する管理的地位にあり、かつ、利用者に関する情報の取扱いについて一定
の経験その他総務省令で定める要件を備える者の選任を義務付けている。

(1)　事業運営上の重要な決定に参画する管理的地位にあり、かつ、利用者に関す
る情報の取扱いに関する一定の実務の経験その他の総務省令で定める要件を備
える者

　　特定利用者情報の適正な取扱いは、情報取扱規程及び情報取扱方針について、
サイバー攻撃の巧妙化や諸外国の法的環境の変化等に応じて、第27条の５の

208

規定により指定された電気通信事業者が自律的かつ継続的な検証・見直しを行うことにより確保することを基本としている。情報取扱規程及び情報取扱方針の検証・見直しは、特定利用者情報の取扱いに係る業務について、現場の関係者と密接に連携し、また、社内の関係各部門や社外の委託先との調整等を行いながら、必要な体制の確保や規程類の見直し等を行うことにより可能となるものであり、その実現には経営レベルにある者が責任者として主体的に関与することが不可欠である。このため、経営レベルにある者を特定利用者情報統括管理者として選任する義務を課すことで、特定利用者情報の適正な取扱いを体制面から確保することとしている。

特定利用者情報統括管理者については、社内の関係各部門等を横断して調整することが必要となるため、経営レベルの者であることを要件とするとともに、事業環境の変化に応じて必要となる取組を主導できる知見が必要となるため、一定の実務経験があること等を要件としている。

具体的な要件として、総務省令では、次のいずれかであることを規定している（施行規則第22条の2の25）。

① 電気通信役務の提供を受ける者又は電気通信事業以外の事業における顧客に関する情報の取扱いに関する安全管理若しくは法令に関する業務又はその業務を監督する業務に通算して3年以上従事した経験を有すること

② ①と同等以上の能力を有すると認められること

〔第2項〕

第27条の5の規定により指定された電気通信事業者に対し、特定利用者情報統括管理者が適切に選任又は解任されているかについての確認等を行うため、特定利用者情報統括管理者の選任又は解任があった際に総務大臣へ届け出ることを義務付けている。

第27条の11（特定利用者情報統括管理者等の義務）

（特定利用者情報統括管理者等の義務）

第27条の11　特定利用者情報統括管理者は、誠実にその職務を行わなければならない。

2　第27条の5の規定により指定された電気通信事業者は、利用者の利益

第27条の11・第27条の12

の保護に関し、特定利用者情報統括管理者のその職務を行う上での意見を
尊重しなければならない。

追加　令和4年法律第70号

概　要

　特定利用者情報の適正な取扱いを確保する上での特定利用者情報統括管理者の
職務の重要性に鑑み、特定利用者情報統括管理者に対し、誠実にその職務を行
うことを（第1項）、第27条の5の規定により指定された電気通信事業者に対し、
特定利用者情報統括管理者の意見を尊重することを（第2項）、各々義務付けて
いる。

第27条の12（情報送信指令通信に係る通知等）

（情報送信指令通信に係る通知等）
第27条の12　(1) 電気通信事業者又は第3号事業を営む者（内容、利用者の
　範囲及び利用状況を勘案して利用者の利益に及ぼす影響が少なくないもの
　として総務省令で定める電気通信役務を提供する者に限る。）は、その利
　用者に対し電気通信役務を提供する際に、当該利用者の電気通信設備を送
　信先とする (2) 情報送信指令通信（利用者の電気通信設備が有する情報送
　信機能（利用者の電気通信設備に記録された当該利用者に関する情報を当
　該利用者以外の者の電気通信設備に送信する機能をいう。以下この条にお
　いて同じ。）を起動する指令を与える電気通信の送信をいう。以下この条
　において同じ。）を行おうとするときは、総務省令で定めるところにより、
　(3) あらかじめ、(4) 当該情報送信指令通信が起動させる情報送信機能により
　送信されることとなる当該利用者に関する情報の内容、当該情報の送信先
　となる電気通信設備その他の総務省令で定める事項を (5) 当該利用者に通
　知し、又は当該利用者が容易に知り得る状態に置かなければならない。た
　だし、当該情報が次に掲げるものである場合は、この限りでない。
　一　(6) 当該電気通信役務において送信する符号、音響又は影像を当該利用
　　者の電気通信設備の映像面に適正に表示するために必要な情報その他の
　　利用者が電気通信役務を利用する際に送信をすることが必要なものとし

て総務省令で定める情報
二　(7)当該電気通信事業者又は第3号事業を営む者が当該利用者に対し当
　　該電気通信役務を提供した際に当該利用者の電気通信設備に送信した識
　　別符号（電気通信事業者又は第3号事業を営む者が、電気通信役務の提
　　供に際し、利用者を他の者と区別して識別するために用いる文字、番号、
　　記号その他の符号をいう。）であつて、当該情報送信指令通信が起動さ
　　せる情報送信機能により当該電気通信事業者又は第3号事業を営む者の
　　電気通信設備を送信先として送信されることとなるもの
三　(8)当該情報送信指令通信が起動させる情報送信機能により送信先の電
　　気通信設備に送信されることについて当該利用者が同意している情報
四　(9)当該情報送信指令通信が次のいずれにも該当する場合には、(10)当該
　　利用者がイに規定する措置の適用を求めていない情報
　イ　利用者の求めに応じて次のいずれかに掲げる行為を停止する措置を
　　講じていること。
　　(1)　当該情報送信指令通信が起動させる情報送信機能により行われる
　　　利用者に関する情報の送信
　　(2)　(11)当該情報送信指令通信が起動させる情報送信機能により送信さ
　　　れた利用者に関する情報の利用
　ロ　(12)イに規定する措置、当該措置に係る利用者の求めを受け付ける方
　　法その他の総務省令で定める事項について利用者が容易に知り得る状
　　態に置いていること。

追加　令和4年法律第70号

1　概　要

　電気通信の信頼性の確保を通じた利用者の利益の適切な保護を図るため、電気
通信事業者又は第3号事業を営む者（利用者の利益に及ぼす影響が少なくない電
気通信役務を提供する者）が、その利用者に対し電気通信役務を提供する際に、
当該利用者の電気通信設備を送信先として、利用者の電気通信設備が有する情報
送信機能（利用者の電気通信設備に記録された当該利用者に関する情報を当該利
用者以外の者の電気通信設備に送信する機能）を起動する指令を与える電気通信
の送信（情報送信指令通信）を行おうとするときは、原則として、当該情報送信
指令通信が起動させる情報送信機能により送信されることとなる情報の内容等を、
あらかじめ当該利用者に通知し、又は当該利用者が容易に知り得る状態に置くこ

第27条の12

とを義務付けている。

2　条文内容

　利用者によるウェブサイトの閲覧、アプリケーションソフトウェア（アプリ）の利用等の電気通信役務の利用の際に、当該電気通信役務の提供者が、当該利用者の端末設備に当該端末設備の情報送信機能（タグやダウンロード済みのアプリケーションに設置されている情報収集モジュール等）を起動させる指令を送信し、当該利用者の意思にかかわらず、当該利用者の端末設備に記録された当該利用者に関する情報が、当該利用者以外の者に送信される状況が生じている。

　これによって送信される情報は、クッキー（Cookie）等の利用者固有の識別子、利用者のウェブサイト等の閲覧履歴を含む非常に広範なものである。上記の指令は、直ちに不正な指令に該当するとして刑法第168条の2（不正指令電磁的記録作成等）の規定に抵触するわけではないし、また、情報送信指令通信は、これを行う者が提示する利用規約等の範囲内で、かつ、利用者の利便性向上の目的で行われることも多い。しかしながら、利用者にこれらについて確認する機会がない場合には、利用者が安心して電気通信役務を利用することを妨げ、電気通信の信頼性を損ねることにつながりかねない。

　そのため、電気通信の信頼性を確保し、利用者の利益を保護することで、本法の目的である電気通信の健全な発達を実現する観点から、電気通信役務を提供する者が、利用者の端末設備を送信先とする情報送信指令通信を行うことで、当該利用者の端末設備が有する情報送信機能を起動させ、当該利用者に関する情報を当該利用者以外の者に送信させようとするときに、当該利用者に対して適切な確認の機会を付与することとしている。

⑴　電気通信事業者又は第3号事業を営む者（内容、利用者の範囲及び利用状況を勘案して利用者の利益に及ぼす影響が少なくないものとして総務省令で定める電気通信役務を提供する者に限る。）

　　情報送信指令通信は、ウェブサイト、アプリ等の提供を通じて行われることが一般的であり、ウェブサイト、アプリ等の提供者は、利用者に関する情報が自身又は第三者に送信されるように自身が提供するウェブサイト、アプリ等に第三者から提供されたタグ、情報収集モジュール等を設置していること等から、情報送信指令通信について主導的な立場を担うことが多いと見られる。これらの電気通信役務を提供する電気通信事業には、電気通信事業者の電気通信事業

だけではなく、第3号事業も多く含まれており、規律の対象とする者を適切に捕捉し、規律の効果を十分なものとする上で、電気通信事業者だけでなく、第3号事業を営む者も規律の対象としている。

ただ、電気通信事業者又は第3号事業を営む者の中には、提供する電気通信役務の利用者数が少ないこと等により、情報送信指令通信によって送信される利用者に関する情報が比較的少ない者も含まれるため、本規律の対象とする者について、「内容、利用者の範囲及び利用状況を勘案して利用者の利益に及ぼす影響が少なくないもの」に限ることとし、これを総務省令で定める電気通信役務を提供する者として、総務省令で規律の対象を明示することとしている。

これについて、総務省令では、次のいずれかに該当する電気通信役務であって、利用者が使用するパーソナルコンピュータ、携帯電話端末等の端末機器においてオペレーティングシステムを通じて実行されるブラウザその他のソフトウェアにより提供されるものとしている（施行規則第22条の2の27）。

① 他人の通信を媒介する電気通信役務（メッセージ媒介等）

② 情報を記録媒体・送信装置に記録・入力し、不特定の利用者の求めに応じて送信する電気通信設備を提供する電気通信役務（SNS・電子掲示板・動画共有サービス、オンラインショッピングモール等）

③ 入力された検索情報（検索により求める情報）に対応して、当該検索情報が記録された全てのウェブページ（通常の方法により閲覧ができるものに限る。）のドメイン名その他の所在に関する情報を出力する機能を有する電気通信設備を他人の通信の用に供する電気通信役務（オンライン検索）

④ 不特定の利用者の求めに応じて情報を送信する機能を有する電気通信設備を他人の通信の用に供する電気通信役務であって、不特定の利用者による情報の閲覧に供することを目的とするもの（ニュース配信、気象情報配信、動画配信、地図情報配信等各種情報のオンライン提供）

(2) 情報送信指令通信（利用者の電気通信設備が有する情報送信機能（利用者の電気通信設備に記録された当該利用者に関する情報を当該利用者以外の者の電気通信設備に送信する機能をいう。・・・）を起動する指令を与える電気通信の送信をいう。・・・）

本条の規律の対象とする情報送信指令通信は、電気通信事業者又は第3号事業を営む者がウェブサイト、アプリ等の電気通信役務を提供する際に、その利用者が当該電気通信役務を利用するために使用しているスマートフォン、タブ

レット、パーソナルコンピュータ等の端末設備を送信先として行われることにより、情報送信機能（当該端末設備が元来有するHTTPリクエスト（ハイパーテキストトランスファープロトコルによるサーバへのファイル等の送信の指示）の機能、インストールされたアプリにより当該端末設備が有することとなる情報の送信に係る機能等）が起動し、利用者に関する情報の送信が行われることとなるものである。

情報送信機能が起動することで送信が行われる利用者に関する情報には、当該利用者の端末設備の記憶領域（ローカルストレージ等）に事後的に保存された情報だけでなく、利用者の端末設備が元来有している当該端末設備の仕様に関する情報等が含まれる。そうした情報は、電気通信役務を提供する電気通信事業者又は第3号事業を営む者だけにではなく、当該電気通信事業者又は第3号事業を営む者に対してタグ、情報収集モジュール等を提供し情報送信指令通信に係る依頼を行った者等に送信されることもある。

なお、本条の規律は、利用者の端末設備に一定の指令を与える機能を有するプログラムの送信を対象としており、その作成を規制するものではない。

(3) あらかじめ

利用者に関する情報が当該利用者以外の者に送信されることを当該利用者が防ぐためには、当該利用者以外の者への情報の送信が行われる前に、送信される情報の内容等を当該利用者が認識することが必要である。また、情報送信指令通信が一度行われてしまうと、いつ、どのような内容の情報が送信されたかについて電気通信事業者又は第3号事業を営む者において正確に認識できない場合がある。そのため、利用者に通知し、又は当該利用者が容易に知り得る状態に置くことについては、情報送信指令通信の前に行うこととしている。

(4) 当該情報送信指令通信が起動させる情報送信機能により送信されることとなる当該利用者に関する情報の内容、当該情報の送信先となる電気通信設備その他の総務省令で定める事項

利用者が、予期せぬ情報が送信されること等を懸念し、電気通信役務の利用を差し控え、電気通信の健全な発達が阻害されるような状態が生じないようにするためには、情報送信指令通信によって送信される情報の内容や当該情報の送信先となる電気通信設備に関する事項が当該利用者に通知され、又は当該利用者が容易に知り得る状態に置かれることが必要である。これらの事項は、実態を踏まえつつ、総務省令において定めることとしている。

総務省令では、情報送信指令通信ごとに、次に掲げる事項としている（施行規則第22条の2の29）。

① 情報送信機能により送信されることとなる利用者に関する情報の内容

② 情報の送信先となる電気通信設備を用いて当該情報を取り扱うこととなる者の氏名又は名称

③ ①の情報の利用目的

(5) 当該利用者に通知し、又は当該利用者が容易に知り得る状態に置かなければならない

電気通信事業者又は第3号事業を営む者が、情報送信指令通信により送信される情報の内容等を利用者に通知し、又は当該利用者が容易に知り得る状態に置くことにより、当該利用者は、情報送信指令通信によって自身に関する情報が送信されること、送信される情報の内容、情報の送信先等を認識することが可能となる。それにより、当該利用者は、利用する電気通信役務の変更、別ページへの遷移の停止等により、自身に関する情報が送信されることを未然に防ぐことが可能となる。

通知し、又は当該利用者が容易に知り得る状態に置く対象となる利用者には、第27条の3第2項にあるとおり、「電気通信役務の提供を受けようとする者」が含まれる。これは、情報送信指令通信が起動させる情報送信機能により送信される情報の内容等を利用者に通知し、又は当該利用者が知り得る状態に置く時点が、ウェブサイトの閲覧であれば、当該ウェブサイトの閲覧時（電気通信役務の利用時）となるのに対し、アプリの利用であれば、当該アプリの起動前（電気通信役務の利用前）となる場合があり、特に後者の場合、当該アプリの起動前の者は、電気通信役務を利用する前の状態であるが、当該者についても保護対象に含める必要があるためである。

また、次の理由により、本規律における「利用者」からは法人又は電気通信事業者を除外しない。

・ 情報送信指令通信は、個人の電気通信設備だけでなく法人の電気通信設備を送信先として行われる場合もあること

・ 情報送信指令通信の送信先が電気通信事業者の電気通信設備であった場合でも、当該電気通信事業者は情報送信指令通信が行われることをあらかじめ認識できない点で電気通信事業者以外の利用者と差がないこと

送信される情報の内容等を利用者に通知し、又は当該利用者が容易に知り得

第27条の12

る状態に置くための具体的な方法については、サービスの提供形態の多様化、運用の実態、業界における慣行等を踏まえつつ柔軟に定めることが必要であると考えられるため、総務省令で定めることとしている。

　総務省令では、利用者に通知し、又は当該利用者が容易に知り得る状態に置く方法を次のように規定している（施行規則第22条の2の28）。

① 通知する場合の方法：1）から3）までの全て及び 4）5）のいずれか

　1） 日本語を用い、専門用語を避け、平易な表現を用いること

　2） 操作を行うことなく文字が適切な大きさで表示されるようにすること

　3） 利用者が、情報の内容等を容易に確認できるようにすること

　4） 情報の内容等又はそれを表示したウェブページやアプリケーションの所在に関する情報（URL等）を即時に（ポップアップ等により）表示すること

　5） 4）と同等以上に利用者が容易に認識できるように表示すること

② 容易に知り得る状態に置く場合の方法：1）から3）までの全て及び4）から6）までのいずれか

　1）から3）まで（①1）から3）までと同じ）

　4） 情報送信指令通信を行うウェブページ又は当該ウェブページから容易に到達できるウェブページにおいて表示すること

　5） 情報送信指令通信を行うアプリケーションを利用する際に最初に表示される画面又は当該画面から容易に到達できる画面において公表すべき事項を表示すること

　6） 4）5）と同等以上に利用者が容易に到達できるようにすること

(6) **当該電気通信役務において送信する符号、音響又は影像を当該利用者の電気通信設備の映像面に適正に表示するために必要な情報その他の利用者が電気通信役務を利用する際に送信をすることが必要なものとして総務省令で定める情報**

　情報送信指令通信が起動させる情報送信機能によって送信される情報には、利用者が電気通信役務を利用する上で電気通信役務を提供する者等に送信することが必要な情報であって、その送信について利用者の判断を経る必要性が低いと考えられるものがある。それらについては、送信される情報の内容等を利用者に通知し、又は当該利用者が容易に知り得る状態に置くことを義務付けないこととしている（(7)も同様）。

　電気通信役務において送信する符号、音響又は影像を利用者の端末設備に適

216

正に表示するために必要な情報（OSのバージョン、画面サイズ等）その他の
電気通信役務を利用するために送信することが必要な情報（端末上の日付や時
刻に関する情報等）については、電気通信役務を提供する者等に送信しなけれ
ば、文字や画像が適切なサイズや位置で表示されない等、電気通信役務の利用
に支障を及ぼすこととなる。当該情報の送信について、利用者の判断を経る必
要性が低いと考えられるため、送信される情報の内容等を利用者に通知し、又
は当該利用者が容易に知り得る状態に置くことを要しないこととしている。

　総務省令では、利用者が電気通信役務を利用する際に送信をすることが必要
な情報として、次の情報（いずれも当該情報を必要の範囲内において送信する
場合に限る。）を規定している（施行規則第22条の2の30）。

① 　符号、音響又は影像を適正に表示するために必要な情報（OS情報、画面
　設定情報、言語設定情報）その他当該電気通信役務の提供のために真に必要
　な情報
② 　利用者が入力した情報の再表示に必要な情報
③ 　利用者が入力した認証に関する情報の再表示に必要な情報
④ 　不正な行為への対応（セキュリティ対策）に必要な情報
⑤ 　電気通信設備の適切な運用に必要な情報

(7)　当該電気通信事業者又は第3号事業を営む者が当該利用者に対し当該電気通
　信役務を提供した際に当該利用者の電気通信設備に送信した識別符号（電気通
　信事業者又は第3号事業を営む者が、電気通信役務の提供に際し、利用者を他
　の者と区別して識別するために用いる文字、番号、記号その他の符号をいう。）
　であつて、当該情報送信指令通信が起動させる情報送信機能により当該電気通
　信事業者又は第3号事業を営む者の電気通信設備を送信先として送信されるこ
　ととなるもの

　　利用者が電気通信役務を利用した際に、当該電気通信役務を提供する者が当
　該利用者を識別するために当該利用者に送信する文字列で構成された識別符号
　（ファーストパーティクッキー（First Party Cookie）に保存されたID等）は、
　当該電気通信役務を提供する者が生成するものであり、当該電気通信役務を提
　供する者が取得しても当該利用者に自らが付した情報を回収しているに過ぎず、
　その使途も当該利用者がID・パスワードの入力を省略することができるよう
　にすること等と限定的であることが想定される。この点に鑑みると、当該情報
　の送信については、利用者の判断を経る必要性が低いため、送信される情報の

第27条の12

内容等を当該利用者に通知し、又は当該利用者が容易に知り得る状態に置くことを要しないこととする。

　ただし、First Party Cookieについては、電気通信役務を提供する者以外の者の電気通信設備を送信先として送信させるようにすることも技術的に可能であり、電気通信役務を提供する者以外の者に送信されたFirst Party Cookieの使途は、電気通信役務を提供する者に送信する場合とは異なり、ID・パスワードの入力の省略等に限定されるものではないため、そのような場合には、利用者に通知し、又は当該利用者が容易に知り得る状態に置くことを要することになる。

⑻　当該情報送信指令通信が起動させる情報送信機能により送信先の電気通信設備に送信されることについて当該利用者が同意している情報

　本条の規律の趣旨は、電気通信事業者又は第3号事業を営む者が、情報送信指令通信により送信される情報の内容等を利用者に通知し、又は当該利用者が容易に知り得る状態に置くことで、当該利用者に対し、自身に関する情報の送信をあらかじめ認識させるとともに、当該利用者に対して当該情報の送信を選択する機会を付与することである。

　ウェブサイト、アプリ等によっては、送信される情報の内容等を利用者に通知し、又は当該利用者が容易に知り得る状態に置く方法ではなく、利用者の同意を取得する方法により、利用者に対し、自身に関する情報の送信を認識し、及び選択する機会を付与している場合がある。こうした場合、同意の取得を通じて、利用者に対し、自身に関する情報の送信を認識し、及び選択する機会を付与していることとなるため、情報の内容等を改めて利用者に通知し、又は当該利用者が容易に知り得る状態に置くことを要しないこととしている。

　利用者が、情報送信指令通信により送信される情報の内容等について同意を行う際、送信先が電気通信役務を提供する者であるか、電気通信役務を提供する者以外の者であるかによって、同意するか否かが変わり得ることから、送信先の電気通信設備を含めて同意の取得を要することとしている。

⑼　当該情報送信指令通信が次のいずれにも該当する場合

　送信される情報の内容等を利用者が容易に知り得る状態に置いた上で、当該利用者に情報の送信又は送信された情報の利用を停止することを可能とする、適切なオプトアウト措置が講じられている場合をいう。

⑽　当該利用者がイに規定する措置の適用を求めていない情報

適切なオプトアウト措置を講ずることは、送信される情報の内容等を利用者に通知し、又は当該利用者が容易に知り得る状態に置いた上で、当該利用者が情報の送信又は送信された情報の利用を停止することを可能とするものであり、電気通信役務を提供する者に当該措置を行うための追加的な準備が生じるものの、利用者に対して、自身に関する情報の送信を選択する機会を与えることが可能となるとともに、これまで当該措置を講じてきた事業者がこれまでどおり事業を継続することが可能となる。

そのため、適切なオプトアウト措置が講じられる情報であって利用者がオプトアウト措置の適用を求めていない場合は、送信される情報の内容等について利用者に通知し、又は当該利用者が容易に知り得る状態に置くことを要しないこととしている。

(11) 当該情報送信指令通信が起動させる情報送信機能により送信された利用者に関する情報の利用

オプトアウト措置として、利用者の求めに応じて情報の送信を停止する措置が講じられているのみの場合であっても、利用者の利益の保護につながると考えられるが、当該措置が適用される前に送信された情報については当該措置が及ばないため、オプトアウト措置に、送信された情報の利用を停止する措置を含めている。

(12) イに規定する措置、当該措置に係る利用者の求めを受け付ける方法その他の総務省令で定める事項

適切なオプトアウト措置を講ずる場合、単にオプトアウト措置を講ずるだけでなく、利用者が当該措置の内容、当該措置に係る利用者の求めを受け付ける方法等の事項について、当該利用者が容易に知り得る状態に置くことを求めている。

オプトアウト措置の際に利用者が容易に知り得る状態に置く事項としては、総務省令では、次の事項を定めている（施行規則第22条の2の31）。

① オプトアウト措置を講じている旨
② オプトアウト措置の内容（情報の送信を停止又は送信された情報の利用の停止）
③ オプトアウト措置に係る利用者の求めを受け付ける方法
④ 利用者がオプトアウト措置の適用を求めた場合の役務利用の制限内容
⑤ 送信されることとなる利用者に関する情報の内容

⑥　情報の送信先で当該情報を取り扱う者の氏名・名称

⑦　送信されることとなる利用者に関する情報の利用目的

第28条（業務の停止等の報告）

（業務の停止等の報告）

第28条　電気通信事業者は、次に掲げる場合には、その旨をその理由又は原因とともに、遅滞なく、総務大臣に報告しなければならない。

一　(1)第８条第２項の規定により電気通信業務の一部を停止したとき。

二　電気通信業務に関し次に掲げる事故が生じたとき。

　イ　(2)通信の秘密の漏えい

　ロ　第27条の５の規定により指定された電気通信事業者にあつては、(3)特定利用者情報（同条第２号に掲げる情報であつて総務省令で定めるものに限る。）の漏えい

　ハ　(4)その他総務省令で定める重大な事故

2　電気通信事業者は、(5)前項第２号イからハまでに掲げる事故が生ずるおそれがあると認められる事態として総務省令で定めるものが生じたと認めたときは、その旨をその理由又は原因とともに、遅滞なく、総務大臣に報告しなければならない。

改正　　平成11年法律第160号

第35条繰上げ　平成15年法律第125号

改正　　令和４年法律第 70号

1　概　要

　電気通信事業者に対し、業務の一部を停止した場合、重大な事故が生じた場合又は重大な事故が生ずるおそれがあると認められる事態が生じたと認めた場合の総務大臣への報告義務を定めている。

　これは、電気通信事業が、社会経済活動に必要なサービスを提供する公共性の高い事業であり、継続的・安定的なサービス提供が求められるものであるため、利用者の利益の保護のため、業務の一部を停止した場合、通信の秘密や一定の特定利用者情報の漏えい等があったりそのおそれが生じたと認めた場合に、行政庁としてもその実態を把握し、必要に応じて適切な指導、助言、命令等の再発を防

止するため適切な措置を講ずることを可能とするためのものである。

2　条文内容

(1)　第8条第2項の規定により電気通信業務の一部を停止

　　第8条第2項においては、非常災害時において重要通信を優先的に取り扱った結果、他の電気通信業務の一部を停止することを認めているが、やむを得ないとはいえ利用者に不便を強いることとなるため、その場合でも、事後的に総務大臣に報告しなければならないとするものである。

(2)　通信の秘密の漏えい

　　通信の秘密の保護は、憲法第21条第2項にも規定され、また、第3条及び第4条においても重ねて規定されているように、電気通信業務を行う上での基礎となるものであるため、その漏えいがあった場合には、総務大臣に報告しなければならないとしている。

(3)　特定利用者情報（同条第2号に掲げる情報であつて総務省令で定めるものに限る。）の漏えい

　　特定利用者情報の漏えいが発生した場合にも、情報取扱規程の変更命令等により必要に応じ、その再発防止等を図ることが必要となるため、特定利用者情報の漏えいであって通信の秘密の漏えいではないものについて、事故報告の対象としている。

　　当該報告を要する事故は、通信の秘密を除く特定利用者情報の漏えいのうち、情報の性質等を勘案し、利用者の利益に及ぼす影響が大きい事故とすることとし、その具体的内容は総務省令で定めることとしている。

　　総務省令では、①当該情報に含まれる利用者が1000を超えるもの及び②特定利用者情報の適正な取扱いに影響を及ぼすおそれのある外国の制度に基づき、外国政府に提供を行なったものを規定している（施行規則第58条第1項）。

(4)　その他総務省令で定める重大な事故

　　総務省令では、①電気通信設備の故障により一定時間以上電気通信役務の全部又は一部（付加機能を除く。）の提供を停止又は品質を低下させた事故であって、それを受けた利用者の数が一定数以上であるもの（例えば、緊急通報を取り扱う音声伝送役務については、電気通信役務を1時間以上停止等させた事故であって、当該電気通信役務の停止等を受けた利用者の数が3万人以上のもの。）、②衛星、海底ケーブル等の重要な電気通信設備の故障により当該電気

第28条・第29条

通信設備を利用する全ての通信の疎通が2時間以上不能となる事故を重大な事故と定めており（施行規則第58条第2項）、これらについて、総務大臣に報告しなければならないこととしている。

(5)　前項第2号イからハまでに掲げる事故が生ずるおそれがあると認められる事態として総務省令で定めるものが生じたと認めたとき

　　(2)から(4)までの事故が生ずるおそれがあると認められる事態が生じたと認めたときは、電気通信事業者は、総務大臣にその旨を報告しなければならないこととしている。その事態は、総務省令で定めることとしており、総務省令では、(4)について規定し、一定の事業用電気通信設備（前年度末において3万以上の利用者に電気通信役務を提供する電気通信事業者が設置したものに限る。）に係る事態で、機能に支障を生じた電気通信設備の運用を停止しようとしたにもかかわらずそれができなかった事態、故障等の発生を速やかに覚知できず機能を代替する予備の電気通信設備へ速やかに切り替えることができなかった事態等を規定している（施行規則第58条の2）。

第29条（業務の改善命令）

（業務の改善命令）

第29条　総務大臣は、次の各号のいずれかに該当すると認めるときは、電気通信事業者に対し、(1) 利用者の利益又は公共の利益を確保するために必要な限度において、(2) 業務の方法の改善 (3) その他の措置をとるべきことを命ずることができる。

　一　電気通信事業者の業務の方法に関し (4) 通信の秘密の確保に支障があるとき。

　二　電気通信事業者が (5) 特定の者に対し不当な差別的取扱いを行つているとき。

　三　電気通信事業者が (6) 重要通信に関する事項について適切に配慮していないとき。

　四　電気通信事業者が提供する電気通信役務（(7) 基礎的電気通信役務（届出契約約款に定める料金その他の提供条件により提供されるものに限る。）又は指定電気通信役務（保障契約約款に定める料金その他の提

供条件により提供されるものに限る。）を除く。次号から第7号までに
おいて同じ。）に関する ⑻料金についてその額の算出方法が適正かつ
明確でないため、利用者の利益を阻害しているとき。

五　電気通信事業者が提供する電気通信役務に関する ⑼料金その他の提
　供条件が他の電気通信事業者との間に不当な競争を引き起こすものであ
　り、その他社会的経済的事情に照らして著しく不適当であるため、利用
　者の利益を阻害しているとき。

六　電気通信事業者が提供する電気通信役務に関する提供条件（料金を除
　く。次号において同じ。）において、⑽電気通信事業者及びその利用者
　の責任に関する事項並びに電気通信設備の設置の工事その他の工事に関
　する費用の負担の方法が適正かつ明確でないため、利用者の利益を阻害
　しているとき。

七　電気通信事業者が提供する電気通信役務に関する ⑾提供条件が電気
　通信回線設備の使用の態様を不当に制限するものであるとき。

八　⑿事故により電気通信役務の提供に支障が生じている場合に電気通信
　事業者がその支障を除去するために必要な修理その他の措置を速やかに
　行わないとき。

九　⒀電気通信事業者が国際電気通信事業に関する条約その他の国際約束
　により課された義務を誠実に履行していないため、⒁公共の利益が著し
　く阻害されるおそれがあるとき。

十　電気通信事業者が電気通信設備の接続、共用又は卸電気通信役務（電
　気通信事業者の電気通信事業の用に供する電気通信役務をいう。以下同
　じ。）の提供について特定の電気通信事業者に対し ⒂不当な差別的取
　扱いを行いその他これらの業務に関し不当な運営を行つていることによ
　り他の電気通信事業者の業務の適正な実施に支障が生じているため、⒃
　公共の利益が著しく阻害されるおそれがあるとき。

十一　電気通信回線設備を設置することなく電気通信役務を提供する電気
　通信事業の経営によりこれと ⒄電気通信役務に係る需要を共通とする
　電気通信回線設備を設置して電気通信役務を提供する電気通信事業の当
　該需要に係る電気通信回線設備の保持が経営上困難となるため、⒅公共
　の利益が著しく阻害されるおそれがあるとき。

十二　前各号に掲げるもののほか、⒆電気通信事業者の事業の運営が適正
　かつ合理的でないため、電気通信の健全な発達又は国民の利便の確保に

第29条

　　支障が生ずるおそれがあるとき。
　2　総務大臣は、次の各号のいずれかに該当するときは、当該各号に定める
　者に対し、利用者の利益を確保するために必要な限度において、業務の方
　法の改善その他の措置をとるべきことを命ずることができる。
　　一　電気通信事業者が第26条第１項、第26条の２第１項、第26条の４第
　　１項、第27条、第27条の２、第27条の４又は第27条の12の規定に違反
　　したとき　当該電気通信事業者
　　二　第27条の３第１項の規定により指定された電気通信事業者が同条第
　　２項の規定に違反したとき　当該電気通信事業者
　　三　第27条の５の規定により指定された電気通信事業者が第27条の８又
　　は第27条の９の規定に違反したとき　当該電気通信事業者
　　四　第３号事業を営む者が第27条の12の規定に違反したとき　当該第３
　　号事業を営む者

追加　平成15年法律第125号
改正　平成19年法律第136号
　　　平成27年法律第 26号
　　　平成30年法律第 24号
　　　令和 元 年法律第　5号
　　　令和 4 年法律第 70号

1　概　要

　電気通信事業者等の業務の方法等が不適切に行われ、利用者の利益や公共の利
益が阻害されている場合において、総務大臣が電気通信事業者等に対し、業務の
方法の改善等を命ずること（業務改善命令）ができることとしている。
　このうち、第１項は、電気通信事業者の電気通信役務の提供に係る業務の方法
等について、各号のいずれかに該当することにより、利用者の利益又は公共の利
益を阻害している場合に、電気通信事業者に業務の方法の改善その他の措置をと
ることを命ずることができるとするものであり、第２項は、第26条第１項、第
26条の２第１項、第26条の４第１項、第27条、第27条の２、第27条の４又は第
27条の12の規定に違反した電気通信事業者、第27条の３第２項の規定に違反し
た同条第１項の規定により指定された電気通信事業者、第27条の８又は第27条
の９の規定に違反した第27条の５の規定により指定された電気通信事業者、第
27条の12の規定に違反した第３号事業を営む者に対して業務の方法の改善その
他の措置をとることを命ずることができるとするものである。

総務大臣は、第1項の命令を行う場合には、電気通信紛争処理委員会に諮問し（第160条）、また、同委員会の委員を主宰者として聴聞を行わなければならない（第161条第1項及び第2項）。

　また、第186条は、業務改善命令に違反した者は、200万円以下の罰金に処する旨規定している。

2　条文内容

〔第1項〕

(1)　利用者の利益又は公共の利益を確保するために必要な限度

　　業務改善命令は、電気通信事業者に対する極めて強い措置であることから、利用者の利益又は公共の利益への支障の除去等に必要な限度において命ずることができるものであり、その限度を超えて通信の停止等の措置を命ずることはできないと考えられる。

(2)　業務の方法

　　業務の方法とは、業務の管理運営の方法、窓口業務等の日常業務の取扱方法をいう。

(3)　その他の措置

　　設備の修理、復旧など日常業務の取扱方法以外の措置をいう。

(4)　通信の秘密の確保に支障があるとき

　　例えば、機械室への入退室の記録の管理を怠るなど設備の管理運用がずさんであり、通信の秘密が漏えいしているときをいう。

(5)　特定の者に対し不当な差別的取扱いを行つているとき

　　不当な差別的取扱いの禁止とは、電気通信役務の提供に関する契約の締結等に当たり、また、その提供に当たって、国籍、人種、性別、年齢、社会的身分、門地、職業、財産等によって、特定の者を正当な理由なく有利に又は不利に取り扱ってはならないという意味である。「不当な」とは、行為又は状態が、実質的に妥当性を欠くこと又は適当でないことを指す。

　　電気通信事業者が設定する料金その他の提供条件が不当な差別的取扱いに該当するか否かは、社会通念に照らして、個別具体的に判断されることとなるが、電気通信の健全な発達、利用者の利便の確保や公共の福祉増進の観点から、合理的かつ妥当な理由に基づき料金に差異を設けることは、「不当な差別的取扱い」に該当しないと考えられる。

第29条

「不当な差別的取扱い」の具体的事例としては、

① 契約回線数その他の利用条件が同一であるにもかかわらず、取引先や子会社等であることを理由として、特定の利用者に対し他の利用者と比較して著しく低い料金を設定すること

② 相互接続通話の利用者に対して、利用停止、契約解除、延滞利息、支払期限等について不当に不利な取扱いをすること

等が考えられる。

(6) **重要通信に関する事項について適切に配慮していないとき**

「重要通信に関する事項について適切に配慮していないとき」とは、第8条の規定に基づいて、電気通信事業者が重要通信の優先的な取扱いを行っていない場合や重要通信の確保のために一般通信の規制を行うことが想定される電気通信役務について、その旨の規定を設けていない契約を締結している場合等が該当する。

(7) **基礎的電気通信役務（届出契約約款に定める料金その他の提供条件により提供されるものに限る。）又は指定電気通信役務（保障契約約款に定める料金その他の提供条件により提供されるものに限る。）を除く**

業務改善命令の要件のうち、料金その他の提供条件に係る第4号から第7号までに該当する場合について、基礎的電気通信役務又は指定電気通信役務のうち届出契約約款又は保障契約約款に定める料金その他の提供条件により提供されるものは、それぞれ第19条第2項に基づく届出契約約款の変更命令又は第20条第3項に基づく保障契約約款の変更命令により是正することとしており、同一行為に対して契約約款変更命令と業務改善命令とが重複しないよう措置したものである。

なお、命令の要件は、基本的に同一である。

(8) **料金についてその額の算出方法が適正かつ明確でないため、利用者の利益を阻害しているとき**

電気通信役務に係る契約の中心をなす料金が明確でなければ、利用者が理解しにくいだけではなく、実質的に公正さが阻害されるおそれがある。社会通念上一般利用者にとって具体的な料金の額の算出方法が適正かつ明確でないため予見可能でないと認められる場合、例えば、

① 「時価」や「当社が毎月末に請求する額」等社会通念上利用者にとって料金額が予見可能でないと認められるような料金を設定する

② その他料金額の算出方法が、定額、定率等により適正かつ明確に示されていない料金を設定する

等のため、利用者の利益を阻害しているときは、本号に該当する。

(9) 料金その他の提供条件が他の電気通信事業者との間に不当な競争を引き起こすものであり、その他社会的経済的事情に照らして著しく不適当であるため、利用者の利益を阻害しているとき

　本法においては、原則として競争原理による電気通信事業者間における活発な競争を通じ、電気通信の健全な発達を図ることとしている。しかし、他の電気通信事業者を市場から排除するため原価に比べ著しく低廉な料金を設定すること等、著しく不適当な方法により、かえって電気通信の健全な発達を阻害し利用者の利益を阻害することとなるものについては、規制する必要がある。

　このため、本号において、料金その他の提供条件が電気通信事業者間の不当な競争を引き起こす等著しく不適当であるため、利用者の利益を阻害しているときはこれを是正することとしている。

　具体的にどのような行為が本号に該当するか否かについては、個別具体的な事例ごとに、市場全体への影響の度合い等を踏まえ総合的に判断されることとなる。例えば、

① 独占的分野から競争分野への内部相互補助により不当な競争を引き起こす料金を設定している

② 競争事業者のサービスを利用しないことを条件とする割引を設定している

等の場合は、本号に該当する可能性がある。

(10) 電気通信事業者及びその利用者の責任に関する事項並びに電気通信設備の設置の工事その他の工事に関する費用の負担の方法が適正かつ明確でないため、利用者の利益を阻害しているとき

① 利用停止、契約解除、損害賠償、料金返還に関する事項が適正かつ明確に規定されていない

② 延滞利息について不当に高額な割合を設定している

③ 消費者契約法に反するような、電気通信事業者に著しく有利で利用者に不利な規定がある

等の場合が該当する。

(11) 提供条件が電気通信回線設備の使用の態様を不当に制限するものであるとき

① 公専接続を制限（電話等の電気通信役務を提供する電気通信事業者が、電

第29条

話役務を提供する契約において、契約者回線と専用回線とを相互に接続して通話を行う場合には電気通信回線の接続の請求を承諾しない旨規定して接続を制限）している

② 利用者の責に帰すべき事由などの合理的な理由なく、利用停止など利用を制限している

等の場合は、本号に該当する。

⑿ **事故**

例えば、交換機のダウンや回線の切断事故等をいう。

⒀ **電気通信事業者が国際電気通信事業に関する条約その他の国際約束により課された義務を誠実に履行していない**

国際電気通信役務の提供に当たっては、外国の電気通信事業者との協力は不可欠であり、これを確保するために、国際電気通信事業に関する条約その他の国際約束により課された義務を我が国の電気通信事業者が遵守することは不可欠であるため、これを誠実に履行していない電気通信事業者を業務改善命令の対象としている。

国際電気通信事業に関する条約その他の国際約束の例としては、国際電気通信連合憲章、国際電気通信連合条約がある。

⒁ **公共の利益が著しく阻害されるおそれがあるとき**

電気通信事業者が条約等により課された義務を誠実に履行しないことにより、我が国電気通信事業者全般の信用を貶め、外国電気通信事業者との運用協定の締結を困難にし、電気通信役務の円滑な提供の確保に支障を及ぼすおそれがある場合等をいう。

⒂ **不当な差別的取扱い**

接続、共用又は卸電気通信役務の提供は、原則的には、電気通信事業者間の合意により行われるため、その条件が画一的である必要はないが、合理的な理由なく特定の電気通信事業者に限ってその条件に差異を設け、又は接続等を拒否している場合をいう。

⒃ **公共の利益が著しく阻害されるおそれがあるとき**

例えば、特定の電気通信事業者との接続を拒否することにより、ネットワークの健全な発達を妨げ、又は関連する利用者の利益を著しく損なうおそれがある場合をいう。

第29条

⑴ 電気通信役務に係る需要を共通とする

　電気通信回線設備を設置することなく電気通信役務を提供する電気通信事業の経営により電気通信役務の提供の基盤となる電気通信回線設備の保持が経営上困難となる事態が生じていると見るためには、電気通信回線設備を設置することなく電気通信役務を提供する電気通信事業者の経営活動と、その基盤となる電気通信回線設備の保持が当該設備を設置している電気通信事業者の経営上困難となることとの因果関係が必要であることから、それぞれの事業に係る電気通信役務の需要が共通であることを条件としている。

⑱ 公共の利益が著しく阻害されるおそれがあるとき

　電気通信回線設備を設置している電気通信事業者の経営に支障が及ぶことにより、電気通信役務の提供を受けられなくなる等利用者のみならず、社会全体の利益が損なわれる事態をいう。

⑲ 電気通信事業者の事業の運営が適正かつ合理的でないため、電気通信の健全な発達又は国民の利便の確保に支障が生ずるおそれがあるとき

　電気通信事業者の不適正な事業運営の実態や安定的なサービス提供を確保していないことが判明した場合に、総務大臣が事業形態の変更、業務の方法の改善等を命ずることで電気通信の健全な発達及び国民の利便を確保することができるようにしている。

　ここでいう「事業」には、①電気通信事業者の行う電気通信役務の提供の業務（電気通信業務）の運営を含むことはもちろんのこと、②電気通信役務の提供に関する契約事務や料金収納事務、電気通信設備の保守業務等の電気通信業務に付随する業務、③電気通信事業者の電気通信業務に係る資金調達方法又は情報公開手法等、企業体としての電気通信事業者の自己監督方法・経営方法等も含まれる。

　例えば、詐欺的手法や粉飾決算等による不適正な資金調達を行っている電気通信事業者に対し、利用者利益を直接阻害していない段階においても、かかる資金調達を改善させる等の命令を行うことで、電気通信事業者に対する信頼の低下とそれにより最終的に電気通信役務が円滑に提供されなくなる事態を回避し、電気通信の健全な発達及び国民の利便の確保を図ることが可能となる。

　本法第1条は、①「電気通信事業の公共性」に鑑み（背景）、②電気通信事業「の運営を適正かつ合理的なものとするとともに、その公正な競争を促進すること」により（手段的目的）、③「電気通信役務の円滑な提供を確保すると

229

ともにその利用者の利益を保護」し（直接的目的）、もって④「電気通信の健全な発達及び国民の利便の確保を図り、公共の福祉を増進すること」(究極的目的）をその目的として規定している。本規定は、手段たる②の電気通信事業の運営の適正性・合理性が確保できていないため、④の電気通信の健全な発達及び国民の利便の確保という目的の達成に支障が生じている場合に、業務改善命令の発動を可能とするものである。

〔第2項〕

電気通信事業者に対しては、提供条件の説明義務（第26条第1項）、書面の交付義務（第26条の2第1項）、業務の休廃止の周知義務（第26条の4第1項）、苦情等処理義務（第27条）、禁止行為（事実不告知・不実告知等の禁止、自己の名称等を告げずに勧誘する行為の禁止、勧誘継続行為の禁止及びその他利用者利益の保護に支障のある行為の禁止）(第27条の2)、移動電気通信役務を提供する電気通信事業者の禁止行為（端末購入等の補助等の禁止及び過度な期間拘束契約の禁止）(第27条の3第2項）、媒介等業務受託者に対する指導義務（第27条の4）、情報取扱方針の策定・公表義務（第27条の8）、特定利用者情報の取扱状況の評価等義務（第27条の9）及び情報送信指令通信を行おうとするときの利用者への通知等義務（第27条の12）について、第3号事業を営む者に対しては、情報送信指令通信を行おうとするときの利用者への通知等義務（第27条の12）について担保するため、総務大臣はこれらに違反した者に対し、業務の方法の改善その他の措置をとるべきことを命ずることができるものとしている。

【業務改善命令の運用事例】

① 平成11年1月22日　エヌ・ティ・ティ移動通信網株式会社ほか8社に対する料金変更命令（当時の第31条第2項該当)(不当な差別的取扱い）

② 平成12年12月22日　エヌ・ティ・ティ・コミュニケーションズ株式会社、株式会社ディーディーアイ、日本テレコム株式会社、ＮＴＴ東日本及びＮＴＴ西日本に対する料金変更命令（当時の第31条第2項第2号及び第3号該当）(不当な差別的取扱い及び不当な競争）

③ 平成14年4月19日　ケイディーディーアイ株式会社に対する業務改善命令（当時の第7条及び第31条第9項違反、当時の第36条第4項適用)(子会社である第二種電気通信事業者を通じた届出料金を下回る料金による電気通信役務の提供）

④　平成16年2月5日　ＫＤＤＩ株式会社に対する業務改善命令（③の業務改善命令違反、当時の第36条第4項適用）（届出料金を下回る料金による電気通信役務の提供）

⑤　平成22年2月4日　ＮＴＴ西日本に対する業務改善命令（当時の第30条第3項違反（第1号該当。利用者情報の不適切な利用、第29条第1項第12号該当））

⑥　令和2年2月28日　あくびコミュニケーションズ株式会社に対する業務改善命令（第26条第1項の提供条件の説明義務違反及び第26条の2第1項の書面交付義務違反）

第30条（第一種指定電気通信設備を設置する電気通信事業者等の禁止行為等）

（第一種指定電気通信設備を設置する電気通信事業者等の禁止行為等）

第30条　総務大臣は、(1) 総務省令で定めるところにより、第二種指定電気通信設備を設置する電気通信事業者について、(2) 当該第二種指定電気通信設備を用いる電気通信役務の提供の業務に係る最近1年間における収益の額の、当該電気通信役務に係る業務区域と同一の区域内における全ての(3) 同種の電気通信役務の提供の業務に係る当該1年間における収益の額を合算した額に占める割合が　(4) 総務省令で定める割合を超える場合において、(5) 当該割合の推移その他の事情を勘案して他の電気通信事業者との間の適正な競争関係を確保するため必要があると認めるときは、当該第二種指定電気通信設備を設置する電気通信事業者を第3項、第5項及び第6項の規定の適用を受ける電気通信事業者として指定することができる。

2　総務大臣は、前項の規定による指定の必要がなくなつたと認めるときは、当該指定を解除しなければならない。

3　第1項の規定により指定された電気通信事業者は、次に掲げる行為をしてはならない。

一　(6) 他の電気通信事業者の電気通信設備との接続の業務に関して知り得た当該他の電気通信事業者及びその利用者に関する情報を当該業務の用に供する目的以外の目的のために利用し、又は提供すること。

二　当該電気通信事業者が法人である場合において、(7) その電気通信業務について、当該電気通信事業者の特定関係法人（第12条の2第4項第

第30条

1号に規定する特定関係法人をいう。次条第1項において同じ。）である電気通信事業者であつて総務大臣が指定するものに対し、不当に優先的な取扱いをし、又は利益を与えること。

4　(8) 第一種指定電気通信設備を設置する電気通信事業者は、次に掲げる行為をしてはならない。

一　(6) 他の電気通信事業者の電気通信設備との接続の業務に関して知り得た当該他の電気通信事業者及びその利用者に関する情報を当該業務の用に供する目的以外の目的のために利用し、又は提供すること。

二　(9) その電気通信業務について、特定の電気通信事業者に対し、不当に優先的な取扱いをし、若しくは利益を与え、又は不当に不利な取扱いをし、若しくは不利益を与えること。

三　(10) 他の電気通信事業者（第164条第1項各号に掲げる電気通信事業を営む者を含む。）又は電気通信設備の製造業者若しくは販売業者に対し、その業務について、不当に規律をし、又は干渉をすること。

5　総務大臣は、前2項の規定に違反する行為があると認めるときは、第1項の規定により指定された電気通信事業者又は第一種指定電気通信設備を設置する電気通信事業者に対し、当該行為の停止又は変更を命ずることができる。

6　第1項の規定により指定された電気通信事業者及び第一種指定電気通信設備を設置する電気通信事業者は、(11) 総務省令で定めるところにより、(12) 電気通信役務に関する収支の状況その他その会計に関し総務省令で定める事項を公表しなければならない。

追加　平成13年法律第 62号
第37条の2繰上げ改正　平成15年法律第125号
改正　平成27年法律第 26号

1　概　要

　市場支配力を有する電気通信事業者がその市場支配力を濫用した場合、電気通信事業者間の公正な競争及び利用者の利益を含めた電気通信の健全な発達に及ぼす弊害は著しく大きく看過し得ないものとなるため、市場支配力を有する電気通信事業者による市場支配力の濫用を未然に防止するとともに、それが発生した場合には、これを速やかに是正・除去することが必要である。

　そこで、①第二種指定電気通信設備を設置する電気通信事業者で営業収益にお

いて大きな市場占有率を占めること等により指定（第1項）された者及び②第一種指定電気通信設備を設置する電気通信事業者を、市場支配力の濫用を防止・除去するための特別の措置が必要な電気通信事業者（以下「市場支配的事業者」という。）とした上で、他の電気通信事業者との間に不当な競争を引き起こすおそれのある当該電気通信事業者の行為を類型化して、あらかじめ禁止し（①について第3項、②について第4項）、仮にそのような行為が行われた場合にこれを速やかに是正・除去するための行為の停止・変更命令の規定を設けている（第5項）。

　市場支配的事業者に対しては、これに加え、業務運営の透明性を確保し、その市場支配力を濫用して行う不当な内部相互補助を監視・抑止する観点から、電気通信役務に関する収支の状況等の会計情報の公表を義務付けている（第6項）。

　なお、第一種指定電気通信設備については、第33条の解説を、第二種指定電気通信設備については、第34条の解説を参照のこと。

2　条文内容

〔第1項〕

　第二種指定電気通信設備には、第一種指定電気通信設備のような不可欠性は認められないものの、これを設置する電気通信事業者については、移動体通信市場は割当周波数の関係等から参入事業者が地域ごとに3から4社程度しか存在しない寡占市場であること、移動体通信が加入者に直接アクセス可能な手段であることから、移動体通信市場において営業収益で相対的に大きな占有率を占めている等の場合には、その市場支配力を濫用した場合、電気通信事業者間の公正な競争及び利用者の利益を含めた電気通信の健全な発達に及ぼす弊害は著しく大きく看過し得ないものとなる。そのため、総務大臣は、このような電気通信事業者を本条第3項、第5項及び第6項に規定する規律に従うべき市場支配的事業者として、指定することができることとしている。

　これを受けて、第二種指定電気通信設備を設置する市場支配的事業者として、平成20年7月1日の総務省告示（平成20年総務省告示第361号）により、株式会社ＮＴＴドコモ（当時は、株式会社エヌ・ティ・ティ・ドコモ）が指定された。（同告示で、同社の前身企業を指定した当初の平成14年5月8日の総務省告示（平成14年総務省告示第286号）を廃止。同社の商号変更に伴い、同告示は、平成25年10月1日の総務省告示（平成25年総務省告示第389号）で改正。））

第30条

(1) **総務省令で定めるところにより**

第二種指定電気通信設備を設置する市場支配的事業者の指定の方法について、総務省令で定めることとしている。

総務省令においては、告示によってこれを行うこと、総務大臣は、当該指定を受けることとなる電気通信事業者にその旨を通知することを定めている（施行規則第22条の3第1項）。

(2) **当該第二種指定電気通信設備を用いる電気通信役務**

携帯電話サービス等、第二種指定電気通信設備を用いて提供される電気通信役務で、一つの種類であることも複数の種類であることもあり得る。

(3) **同種の電気通信役務**

ここでいう「同種の電気通信役務」に該当しない場合としては、音声伝送サービスとデータ伝送サービス等が考えられる。

(4) **総務省令で定める割合**

第二種指定電気通信設備を設置する市場支配的事業者を指定する基準となる具体的な割合（営業収益における市場占有率）は、総務省令で定めることとしている。

総務省令では、この割合を4分の1としている（施行規則第22条の3第2項）。

(5) **当該割合の推移その他の事情**

第二種指定電気通信設備を設置する市場支配的事業者を指定する際の勘案要素として、営業収益の占有率の推移その他の事情を挙げている。これに該当し得るものとしては、具体的には、当該電気通信事業者の販売力、広告宣伝力や技術上の能力等が考えられる。

〔第3・4項〕

市場支配的事業者がその市場支配力を濫用した場合、電気通信事業者間の公正な競争及び利用者の利益を含めた電気通信の健全な発達に及ぼす弊害は著しく大きく看過し得ないことから、第3・4項では、特に他の電気通信事業者との間に不当な競争を引き起こすおそれの大きい行為を類型化してあらかじめ禁止することにより、当該行為が行われることを厳重に抑止することとしている。

これらの類型に該当する行為については、これを行えば、当該行為による弊害が実際に発生していなくとも、直ちにこれを是正・除去するための第5項の停止・変更命令の対象となり得るほか、それが「公共の利益」を阻害する場合は、

第9条の電気通信事業の登録の取消し（第14条第1項第1号。第125条第2号により第117条の認定は失効。）の対象になり得ることとしている。

市場支配的事業者の中で、第3項と第4項とで規律に異同がある（下表）が、特定の電気通信事業者に対する不当な優遇・冷遇又は製造業者・販売業者・コンテンツ事業者等に対する不当な規律・干渉が行われ、実際に他の電気通信事業者の業務の適正な実施に支障が生じた場合等には、いずれにしても、業務改善命令（第29条第1項第10号又は第12号）の対象になることがある。

	第二種指定電気通信設備を設置する市場支配的事業者（第3項）	第一種指定電気通信設備を設置する電気通信事業者（第4項）
接続関連情報の目的外利用・提供	禁止（第1号）	禁止（第1号）
特定の電気通信事業者に対する不当な優遇・冷遇	特定関係法人である電気通信事業者であって総務大臣が指定するものに対する不当な優遇を禁止（第2号）	禁止（第2号）
製造業者・販売業者・コンテンツ事業者等に対する不当な規律・干渉	－	禁止（第3号）

(6) 他の電気通信事業者の電気通信設備との接続の業務に関して知り得た当該他の電気通信事業者及びその利用者に関する情報を当該業務の用に供する目的以外の目的のために利用し、又は提供すること

市場支配的事業者は、①多くの他の電気通信事業者から電気通信設備との接続を求められること、②直接多数の加入者を収容しており、他の電気通信事業者に流れるトラヒックをより多く取り扱うこと等から、接続の業務を通じて他の電気通信事業者の営業上重要な情報を多く知り得る立場にあるため、情報の目的外利用・提供を行いやすい立場にある。また、ひとたび市場支配的事業者によって、このような情報の目的外利用・提供が行われた場合、他の電気通信事業者に対抗したサービスの提供、他の電気通信事業者の利用者の奪取等により、他の電気通信事業者との間に不当な競争が引き起こされる蓋然性が高く看過し得ない。

これらに鑑み、市場支配的事業者による接続関連情報の目的外利用・提供、つまり、他の電気通信事業者との接続の業務に関して知り得た当該他の電気通

信事業者又はその利用者に関する情報を、例えば、他の電気通信事業者に対抗したサービスの提供、他の電気通信事業者の特定のサービスエリアを狙い撃ちにした営業活動、他の電気通信事業者の利用者を自社にくら替えさせる等のために利用する等、当該情報の本来の利用目的を超えて、社内の営業部門等で利用したり、グループ会社等外部へ提供したりすることを禁止している。これにより、他の電気通信事業者との間に不当な競争が引き起こされることを未然に防止することを図っている。

　ここで目的外利用・提供が禁止される接続関連情報とは、例えば、次のような情報をいう。

① 　他の電気通信事業者のサービス開始時期、サービス内容
② 　他の電気通信事業者のサービス又はサービスの利用者に係る通信量及びその変化動向
③ 　接続で用いる技術的基準（インタフェース、電気信号の処理方式等）

(7) 　その電気通信業務について、当該電気通信事業者の特定関係法人（・・・）である電気通信事業者であつて総務大臣が指定するものに対し、不当に優先的な取扱いをし、又は利益を与えること

　市場支配力を有する電気通信事業者により、ひとたび特定の電気通信事業者に対して不当に優先的な取扱い、利益供与、不当に不利な取扱い、不利益を与えることが行われた場合、その市場支配力から電気通信事業者間の公正な競争、ひいては電気通信の健全な発達に及ぼす弊害が特に大きく看過し得ない。

　これに鑑み、第二種指定電気通信設備を設置する市場支配的事業者について、接続、共用及び卸電気通信役務の提供に限らず、電気通信事業者にとって根幹である電気通信業務について、特定の電気通信事業者に対する不当な取扱いにつき禁止規定を設けている。この禁止の対象は、市場支配的事業者の特定関係法人（第12条の2第4項第1号）である電気通信事業者であって総務大臣が指定するものに対する不当な優遇に限定することとしている。これは、第二種指定電気通信設備を設置する市場支配的事業者については、移動体通信事業者間でシェアが比較的近接しており、他の電気通信事業者一般に対する影響力が相対的となっており、また、他方で、企業グループ内の電気通信事業者への不当な優遇が懸念されることを踏まえたものである。

　禁止される不当な優遇の相手としては、平成28年5月19日の総務省告示（平成28年総務省告示第221号）で、ＮＴＴ東日本、ＮＴＴ西日本、エヌ・ティ・

ティ・コミュニケーションズ株式会社、エヌ・ティ・ティ・ブロードバンドプラットフォーム株式会社、株式会社エヌ・ティ・ティエムイー、株式会社ＮＴＴぷらら等全8社が指定された。その後、令和5年4月20日の上記告示の改正（令和5年総務省告示第182号）により、株式会社ＮＴＴぷららが指定解除され、株式会社エヌ・ティ・ティ・データ及びエヌ・ティ・ティレゾナント株式会社が指定されたが、各事業者の再編に伴い、同年9月14日の改正（令和5年総務省告示第319号）でこれら追加指定の2社は指定解除され、株式会社ＮＴＴデータが指定されて、現在は合計8社が指定されている。

(8) 第一種指定電気通信設備を設置する電気通信事業者

　　第一種指定電気通信設備を設置する電気通信事業者を第4項の行為規制（特定の行為の禁止）等の対象となる電気通信事業者としている。第一種指定電気通信設備を設置する電気通信事業者は、第一種指定電気通信設備との接続が他の電気通信事業者の事業展開上不可欠であることから、市場支配的事業者としての規律を規定している。

(9) その電気通信業務について、特定の電気通信事業者に対し、不当に優先的な取扱いをし、若しくは利益を与え、又は不当に不利な取扱いをし、若しくは不利益を与えること

　　市場支配力を有する電気通信事業者により、ひとたび特定の電気通信事業者に対して不当に優先的な取扱い、利益供与、不当に不利な取扱い、不利益を与えることが行われた場合、その市場支配力から電気通信事業者間の公正な競争、ひいては電気通信の健全な発達に及ぼす弊害が特に大きく看過し得ない。

　　これに鑑み、第一種指定電気通信設備を設置する電気通信事業者について、接続、共用及び卸電気通信役務の提供に限らず、電気通信事業者にとって根幹である電気通信業務について、特定の電気通信事業者に対する不当に優先的な又は不利な取扱い等を禁止している。

(10) 他の電気通信事業者（第164条第1項各号に掲げる電気通信事業を営む者を含む。）又は電気通信設備の製造業者若しくは販売業者に対し、その業務について、不当に規律をし、又は干渉をすること

　　第一種指定電気通信設備を設置する電気通信事業者を対象に、電気通信事業者（第164条第1項各号に掲げる電気通信事業を営む者を含む。）又は電気通信設備の製造業者・販売業者の業務について不当に規律・干渉することを禁止している。

同項各号に掲げる電気通信事業を営む者（例えば、インターネット接続サービスの利用者に各種情報・ゲーム・音楽等のコンテンツを提供するコンテンツ・プロバイダ。）や電気通信設備の製造業者及び販売業者に対する不当な規律・干渉行為についても禁止することとするのは、それらの事業が電気通信事業と密接不可分の関係にあり、市場支配力を有する電気通信事業者のそれらに対する不当な規律・干渉行為が電気通信事業者間の公正な競争及び電気通信の健全な発達にもたらす弊害が大きく看過し得ないからである。

なお、第二種指定電気通信設備を設置する市場支配的事業者については、移動体通信に関しては、製造業者・販売業者・コンテンツ事業者等に対する影響力が相対的であると見て、同様の規律は設けていない。

〔第5項〕

第3項各号・第4項各号の行為による弊害が実際に発生していなくとも、これに該当する行為を行えば、直ちに総務大臣の停止・変更命令の対象となり得ることを規定している。

命令に当たっては、第160条の規定により、総務大臣は、命令について、電気通信紛争処理委員会に諮問する。委員会は、審議（必要と認めるときは、利害関係者その他の参考人から意見の聴取を行う（運営規程第11条）。）の上、総務大臣に答申を行う。

〔第6項〕

市場支配的事業者がその市場支配力を利用してある支配的分野において得た利潤を用いて当該支配的分野以外の分野（特に競争的分野）へ内部相互補助を行った場合、当該支配的分野以外の分野において略奪的料金の設定等が行われ、他の電気通信事業者との間に不当な競争を引き起こし、さらにはその分野における電気通信事業者の競争の基盤が失われるおそれがある。また、当該支配的分野のサービス利用者が当該支配的分野以外の分野のサービスに係るコストまで負担させられることとなり、当該支配的分野のサービス利用者が不当な差別的取扱いを受けることとなるといった弊害が生じるおそれがある。

本項は、市場支配的事業者がその市場支配力を濫用して行う不当な内部相互補助を監視・抑止し業務運営の透明性を確保する観点から、その役務の種類毎の損益明細表等の会計情報の公表を義務付けることとするものである。これにより、外部の監視の目にさらすことにより、市場支配的事業者が不当な内部相互補助を自己抑制することを期待しているものである。

⑾ 総務省令で定めるところにより

　公表の手続について、総務省令で定めることとしている。

　総務省令では、毎事業年度ごとに、年度経過後３月以内に事業所に備え置き、公衆の縦覧に供するとともに、その備置きの日から７日以内にインターネットを利用して公表すべきこと等を規定している（会計規則第18条第３項及び第４項）。

⑿ 電気通信役務に関する収支の状況その他その会計に関し総務省令で定める事項

　公表される事項は、電気通信役務に関する収支の状況その他市場支配的事業者が整理した会計に関し総務省令で定める事項としている。

　総務省令では、貸借対照表、損益計算書、役務の種類毎の損益明細表等の財務諸表に記載する事項を規定している（会計規則第18条第１項及び別表第２）。

第31条

第31条　第一種指定電気通信設備を設置する電気通信事業者（法人である場合に限る。以下この条において同じ。）の役員は、当該電気通信事業者の特定関係法人（当該電気通信事業者の子会社、当該電気通信事業者を子会社とする会社又は当該親法人の子会社（当該電気通信事業者を除く。）である電気通信事業者に限る。）であつて ⑴ その役員を兼ねた場合には電気通信事業者間の適正な競争関係を阻害するおそれがあるものとして総務大臣が指定するもの（次項及び第169条第２号において「特定関係事業者」という。）の役員を兼ねてはならない。

2　第一種指定電気通信設備を設置する電気通信事業者は、次に掲げる行為をしてはならない。ただし、⑵ 総務省令で定めるやむを得ない理由があるときは、この限りでない。

　一　第一種指定電気通信設備との接続に必要な電気通信設備の設置若しくは保守、土地及びこれに定着する ⑶ 建物その他の工作物の利用又は ⑷ 情報の提供について、特定関係事業者に比して他の電気通信事業者に不利な取扱いをすること。

　二　電気通信役務の提供に関する ⑸ 契約の締結の媒介等その他他の電気

通信事業者からの (6)業務の受託について、特定関係事業者に比して他の電気通信事業者に不利な取扱いをすること。

3　第一種指定電気通信設備を設置する電気通信事業者は、(7)電気通信業務又はこれに付随する業務の全部又は一部を子会社に委託する場合には、当該委託に係る業務に関し前条第4項各号に掲げる行為及び前項各号に掲げる行為（同項ただし書の理由があるときにおいて行われる行為を除く。次項において同じ。）が行われないよう、当該委託を受けた子会社に対し必要かつ適切な監督を行わなければならない。

4　総務大臣は、第一種指定電気通信設備を設置する電気通信事業者が第2項各号に掲げる行為を行つていると認めるとき、又は前項の委託を受けた子会社が前条第4項各号に掲げる行為若しくは第2項各号に掲げる行為を行つていると認めるときは、当該電気通信事業者に対し、同項各号に掲げる行為の停止若しくは変更を命じ、又は当該委託を受けた子会社による同条第4項各号に掲げる行為若しくは第2項各号に掲げる行為を停止させ、若しくは変更させるために必要な措置をとるべきことを命ずることができる。

5　第1項、第3項及び前項に規定する「子会社」とは、法人がその総株主（株主総会において決議をすることができる事項の全部につき議決権を行使することができない株主を除き、会社法第879条第3項の規定により議決権を有するものとみなされる株主を含む。以下この項において同じ。）又は総社員の議決権の過半数を有する他の会社をいう。この場合において、(8)法人及びその一若しくは二以上の子会社又は法人の一若しくは二以上の子会社がその総株主又は総社員の議決権の過半数を有する他の会社は、当該法人の子会社とみなす。

6　第一種指定電気通信設備を設置する電気通信事業者は、他の電気通信事業者との間の適正な競争関係を確保するため、総務省令で定めるところにより、当該第一種指定電気通信設備と他の電気通信事業者の電気通信設備との接続の業務に関して知り得た情報を適正に管理し、かつ、当該接続の業務の実施状況を適切に監視するための体制の整備その他必要な措置を講じなければならない。

7　前項に規定する体制の整備その他必要な措置は、次に掲げる事項を含むものでなければならない。

一　第一種指定電気通信設備（(9)これと一体として設置される電気通信

第31条

　　　設備を含む。）の　(10) 設置、管理及び運営並びにこれらに付随する業務
　　　を行う　(11) 専任の部門（次号及び第３号において「設備部門」という。）
　　　を置くこと。
　　二　第一種指定電気通信設備と他の電気通信事業者の電気通信設備との接
　　　続の業務に関して知り得た情報の管理責任者を設備部門に置くこと。
　　三　第一種指定電気通信設備と他の電気通信事業者の電気通信設備との接
　　　続の業務の実施状況を監視する部門を設備部門とは別に置くこと。
　8　第一種指定電気通信設備を設置する電気通信事業者は、毎年、(12) 総務省
　　令で定めるところにより、第２項、第３項及び第６項の規定の遵守のため
　　に講じた措置及びその実施状況に関し　(13) 総務省令で定める事項を総務大
　　臣に報告しなければならない。

　　　　　　　　　　　　　　　　　　追加　　平成13年法律第 62号
　　　　　　　　　　　　第37条の３繰上げ改正　平成15年法律第125号
　　　　　　　　　　　　　　　　　　改正　　平成17年法律第 87号
　　　　　　　　　　　　　　　　　　　　　平成23年法律第 58号
　　　　　　　　　　　　　　　　　　　　　平成27年法律第 26号
　　　　　　　　　　　　　　　　　　　　　令和２年法律第 30号

1　概　要

　第一種指定電気通信設備を設置する電気通信事業者（法人である場合）の役員
が、その子会社、親会社又は兄弟会社であって特定の密接な関係にある電気通信
事業者（特定関係事業者）の役員を兼任することは、他の電気通信事業者との公
正競争上の弊害の構造的温床となりやすいため、これを禁止している（第１項）。
　また、第一種指定電気通信設備を設置する電気通信事業者が、その大きな市場
支配力を背景に、特定関係事業者に比べて他の電気通信事業者に不当に不利な取
扱いをした場合、電気通信事業者間の公正な競争や利用者の利益を含む電気通信
の健全な発達に及ぼす弊害は大きく看過し得ない。そのため、第一種指定電気通
信設備を設置する電気通信事業者に対し、他の電気通信事業者が第一種指定電気
通信設備との接続に必要な電気通信設備の設置又は保守等や業務の受託において
特定関係事業者に比べて他の電気通信事業者に不利な取扱いをすることを原則禁
止している（第２項）。
　これに加え、第一種指定電気通信設備を設置する電気通信事業者には、業務の
委託を受けた子会社が反競争的行為を行うことがないよう、監督を義務付けてい

241

る（第3項）。

　そして、第一種指定電気通信設備を設置する電気通信事業者が第2項の行為を行えば、又はその業務の委託を受けた子会社が反競争的行為を行えば、第一種指定電気通信設備を設置する電気通信事業者が直ちに総務大臣の停止・変更や必要な措置の命令の対象となり得ることを規定している（第4項）。

　この他、第一種指定電気通信設備を設置する電気通信事業者には、他の電気通信事業者との適正な競争関係を確保するために、一定のファイアウォールを整備することを義務付けている（第6項及び第7項）。

　第一種指定電気通信設備を設置する電気通信事業者には、本条の規制の遵守のために講じた措置及びその実施状況に関する総務大臣への定期的な報告義務を課している（第7項）。

2　条文内容

〔第1項〕

　第一種指定電気通信設備を設置する電気通信事業者（法人である場合）の役員（取締役・監査役等）が、子会社、親会社又は兄弟会社であって特定の密接な関係にある電気通信事業者の役員を兼任することは、これら密接な関係にある電気通信事業者との関係を一層強固なものとし、他の電気通信事業者との公正競争上の弊害、例えば、当該第一種指定電気通信設備を設置する電気通信事業者とこれら密接な関係にある電気通信事業者との排他的な共同営業により他の電気通信事業者との間に不当な競争を引き起こしたり、当該第一種指定電気通信設備を設置する電気通信事業者が接続業務等を通じて知り得た他の電気通信事業者の営業上重要な情報をこれら密接な関係にある電気通信事業者との間で流用したりすること等の構造的温床となりやすい。

　これらの行為は、第30条第4項の規定により禁止されているが、第一種指定電気通信設備を設置する電気通信事業者がこれらの行為を行った場合、電気通信事業者間の公正な競争に及ぼす弊害が極めて大きく看過し得ないこと、また、特定の密接な関係にある電気通信事業者との間で役員兼任が行われた場合、特にそのような行為を誘発しやすいことから、本項では、その構造的温床となり得る役員の兼任までも禁止するものである。

　ただし、第一種指定電気通信設備を設置する電気通信事業者の役員は、電気通信事業者である全ての子会社、親会社及び兄弟会社の役員との兼任が禁止される

わけではなく、それらのうち総務大臣が指定する者（特定関係事業者）の役員との兼任のみが禁止される。これは、子会社、親会社及び兄弟会社各々の事業内容や事業規模等によっては、仮に第一種指定電気通信設備を設置する電気通信事業者との間で不当な競争を引き起こす共同営業や他の電気通信事業者の営業上重要な情報の流用等が行われたとしても、第30条第5項の事後的是正措置（行為の停止・変更命令）による対処で十分であり、あらかじめ役員兼任の禁止という構造的規制を課すことまでは要しないものがあると考えられるため、そのような場合について規制の適用を除外するものである。

(1) その役員を兼ねた場合には電気通信事業者間の適正な競争関係を阻害するおそれがあるものとして総務大臣が指定するもの

特定関係事業者は、総務大臣が指定するものとし、指定の判断に当たっての考え方として、役員兼任が行われた場合に「電気通信事業者間の適正な競争関係を阻害するおそれがある」者に対して指定を行うことを明示している。

令和2年7月28日の総務省告示（令和2年総務省告示第220号）により、第一種指定電気通信設備を設置する電気通信事業者であるＮＴＴ東日本・ＮＴＴ西日本の各々に係る特定関係事業者としてエヌ・ティ・ティ・コミュニケーションズ株式会社及び株式会社ＮＴＴドコモ（令和3年総務省告示第367号による改正で追加。）が指定されている。

〔第2項〕

第一種指定電気通信設備を設置する電気通信事業者が、その大きな市場支配力を背景に、特定関係事業者に比べて他の電気通信事業者に不当に不利な取扱いをした場合、電気通信事業者間の公正な競争や利用者の利益を含む電気通信の健全な発達に及ぼす弊害は大きく看過し得ない。第一種指定電気通信設備との接続については、第33条により特別の規制（接続約款の作成、認可、公表の義務付け等）が設けられているが、それ自体は第一種指定電気通信設備との接続には当たらないため当該規制だけでは十分担保し得ず、かつ、電気通信事業を行っていく上で重要であり、特定関係事業者に比べて他の電気通信事業者を不当に不利に取り扱ってはならない必要性が大きい業務として、

① 他の電気通信事業者が第一種指定電気通信設備との接続に必要な

ア　電気通信設備の設置又は保守

イ　土地及びこれに定着する工作物（建物、管路・とう道等）の利用

ウ　情報の提供

② 業務の受託（電気通信役務の提供に関する契約の媒介、取次ぎ又は代理等）
がある。

　これらの業務において、第一種指定電気通信設備を設置する電気通信事業者が、
特定関係事業者に比べて他の電気通信事業者に不利な取扱いをした場合、電気通
信事業者間の公正な競争及び電気通信の健全な発達に及ぼす弊害が大きく看過し
得ないこと、これら①及び②の業務についてはその性質上、基本的に第一種指定
電気通信設備を設置する電気通信事業者について問題となり得ることから、特に
第一種指定電気通信設備を設置する電気通信事業者に対し、これら①及び②の業
務において特定関係事業者に比べて他の電気通信事業者に不利な取扱いをするこ
とを原則禁止している。

　本項の規定に違反した場合には、行為の停止・変更命令（第4項）により速や
かにこれを是正・除去し得ることとしており、また、第9条の電気通信事業の
登録の取消し（第14条第1項第1号。第125条第2号により第117条の認定は失
効。）の対象にもなり得る。

(2)　**総務省令で定めるやむを得ない理由**

　　第2項において禁止されている行為が許容される例外的な場合を、やむを得
ない理由があるときとしており、その「やむを得ない理由」については、総務
省令で定めることとしている。

　　総務省令では、他の電気通信事業者が負担すべき金額の支払い等の事項を履
行せず、又は履行しないおそれがあることを定めている（施行規則第22条の
6）。

(3)　**建物その他の工作物**

　　接続に必要な工作物としては、建物、管路、とう道等が想定される。

(4)　**情報**

　　接続に必要な情報としては、次のもの等が想定される。

①　接続に必要な装置等を設置するための通信用建物の空き場所の有無、その
　名称、所在地等

②　当該通信用建物における通信回線の条件（回線数、距離、伝送損失、収容
　状況等）、接続ポイントの空き端子数等

(5)　**契約の締結の媒介等**

　　ここでいう契約の「媒介等」とは、媒介、取次ぎ又は代理のことである（第
27条の4）。「媒介」とは、他人の計算において、他人の名で、事実行為を行

うことを意味し、「取次ぎ」とは、他人の計算において、自己の名で、法律行
為を行うことを意味し、「代理」とは、他人の計算において、他人の名で、法
律行為を行うことを意味する。

(6) 業務の受託

ここでいう「業務」とは、およそ電気通信事業者の業務全般であり、電気通
信業務以外の業務（料金の回収・収納、利用者からの問合せに対する対応、電
気通信設備の設置（そのための工事も含む。）・保守等）もこれに含まれる。

〔第3項〕

大きな市場支配力を有する第一種指定電気通信設備を設置する電気通信事業者
が、その業務を、当該電気通信事業者と利益を一にする子会社に委託した場合に、
当該委託を受けた子会社が当該業務に関し反競争的行為を行うことは、市場支配
的事業者に対する禁止行為規制の事実上の潜脱として、電気通信事業の公正な競
争の促進や利用者の利便性の確保等に与える弊害が極めて大きく看過し得ない。
このことから、本項では、こうした行為が行われないよう、当該電気通信事業者
に対して、当該委託を受けた子会社に対する監督を義務付けている。

(7) 電気通信業務又はこれに付随する業務

第一種指定電気通信設備を設置する電気通信事業者による監督の対象となる
委託業務は、例えば、営業業務において接続情報を新規顧客獲得のために目的
外利用する等、当該電気通信事業者が業務を委託した子会社による反競争的行
為を通じて不当に競争上の利益を得ることができるような業務に限定する必要
がある。したがって、監督の対象を電気通信役務の提供又はこれに付随して行
われる業務が委託されたものに限定することにより、およそ電気通信事業に関
する反競争的行為が行われるおそれがない業務を除外している。

〔第4項〕

第一種指定電気通信設備を設置する電気通信事業者が第2項各号の行為を行っ
た場合に直ちに総務大臣の停止・変更命令の対象となり得ることを規定してい
る。

上記に加え、第一種指定電気通信設備を設置する電気通信事業者から業務の委
託を受けた子会社が第30条第4項各号又は本条第2項各号に掲げる反競争的行
為を行った場合に、直ちに、当該電気通信事業者に対する当該行為を停止・変更
させるための措置命令の対象となり得ることを規定することにより、委託先子会
社に対する監督に係る規定の実効性を担保している。

第31条

命令に当たっては、第160条の規定により、総務大臣は、命令について、電気通信紛争処理委員会に諮問する。委員会は、審議（必要と認めるときは、利害関係者その他の参考人から意見の聴取を行う（運営規程第11条）。）の上、総務大臣に答申を行う。

〔第5項〕

第一種指定電気通信設備を設置する電気通信事業者の役員について、その役員との兼任を禁止される会社（特定関係事業者）の対象となるグループ会社の範囲に関して、子会社の定義について規定している。

現行の会社法制における子会社は、支配力の有無という実質基準により規定されているが、本件については、役員兼任規制の対象範囲となるか否かというグループ経営の根幹に係る重要なものであるため、明確性の確保や法的地位の安定化により制度の実効性を確保する観点から、実質基準ではなく、議決権の保有関係という形式基準により規定している。会社法における「子会社」の定義を引用しておらず、日本の会社という限定がかからないため、外国法人等も本項の「子会社」に含まれる。

(8) 法人及びその一若しくは二以上の子会社又は法人の一若しくは二以上の子会社がその総株主又は総社員の議決権の過半数を有する他の会社は、当該法人の子会社とみなす

出資関係の多様化に対応し、密接な関係にある者を捉えるため、直接保有関係に加え、間接保有関係にある会社を子会社とみなすものとして規定している。みなし子会社がその議決権の過半数を保有（間接保有関係を含む。）する会社についても法人の子会社とみなされることとなる。過半数の議決権を保有される会社は、複数の段階にわたる保有関係であっても、全て子会社とみなされることとなる。

〔第6項〕

電気通信サービスの利用者の利益の保護、国民の利便の確保のためには、公正な競争環境の下、電気通信事業者の創意工夫による良質で多様な電気通信サービスを利用者が享受できるようにすることが欠かせない。第一種指定電気通信設備との接続は、電気通信事業者の事業展開上も利用者の利便の確保からも不可欠であるため、当該電気通信設備を設置する電気通信事業者と他の電気通信事業者との間の適正な競争関係を確保するためには、当該電気通信設備との接続における同等性の確保を徹底することが求められる。

したがって、本項において、第一種指定電気通信設備との接続における同等性の確保を徹底させるため、当該電気通信設備を設置する電気通信事業者に対し、他の電気通信事業者又は利用者に関する情報を知り得ることとなる部門と、当該電気通信設備を利用して自社の電気通信サービスを提供する部門等他の部門との間のファイアウォールを整備することにより、接続の業務に関して知り得た情報を適正に管理し、他の電気通信事業者を不利に取り扱わないことを確保するための体制の整備等の措置を義務付けている。

〔第7項〕

第6項において第一種指定電気通信設備を設置する電気通信事業者に義務付ける体制の整備等の措置の詳細については、総務省令において規定することとなるが、本項では、体制の整備等の措置として特に重要性が高い事項について法律上明確化するものである。具体的には、第一種指定電気通信設備（これと一体として設置される電気通信設備を含む。）の設置、管理及び運営等の業務を行う専任の部門（設備部門）の設置、接続の業務に関して知り得た情報の管理責任者の設備部門への配置、接続の業務の実施状況を監視する部門を設備部門とは別に設置することを含むものでなければならないことを規定している。

(9) これと一体として設置される電気通信設備を含む

第一種指定電気通信設備を設置する電気通信事業者に対し、他の電気通信事業者との適正な競争関係を確保するための体制の整備等の措置を義務付けるに当たり、他の電気通信事業者の事業展開上不可欠となる第一種指定電気通信設備の設置、管理、運営等の業務を行う部門についてファイアウォールを設けることが必要であるが、電気通信のネットワーク構成上、第一種指定電気通信設備として指定されていない電気通信設備についても第一種指定電気通信設備と一体として整備されることが想定されるので、ファイアウォール設定に当たり、第一種指定電気通信設備の設置、管理、運営等の業務を行う部門とは別に、第一種指定電気通信設備として指定されていない電気通信設備のみの設置、管理、運営等の業務を行う部門を設置させることは現実的ではなく、むしろ非効率性等の弊害が大きくなる。したがって、設備部門の業務の対象となる電気通信設備については、第一種指定電気通信設備のみならず、第一種指定電気通信設備と一体として設置される電気通信設備についても含まれることを規定している。

(10) 設置、管理及び運営並びにこれらに付随する業務

第一種指定電気通信設備を設置する電気通信事業者は、接続に当たって他の

電気通信事業者と直接交渉等する場合のみならず、業務上、当該電気通信設備を設置、管理、運営等を行う場合等においても他の電気通信事業者又は利用者に関する情報を知り得ることとなる。

したがって、他の電気通信事業者との間の適正な競争関係をより実効的に確保するためには、第一種指定電気通信設備の接続に当たって他の電気通信事業者と直接交渉等する部門のみならず、当該電気通信設備の設置、管理、運営等の業務を行う部門についても一括りに設備部門と位置付けることとし、他の部門とのファイアウォール設定の観点から、設備部門の業務の全てを規定することでその業務範囲を特定し、他の部門の業務範囲との境界を明示している。

具体的には、第一種指定電気通信設備の①「設置」(設置計画や実際の設備設置)、②「管理」(維持、保守)、③「運営」(電気通信役務を提供する者(部門)に対して第一種指定電気通信設備を利用させる行為、具体的には、他の電気通信事業者との接続や自社の電気通信役務のための設備の提供)、④「これらに付随する業務」を規定している。

(11) 専任

体制の整備の実効性を確保するため、設備部門及び設備部門に属する役職員の業務を限定し、他の業務を行うことを認めないとともに、設備部門以外の他の部門及びそれに属する役職員が設備部門の業務を行うことを認めないこととする。なお、本項第2号(管理責任者)及び同項第3号(監視部門)については、その業務を限定させる必要は無いため、「専任」とは規定していない。

〔第8項〕

第2項、第3項及び第6項の規制は、第一種指定電気通信設備を設置する電気通信事業者と他の電気通信事業者との間に不当な競争が生じるのを未然に防止する上で必要なものであり、そのためには行政が当該規制の違反を十分監視することのみならず、当該電気通信事業者が自発的に当該規制を遵守することが重要である。

そのため、第一種指定電気通信設備を設置する電気通信事業者に対し、当該規制の遵守のために講じた措置及びその実施状況に関する総務大臣への定期的な報告義務を課している。これは、例えば、他の電気通信事業者に対する建物の利用料金、業務受託の手数料等の提供条件及びその比較対象である特定関係事業者に対する提供条件は、その性質上、比較的頻繁に変わり得ることから、総務大臣において、その都度必要に応じて事業者から報告を求めるのではなく、毎年定期的

に報告を受けることとしているものである。

⑿　<u>総務省令で定めるところにより</u>

総務大臣への報告の手続に関する事項を総務省令で定めることとしている。

総務省令では、毎事業年度経過後３月以内に報告すべきことや、報告の様式等を規定している（施行規則第22条の８及び様式第16）。

⒀　<u>総務省令で定める事項</u>

総務大臣に報告すべき事項を総務省令で定めることとしている。

総務省令では、第２項、第３項及び第６項の規定の遵守のために講じた措置及びその実施状況に関する諸事項を規定している（施行規則第22条の８）。

第32条（電気通信回線設備との接続）

（電気通信回線設備との接続）

第32条　電気通信事業者は、他の電気通信事業者から当該他の電気通信事業者の電気通信設備をその設置する電気通信回線設備に　⑴<u>接続すべき旨</u>の請求を受けたときは、次に掲げる場合を除き、⑵<u>これに応じなければならない</u>。

一　⑶<u>電気通信役務の円滑な提供に支障が生ずるおそれがあるとき。</u>

二　⑷<u>当該接続が当該電気通信事業者の利益を不当に害するおそれがあるとき。</u>

三　前２号に掲げる場合のほか、⑸<u>総務省令で定める正当な理由があるとき。</u>

追加　平成９年法律第　97号
改正　平成11年法律第160号
第38条繰上げ改正　平成15年法律第125号

1　概　要

電気通信事業者の設置する電気通信回線設備は、国民生活及び産業経済活動の基盤として公共的な役割を担っている。また、ある電気通信事業者が設置した電気通信回線設備が他の電気通信事業者の電気通信設備と様々な形で接続されることによって、利用者が総合的かつ多彩なサービスの提供を受けることができるようになっている。

本条は、このような電気通信事業者の設置する電気通信回線設備の重要性に鑑み、公共の利益を確保する観点から、電気通信回線設備を設置する電気通信事業者は、原則として、その設置する電気通信回線設備に対する他の電気通信事業者からの接続の請求に応じなければならないこととし、その例外に当たる場合を限定列挙している。

2　条文内容

(1)　接続

「接続」とは、電気通信設備相互間を電気的に接続することをいう。この場合、相互間で通信が可能な状態でなければ、「接続」とはならない。

(2)　これに応じなければならない

電気通信事業者は、請求に応じて、その電気通信回線設備との接続に関する協定を締結し、これを維持しなければならないこととしている。

(3)　電気通信役務の円滑な提供に支障が生ずるおそれがあるとき

①　接続を請求する電気通信事業者の電気通信設備が請求を受けた電気通信事業者の設置する電気通信回線設備を損傷し、又はその機能に障害を与えるおそれがあるとき

②　請求された接続により、請求を受けた電気通信事業者の提供する電気通信役務について適正な品質の維持が困難となるとき

等には、本号に該当するものとして接続の請求に応じる必要がないこととしている。

(4)　当該接続が当該電気通信事業者の利益を不当に害するおそれがあるとき

接続を請求する電気通信事業者の電気通信設備を用いて提供される役務と需要を共通としているため、請求を受けた電気通信事業者において、その設置する電気通信回線設備の保持が経営上困難となる等、経営に著しい支障が生じるとき等は、本号に該当するものとして接続の請求に応じる必要がないこととしている。

(5)　総務省令で定める正当な理由があるとき

第1号及び第2号に掲げる場合のほか、正当な理由がある場合には接続の請求を拒否できるとして、その理由を総務省令で定めることとしている。

総務省令では、その理由として、次を挙げている（施行規則第23条）。

①　電気通信設備の接続を請求した他の電気通信事業者がその電気通信回線設

備の接続に関し負担すべき金額の支払いを怠り、又は怠るおそれがあること
② 電気通信設備の接続に応ずるための電気通信回線設備の設置又は改修が技術的又は経済的に著しく困難であること

第33条（第一種指定電気通信設備との接続）

（第一種指定電気通信設備との接続）

第33条　総務大臣は、(1) 総務省令で定めるところにより、(2) その一端が利用者の電気通信設備（移動端末設備を除く。）と接続される伝送路設備のうち同一の電気通信事業者が設置するものであつて、(3) その伝送路設備の電気通信回線の数の、その伝送路設備が設置される都道府県の区域内に設置される全ての同種の伝送路設備の電気通信回線の数のうちに占める割合として総務省令で定める方法により算定した割合が総務省令で定める割合を超えるもの及び (4) 当該電気通信事業者が当該伝送路設備を用いる電気通信役務を提供するために設置する電気通信設備であつて総務省令で定めるものの総体を、(5) 他の電気通信事業者の電気通信設備との接続が利用者の利便の向上及び電気通信の総合的かつ合理的な発達に欠くことのできない電気通信設備として指定することができる。

2　前項の規定により指定された電気通信設備（以下「第一種指定電気通信設備」という。）を設置する電気通信事業者は、当該第一種指定電気通信設備と他の電気通信事業者の電気通信設備との接続に関し、当該第一種指定電気通信設備を設置する電気通信事業者が取得すべき金額（以下この条において「接続料」という。）及び (6) 他の電気通信事業者の電気通信設備との接続箇所における技術的条件、電気通信役務に関する料金を定める電気通信事業者の別その他の接続の条件（以下「接続条件」という。）について接続約款を定め、総務大臣の認可を受けなければならない。これを変更しようとするときも、同様とする。

3　前項の認可を受けるべき接続約款に定める接続料及び接続条件であつて、その内容からみて利用者の利便の向上及び電気通信の総合的かつ合理的な発達に及ぼす影響が比較的少ないものとして総務省令で定めるものは、同項の規定にかかわらず、その認可を要しないものとする。

4　総務大臣は、第2項（第16項の規定により読み替えて適用する場合を

含む。以下この項、第6項、第9項、第10項及び第14項において同じ。）の認可の申請が次の各号のいずれにも適合していると認めるときは、第2項の認可をしなければならない。

一　次に掲げる事項が適正かつ明確に定められていること。

イ　⑺ 他の電気通信事業者の電気通信設備を接続することが技術的及び経済的に可能な接続箇所のうち標準的なものとして総務省令で定める箇所における技術的条件

ロ　⑻ 総務省令で定める機能ごとの接続料

ハ　第一種指定電気通信設備を設置する電気通信事業者及びこれとその電気通信設備を接続する他の電気通信事業者の責任に関する事項

ニ　⑼ 電気通信役務に関する料金を定める電気通信事業者の別

ホ　イからニまでに掲げるもののほか、⑽ 第一種指定電気通信設備との接続を円滑に行うために必要なものとして総務省令で定める事項

二　⑾ 接続料が能率的な経営の下における適正な原価に適正な利潤を加えた金額を算定するものとして総務省令で定める方法により算定された金額に照らし公正妥当なものであること。

三　⑿ 接続条件が、第一種指定電気通信設備を設置する電気通信事業者がその第一種指定電気通信設備に自己の電気通信設備を接続することとした場合の条件に比して不利なものでないこと。

四　⒀ 特定の電気通信事業者に対し不当な差別的取扱いをするものでないこと。

5　前項第2号の総務省令で定める方法（同項第1号ロの総務省令で定める機能のうち、⒁ 高度で新しい電気通信技術の導入によって、第一種指定電気通信設備との接続による当該機能に係る電気通信役務の提供の効率化が相当程度図られると認められるものとして総務省令で定める機能に係る接続料について定めるものに限る。）は、第一種指定電気通信設備を ⒂ 通常用いることができる高度で新しい電気通信技術を利用した ⒃ 効率的なものとなるように新たに構成するものとした場合に当該第一種指定電気通信設備との接続により ⒄ 当該第一種指定電気通信設備によって提供される電気通信役務に係る通信量又は回線数の増加に応じて増加することとなる当該第一種指定電気通信設備に係る費用を勘案して金額を算定するものでなければならない。

第33条

6　総務大臣は、第2項の認可を受けた接続約款で定める接続料が第4項第2号に規定する金額に照らして不適当となつたため又は当該接続約款で定める接続条件が社会的経済的事情の変動により著しく不適当となつたため公共の利益の増進に支障があると認めるときは、第一種指定電気通信設備を設置する電気通信事業者に対し、相当の期限を定め、当該接続約款の変更の認可を申請すべきことを命ずることができる。

7　第一種指定電気通信設備を設置する電気通信事業者は、その設置する第一種指定電気通信設備との接続に関する接続料及び接続条件であつて、第3項の総務省令で定めるものについて接続約款を定め、その実施前に総務大臣に届け出なければならない。これを変更しようとするときも、同様とする。

8　総務大臣は、前項（第17項の規定により読み替えて適用する場合を含む。）の規定により届け出た接続約款で定める接続料又は接続条件が公共の利益の増進に支障があると認めるときは、当該届出をした第一種指定電気通信設備を設置する電気通信事業者に対し、相当の期限を定め、当該接続約款を変更すべきことを命ずることができる。

9　第一種指定電気通信設備を設置する電気通信事業者は、第2項の規定により認可を受け、又は第7項（第17項の規定により読み替えて適用する場合を含む。）の規定により届け出た接続約款（以下この条において「認可接続約款等」という。）によらなければ、他の電気通信事業者との間において、その設置する第一種指定電気通信設備との接続に関する協定を締結し、又は変更してはならない。

10　前項の規定にかかわらず、認可接続約款等により難い特別な事情があるときは、第一種指定電気通信設備を設置する電気通信事業者は、総務大臣の認可を受けて、当該認可接続約款等で定める接続料及び接続条件と異なる接続料及び接続条件（第2項に規定する接続料及び接続条件に該当するものにあつては、第4項各号（第1号イ及びロを除く。）のいずれにも適合しているものに限る。）によりその設置する第一種指定電気通信設備との接続に関する協定を締結し、又は変更することができる。

11　第一種指定電気通信設備を設置する電気通信事業者は、(18) 総務省令で定めるところにより、認可接続約款等を公表しなければならない。

12　第一種指定電気通信設備を設置する電気通信事業者は、(19) 総務省令で

第33条

定めるところにより、当該第一種指定電気通信設備との接続に係る第４項第１号ロの総務省令で定める機能ごとに、⒇ 通信量又は回線数その他総務省令で定める事項（第14項において「通信量等」という。）を記録しておかなければならない。

13　第一種指定電気通信設備を設置する電気通信事業者は、総務省令で定めるところにより、⒇ 当該第一種指定電気通信設備との接続に関する会計を整理し、及びこれに基づき ⒇ 当該接続に関する収支の状況その他総務省令で定める事項を公表しなければならない。

14　第一種指定電気通信設備を設置する電気通信事業者は、⒇ 第５項に規定する接続料にあつては第２項の認可を受けた後５年を超えない範囲内で総務省令で定める期間を経過するごとに、それ以外の接続料にあつては前項の規定により毎事業年度の会計を整理したときに、⒇ 通信量等の記録及び同項の規定による会計の整理の結果に基づき第４項第２号の総務省令で定める方法により算定された金額に照らし公正妥当なものとするために、接続料を再計算しなければならない。

15　第一種指定電気通信設備を設置する電気通信事業者は、他の電気通信事業者がその電気通信設備と当該第一種指定電気通信設備との接続を円滑に行うために必要な情報の提供に努めなければならない。

16　第１項の規定により新たに指定をされた電気通信設備を設置する電気通信事業者がその指定の日以後最初に第２項の規定により総務大臣の認可を受けるべき接続約款に定める接続料及び接続条件については、同項中「総務大臣の認可を受けなければならない。これを変更しようとするときも、同様とする」とあるのは、「前項の規定により新たに指定をされた日から３月以内に、総務大臣に対し、認可の申請をしなければならない」とする。

17　第１項の規定により新たに指定をされた電気通信設備を設置する電気通信事業者がその指定の日以後最初に第７項の規定により総務大臣に届け出るべき接続約款に定める接続料及び接続条件については、同項中「その実施前に総務大臣に届け出なければならない。これを変更しようとするときも、同様とする」とあるのは、「第１項の規定により新たに指定をされた日から３月以内に、総務大臣に届け出なければならない」とする。

18　第１項の規定により新たに指定をされた電気通信設備を設置する電気

第33条

通信事業者が、第16項の規定により読み替えて適用する第2項の規定により当該電気通信事業者が認可の申請をした接続約款に対する総務大臣の認可があつた日又は前項の規定により読み替えて適用する第7項の規定により当該電気通信事業者が接続約款を届け出た日のいずれか遅い日（以下この項において「起算日」という。）に現に締結している他の電気通信事業者との電気通信設備の接続に関する協定のうち当該新たに指定をされた電気通信設備との接続に関するものについては、第9項の規定は、起算日から起算して3月間は、適用しない。

追加	平成 9 年法律第 97号
改正	平成11年法律第160号
	平成12年法律第 79号
	平成13年法律第 62号
第38条の2線上げ改正	平成15年法律第125号
改正	平成27年法律第 26号
	令和 4 年法律第 70号

1 概　要

　第一種指定電気通信設備は、利用者の電気通信設備（移動端末設備を除く。）と接続される伝送路設備（固定系の加入者回線）を相当な規模で設置する電気通信事業者が設置する電気通信設備のうち、その加入者回線及び加入者回線を用いる電気通信役務を提供するために設置される電気通信設備について、総務大臣が指定をするものである。

　電気通信サービスの利用者がその電気通信設備により他の利用者と通信を行う場合、途中でどのようなネットワークを経由しても、最終的には加入者回線を経由しなければ通信が成り立たない構造となっている。したがって、第一種指定電気通信設備との接続は、他の電気通信事業者の事業展開上不可欠であり、当該電気通信設備に係る接続料及び接続条件は、我が国の電気通信サービスの料金水準、サービス品質の全体に影響を及ぼすものとなっている。第一種指定電気通信設備との円滑な接続の確保は、利用者の利便の向上等に欠くことができないものであり、また、第一種指定電気通信設備を設置する電気通信事業者は、他の電気通信事業者との接続協議において、強い交渉力を有し、優位な地位に立つものとなっている。

　本条は、これらに鑑み、第一種指定電気通信設備との接続に関する接続料及び

255

第33条

接続条件の公平性・透明性、接続の迅速性等を担保するために、当該電気通信設備を設置する電気通信事業者について、当該電気通信設備に係る接続約款を定め、総務大臣の認可を受け、公表すること等を義務付けている。

2 条文内容

〔第1項〕

第一種指定電気通信設備の指定について、規定している。

(1) 総務省令で定めるところにより

第一種指定電気通信設備の指定の方法について、総務省令で定めることとしている。

総務省令においては、告示によってこれを行うこと、総務大臣は、当該指定を受けることとなる設備を設置する電気通信事業者にその旨を通知することを定めている（施行規則第23条の2第1項）。

(2) その一端が利用者の電気通信設備（移動端末設備を除く。）と接続される伝送路設備

電気通信サービスの利用者は、その一端が利用者の電気通信設備と接続される伝送路設備（加入者回線）で事業者のネットワークとつながっており、利用者が通信を行う場合、途中でどのようなネットワークを経由しても、最終的には加入者回線を経由しなければ当該利用者にはつながらない構造となっている。

したがって、加入者回線を相当な規模で有する電気通信ネットワークとの接続が円滑に行われない場合には、利用者にとって通信を行い得る範囲及び選択肢が相当程度の制限を受けることとなるため、その電気通信設備との円滑な接続の確保が利用者の利便の向上等に欠くことができないものと考えられる。このため、第一種指定電気通信設備の要件として、このようなネットワークにおける加入者回線及びその加入者回線を用いる電気通信役務を提供するために設置される電気通信設備であって総務省令で定める要件に該当することを規定している。

ただし、加入者回線のうち、移動端末設備と接続されるものに関しては、第34条で扱うので、第一種指定電気通信設備に関する本条では、指定の対象から除外して考えている。

第33条

(3) その伝送路設備の電気通信回線の数の、その伝送路設備が設置される都道府
県の区域内に設置される全ての同種の伝送路設備の電気通信回線の数のうちに
占める割合として総務省令で定める方法により算定した割合が総務省令で定め
る割合を超えるもの

　第一種指定電気通信設備となる加入者回線の要件として、同一電気通信事業
者が設置するもので都道府県の区域内における加入者回線総数の一定割合を超
えるものであることを規定し、その割合を総務省令で定めることとしている。

　一定の地域において加入者回線の過半数を設置している電気通信事業者の電
気通信設備に接続できないということは、半数以上の利用者にサービスを提供
できないということを意味し、利用者に与える影響が非常に大きいと考えられ
ることから、総務省令では、この割合を2分の1としている（施行規則第23
条の2第3項）。

(4) 当該電気通信事業者が当該伝送路設備を用いる電気通信役務を提供するため
に設置する電気通信設備

　加入者回線を用いる電気通信役務を提供するために設置する電気通信設備は、
加入者回線と一体として機能し、加入者回線と同様の不可欠性を有することが
あるため、第一種指定電気通信設備としての指定の対象となり得るものとして
いる。

　加入者回線以外の電気通信設備は、指定に際して必ずしも加入者回線を設置
する都道府県に設置することを要件とする必要はなく、当該都道府県以外の都
道府県に設置するものであっても、それが加入者回線と一体として機能し不可
欠性を有すると考えられるならば、第一種指定電気通信設備の指定対象となる。

(5) 他の電気通信事業者の電気通信設備との接続が利用者の利便の向上及び電気
通信の総合的かつ合理的な発達に欠くことのできない電気通信設備として指定

　第一種指定電気通信設備の具体的な指定の経過は、次のとおり。

　平成9年12月24日の郵政省告示（平成9年郵政省告示第674号）により、
日本電信電話株式会社の設置する固定端末系伝送路設備、同社が「音声伝送役
務」・「専用役務」の提供に利用する端末系交換等設備・中継系交換等設備・中
継系伝送路設備、その他が指定電気通信設備（現在の第一種指定電気通信設備）
として指定された。日本電信電話株式会社が再編されるのに伴い、平成11年
7月1日には、「日本電信電話株式会社法の一部を改正する法律の施行に伴う
経過措置及び関係政令の整備に関する政令」（平成11年政令第165号）第4条第

257

7項の規定により、ＮＴＴ東日本、ＮＴＴ西日本が各々これら指定電気通信設備の設置者の地位を承継した。

平成13年4月6日には、上記告示が廃止され、総務省告示（平成13年総務省告示第243号）により、ＮＴＴ東日本、ＮＴＴ西日本が各々設置する固定端末系伝送路設備、端末系交換等設備・中継系交換等設備（一部のルータ等を除く。）、中継系伝送路設備、その他が、両社がその設備で提供する役務の種類に関わりなく、指定された。

同告示の平成30年2月26日の改正（平成30年総務省告示第68号）において、インターネットプロトコルベースのネットワークの実態を踏まえ、ＮＴＴ東日本、ＮＴＴ西日本が各々設置する固定端末系伝送路設備、端末系交換等設備（デジタル加入者回線アクセス多重化装置（ＤＳＬＡＭ）等を除く。）、中継系交換等設備（ルータは、端末系ルータの交換する通信を交換するもの。）、中継系伝送路設備（都道府県の区域内の通信を行うもの。）、これらの付随設備、その他が指定された。

それまでは、都道府県の区域内の通信を行う設備の指定が基本となっていたが、令和5年1月16日の改正（令和5年総務省告示第3号）では、令和4年法律第70号による本条の改正を受けて、都道府県の区域間の通信を行う設備も指定された。これにより、第一種指定電気通信設備として指定されたのは、ＮＴＴ東日本、ＮＴＴ西日本が各々設置する固定端末系伝送路設備、端末系交換等設備（デジタル加入者回線アクセス多重化装置（ＤＳＬＡＭ）等を除く。）、中継系交換等設備（①都道府県の区域内の通信を行うもの（ルータは、端末系ルータの交換する通信を交換するもの）、②専ら都道府県の区域間の通信を行うもの（「データ伝送役務」又は「ＩＰ電話」の提供の用に供されるもの）、③他の電気通信事業者の電気通信設備と接続するＩＰ電話用ルータ（東京都でＮＴＴ西日本が設置するもの及び大阪府でＮＴＴ東日本が設置するものも指定。））、中継系伝送路設備（専ら都道府県の区域間の通信を行うものにあっては、「データ伝送役務」又は「ＩＰ電話」の提供の用に供されるもの。）、これらの付随設備、その他となった。

〔第2項〕

第一種指定電気通信設備との接続に関する接続料（当該接続に関し、第一種指定電気通信設備を設置する電気通信事業者が取得すべき金額）及び接続条件は、我が国の電気通信サービス全体の料金水準、サービス品質等に影響を及ぼすもの

であり、適正かつ合理的に定める必要性が高い。

　他方、第一種指定電気通信設備に関する情報（接続に関する費用、接続の技術的条件等）は、第一種指定電気通信設備を設置する電気通信事業者にしか分からないのであり、また、第一種指定電気通信設備を設置する電気通信事業者は、それ以外の電気通信事業者の電気通信設備との接続をしなくても基本的に事業を営むことができなくなる訳ではなく、接続協議を求められてもこれに積極的に応じる必要がないのであるから、第一種指定電気通信設備を設置する電気通信事業者とそれ以外の電気通信事業者との間の接続協議においては、第一種指定電気通信設備を設置する電気通信事業者が強い交渉力を有し、優位な立場に立つことになるので、円滑な協議により合理的な条件で合意することが困難な状況になる。

　これらに鑑み、これら接続料及び接続条件の公平性・透明性、接続の迅速性等を担保するために、第一種指定電気通信設備を設置する電気通信事業者について、当該電気通信設備に係る接続約款を定め、総務大臣の認可を受けることを義務付けている。

⑹　他の電気通信事業者の電気通信設備との接続箇所における技術的条件、電気通信役務に関する料金を定める電気通信事業者の別その他の接続の条件

　接続の条件（接続条件）を例示して、法律上明確にしている。接続条件は、本条において第一種指定電気通信設備に係る接続約款に定めるべき事項となるのに加え、第二種指定電気通信設備に係る接続約款に記載すべき事項（第34条第2項）及び総務大臣の裁定の対象（第35条第3項及び第4項）等となる。

　「他の電気通信事業者の電気通信設備との接続箇所における技術的条件」とは、電気通信設備との接続箇所におけるケーブル・コネクタの仕様や信号方式等のインタフェース条件を指す。

　「電気通信役務に関する料金を定める電気通信事業者の別」とは、複数の電気通信事業者が電気通信設備を接続して電気通信役務を提供する場合に、利用者料金を設定する電気通信事業者を指す。複数の電気通信事業者の設備を接続することにより電気通信役務が提供される場合、利用者料金を複数の電気通信事業者が各々定める場合もあれば、いわゆるエンドエンド料金（一の電気通信事業者が当該役務の全体について利用者料金を設定する場合の当該利用者料金）が設定される場合もある。

〔第3項〕

　第一種指定電気通信設備との接続に関する接続料及び接続条件であっても、利

第33条

用者利便や電気通信の発達に関して影響が比較的少ないものについては、総務大臣の認可を要せず、第7項において接続約款を総務大臣に届け出なければならないこととしており、その具体的な対象を総務省令で定めることとしている。

　総務省令では、付加的な機能の接続料及び接続条件や利用者に対する事業者間の一定の責任分担に係る事項等を定めている（施行規則第23条の6）。

〔第4項〕

　本項は、第2項の接続約款の認可の要件について規定している。

(7)　他の電気通信事業者の電気通信設備を接続することが技術的及び経済的に可能な接続箇所のうち標準的なものとして総務省令で定める箇所における技術的条件

　電気通信事業者が自らのサービス提供上最も効率的な箇所において第一種指定電気通信設備と接続できない場合には、接続箇所まで伝送路を設置する等のため追加的な費用が発生し、その利用者にその負担が転嫁されることから、技術的及び経済的に接続が可能な箇所において接続を可能とする必要がある。そのため、このような接続箇所のうち標準的なものを総務省令（施行規則第23条の4第1項）で定め、そこにおける適正かつ明確な技術的条件が接続約款に記載されるようにしている。

(8)　総務省令で定める機能ごとの接続料

　接続料が、交換や伝送のような電気通信設備による働き（電気通信設備の機能）ごとに定められていなければ、他の電気通信事業者は、自らのサービス提供に不要な機能についても接続料を支払わなければならなくなり、他の電気通信事業者の利用者にその負担が転嫁されることとなる。そのため、接続料の単位として機能を総務省令（接続料規則第4条及び第一種指定電気通信設備接続料規則の一部を改正する省令（令和4年総務省令第9号）附則第5条第1項（令和6年12月31日までの間））で定め、その機能ごとに適正かつ明確な接続料が接続約款に記載されるようにしている。

(9)　電気通信役務に関する料金を定める電気通信事業者の別

　利用者料金を設定する電気通信事業者について、接続条件として、適正かつ明確に定められていることが、接続約款の認可要件とされている。

(10)　第一種指定電気通信設備との接続を円滑に行うために必要なものとして総務省令で定める事項

　第一種指定電気通信設備に係る接続約款において適正で明確に定められるべ

き接続条件が第4項第1号イからニまででは網羅されないため、イからニまでに規定されないものを総務省令で定めることとしている。

総務省令では、接続の請求に際して必要な情報の開示を他の電気通信事業者が受ける手続、接続の請求の手続、接続に必要な装置の設置・保守や建物・管路・とう道・電柱等の利用（コロケーション）の請求の手続、コロケーションの条件・負担金額・代替措置（バーチャルコロケーション等）、重要通信の取扱方法、他の電気通信事業者との協議が調わないときの電気通信紛争処理委員会によるあっせん又は仲裁による解決方法、ネットワーク管理方針（優先パケットについて不当な差別的取扱いを行わないとするもの）等を定めている（施行規則第23条の4第2項及び第3項）。

(11) 接続料が能率的な経営の下における適正な原価に適正な利潤を加えた金額を算定するものとして総務省令で定める方法により算定された金額に照らし公正妥当なものであること

接続料が能率的な経営の下における適正な原価・利潤を超える場合には、第一種指定電気通信設備と電気通信設備を接続する電気通信事業者の利用者に超過分の負担が転嫁されることから、接続料について、能率的な経営の下における適正な原価・利潤に照らし公正妥当であることを求めている。

接続料の原価・利潤の算定方法については、第5項の規定により、高度で新しい電気通信技術の導入によって役務提供の効率化が相当程度図られると認められる機能の接続料について、長期増分費用方式が採られることとされており、これを含めた全ての機能について、具体的な算定方法を、総務省令で定めることとしている。

総務省令では、長期増分費用方式が採られる機能については、総務大臣の通知する手順により整理された資産及び長期増分費用に基づいて、それ以外の機能については、第13項の規定による接続会計の整理の結果に基づいて、各々、第4項第1号ロの機能ごとに適正に算定する方法を定めている（接続料規則）。

(12) 接続条件が、第一種指定電気通信設備を設置する電気通信事業者がその第一種指定電気通信設備に自己の電気通信設備を接続することとした場合の条件に比して不利なものでないこと

第一種指定電気通信設備を設置する電気通信事業者が第一種指定電気通信設備に自己の電気通信設備を接続する条件よりも不利な条件で、他の電気通信事業者が第一種指定電気通信設備に接続しなければならない場合には、他の電気

通信事業者の利用者は、第一種指定電気通信設備を設置する電気通信事業者よりも品質が劣るサービスの提供しか受けられないこととなり利用者の利便が損なわれることになる。

また、他の電気通信事業者が第一種指定電気通信設備を設置する電気通信事業者と競争関係にある場合には、競争上不利な立場に立つことになり、電気通信事業の健全な発達が阻害されることになる。

これらに鑑み、接続条件について、第一種指定電気通信設備を設置する電気通信事業者が第一種指定電気通信設備に自己の電気通信設備を接続する条件よりも条件が不利とならないことを求めている。

⒀　特定の電気通信事業者に対し不当な差別的取扱いをするものでないこと

接続約款において、一定の条件を満たす電気通信事業者のみと接続すること又は有利な条件で接続することを定める場合であって、取扱いを区別することに合理的な理由（例えば、技術的に接続を行うことが困難であること。）がない場合には、特定の電気通信事業者に対し不当な差別的取扱いを行うことになる。不当な差別的取扱いを受ける電気通信事業者の利用者は、他の電気通信事業者利用者よりも品質が劣るサービスの提供しか受けられないことになりその利便が損なわれること、不当な差別的取扱いを受ける電気通信事業者は競争上不利な立場に立つことになり、電気通信事業の健全な発達が阻害されることから、不当な差別的取扱いをしないことを求めている。

〔第5項〕

本項は、高度で新しい電気通信技術の導入によって役務提供の効率化が相当程度図られると認められる機能の接続料の原価・利潤算定について、長期増分費用方式が採られるべきことを規定している。

長期増分費用方式は、

①　事業体の費用の全てが変動化できるという「長期」の概念に則って、当該事業体が実際に使用している設備に囚われず、その時点で市場で通常入手可能な最新の設備の使用を考慮して、

②　接続に伴う通信量（トラヒック）や回線数の増加に応じた適正な増加費用を基礎として、将来需要に対する費用は当該事業体の利用者料金原価として接続料の原価から除いて、

算定する方式である。

長期増分費用方式を採る場合には、算定を会計結果のみに依拠せずに行うため、

一定の前提に基づくモデルを作成して算定する必要がある。同方式を採るに当たって必要となるこのモデルの作成は、市場で通常入手可能な最新、低廉でかつ効率的な設備を用いた場合の費用等に基づいて行い、これに新たな接続トラヒック等の増加を考慮したその時点での総トラヒック及び回線数等を入力して算定を行うことになる。

　なお、長期増分費用方式で算定されたモデル値と接続料との関係に関しては、東京地裁平成17年4月22日判決（平成15（行ウ）434等）は、総務省令で現実のトラヒック量が大きく変動したときに事後的に精算を行うこととしたことについて、「長期増分費用方式は、・・・一つのモデルを前提とした計算方法なのであるから、モデルが採用した数値と現実の数値とが乖離したからといって直ちにそれを是正する措置を講じるのではモデルを採用した意味がなくなる反面、モデルの前提を覆すような事情の変更が生じた場合にまで、あくまでもモデルに基づく計算にこだわることは非現実的であるといわざるを得ない」として、「本件改正省令は、このような観点から、現在需要の指標であるトラヒックに着目し、・・・過去の変動のうち最大のものである15パーセントを超えるトラヒックの減少が生じた場合には、モデルに基づく計算をそのまま適用することを不相当とするような事情変更があったものとして、精算を行うが、・・・精算を行う場合には、ＮＴＴ東西と接続事業者との間の精算に係る負担額を各々の通信量の変動率の比率で配分したものとし、自らのトラヒックの変動に対し応分の負担をさせることとしたものであって、このような算定方法には、原価に照らして公正妥当な接続料額を定める方法として一応の合理性があり、長期増分費用方式を採用した趣旨にも反するものではないというべきである」と判断し、「事業法の委任の範囲内を超えるものであるとはいい難い」としている。

　また、同判決は、総務省令で平成15年度、16年度の2年間についてＮＴＴ東日本・ＮＴＴ西日本の一定の接続料を同額としたことについて、「長期増分費用方式に基づいて算出された原価に基づき、各種の考慮なしに算定されるべき接続料との間に不合理な乖離が生じない範囲内において、ユニバーサルサービスの要請を踏まえたある程度の調整をすることや、接続料の算定方法が一時に変更されることによって生じることが予想される不利益や混乱等を避けるために、いわば経過措置的な調整をすることまでがすべて否定されるものではないというべきである」として、「社会的コンセンサスが十分に得られない状況で別接続料制度を導入することによる混乱を避けるという経過措置的考慮も併せ考えるならば、少

第33条

なくとも、平成15年、16年の２年間について、ＮＴＴ東西均一接続料の定めをしたことが、」総務大臣の「裁量権を逸脱、濫用するものとまで断定することは困難であるといわざるを得」ないとしている。

⑭　高度で新しい電気通信技術の導入によつて、第一種指定電気通信設備との接続による当該機能に係る電気通信役務の提供の効率化が相当程度図られると認められるものとして総務省令で定める機能

　　第一種指定電気通信設備の機能の中でも高度で新しい電気通信技術の導入によって役務提供の効率化が相当程度図られると認められる機能については、その効率化による費用の低廉化が見込まれる。このような費用の低廉化を接続料の水準に反映させるのには、既に実際に発生した費用により算定する方式よりも、現時点で可能な効率化相当分を算定に反映させることができる方式である長期増分費用方式の方が適正であると考えられる。

　　ここでは、そのような長期増分費用方式を採用することが適当とされる機能について規定している。

　　総務省令では、メタル回線収容機能、加入者交換機能（精算のための一部の計算機能を除く。）、加入者交換機トランクポートの機能、市内伝送機能、中継系交換機能（関門系ルータ交換機能を除く。）、中継伝送機能（光信号中継伝送の機能を除く。）、一般中継系ルータ接続伝送機能及び信号伝送機能を規定している（接続料規則第５条）。令和６年12月31日までの間は、加入電話・メタルＩＰ電話接続機能についても長期増分費用方式による算定が規定されている（第一種指定電気通信設備接続料規則等の一部を改正する省令（令和４年総務省令第９号）附則第５条第２項、第６条及び第７条）。

⑮　通常用いることができる高度で新しい電気通信技術

　　長期増分費用方式において用いられる費用を整理するときの前提となる電気通信設備は、市場に出回っており普通に入手可能で現実に用いることができる技術の中で高度で新しいものを利用したものであるべきである旨を規定している。

⑯　効率的なものとなるように新たに構成するものとした場合

　　長期増分費用方式の「長期」費用の概念を採用し、現実の第一種指定電気通信設備を前提とせず、高度で新しい技術を利用して、効率的に役務を提供できるという意味で、その第一種指定電気通信設備を効率的なものとなるように新たに構成するものとした場合の費用等を算定に用いることとしている。

第33条

⒄　当該第一種指定電気通信設備によつて提供される電気通信役務に係る通信量
　又は回線数の増加に応じて増加することとなる当該第一種指定電気通信設備に
　係る費用

　　　長期増分費用方式の「増分費用」の概念を採用し、通信量や中継回線・加入
　　者回線・専用線をはじめとする回線の数の増加に応じて増加することとなる第
　　一種指定電気通信設備の増分費用を算定において用いることとしている。

〔第6項〕

　　一般に、接続は、これにより通信可能な相手や利用可能なサービスが増えるも
　のであるから、公共の利益の増進が期待されるものであるところ、第一種指定電
　気通信設備との接続については、接続料や接続条件が不適当な場合には接続に
　よって期待される公共の利益の増進という効果が得られなくなるものであること
　から、総務大臣は、これに支障がある場合には、認可を受けた接続約款の変更の
　認可を申請すべきことを命ずることができるものとしている。

　　命令に当たっては、第160条の規定により、総務大臣は、命令について、電気
　通信紛争処理委員会に諮問する。委員会は、審議（必要と認めるときは、利害関
　係者その他の参考人から意見の聴取を行う（運営規程第11条）。）の上、総務大
　臣に答申を行う。

〔第7項〕

　　円滑な接続を可能とするためには、第一種指定電気通信設備との接続に関する
　接続料及び接続条件の全てが明確になっていることが必要であり、原則として、
　全ての接続料及び接続条件を約款に定め、認可を受けることとする必要がある。
　しかしながら、利用者の利便の向上及び電気通信の総合的かつ合理的な発達に及
　ぼす影響が比較的少ない接続料及び接続条件（第3項）については、技術革新等
　に対応した迅速な設定や変更を可能とすることで多様なサービスの提供を促進し、
　また、規制を簡素に行う観点から、認可制の対象とはせず、届出制の対象として
　いる。

〔第8項〕

　　一般に、接続は、これにより通信可能な相手や利用可能なサービスが増えるも
　のであるから、公共の利益の増進が期待されるものであるところ、第一種指定電
　気通信設備との接続については、接続料や接続条件が不適当な場合には接続に
　よって期待される公共の利益の増進という効果が得られなくなるものであること
　から、総務大臣は、これに支障がある場合には、前項の規定により届け出られた

265

接続約款を変更すべきことを命ずることができるものとしている。

命令に当たっては、第160条の規定により、総務大臣は、命令について、電気通信紛争処理委員会に諮問する。委員会は、審議（必要と認めるときは、利害関係者その他の参考人から意見の聴取を行う（運営規程第11条）。）の上、総務大臣に答申を行う。

〔第9項〕

第一種指定電気通信設備を設置する電気通信事業者が、その設置する第一種指定電気通信設備との接続について他の電気通信事業者と接続協定を締結する際には、原則として、第2項の規定により認可を受けた接続約款又は第7項の規定により届け出た接続約款によらなければならないことを規定する。次項にその例外が規定されている。

〔第10項〕

第一種指定電気通信設備を設置する電気通信事業者が、その設置する第一種指定電気通信設備との接続について他の電気通信事業者と接続協定を締結する際には、原則として、認可を受けた又は届出を行った接続約款に基づくことが必要であるが、これら接続約款により難い特別な事情があるときで本項の基準を満たし認可を受けた場合には、接続約款によらず、接続協定を締結することができることとしている。

接続約款により難い特別な事情としては、例えば、第一種指定電気通信設備を設置する電気通信事業者以外の電気通信事業者が、新しいサービスを提供する等のために、従来とは異なる箇所での接続を望む場合や、約款所定の条件とは異なる条件での接続を望む場合で、新しい接続条件等の追加のために接続約款を変更するまで接続協定の締結を遅らせることが、迅速な接続にとって支障となり、多様なサービス提供に支障を及ぼす場合等が考えられる。

〔第11項〕

本項は、接続約款が、第一種指定電気通信設備との円滑かつ迅速な接続の促進に重要であり、その内容があらかじめ合理的に定められているのみならず、当該設備を設置する電気通信事業者以外の電気通信事業者に広く周知されていることが重要であるため、同約款の公表義務を、当該設備を設置する電気通信事業者に課すものである。

第23条では、届出契約約款・保障契約約款等の掲示を規定し、利用者たる一般公衆に対してそれらの内容を周知するために公衆の見やすいように掲示するこ

とを求めるのに対し、本項では、接続協定の締結の相手方となるのは電気通信事業者であり、公衆の見やすいように掲示することまでは必要ではないため、公表のみを義務付ける規定としている。

(18) **総務省令で定めるところにより**

第一種指定電気通信設備との接続に関する接続約款の公表の方法については、総務省令で定めることとしている。

総務省令では、接続約款の実施の日から、インターネットを利用することにより公表すべき旨を定めている（施行規則第23条の8）。

〔第12項〕

適正な原価・利潤に照らし公正妥当な接続料を算定するため、第14項において、第一種指定電気通信設備を設置する電気通信事業者の通信量等（通信量又は回線数その他総務省令で定める事項）を用いて、接続料の再計算を行うこととしている。この際、第一種指定電気通信設備を設置する電気通信事業者が正確な通信量等を把握していることが必要不可欠であることから、当該電気通信事業者に対し、これらの通信量等の記録を義務付けることとし、総務省令で、具体的な記録方法等について定めることとしている。

(19) **総務省令で定めるところにより**

総務省令では、記録の方法等について、第4項第1号ロの機能ごとに、事業年度単位で、通信量の場合は例えば通信回数あるいは通信時間の単位で、回線数の場合は例えば単位料金区域あるいは都道府県の区域の単位で記録する旨その他記録すべき具体的事項を定めるほか、記録データの取りまとめ方法、保存期間、保存方法の様式等を規定している（接続料規則第19条第1項、第3項、第4項及び第5項並びに別表第6及び別表第8）。

(20) **通信量又は回線数その他総務省令で定める事項**

通信量・回線数の他に記録されるべきものについては、総務省令において、信号数等を定めている（接続料規則第19条第2項及び別表第7）。

〔第13項〕

接続料の適正な算定に資するため、第一種指定電気通信設備を設置する電気通信事業者は、第一種指定電気通信設備との接続に関する会計（接続会計）を整理し、これに基づく事項を公表しなければならないこととしている。

接続会計の具体的な整理の方法及びこれに基づく事項の公表の方法については、総務省令で定めることとしている。

第33条

(21) 当該第一種指定電気通信設備との接続に関する会計を整理し

　第一種指定電気通信設備の機能に対応した費用等や第一種指定電気通信設備との接続に関する収支の状況を明らかにするため、接続会計を整理すべきこととしている。

　総務省令では、第一種指定電気通信設備及びその管理運営に必要な資産及び費用、当該設備との接続等に関連する収益の整理等を規定している（接続会計規則第3条から第9条まで）。

(22) 当該接続に関する収支の状況その他総務省令で定める事項を公表しなければならない

　接続会計については、その直接の利害関係人は、第一種指定電気通信設備との接続を行う電気通信事業者であるが、将来的に接続する電気通信事業者等についても広く影響が及ぶため、直接の利害関係人にとどまらず、広く一般に公表しなければならないこととしている。

　総務省令では、この公表について、接続会計報告書等の写しは、インターネットを利用することにより公表されなければならないこと等を規定している（接続会計規則第10条）。

〔第14項〕

　接続料を公正妥当な水準とするために、第12項の規定により記録された通信量等や第13項の規定により整理された接続会計の整理の結果等、新しい数値を原価算定に反映させる趣旨から接続料の再計算の規定を設けている。

(23) 第5項に規定する接続料にあつては第2項の認可を受けた後5年を超えない範囲内で総務省令で定める期間を経過するごとに、それ以外の接続料にあつては前項の規定により毎事業年度の会計を整理したときに

　接続会計の整理の結果に基づき原価を算定する接続料については、全面的に会計結果に依拠する算定方式であることから会計の整理が行われるごとに再計算することとしている。

　長期増分費用方式により原価を算定する接続料については、会計結果への依存は相対的になり、通信量等の記録（1年ごと）、国勢調査結果（5年ごと）、機器の市価等に依拠する部分が大きい為、会計の整理ごとに再計算する必然性がない。長期増分費用方式による接続料の再計算に当たっては、これらのデータについて大きな変化がある時期ごとに行うことが望ましいため、これらのデータの更新時期がいずれも5年以内ごとに起こるものであることを考慮して、

第33条

5年を超えない範囲内の期間ごとにこれを行うこととしている。総務省令では、この期間を、1年間としている（接続料規則第20条）。

⑷ **通信量等の記録及び同項の規定による会計の整理の結果に基づき第4項第2号の総務省令で定める方法により算定された金額に照らし公正妥当なものとするために、接続料を再計算しなければならない**

接続料が利用者の利便の向上及び電気通信の健全な発達に及ぼす影響が大きいことから、これを公正妥当なものとするよう、第一種指定電気通信設備を設置する電気通信事業者に接続料の再計算を義務付けている。

接続料が公正妥当なものではないと判断される場合には、接続料の変更の認可が申請されることを想定しており、この申請については、第6項の規定により担保することとしている。（同項において「原価に照らし不適当となつたため」とあるのは、第14項において「原価に照らし公正妥当なものとするため」とあるのと担保しようとするものは同じである。）

〔第15項〕

接続約款において接続条件が定められたとしても、約款に定められた情報以外に円滑な接続に必要となる様々な情報が第一種指定電気通信設備を設置する電気通信事業者から提供されなければ、それ以外の電気通信事業者においては、第一種指定電気通信設備と円滑に接続できなかったり、サービス提供に支障が生じたりすることになる。したがって、第一種指定電気通信設備を設置する電気通信事業者は、接続を円滑に行うために必要な情報の提供に努めるべきこととしている。

〔第16・17項〕

新たに第一種指定電気通信設備の指定が行われた場合、その設備を設置する電気通信事業者に対して、第2項又は第7項の規定により、接続約款を作成し、総務大臣の認可を受けるか総務大臣に届け出る義務が課されることとなるが、当該電気通信事業者においてはそれまで接続約款を作成していないため、接続約款を作成するための時間が必要であることから、指定が行われた日から3か月以内に認可申請する、又は届け出ることとする経過措置が定められている。

〔第18項〕

第一種指定電気通信設備を設置する電気通信事業者は、認可接続約款又は届出接続約款により難い特別な事情があるものについて総務大臣の認可を受けて接続協定を締結する場合（第10項）を除き、認可接続約款又は届出接続約款によら

第33条・第33条の2

なければ第一種指定電気通信設備との接続に関する協定を締結してはならないこととしている（第9項）。

　本項では、ある電気通信設備が新たに第一種指定電気通信設備として指定された場合、当該電気通信設備を設置する電気通信事業者に対しては、認可接続約款の認可を受けた日又は届出接続約款を届け出た日に現に締結している接続協定について、認可又は届出のいずれか遅い日から3か月間接続約款遵守義務の適用を停止することとしている。これは、新たに第一種指定電気通信設備が指定された時点で認可接続約款又は届出接続約款によらない協定を締結していたものについて、認可接続約款又は届出接続約款の内容にそろえるための猶予期間を設けるものであり、協定の内容について電気通信事業者間で協議を行う等の必要があることから、その期間として3か月の猶予を認めることとしている。

第33条の2（第一種指定電気通信設備との接続に係る機能の休止及び廃止の周知）

（第一種指定電気通信設備との接続に係る機能の休止及び廃止の周知）

第33条の2　第一種指定電気通信設備を設置する電気通信事業者は、当該第一種指定電気通信設備との接続に係る前条第4項第1号ロの総務省令で定める機能を休止し、又は廃止しようとするときは、総務省令で定めるところにより、あらかじめ、当該第一種指定電気通信設備とその電気通信設備を接続する他の電気通信事業者であつて当該機能を利用するものに対し、その旨を周知させなければならない。

追加　平成30年法律第24号

概　要

　第一種指定電気通信設備を設置する電気通信事業者が、当該第一種指定電気通信設備の機能のうち総務省令で接続料を設定する単位としているものの休止又は廃止をしようとする場合、その機能を利用する他の電気通信事業者に対して、あらかじめ、その旨を周知させなければならないこととしている。

　他の電気通信事業者の事業展開上重要な設備である第一種指定電気通信設備の上記機能が突然休廃止される場合、当該機能を利用する電気通信事業者やその利

用者に大きな不測の不利益が及ぶこととなる。第一種指定電気通信設備を設置する電気通信事業者は他の電気通信事業者との協議において強い交渉力を有し、優位な地位に立つものであり、当該周知の実施を電気通信事業者間の合意に委ねることとする場合、立場の弱い電気通信事業者の意向が反映されず、第一種指定電気通信設備と接続する電気通信事業者及びその利用者の利益を保護するために必要な周知が十分に行われないおそれがあるため、第一種指定電気通信設備と接続する電気通信事業者に対する周知の実施に関する行為規律を課している。

　周知の具体的な方法について、総務省令では、原則として、第一種指定電気通信設備の機能を休止し、又は廃止する日の3年前の日までに、対面等説明（休廃止の旨を記載した書面を交付し、又はこれに代わる電磁的記録を提供し、及びその内容について対面又は電話若しくはこれに類する双方向の通信を用いて説明することをいう。）により行わなければならないこと等を定めている（施行規則第23条の9）。

第34条（第二種指定電気通信設備との接続）

（第二種指定電気通信設備との接続）

第34条　総務大臣は、(1) 総務省令で定めるところにより、その一端が特定移動端末設備と接続される伝送路設備のうち同一の電気通信事業者が設置するものであつて、(2) その伝送路設備に接続される特定移動端末設備の数の、その伝送路設備を用いる電気通信役務に係る業務区域と同一の区域内に設置されている全ての同種の伝送路設備に接続される特定移動端末設備の数のうちに占める割合が (3) 総務省令で定める割合を超えるもの及び当該電気通信事業者が当該電気通信役務を提供するために設置する電気通信設備であつて総務省令で定めるものの総体を、(4) 他の電気通信事業者の電気通信設備との適正かつ円滑な接続を確保すべき電気通信設備として指定することができる。

2　前項の規定により指定された電気通信設備（以下「第二種指定電気通信設備」という。）を設置する電気通信事業者は、当該第二種指定電気通信設備と他の電気通信事業者の電気通信設備との接続に関し、当該第二種指定電気通信設備を設置する電気通信事業者が取得すべき金額及び接

第34条

続条件について接続約款を定め、総務省令で定めるところにより、その実施前に、総務大臣に届け出なければならない。これを変更しようとするときも、同様とする。

3 総務大臣は、前項（第8項の規定により読み替えて適用する場合を含む。）の規定により届け出た接続約款が次の各号のいずれかに該当すると認めるときは、当該第二種指定電気通信設備を設置する電気通信事業者に対し、相当の期限を定め、当該接続約款を変更すべきことを命ずることができる。

一　次に掲げる事項が適正かつ明確に定められていないとき。

イ　(5) 他の電気通信事業者の電気通信設備を接続することが技術的及び経済的に可能な接続箇所のうち標準的なものとして総務省令で定める箇所における技術的条件

ロ　(6) 総務省令で定める機能ごとの第二種指定電気通信設備を設置する電気通信事業者が取得すべき金額

ハ　第二種指定電気通信設備を設置する電気通信事業者及びこれとその電気通信設備を接続する他の電気通信事業者の責任に関する事項

ニ　(7) 電気通信役務に関する料金を定める電気通信事業者の別

ホ　(8) イからニまでに掲げるもののほか、第二種指定電気通信設備との接続を円滑に行うために必要なものとして総務省令で定める事項

二　第二種指定電気通信設備を設置する電気通信事業者が取得すべき金額が (9) 能率的な経営の下における適正な原価に適正な利潤を加えたものを算定するものとして総務省令で定める方法により算定された金額を超えるものであるとき。

三　(10) 接続条件が、第二種指定電気通信設備を設置する電気通信事業者がその第二種指定電気通信設備に自己の電気通信設備を接続することとした場合の条件に比して不利なものであるとき。

四　(11) 特定の電気通信事業者に対し不当な差別的な取扱いをするものであるとき。

4 第二種指定電気通信設備を設置する電気通信事業者は、第2項（第8項の規定により読み替えて適用する場合を含む。次項において同じ。）の規定により届け出た接続約款によらなければ、他の電気通信事業者との間において、第二種指定電気通信設備との接続に関する協定を締結し、又

は変更してはならない。

5　第二種指定電気通信設備を設置する電気通信事業者は、⑿総務省令で定めるところにより、第２項の規定により届け出た接続約款を公表しなければならない。

6　第二種指定電気通信設備を設置する電気通信事業者は、⒀総務省令で定めるところにより、第二種指定電気通信設備との接続に関する会計を整理し、及びこれに基づき　⒁当該接続に関する収支の状況その他総務省令で定める事項を公表しなければならない。

7　第二種指定電気通信設備を設置する電気通信事業者は、他の電気通信事業者がその電気通信設備と第二種指定電気通信設備との接続を円滑に行うために必要な情報の提供に努めなければならない。

8　第１項の規定により新たに指定をされた電気通信設備を設置する電気通信事業者がその指定の日以後最初に第２項の規定により総務大臣に届け出るべき接続約款に定める当該電気通信事業者が取得すべき金額及び接続条件については、同項中「その実施前に、総務大臣に届け出なければならない。これを変更しようとするときも、同様とする。」とあるのは、「前項の規定により新たに指定をされた日から３月以内に、総務大臣に届け出なければならない。」とする。

9　第１項の規定により新たに指定をされた電気通信設備を設置する電気通信事業者が、前項の規定により読み替えて適用する第２項の規定により当該電気通信事業者が接続約款の届出をした日（以下この項において「届出日」という。）に現に締結している他の電気通信事業者との電気通信設備の接続に関する協定のうち当該新たに指定をされた電気通信設備との接続に関するものについては、第４項の規定は、届出日から起算して３月間は、適用しない。

追加　平成13年法律第　62号
第38条の３繰上げ改正　平成15年法律第125号
改正　平成22年法律第　65号
平成27年法律第　26号

1　概　要

　第二種指定電気通信設備は、加入者が直接アクセス可能な有力な手段である移

第34条

動端末設備と相対的に多数接続される伝送路設備を設置する電気通信事業者が設置する電気通信設備のうち、この伝送路設備及びこれを用いて提供する移動体通信役務の提供のために設置する電気通信設備について、総務大臣が指定するものである。

　移動体通信役務については、電波の有限性等により新規参入が困難で寡占的な市場が形成されており、このような市場において相対的に多数の移動端末設備を収容する設備を設置する電気通信事業者は、他の電気通信事業者との接続協議において強い交渉力を有し、優位な地位に立つことになる。このような電気通信事業者は、そのような接続における優位性を背景として、接続における不当に差別的な取扱いや接続協議の長期化等を引き起こすおそれがあり、場合によっては、他の電気通信事業者の市場への参入を阻止したり市場から排除したりすることも可能な潜在的能力を有する。

　本条は、これに鑑み、第二種指定電気通信設備との接続に関し、これを設置する電気通信事業者が取得すべき金額及び接続条件の公平性・透明性、接続の迅速性等を担保するために、当該電気通信設備を設置する電気通信事業者について、当該電気通信設備に係る接続約款を定め、届け出、公表すること等を義務付け、そして、届け出られた接続約款に定められた金額又は接続条件が、一定の基準を充たさず不適切なものと認められる場合には、総務大臣は当該接続約款の変更を命ずることができることとし、これにより第二種指定電気通信設備に係る接続約款の適正性を担保している。

2　条文内容

〔第1項〕

　第二種指定電気通信設備の指定について、規定している。

(1)　総務省令で定めるところにより

　　第二種指定電気通信設備の指定の方法について、総務省令で定めることとしている。

　　総務省令においては、告示によってこれを行うこと、総務大臣は、当該指定を受けることとなる設備を設置する電気通信事業者にその旨を通知することを定めている（施行規則第23条の9の2第1項）。

(2) その伝送路設備に接続される特定移動端末設備の数の、その伝送路設備を用いる電気通信役務に係る業務区域と同一の区域内に設置されている全ての同種の伝送路設備に接続される特定移動端末設備の数のうちに占める割合

　　第二種指定電気通信設備について、業務区域内における特定移動端末設備数の占有率を指定の基準としている。これは、移動体通信の場合、端末設備がその性質上基本的に業務区域内を移動するものであることを考慮したものである。

(3) 総務省令で定める割合

　　第二種指定電気通信設備を指定する基準となる具体的な割合（特定移動端末設備数の占有率）は、総務省令で定めることとする。

　　総務省令では、この割合を10分の1とし、前年度末及び前々年度末における割合の合計を2で除して計算することを定めている（施行規則第23条の9の2第2項）。

(4) 他の電気通信事業者の電気通信設備との適正かつ円滑な接続を確保すべき電気通信設備として指定

　　本項の規定に基づく具体的な指定の経過は、次のとおり。

　　平成14年2月7日の総務省告示（平成14年総務省告示第72号）により、株式会社エヌ・ティ・ティ・ドコモのグループ9社（グループ再編後は平成20年7月1日の平成20年総務省告示第360号により株式会社エヌ・ティ・ティ・ドコモ（平成25年10月より株式会社ＮＴＴドコモ）1社）及び沖縄セルラー電話株式会社が各々設置する特定の交換設備・伝送路設備、その他が第二種指定電気通信設備として指定された。

　　平成16年3月25日及び同24年12月21日には、上記告示が変更され（平成16年総務省告示第237号（同年4月1日施行）及び平成24年総務省告示第465号）、その各々で、ＫＤＤＩ株式会社及びソフトバンクモバイル株式会社（同27年7月よりソフトバンク株式会社）が設置する同様の設備が第二種指定電気通信設備に追加された。

　　平成24年の告示変更に際しては、従来4分の1としていた(3)の閾値が10分の1に見直された（平成24年総務省令第54号）。これは、主に、電気通信回線設備を設置するＭＮＯと設置しないＭＶＮＯとの関係に着目し、「ＭＶＮＯが事業を運営するには、周波数の割当てを受けたＭＮＯのネットワークに接続することが必要となるが、これは、原則、全てのＭＮＯがＭＶＮＯとの関係においては交渉上の優位性を持ち得ることを意味している」ところ、「他方、端末

シェアが相当程度低いMNOは、むしろMVNOに自網を利用してもらうことによる収益拡大インセンティブが働くと考えられることを踏まえると、そうした場合までMNOがMVNOとの関係において交渉上の優位性があると認めることは難しい」と考えられたものである（総務省「電気通信事業法施行規則の一部改正について」(平成24年))。

令和元年9月27日には、令和元年総務省告示第181号により、平成14年総務省告示第72号が廃止され、株式会社NTTドコモ、沖縄セルラー電話株式会社、KDDI株式会社、ソフトバンク株式会社及びWireless City Planning株式会社が各々設置する特定の交換設備・伝送路設備、その他並びにUQコミュニケーションズ株式会社が設置する特定の交換設備・伝送路設備が第二種指定電気通信設備として指定された。

〔第2項〕

第二種指定電気通信設備との接続に関し、これを設置する電気通信事業者が取得すべき金額及び接続条件の公平性・透明性、接続の迅速性等を担保するために、当該電気通信設備を設置する電気通信事業者について、当該電気通信設備に係る接続約款を定め、その実施前やこれを変更しようとするときに総務大臣に届け出ることを義務付けている。

接続約款の届出の手続について、総務省令で定めることとしている。

総務省令では、届出書の様式、届出の時期（実施の日の7日前)、接続に関し第二種指定電気通信設備を設置する電気通信事業者が取得すべき金額の算出根拠に関する説明書類を添えるべき旨等について定めている（施行規則第23条の9の3及び様式第17の4から第17の4の10まで)。

〔第3項〕

一般に、接続は、これにより通信可能な相手や利用可能なサービスが増えるものであるから、公共の利益の増進が期待されるものであるところ、第二種指定電気通信設備との接続については、これを設置する電気通信事業者が取得すべき金額及び接続条件が不適当な場合には接続によって期待される公共の利益の増進という効果が得られなくなるものであることから、総務大臣は、これに支障がある場合には、届け出られた接続約款を変更すべきことを命ずることができるものとしている。ここでは、第一種指定電気通信設備制度と同様に、接続約款に総務省令で定める機能ごとの接続料を適正かつ明確に定めること等、電気通信回線設備を設置しない電気通信事業者に対する設備開放を図る目的も含めて規律を整備し

ている。

　命令に当たっては、第160条の規定により、総務大臣は、命令について、電気通信紛争処理委員会に諮問する。委員会は、審議（必要と認めるときは、利害関係者その他の参考人から意見の聴取を行う（運営規程第11条）。）の上、総務大臣に答申を行う。

(5)　他の電気通信事業者の電気通信設備を接続することが技術的及び経済的に可能な接続箇所のうち標準的なものとして総務省令で定める箇所における技術的条件

　　電気通信事業者が自らのサービス提供上最も効率的な箇所において第二種指定電気通信設備と接続できない場合には、当該接続箇所まで伝送路を設置する等のため追加的な費用が発生し、その利用者にその負担が転嫁されることから、技術的及び経済的に接続が可能な箇所において接続を可能とする必要がある。そのため、このような接続箇所のうち標準的なものを総務省令（施行規則第23条の9の4）に定め、そこにおける適正かつ明確な技術的条件が接続約款に記載されるようにしている。

(6)　総務省令で定める機能ごとの第二種指定電気通信設備を設置する電気通信事業者が取得すべき金額

　　第二種指定電気通信設備を設置する電気通信事業者が取得すべき金額が、交換や伝送のような電気通信設備による働き（電気通信設備の機能）ごとに定められていなければ、他の電気通信事業者は、自らのサービス提供に不要な機能についても当該金額を支払わなければならなくなり、その利用者にその負担が転嫁されることとなる。そのため、総務省令で電気通信設備の機能を定め、その機能ごとの金額が適正かつ明確に接続約款に記載されるようにしている（第二種指定電気通信設備接続料規則（平成28年総務省令第31号）第4条）。

(7)　電気通信役務に関する料金を定める電気通信事業者の別

　　利用者料金を設定する電気通信事業者について、接続条件として、適正かつ明確に定められていない場合には、総務大臣が接続約款の変更を命ずることができる旨を規定している。

(8)　イからニまでに掲げるもののほか、第二種指定電気通信設備との接続を円滑に行うために必要なものとして総務省令で定める事項

　　第二種指定電気通信設備に係る接続約款において適正かつ明確に定められるべき接続条件として、第3項第1号イからニまでに掲げるもののほか、総務省

令によって他の電気通信事業者が接続の請求等を行う場合の手続や、接続に必要な装置の設置若しくは保守又は建物等の利用を接続に関して行う場合における手続等を定めている（施行規則第23条の9の5）。

(9) 能率的な経営の下における適正な原価に適正な利潤を加えたものを算定するものとして総務省令で定める方法により算定された金額を超えるものであるとき

　第二種指定電気通信設備を設置する電気通信事業者が取得すべき金額が能率的な経営の下における適正な原価に適正な利潤を加えたものを超え、他の電気通信事業者の利用者にその負担が転嫁されることがないよう、第二種指定電気通信設備を設置する電気通信事業者が取得すべき金額について、総務省令（第二種指定電気通信設備接続料規則）で定める方法により算定することとしている。

(10) 接続条件が、第二種指定電気通信設備を設置する電気通信事業者がその第二種指定電気通信設備に自己の電気通信設備を接続することとした場合の条件に比して不利なものであるとき

　第二種指定電気通信設備を設置する電気通信事業者が第二種指定電気通信設備に自己の電気通信設備を接続する条件よりも不利な条件で、他の電気通信事業者が第二種指定電気通信設備に接続しなければならない場合には、他の電気通信事業者の利用者の利便が損なわれるとともに、当該電気通信事業者間の競争環境が損なわれ、電気通信事業の健全な発達が阻害されることとなる。これらに鑑み、接続条件について、第二種指定電気通信設備を設置する電気通信事業者が第二種指定電気通信設備に自己の電気通信設備を接続する条件よりも条件が不利にならないようにしている。

(11) 特定の電気通信事業者に対し不当な差別的な取扱いをするものであるとき

　第二種指定電気通信設備との接続を行う特定の電気通信事業者に対する条件が、当該特定の電気通信事業者以外の電気通信事業者に対する条件との比較において、相対的に不当である場合に、総務大臣が接続約款の変更を命ずることができる旨を規定している。

　この場合、「不当な差別的な取扱い」となり得るものとしては、接続の形態、接続に必要な装置等の通信用建物内への設置及び保守に関する条件（設置場所、保守内容、設置及び保守のために行う他の電気通信事業者の通信用建物内への立入り等）における不当な取扱いが挙げられる。

〔第4項〕

　第二種指定電気通信設備を設置する電気通信事業者は、総務大臣に届け出た接続約款によらなければ第二種指定電気通信設備との接続に関する協定を締結してはならないこととしている。

〔第5項〕

　接続約款が、第二種指定電気通信設備との円滑かつ迅速な接続の促進に重要であり、その内容があらかじめ合理的に定められているのみならず、当該設備を設置する電気通信事業者以外の電気通信事業者に広く周知されていることが重要であるため、同約款の公表義務を、当該設備を設置する電気通信事業者に課している。

　第23条では、届出契約約款・保証契約約款等の掲示を規定しているところであるが、この規定が利用者たる一般公衆に対してそれらの内容を周知するために公衆の見やすいように掲示することを求めるのに対し、本項では、接続協定の締結の相手方となるのは電気通信事業者であり、公衆の見やすいように掲示することまでは必要ではないため、公表を義務付ける規定としている。

(12)　**総務省令で定めるところにより**

　第二種指定電気通信設備との接続に関する接続約款の公表の方法については、総務省令で定めることとしている。

　総務省令では、接続約款の実施の日から、インターネットを利用することにより公表すべき旨を定めている（施行規則第23条の9の6による第23条の8の準用）。

〔第6項〕

　第二種指定電気通信設備との接続に関し取得すべき金額の算定について必要な根拠が開示されることにより、その検証可能性を保障することで、その金額の適正性、透明性を担保し、もって利用者の利益を確保するため、第二種指定電気通信設備を設置する電気通信事業者に対して、第二種指定電気通信設備との接続に関する会計を整理するとともに当該接続に関する収支の状況等を公表するよう義務付けている。

(13)　**総務省令で定めるところにより、第二種指定電気通信設備との接続に関する会計を整理し**

　第二種指定電気通信設備との接続に関し取得すべき金額の算定の適性性、透明性を担保する観点から、第二種指定電気通信設備との接続に関する会計を整

第34条

理すべきこととしている。総務省令では、移動通信役務とそれ以外の役務の資産、費用、収益の整理など上記金額の算定上の会計書類の作成のための規定を設けている（第二種指定電気通信設備接続会計規則（平成23年総務省令第24号）第3条から第8条まで）。

⑭　当該接続に関する収支の状況その他総務省令で定める事項を公表しなければならない

接続会計については、第二種指定電気通信設備との接続を行う電気通信事業者がその直接の利害関係人ではあるが、将来的に接続する電気通信事業者等についても広く影響が及ぶため、直接の利害関係人にとどまらず、広く一般に公表しなければならないこととしている。

総務省令では、この公表について、接続会計報告書等の写しは、インターネットを利用することにより公表しなければならないこと等を規定している（第二種指定電気通信設備接続会計規則第10条）。

〔第7項〕

接続約款において接続条件が定められたとしても、約款に定められた情報以外に接続に必要となる様々な情報（例えば、今後の設備拡張計画などの情報）が第二種指定電気通信設備を設置する電気通信事業者から提供されなければ、それ以外の電気通信事業者においては、第二種指定電気通信設備と適切な時期に接続できず、円滑なサービス提供に支障が生じることも考えられる。したがって、第二種指定電気通信設備を設置する電気通信事業者は、接続を円滑に行うために情報の提供に努めるべきこととしている。

〔第8項〕

新たに第二種指定電気通信設備の指定が行われた場合、その設備を設置する電気通信事業者に対して、接続約款の作成・届出の義務が課されることになるが、当該電気通信事業者においてはそれまで接続約款を作成していないため、接続約款を作成するための時間が必要であることから、指定が行われた日から3か月以内に届け出なければならないとする経過措置を定めている。

〔第9項〕

本項では、ある電気通信設備が新たに第二種指定電気通信設備として指定された場合、当該電気通信設備を設置する電気通信事業者に対しては、接続約款を届け出た日に現に締結している接続協定について、その届出日から3か月間接続約款遵守義務の適用を停止することとしている。これは、新たに第二種指定電気通

信設備の指定がされた時点で既に接続協定を締結していたものについて、届出接続約款の内容について電気通信事業者間で協議を行う等の必要があることから、その期間について３か月の猶予を認めているものである。

第34条の２（第二種指定電気通信設備との接続に係る機能の休止及び廃止の周知)

（第二種指定電気通信設備との接続に係る機能の休止及び廃止の周知）
第34条の２　第二種指定電気通信設備を設置する電気通信事業者は、当該第二種指定電気通信設備との接続に係る前条第３項第１号ロの総務省令で定める機能を休止し、又は廃止しようとするときは、総務省令で定めるところにより、あらかじめ、当該第二種指定電気通信設備とその電気通信設備を接続する他の電気通信事業者であつて当該機能を利用するものに対し、その旨を周知させなければならない。

追加　平成30年法律第24号

概　要

　第二種指定電気通信設備を設置する電気通信事業者が、当該第二種指定電気通信設備の機能のうち総務省令で接続料を設定する単位としているものの休止又は廃止をしようとする場合、その機能を利用する他の電気通信事業者に対して、あらかじめ、その旨を周知させなければならないこととしている。

　他の電気通信事業者の事業展開上重要な設備である第二種指定電気通信設備のこれら機能が突然休廃止される場合、当該機能を利用する電気通信事業者やその利用者に大きな不測の不利益が及ぶこととなる。第二種指定電気通信設備を設置する電気通信事業者は他の電気通信事業者との協議において強い交渉力を有し、優位な地位に立つものであり、当該周知の実施を電気通信事業者間の合意に委ねることとする場合、立場の弱い電気通信事業者の意向が反映されず、第二種指定電気通信設備と接続する電気通信事業者及びその利用者の利益を保護するために必要な周知が十分に行われないおそれがあるため、第二種指定電気通信設備と接続する電気通信事業者に対する周知の実施に関する行為規律を課している。

　周知の具体的な方法について、総務省令では、原則として、第二種指定電気通

信設備の機能を休止し、又は廃止する日の３年前の日までに、対面等説明（休廃止の旨を記載した書面を交付し、又はこれに代わる電磁的記録を提供し、及びその内容について対面又は電話若しくはこれに類する双方向の通信を用いて説明することをいう。）により行わなければならないこと等を定めている（施行規則第23条の９の７）。

第35条（電気通信設備の接続に関する命令等）

（電気通信設備の接続に関する命令等）

第35条　総務大臣は、電気通信事業者が他の電気通信事業者に対し当該他の電気通信事業者が設置する電気通信回線設備と当該電気通信事業者の電気通信設備との接続に関する協定の締結を申し入れたにもかかわらず当該他の電気通信事業者がその協議に応じず、又は当該 (1) 協議が調わなかった場合で、当該協定の締結を申し入れた電気通信事業者から申立てがあつたときは、第32条各号に掲げる場合に該当すると認めるとき及び (2) 第155条第１項の規定による仲裁の申請がされているときを除き、当該他の電気通信事業者に対し、その (3) 協議の開始又は再開を命ずるものとする。

2　総務大臣は、前項に規定する場合のほか、(4) 電気通信事業者間において、その一方が電気通信設備の接続に関する協定の締結を申し入れたにもかかわらず他の一方がその協議に応じず、又は当該 (1) 協議が調わなかった場合で、当該一方の電気通信事業者から申立てがあつた場合において、その接続が (5) 公共の利益を増進するために特に必要であり、かつ、適切であると認めるときは、(2) 第155条第１項の規定による仲裁の申請がされているときを除き、他の一方の電気通信事業者に対し、その (6) 協議の開始又は再開を命ずることができる。

3　電気通信事業者の電気通信設備との接続に関し、当事者が取得し、若しくは負担すべき金額又は接続条件その他 (7) 協定の細目について当事者間の協議が調わないときは、当該電気通信設備に接続する電気通信設備を設置する電気通信事業者は、総務大臣の裁定を申請することができる。ただし、(8) 当事者が第155条第１項の規定による仲裁の申請をした後は、この限りでない。

第35条

4　前項に規定する場合のほか、第1項又は第2項の規定による命令があ
つた場合において、当事者が取得し、若しくは負担すべき金額又は接続
条件その他 (7) 協定の細目について、当事者間の協議が調わないときは、
当事者は、総務大臣の裁定を申請することができる。

5　総務大臣は、前2項の規定による裁定の申請を受理したときは、(9) その
旨を他の当事者に通知し、期間を指定して　(10) 答弁書を提出する機会を与
えなければならない。

6　総務大臣は、第3項又は第4項の裁定をしたときは、遅滞なく、(11) その
旨を当事者に通知しなければならない。

7　第3項又は第4項の裁定があつたときは、その裁定の定めるところに
従い、(12) 当事者間に協議が調つたものとみなす。

8　第3項又は第4項の裁定のうち当事者が取得し、又は負担すべき金額
について不服のある者は、(13) その裁定があつたことを知つた日から6月以
内に、訴えをもつてその金額の増減を請求することができる。

9　前項の訴えにおいては、他の当事者を被告とする。

10　第3項又は第4項の裁定についての審査請求においては、当事者が取
得し、又は負担すべき金額についての不服をその裁定の不服の理由とす
ることができない。

改正　昭和62年法律第 57号
平成 9 年法律第 97号
平成11年法律第160号
平成13年法律第 62号
第39条繰上げ改正　平成15年法律第125号
改正　平成16年法律第 84号
平成26年法律第 69号

1　概　要

　電気通信設備との接続について、総務大臣の協議命令及び協定の細目について
当事者の協議が不調の場合に行う総務大臣の裁定に関する規定を定めている。

2　条文内容

〔第1項〕

　電気通信回線設備を設置する電気通信事業者は、第32条の規定により、同条

に限定列挙された場合を除き、その設置する電気通信回線設備に対する他の電気通信事業者からの接続の請求に応じることが義務付けられている。第1項の規定は、同条の規定を受けて、電気通信事業者が他の電気通信事業者に対し当該他の電気通信事業者が設置する電気通信回線設備と当該電気通信事業者の電気通信設備との接続協定の締結を申し入れたにもかかわらず当該他の電気通信事業者がその締結のための協議に応じず、又は当該協議が調わなかった場合で、申立てがあったときは、同条に限定列挙された場合に該当する事由があると認めるときや第155条の規定による仲裁の申請がされているときを除き、総務大臣が当該他の電気通信事業者に協議を開始又は再開することを命令することとして、第32条の規定を担保するものである。

命令に当たっては、第160条の規定により、総務大臣は、命令について、電気通信紛争処理委員会に諮問する。委員会は、審議（必要と認めるときは、利害関係者その他の参考人から意見の聴取を行う（運営規程第11条）。）の上、総務大臣に答申を行う。

本項等の接続に関する規定は、サービスの貿易に関する一般協定の第4議定書（平成10年条約第1号）の主要なサービス提供者との相互接続に関する規定を国内で担保するものとしても理解されている。この条約では、「日本国の特定の約束に係る表」において、不可欠な設備を管理する主要なサービス提供者が提供する相互接続が、次の要件を満たすこととされている。

① 差別的でない条件及び料金に基づき、自己の同種のサービス、提携していないサービス提供者の同種のサービス又は自己の子会社若しくは提携する会社の同種のサービスに提供する品質よりも不利でない品質によって提供されること。

② 十分に細分化された、透明性のある、かつ、経済的実行可能性に照らして合理的な条件及び料金（原価に照らして定められるもの）に基づいて適時に提供されること。

③ 請求がある場合には、必要となる追加的な設備の建設費を反映する料金が支払われることを条件として、利用者の多数に提供されている伝送網の終端地点以外の接続点においても提供されること。

現在は、新たな時代における経済上の連携に関する日本国とシンガポール共和国との間の協定（平成14年条約第16号）、環太平洋パートナーシップに関する包括的及び先進的な協定（平成30年条約第16号）（ＣＰＴＰＰ協定）、経済上の連携

に関する日本国と欧州連合との間の協定（平成30年条約第15号）など、各国との自由貿易協定・経済連携協定において上記を含めたWTO協定の内容を超える内容のルールが設けられている。

　例えば、CPTPP協定では、主要なサービス提供者との相互接続のルールを更に充実させているのに加え、主要なサービス提供者だけではなく、公衆電気通信サービスのサービス提供者について相互接続の提供を確保すること等を締約国に求めるルールが規定されている（CPTPP協定第1条の規定により同協定に組み込まれている環太平洋パートナーシップ協定第13・5条）。こういった相互接続の確保も本項等の規定で担保されている。

サービスの貿易に関する一般協定の第4議定書（平成10年条約第1号）（抄）
　基本電気通信に関する自国の特定の約束に係る表又はサービスの貿易に関する一般協定第2条の免除に係る表をこの議定書に附属させる世界貿易機関（WTO）の加盟国（以下「関係加盟国」という。）は、
　1994年4月15日にマラケシュにおいて採択された基本電気通信の交渉に関する閣僚決定に基づき交渉を行い、
　基本電気通信の交渉に関する附属書に考慮を払って、
　次のとおり協定する。
1　この議定書に附属する基本電気通信に関する関係加盟国の特定の約束に係る表又は第2条の免除に係る表は、これらの表に定める条件により、この議定書が効力を生ずる時に、当該関係加盟国の特定の約束に係る表又は第2条の免除に係る表を補足し又は修正する。
2〜5　（略）
　（略）
日本国の特定の約束に係る表

分　野	市場アクセスに係る制限	内国民待遇に係る制限	追加的な約束
2　通信サービス 　C　電気通信サービス 　　第一種電気通信事業又は第二種電気通信事業によって提供される次に掲げる基本電気通信サービス（以下略）	（略）	（略）	日本国は、この約束表に添付する参照文書に定める義務を履行する。

第35条

参照文書

　適用範囲
　　この文書は、基本電気通信サービスの規制の枠組みに関する定義及び原則について定める。
　定義
　　「利用者」とは、サービス消費者及びサービス提供者をいう。
　　「不可欠な設備」とは、次の (a) 及び (b) の要件を満たす公衆電気通信の伝送網又は伝送サービスに係る設備をいう。
　(a)　単一又は限られた数のサービス提供者によって専ら又は主として提供されていること。
　(b)　サービスの提供において代替されることが経済的又は技術的に実行可能でないこと。
　　「主要なサービス提供者」とは、次のいずれかの結果として、基本電気通信サービスの関連する市場において（価格及び供給に関する）参加の条件に著しく影響を及ぼす能力を有するサービス提供者をいう。
　(a)　不可欠な設備の管理
　(b)　当該市場における自己の地位の利用
1　（略）
2　相互接続
　2.1　この2の規定は、特定の約束を行った範囲において、公衆電気通信の伝送網又は伝送サービスを提供するサービス提供者との接続であって、一のサービス提供者に係る利用者が他のサービス提供者に係る利用者と通信し又は他のサービス提供者によって提供されるサービスへアクセスすることを可能にするものについて適用する。
　2.2　確保すべき相互接続（注）
　　　注　この2.2の規定は、不可欠な設備を管理する主要なサービス提供者についてのみ適用する。
　　主要なサービス提供者との相互接続については、伝送網の技術的に実行可能ないかなる接続点においても確保する。主要なサービス提供者が提供する相互接続は、次の要件を満たすものとする。
　(a)　差別的でない条件（技術上の基準及び仕様を含む。）及び料金に基づき、自己の同種のサービス、提携していないサービス提供者の同種のサービス又は自己の子会社若しくは提携する会社の同種のサービスに提供する品質よりも不利でない品質によって提供されること。
　(b)　サービス提供者がそのサービスの提供のために必要でない伝送網

第35条

の構成部分又は設備に対して支払をする必要がないように十分に細分化された、透明性のある、かつ、経済的実行可能性に照らして合理的な条件（技術上の基準及び仕様を含む。）及び料金（原価に照らして定められるもの）に基づいて適時に提供されること。

(c) 請求がある場合には、必要となる追加的な設備の建設費を反映する料金が支払われることを条件として、利用者の多数に提供されている伝送網の終端地点以外の接続点においても提供されること。

2.3 相互接続に関する交渉のための手続の公の利用可能性

主要なサービス提供者との相互接続に適用される手続は、公に利用可能なものとする。

2.4 相互接続に関する取決めの透明性

主要なサービス提供者は、確実に、相互接続に関する協定又は参照用の相互接続に関する提案を公に利用可能なものとする。

2.5 相互接続に関する紛争解決

主要なサービス提供者との相互接続を請求しているサービス提供者は、相互接続の適当と認められる条件及び料金があらかじめ設定されていない場合には、これらに係る紛争を合理的な期間内に解決するために、次のいずれかの時期に、独立した国内機関（5に定める規制機関を含む。）に申し立てることができるものとする。

(a) 随時

(b) 公に周知された合理的な期間の経過後

3～6 （略）

環太平洋パートナーシップに関する包括的及び先進的な協定（平成30年条約第16号）（抄）

第1条 環太平洋パートナーシップ協定の組込み

1 締約国は、2016年2月4日にオークランドで作成された環太平洋パートナーシップ協定（ＴＰＰ）（第30・4条（加入）、第30・5条（効力発生）、第30・6条（脱退）及び第30・8条（正文）を除く。）の規定が、この協定の規定に従い、必要な変更を加えた上で、この協定に組み込まれ、この協定の一部を成すことをここに合意する（注）。

注 この協定の規定は、この協定の非締約国に対していかなる権利も与えるものではない。

2・3 （略）

環太平洋パートナーシップ協定（抄（接続の義務に関する規定のみ抜粋））

第13・5条 公衆電気通信サービスのサービス提供者に関する義務

相互接続（注）

　注 この章において、「相互接続」には、細分化されたネットワーク構成要素への
　　アクセスを含まない。

1　各締約国は、自国の領域内の公衆電気通信サービスのサービス提供者が、
　直接に又は当該領域において間接に、他の締約国の公衆電気通信サービス
　のサービス提供者に対して相互接続を提供することを確保する。

2　各締約国は、自国の電気通信規制機関に対し、合理的な料金による相互
　接続を要求する権限を与える。

3　（略）

第13・11条　主要なサービス提供者との相互接続

一般的な条件

1　各締約国は、自国の領域内の主要なサービス提供者が、他の締約国の公
　衆電気通信サービスのサービス提供者の設備及び機器に対して次の条件を
　満たす相互接続を提供することを確保する。

　(a)　当該主要なサービス提供者のネットワークの技術的に実行可能ないか
　　なる接続点においても提供されること。

　(b)　差別的でない条件（技術上の基準及び仕様を含む。）及び料金に基づ
　　いて提供されること。

　(c)　当該主要なサービス提供者の同種のサービス、当該主要なサービス提
　　供者が提携していないサービス提供者の同種のサービス又は当該主要な
　　サービス提供者の子会社若しくは当該主要なサービス提供者が提携する
　　会社の同種のサービスに対し、当該主要なサービス提供者が提供する品
　　質よりも不利でない品質によって提供されること。

　(d)　適時に、並びに透明性があり、経済的実行可能性に照らして合理的で
　　あり、及び当該サービス提供者がそのサービスの提供のために必要とし
　　ないネットワークの構成部分又は設備について当該サービス提供者が支
　　払をする必要がないように十分に細分化された条件（技術上の基準及び
　　仕様を含む。）及び料金（原価に照らして定められるもの）で提供され
　　ること。

(e) 要請があった場合には、必要となる追加的な設備の建設費を反映する料金が支払われることを条件として、利用者の多数に提供されているネットワークの終端地点以外の接続点においても提供されること。

主要なサービス提供者との相互接続のための選択肢

2 各締約国は、自国の領域内の主要なサービス提供者が、他の締約国の公衆電気通信サービスのサービス提供者に対し、次のいずれかの選択肢を通じて、当該サービス提供者の設備及び機器を当該主要なサービス提供者の設備及び機器と相互接続する機会を提供することを確保する。

(a) 接続約款又は相互接続に関する標準的な他の約款（料金及び条件であって、主要なサービス提供者が公衆電気通信サービスのサービス提供者に対して一般に提供するものを含んでいるもの）

(b) 相互接続に関する契約であって効力を有するものに定める条件

3 各締約国は、2に規定する選択肢に加えて、他の締約国の公衆電気通信サービスのサービス提供者が、新たな相互接続に関する契約の交渉を通じて、当該サービス提供者の設備及び機器を主要なサービス提供者の設備及び機器と相互接続する機会を有することを確保する。

相互接続に関する約款及び契約の公の利用可能性

4 各締約国は、自国の領域内の主要なサービス提供者との相互接続の交渉に適用される手続を公に利用可能なものとする。

5 各締約国は、主要なサービス提供者が提供する相互接続に必要な料金及び条件を得るための手段を他の締約国のサービス提供者に提供する。当該手段には、少なくとも、次のいずれかの事項の公の利用可能性を確保することを含む。当該料金及び条件が公に利用可能となるサービスについては、主要なサービス提供者が提供する相互接続に関連する全てのサービスを含む必要はなく、締約国が自国の法令に基づいて定めるところによる。

(a) 自国の領域内の主要なサービス提供者と自国の領域内の他の公衆電気通信サービスのサービス提供者との間における相互接続に関する契約であって効力を有するもの

(b) 主要なサービス提供者との相互接続のための料金及び条件であって、電気通信規制機関その他の権限を有する機関が定めるもの

(c) 接続約款

(1) **協議が調わなかつた場合**

協議が不成立の場合をいう。

(2) **第155条第1項の規定による仲裁の申請がされているときを除き**

電気通信紛争処理委員会に対し仲裁の申請がされているときには、協議命令の申立てをすることができないこととしている。

仲裁の申請は、両当事者の合意に基づきなされるものであるため、当該申請があったことにより両当事者は協議を行う意思があるものと考えられ、協議命令を行うことは意味をなさないためである。

(3) **協議の開始又は再開を命ずる**

第32条の接続義務に関しては、接続の請求を拒否する正当な事由に該当するかどうかが接続を請求された電気通信事業者にとって明確でない場合もあり得ることから、罰則で担保することとせず、相手方から申立てがあった場合において、正当な事由に当たらないと認められる場合に命令を行うことにより担保することとしている。

〔第2項〕

第2項の規定は、第1項の適用がある場合以外でも、公共の利益を増進するために特に必要であり、かつ、適切であると認めるときは、総務大臣が接続協定の締結のための協議を開始又は再開することを命令することができる旨を規定するものである。

電気通信設備を接続することで、通信の取扱地域を拡張したり、費用を引き下げたりすることが可能となるので、接続は、利用者にとっても当事者たる電気通信事業者にとっても有益であるのが一般的であるが、現実には全ての電気通信事業者が対等の地位に立って協議ができるわけではないことから、優位である方が他方に対して接続を拒否したり、自己に有利な条件を押し付ける結果、事実上接続が不可能となる場合がある。このような状態を放置することは、競争原理を導入した本法の趣旨にももとるものであり、利用者の利便をも害するものとなることから、第1項の適用がある場合以外でも、当事者の一方の申立てにより接続を命じ得る制度としている。

命令に当たっては、第160条の規定により、総務大臣は、命令について、電気通信紛争処理委員会に諮問する。委員会は、審議（必要と認めるときは、利害関係者その他の参考人から意見の聴取を行う（運営規程第11条）。）の上、総務大臣に答申を行う。

(4) **電気通信事業者間において**

接続は、ネットワークの円滑な構築を可能とし、より高度かつ多様な電気通信サービスの提供を促進するものであることから、全ての電気通信事業者に対して、当事者の一方の申立てに基づき、総務大臣が、接続に係る協議命令を発出することを可能とし、接続の円滑な実現を図ることとしている。

(5) **公共の利益を増進するために特に必要であり、かつ、適切であると認めるとき**

接続に関する命令は、命ぜられる電気通信事業者にとっては行動の自由が制限されることにもなるので、第2項の命令の発出は、公共の利益を増進するために特に必要であり、かつ、適切であると認められる場合に行うものとしている。

「公共の利益を増進するために特に必要であり、かつ、適切」とは、主として、次のような観点から判断される。

① 当該接続により、従来提供されていなかったサービスが提供可能になる等利用者の利便を著しく向上させ、又は信頼性の高いネットワーク構築等が行われることで電気通信の健全な発達に資すること

② 当該接続が、当事者の一方にとって経済的、技術的に著しく負担となったり、困難となったりするものでないこと

③ 当該接続が、当事者の電気通信業務の適確な遂行に支障を及ぼすものではないこと

(6) **協議の開始又は再開を命ずることができる**

第2項の命令は、これにより新たに接続の協議に係る義務が生じることになるものである。この点において第1項の命令と性格が異なる。

〔第3項〕

電気通信事業者の設置する電気通信回線設備は、これと他の電気通信事業者の電気通信設備との接続を促進することにより、利用者が多彩なサービスの提供を受けることができるようになる等、電気通信の健全な発達や利用者の利益の確保にとって重要な機能を有していることから、速やかに接続協定が締結されることが望ましい。

これに鑑み、総務大臣による協議命令があった場合（第4項の規定の適用対象（後述））に加えて、本項では、当事者間で協議を進め、接続協定の締結については両当事者とも合意しているものの、協定の細目についての協議が調わない場合には、協議命令を経ることなく、総務大臣に対し裁定を申請することを可能とし

第35条

ている。

　裁定に当たっては、第160条の規定により、総務大臣は、裁定について、電気通信紛争処理委員会に諮問する。委員会は、審議（必要と認めるときは、利害関係者その他の参考人から意見の聴取を行う（運営規程第11条）。）の上、総務大臣に答申を行う。

(7)　協定の細目について（、）当事者間の協議が調わないとき

　　協定の細目についての協議が不成立の場合をいう。接続の請求の相手方たる電気通信事業者が協議に応じていないにもかかわらず、接続の請求をした電気通信事業者が本項に基づく総務大臣の裁定を申し入れてきた場合には、裁定の要件たる「協定の細目について（、）協議が調わないとき」に該当しないことから、総務大臣は、当該裁定の申請を不受理とすることとなる。（当該事業者は、第1項又は第2項の規定に基づく協議開始命令の申立てを行うことは可能。）

(8)　当事者が第155条第1項の規定による仲裁の申請をした後は、この限りでない

　　電気通信紛争処理委員会に対し仲裁の申請がされているときには、裁定の申請をすることができないこととしている。

　　委員会の仲裁判断は両当事者を拘束するため、仲裁の申請があったことによりその紛争は解決されることが予定されるところであり、総務大臣による裁定は要しないものである。

〔第4項〕

　第1項又は第2項の規定により協議命令があった場合には、両当事者は協定締結のために協議をしなければならないが、当事者間の協議が成立しない場合があり得る。第4項の規定は、当事者間の協定が締結されることを企図して協議命令が発動されたにもかかわらず、これを放置しておくことは適切ではないことから、協定の細目の協議が調わない場合には総務大臣に対し裁定を申請することができることとするものである。

　裁定に当たっては、第160条の規定により、総務大臣は、裁定について、電気通信紛争処理委員会に諮問する。委員会は、審議（必要と認めるときは、利害関係者その他の参考人から意見の聴取を行う（運営規程第11条）。）の上、総務大臣に答申を行う。

〔第5項〕

⑼　その旨

　　ここでいう「その旨」には、裁定の申請があったということだけでなく、その申請の内容も含まれている。

⑽　答弁書

　　裁定は、本来当事者間の協議により定めるべきものとされた協定の細目について行うものであるから、「答弁書」の内容もその範囲内に限られる。

〔第6項〕

⑾　その旨

　　ここでいう「その旨」には、裁定をしたということだけでなく、その裁定の内容も含まれている。

〔第7項〕

⑿　当事者間に協議が調つたものとみなす

　　裁定の結果、その内容が協議の内容となり、以後は、当事者間の私法上の債権債務関係になることを規定している。

〔第8・9項〕

　　一般的に行政庁の処分に対して不服がある者は、訴えをする場合、本来は行政事件訴訟法（昭和37年法律第139号）第3条に規定する抗告訴訟を提起することになるところ、裁定のうち当事者が取得し、又は負担すべき金額については、当事者間の利害にとどまり、その判断には公益の考慮を必要とすることが少なく、公益の代表者としての行政機関は必ずしも訴訟に参加させる必要がないため、同法第4条に規定する当事者訴訟（形式的当事者訴訟）が提起されるべきこととしている。

⒀　その裁定があつたことを知つた日から6月以内

　　負担すべき金額に対する不服の訴えの出訴期間を6か月以内としているのは、法律関係の早期確立の要請から期間を制限する一方で、国民が訴訟による権利利益の救済を受ける機会を適切に確保することが考慮されたものである。

〔第10項〕

　　一般的に行政庁の処分に不服がある者は、行政不服審査法（平成26年法律第68号）第2条の規定により、審査請求をすることができるが、「当事者間の法律関係を確認し、又は形成する処分で、法令の規定により当該処分に関する訴えにおいてその法律関係の当事者の一方を被告とすべきものと定められているもの」

第35条

（同法第7条第1項第5号）については、同法第2条の規定は、適用しないとされている（同法第7条）。

　本項では、これに対応して、裁定のうち当事者が取得し、又は負担すべき金額については、当事者間の利害にとどまり、その判断には公益の考慮を必要とすることが少ないため、抗告訴訟も認められないこととしており、審査請求についてもこれを許さないこととしている。

【接続に関する命令・裁定制度の運用事例】
①　第1項の命令（4件）
〔事例1〕
　平成12年8月11日、日本交信網有限会社（日本交信網）は、同社の電気通信設備とNTT東日本が設置する中継伝送路及び端末系伝送路の光ファイバ設備（ダークファイバ）との接続について、NTT東日本が、光ファイバ設備は電気通信設備とはいえず、接続を行う考えがないと主張し、協議が不調であるとして、協議命令を申し立てた。NTT東日本は、光ファイバの芯線全体を提供する場合の提供条件の考え方として「IRU契約」又は同等の賃貸契約が適当とする考え方等を日本交信網に対して全て伝えてあり、接続請求に応じないことにはならないと主張した。同年11月17日、日本交信網が接続を求める光ファイバ設備は、電気通信回線設備であり、法定された接続拒否事由に該当するとは認められず、接続の請求に応じないことには理由が認められないとして、NTT東日本に対して協議の開始が命ぜられた（平成12年郵電業第3090号の2）。
〔事例2〕
　平成15年5月16日、ソフトバンクBB株式会社（ソフトバンクBB）は、NTT西日本がその局舎内に設置する主配線盤の端末回線側端子盤及び加入者交換機側端子盤のジャンパ線接続端子を新たな接続点とする、NTT西日本の電気通信回線設備とソフトバンクBBの電気通信設備との接続について、NTT西日本から拒否されたとして、協議の再開の命令を申し立てた。NTT西日本は、1）ソフトバンクBBの申立ての実質はジャンパ線の工事であること、2）ソフトバンクBBとの間で既に相互のネットワークの接続を（請求されたものとは別の接続点で）行っており、また、ソフトバンクBBが申し立てる協定の内容は、日本電信電話株式会社等に関する法律が義務付ける「加入者電話網の完全性」を侵害するものであること等から、本法第38条（現在の第32

294

条）本文にいう接続ではないこと、3）ソフトバンクＢＢの申立ては接続約款の変更を必然的に伴うもので、協議再開命令の発令は適切ではないこと等を主張した。総務大臣から諮問を受けた電気通信事業紛争処理委員会は、8月20日、1）ソフトバンクＢＢがジャンパ線の自前工事の期待を有しているからといってその接続請求を本法第38条（現在の第32条）の適用対象外のものとすることはできないこと、2-1）同条にいう「電気通信設備の接続」とは、規定上、接続箇所を限定していないばかりか、その沿革に照らすと、技術的に接続が可能な全ての箇所における接続を意味することが明らかであること、2-2）日本電信電話株式会社等に関する法律が定める地域電気通信業務の定義は、接続を義務付けている法を前提として理解すべきものであり、現に、既存の接続においても、ソフトバンクＢＢの設備を利用してＮＴＴ西日本の電話役務を提供していること、3）本法第38条の2（現在の第33条）は、当事者間の協議結果に基づく接続約款の変更を予定していること等を指摘し、法定された接続の除外事由があると認めるべき事情はない等とした上で、本件接続協議の再開命令を発することが正当であると判断すると総務大臣に答申した。同年8月28日、ソフトバンクＢＢの申立てに係る接続について、請求に応じないことには理由が認められないとして、ＮＴＴ西日本に対して協議の再開が命ぜられた（平成15年総基料第137号）。

〔事例3〕

　平成22年1月25日　生活文化センター株式会社（生活文化センター）は、直収パケット交換機接続（レイヤ2接続）をはじめとする6件の電気通信設備の接続について、株式会社エヌ・ティ・ティ・ドコモとの協議が不能であるとして、総務大臣による協議の再開の命令を申し立てた。これに対して、株式会社エヌ・ティ・ティ・ドコモでは、生活文化センターは、その実態が明らかでなく、また、財務データも提供しないままであり、かつ、そのビジネスプランはおよそ非現実的であるので、将来負担すべき月々の網使用料や預託金を支払わないおそれが大きいと判断されることから、施行規則第23条第1号に該当し、当該申立ては却下されるべきであると主張した。総務大臣から諮問を受けた電気通信事業紛争処理委員会は、同年7月8日、これらの接続を全て実現する場合、同社が接続に関し負担すべき金額は、同社の運転資本等の規模を著しく上回っていること等から、生活文化センターが求める6種類の接続を行う場合には、当該接続に関し負担すべき金額の支払いを同社が怠るおそれがあるこ

第35条

とは否定できず、施行規則第23条第1号の該当性は認められるとして、本件接続に関する協議の再開の命令をしないことは相当であると判断すると答申した。同月14日、生活文化センターにあてて、協議の再開の命令をしないこととした旨の通知がなされた。

〔事例4〕

　平成28年9月29日、日本通信株式会社（日本通信）は、ソフトバンク株式会社（ソフトバンク）に対し、日本通信が設置する電気通信設備と特定移動端末設備（ソフトバンクが販売したSIMロックがなされた端末（「SIMロック端末」）及びSIMロックがなされていない端末の双方を含む。）との間の伝送交換を可能とする、ソフトバンクの電気通信回線設備との接続を申し入れたが、ソフトバンクからは、SIMロック端末との間の伝送交換を可能とする接続には応じられないと拒否され、協議が不調であるとして、協議の再開の命令を申し立てた。ソフトバンクは、日本通信が求めている接続には応じており、接続を拒否した事実はない、SIMカードは電気通信設備及び電気通信回線設備に該当しないとして、直ちに却下されるべきであると主張した。総務大臣から諮問を受けた電気通信紛争処理委員会は、平成29年1月27日、「法の立法目的を考えれば、法第32条にいう接続は、実際に通信が可能となることを求めるものであって、単に電気的に接続するだけではなく実際に通信が可能とならなければ無意味である」から、「本件申立てにかかる通信が可能となるようにし、接続が成立するためには、上記SIMカードが電気通信設備又は電気通信回線設備であるかどうかにかかわらず、その提供が必須なものなのであるから、日本通信がソフトバンクに当該SIMカードの提供を求める行為は、接続の請求の一環をなすものと認められる」と述べ、ソフトバンクが「日本通信が求めているSIMロック端末との間の伝送交換を可能とする接続には応じていないことは明らかであ」るから「他の電気通信事業者がその協議に応じず、又は協議が調わなかった場合」に該当するとし、また、接続請求の拒否事由が認められないとした上で、本件接続に関する協議再開を命ずることは相当であると判断すると答申した。同月31日、日本通信より、ソフトバンクとの接続協定の合意に至ったとして、本件申立ての取下げがあり、協議再開命令は行われないこととなった。

② 　第2項の命令（これに相当するもので、現在の第1項の規定が設けられる前のものを含む。2件。）

第35条

〔事例1〕

　平成6年10月18日、日本テレコム株式会社は、日本電信電話株式会社（Ｎ
ＴＴ）の専用役務に係る電気通信設備と日本テレコム株式会社のデジタルデー
タ伝送役務（フレームリレーサービス）に係る電気通信設備との接続のために
行う接続協定の一部変更について、2年弱にわたりＮＴＴから接続を実施する
旨の回答が得られなかったとして、協定の締結命令を申し立てた。同年10月
25日に聴聞の開催について通知、掲示が行われた後、日本テレコム株式会社は、
ＮＴＴから接続を早期に実施する用意がある旨の通知を受け、協議が調ったと
して、申立ての取下げを行った。

〔事例2〕

　平成6年11月8日、第二電電株式会社、日本テレコム株式会社及び日本高
速通信株式会社（第二電電等）は、ＶＰＮサービスに関する接続協定の一部変
更について、約5年間にわたり協議を行ってきたが、ＮＴＴとの間で合意に至
らず、当事者間では協議が調う見通しが得られないとして、協定の締結命令を
申し立てた。ＮＴＴは、第二電電等の要望するリルーティング方式は、第二電
電等のデータベース装置に接続して番号変換を行った後、ＮＴＴの電気通信回
線設備のみを使用して伝送・交換して行うもので、これにより提供される第二
電電等が料金設定をする市内通話等について、本法に定める接続協定の対象に
なり得るか不明であると主張した。リルーティング方式を採ることが本法に定
める接続に該当することが示された上で、同年12月28日、本件接続について、
利用者の利便を向上させるものであるとともに、ＶＰＮサービスの競争の促進
による利用者に多様な選択の機会が与えられるものであることから、公共の利
益を増進するために特に必要であり、他方でＮＴＴを不当に制約するものでは
ないと認められるとして、接続協定の締結が命ぜられた（平成6年郵電業第
120号の2）。

③　第3項の裁定（4件）

〔事例1〕

　平成12年8月11日、日本交信網有限会社（日本交信網）は、ＮＴＴ東日本
の電気通信設備との接続に関して、ＮＴＴ東日本の電話局内での日本交信網の
電気通信設備の設置場所と相互接続点調査費用の金額について裁定を申請した。
裁定は、同年10月20日に行われ、設備の設置場所については、日本交信網が
要望する地下1階（接続点となる主配線盤（ＭＤＦ）が設置される。）につい

て、当面他の用途での利用用途がなく、その設置によってＮＴＴ東日本等の電気通信回線設備を損傷したり、その機能に障害を与えたりする特段のおそれがあるとは認められないこと等を理由に、ＮＴＴ東日本が設置を認めるものとし、相互接続点調査費用の金額については、調査のために必要な移動や作業に係る人員・時間数により算出した額について日本交信網の負担額とした（平成12年郵電業第3076号）。

〔事例2〕

平成14年7月18日、平成電電株式会社（平成電電）は、携帯電話事業者15社の電気通信設備と接続して提供する携帯電話事業者の設備に着信することとなる通話に関し、利用者料金設定権の帰属について裁定を申請した。同年11月22日、株式会社エヌ・ティ・ティ・ドコモ北海道他9社の電気通信設備と接続して提供する、平成電電の設備から発信して携帯電話事業者9社の設備に着信することとなる通話に関して裁定が行われ（平成14年総基料第446号）、それ以外の通話に関しては、接続の条件その他協定の細目についての協議が行われるに至っていないとして、裁定を行わない旨の通知が行われた。上記裁定では、本件通話については、発信利用者が料金の請求を受けること等を考慮して、平成電電が利用者料金（いわゆるエンドエンド料金）を設定することが適当であるとされた。

〔事例3〕

平成19年7月9日、日本通信は、同社のパケットサーバと株式会社エヌ・ティ・ティ・ドコモのパケット交換機との接続に関して、利用者料金設定権の帰属、接続における株式会社エヌ・ティ・ティ・ドコモの料金の体系その他について裁定を申請した。同年11月30日、総務大臣は、裁定を行った（平成19年総基料第245号）。この裁定において、総務大臣は、利用者料金設定権については、接続約款規制の下では株式会社エヌ・ティ・ティ・ドコモが接続に関し取得すべき金額が適正な原価及び適正な利潤を超えることがなく、同社が当該金額を設定することとすることが公正競争のベースとして望ましいこと、利用者への分かりやすさの上で利用者が通信サービスの提供を受ける意思を持って申し込む電気通信事業者において利用者料金設定が認められることが適当であること等を指摘し、日本通信に利用者料金（いわゆるエンドエンド料金）設定権を認めることとした。また、株式会社エヌ・ティ・ティ・ドコモの料金の体系については、日本通信において多様な利用者料金を設定することが容易とな

ること等から、帯域幅課金とすることが相当であるとし、ただし、疎通制御機能の開発等ネットワークの輻輳対策について、両当事者間で十分に協議を行い、協議が調うことが求められることとした。そして、その余の裁定申請事項については、裁定の要件を満たしていないとして、裁定を行わないこととした。

〔事例4〕

令和5年1月31日、株式会社NTTドコモは、同社の電気通信設備とColtテクノロジーサービス株式会社（コルト）の電気通信設備との接続において、コルトの契約者の端末設備に着信することとなる通話に関して、コルトがその電気通信役務提供区間について株式会社NTTドコモから取得すべき金額について、能率的な経営の下における適正な原価に適正な利潤を加えた金額とすべきとの裁定を求める申請を行った。令和6年3月22日、裁定が求められた金額は、能率的な経営の下における適正な原価に適正な利潤を加えた金額を超えない額で設定するものとし、その算定方法として、長期増分費用モデルを用いた算定方法を示す裁定案が総務大臣から電気通信紛争処理委員会に諮問された。

第36条（第一種指定電気通信設備の機能の変更又は追加に関する計画）

（第一種指定電気通信設備の機能の変更又は追加に関する計画）

第36条　第一種指定電気通信設備を設置する電気通信事業者は、当該 (1) 第一種指定電気通信設備の機能（総務省令で定めるものを除く。）の変更又は追加の計画を有するときは、(2) 総務省令で定めるところにより、その計画を当該 (3) 工事の開始の日の総務省令で定める日数前までに総務大臣に届け出なければならない。その届け出た計画を変更しようとするときも、同様とする。

2　第一種指定電気通信設備を設置する電気通信事業者は、(4) 総務省令で定めるところにより、前項の規定により届け出た計画を公表しなければならない。

3　総務大臣は、第1項の規定による届出があつた場合において、その届け出た計画の実施により他の電気通信事業者の電気通信設備と第一種指定電気通信設備との円滑な接続に支障が生ずるおそれがあると認めるときは、当該第一種指定電気通信設備を設置する電気通信事業者に対し、その計画を変更すべきことを (5) 勧告することができる。

第36条

追加	平成 9 年法律第 97号
改正	平成11年法律第160号
	平成13年法律第 62号
第39条の２繰上げ改正	平成15年法律第125号

1　概　要

　第一種指定電気通信設備を設置する電気通信事業者が当該第一種指定電気通信設備の機能を変更し、又は新たな機能を追加する場合、他の電気通信事業者が新たな機能等に対応するための設備改修等を早期に進めることができるように、第一種指定電気通信設備を設置する電気通信事業者が第一種指定電気通信設備の機能の変更又は追加に関する計画を総務大臣に届け出るとともにこれを公表することとし、また、総務大臣がその計画の変更について勧告することができることとしている。

2　条文内容

〔第１・２項〕

　第一種指定電気通信設備を設置する電気通信事業者が当該第一種指定電気通信設備の機能を変更し、又は新たな機能を追加する場合、他の電気通信事業者においても、それまで接続していた電気通信設備の仕様を変更したり、当該新たな機能を使用することに関する検討及び接続のために必要な機器の開発等を行ったりする必要があるが、接続約款が定まってからこれらの作業に着手すると、実際に接続を実現するまでに相当の期間を要することになってしまい、円滑な接続を図る上で適当でない。

　このため、第一種指定電気通信設備を設置する電気通信事業者以外の電気通信事業者が、新たな機能等に対応するための設備改修等を早期に進めることができ、第一種指定電気通信設備と円滑に接続してサービスを円滑に提供することができるように、第一種指定電気通信設備を設置する電気通信事業者が当該第一種指定電気通信設備の機能の変更又は追加のための設備改修に着手する一定期間前に、設備改修の日程、機能の概要、仕様の概略、費用の概算等に関する計画を作成し、総務大臣に届け出るとともに、他の電気通信事業者がそれを知ることのできるように公表することとしている。

第36条

(1) 第一種指定電気通信設備の機能（総務省令で定めるものを除く。）の変更又は追加の計画

新サービスの提供などのために行う機能の変更・追加に向けたソフトウェアの改修や設備の改修等を行う際の、日程、機能の概要、仕様の概略及び費用の概算等に関する計画をいう。接続して用いられることが想定されないなど、円滑な接続に支障を生ずるおそれがなく、上記計画の総務大臣への届出や公表を要しない機能を総務省令で定めることとしている。

総務省令では、第一種指定電気通信設備の機能の変更・追加のために第一種指定電気通信設備のプログラム又はそのデータを書き換える機能、通信量等の測定機能、第一種指定電気通信設備を設置する電気通信事業者の提供する電気通信役務に関する料金を課金する機能及び当該料金を計算する機能（他の電気通信事業者と電気通信役務に関する料金を精算する機能を除く。）等を規定している（施行規則第24条の5）。

(2) 総務省令で定めるところにより

第一種指定電気通信設備の機能の変更又は追加の計画を総務大臣に届け出る方法について、総務省令で定めることとしている。

総務省令では、他の電気通信事業者が利用することができる第一種指定電気通信設備の機能ごとに、機能の内容、提供条件、インタフェース、費用の負担の有無及びその概算、工事開始予定年月日、提供予定時期などを記載して届け出ること等を定めている（施行規則第24条及び様式第18）。

(3) 工事の開始の日の総務省令で定める日数前までに

第一種指定電気通信設備の機能の変更又は追加の計画を総務大臣に届け出るのは、工事の開始の日の総務省令で定める日数前までとしている。

総務省令では、場合の区分に応じ、7日、40日、90日又は総務大臣が別に定める200日以内の日数の日数を設定している（施行規則第24条の2）。

(4) 総務省令で定めるところにより

第一種指定電気通信設備の機能の変更又は追加の計画を公表する方法について、総務省令で定めることとしている。

総務省令では、計画の届出の後直ちにインターネットを利用して公衆の閲覧に供する方法により公表されるべき旨等を定めている（施行規則第24条の3）。

第36条・第37条

〔第3項〕

　第一種指定電気通信設備の機能の変更又は追加の計画の内容によっては、当該第一種指定電気通信設備と接続するために他の電気通信事業者の電気通信設備の大幅な改造が必要となったり、従来使用できた機能が使用できなくなったりする等、他の電気通信事業者にとって不測の不利益が生じるおそれがある。このような円滑な接続に支障が生じるおそれがあるような機能の変更又は追加が計画されている場合には、これが放置された場合、他の電気通信事業者は、公表された不合理な計画を踏まえて設備改修を進めてしまうことになる。また、第一種指定電気通信設備を設置する電気通信事業者は、この計画に従って設備改修を進めても、接続約款が認可されなかった場合には、再び設備改修を実施する必要が生じることになる。

　このため、実際に設備改修が行われる前の段階において、総務大臣がその計画の変更の勧告を行い、円滑な接続に支障が生じるような設備改修を未然に防止することができることとしている。

　勧告に当たっては、第160条の規定により、総務大臣は、勧告について、電気通信紛争処理委員会に諮問する。委員会は、審議（必要と認めるときは、利害関係者その他の参考人から意見の聴取を行う（運営規程第11条）。）の上、総務大臣に答申を行う。

(5)　勧告

　ある事柄を申し出て、その申出に沿う行動をとるよう勧め又は促す行為をいう。本項の勧告は、勧告違反に対して法律上の効果があるものではない。

第37条（第一種指定電気通信設備の共用に関する協定）

（第一種指定電気通信設備の共用に関する協定）

第37条　第一種指定電気通信設備を設置する電気通信事業者は、他の電気通信事業者と当該第一種指定電気通信設備の ⑴ 共用に関する協定を締結し、又は変更しようとするときは、総務省令で定めるところにより、あらかじめ総務大臣に届け出なければならない。

2　第33条第1項の規定により新たに指定をされた電気通信設備を設置する電気通信事業者は、当該指定の際現に当該電気通信事業者が締結してい

第37条

る他の電気通信事業者との協定のうち当該電気通信設備の共用に関するものを、総務省令で定めるところにより、遅滞なく、総務大臣に届け出なければならない。

追加　平成15年法律第125号

1　概　要

　第一種指定電気通信設備については、これを設置する電気通信事業者以外の電気通信事業者の事業展開及び利用者利便を確保する上で不可欠な設備であるため、第一種指定電気通信設備を設置する電気通信事業者が、当該第一種指定電気通信設備の共用に係る事業者間協議において優位な立場に立ち、共用に係る条件等について自己に著しく有利な条件を押し付けることにより競争促進の障害、利用者の負担増等が発生するおそれがある。

　このため、第一種指定電気通信設備の共用に関する協定については、総務大臣に届け出ることが義務付けられ、行政において内容の妥当性等を担保することとしている。

2　条文内容

〔第1項〕

　第一種指定電気通信設備については、他の電気通信事業者の事業展開及び利用者利便を確保する上で不可欠な設備であるため、第一種指定電気通信設備を設置する電気通信事業者が、当該第一種指定電気通信設備の共用に係る事業者間協議において優位な立場に立ち、共用に係る条件等について自己に著しく有利な条件を押し付けることにより競争促進の障害、利用者の負担増等が発生するおそれがある。

　他方で、電気通信設備の共用については、マイクロ波中継設備のアンテナの共用や人工衛星のトランスポンダ（電波中継機）の共用といった極めて限定的な場面で活用されているものであり、接続のように全ての電気通信回線設備について行われているわけではなく、ネットワーク構築のため必要不可欠とまではいえない。

　これらに鑑み、第一種指定電気通信設備の共用に関する協定については、認可制などは採らないものの、総務大臣への事前届出を義務付けることとしている。

　届出の手続等については総務省令で規定されている（施行規則第25条の2及

第37条・第38条

び様式第18の2）。

(1) 共用

アンテナや人工衛星のトランスポンダ（電波中継機）等の電気通信設備を共同使用又は共有により使用することをいい、電気通信設備を時分割又は周波数分割により使用することなどがこれに当たる。

〔第2項〕

ある電気通信設備が新たに第一種指定電気通信設備として指定された場合には、当該電気通信設備の共用に関する協定について、総務省令で定める手続等により（施行規則第25条の2及び様式第18の2）、遅滞なく、総務大臣へ届け出なければならない旨の経過措置が規定されている。

第38条（電気通信設備等の共用に関する命令等）

（電気通信設備等の共用に関する命令等）

第38条　総務大臣は、(1) 電気通信事業者間においてその一方が電気通信設備又は (2) 電気通信設備設置用工作物（電気通信事業者が電気通信設備を設置するために使用する建物その他の工作物をいう。以下同じ。）の共用に関する協定の締結を申し入れたにもかかわらず他の一方がその協議に応じず又は当該 (3) 協議が調わなかつた場合で、当該一方の電気通信事業者から申立てがあつた場合において、その共用が (4) 公共の利益を増進するために特に必要であり、かつ、適切であると認めるときは、(5) 第156条第1項において準用する第155条第1項の規定による仲裁の申請がされているときを除き、他の一方の電気通信事業者に対し、その協議の開始又は再開を命ずることができる。

2　第35条第3項から第10項までの規定は、電気通信設備又は電気通信設備設置用工作物の共用について準用する。この場合において、同条第3項及び第4項中「接続条件」とあるのは「共用の条件」と、同条第3項中「電気通信設備に接続する電気通信設備を設置する」とあるのは「電気通信事業者と協定を締結しようとする」と、「第155条第1項」とあるのは「第156条第1項において準用する第155条第1項」と、同条第4項中「第1項又は第2項」とあるのは「第38条第1項」と読み替えるものとする。

第38条

	追加	平成 9 年法律第 97号
	改正	平成11年法律第160号
		平成13年法律第 62号
第39条の4繰上げ改正		平成15年法律第125号
	改正	平成22年法律第 65号

1 概 要

　電気通信設備又は電気通信設備設置用工作物の共用について、総務大臣の協議命令及び協定の細目について当事者の協議が不調の場合に行う裁定に関する規定を定めている。

　共用に関する協定は、基本的には電気通信事業者間の交渉により締結されるものであるが、電気通信事業者間の交渉力等に差異があるため、優位な立場にある電気通信事業者が共用を拒否したり、自己に有利な条件を押しつけたりすることにより公正競争が阻害され、利用者の負担増等が発生する等、公共の利益の増進を阻害するおそれがあることから、共用に関して紛争が生じた場合には、総務大臣が協議命令、裁定等により、適切に対応することとしている。

　命令又は裁定に当たっては、第160条の規定により、総務大臣は、命令又は裁定について、電気通信紛争処理委員会に諮問する。委員会は、審議（必要と認めるときは、利害関係者その他の参考人から意見の聴取を行う（運営規程第11条）。）の上、総務大臣に答申を行う。

2 条文内容

〔第1項〕

(1) 電気通信事業者間において

　　共用は、ネットワークの円滑な構築を可能とし、より高度かつ多様な電気通信サービスの提供を促進するものであることから、全ての電気通信事業者に対して、当事者の一方の申し立てに基づき、総務大臣が、共用に係る協議命令を発出することを可能とし、共用の円滑な確保を図ることとしている。

(2) 電気通信設備設置用工作物（電気通信事業者が電気通信設備を設置するために使用する建物その他の工作物をいう。・・・）

　　電気通信設備設置用工作物は、電気通信事業者が自らのネットワークを構築する際の線路敷設基盤として重要であり、かつ、電気通信設備に密接な関連を有するものである。例えば、周波数の割当てを受けた移動体通信事業者が電気

通信役務を提供するに当たっては、移動体通信に使用する空中線を設置するための支持柱（鉄塔等）の必要が出てくる。ところが、例えば、景観条例による建築制限等により自らこれらを設置することができない場合で、既に鉄塔等を設置している他の電気通信事業者がその優位な地位を濫用して当該鉄塔等の共用の拒否を行う場合等には、公正競争が阻害されるおそれがある。このような場合における紛争の適切な対応と迅速かつ効率的な解決を図るため、電気通信設備設置用工作物の共用に係る紛争を総務大臣の協議命令の対象としている。

(3) **協議が調わなかつた場合**

協議が不成立の場合をいう。

(4) **公共の利益を増進するために特に必要であり、かつ、適切であると認めるとき**

共用に関する命令は、命ぜられる電気通信事業者にとっては行動の自由が制限されることにもなるので、命令の発出は、公共の利益を増進するために特に必要であり、かつ、適切であると認められる場合に行うものとしている。

「公共の利益を増進するために特に必要であり、かつ、適切」とは、主として、次のような観点から判断される。

① 当該共用により、従来提供されていなかったサービスが提供可能になる等利用者の利便を著しく向上させ、又は信頼性の高いネットワーク構築等が行われることで電気通信の健全な発達に資すること

② 当該共用が、当事者の一方にとって経済的、技術的に著しく負担となったり、困難となったりするものでないこと

③ 当該共用が、当事者の電気通信業務の適確な遂行に支障を及ぼすものではないこと

(5) **第156条第1項において準用する第155条第1項の規定による仲裁の申請がされているときを除き**

接続の場合と同様に、仲裁の申請がされているときには協議命令の申請をすることができないように定めている。また、第2項の準用規定により、仲裁の申請がされているときには総務大臣の裁定の申請をすることができないこととしている。

〔第2項〕

電気通信設備又は電気通信設備設置用工作物の共用に関する裁定について、接続に関する裁定に係る規定を準用したものである。協定の内容について協議が調わない場合には、協議命令を経ずに総務大臣に対し裁定を申請することを可能と

している。

　総務大臣の裁定を申請することができるのは、第35条第3項の場合と同様、当事者間において協定を締結することについての合意がなされている場合又は、第35条第4項の場合と同様、第38条第1項の協議命令があった場合で、協定の細目についての協議が調わない場合に限られる。当事者間に当該合意がなされていない場合で第1項の協議命令もない場合には、当該電気通信事業者は協議命令の申立てを行う必要があり、総務大臣に裁定を申請しても、当該申請は不受理となる。

第38条の2（第一種指定電気通信設備又は第二種指定電気通信設備を用いる卸電気通信役務の提供）

　（第一種指定電気通信設備又は第二種指定電気通信設備を用いる卸電気通信役務の提供）
第38条の2　(1) <u>第一種指定電気通信設備又は第二種指定電気通信設備を設置する電気通信事業者</u>は、当該第一種指定電気通信設備又は第二種指定電気通信設備を用いる (2) <u>卸電気通信役務の提供</u>の (3) <u>業務を開始した</u>ときは、(4) <u>総務省令で定めるところにより</u>、遅滞なく、その旨、(5) <u>総務省令で定める区分ごとの卸電気通信役務の種類</u> (6) <u>その他総務省令で定める事項</u>を総務大臣に届け出なければならない。届け出た事項を変更し、又は当該業務を廃止したときも、同様とする。

2　(7) <u>特定卸電気通信役務（第一種指定電気通信設備又は第二種指定電気通信設備を用いる卸電気通信役務のうち、電気通信事業者間の適正な競争関係に及ぼす影響が少ないものとして総務省令で定めるもの以外のものをいう。以下同じ。）</u>を提供する電気通信事業者は、正当な理由がなければ、その業務区域における当該特定卸電気通信役務の提供を拒んではならない。

3　特定卸電気通信役務を提供する電気通信事業者は、当該特定卸電気通信役務の提供に関する契約の締結の申入れを受けた場合において、当該特定卸電気通信役務に関し、当該申入れをした電気通信事業者の負担すべき金額その他の提供の条件について提示をする時までに、当該申入れをした電気通信事業者から、当該提示と併せて当該金額の算定方法その他特定卸電気通信役務の提供に関する契約の締結に関する協議の円滑化に資する事項

として総務省令で定める事項を提示するよう求められたときは、正当な理由がなければ、これを拒んではならない。

4 　総務大臣は、特定卸電気通信役務を提供する電気通信事業者が前項の規定に違反したときは、当該電気通信事業者に対し、公共の利益を確保するために必要な限度において、業務の方法の改善その他の措置をとるべきことを命ずることができる。

追加　平成27年法律第26号
改正　令和 4 年法律第70号

1 　概　要

　第一種指定電気通信設備又は第二種指定電気通信設備を設置する電気通信事業者は、これらの設備を用いる卸電気通信役務の提供の業務を開始したとき等は、当該業務を開始した旨等を総務大臣に届け出なければならないこととしている。

　また、特定卸電気通信役務を提供する電気通信事業者は、正当な理由がある場合を除き、当該特定卸電気通信役務の提供を拒んではならないとし、特定卸電気通信役務の提供に関する契約の締結に関する協議の円滑化に資する事項を提示するよう求められたときは、正当な理由がなければ、これを拒んではならないとしている。

2 　条文内容

〔第 1 項〕

(1) 第一種指定電気通信設備又は第二種指定電気通信設備を設置する電気通信事業者は

　　第39条の 2 において、他の電気通信事業者の事業上重要なものとなっている第一種指定電気通信設備及び第二種指定電気通信設備との接続及びこれらを用いる卸電気通信役務の提供に関する情報について、総務大臣が整理・公表することとしていることに鑑み、第一種指定電気通信設備又は第二種指定電気通信設備を設置する電気通信事業者に対し、届出義務を課している。

(2) 卸電気通信役務の提供

　　卸電気通信役務とは、電気通信事業者の電気通信事業の用に供する電気通信役務をいう（第29条第 1 項第10号）。

(3)　業務を開始したとき

　　第一種指定電気通信設備又は第二種指定電気通信設備を設置する電気通信事業者は、これらの設備を用いる卸電気通信役務を提供しているか否か、どのような種類の卸電気通信役務を提供しているかを含め、卸電気通信役務の提供の業務を開始したときに、届出をしなければならないこととしている。

(4)　総務省令で定めるところにより

　　具体的な届出の様式等について、総務省令で規定している（施行規則第25条の5及び様式第18の5）。

(5)　総務省令で定める区分ごとの卸電気通信役務の種類

　　第一種指定電気通信設備又は第二種指定電気通信設備との接続及びこれらを用いる卸電気通信役務の円滑な利用を促進するためには、第一種指定電気通信設備又は第二種指定電気通信設備を設置する電気通信事業者が、どのような種類の卸電気通信役務を提供しているかを一覧できるようにする必要があるため、卸電気通信役務の種類を届出事項としている（施行規則第25条の6、様式第4）。

(6)　その他総務省令で定める事項

　　第一種指定電気通信設備又は第二種指定電気通信設備との接続及びこれらを用いる卸電気通信役務の円滑な利用を促進するために総務大臣が整理・公表することが必要となる情報は、市場環境の変化に応じて機動的に変化し得るものであり、また、卸電気通信役務の種類ごとにその内容が異なることが想定されるため、総務省令に委任することとしている。

　　具体的には、総務省令において、氏名又は名称、住所、第一種指定電気通信設備又は第二種指定電気通信設備を用いる卸電気通信役務の提供の業務の開始・変更・廃止の年月日、卸電気通信役務の種類ごとの業務区域等を定めている（施行規則第25条の7）。

〔第2項〕

　　特定卸電気通信役務を提供する電気通信事業者は、正当な理由がある場合を除き、その業務区域における当該特定卸電気通信役務の提供を拒んではならないとしている。

　　第一種指定電気通信設備又は第二種指定電気通信設備を用いる卸電気通信役務のうち、特に、広く一般利用者が利用するサービスの提供のため多くの電気通信事業者に用いられる卸電気通信役務については、電気通信事業者間の競争関係

や市場に与える影響が大きいにもかかわらず、第一種指定電気通信設備又は第二種指定電気通信設備を設置する電気通信事業者には提供のための協議に応ずる必要がなく、仮に当該協議に応じたとしても、その協議の相手に対して費用項目等の情報を提示する必要もない。その結果として特定卸電気通信役務の提供条件が改善されない事態を回避するため、特定卸電気通信役務を提供する電気通信事業者は、正当な理由がある場合を除き、当該特定卸電気通信役務の提供を拒んではならないとしている。

(7) 特定卸電気通信役務（第一種指定電気通信設備又は第二種指定電気通信設備を用いる卸電気通信役務のうち、電気通信事業者間の適正な競争関係に及ぼす影響が少ないものとして総務省令で定めるもの以外のものをいう。・・・）

　　特定卸電気通信役務は、第一種指定電気通信設備又は第二種指定電気通信設備を用いる卸電気通信役務のうち、電気通信事業者間の適正な競争関係に及ぼす影響が少ないもの以外のものと規定し、特定電気通信役務に含まれない電気通信役務として、総務省令では、次の電気通信役務以外の電気通信役務を規定している（施行規則第25条の7の5）。

① 　ＦＴＴＨアクセスサービス

② 　携帯電話又は全国ＢＷＡサービス

③ 　別に告示するもの（光ＩＰ電話（光回線電話を除く。）、セルラーＬＰＷＡ（令和5年総務省告示第183号））

〔第3項〕

　　特定卸電気通信役務を提供する電気通信事業者が当該特定卸電気通信役務の提供に関する契約の締結の申入れをした電気通信事業者に対して提示する情報量の不足等があると、卸電気通信役務の提供に関する協議は円滑に進まない。そこで、特定卸電気通信役務を提供する電気通信事業者に対し、当該申入れをした電気通信事業者が負担すべき金額その他の提供の条件の提示時までに、当該申入れをした電気通信事業者がその提示と併せて当該金額の算定方法等協議の円滑化に資する事項の提示を求めたときは、正当な理由がなければ、これを拒んではならないとしている。

　　特定卸電気通信役務の提供に関する協議の円滑化に資する事項として、総務省令では、次に掲げる事項を規定している（施行規則第25条の7の6）。

① 　接続料相当額（特定卸電気通信役務と同等の電気通信役務を接続により提供しようとする場合に取得すべき金額）

② 特定卸電気通信役務に関する料金と接続料相当額との差額の用途

〔第4項〕

　第3項の提示義務を違反した特定卸電気通信役務を提供する電気通信事業者に対し、総務大臣は、公共の利益を確保するために必要な限度において、業務の方法の改善その他の措置をとるべきことを命ずることができる旨を規定している。

第39条（卸電気通信役務の提供についての準用）

（卸電気通信役務の提供についての準用）

第39条　第35条第1項及び第3項から第10項まで並びに第38条第1項の規定は、卸電気通信役務の提供について準用する。この場合において、第35条第1項中「当該他の電気通信事業者が設置する電気通信回線設備と当該電気通信事業者の電気通信設備との接続」とあるのは「第38条の2第2項に規定する特定卸電気通信役務の提供」と、同項並びに同条第3項及び第4項並びに第38条第1項中「協定」とあるのは「契約」と、第35条第1項中「第32条各号に掲げる場合に該当する」とあるのは「同項に規定する正当な理由がある」と、同項及び同条第3項ただし書中「第155条第1項」とあるのは「第156条第2項において準用する第155条第1項」と、同項及び同条第4項中「接続条件」とあるのは「提供の条件」と、同条第3項中「電気通信設備に接続する電気通信設備を設置する」とあるのは「卸電気通信役務を提供する電気通信事業者と契約を締結しようとする」と、同条第4項中「第2項」とあるのは「第38条第1項」と、第38条第1項中「電気通信設備又は電気通信設備設置用工作物（電気通信事業者が電気通信設備を設置するために使用する建物その他の工作物をいう。以下同じ。）の共用」とあるのは「次条第2項に規定する特定卸電気通信役務以外の卸電気通信役務の提供」と、「その共用」とあるのは「その提供」と、「第156条第1項」とあるのは「第156条第2項」と読み替えるものとする。

　　　　　　　　　　　　　　追加　平成13年法律第　62号
　　　　　第39条の6繰上げ改正　平成15年法律第125号
　　　　　　　　　　　　　　改正　平成27年法律第　26号
　　　　　　　　　　　　　　　　　令和4年法律第　70号

第39条

1 概 要

　卸電気通信役務の提供に関する協議命令及び裁定について、電気通信設備の接続と共用にかかる規定の準用により規定している。

　総務大臣による協議命令、裁定等の対象とする等、電気通信事業者間の取引に関しては、電気通信事業者と一般利用者との取引とは異なる規律を設ける必要があることから、卸電気通信役務の提供に係る事後的な紛争処理スキームについて規定している。

　命令又は裁定に当たっては、第160条の規定により、総務大臣は、命令又は裁定について、電気通信紛争処理委員会に諮問する。委員会は、審議（必要と認めるときは、利害関係者その他の参考人から意見の聴取を行う（運営規程第11条）。）の上、総務大臣に答申を行う。

2 条文内容
〔特定卸電気通信役務の提供に関する命令（第35条第1項の準用）〕
（3　読替え後の条文を参照のこと）

　特定卸電気通信役務に係る協議の円滑化を促進するため、電気通信回線設備との接続と同等の要件で協議開始・再開を命ずることとしている。

　特定卸電気通信役務については、第一種指定電気通信設備又は第二種指定電気通信設備を用いる卸電気通信役務のうち、適正な競争関係に及ぼす影響が少なくないものが対象であり、その協議が遅れてしまうことで、その間に第一種指定電気通信設備又は第二種指定電気通信設備を設置する電気通信事業者が関連市場を占有してしまう可能性があり、その場合には公正な競争環境を確保することができないため、電気通信の健全な発達を損なうおそれが生じることとなる。したがって、特定卸電気通信役務については、①一方当事者が協議に応じず、又は協議が調わなかった場合、②一方当事者の申立てがある場合のみを発動要件としている第35条第1項を準用している。

(1)　**協議が調わなかつた場合**

　協議が不成立の場合をいう。

(2)　**第156条第2項において準用する第155条第1項の規定による仲裁の申請がされているときを除き**

　接続、共用の場合と同様に、仲裁の申請がされているときには協議命令の申請をすることができないように定めたものである。

〔特定卸電気通信役務以外の卸電気通信役務の提供に関する命令（第38条第1項の準用）〕

（3　読替え後の条文を参照のこと）

　卸電気通信役務の提供は、ネットワークの円滑な構築を可能とし、より高度かつ多様な電気通信サービスの提供を促進するものであることから、全ての電気通信事業者に対して、当事者の一方の申し立てに基づき、総務大臣が、卸電気通信役務の提供に係る協議命令を発出することを可能とし、卸電気通信役務の提供の迅速化を図ることとしている。

　卸電気通信役務の提供に関する命令は、命ぜられる電気通信事業者にとっては行動の自由が制限されることにもなるので、命令の発出は、公共の利益を増進するために特に必要であり、かつ、適切であると認められる場合に行うものとしている。

(3)　電気通信事業者間において

　　卸電気通信役務の提供は、ネットワークの円滑な構築を可能とし、より高度かつ多様な電気通信サービスの提供を促進するものであることから、全ての電気通信事業者に対して、当事者の一方の申し立てに基づき、総務大臣が、卸電気通信役務の提供に係る協議命令を発出することを可能とし、卸電気通信役務の提供の円滑な確保を図ることとしている。

(4)　協議が調わなかつた場合

　　協議が不成立の場合をいう。

(5)　公共の利益を増進するために特に必要であり、かつ、適切であると認めるとき

　　卸電気通信役務の提供に関する命令は、命ぜられる電気通信事業者にとっては行動の自由が制限されることにもなるので、命令の発出は、公共の利益を増進するために特に必要であり、かつ、適切であると認められる場合に行うものとしている。

　　「公共の利益を増進するために特に必要であり、かつ、適切」とは、主として、次のような観点から判断される。

①　当該卸電気通信役務の提供により、従来提供されていなかったサービスが提供可能になる等利用者の利便を著しく向上させ、又は信頼性の高いネットワーク構築等が行われることで電気通信の健全な発達に資すること

②　当該卸電気通信役務の提供が、当事者の一方にとって経済的、技術的に著しく負担となったり、困難となったりするものでないこと

第39条

③　当該卸電気通信役務の提供が、当事者の電気通信業務の適確な遂行に支障を及ぼすものではないこと

(6)　**第156条第2項において準用する第155条第1項の規定による仲裁の申請がされているときを除き**

接続、共用の場合と同様に、仲裁の申請がされているときには協議命令の申請をすることができないように定めたものである。

〔卸電気通信役務の提供に関する裁定（第35条第3項から第10項までの準用）〕
（3　読替え後の条文を参照のこと）

卸電気通信役務の提供に関する協定の内容について協議が調わない場合には、協議命令を経ずに総務大臣に対し裁定を申請することを可能としている。

総務大臣の裁定を申請することができるのは、当事者間において契約を締結することについての合意がなされており、契約の細目についての協議が調わない場合に限られる。当事者間に当該合意がなされていない場合には、当該電気通信事業者は協議命令の申立てを行う必要があり、総務大臣に裁定を申請しても、当該申請は不受理となる。

(7)　**契約の細目について当事者間の協議が調わないとき**

契約の細目についての協議が不成立の場合をいう。卸電気通信役務の提供の請求の相手方たる電気通信事業者が協議に応じていないにもかかわらず、卸電気通信役務の提供の請求をした電気通信事業者が本規定に基づく総務大臣の裁定を申し入れてきた場合には、裁定の要件たる「契約の細目について協議が調わないとき」に該当しないことから、総務大臣は、当該裁定の申請を不受理とすることとなる。（当該事業者は、第39条において準用する第35条第1項又は第38条第1項の規定に基づく協議開始命令の申立てを行うことは可能。）

(8)　**当事者が第156条第2項において準用する第155条第1項の規定による仲裁の申請をした後は、この限りでない**

電気通信紛争処理委員会に対し仲裁の申請がされているときには、裁定の申請をすることができないこととしている。

委員会の仲裁判断は両当事者を拘束するため、仲裁の申請があったことによりその紛争は解決されることが予定されるところであり、総務大臣による裁定は要しないものである。

第39条

(9) 契約の細目について、当事者間の協議が調わないとき

契約の細目についての協議が不成立の場合をいう。

(10) その旨

ここでいう「その旨」には、裁定の申請があったということだけでなく、その申請の内容も含まれている。

(11) 答弁書

裁定は、本来当事者間の協議により定めるべきものとされた契約の細目について行うものであるから、「答弁書」の内容もその範囲内に限られる。

(12) その旨

ここでいう「その旨」には、裁定をしたということだけでなく、その裁定の内容も含まれている。

(13) 当事者間に協議が調つたものとみなす

裁定の結果、その内容が協議の内容となり、以後は、当事者間の私法上の債権債務関係になることを規定している。

(14) その裁定があつたことを知つた日から6月以内

負担すべき金額に対する不服の訴えの出訴期間を6か月以内としているのは、法律関係の早期確立の要請から期間を制限する一方で、国民が訴訟による権利利益の救済を受ける機会を適切に確保することが考慮されたものである。

3 その他

【読替え後の条文】

〔第35条第1項〕

第35条　総務大臣は、電気通信事業者が他の電気通信事業者に対し 第38条の2第2項に規定する特定卸電気通信役務の提供 に関する 契約 の締結を申し入れたにもかかわらず当該他の電気通信事業者がその協議に応じず、又は当該 (1) 協議が調わなかつた場合で、当該 契約 の締結を申し入れた電気通信事業者から申立てがあつたときは、 同項に規定する正当な理由がある と認めるとき及び (2) 第156条第2項において準用する第155条第1項 の規定による仲裁の申請がされているときを除き、当該他の電気通信事業者に対し、その協議の開始又は再開を命ずるものとする。

315

〔第38条第1項〕

第38条　総務大臣は、(3) 電気通信事業者間においてその一方が 次条第2項 に規定する特定卸電気通信役務以外の卸電気通信役務の提供 に関する 契約 の締結を申し入れたにもかかわらず他の一方がその協議に応じず又は当該 (4) 協議が調わなかつた場合で、当該一方の電気通信事業者から申立てが あつた場合において、 その提供が (5) 公共の利益を増進するために特に必 要であり、かつ、適切であると認めるときは、(6) 第156条第2項 において 準用する第155条第1項の規定による仲裁の申請がされているときを除き、 他の一方の電気通信事業者に対し、その協議の開始又は再開を命ずること ができる。

〔第35条第3項から第10項まで〕

第35条

3　電気通信事業者の 卸電気通信役務の提供 に関し、当事者が取得し、若 しくは負担すべき金額又は 提供の条件 その他 (7) 契約 の細目について当 事者間の協議が調わないときは、当該 卸電気通信役務を提供する電気通 信事業者と契約を締結しようとする 電気通信事業者は、総務大臣の裁定 を申請することができる。ただし、(8) 当事者が 第156条第2項において 準用する 第155条第1項 の規定による仲裁の申請をした後は、この限り でない。

4　前項に規定する場合のほか、第1項又は 第38条第1項 の規定による 命令があつた場合において、当事者が取得し、若しくは負担すべき金額又 は 提供の条件 その他 (9) 契約 の細目について、当事者間の協議が調わな いときは、当事者は、総務大臣の裁定を申請することができる。

5　総務大臣は、前2項の規定による裁定の申請を受理したときは、(10) そ の旨を他の当事者に通知し、期間を指定して　(11) 答弁書を提出する機会を 与えなければならない。

6　総務大臣は、第3項又は第4項の裁定をしたときは、遅滞なく、(12) その 旨を当事者に通知しなければならない。

7　第3項又は第4項の裁定があつたときは、その裁定の定めるところに従

い、⒀当事者間に協議が調つたものとみなす。

8　第3項又は第4項の裁定のうち当事者が取得し、又は負担すべき金額について不服のある者は、⒁その裁定があつたことを知つた日から6月以内に、訴えをもつてその金額の増減を請求することができる。

9　前項の訴えにおいては、他の当事者を被告とする。

10　第3項又は第4項の裁定についての審査請求においては、当事者が取得し、又は負担すべき金額についての不服をその裁定の不服の理由とすることができない。

(注)　□□□内は、当然に又は第39条の規定による読替え後

【卸電気通信役務に関する裁定制度の運用事例】

〔事例1〕

　令和元年11月15日、日本通信株式会社から裁定の申請があり、株式会社ＮＴＴドコモから卸電気通信役務の提供を受ける契約に関し、株式会社ＮＴＴドコモに対し、①音声通話サービスを能率的な経営の下における適正な原価に適正な利潤を加えた金額を基本とする料金で、日本通信に卸電気通信役務として提供すべき、②その際に、音声通話料の定額サービスを、能率的な経営の下における適正な原価に適正な利潤を加えた金額を基本とする料金で、日本通信に提供すべきとの裁定を求めた。これに対して、ＮＴＴドコモでは、①既存の音声卸役務の料金値下げについては、当事者間において協議が行われておらず、裁定申請要件に該当しない、②音声卸役務の料金を定額とすることは、ＭＶＮＯのリスクを株式会社ＮＴＴドコモ及びそのユーザが一方的に負うものであることから、なじまないとする答弁書が提出された。

　令和2年6月30日に総務大臣より、①株式会社ＮＴＴドコモは、日本通信株式会社に対して提供する音声通話サービスに係る卸電気通信役務の料金を、能率的な経営の下における適正な原価に適正な利潤を加えた金額を超えない額で設定するものとする、②株式会社ＮＴＴドコモは、日本通信株式会社に対して提供する音声通話サービスに係る卸電気通信役務の料金において、株式会社ＮＴＴドコモがエンドユーザ向けの音声通話サービスの料金として設定している「かけ放題オプション」及び「5分通話無料オプション」と同じ課金単位の料金設定を行うべきとすることは適当ではないとする裁定（基・電・料金サー

第39条・第39条の2

ビス課令和元年第209号）が当事者に通知された。

第39条の2（第一種指定電気通信設備及び第二種指定電気通信設備に関する情報の公表）

（第一種指定電気通信設備及び第二種指定電気通信設備に関する情報の公表）

第39条の2 (1) 総務大臣は、その保有する (2) 第一種指定電気通信設備及び第二種指定電気通信設備に関する次に掲げる情報を整理し、これをインターネットの利用その他の適切な方法により公表するものとする。

一 (3) 第33条第1項の規定による指定及び同条第2項の規定による認可に関して作成し、又は取得した情報

二 (4) 第34条第1項の規定による指定及び同条第2項の規定による届出に関して作成し、又は取得した情報

三 (5) 第38条の2第1項の規定による届出に関して作成し、又は取得した情報

四 (6) その他総務省令で定める情報

追加　平成27年法律第26号
改正　令和4年法律第70号

1　概　要

　第一種指定電気通信設備及び第二種指定電気通信設備との円滑な接続及びこれらを用いる卸電気通信役務の円滑な利用を促進するため、総務大臣が、その保有する第一種指定電気通信設備及び第二種指定電気通信設備に関する情報を整理し、公表することとしている。

2　条文内容

(1)　総務大臣は

　第一種指定電気通信設備及び第二種指定電気通信設備に関する情報の整理・公表は、他の電気通信事業者への適切な情報提供を確保する観点からは、接続協定・卸電気通信役務の提供の契約の当事者以外の公平・中立な第三者が行うことが適切であるため、総務大臣がこれを行うこととしている。

318

第39条の2

⑵　第一種指定電気通信設備及び第二種指定電気通信設備に関する次に掲げる情報を整理し、これをインターネットの利用その他の適切な方法により公表する

　　　第一種指定電気通信設備及び第二種指定電気通信設備に関する情報については、卸電気通信役務の提供の業務に関する情報が含まれているところ、卸電気通信役務の提供は、秘密保持契約が締結された上で相対協議が行われる場合が多く、その内容を個別に公表することとすれば、相対契約による柔軟な卸電気通信役務の提供を阻害し、卸電気通信役務の提供の促進に支障を生じさせるおそれがあることに鑑み、総務大臣が情報を整理した上で公表することとしている。

⑶　第33条第1項の規定による指定及び同条第2項の規定による認可に関して作成し、又は取得した情報

　　　総務大臣の整理・公表の対象として、第一種指定電気通信設備との接続に関する情報を規定している。第一種指定電気通信設備との円滑な接続のために整理・公表することが必要となる当該第一種指定電気通信設備を設置する電気通信事業者の氏名・名称や、接続料や接続条件に関する情報については、第33条第1項の規定による第一種指定電気通信設備の指定や、第33条第2項の規定による接続約款において規定・記載されるものであり、これらに関し作成し、又は取得した情報を総務大臣の整理・公表の対象としている。

⑷　第34条第1項の規定による指定及び同条第2項の規定による届出に関して作成し、又は取得した情報

　　　総務大臣の整理・公表の対象として、第二種指定電気通信設備との接続に関する情報を規定している。第二種指定電気通信設備との円滑な接続のために整理・公表することが必要となる当該第二種指定電気通信設備を設置する電気通信事業者の氏名・名称や、その取得すべき金額や接続条件に関する情報については、第34条第1項の規定による第二種指定電気通信設備の指定や、同条第2項の規定による接続約款において規定・記載されるものであり、これらに関し作成し、又は取得した情報を総務大臣の整理・公表の対象としている。

⑸　第38条の2第1項の規定による届出に関して作成し、又は取得した情報

　　　総務大臣の整理・公表の対象として、第一種指定電気通信設備及び第二種指定電気通信設備を用いる卸電気通信役務の提供の業務に関する情報を規定している。第一種指定電気通信設備及び第二種指定電気通信設備を用いる卸電気通信役務の円滑な提供のために整理・公表することが必要となる当該卸電気通信役務の提供の業務を行っている電気通信事業者の氏名・名称や、当該電気通信

事業者が提供する卸電気通信役務の種類等に関する情報については、第38条
の2第1項の規定による届出に記載されるものであり、これらに関し作成し、
又は取得した情報を総務大臣の整理・公表の対象としている。

(6) その他総務省令で定める情報

第1号から第3号までに定めるもののほか、総務大臣が整理・公表すること
により第一種指定電気通信設備及び第二種指定電気通信設備との円滑な接続及
びこれらを用いる卸電気通信役務の円滑な利用に資する情報について、総務省
令で定めることとしている。総務省令では、第29条第1項の命令等の行政処
分等に関して作成し、又は取得した情報を規定している（施行規則第25条の
10）。

第39条の3（特定ドメイン名電気通信役務を提供する電気通信事業者の提供義務等）

　（特定ドメイン名電気通信役務を提供する電気通信事業者の提供義務等）
第39条の3　特定ドメイン名電気通信役務を提供する電気通信事業者は、(1)
　正当な理由がなければ、その業務区域における特定ドメイン名電気通信役
　務の提供を拒んではならない。
2　総務大臣は、特定ドメイン名電気通信役務を提供する電気通信事業者が
　前項の規定に違反したときは、当該電気通信事業者に対し、(2)利用者の利
　益又は公共の利益を確保するために必要な限度において、業務の方法の改
　善その他の措置をとるべきことを命ずることができる。
3　特定ドメイン名電気通信役務を提供する電気通信事業者は、総務省令で
　定めるところにより、(3)電気通信役務に関する収支の状況その他その会計
　に関し総務省令で定める事項を公表しなければならない。

追加　平成27年法律第26号

1　概　要

特定ドメイン名電気通信役務について提供義務を課すとともに、これに違反し
た場合には、電気通信事業者に対し、総務大臣が業務改善命令を発することを可
能としている（第1・2項）。また、第24条において会計の整理義務が課される

特定ドメイン名電気通信役務を提供する電気通信事業者に対し、その公表義務を
課している（第3項）。

2 条文内容

〔第1・2項〕

(1) <u>正当な理由</u>

　　例えば、天災、地変、事故等により電気通信設備に故障を生じ役務提供が不
能の場合、料金滞納者に対する場合、その申込みを承諾することにより他の利
用者に著しい不便をもたらす場合、正常な企業努力にもかかわらず、需要に対
して速やかに応ずることができない場合等である。

(2) <u>利用者の利益又は公共の利益を確保するために必要な限度</u>

　　業務改善命令は、電気通信事業者に対する極めて強い措置であることから、
利用者の利益又は公共の利益への支障の除去等に必要な限度において命ずるこ
とができるものであり、その限度を超えて通信の停止等の措置を命ずることは
できないと考えられる。

〔第3項〕

(3) <u>電気通信役務に関する収支の状況その他その会計に関し総務省令で定める事</u>
<u>項を公表しなければならない</u>

　　インターネットは技術革新が早い分野であり、事業者の収支構造の変化等に
合わせて適時適切な対応を可能とする必要があるため、整理した会計のうち、
公表しなければならない事項を総務省令に委任することとしている。総務省令
では、貸借対照表、損益計算書及び個別注記表について規定している（会計規
則第18条第2項及び別表第2の2）。

第40条（外国政府等との協定等の認可）

（外国政府等との協定等の認可）

第40条　電気通信事業者は、(1) <u>外国政府又は外国人若しくは外国法人との</u>
　　間に、(2) <u>電気通信業務に関する</u>　(3) <u>協定又は契約であつて</u>　(4) <u>総務省令で</u>
　　<u>定める重要な事項</u>を内容とするものを締結し、変更し、又は廃止しようと
　　するときは、総務大臣の認可を受けなければならない。

第40条

改正　平成11年法律第160号
　　　平成15年法律第125号

1　概　要

　電気通信事業者が電気通信業務に関し、外国政府等との間に重要な事項を内容
とする協定又は契約を締結、変更又は廃止しようとする場合、このような協定等
はその内容の如何によっては、利用者の利益に重大な影響を与えるばかりでなく、
国の外交政策、経済政策に密接に関連するものであるため、総務大臣の認可を要
することを定めている。

2　条文内容

(1)　外国政府

　電気通信事業の運営を外国政府が自ら行う場合の外国政府は、公権力の主体
としてではなく、通信事業体として協定又は契約を締結することとなるもので、
この協定又は契約は、対等当事者間の契約と観念されている。

(2)　電気通信業務

　例えば、外国政府等の電気通信設備を介して国内電気通信業務を行うことも
考えられるため、国際電気通信業務に限定せず、電気通信業務として規定して
いる。

(3)　協定又は契約

　電気通信業務に関する外国政府等との合意をいう。その名称、形式の如何は
問わない。

(4)　総務省令で定める重要な事項

　総務大臣の認可を要する、重要な事項を内容とする外国政府等との協定等に
ついて、その内容たる重要な事項は、総務省令で定めることとしている。

　総務省令では、①電話等の役務の提供に関し、電気通信回線を設定等する区
間・役務の種類・対地、当事者が取得し、又は負担すべき金額、取り扱う通信
量の割合や、②本邦に陸揚げされる海底ケーブルの建設保守に関する協定を規
定している（施行規則第27条）。

　国際電話は、発信国の電話会社が利用者から料金を徴収し、この中から着信
国の電話会社に着信国側の設備使用料として国際計算料金（当事者が取得し又
は負担すべき金額）を支払う仕組みとなっており、①については、1)この国際

322

計算料金の高止まり防止や、2) 公正競争を阻害する国際計算料金支払いの回避防止を担保することとしている。

1) については、例えば、外国において独占を維持している電気通信事業者は、競争導入により多数存在する我が国の事業者を競り合わせ、国際計算料金を吊り上げ、あるいは高止まりさせることが考えられ、結果として我が国の利用者料金への影響等が懸念される。そのため、認可制を採る中で、世界貿易機関（ＷＴＯ）非加盟国との間では、同一計算料金（計算料金及び支払通貨への換算方法が本邦の他の事業者と締結している協定等と同一であること）、均等分収（計算料金の分収が両端国で均等であること）及び比例リターン（両端国間において、申請者から協定等を締結する事業者へ発信する通信量の当該事業者に着信する通信量の総量に占める割合が、当該事業者から申請者へ発信する通信量の当該事業者から発信する通信量の総量に占める割合に見合うものであること）を内容とする「統一計算料金方式」に適合していることが、審査により求められている。なお、ＷＴＯ加盟国との間の協定については、国際公専公接続（電話サービスなどの提供のために国際専用線の両端に公衆網を接続すること）の自由化を踏まえて、同一計算料金、均等分収のルールが適用されず、また、比例リターンについても一部緩和措置が図られている（電気通信事業法関係審査基準（平成13年総務省訓令第75号）第19条）。

2) については、例えば、相手国事業者が、我が国の複数の事業者から相手国への通話に関する計算料金を収納する一方、相手国から我が国への通話は、我が国に設立した相手国事業者の子会社に全て着信させることにより、我が国事業者への計算料金の支払いを回避することが考えられるため、認可制によりこれを防止することとしている。

第4節　電気通信設備

総説

　本節は、電気通信役務の安定的かつ確実な提供を確保するため、電気通信事業者がその事業の用に供する電気通信設備の技術基準適合性の確保に関する規律（第1款）、電気通信番号に関する規律（第2款）並びに利用者が設置する端末設備及び自営電気通信設備の接続の技術基準に関する規律（第3款）について規定している。

　第1款の規律については、電気通信回線設備（軽微なものを除く。）を設置する電気通信事業者、基礎的電気通信役務を提供する電気通信事業者、第一種適格電気通信事業者又は内容、利用者の範囲等からみて利用者の利益に及ぼす影響が大きい電気通信役務を提供する電気通信事業者の特定の電気通信事業の用に供する電気通信設備（「事業用電気通信設備」という。）を対象として、事業用電気通信設備の技術基準適合性を確保するための種々の規律が規定されている。

　具体的には、技術基準適合維持義務（第41条）、電気通信事業者による使用開始前等の自己確認（第42条）、総務大臣による技術基準適合命令（第43条）、管理規程の作成及び届出の義務（第44条）、電気通信設備統括管理者の選任の義務（第44条の3）、電気通信主任技術者の選任の義務（第45条）等が規定されている（電気通信主任技術者の選任については、事業用電気通信設備が小規模である場合等には義務が緩和されている）。

　また、これに関しては、ドメイン名電気通信役務（ドメイン名の名前解決サービスのうち、確実かつ安定的な提供を確保する必要があるもの）を提供する電気通信事業の用に供する電気通信設備について、事業用電気通信設備としての諸規律（国際的整合性の観点から技術基準適合維持義務（第41条）に代え、国際的な標準への適合維持義務を課すこと（第41条の2））が定められている。

　第2款では、電気通信番号の使用及び管理の適正性を確保するため、電気通信番号の使用に係る認定の制度（第50条から第50条の9まで）等を設けている。電気通信事業者は、総務大臣の認定を受けた電気通信番号使用計画に従って総務大臣による指定があった電気通信番号を使用しなければならないこととし（第50条第1項）、また、この認定・指定等の事務の遂行に資するため、総務大臣は、電気通信番号計画を作成して公示することとしている（同条第2項）。そして、電気通信事業者による電気通信番号の使用が認定された電気通信番号使用計

画に適合しないと認められる場合に、総務大臣が当該計画への適合又は当該計画の変更を電気通信事業者に命ずることができることとする（第51条）など、関係の規定を設けている。

第3款では、利用者が設置する端末設備及び自営電気通信設備の接続の技術基準に関する規律を設けている。電気通信事業者の電気通信回線設備に端末設備及び自営電気通信設備を接続する場合には、電気通信事業者の検査を必要とすることを原則としている（第69条及び第70条）が、端末設備の接続に関しては、認定機関による認定を受け、表示を付された機器等については当該検査が不要とされる技術基準適合認定制度が設けられている。

第41条

第1款　電気通信事業の用に供する電気通信設備
第41条（電気通信設備の維持）

（電気通信設備の維持）

第41条　(1)電気通信回線設備を設置する電気通信事業者は、その電気通信事業の用に供する電気通信設備（第3項に規定する電気通信設備、(2)専らドメイン名電気通信役務を提供する電気通信事業の用に供する電気通信設備及びその　(3)損壊又は故障等による利用者の利益に及ぼす影響が軽微なものとして総務省令で定める電気通信設備を除く。）を　(4)総務省令で定める技術基準に適合するように維持しなければならない。

2　(5)基礎的電気通信役務を提供する電気通信事業者は、その基礎的電気通信役務を提供する電気通信事業の用に供する電気通信設備（(6)前項及び次項に規定する電気通信設備並びに　(2)専らドメイン名電気通信役務を提供する電気通信事業の用に供する電気通信設備を除く。）を　(7)総務省令で定める技術基準に適合するように維持しなければならない。

3　第108条第1項の規定により指定された　(8)第一種適格電気通信事業者は、その第1号基礎的電気通信役務を提供する電気通信事業の用に供する電気通信設備（専らドメイン名電気通信役務を提供する電気通信事業の用に供する電気通信設備を除く。）を　(4)総務省令で定める技術基準に適合するように維持しなければならない。

4　総務大臣は、(9)総務省令で定めるところにより、電気通信役務（基礎的電気通信役務及びドメイン名電気通信役務を除く。）のうち、(10)内容、利用者の範囲等からみて利用者の利益に及ぼす影響が大きいものとして総務省令で定める電気通信役務を提供する電気通信事業者を、その電気通信事業の用に供する電気通信設備を適正に管理すべき電気通信事業者として指定することができる。

5　前項の規定により指定された電気通信事業者は、同項の総務省令で定める電気通信役務を提供する電気通信事業の用に供する電気通信設備（第1項に規定する電気通信設備を除く。）を　(4)総務省令で定める技術基準に適合するように維持しなければならない。

6　第1項から第3項まで及び前項の技術基準は、これにより次の事項が確保されるものとして定められなければならない。

第41条

　一　⑾電気通信設備の損壊又は故障により、電気通信役務の提供に著しい支障を及ぼさないようにすること。

　二　⑿電気通信役務の品質が適正であるようにすること。

　三　⒀通信の秘密が侵されないようにすること。

　四　⒁利用者又は他の電気通信事業者の接続する電気通信設備を損傷し、又はその機能に障害を与えないようにすること。

　五　⒂他の電気通信事業者の接続する電気通信設備との責任の分界が明確であるようにすること。

改正　昭和62年法律第 57号
平成11年法律第160号
平成15年法律第125号
平成26年法律第 63号
平成27年法律第 26号
令和 2 年法律第 30号
令和 4 年法律第 70号

1　概　要

　電気通信回線設備を設置する電気通信事業者、基礎的電気通信役務を提供する電気通信事業者、第一種適格電気通信事業者及び内容、利用者の範囲等からみて利用者の利益に及ぼす影響が大きい電気通信役務を提供する電気通信事業者に対し、電気通信事業の用に供する電気通信設備を総務省令で定める一定の技術基準に適合するよう維持すべき義務を課すとともに、その技術基準を総務省令で定めるに当たっての準則を規定している。

2　条文内容

〔第 1 項〕

(1)　電気通信回線設備を設置する電気通信事業者

　　電気通信回線設備（送信の場所と受信の場所との間を接続する伝送路設備及びこれと一体として設置される交換設備並びにこれらの附属設備）を自ら設置して、電気通信役務を提供する電気通信事業者を指す。

　　電気通信回線設備は、他人の通信を媒介するために必要となる設備の基本単位であり、これを設置する電気通信事業者のみならず他の電気通信事業者にとってもサービスを提供する上での基盤となる重要な設備である。このため、当該設備についてひとたび通信の秘密の漏えいや電気通信役務の提供の中断等

の事故が発生した場合、国民生活や社会・経済活動に深刻な影響を与えることが予想される。

　したがって、電気通信事業者がその事業の用に供するために設置する電気通信回線設備、当該電気通信事業者の直営端末などの電気通信設備については、当該電気通信事業者の電気通信役務の安定的かつ確実な提供を確保する上で不可欠な設備であり、その損壊又は故障による電気通信回線設備全体への影響が大きいことから、技術基準適合維持義務を課している。

(2)　専らドメイン名電気通信役務を提供する電気通信事業の用に供する電気通信設備

　ドメイン名電気通信役務を提供する電気通信事業の用に供する電気通信設備（権威ＤＮＳサーバ（第164条の解説〔第２項〕を参照のこと。））について、第41条の２において技術基準に代わるものとして国際的な標準への適合維持義務を課すことから、その機能のみを有する電気通信設備について技術基準の適用対象外とするものである。

(3)　損壊又は故障等による利用者の利益に及ぼす影響が軽微なものとして総務省令で定める電気通信設備

　その損壊や故障が利用者の利益に及ぼす影響が軽微な電気通信設備については、総務省令において技術基準適合維持義務の対象外とするものである。総務省令では、設置する伝送路設備が特定の一利用者への役務提供のみを目的とするなど限定的な使用に限る端末系伝送路設備のみである電気通信事業者の設備、自ら設置する伝送路設備やそれに直接接続される設備以外の電気通信設備（アナログ電話用設備、携帯電話用設備等及び交換機能、制御機能、電気通信設備の運用・監視・保守の機能又は接続・認証に係る加入者管理機能を提供する電気通信設備を除く。）等を規定している（施行規則第27条の２）。

(4)　総務省令で定める技術基準

　利用者が電気通信役務の安定的かつ確実な提供を受けることができるようにするためには、電気通信設備が一定の技術基準を満たすことを確保する必要がある。他方、技術基準の制定が電気通信技術の発展の妨げにならないようにすることも考慮する必要があることから、総務省令で定める技術基準は、第６項で定める準則を満たすよう必要最小限のものとし、電気通信事業者の自主性が生かされるよう配慮することとされている（事業用設備規則）。

　なお、電気通信設備に関する技術基準に関しては、有線電気通信設備につい

ては有線電気通信法に基づく有線電気通信設備令（昭和28年政令第131号）等に、無線設備については電波法に基づく無線設備規則（昭和25年電波監理委員会規則第18号）に、それぞれ技術基準が定められているが、本条の規定に基づく技術基準は、これらの技術基準を前提として電気通信事業の用に供する電気通信設備としての観点から、加重的に、又はこれらの基準とは異なる視点から定められるものである。

〔第2項〕

(5) 基礎的電気通信役務を提供する電気通信事業者

　　　基礎的電気通信役務は、国民生活や社会経済活動において最も基礎的で不可欠な通信手段であり、極めて公共性が高いことから、安定的かつ確実な提供が特に強く求められるものであるため、電気通信回線設備を設置する者に限らず、当該役務を提供する電気通信事業者の当該役務を提供するための電気通信設備を技術基準適合維持義務の対象とするものである。

(6) 前項及び次項に規定する電気通信設備

　　　電気通信回線設備を設置する電気通信事業者がその電気通信設備を第1項に規定する技術基準に適合するよう維持することにより、その電気通信設備により提供される電気通信役務については、基礎的電気通信役務を含めてその安定的かつ確実な提供が確保されるものである。したがって、電気通信回線設備を設置し、かつ、基礎的電気通信役務を提供する電気通信事業者については、第1項と第2項の技術基準を重複して適用する必要がないことから、第1項が適用される設備を除外するものである。

　　　第3項においては、第一種適格電気通信事業者の特性を踏まえた技術基準について規定されているところ、本項では、これも除外して規定している。

(7) 総務省令で定める技術基準

　　　総務省令において、専ら卸電気通信役務を利用して第2号基礎的電気通信役務を提供する電気通信事業者の当該第2号基礎的電気通信役務を提供する電気通信事業の用に供する電気通信設備については、本項の技術基準適合維持義務は課さないこととしている（施行規則第14条の3第6項）。

〔第3項〕

(8) 第一種適格電気通信事業者

　　　第一種適格電気通信事業者が、その提供する第1号基礎的電気通信役務に係る電気通信事業の用に供する電気通信設備を対象とする技術基準への適合維持

第41条

義務を負うことについて規定している。

　第1項・第2項と別に規定することで、第一種適格電気通信事業者の特性を踏まえた技術基準を定めることができるようにしている。

〔第4・5項〕

　電気通信回線設備を設置しない電気通信事業者であっても、利用者への影響度の大きいサービスを提供する場合は、その確実かつ安定的な提供を確保する観点から、技術基準適合維持義務を課すこととしている。

　規制の適用が開始され又は終了する時点は、電気通信事業者や規制を運用する行政にとっては明確であることが必要であり、このことは利用者にとっても有益である。このため、規制適用の開始又は終了の時点は、電気通信事業者の判断に委ねるのではなく、総務大臣が対象事業者の指定又は指定の取消しを行うことで特定するものとしている。

　具体的には、平成27年8月7日の告示（平成27年総務省告示第278号）により、株式会社NTTぷらら（令和4年10月14日に指定解除（令和4年総務省告示第362号）。）、ビッグローブ株式会社及びニフティ株式会社（旧ニフティ株式会社。事業再編により平成29年4月1日に富士通クラウドテクノロジーズ株式会社に改称、同年5月9日に指定解除（平成29年総務省告示第160号）。）を、同29年9月29日の告示（平成29年総務省告示第322号）で旧ニフティ株式会社から事業を承継した同名のニフティ株式会社を、同30年6月13日の告示（平成30年総務省告示第199号）で楽天株式会社（令和元年7月9日に指定解除（令和元年総務省告示第91号）。）を、令和2年11月30日の告示（令和2年総務省告示第364号）でGMOインターネット株式会社（令和5年2月22日の告示（令和5年総務省告示第34号）で社名変更後のGMOインターネットグループ株式会社に変更。）を、令和4年10月14日の告示（令和4年総務省告示第362号）で株式会社インターネットイニシアティブを指定している。

(9)　総務省令で定めるところにより

　総務省令では、指定を告示によって行うこと、総務大臣は当該指定を受けることとなる電気通信事業者にその旨を通知することを規定している（施行規則第27条の2の2第1項）。

(10)　内容、利用者の範囲等からみて利用者の利益に及ぼす影響が大きいものとして総務省令で定める電気通信役務

　総務省令では、電気通信役務の種類ごとに前年度末における利用者の数が

100万以上でありかつ電気通信役務の対価としての料金の支払を受ける電気通信役務及び音声伝送携帯電話番号の指定を受けて提供される電気通信役務としている（施行規則第27条の2の2第2項）。

〔第6項〕

(11) 電気通信設備の損壊又は故障により、電気通信役務の提供に著しい支障を及ぼさない

　　本号により定められる技術基準としては、損壊又は故障による電気通信役務の支障が生じないようにするための電気通信設備の保全に関するもの（耐震対策、停電対策、防火対策、大規模災害対策等）及び電気通信役務に支障が波及・拡大することの防止に関するもの（故障検出機能の具備、予備機器の設置、異常輻輳対策等）がある。

(12) 電気通信役務の品質が適正である

　　電気通信役務の品質とは、通話品質、接続品質などをいう。電気通信役務の品質はサービスごとの品質の捉え方が異なることから、他の準則と異なり提供されるサービスに応じて個別に定められることとなる。

(13) 通信の秘密が侵されない

　　通信の秘密の確保は、通信に関する最も基本的な要請であり、第4条においても、憲法第21条第2項を受けてその旨の規定が置かれている。第3号は、これを電気通信設備の技術基準によって確保しようとするものである。通信の秘密が侵されないための技術基準としては、通信内容の秘匿措置（事業用設備規則第17条）、蓄積情報の保護（事業用設備規則第18条）等が定められている。

(14) 利用者又は他の電気通信事業者の接続する電気通信設備を損傷し、又はその機能に障害を与えない

　　本号に定められる技術基準としては、電力、電流、電圧又は光出力の送出条件（事業用設備規則第19条）、信号の漏えい対策（事業用設備規則第20条の2）、保安機能（事業用設備規則第21条）等がある。

(15) 他の電気通信事業者の接続する電気通信設備との責任の分界が明確である

　　電気通信事業者間の電気通信設備の接続に関する技術基準の一つであり、電気通信設備の故障等の場合にどこに原因があるのか明らかにし、かつ電気通信設備の保守等の範囲の切り分けを明確にさせておくことをいう。具体的な技術基準としては、責任分界点の具備及びその条件（事業用設備規則第23条）がある。

第41条の2

第41条の2

第41条の2　ドメイン名電気通信役務を提供する電気通信事業者は、その
　ドメイン名電気通信役務を提供する電気通信事業の用に供する電気通信設
　備を (1) 当該電気通信設備の管理に関する (2) 国際的な標準に適合するよ
　うに維持しなければならない。

追加　平成27年法律第26号

1　概　要

　ドメイン名電気通信役務を提供する電気通信事業者に対し、権威DNSサーバ
について民間主導による国際的な標準への適合維持義務を課すものである（「ド
メイン名」、「ドメイン名電気通信役務」、「権威DNSサーバ」等の意義については、
第164条の解説〔第2項〕を参照のこと）。

　インターネットは、信頼性を保証しないネットワークを相互に接続したものと
して誕生したが、サービスレベルで信頼性を高めるため、民間の主導でその接続
のルールその他の設備の技術的条件が国際的な標準として順次定められ、DNS
についても国際的な標準が定められている。具体的には、インターネット技術の
標準化を推進する任意団体のIETF（Internet Engineering Task Force）が
作成する文書であるRFC（Request for Comments）で、多数の運用実績を積
み重ね国際的な標準として認められた標準化過程の最終段階の仕様等を「標準
（standard）」として定めている。

　権威DNSサーバについては、当該国際的な標準に基づき設備を実装すること
によって事故防止が図られていることを踏まえ、国際的整合性の観点から、技術
基準適合維持義務に代え、当該国際的な標準への適合維持義務を課している（技
術基準適合維持義務からの除外については第41条で規定）。

　国際的な標準への適合性については、特定ドメイン名電気通信役務を提供する
者と非営利法人のICANN（The Internet Corporation for Assigned Names and
Numbers）との契約等の民間主導による自律的な枠組みによって担保されている
状況にあるところ、この国際的な標準は、技術基準と異なり、総務大臣が自ら作
成・変更を行うものではないため、その適合性の判断は、このような自律的枠組
みに委ね、総務大臣は、障害が発生したときの事故報告を受ける等により、必要

な場合に業務改善命令（第29条第1項第8号又は第12号）により是正すること
とし、自己確認の届出義務（第42条）や適合命令（第43条）の対象外としている。

2 条文内容

(1) 当該電気通信設備の管理に関する

　　RFCにおけるDNSに関する国際的な標準としては、①名前解決を行うと
いうDNSの主たる目的に沿ったものについて規定するもののほか、②送信ド
メイン認証（DNSの仕組みを利用して、送信元メールアドレスが正しいこと
を証明する技術。）のようにDNSの技術をその他の用途に応用するものにつ
いて規定するものがある。

　　ドメイン名電気通信役務を提供する電気通信事業の用に供する電気通信設備
の信頼性を確保することにより、当該役務の確実かつ安定的な提供を図るため
に、本項において、ドメイン名電気通信役務を提供する電気通信事業者に対し、
当該役務を提供する電気通信事業の用に供する電気通信設備について①に関す
る国際的な標準への適合維持義務を課している。

　　これに該当する国際的な標準としては、RFC 1034（DOMAIN NAMES –
CONCEPTS AND FACILITIES）及びRFC 1035（DOMAIN NAMES
– IMPLEMENTATION AND SPECIFICATION）が挙げられる。

(2) 国際的な標準

　　インターネットは、民間において自律的に発展して世界中に張り巡らされた
ネットワークであり、名前解決を含め、その技術的条件が民間主導による国際
的な標準としてRFCに定められている。RFCには、標準化過程にあるもの
のほか、実験的なもの、優良な慣行を紹介するもの等があるが、標準化過程の
最終段階として多数の運用実績を積み重ねたものが「標準（Standard）」とさ
れており、本項の「国際的な標準」は、このような標準となっているものを意
味している。

第42条（電気通信事業者による電気通信設備の自己確認）

（電気通信事業者による電気通信設備の自己確認）
第42条　電気通信回線設備を設置する電気通信事業者は、第41条第1項に

第42条

規定する (1) 電気通信設備の使用を開始しようとするときは、当該電気通信設備（総務省令で定めるものを除く。）が、同項の総務省令で定める技術基準に適合することについて、(2) 総務省令で定めるところにより、自ら確認しなければならない。

2　電気通信回線設備を設置する電気通信事業者は、(3) 第10条第1項第4号又は第16条第1項第4号の事項を変更しようとするときは、当該変更後の第41条第1項に規定する電気通信設備（前項の総務省令で定めるものを除く。）が、同条第1項の総務省令で定める技術基準に適合することについて、(2) 総務省令で定めるところにより、自ら確認しなければならない。

3　電気通信回線設備を設置する電気通信事業者は、第1項又は前項の規定により確認した場合には、(4) 当該各項に規定する電気通信設備の使用の開始前に、総務省令で定めるところにより、(5) その結果を総務大臣に届け出なければならない。

4　前3項の規定は、基礎的電気通信役務を提供する電気通信事業者について準用する。この場合において、第1項及び第2項中「第41条第1項」とあるのは「第41条第2項」と、同項中「同条第1項」とあるのは「同条第2項」と読み替えるものとする。

5　第1項から第3項までの規定は、第108条第1項の規定により指定された第一種適格電気通信事業者について準用する。この場合において、第1項及び第2項中「第41条第1項」とあるのは「第41条第3項」と、同項中「同条第1項」とあるのは「同条第3項」と読み替えるものとする。

6　第1項から第3項までの規定は、第41条第4項の規定により指定された電気通信事業者について準用する。この場合において、第1項及び第2項中「第41条第1項」とあるのは「第41条第5項」と、同項中「同条第1項」とあるのは「同条第5項」と読み替えるものとする。

7　第41条第4項の規定により新たに指定をされた電気通信事業者がその指定の日以後最初に前項において読み替えて準用する第1項の規定によりすべき確認及び当該確認に係る前項において準用する第3項の規定により総務大臣に対してすべき届出については、前項において読み替えて準用する (6) 第1項中「第41条第5項に規定する電気通信設備の使用を開始しようとするときは、当該」とあるのは「第41条第4項の規定により新たに

第42条

指定をされた日から3月以内に、同条第5項に規定する」と、前項において準用する第3項中「当該各項に規定する電気通信設備の使用の開始前に」とあるのは「遅滞なく」とする。

追加	平成15年法律第125号
改正	平成26年法律第 63号
	平成27年法律第 26号
	令和 2 年法律第 30号

1 概 要

電気通信回線設備を設置する電気通信事業者、基礎的電気通信役務を提供する電気通信事業者、第一種適格電気通信事業者及び内容、利用者の範囲等からみて利用者の利益に及ぼす影響が大きい電気通信役務を提供する電気通信事業者が、技術基準適合維持義務の対象とされている電気通信設備について、その使用開始前等に、技術基準に適合していることを自ら確認するとともに、確認の結果を総務大臣に届け出る義務を規定している。

2 条文内容

〔第1項〕

(1) 電気通信設備の使用を開始しようとするとき

技術基準適合維持義務の対象とされている事業用電気通信設備（第44条第1項を参照のこと。）の技術基準適合性については、事業開始後の技術基準適合命令によって担保することも不可能ではないが、通信の秘密の漏えい、他の電気通信事業者の電気通信設備への損傷など事故が生じてからでは、利用者及び他の事業者の利益を損なうのみならず、電気通信の秩序全体にも大きな影響を及ぼすことになる。

このため、事業を開始する前、すなわち電気通信設備の使用を開始する前に、自らの事業用電気通信設備の技術基準適合性を確認し、その結果を行政に届け出ることを義務付けるものである。電気通信設備を変更する場合についても同様とする。

(2) 総務省令で定めるところにより、自ら確認しなければならない

電気通信事業者による自己確認制度の実施に当たっては、例えば事業者ごとに確認方法や検査の記録方法等に大きなばらつきがあることは適当ではないこ

335

とから、これらの事項について、必要最低限の範囲内で総務省令に基準を設け、その基準に則って事業者が自ら確認を行うこととしたものである。総務省令では、事業用電気通信設備が技術基準に適合しているかを検証し、適合していないと認めるときは、適合させるために必要となる機器の設置その他の必要な措置を講ずることにより、これを行わなければならないと定めている（施行規則第27条の3）。

〔第2項〕

(3) 第10条第1項第4号又は第16条第1項第4号の事項を変更しようとするとき

　　電気通信事業者が自ら設置する事業用電気通信設備を変更するときには、これが技術基準適合維持義務の対象とされている場合には、当然のことながら、変更後の事業用電気通信設備についても第41条の技術基準に適合している必要がある。このため、事業開始時の電気通信事業の登録又は届出時に提出した書類のうち、電気通信設備の概要の書類を変更しようとする場合には、変更した設備を使用する前に技術基準への適合性についても改めて自己確認を行い、その結果を行政に届け出ることを義務付けている。

〔第3項〕

(4) 当該各項に規定する電気通信設備の使用の開始前に

　　上記(1)と同様の考え方により、電気通信設備の使用の開始前又は変更した電気通信設備の使用の開始前に、電気通信設備の技術基準適合性を自己確認し、その結果を行政に届け出ることを義務付けている。

(5) その結果を総務大臣に届け出なければならない

　　技術基準適合維持義務を担保するためには、総務大臣が電気通信事業者に対する報告徴収や立入検査権限を行使し、必要な調査を効率的に実施するなど、事後措置が重要となる。このため、事業用電気通信設備の技術基準適合性を自己確認した電気通信事業者に対して、事業開始前に自己確認した結果を、設備の内容を把握できる書類を添付の上、行政に届け出ることを義務付けている。自己確認結果の届出時に提出する書類の具体的な内容は、総務省令で定めている（施行規則第27条の5及び様式第20の2）。

〔第4・5・6項〕

　　第41条において技術基準適合維持義務が課される基礎的電気通信役務を提供する電気通信事業者、第一種適格電気通信事業者及び内容、利用者の範囲等から

みて利用者の利益に及ぼす影響が大きい電気通信役務を提供する電気通信事業者についても、電気通信回線設備を設置する電気通信事業者と同様に電気通信設備の自己確認に関する規定を適用することとしている。

〔第7項〕

(6) 第1項中「第41条第5項に規定する電気通信設備の使用を開始しようとするときは、当該」とあるのは「第41条第4項の規定により新たに指定をされた日から3月以内に、同条第5項に規定する」と

内容、利用者の範囲等からみて利用者の利益に及ぼす影響が大きい電気通信役務を提供する電気通信事業者として新たに指定された電気通信事業者が行う電気通信設備の自己確認に際しては、技術基準に適合させるために新たな設備投資が必要となる場合があるため、自己確認の猶予期間を3月間としている。

第43条（技術基準適合命令）

（技術基準適合命令）

第43条　総務大臣は、第41条第1項に規定する電気通信設備が同項の総務省令で定める (1) 技術基準に適合していないと認めるときは、当該電気通信設備を設置する電気通信事業者に対し、その技術基準に適合するように (2) 当該設備を修理し、若しくは改造することを命じ、又はその使用を制限することができる。

2　前項の規定は、(3) 第41条第2項、第3項又は第5項に規定する電気通信設備が当該各項の総務省令で定める技術基準に適合していないと認める場合について準用する。

改正　平成11年法律第160号
第42条繰下げ改正　平成15年法律第125号
改正　平成26年法律第 63号
令和 2 年法律第 30号

1　概　要

電気通信事業者が第41条第1項（電気通信回線設備）、第2項（基礎的電気通信役務を提供する電気通信事業の用に供する電気通信設備）、第3項（第1号基

第43条

礎的電気通信役務を提供する電気通信事業の用に供する電気通信設備）及び第5項（内容、利用者の範囲等からみて利用者の利益に及ぼす影響が大きい電気通信役務を提供する電気通信事業の用に供する電気通信設備）の技術基準に適合していない場合の総務大臣の技術基準適合命令について規定している。本条は、第41条第1項、第2項、第3項及び第5項の電気通信事業の用に供する電気通信設備の技術基準を維持させることを担保するための規定である。

2　条文内容

〔第1項〕

(1)　技術基準に適合していないと認めるとき

　　総務大臣は、利用者の苦情等を受けて第166条第1項の規定による立入検査を行った結果等により、技術基準適合維持義務の対象とされる事業用電気通信設備（第44条第1項を参照のこと。）が技術基準に適合していないと認める場合、本条の規定に基づく命令を当該電気通信設備を設置する電気通信事業者に対し発出することができる。

(2)　当該設備を修理し、若しくは改造することを命じ、又はその使用を制限する

　　本条の規定による命令は、「修理」、「改造」、「使用の制限」を内容とすることとなるが、具体的な場合に応じ、その目的を達成するために必要最低限の範囲のものに限定すべきであろう。「使用の制限」とは、例えば、電気通信回線設備の使用回線容量を一定限度以下とするなどであり、制限の内容によっては、使用の一時停止と同様の効果を有し、事業用電気通信設備を技術基準に適合させるための措置が講ぜられるまでの間における暫定的な性格である場合もあり得る。

〔第2項〕

(3)　第41条第2項、第3項又は第5項に規定する電気通信設備が当該各項の総務省令で定める技術基準に適合していないと認める場合

　　基礎的電気通信役務を提供する電気通信事業の用に供する電気通信設備、第1号基礎的電気通信役務を提供する電気通信事業の用に供する電気通信設備又は内容、利用者の範囲等からみて利用者の利益に及ぼす影響が大きい電気通信役務を提供する電気通信事業の用に供する電気通信設備が各々第41条第2項、第3項又は第5項の技術基準に適合していないと認められる場合も、総務大臣は第1項の場合と同様に命令を発出することができる。

第44条（管理規程）

（管理規程）

第44条　電気通信事業者は、総務省令で定めるところにより、(1) 第41条第１項から第５項まで（第４項を除く。）又は第41条の２のいずれかに規定する電気通信設備（以下「事業用電気通信設備」という。）の管理規程を定め、(2) 電気通信事業の開始前に、総務大臣に届け出なければならない。

２　管理規程は、電気通信役務の確実かつ安定的な提供を確保するために電気通信事業者が遵守すべき　(3) 次に掲げる事項に関し、総務省令で定めるところにより、必要な内容を定めたものでなければならない。

一　電気通信役務の確実かつ安定的な提供を確保するための事業用電気通信設備の管理の方針に関する事項

二　電気通信役務の確実かつ安定的な提供を確保するための事業用電気通信設備の管理の体制に関する事項

三　電気通信役務の確実かつ安定的な提供を確保するための事業用電気通信設備の管理の方法に関する事項

四　第44条の３第１項に規定する電気通信設備統括管理者の選任に関する事項

３　(4) 電気通信事業者は、管理規程を変更したときは、遅滞なく、変更した事項を総務大臣に届け出なければならない。

４　第41条第４項の規定により新たに指定をされた電気通信事業者がその指定の日以後最初に第１項の規定により総務大臣に対してすべき届出については、(5) 同項中「電気通信事業の開始前に」とあるのは、「第41条第４項の規定により新たに指定をされた日から３月以内に」とする。

改正	平成11年法律第160号
第43条繰下げ改正	平成15年法律第125号
改正	平成26年法律第 63号
	平成27年法律第 26号
	令和２年法律第 30号

1　概　要

　電気通信事業者に対し、電気通信役務の確実かつ安定的な提供を確保するために、管理規程の作成・届出義務を課している。電気通信事業者の事業用電気通信設備の自主的な管理体制を整備することにそのねらいがあるが、同時に電気通信

第44条

主任技術者の具体的職務内容等法律又は総務省令で画一的に定めることが必ずしも適当でない事項を管理規程に譲ることにより、実態に則した合理的な措置を講じようとするものである。

2　条文内容

〔第1項〕

(1)　**第41条第1項から第5項まで（第4項を除く。）又は第41条の2のいずれかに規定する電気通信設備（以下「事業用電気通信設備」という。）**

　　管理規程の対象となる設備は、第41条の技術基準及び第41条の2の国際的な標準の適合義務の対象となる設備と同じである。

(2)　**電気通信事業の開始前に**

　　「新たに電気通信事業を開始するまでに」を意味する。なお、管理規程は、事業用電気通信設備に着目した規程であるので、従前の事業用電気通信設備と異なる設備を新たに使用することとなる場合は、当該設備を使用して電気通信事業を開始するまでに管理規程を当然変更すべきものである。

〔第2項〕

(3)　**次に掲げる事項に関し、総務省令で定めるところにより、必要な内容を定めたものでなければならない**

　　総務省令では、管理規程の内容は、電気通信役務の確実かつ安定的な提供を確保するための事業用電気通信設備の管理の方針、管理の体制、管理の方法に関する事項、電気通信設備統括管理者の選任及び解任に関する事項、電気通信設備の運用を他人に委託している場合（クラウド・コンピューティングサービス等を通じて交換機能・制御機能等の提供を受ける場合を含む。）の業務管理体制に関する事項、当該管理規程の見直しに関する事項、その他とし、その各々の細目について定めている（施行規則第29条）。管理規程は、単に記載事項に沿った記述があるのみでは足らず、電気通信役務の確実かつ安定的な提供を確保するために必要な内容を備えていなければならない。この「必要な内容」は、各電気通信事業者のサービスやネットワークの特性に応じて異なるが、例えば、類似の事故を頻発させているにもかかわらず、その原因となる事項の見直しを行わない場合は、必要な内容を定めているとはいえないと考えられる。

〔第3項〕

⑷ **電気通信事業者は、管理規程を変更したときは、遅滞なく、変更した事項を総務大臣に届け出なければならない**

　　管理規程を変更した場合における変更事項の届出義務を定めている。なお、管理規程を変更すべきにもかかわらず、電気通信事業者が変更しない場合には、総務大臣は当該電気通信事業者に対し、第44条の2第1項の命令又は業務改善命令（第29条第1項）により管理規程の変更を命ずることとなる。

〔第4項〕

⑸ **同項中「電気通信事業の開始前に」とあるのは、「第41条第4項の規定により新たに指定をされた日から3月以内に」とする**

　　内容、利用者の範囲等からみて利用者の利益に及ぼす影響が大きい電気通信役務を提供する電気通信事業者に新たに指定された事業者の管理規程の作成に際しては、設備管理の「方針」、「体制」、「方法」について社内の関係部門や社外の関係者を交えた検討・調整を行う期間等が必要となることから、管理規程の届出の猶予期間を3月間とするものである。

第44条の2　（管理規程の変更命令等）

（管理規程の変更命令等）

第44条の2　総務大臣は、電気通信事業者が前条第1項又は第3項の規定により届け出た ⑴ 管理規程が同条第2項の規定に適合しないと認めるときは、当該電気通信事業者に対し、これを変更すべきことを命ずることができる。

2　総務大臣は、電気通信事業者が管理規程を遵守していないと認めるときは、当該電気通信事業者に対し、⑵ 電気通信役務の確実かつ安定的な提供を確保するために必要な限度において、管理規程を遵守すべきことを命ずることができる。

追加　平成26年法律第63号

1　概　要

電気通信事業者が類似の事故を多発させているにもかかわらず、必要となる管

理規程の変更を行わない等、電気通信役務の確実かつ安定的な提供を確保するために必要な内容を定めていない場合には、総務大臣は、当該電気通信事業者に対し、管理規程の変更を命ずることができることとしている（第1項）。

　また、管理規程の変更命令等により内容の適正化を図っても、電気通信事業者が管理規程を遵守しないと、その内容は画餅に帰すこととなるため、総務大臣は、電気通信事業者が管理規程を遵守していないと認めるときは、管理規程の遵守を命ずることができることとしている（第2項）。

2　条文内容

〔第1項〕

(1)　<u>管理規程が同条第2項の規定に適合しないと認めるとき</u>

　　類似の事故を頻発させているにもかかわらず、管理規程についてその原因となる事項の見直しを行わない場合等は、電気通信役務の確実かつ安定的な提供を確保するために遵守すべき事項に関し必要な内容の作成を義務付ける第44条第2項の規定に適合しないと認められ、変更命令の対象になり得る。

〔第2項〕

(2)　<u>電気通信役務の確実かつ安定的な提供を確保するために必要な限度において</u>

　　電気通信事業者が設備管理の実態に応じて定めた管理規程が必要な内容を十分に満たしている場合、これを遵守していないことが直ちに電気通信役務の確実かつ安定的な提供の確保に支障を及ぼすとは限らないことから、その不遵守が事故を頻発させている等、電気通信役務の確実かつ安定的な提供を確保するために管理規程を遵守させることが必要と判断される場合に限り、遵守命令を発動することとしている。

第44条の3　（電気通信設備統括管理者）

（電気通信設備統括管理者）

第44条の3　電気通信事業者は、(1) <u>第44条第2項第1号から第3号までに掲げる事項</u>に関する業務を統括管理させるため、(2) <u>事業運営上の重要な決定に参画する管理的地位</u>にあり、かつ、(3) <u>電気通信設備の管理に関する一定の実務の経験その他の総務省令で定める要件を備える者</u>のうちから、(4)

第44条の3

> 総務省令で定めるところにより、電気通信設備統括管理者を選任しなけれ
> ばならない。
> 2　電気通信事業者は、電気通信設備統括管理者を選任し、又は解任したと
> きは、総務省令で定めるところにより、遅滞なく、その旨を総務大臣に届
> け出なければならない。
> 3　第41条第4項の規定により新たに指定をされた電気通信事業者がその
> 指定の日以後最初に第1項の規定によりすべき選任は、(5) その指定の日か
> ら3月以内にしなければならない。

追加　平成26年法律第63号
改正　令和2年法律第30号

1　概　要

　電気通信役務の確実かつ安定的な提供を確保するためには、経営陣が、社内・
社外を含めた全体調整、直接利益を生み出さない設備（予備設備等）の投資計画
の策定等を含め、責任ある経営判断のもとで、設備管理の方針・体制・方法を策
定するとともに、現場の関係者（電気通信主任技術者等）と密接に連携しながら、
その適切な実施と自律的・継続的な見直しに主体的に関与することが必要となっ
ている。

　このため、電気通信事業者に、設備管理を全体的・横断的に監督する責任と権
限を有する者を電気通信設備統括管理者として選任することを義務付け、第44
条第2項第1号から第3号までに掲げる事項を統括管理させ、適切な設備の管理
体制を確立させることとしている。

2　条文内容

〔第1項〕

(1)　第44条第2項第1号から第3号までに掲げる事項

　　電気通信設備統括管理者に、自らの選任に関する事項について統括管理さ
せることは適当でないことから、第44条第2項第4号に掲げる事項は含めず、
同項第1号から第3号までに掲げる事項としている。

(2)　事業運営上の重要な決定に参画する管理的地位

　　電気通信設備統括管理者は、その職務上、経営機関である取締役会に出席し
て必要な意見を述べることや、現場各部門のトップである部長間の調整を円滑

343

に行うこと等が必要となるため、これらに必要な「事業運営上の重要な決定に参画する管理的地位」（例えば、会社法上の「重要な使用人」（同法第362条）として、取締役会が執行役員を選任している会社においては、執行役員以上）にあることを要件としている。

(3) **電気通信設備の管理に関する一定の実務の経験その他の総務省令で定める要件**

電気通信設備統括管理者は、技術的な専門性が高い設備管理の業務において、市場環境の変化に応じた取組事項の自律的・継続的な見直しや社内・社外調整等を適切に主導すること等が必要となるため、一定の実務経験等を要件としている。総務省令で定める要件としては、次に掲げる要件のいずれかに該当し、かつ、第44条の5の命令により解任された日から2年を経過しない者でないこととしている（施行規則第29条の2第1項）。

① 電気通信事業の用に供する電気通信設備の管理に関する業務のうち、次のいずれかに該当するものに通算して3年以上従事した経験を有すること。

　イ 電気通信設備の設計、工事、維持又は運用に関する業務

　ロ イに掲げる業務を監督する業務

② ①と同等以上の能力を有すると認められること。

(4) **総務省令で定めるところにより、電気通信設備統括管理者を選任しなければならない**

総務省令では、電気通信事業者は、第44条第2項第1号から第3号までに掲げる事項に関する業務を開始する前に、電気通信設備統括管理者を選任しなければならないとしている（施行規則第29条の2第2項）。

〔第3項〕

(5) **その指定の日から3月以内にしなければならない**

内容、利用者の範囲等からみて利用者の利益に及ぼす影響が大きい電気通信役務を提供する電気通信事業者に新たに指定された事業者の電気通信設備統括管理者については、管理規程でその職務や権限等を定めた上で、その内容等に基づき選任することが必要となるため、管理規程の届出に係る猶予期間（3月間）を踏まえ、電気通信設備統括管理者の選任の猶予期間も3月間としている。

第44条の4・第44条の5

第44条の4 （電気通信設備統括管理者等の義務）

（電気通信設備統括管理者等の義務）

第44条の4　電気通信設備統括管理者は、(1) 誠実にその職務を行わなければならない。

2　電気通信事業者は、電気通信役務の確実かつ安定的な提供の確保に関し、電気通信設備統括管理者のその職務を行う上での意見を尊重しなければならない。

追加　平成26年法律第63号

1　概　要

電気通信設備統括管理者の職務の誠実遂行義務及び電気通信事業者のその選任した電気通信設備統括管理者の意見を尊重する義務を規定する。

2　条文内容

(1)　誠実にその職務を行わなければならない

電気通信設備統括管理者には、電気通信役務の確実かつ安定的な提供を確保する上でのその職務の重要性に鑑み、当該職務の誠実遂行義務を課している。

第44条の5 （電気通信設備統括管理者の解任命令）

（電気通信設備統括管理者の解任命令）

第44条の5　総務大臣は、電気通信設備統括管理者が (1) その職務を怠つた場合であつて、当該電気通信設備統括管理者が引き続きその職務を行うことが電気通信役務の確実かつ安定的な提供の確保に著しく支障を及ぼすおそれがあると認めるときは、電気通信事業者に対し、当該電気通信設備統括管理者を解任すべきことを命ずることができる。

追加　平成26年法律第63号

1　概　要

電気通信設備統括管理者の解任命令を規定している。

345

電気通信設備統括管理者は、高い公共性を有する電気通信サービスの確実かつ安定的な提供を確保するために、電気通信事業者により設備管理を統括管理する者として選任されていることから、その職務を怠った場合で、電気通信役務の確実かつ安定的な提供の確保に著しく支障を及ぼすおそれが高いときには、公共性の高い電気通信事業におけるその職務の重要性に鑑み、総務大臣は、電気通信事業者に対し、その解任を命ずることができることとしている。

2　条文内容

(1)　その職務を怠った場合であって、当該電気通信設備統括管理者が引き続きその職務を行うことが電気通信役務の確実かつ安定的な提供の確保に著しく支障を及ぼすおそれがあると認めるとき

　　取締役会に出席せず又は出席しても電気通信役務の確実かつ安定的な提供の確保に必要な意見を述べない場合や、事故が発生したにも関わらず設備管理の「方針」、「体制」、「方法」について適切な見直しを行わない場合等が考えられる。

第45条（電気通信主任技術者）

（電気通信主任技術者）
第45条　(1) 電気通信事業者は、(2) 事業用電気通信設備の工事、維持及び運用に関し (3) 総務省令で定める事項を監督させるため、(4) 総務省令で定めるところにより、(5) 電気通信主任技術者資格者証の交付を受けている者のうちから、(6) 電気通信主任技術者を (7) 選任しなければならない。ただし、(8) その事業用電気通信設備が小規模である場合その他の総務省令で定める場合は、この限りでない。
2　電気通信事業者は、前項の規定により電気通信主任技術者を選任したときは、遅滞なく、その旨を (9) 総務大臣に届け出なければならない。これを解任したときも、同様とする。
3　第41条第4項の規定により新たに指定をされた電気通信事業者がその指定の日以後最初に第1項の規定によりすべき選任は、その指定の日から3月以内にしなければならない。

第45条

改正　平成11年法律第160号
第44条繰下げ改正　平成15年法律第125号
改正　平成26年法律第 63号
令和 2 年法律第 30号

1　概　要

電気通信事業者に対し、事業用電気通信設備を技術基準に適合させることを担保するため、総務大臣が資格者証を交付した電気通信主任技術者を選任して、これに事業用電気通信設備の工事、維持及び運用に関する事項の監督に当たらせることを義務付ける規定である。

電気通信主任技術者制度は、電気通信事業者の自主的な技術基準維持体制を確保するものであり、いわば総務大臣の工事検査及び定期検査を代替するものと位置付けられるものである。

2　条文内容

〔第1項〕

(1)　電気通信事業者

文言上限定はないが、事業用電気通信設備（第44条第1項を参照のこと。）を設置する者に限られる。したがって、定義上は、ドメイン名電気通信役務を提供する者も含まれるが、(8)で触れるように、事業用電気通信設備が専らドメイン名関連事業の用に供するものである場合は、総務省令で本項の規定の適用除外としている（主任技術者規則第3条の2第1項）。

(2)　事業用電気通信設備の工事、維持及び運用

「事業用電気通信設備の工事」とは、事業用電気通信設備の新設、変更、修理等事業用電気通信設備を新たに設置し、又は造作を加えることをいう。「維持」とは、事業用電気通信設備を第41条第1項、第2項、第3項又は第5項の技術基準に適合させ、その機能を本来の水準に保っておくために行う行為をいう。「運用」とは、事業用電気通信設備をその本来の目的に沿って作動させ、操作し、電気通信事業の用に供することをいう。なお、「維持」及び「運用」は、第180条第2項におけるそれと同義である。

(3)　総務省令で定める事項

総務省令では、事業用電気通信設備の工事、維持及び運用に関する業務の計

第45条

画の立案並びにその計画に基づく業務の適切な実施に関する事項、事業用電気通信設備の事故発生時の従事者への指揮及び命令並びに事故の収束後の再発防止に向けた計画の策定に関する事項、その他を定めている（主任技術者規則第3条第4項）。

(4) 総務省令で定めるところにより

総務省令では、電気通信主任技術者の選任の方法が規定されている。電気通信事業者は、事業用電気通信設備を直接に管理する事業場ごとに、その設備に対応する電気通信主任技術者を選任しなければならない（主任技術者規則第3条第1項）が、告示で定める一定の基準を満たす場合には、事業場を直接統括する事業場ごとに選任し、又は電気通信主任技術者の兼務を認めることとしている（同条第2項）。

また、電気通信事業者は、事業用電気通信設備の工事、維持及び運用に関する業務を開始する前に、電気通信主任技術者を選任しなければならないとしている（同条第3項）。新たに事業用電気通信設備を設置する場合には、当該事業用電気通信設備がすでに選任されている電気通信主任技術者の監督下にあるときは新たな選任は要しないが、監督外であるときはその工事を着手するまでに電気通信主任技術者を選任しなければならない。ただし、例えば、電気通信事業の登録（第9条）を受ける前にすでに電気通信回線設備の工事に着手しているような場合は、登録を受けるまでは電気通信事業者ではない（第2条第5号を参照のこと。）ことから、登録を受けた後直ちに電気通信主任技術者の選任を行えば足りる。

(5) 電気通信主任技術者資格者証

電気通信主任技術者資格者証の様式は、主任技術者規則第40条第1項及び別表第13号様式に定められている。有効期限は設けられていない（資格者証の種類、交付手続等については次条の解説を参照のこと。）が、第47条の規定により電気通信主任技術者資格者証の返納命令を受けた場合は、現に電気通信主任技術者資格者証を返納していなくても、電気通信主任技術者資格者証の交付を受けている者とはみなされないと解すべきである。

(6) 電気通信主任技術者

「電気通信主任技術者」とは、電気通信主任技術者資格者証の交付を受けている者のうち、事業用電気通信設備の工事、維持及び運用に関する必要な事項を監督するために電気通信事業者から選任された者のことであり、電気通信主

第45条

任技術者資格者証の交付を受けただけでは、電気通信主任技術者ではない。

(7) 選任しなければならない

　　電気通信事業者は、次条第2項に定められている電気通信主任技術者資格者証の交付を受けている者が監督することができる電気通信設備の工事、維持及び運用に関する事項の範囲に応じて、それを監督する資格を有する者を選任しなければならない。

(8) その事業用電気通信設備が小規模である場合その他の総務省令で定める場合は、この限りでない

　　自ら電気通信回線設備を設置するものの、限定された狭いエリアの利用者のみを対象にサービスを提供する小規模な電気通信事業者は、従業員数が数名程度であることも多く、電気通信主任技術者の資格者を新たに配置することが過度な負担となるケースが考えられる。このような自ら設置する電気通信設備の規模が小さい電気通信事業者については、仮に当該設備に損壊等の事故が生じた場合でも、その社会的影響はそれほど大きくないと考えられる。

　　このため、新しい技術を活用した多種多様な電気通信事業者の新規参入をより一層促進することの必要性も踏まえ、そのような小規模な電気通信事業者については、電気通信主任技術者の選任義務の適用を除外している。

　　ただし、範囲が限られるとはいえ、当該電気通信設備の損壊等により影響を受ける利用者の利益を保護する必要があることから、電気通信主任技術者の選任義務を適用除外する場合であっても、一定の業務経験を有する等、当該設備の管理を指揮、監督する能力のある技術者の配置を求める必要がある。そのため、総務省令においては、事業用電気通信設備の設置の範囲が一定の区域を超えない場合のうち、当該区域における利用者の数が3万未満である場合には、

① 大学又はこれと同等以上と認められる教育施設において電気通信工学に関する学科を修めて卒業し、事業用電気通信設備の工事、維持又は運用の業務に2年以上従事した経験を有するもの

② 短期大学、専門学校又はこれらと同等以上と認められる教育施設において電気通信工学に関する学科を修めて卒業し、事業用電気通信設備の工事、維持又は運用の業務に4年以上従事した経験を有するもの

③ 高等学校、中等教育学校又はこれらと同等以上と認められる教育施設を卒業し、事業用電気通信設備の工事、維持又は運用の業務に8年以上従事した経験を有するもの

349

第45条

④　総務大臣が①から③までに掲げる者のいずれかと同等以上の能力を有する
　ものと認める者

のうちいずれかに該当する者が配置されている場合等を電気通信主任技術者の選
任義務の適用除外とすること等を規定している（主任技術者規則第3条の2第1
項）。

　また、事業用電気通信設備が専らドメイン名関連事業（入力されたドメイン
名の一部又は全部に対応してIPアドレスを出力する機能を有する電気通信設
備を電気通信事業者の通信の用に供する電気通信役務を提供する電気通信事業
並びに当該電気通信役務の提供に関する契約の締結の媒介、取次ぎ及び代理の
事業その他のドメイン名に関連する事業）の用に供するものである場合につい
ても、インターネットが民間主導で発展してきた経緯や国際ルール等に配慮し、
設備管理の体制は、経営レベルの責任者である電気通信設備統括管理者の責任
と判断に委ね、電気通信主任技術者の選任義務は、適用除外としている（主任
技術者規則第3条の2第1項）。

〔第2項〕

(9)　総務大臣に届け出なければならない

　電気通信事業者に対し、電気通信主任技術者の選任及び解任について届出義
務が課されているのは、事業用電気通信設備の技術基準の適合性の確保に当
たって重要な役割を果たす電気通信主任技術者に対する監督を適切に行うため
には、その異動を総務大臣が的確に把握する必要があるためである。

　なお、第1項ただし書の規定に該当する電気通信事業者については、電気通
信主任技術者の選任は要しないが、一定の公衆無線LANアクセスサービス提
供事業者等を除き、一定の業務経験を有する等、当該設備の管理を指揮、監督
する能力のある技術者の配置を求める必要があることから、一定の要件を満た
す者を配置したときは、遅滞なく、配置した者の氏名を記載した書類等を総務
大臣に報告しなければならないこととされている（主任技術者規則第3条の2
第3項）。

第46条

第46条（電気通信主任技術者資格者証）

（電気通信主任技術者資格者証）

第46条　(1) 電気通信主任技術者資格者証の種類は、(2) 伝送交換技術及び線路技術について総務省令で定める。

2　(3) 電気通信主任技術者資格者証の交付を受けている者が監督することができる電気通信設備の工事、維持及び運用に関する事項の範囲は、前項の電気通信主任技術者資格者証の種類に応じて総務省令で定める。

3　総務大臣は、次の各号のいずれかに該当する者に対し、電気通信主任技術者資格者証を交付する。

一　(4) 電気通信主任技術者試験に合格した者

二　(5) 電気通信主任技術者資格者証の交付を受けようとする者の養成課程で、総務大臣が (6) 総務省令で定める基準に適合するものであることの認定をしたものを修了した者

三　(7) 前2号に掲げる者と同等以上の専門的知識及び能力を有すると総務大臣が認定した者

4　総務大臣は、前項の規定にかかわらず、次の各号のいずれかに該当する者に対しては、電気通信主任技術者資格者証の交付を行わないことができる。

一　次条の規定により電気通信主任技術者資格者証の返納を命ぜられ、その日から1年を経過しない者

二　この法律の規定により罰金以上の刑に処せられ、その執行を終わり、又はその (8) 執行を受けることがなくなつた日から2年を経過しない者

5　(9) 電気通信主任技術者資格者証の交付に関する手続的事項は、総務省令で定める。

改正　平成11年法律第160号
第45条繰下げ改正　平成15年法律第125号

1　概　要

　電気通信主任技術者資格者証の種類、電気通信主任技術者資格者証の交付を受けている者が監督することができる事項の範囲、電気通信主任技術者資格者証の交付要件等を規定している。

351

第46条

2　条文内容

〔第1項〕

(1)　電気通信主任技術者資格者証の種類

　　電気通信主任技術者資格者証の種類については、電気通信主任技術者が事業用電気通信設備の工事、維持及び運用の監督を行うものであることに鑑み、事業用電気通信設備の技術基準適合性を判断し、必要に応じて改善策を指示するために必要な技術知識をもとに区分されている。

　　具体的には、

①　交換機、伝送装置等の伝送交換設備とケーブル、土木設備等の線路設備では、その必要な技術知識が異なること

②　いわゆる交換、伝送、無線等の細分化された設備区分を行うことは、電気通信技術の発展とともに不明確となること

③　電気通信事業者の業務が伝送交換系列、線路系列とで分かれていることが多いこと

から、「伝送交換主任技術者資格者証」と「線路主任技術者資格者証」の2種類に区分することとしている（主任技術者規則第5条）。

(2)　伝送交換技術及び線路技術

　　「伝送交換技術」とは、電気通信を行うため、伝送路に流す符号、音響又は影像を変調、多重化又は交換するとともに、伝送路の切換え・選択を行う技術をいう。「線路技術」とは、伝送路に流す符号、音響又は影像を中継・増幅する技術並びに伝送路の敷設に関する技術をいう。

〔第2項〕

(3)　電気通信主任技術者資格者証の交付を受けている者が監督することができる電気通信設備の工事、維持及び運用に関する事項の範囲

　　電気通信主任技術者資格者証の交付を受けている者が監督することができる電気通信設備の工事、維持及び運用に関する事項の範囲は、

①　伝送交換主任技術者資格者証にあっては、電気通信事業の用に供する伝送交換設備及びこれらに附属する設備

②　線路主任技術者資格者証にあっては、電気通信事業の用に供する線路設備及びこれらに附属する設備

の工事、維持及び運用と定められている（主任技術者規則第6条）。

〔第3項〕

(4) 電気通信主任技術者試験

第48条第1項に規定する電気通信主任技術者試験をいう。

(5) 電気通信主任技術者資格者証の交付を受けようとする者の養成課程

電気通信主任技術者としての専門知識を教授し、それにふさわしい能力を身につける一定の電気通信工学関係の課程であり、学校教育法上の大学や専修学校等に設置されているものである。必ずしも電気通信主任技術者資格者証の交付を受けようとする者を養成することを直接の目的としていなくてもよい。

(6) 総務省令で定める基準

本号の基準として、総務大臣がその養成課程を確実に実施することのできるものと認めるものが実施するものであること、養成課程を実施しようとする者が養成課程の実施に係る業務以外の業務を行っている場合には、その業務を行うことによって養成課程の実施に係る業務が不公正になるおそれがないものであること、総務大臣がその養成課程の運営を厳正に管理することのできるものと認める管理者を置くものであること、一定の授業科目及び授業時間を設けていること等が総務省令で定められている（主任技術者規則第27条並びに別表第10号及び第11号）。

(7) 前2号に掲げる者と同等以上の専門的知識及び能力を有する

「専門的知識及び能力」とは、第48条第1項に規定する「専門的知識及び能力」と同様、電気通信主任技術者として必要とされる資質をいい、具体的には、電気通信工学の基礎、伝送交換あるいは線路に関する設備管理、セキュリティ管理及び本法等の法規等の知識を有していることが必要である。

〔第4項〕

(8) 執行を受けることがなくなつた日から2年

「執行を受けることがなくなつた」とは、刑の執行の免除を指し、これには、恩赦法第8条の「刑の執行の免除」、刑法第5条に規定する外国で言い渡された刑の執行を受けたときの刑の「免除」、同法第31条の時効による「執行の免除」がある。執行猶予の判決を受けた者が、これを取り消されることなく猶予期間を満了したときは、刑の言渡しは効力を失うから（同法第27条）、そのときに本号そのものに該当しないことになり、欠格者ではなくなる。

また、「2年」の期間は一つの政策判断であり、この程度の期間が経過すれば一定の反省を経て、その欠格性は治癒されるものとみられたものである（第

第46条・第47条

12条第1項第1号、第50条の3第1号、第75条第2項第2号、第85条の3第2項第1号、第87条第2項第1号及び第118条第1号を参照のこと）。

なお、「電気通信主任技術者資格者証の返納を命ぜられ」た場合を1年としているのは、返納命令が行政処分であり、刑事罰と異なることが斟酌されたものである。

〔第5項〕

(9) 電気通信主任技術者資格者証の交付に関する手続的事項

総務省で定める電気通信主任技術者資格者証の交付に関する手続的事項としては、電気通信主任技術者資格者証の交付の申請（主任技術者規則第39条）、再交付（同第42条）等の手続に関するものがある。

なお、電気通信主任技術者資格者証の交付、再交付を受けようとする者は、実費を勘案して政令で定める金額（交付の場合は1,700円、再交付の場合は1,350円）を納めなければならない（第174条第1項並びに施行令第13条及び別表第2）。

第47条（電気通信主任技術者資格者証の返納）

（電気通信主任技術者資格者証の返納）
第47条 総務大臣は、電気通信主任技術者資格者証を受けている者が (1) この法律又はこの法律に基づく命令の規定に違反したときは、その電気通信主任技術者資格者証の返納を命ずることができる。

改正 平成11年法律第160号
第46条繰下げ 平成15年法律第125号

1 概 要

電気通信主任技術者資格者証の返納について規定している。

2 条文内容

(1) この法律又はこの法律に基づく命令の規定に違反したとき

電気通信主任技術者資格者証には有効期限がないため、交付を受けた者は永久的な資格を取得することとなる。しかし、電気通信主任技術者資格者証の交

第47条・第48条

付を受けている者が、本法又は本法に基づく命令（政令、省令）の規定に違反した場合、その者に電気通信主任技術者として選任され得る資格を与えておいては不適当なことがあるので、総務大臣は、その者に対し電気通信主任技術者資格者証の返納を命じてその資格を剥奪することができることとしている。

「この法律又はこの法律に基づく命令の規定に違反したとき」は、第49条第1項の職務誠実遂行義務に違反したときその他電気通信主任技術者資格者証の交付を受けている者が本法又は本法に基づく命令の規定に違反した場合の全てが該当する。

第48条（電気通信主任技術者試験）

（電気通信主任技術者試験）

第48条　電気通信主任技術者試験は、(1) 電気通信設備の工事、維持及び運用に関して必要な専門的知識及び能力について行う。

2　電気通信主任技術者試験は、(2) 電気通信主任技術者資格者証の種類ごとに、(3) 総務大臣が行う。

3　電気通信主任技術者試験の試験科目、受験手続その他電気通信主任技術者試験の実施細目は、(4) 総務省令で定める。

改正　平成11年法律第160号
第47条繰下げ　平成15年法律第125号

1　概　要

電気通信主任技術者試験の内容、実施主体、実施手続等について規定している。

2　条文内容

〔第1項〕

(1)　電気通信設備の工事、維持及び運用に関して必要な専門的知識及び能力

電気通信主任技術者には、「電気通信設備の工事、維持及び運用に関して必要な専門的知識及び能力」が要求される。具体的には、高等学校卒業以上の数学、電気理論等の一般知識に加え、本法等の法規、電気通信システム、伝送交換あるいは線路に関する設備管理及びセキュリティ管理の知識を有しているこ

第48条

とが必要である。

　なお、電気通信主任技術者は、従事者資格ではなく、電気通信設備の工事、維持及び運用に関する監督を行う監督者資格であり、その必要とされる資質は、電気通信設備が技術基準に適合するようにするためにその工事、維持及び運用に必要な全般的な知識である。したがって、電気通信主任技術者試験は、原則として筆記又は電子計算機等を使用する方法で行うこととし、技能をみるための実技試験は行わないこととされている（主任技術者規則第7条）。

〔第2項〕

(2)　電気通信主任技術者資格者証の種類ごと

　電気通信主任技術者制度は、法文上は電気通信主任技術者という資格制度ではなく、電気通信主任技術者資格者証の交付を受け得る資格制度となっており、電気通信主任技術者は、第45条の規定により電気通信主任技術者資格者証の交付を受けている者の中から選任することとしている。したがって、電気通信主任技術者試験の種類も電気通信主任技術者資格者証の種類ごとに定められており、伝送交換主任技術者資格者証に係る試験及び線路主任技術者資格者証に係る試験の2種類がある。

(3)　総務大臣が行う

　電気通信主任技術者試験の実施主体は総務大臣であるが、その試験事務については、総務大臣の指定する指定試験機関に行わせることができることとしている（第74条の解説を参照のこと）。

〔第3項〕

(4)　総務省令で定める

　電気通信主任技術者試験の試験科目、受験手続その他電気通信主任技術者試験の実施細目は総務省令で定めることとしている。

　試験科目は、「電気通信システム」、「伝送交換設備又は線路設備及び設備管理」及び「法規」とされている（主任技術者規則第9条）。

　受験手続としては、試験を行う期日等の公示、試験の申請手続及び試験の結果通知等について規定されている（主任技術者規則第15条、第16条、第18条等）。

　実施細目としては、試験回数、不正受験者に対する措置、試験科目の免除等について規定されている（主任技術者規則第8条及び第10条から第14条まで）。

第49条（電気通信主任技術者等の義務）

（電気通信主任技術者等の義務）

第49条　電気通信主任技術者は、事業用電気通信設備の工事、維持及び運用に関する事項の監督の職務を誠実に行わなければならない。

2　電気通信事業者は、電気通信主任技術者に対し、その職務の執行に必要な権限を与えなければならない。

3　電気通信事業者は、電気通信主任技術者のその職務を行う事業場における事業用電気通信設備の工事、維持又は運用に関する助言を尊重しなければならず、事業用電気通信設備の工事、維持又は運用に従事する者は、電気通信主任技術者がその職務を行うため必要であると認めてする指示に従わなければならない。

4　電気通信事業者は、(1) 総務省令で定める期間ごとに、電気通信主任技術者に、第85条の2第1項の規定により登録を受けた者（以下「登録講習機関」という。）が行う事業用電気通信設備の工事、維持及び運用に関する事項の監督に関する講習（第6節第2款、第174条第1項第4号及び別表第1において「講習」という。）を受けさせなければならない。

第48条繰下げ　平成15年法律第125号
改正　　平成26年法律第　63号
平成27年法律第　26号
令和元年法律第　5号

1　概　要

電気通信主任技術者の職務の誠実遂行義務（第1項）、電気通信主任技術者への権限付与（第2項）、電気通信主任技術者の指示に従う義務等（第3項）及び講習義務（第4項）を規定している。

2　条文内容

〔第1項〕

電気通信主任技術者に対する訓示的な規定であり、違反に対する罰則の適用はない。本項の義務に明らかに違反すると、第47条の規定により電気通信主任技術者資格者証の返納を命ぜられる対象となる。

電気通信主任技術者の具体的な職務内容は、電気通信事業者の管理規程で定め

第49条

られ、その職務の遂行は臨機応変に行われるべきものである。その職務遂行として
いかなる措置を講ずるべきかについて、法令で細かく規定することは困難であ
り、当該電気通信主任技術者の専門的知識及び能力に基づく個別的判断に委ねら
れる部分が多い。したがって、電気通信主任技術者の適切な職務遂行については、
罰則による担保を行うことなく、訓示的に職務誠実遂行義務を法定している。

〔第2・3項〕

　電気通信主任技術者が、電気通信事業者一律に、その果たすべき職務を実効性
ある形で遂行できるようにするために、電気通信事業者に対し、選任した電気通
信主任技術者に、その業務を行うために必要な権限を与えること及びその助言を
尊重することを義務付け、事業用電気通信設備の工事、維持又は運用に従事する
者に対し、電気通信主任技術者の指示に従うことを義務付けている。

〔第4項〕

　電気通信主任技術者資格者証の交付を受けている者は、国家試験の合格等によ
り、電気通信主任技術者としての職務遂行に必要となる基本的な知識及び能力は
有しているため、最新の法令上又は技術上の知識及び能力は、電気通信主任技術
者に選任後速やかに講習により補充することとしている。

　電気通信主任技術者は、電気通信事業者が、電気通信役務の確実かつ安定的な
提供を確保するために、設備の監督を行わせる者として選任するものであり、最
新の法令上又は技術上の知識及び能力の補充は、選任後にその必要性が生じるも
のであることから、当該補充のための講習を受講させる義務は電気通信事業者に
対し課すこととしている。

(1)　総務省令で定める期間ごとに

　　総務省令では、電気通信事業者は、電気通信主任技術者を選任したときは、
　原則として、選任した日から1年以内に講習を受けさせなければならないこと、
　講習を受けた電気通信主任技術者に、その講習から3年以内に講習を受けさせ
　なければならないこと等を定めている（主任技術者規則第43条の3）。

358

第50条

第2款　電気通信番号
第50条（電気通信番号の使用及び電気通信番号計画）

（電気通信番号の使用及び電気通信番号計画）

第50条　電気通信事業者は、(1) 電気通信役務の提供に当たり、送信の場所と受信の場所とにあり、及びその間を接続する電気通信設備を識別し、又は提供すべき電気通信役務の種類若しくは内容を識別するために、(2) 次条第1項の認定を受けた電気通信番号使用計画（第50条の6第1項の変更の認定があつたときは、変更後のもの。第51条において「認定電気通信番号使用計画」という。）に従つて次条第1項又は第50条の11の指定があつた電気通信番号（総務大臣が定める番号、記号その他の符号をいう。以下同じ。）を使用しなければならない。ただし、(3) ドメイン名（第164条第2項第2号に規定するドメイン名をいう。）、アイ・ピー・アドレス（同項第3号に規定するアイ・ピー・アドレスをいう。）その他の総務省令で定める番号、記号その他の符号を使用する場合は、この限りでない。

2　総務大臣は、次条第1項の認定（同項及び第50条の11の指定を含む。）その他の電気通信番号に係る事務の遂行に資するため、(4) 電気通信番号のほか、次に掲げる事項を記載した表（以下「電気通信番号計画」という。）を作成し、これを公衆の閲覧に供するとともに、公示しなければならない。これを変更したとき、又はこれに第50条の12の規定による記載をしたときも、同様とする。

　一　次に掲げる電気通信番号の別

　　イ　(5) 利用者設備識別番号（利用者の端末設備（第52条第1項に規定する端末設備をいい、第70条第1項に規定する自営電気通信設備を含む。以下このイ、第3号ロ及び次条第1項第2号において同じ。）を識別するために使用する電気通信番号をいい、利用者の端末設備を識別し、及び提供すべき電気通信役務の種類又は内容を識別するために使用する電気通信番号を含む。以下同じ。）

　　ロ　利用者設備識別番号以外の電気通信番号

　二　(6) 当該電気通信番号により識別する電気通信設備又は提供すべき電気通信役務の種類若しくは内容

　三　次に掲げる条件その他の当該電気通信番号の使用に関する条件がある

359

第50条

　場合には、その内容

　　イ　(7)重要通信の取扱いに関する条件

　　ロ　(8)番号ポータビリティ（利用者が電気通信役務の提供に関する契約の相手方となる電気通信事業者を変更した場合において、その変更の前後において同一の利用者設備識別番号により当該利用者の端末設備を識別することができることをいう。）に関する条件

　　ハ　(9)使用の期限

3　電気通信番号計画は、これにより次の事項が確保されるものとして作成されなければならない。

　一　(10)電気通信番号により電気通信事業者及び利用者が電気通信設備の識別又は電気通信役務の種類若しくは内容の識別を明確かつ容易にできるようにすること。

　二　(11)電気通信役務の提供に必要な電気通信番号が十分に確保されるようにすること。

　三　(12)電気通信番号の変更ができるだけ生じないようにすること。

　四　(13)電気通信番号が公平かつ効率的に使用されるようにすること。

追加　平成 9 年法律第 97号
改正　平成11年法律第160号
第48条の2繰下げ　平成15年法律第125号
改正　平成27年法律第 26号
平成30年法律第 24号

1　概　要

　電気通信事業者は、電気通信役務の提供に当たり、総務大臣の認定を受けた電気通信番号の使用に関する計画（以下「電気通信番号使用計画」という。）に従って総務大臣による指定があった電気通信番号を使用しなければならない旨を規定している（第1項）。

　また、電気通信事業者が作成する電気通信番号使用計画の認定、電気通信事業者が使用する電気通信番号の指定その他の電気通信番号に係る事務の遂行に資するため、総務大臣は、電気通信番号及び必要な事項を記載した電気通信番号計画を作成して公示しなければならない旨を規定し（第2項）、総務大臣が電気通信番号計画を作成するに当たり確保すべき事項を規定している（第3項）。

第50条

2　条文内容

〔第1項〕

(1) 電気通信役務の提供に当たり、送信の場所と受信の場所とにあり、及びその間を接続する電気通信設備を識別し、又は提供すべき電気通信役務の種類若しくは内容を識別するため

電気通信事業者が電気通信役務の提供に当たり電気通信番号を使用する目的について、電気通信番号が識別する対象である「電気通信設備」が送信の場所と受信の場所とにあるもの（利用者の端末設備）である場合及び送信の場所と受信の場所の間を接続するもの（中継回線）である場合を明確にし、「送信の場所と受信の場所とにあり、及びその間を接続する電気通信設備を識別し、」と規定している。また、電気通信番号が識別する対象には、「電気通信設備」だけでなく、「提供すべき電気通信役務の種類又は内容」も含まれることから、電気通信事業者が電気通信役務の提供に当たり電気通信番号を使用する目的について、「又は提供すべき電気通信役務の種類若しくは内容を識別するため」と規定している。

① 電気通信設備を識別するためのもの

　1) 識別する対象である「電気通信設備」が送信の場所と受信の場所とにあるもの（利用者の端末設備）である場合

　　例：固定電話番号(0ABCDEFGHJ)、音声伝送携帯電話番号(070CDEFGHJK, 080CDEFGHJK, 090CDEFGHJK)

　2) 識別する対象である「電気通信設備」が送信の場所と受信の場所の間を接続するもの（中継回線）である場合

　　例：事業者設備識別番号（00XY等）

② 提供すべき電気通信役務の種類又は内容を識別するためのもの

　例：付加的役務電話番号（0120DEFGHJ/0800DEFGHJK（着信課金機能）、0990DEFGHJ（情報料代理徴収機能）等）、緊急通報番号（110（警察機関への緊急通報）、118（海上保安機関への緊急通報）、119（消防機関への緊急通報））

361

第50条

(2)　次条第1項の認定を受けた電気通信番号使用計画（第50条の6第1項の変
　　更の認定があつたときは、変更後のもの。第51条において「認定電気通信番
　　号使用計画」という。）に従つて次条第1項又は第50条の11の指定があつ
　　た電気通信番号（総務大臣が定める番号、記号その他の符号をいう。以下同じ。）
　　を使用しなければならない

　　　電気通信事業者による電気通信番号の使用及び管理の適正性を確保するため、
　　電気通信事業者が電気通信役務を提供するに当たっては総務大臣の認定を受け
　　た電気通信番号使用計画に従って、総務大臣の指定があった電気通信番号を使
　　用しなければならない義務を規定している。

　　　総務大臣から「指定があった電気通信番号」とは、当該電気通信事業者の認
　　定電気通信番号使用計画に従ったものである限り、当該電気通信事業者が総務
　　大臣から指定された電気通信番号に加え、他の電気通信事業者が総務大臣から
　　指定された電気通信番号も含まれる。他の電気通信事業者が総務大臣から指定
　　された電気通信番号とは、具体的には、中継回線（00XYで識別）や付加サー
　　ビス（0AB0で識別）を提供する電気通信事業者が自ら付番をしない電気通信
　　番号を発着信に使用する場合のその電気通信番号、ＭＶＮＯが卸電気通信役
　　務の提供を受けて使用する場合、番号ポータビリティにより自社に移転して
　　きた利用者について移転元事業者が付番をしている場合（0AB～J、070C～K、
　　080C～K、090C～K）等のその電気通信番号がこれに該当する。

　　　さらに、これらの電気通信番号の具体的な対象を明確にする観点から、電気
　　通信番号の定義を「総務大臣が定める番号、記号その他の符号」とし、本条等
　　の規律の対象となる電気通信番号を総務大臣が電気通信番号計画に定めるもの
　　に限定している。

　　　電気通信番号のうち利用者設備識別番号の「使用」とは、総務大臣から（電
　　気通信番号使用計画の認定と併せて）利用者設備識別番号の指定を受けた電気
　　通信事業者が利用者に付番をして、付した番号を除去（当該利用者との契約を
　　解除）するまでの間（当該利用者が発着信を行っている場合と発着信を行って
　　いない場合（端末設備が待機している状態）の両方を含む。）の状態を指す。

　　　利用者設備識別番号以外の電気通信番号の「使用」とは、総務大臣から（職
　　権により）電気通信番号の指定を受けた電気通信事業者がサービス提供を開始
　　できる状況になってから、それを終了するまでの間（電気通信事業者網間で発
　　着信のルーティングを行っている場合と発着信のルーティングを行っていない

第50条

場合の両方を含む。）の状態を指す。

(3) ドメイン名（第164条第2項第2号に規定するドメイン名をいう。）、アイ・ピー・アドレス（同項第3号に規定するアイ・ピー・アドレスをいう。）その他の総務省令で定める番号、記号その他の符号を使用する場合は、この限りでない

　　非営利法人のＩＣＡＮＮ（The Internet Corporation for Assigned Names and Numbers）が管理するドメイン名及びＩＰアドレスについては、電気通信事業者が電気通信役務の提供に当たり使用することを可能とし、他方で、第50条の2から第51条までの規定の対象となる電気通信番号に含まれないよう、電気通信番号使用計画に従って使用する義務の対象外としている。同様に、総務省令において、国際電気通信連合がITU－T勧告に準拠して処分を行う番号（International Freephone Serviceに対して割り当てた「800」から始まる数字、国際的な衛星携帯電話に使用される番号等）（施行規則第29条の4、令和元年総務省告示第8号）についても、上記義務の対象外としている。

〔第2項〕

(4) 電気通信番号のほか、次に掲げる事項を記載した表（以下「電気通信番号計画」という。）を作成し、これを公衆の閲覧に供するとともに、公示しなければならない

　　電気通信事業者による電気通信役務の提供に当たっては認定電気通信番号使用計画に従って指定があった電気通信番号を使用する義務を課しているところ、電気通信役務の提供に当たり電気通信番号を使用しようとする電気通信事業者が適切に認定の申請等を行うためには当該申請に当たり把握すべき事項があらかじめ明らかにされている必要があることから、総務大臣は、電気通信番号のほか、必要な事項を記載した電気通信番号計画を作成して公示しなければならないこととしている。

(5) 利用者設備識別番号

　　利用者の端末設備等を識別するために付される利用者設備識別番号は、電気通信役務の提供を受ける利用者ごとに紐付けられるものであり、多くの利用者情報を利用者設備識別番号に紐付けて管理することを可能にしている。こういった特性を持つことから、総務大臣が作成して公示する電気通信番号計画においては、利用者設備識別番号と利用者設備識別番号以外の電気通信番号（事業者設備等識別番号）の別を記載するとともに、それぞれに対応した電気通信

番号の使用に関する条件について記載することとしている。

(6) 当該電気通信番号により識別する電気通信設備又は提供すべき電気通信役務の種類若しくは内容

電気通信番号の使用及び管理の適正性を確保する観点から、電気通信番号ごとに識別する「電気通信設備」や「提供すべき電気通信役務の種類・内容」に対応して使用されることが求められることを、電気通信番号を使用しようとする電気通信事業者が電気通信番号使用計画の認定の申請を行うに当たりあらかじめ把握する必要があるため、これを電気通信番号計画に記載することとしている。

(7) 重要通信の取扱いに関する条件

電気通信番号の使用に際しては、公共の利益や国民の安全・安心を確保する観点から、電気通信事業者に対し災害時等に優先的に取り扱わなければならない義務が課されている第8条第1項の重要通信の取扱いに関する条件（緊急通報（緊急機関の電気通信番号への発信）を可能とするための措置を講ずること等）を付すことが必要となる場合があることから、当該条件を電気通信番号計画に記載することとしている。

(8) 番号ポータビリティ（利用者が電気通信役務の提供に関する契約の相手方となる電気通信事業者を変更した場合において、その変更の前後において同一の利用者設備識別番号により当該利用者の端末設備を識別することができることをいう。）に関する条件

利用者設備識別番号の使用に際しては、利用者が事業者を変更する際に生じるコスト（スイッチングコスト）を減少させて流動性を高める競争促進と番号を変更したくないという利用者ニーズに応える利用者利便とを確保する観点から、利用者が電気通信役務の提供に関する契約の相手方となる電気通信事業者を変更した場合に変更前後で同一の利用者設備識別番号により当該利用者の端末設備を識別することを可能とする番号ポータビリティに関する条件を付すことが必要となる場合があることから、当該条件を電気通信番号計画に記載することとしている。

(9) 使用の期限

電気通信番号のひっ迫等に伴い、新たな電気通信番号に移行することが必要となる場合に、その円滑な移行を促すため、移行前の電気通信番号について使用の期限を設けることが必要となる場合が想定されることから、必要に応じ当

第50条

該使用の期限を電気通信番号計画に記載することとしている。

〔第3項〕

電気通信番号の使用及び管理の適正性を確保するため、総務大臣が作成する電気通信番号計画において確保すべき基本的な事項について規定している。

(10) **電気通信番号により電気通信事業者及び利用者が電気通信設備の識別又は電気通信役務の種類若しくは内容の識別を明確かつ容易にできるようにすること**

「明確」とは、目的とする電気通信設備又は電気通信役務を一意に特定できることを、「容易」とは、目的とする電気通信設備又は電気通信役務の特定がしやすいことを指す。

具体的には、

① 二重番号が生じてネットワークに混乱が生じることのないようにすること

② できるだけ短い番号とすることにより、利用者にとって利用しやすく、また、電気通信事業者にとっても番号分析のシステム上の負担が軽減されるようにすること

③ 適切な体系化を行うことにより番号から電気通信役務をイメージしやすくすること

等が該当する。

(11) **電気通信役務の提供に必要な電気通信番号が十分に確保されるようにすること**

必要な電気通信番号が十分に確保されて電気通信事業者の新規参入やサービスの拡大の隘路とならず、利用者が電気通信役務を十分に利用できるように番号体系を整備することを指す。

具体的には、できるだけ短いダイヤル桁数による利用を確保するなどの要請を満たしつつ十分な番号容量を確保するために、加入数の多いサービスについてもダイヤル桁数が長くならないよう電気通信役務の形態に応じて適切な番号の構造を選択すること等が該当する。

(12) **電気通信番号の変更ができるだけ生じないようにすること**

電気通信番号の変更が最小限であるべきことを指す。ある番号体系を定めるときは、短期的に番号変更が生じるようなものは望ましくなく、できるだけ短い桁数による利用を確保するという要請を考慮しつつ、番号変更の可能性のなるべく少ない方式を採用すべきである。

具体的には、電気通信事業者ごとに必要となる番号は、中長期的な予想の下に必要量を確保すること等が該当する。なお、本号の趣旨から考えて、やむを

365

得ず番号変更が生ずる場合には、前の番号から類推可能な変更方法を採用したり、十分な猶予期間を置く等の配慮を講じたりすることが求められると考えられる。

⒀　電気通信番号が公平かつ効率的に使用されるようにすること

　　合理的な理由がないにもかかわらず特定の電気通信事業者又は利用者に著しく不公平となるような番号体系とならないように、また、無駄の多い番号体系とならないようにすることを指す。

　　具体的には、合理的な理由がないにもかかわらず特定の電気通信事業者に関する番号入力手順を著しく長くすることがないようにすること、無駄がなるべく少なくなるように桁数を定めること及び使われなくなった番号は速やかに他の電気通信事業者が使えるようにすること等が該当する。

第50条の2 （電気通信番号使用計画の認定等）

（電気通信番号使用計画の認定等）

第50条の2　電気通信事業者は、電気通信役務の提供に当たり電気通信番号を使用しようとするときは、次に掲げる事項を記載した電気通信番号の使用に関する計画（以下「電気通信番号使用計画」という。）を作成し、当該電気通信番号使用計画が第50条の4各号に掲げる要件に適合していることについて、総務大臣の認定（当該電気通信番号使用計画に第2号に掲げる事項を記載した場合には、⑴利用者設備識別番号の指定を含む。以下この款において同じ。）を受けなければならない。

一　⑵電気通信番号の使用に関する事項

二　⑶付番（利用者の端末設備に使用されていない利用者設備識別番号を付することをいう。以下この号において同じ。）をする場合には、⑷付番をしようとする利用者設備識別番号のほか、次に掲げる事項

　　イ　⑸付番に関する事項

　　ロ　⑹利用者設備識別番号の管理に関する事項

　　ハ　⑺利用者設備識別番号に前条第2項第3号ロに掲げる条件が付されている場合には、当該条件の確保に関する事項

三　⑻前号ハに規定するもののほか、使用しようとする電気通信番号に前

第50条の2

条第2項第3号に規定する条件が付されている場合には、当該条件の確保に関する事項

四 (9)前3号に掲げるもののほか、総務省令で定める事項

2　前項の認定を受けようとする電気通信事業者は、総務省令で定めるところにより、(10)次に掲げる事項を記載した申請書及び電気通信番号使用計画並びに総務省令で定める添付書類を総務大臣に提出しなければならない。

一　氏名又は名称及び住所並びに法人にあつては、その代表者の氏名

二　前号に掲げるもののほか、総務省令で定める事項

3　総務大臣が第1項各号（第2号を除く。）に掲げる事項について標準電気通信番号使用計画を定めて公示した場合（これを変更して公示した場合を含む。）において、電気通信事業者（(11)次条各号のいずれかに該当するものを除く。）が、標準電気通信番号使用計画と同一の電気通信番号使用計画を作成し、又は現に作成している電気通信番号使用計画（(12)同項第2号に掲げる事項を記載しているものを除く。）を標準電気通信番号使用計画と同一のものに変更したときは、その電気通信番号使用計画については、それぞれ同項の認定又は第50条の6第1項の変更の認定を受けたものとみなす。

追加　平成30年法律第24号

1　概　要

　電気通信事業者は、電気通信役務の提供に当たり電気通信番号を使用しようとするときは、必要な事項を記載した電気通信番号使用計画を作成し、当該電気通信番号使用計画が第50条の4各号の要件に適合していることについて総務大臣の認定を受けなければならない旨を規定している。

2　条文内容

〔第1項〕

　電気通信事業者が電気通信役務の提供に当たり電気通信番号を使用しようとするときは、電気通信番号の使用及び管理の適正性を確保するため、電気通信番号の使用に関する事項等を記載した電気通信番号使用計画を作成し、当該電気通信番号使用計画が認定の要件に適合することについて総務大臣の認定を受けなけれ

ばならないこととしている。

(1) 利用者設備識別番号の指定

電気通信事業者が使用する利用者設備識別番号を特定するため、また、番号ポータビリティを実施する場合における移転した利用者設備識別番号の管理や、卸元事業者が付番をした利用者設備識別番号を卸先事業者が使用する際の当該利用者設備識別番号の管理の必要から、利用者設備識別番号を特定するため、付番をしようとする電気通信事業者に対し、電気通信番号使用計画の認定と併せて、総務大臣が当該電気通信番号使用計画に記載された必要な利用者設備識別番号を指定することとしている。

なお、事業者設備等識別番号については、その性質が利用者設備識別番号とは異なることから、電気通信番号使用計画の認定と併せて行う本項の指定の対象とせず、第50条の11に基づき総務大臣が職権により指定することとしている（第50条の11において後述）。

(2) 電気通信番号の使用に関する事項

電気通信番号を使用しようとする電気通信事業者において、全ての電気通信番号を対象として、電気通信番号計画に定める総則（4準則）や各電気通信番号の範囲・種類等に従って適正に使用する旨を記載することとしている。

(3) 付番

利用者設備識別番号の「付番」とは、利用者の端末設備に利用者設備識別番号を付す行為そのものを指す。（当該端末設備に当該利用者設備識別番号が付されている状態を指すものではない。）

(4) 付番をしようとする利用者設備識別番号

電気通信番号計画の準則に従った利用者設備識別番号の適正な使用を確保するため、付番をしようとする利用者設備識別番号について、電気通信事業者が使用を希望する数やそれに対応した電気通信役務の提供地域等について記載することとしている。

(5) 付番に関する事項

電気通信事業者が利用者に対する公平性を確保し、効率的な使用（可能な限り有効利用を図り、長期間使用しない状況を回避すること等）を確保して付番をするための方針を記載することとしている。

(6) 利用者設備識別番号の管理に関する事項

電気通信事業者が利用者の端末設備に付番をした利用者設備識別番号の適正

な管理を確保するため、当該利用者に関する情報の管理の方法等について記載
することとしている。

　記載される内容としては、例えば、利用者設備識別番号に条件が付されて番
号ポータビリティを行う場合については、付番をした電気通信事業者における
利用者に関する情報の取扱いに関する事項、移転先の電気通信事業者における
利用者設備識別番号の管理の方法等が、卸電気通信役務の提供が行われて、付
番をした利用者設備識別番号を卸先事業者が使用する場合については、卸先事
業者による適正な使用と卸元事業者による適正な管理とを確保するための利用
者設備識別番号の管理の方法等が考えられる。

(7)　利用者設備識別番号に前条第2項第3号ロに掲げる条件が付されている場合
　には、当該条件の確保に関する事項

　電気通信番号計画において番号ポータビリティに関する条件が付された利用
者設備識別番号の付番をしようとする事業者において、番号ポータビリティを
実施するために必要となる事項を記載することとしている。

(8)　前号ハに規定するもののほか、使用しようとする電気通信番号に前条第2項
　第3号に規定する条件が付されている場合には、当該条件の確保に関する事項

　電気通信番号に番号ポータビリティに関する条件以外の条件が付されている
場合について、当該条件の確保に関する事項を電気通信番号使用計画に記載す
ることとしている。

(9)　前3号に掲げるもののほか、総務省令で定める事項

　上記以外の事項についても、電気通信番号の使用の状況等を踏まえて柔軟に
対応する必要があるため、電気通信事業者が電気通信番号使用計画に記載する
事項を総務省令で定めることとしている。

　総務省令では、電気通信番号を使用して提供する電気通信役務の内容、電気
通信番号の使用に必要となる電気通信設備の構成図、電気通信番号の管理に関
する事項等について定めている（番号規則第4条）。

〔第2項〕

(10)　次に掲げる事項を記載した申請書及び電気通信番号使用計画並びに総務省令
　で定める添付書類

　電気通信番号使用計画の認定の申請に際しては、当該電気通信番号使用計画
が認定の要件に適合していることの審査に必要となる申請書及び電気通信番号
使用計画並びに総務省令で定める添付書類を提出することとしている。

第50条の2

　　申請書には、名称・住所等及び総務省令で定める事項を記載することとしている。

　　総務省令では、添付書類として、新たに指定を受けようとする利用者設備識別番号の数及びその算定の根拠を記載した書類並びに新たに指定を希望する特定の電気通信番号及び希望する理由を記載した書類を定めている（番号規則第5条第3項）。

〔第3項〕

　付番をしない電気通信事業者については、番号ポータビリティや卸電気通信役務に対応した複雑な電気通信番号の管理を行う必要がないため、当該電気通信事業者が作成する電気通信番号使用計画については、その内容が定型化することが見込まれる。これに関しては、多様な電気通信事業者が電気通信役務を円滑に提供できるよう電気通信番号を使用するための手続を迅速に処理する必要があることから、総務大臣が付番に係る事項以外の事項について標準電気通信番号使用計画を定めて公示した場合において、電気通信事業者が、標準電気通信番号使用計画と同一の電気通信番号使用計画を作成し、又は現に作成している電気通信番号使用計画（付番に係る事項を記載しているものを除く。）を標準電気通信番号使用計画と同一のものに変更した場合には、当該電気通信番号使用計画は総務大臣の認定又は変更の認定を受けたものとみなすこととしている。

⑾　次条各号のいずれかに該当するものを除く

　　第50条の3において、同条各号のいずれかに該当する者は、あらかじめ電気通信番号使用計画の認定の対象から排除することを規定しているところ、総務大臣が定めて公示する標準電気通信番号使用計画と同一の電気通信番号使用計画を作成した場合のみなし認定に際し、公共の利益を阻害するような者をその対象に含めることは電気通信の秩序を乱すことになりかねないことから、第50条の3各号のいずれかに該当する者を対象から排除している。

⑿　同項第2号に掲げる事項を記載しているものを除く

　　付番をする電気通信事業者が現に作成している電気通信番号使用計画を標準電気通信番号使用計画と同一のものに変更する場合（付番をする電気通信事業者が付番をしない電気通信事業者になる場合）は、これをみなし認定の対象とすると認定制度の趣旨が没却されるため、第50条の6第1項の変更の認定にかからしめている。

370

第50条の3

第50条の３（欠格事由）

（欠格事由）

第50条の３　次の各号のいずれかに該当する電気通信事業者は、前条第１項の認定を受けることができない。

　一　⑴この法律、有線電気通信法若しくは電波法又はこれらに相当する外国の法令の規定により罰金以上の刑（これに相当する外国の法令による刑を含む。）に処せられ、その執行を終わり、又はその執行を受けることがなくなつた日から２年を経過しない者

　二　⑵第14条第１項の規定により登録の取消しを受け、その取消しの日から２年を経過しない者又はこの法律に相当する外国の法令の規定により当該外国において受けている同種類の登録の取消しを受け、その取消しの日から２年を経過しない者

　三　⑶法人又は団体であつて、その役員のうちに前２号のいずれかに該当する者があるもの

　四　⑷外国法人等であつて国内における代表者又は国内における代理人を定めていない者

追加　平成30年法律第24号
改正　令和２年法律第30号

1　概　要

　電気通信番号使用計画の認定の欠格事由について規定している。

　電気通信役務の提供に当たり電気通信番号を使用しようとする電気通信事業者に対し、電気通信番号の使用及び管理の適正性を確保するため、電気通信番号使用計画を作成し、総務大臣の認定を受けなければならない義務を課す趣旨に鑑み、その対象に公共の利益を阻害するような者を含めることは電気通信の秩序を乱すことになりかねないことから、電気通信事業の参入時の欠格事由が規定されてない届出事業者を含め、通信関係法令に違反した者や登録の取消しを受けた者等については、あらかじめ認定の対象から排除することとしている。

2　条文内容

⑴　この法律、有線電気通信法若しくは電波法又はこれらに相当する外国の法令

371

の規定により罰金以上の刑（これに相当する外国の法令による刑を含む。）に処せられ、その執行を終わり、又はその執行を受けることがなくなつた日から2年を経過しない者

　本法のほか、電気通信事業に特に関係の深い有線電気通信法又は電波法の規定に違反した者、通信関係法令に相当する外国の法令に違反した者について、認定の適格性を欠くものとしている。これにより、電気通信事業者の法令遵守を担保しようとしている。

　「その執行を終わり」とは、拘禁刑（令和4年法律第68号の施行後。）等にあっては刑期の終了を、罰金刑にあっては、罰金の完納をいう。「執行を受けることがなくなつた」とは、刑の執行の免除を指し、これには、恩赦法第8条の「刑の執行の免除」、刑法第5条に規定する外国で言い渡された刑の執行を受けたときの刑の「免除」、同法第31条の時効による「執行の免除」がある。

　執行猶予の判決を受けた者が、これを取り消されることなく猶予期間を満了したときは、刑の言渡しは効力を失うから（同法第27条）、そのときに本号そのものに該当しないことになり、欠格者ではなくなる。

　なお、「2年」の期間は一つの政策判断であり、この程度の期間が経過すれば一定の反省を経て、その欠格性は治癒されるものとみられたものである（第12条第1項第1号、第46条第4項第2号、第75条第2項第2号、第85条の3第2項第1号、第87条第2項第1号及び第118条第1号を参照のこと）。

(2)　第14条第1項の規定により登録の取消しを受け、その取消しの日から2年を経過しない者又はこの法律に相当する外国の法令の規定により当該外国において受けている同種類の登録の取消しを受け、その取消しの日から2年を経過しない者

　電気通信事業者が、第14条第1項の規定による登録取消処分又は本法に相当する外国の法令の規定による同種類の登録の取消処分を受けた場合には、その処分の日から2年を経過しないと認定の適格性を欠く旨を規定している。

(3)　法人又は団体であつて、その役員のうちに前2号のいずれかに該当する者があるもの

　申請者が法人又は団体である場合には、その役員中に第1号又は第2号の欠格事由に該当する者がいるときにも、認定の適格性を欠くこととしている。

(4)　外国法人等であつて国内における代表者又は国内における代理人を定めてい

第50条の3・第50条の4

ない者

　電気通信事業の登録の拒否事由である外国法人等であって国内における代表者又は国内における代理人を定めていない者（第12条第1項第4号）について、認定の適格性を欠くものとして認定の欠格事由としている。

　なお、この国内における代表者又は国内における代理人は、第9条の登録に係る申請書又は第16条第1項の届出に係る添付書類の記載事項であり（第10条第1項第2号及び第16条第1項第2号）、総務大臣は第50条の2第1項の認定に当たってその指定の有無をこれらにより確認可能であるので、同条第2項の認定申請書の記載事項とはしていない。

第50条の4（認定の基準）

（認定の基準）
第50条の4　総務大臣は、第50条の2第1項の認定の申請があつた場合において、その申請に係る電気通信番号使用計画（同項第2号に掲げる事項を記載した場合には、利用者設備識別番号を含む。）が次に掲げる要件に適合すると認めるときは、同項の認定をしなければならない。
　一　申請に係る電気通信番号使用計画が (1) 電気通信番号計画に照らし適切なものであること。
　二　申請に係る (2) 利用者設備識別番号が電気通信番号計画に照らし第50条の2第1項の指定をすることができるものであること。
　三　前2号に掲げるもののほか、(3) 総務省令で定める基準に適合するものであること。

追加　平成30年法律第24号

1　概　要

　電気通信事業者が作成する電気通信番号使用計画について、電気通信番号の使用及び管理の適正性を確保するため、総務大臣の認定の要件を規定している。

2　条文内容

(1)　電気通信番号計画に照らし適切なものであること

　電気通信番号使用計画の認定を受けた電気通信事業者が、第50条第3項の

第50条の4

事項を確保して定められる電気通信番号計画を遵守せずに電気通信番号を使用した場合、電気通信番号の使用及び管理の適正性が確保されないおそれがあることから、電気通信役務の提供に当たり電気通信番号を使用しようとする電気通信事業者が作成する電気通信番号使用計画の記載事項（電気通信番号の使用に関する事項、付番に関する事項、利用者設備識別番号の管理に関する事項、電気通信番号に付された使用に関する条件（重要通信の取扱い、番号ポータビリティ、使用期限、その他の条件）の確保に関する事項等）が、総務大臣が作成する電気通信番号計画の記載事項（電気通信番号（種類、範囲）、利用者設備識別番号と利用者設備識別番号以外の電気通信番号の別、電気通信番号により識別する電気通信設備又は提供すべき電気通信役務の種類若しくは内容、電気通信番号に付す使用に関する条件（重要通信の取扱い、番号ポータビリティ、使用の期限、その他の条件）等）に照らし適切な内容であることを認定の要件としている。

(2) 利用者設備識別番号が電気通信番号計画に照らし第50条の2第1項の指定をすることができるものであること

　　利用者設備識別番号の付番をしようとする電気通信事業者からの申請に基づき、総務大臣は、電気通信番号使用計画の認定と同時に、利用者設備識別番号の指定を行うこととなる。

　　付番においては、利用者の端末設備に付される大量の利用者設備識別番号が必要となる。電気通信番号使用計画の認定において、電気通信事業者が使用を希望する利用者設備識別番号が総務大臣により指定可能な範囲内であるか（空きがあるか）を確認した上で利用者設備識別番号を指定することにより、電気通信番号計画の準則に定める公平・効率的な使用を確保する必要があるため、総務大臣が作成する電気通信番号計画の記載事項（電気通信番号（種類、範囲、指定可能な番号（空き番号））、電気通信番号の指定等に関する状況）に照らし指定することができることを認定の要件としている。

(3) 総務省令で定める基準に適合するものであること

　　上記以外の認定の要件については、電気通信番号の使用の状況等を踏まえて柔軟に対応する必要があるため、総務省令で基準を定めることとしている。

　　総務省令では、次の基準を定めている（番号規則第6条）。

① 利用者設備識別番号の指定を受けようとする場合は、指定を受けようとする利用者設備識別番号が、電気通信役務の提供のために必要であり、かつ合

理的なものであること。

② 固定電話番号の指定を受けようとする場合は、指定を受けようとする電気通信番号計画に定める番号区画ごとの固定電話番号の数について、相当程度の需要が見込まれ、当該需要に対する電気通信役務の提供に係る計画に確実性があること。

③ 付番に関する事項が、利用者に対する公平性を確保し、かつ効率的な利用者設備識別番号の使用を確保するものであること。

④ 卸電気通信役務の提供を行い、又は受ける場合は、電気通信番号の管理に関する事項が適切なものであること。

第50条の5（電気通信事業を営もうとする者等への適用）

（電気通信事業を営もうとする者等への適用）
第50条の5　前3条（(1) 第50条の2第3項を除く。）の規定は、(2) 電気通信事業を営もうとする者及び (3) 第165条第1項に規定する地方公共団体についても適用する。この場合において、(4) 前条中「同項の」とあるのは、「第9条の登録又は第16条第1項若しくは第165条第1項の規定による届出を条件として、第50条の2第1項の」とする。

追加　平成30年法律第24号

1　概　要

電気通信番号使用計画の認定等、認定の欠格事由及び認定の要件について、電気通信事業者に加え、電気通信事業を営もうとする者及び営利を目的としない電気通信事業を行おうとする地方公共団体についても適用する旨を規定している。

電気通信役務の提供に当たり電気通信番号を使用しようとする者には、電気通信事業者のほか、①電気通信事業を営もうとする者（電気通信番号使用計画の認定の申請時において、電気通信事業に係る第9条の登録又は第16条第1項の届出を行っていない者）、②第165条第1項に規定する営利を目的としない電気通信事業を行おうとする地方公共団体が含まれる。これらの者についても、電気通信役務の提供に当たり電気通信番号を使用しようとする場合には、当該電気通信

番号の使用及び管理を適正に行うことができることを総務大臣が事前に確認するため、電気通信事業者と同様に、電気通信番号使用計画の認定を受けなければならないこと等（第50条の2）に加え、総務大臣による欠格事由の確認（第50条の3）及び認定の要件への適合性に関する審査（第50条の4）が必要としている。

2　条文内容

(1)　第50条の2第3項を除く

　　電気通信番号使用計画の認定等（第50条の2）、認定の欠格事由（第50条の3）及び認定の要件（第50条の4）の規定を電気通信事業を営もうとする者及び営利を目的としない電気通信事業を行おうとする地方公共団体についても適用する趣旨は、認定の手続に時間を要し円滑な事業展開を妨げるおそれを排除することである。

　　第50条の2第3項の規定については、電気通信事業の登録又は届出をした後に標準電気通信番号使用計画と同一の電気通信番号使用計画を作成した場合等には、その時点で当該電気通信番号使用計画が認定を受けたものとみなされることとなり、上記の円滑な事業展開を妨げるおそれは懸念されないため、同項については本条の規定の対象外である旨を規定している。

(2)　電気通信事業を営もうとする者

　　第9条の登録又は第16条第1項の届出をした後でなければ電気通信番号使用計画の認定を申請できないとすると、認定の手続に時間を要することで円滑な事業展開を妨げるおそれがあることから、電気通信事業の登録又は届出の手続と並行して、電気通信番号使用計画の認定の申請を行うことを可能としている。

(3)　第165条第1項に規定する地方公共団体

　　第165条第1項に規定する営利を目的としない電気通信事業を行おうとする地方公共団体についても、電気通信役務の提供に当たり電気通信番号を使用しようとする場合は当該電気通信番号の使用及び管理の適正性が求められるところ、同項の届出（第165条第1項の届出をした地方公共団体は、同条第2項の規定により、第16条第1項の規定による届出をした電気通信事業者とみなされる。）をした後でなければ電気通信番号使用計画の認定を申請できないとすると、認定の手続に時間を要することで円滑な事業の遂行を妨げるおそれがあることから、当該届出の手続と並行して、電気通信番号使用計画の認定の申請を行うことを可能としている。

(4)　前条中「同項の」とあるのは、「第９条の登録又は第16条第１項若しくは第165条第１項の規定による届出を条件として、第50条の２第１項の」とする

　　電気通信番号使用計画の認定の申請については、電気通信事業の登録又は届出をした後でなくとも行うことを可能とすることとしているところ、総務大臣による認定に際し、電気通信事業を適法に行うために必要とされる電気通信事業の登録又は届出若しくは地方公共団体の行う営利を目的としない電気通信事業の届出が行われなければ、認定後に電気通信番号の使用及び管理が適正に行われないおそれがあるため、第９条の登録又は第16条第１項の届出若しくは第165条第１項の届出を電気通信番号使用計画の認定の条件とすることとしている。

第50条の６　（変更の認定等）

（変更の認定等）

第50条の６　第50条の２第１項の認定を受けた電気通信事業者は、電気通信番号使用計画を変更しようとするときは、総務大臣の認定を受けなければならない。ただし、総務省令で定める軽微な変更については、この限りでない。

２　第50条の２第２項、第50条の３（第２号にあつては、この法律に相当する外国の法令の規定に係る部分に限る。）及び第50条の４の規定は、前項の変更の認定について準用する。この場合において、第50条の２第２項中「次に」とあるのは「第１号に」と、「電気通信番号使用計画」とあるのは「電気通信番号使用計画（変更に係る部分に限る。）」と、第50条の４中「同項第２号」とあるのは「第50条の２第１項第２号」と読み替えるものとする。

３　第50条の２第１項の認定を受けた電気通信事業者は、次に掲げる場合には、遅滞なく、その旨を総務大臣に届け出なければならない。

一　(1)第50条の２第２項各号に掲げる事項に変更があつたとき。

二　(2)第１項ただし書の総務省令で定める軽微な変更をしたとき。

三　(3)電気通信番号を使用しない電気通信事業者になつたとき。

第50条の6

追加　平成30年法律第24号
改正　令和２年法律第30号

1　概　要

　電気通信番号使用計画の認定を受けた電気通信事業者は、当該電気通信番号使用計画を変更しようとするときは、総務大臣の認定を受けなければならないこと等を規定している。

2　条文内容

〔第１項〕

　電気通信番号使用計画の認定を受けた電気通信事業者が、当該認定を受けた電気通信番号使用計画を変更しようとするときは、当該変更後においても電気通信番号が適切な計画に従って使用されることを総務大臣が確認できるようにするため、変更の認定を受けなければならないこととしている。

　ただし、電気通信番号使用計画の変更が総務省令で定める軽微なものである場合は、総務大臣の認定を受けることまでは必要ないが、その変更の事実及び内容を総務大臣が把握するため、第３項の規定により、遅滞なく、その旨を総務大臣に届け出なければならないこととしている。

〔第２項〕

　電気通信番号使用計画の認定を受けた電気通信事業者が当該電気通信番号使用計画を変更しようとする場合について、電気通信番号使用計画の認定に係る規定（第50条の２第２項、第50条の３及び第50条の４）を準用することにより、当該変更において、電気通信事業者が申請書（名称・住所等）及び電気通信番号使用計画（変更に係る部分）並びに総務省令で定める添付書類を提出し、総務大臣による欠格事由に該当しないことの確認及び認定の審査基準への適合性に関する審査が行われる旨を規定している。

　なお、認定の欠格事由の規定（第50条の３）の準用において、同条第２号の欠格事由のうち、登録の取消しを受けてから２年を経過しない者は、電気通信番号使用計画の認定を受けることができず、変更の認定を受けることはあり得ない一方で、本法に相当する外国の法令の規定により当該外国において受けている同種類の登録の取消しを受けてから２年を経過しない者については、変更の認定を受けようとすることがあり得ることから、同号のうち、本法に相当する外国の法

378

令の規定に係る部分のみを準用している。

〔第3項〕

(1) 第50条の2第2項各号に掲げる事項に変更があつたとき

第50条の2第1項の認定を受けた電気通信事業者は、申請書の記載事項のうち同条第2項各号に掲げる事項（名称・住所等及び総務省令で定める事項）の変更をした場合は、総務大臣がその事実及び内容を把握できるようにするため、遅滞なく、その旨を総務大臣に届け出なければならないこととしている。

(2) 第1項ただし書の総務省令で定める軽微な変更をしたとき

第50条の2第1項の認定を受けた電気通信事業者は、電気通信番号使用計画に関し本条第1項ただし書の総務省令で定める軽微な変更をした場合は、総務大臣の認定を受けることまでは必要ないが、総務大臣がその変更の事実及び内容を把握できるようにするため、遅滞なく、その旨を総務大臣に届け出なければならないこととしている。

(3) 電気通信番号を使用しない電気通信事業者になつたとき

第50条の2第1項の認定を受けた電気通信事業者が電気通信番号を使用しない電気通信事業者になった場合（例：データ通信役務のみを提供する電気通信事業者となった場合）には、第50条の8第4号に該当し、当該電気通信事業者の電気通信番号使用計画の認定は失効することとなる。この場合に、総務大臣がその事実を把握できるようにするため、遅滞なく、その旨を総務大臣に届け出なければならないこととしている。

第50条の7 （承継）

（承継）

第50条の7　第17条第1項の規定による電気通信事業者の地位の承継があつた場合において、当該電気通信事業者が第50条の2第1項の認定を受けた電気通信事業者であつたときは、当該電気通信事業者の地位を承継した電気通信事業者は、同項の認定を受けた電気通信事業者の地位を承継する。ただし、当該電気通信事業者が第16条第1項の規定による届出をした者である場合において、当該承継に係る電気通信事業の全部を譲り受けた者又は合併後存続する法人若しくは合併により設立した法人、分割により当該承継に係る電気通信事業の全部を承継した法人若しくは相続人（相

第50条の7・第50条の8

> 続人が２人以上ある場合においてその協議により当該承継に係る電気通信
> 事業を承継すべき相続人を定めたときは、その者）が第50条の３各号の
> いずれかに該当するときは、この限りでない。

追加　平成30年法律第24号

概　要

　被承継人が電気通信番号使用計画の認定を受けた電気通信事業者であった場合
における当該認定を受けた電気通信事業者の地位の承継について規定している。

　第17条第１項の規定による電気通信事業者の地位の承継においては、被承継
人が登録事業者である場合については承継人が第12条第１項第１号から第３号
までの登録の欠格事由に該当しないことを承継の要件としているところ、被承継
人が届出事業者である場合については特段の定めがない。

　電気通信役務の提供に当たり電気通信番号を使用しようとする電気通信事業者
が届出事業者である場合も想定されるところ、承継人が届出事業者である場合は、
電気通信番号使用計画の認定の欠格事由に該当しないことが必要となるため、本
条のただし書において、承継人が届出事業者である場合は第50条の３各号の認
定の欠格事由に該当しないことを承継の要件とする旨を規定している。

第50条の８（認定の失効）

> （認定の失効）
> 第50条の８　第50条の２第１項の認定を受けた電気通信事業者が次の各号
> のいずれかに該当するに至つたときは、同項の認定は、その効力を失う。
> 　一　第12条の２第１項の規定により登録がその効力を失つたとき。
> 　二　第14条第１項の規定により登録を取り消されたとき。
> 　三　電気通信事業の全部を廃止したとき。
> 　四　電気通信番号を使用しない電気通信事業者になつたとき。

追加　平成30年法律第24号

概　要

　電気通信番号使用計画の認定の失効事由について規定している。

　第50条の２第１項の認定を受けた電気通信事業者が、電気通信事業の登録が
その効力を失ったとき、電気通信事業の登録を取り消されたとき、電気通信事業
の全部を廃止したとき又は電気通信番号を使用しない電気通信事業者となったと
きは、認定電気通信番号使用計画に係る電気通信事業を継続することが不可能と
なるため、このようなときには認定を失効させることとしている。

第50条の９　（認定の取消し）

（認定の取消し）

第50条の９　総務大臣は、第50条の２第１項の認定を受けた電気通信事業
　　者が次の各号のいずれかに該当するときは、同項の認定を取り消すことが
　　できる。

　一　(1) この法律又はこの法律に基づく命令若しくは処分に違反した場合に
　　　おいて、公共の利益を阻害すると認めるとき。

　二　(2) 不正の手段により第50条の２第１項の認定又は第50条の６第１項
　　　の変更の認定を受けたとき。

　三　(3) 第50条の３各号（第２号にあつては、この法律に相当する外国の
　　　法令の規定に係る部分に限る。）のいずれかに該当するに至つたとき。

　四　(4) 第51条の規定による命令に違反したとき。

　　　　　　　　　　　　　　　　　　　　　追加　平成30年法律第24号
　　　　　　　　　　　　　　　　　　　　　改正　令和２年法律第30号

1　概　要

　電気通信番号使用計画の認定の取消事由について規定している。

　第50条の２第１項の認定を受けた電気通信事業者が、この法律等に違反して
公共の利益を阻害すると認めるとき、不正の手段により電気通信番号使用計画の
認定を受けたとき、認定の欠格事由に該当するに至ったとき又は電気通信番号の
使用が認定電気通信番号使用計画に適合していないことを是正するための適合命
令に違反したときにおいてまで、認定を受けた電気通信事業者の地位を引き続き

第50条の9

認めることは、電気通信の秩序を乱すことになりかねず、適当ではないことから、このような場合には総務大臣が認定を取り消すことができることとしている。

2 条文内容

(1) この法律又はこの法律に基づく命令若しくは処分に違反した場合において、公共の利益を阻害すると認めるとき

　登録事業者については第14条第1項第1号において「この法律又はこの法律に基づく命令若しくは処分に違反した場合において、公共の利益を阻害すると認めるとき」を登録の取消事由としているところ、届出事業者については特段の規定がない。

　第50条の2第1項の認定を受けた電気通信事業者には届出事業者も含まれており、この法律又はこの法律に基づく命令若しくは処分に違反して公共の利益を阻害すると認めるときにおいて、認定を受けた電気通信事業者の地位を引き続き認めることは、電気通信の秩序を乱すこととなりかねず、適当でないことから、認定を受けた電気通信事業者がこの法律又はこの法律に基づく命令若しくは処分に違反した場合において、公共の利益を阻害すると認めるときは、総務大臣が認定を取り消すことができることとしている。

(2) 不正の手段により第50条の2第1項の認定又は第50条の6第1項の変更の認定を受けたとき

　申請書の不実記載等の不正な手段により電気通信番号使用計画の認定又は変更の認定を受けたときにおいて、認定を受けた電気通信事業者の地位を引き続き認めることは、認定制度の趣旨が没却され、電気通信の秩序を乱すこととなりかねず、適当ではないことから、認定を受けた電気通信事業者が不正の手段により第50条の2第1項の認定又は第50条の6第1項の変更の認定を受けたことが判明したときは、総務大臣が認定を取り消すことができることとしている。

(3) 第50条の3各号（第2号にあつては、この法律に相当する外国の法令の規定に係る部分に限る。）のいずれかに該当するに至つたとき

　第50条の2第1項の認定を受けた電気通信事業者が認定の欠格事由に該当するに至ったときにおいて、当該欠格事由の趣旨から、認定を受けた電気通信事業者の地位を引き続き認めることは、電気通信の秩序を乱すこととなりかねず、適当ではないことから、認定を受けた電気通信事業者が第50条の3各号

382

のいずれかに該当するに至ったときは、総務大臣が認定を取り消すことができることとしている。

ただし、同条第2号の欠格事由については、第9条の登録の取消しを受けてから2年経過しない者は、認定をされず、認定の取消しの対象に該当することはあり得ない一方、本法に相当する外国の法令の規定により当該外国において受けている同種類の登録の取消しを受けてから2年を経過しない者については認定の取消しを受けることがあり得ることから、第50条の3第2号のうち、本法に相当する外国の法令の規定に係る部分のみを認定の取消事由としている。

(4) 第51条の規定による命令に違反したとき

第50条の2第1項の認定を受けた電気通信事業者がその電気通信番号の使用が認定電気通信番号使用計画に適合していないことを是正するために総務大臣により発せられた適合命令に違反したときにおいて、認定を受けた電気通信事業者の地位を引き続き認めることは、電気通信の秩序を乱すこととなりかねず、適当でないことから、認定を受けた電気通信事業者が第51条の規定による命令に違反したときは、総務大臣が認定を取り消すことができることとしている。

第50条の10 （指定の失効等の場合における利用者設備識別番号の管理の引継ぎ等）

（指定の失効等の場合における利用者設備識別番号の管理の引継ぎ等）
第50条の10　第50条の2第1項の指定を受けた電気通信事業者が次の各号のいずれかに該当する場合における　(1) 利用者設備識別番号の管理の引継ぎその他の必要な事項は、総務省令で定める。
一　第50条の8の規定により利用者設備識別番号の指定が失効したとき。
二　前条の規定により利用者設備識別番号の指定を取り消されたとき。

追加　平成30年法律第24号

1　概　要

総務大臣から利用者設備識別番号の指定を受けた電気通信事業者が、電気通信番号使用計画の認定の失効により、当該利用者設備識別番号の指定が失効し、又

第50条の10

は取り消された場合における利用者設備識別番号の管理の引継ぎ等に関する事項については総務省令で定める旨を規定している。

　電気通信事業者が指定を受けて付番をする利用者設備識別番号は、契約に基づき付番をされて利用者が使用することや、番号ポータビリティにより総務大臣から当該利用者設備識別番号の指定を受けていない電気通信事業者が使用することがあるところ、当該指定が効力を失い、又は取り消されたときであって、承継されないとき等は、当該利用者設備識別番号の使用及び管理の適正性の確保に支障を来たすことから、当該利用者設備識別番号の管理の引継ぎ等が適切に行われるために必要な事項を総務省令で定めることとしている。

2　条文内容

(1)　利用者設備識別番号の管理の引継ぎその他の必要な事項は、総務省令で定める

　　総務大臣から利用者設備識別番号の指定を受けて利用者に付番をした電気通信事業者が第50条の8各号のいずれかに該当したことにより当該指定が失効したとき又は第50条の9各号のいずれかに該当したことにより当該指定が取り消されたときについて、当該電気通信事業者から付番をされた後に番号ポータビリティにより同一の番号で識別されるはずの端末設備が識別されない事態となって利用者が不利益を被ること等がないよう、利用者設備識別番号の管理の引継ぎ等に関する事項について総務省令で規定することとしている。

　　総務省令では、利用者設備識別番号の管理の引継ぎその他の必要な事項として、利用者設備識別番号の指定を受けている電気通信事業者は、指定の失効又は取消しのあった利用者設備識別番号の管理を引き継ぐ電気通信事業者（番号管理事業者）をあらかじめ総務大臣に届け出ることができること、この届出があった場合は、総務大臣は速やかに番号管理事業者にその旨を通知すること、当該通知を受けた番号管理事業者が当該利用者設備識別番号の管理引継ぎに同意しない場合を除き、当該番号管理事業者は、上記失効又は取消しのあった日から30日を経過する日までの間は、第50条の2第1項の指定を受けているものとみなすこと、以上の規定にかかわらず、番号ポータビリティにより利用者設備識別番号を使用する電気通信事業者は、当該利用者設備識別番号の失効又は取消しのあった日から30日を経過するまでの間は、従前の例により当該利用者設備識別番号を使用することができること等を定めている（番号規則第13条）。

第50条の11 （利用者設備識別番号以外の電気通信番号の指定等）

（利用者設備識別番号以外の電気通信番号の指定等）

第50条の11　総務大臣は、総務省令で定めるところにより、職権で、利用者設備識別番号以外の電気通信番号の指定をするものとする。当該電気通信番号の指定の取消しについても、同様とする。

追加　平成30年法律第24号

概　要

利用者設備識別番号以外の電気通信番号（事業者設備等識別番号）について、総務大臣が職権により指定及び指定の取消しを行う旨を規定している。

事業者設備等識別番号（プレフィックス（0（国内）、010（国際））、緊急通報番号（110、118、119）、事業者設備識別番号（00XY）等）については、利用者の端末設備に付されるものではなく、利用者設備識別番号により行われる電話等の発着信のルーティングや番号入力手順のために使用されるものであることから、電気通信事業者が大量の電気通信番号の使用を希望して総務大臣が電気通信番号計画に照らし指定可能な数の範囲内であるか（空きがあるか）を確認する手続を必要としない。また、番号ポータビリティや卸電気通信役務における電気通信事業者の別に対応して電気通信番号を特定する複雑な管理も求められない。このため、電気通信番号使用計画の認定においては、利用者設備識別番号の指定において求められる審査を必要としない。

事業者設備等識別番号の指定については、当該電気通信番号の使用の状況等を踏まえて当該指定により確保すべき事項や条件を柔軟に設定する必要があるため、法において基準や手続を一律に定めるのではなく、総務省令で定めるところにより、総務大臣が職権で行うことができるようにしている。

併せて、当該電気通信番号の取消しについても同様の理由により職権によることとしている。

事業者設備等識別番号の指定及び指定の取消しに必要な手続に関する事項（例えば申請書類、指定や取消要件等）については、電気通信番号の使用の状況等の変化に柔軟に対応できるようにするため総務省令で定めることとしている。総務省令では、総務大臣は、第50条の8の規定による電気通信番号使用計画の認定の失効があったときは、当該事業者設備等識別番号の指定を取り消すものとし、

第50条の11・第50条の12

事業者設備等識別番号の指定を受けている電気通信事業者が第50条の9各号のいずれかに該当するときは、当該事業者設備等識別番号の全部又は一部の指定を取り消すことができることとしている（番号規則第14条）。

第50条の12（電気通信番号計画への記載）

（電気通信番号計画への記載）
第50条の12　総務大臣は、次に掲げる場合には、電気通信番号計画にその旨を記載するものとする。
一　第50条の2第1項又は前条の規定により電気通信番号の指定をしたとき。
二　第50条の6第1項の規定により電気通信番号の指定の変更があつたとき。
三　第50条の7の規定により第50条の2第1項の認定を受けた電気通信事業者の地位の承継があつたとき。
四　第50条の8の規定により電気通信番号の指定が失効したとき。
五　第50条の9又は前条の規定により電気通信番号の指定を取り消したとき。
六　前各号に掲げるもののほか、総務省令で定める事実が生じたとき。

追加　平成30年法律第24号

概　要

　総務大臣は、電気通信番号の指定、指定の変更、電気通信番号使用計画の認定を受けた電気通信事業者の地位の承継、指定の失効、指定の取消し等の事実が生じたときには、その旨を電気通信番号計画に記載する旨を規定している。

　電気通信役務の提供に当たり電気通信番号を使用しようとする電気通信事業者が電気通信番号使用計画の認定の申請を適切に行うためには、総務大臣による電気通信番号使用計画の認定及び電気通信番号の指定に関する状況（例えば、新たに指定を受けることが可能な電気通信番号（空きがあるか）の状況、電気通信設備の接続に関する協定の締結に際し参照するための電気通信番号の指定を受けた電気通信事業者名等）が明らかにされ、申請を行う電気通信事業者が常に把握で

きる状況となっている必要がある。このため、総務大臣による電気通信番号の指定、電気通信番号の指定の変更、認定を受けた電気通信事業者の地位の承継、指定の失効、指定の取消し等があったときは、その旨を総務大臣が電気通信番号計画に記載することとしている。

第51条（適合命令）

（適合命令）

第51条　総務大臣は、電気通信事業者が他の電気通信事業者と電気通信設備の接続をしている場合に使用する電気通信番号又は電気通信事業者が重要通信を取り扱うために使用する電気通信番号の使用、その他電気通信事業者の電気通信番号の使用が当該電気通信事業者の認定電気通信番号使用計画に適合していないと認めるときは、当該電気通信事業者に対し、当該認定電気通信番号使用計画に適合するように当該電気通信番号を使用することを命じ、又は当該認定電気通信番号使用計画を変更するよう命ずることができる。

追加	平成 9 年法律第 97号
改正	平成11年法律第160号
第48条の３繰下げ改正	平成15年法律第125号
改正	平成30年法律第 24号

概　要

　電気通信事業者による電気通信番号の使用が認定電気通信番号使用計画に適合しないと認められる場合に、総務大臣が当該電気通信事業者に対し、当該認定電気通信番号使用計画に適合するように当該電気通信番号を使用することを命じ、又は当該認定電気通信番号使用計画を変更するよう命ずることができる旨を規定している。

第52条

第3款　端末設備の接続等
第52条（端末設備の接続の技術基準）

（端末設備の接続の技術基準）

第52条　電気通信事業者は、(1) 利用者から (2) 端末設備（電気通信回線設備の一端に接続される電気通信設備であつて、一の部分の設置の場所が他の部分の設置の場所と同一の構内（これに準ずる区域内を含む。）又は同一の建物内であるものをいう。以下同じ。）をその電気通信回線設備（ (3) その損壊又は故障等による利用者の利益に及ぼす影響が軽微なものとして総務省令で定めるものを除く。第69条第１項及び第２項並びに第70条第１項において同じ。）に接続すべき旨の請求を受けたときは、その接続が (4) 総務省令で定める技術基準（ (5) 当該電気通信事業者又は当該電気通信事業者とその電気通信設備を接続する他の電気通信事業者であつて総務省令で定めるものが総務大臣の認可を受けて定める技術的条件を含む。次項並びに第69条第１項及び第２項において同じ。）に適合しない場合 (6) その他総務省令で定める場合を除き、その請求を拒むことができない。

2　前項の総務省令で定める技術基準は、これにより次の事項が確保されるものとして定められなければならない。

一　(7) 電気通信回線設備を損傷し、又はその機能に障害を与えないようにすること。

二　(8) 電気通信回線設備を利用する他の利用者に迷惑を及ぼさないようにすること。

三　(9) 電気通信事業者の設置する電気通信回線設備と利用者の接続する端末設備との責任の分界が明確であるようにすること。

改正　　平成11年法律第160号
第49条繰下げ改正　平成15年法律第125号
改正　平成30年法律第 24号

1　概　要

　電気通信における急速な技術の進歩及びそれに呼応した利用者のニーズの高度化・多様化に対応し得るように、利用者による端末設備の電気通信回線設備への接続を原則として自由とし、端末設備の接続の技術基準を原則として国が定めることとしている。

388

2 条文内容

〔第1項〕

(1) 利用者

　一般の最終利用者（エンドユーザ）のほか、電気通信事業者である者を含む。

(2) 端末設備

　端末設備とは、次の条件を満たすものをいう。

① 電気通信回線設備の一端に接続される電気通信設備であること

　「電気通信回線設備」とは、「送信の場所と受信の場所との間を接続する伝送路設備及びこれと一体として設置される交換設備並びにこれらの附属設備をいう」（第9条）が、端末設備は、その一端になければならない。したがって、電気通信回線設備の定義との関係では、端末設備は、送信の場所又は受信の場所を構成するものである。

　「接続」とは、電気的に接続され、通信が可能となることをいい、単に外見上つながるといった物理的接続を意味しない。電気的に接続するための工事、通信が継続的に可能とするための保守をも含んだ概念である。

　「電気通信設備」とは、「電気通信を行うための機械、器具、線路その他の電気的設備をいう」（第2条第2号）が、端末設備の場合は、その用途、機能を問わず、また、有線電気通信設備も無線設備も含む。電話機、ファクシミリ等一般の利用者が使用するもののほか、電気通信回線設備を設置しない電気通信事業者の設置する交換機、ルータ等も電気通信回線設備を設置している電気通信事業者との関係では端末設備となる。

② 一の部分の設置の場所が他の部分の設置の場所と同一構内（これに準ずる区域を含む。）又は同一の建物内であるもの

　「一の部分の設置の場所が他の部分の設置の場所と同一構内（これに準ずる区域を含む。）又は同一の建物内であるもの」とは、第164条第1項第2号における電気通信設備の規模の限定と同旨で、端末設備の設置の場所の広がりに限界を設けることにより、その範囲を限定しようとするものである。すなわち、端末設備の構成要素の全てが同一の構内又は同一の建物内にとどまることを要する。無線設備の場合は、送信距離が同一の構内又は同一の建物内にとどまっていなければ端末設備とはならない。

　例えば、一般の固定電話の場合、電話機自体のほか屋内配線、ローゼットまでが端末設備であり、保安器のところで電気通信回線設備との切り分けが

第52条

なされることとなる。

⑶　その損壊又は故障等による利用者の利益に及ぼす影響が軽微なものとして総
　務省令で定めるものを除く

　　第41条の技術基準適合維持義務の対象とする電気通信設備の範囲と同様の
　考え方により、その損壊や故障が利用者の利益に及ぼす影響が軽微な電気通信
　設備については適用除外としている。具体的には、総務省令において、設置す
　る伝送路設備が特定の一利用者への役務提供のみを目的とするなど限定的な使
　用に係る端末系伝送路設備のみである電気通信事業者の設置する電気通信回線
　設備が規定されている（施行規則第31条の2）。

⑷　総務省令で定める技術基準

　　端末設備の提供における公正競争を確保する見地から、その接続の技術基準
　は原則として総務省令で定めることとしている（端末設備規則）。他方で、技
　術的には成熟していないネットワークの端末設備や多様性に富む端末設備につ
　いては、電気通信の高度化及び技術革新の妨げとならないよう、総務大臣の認
　可を受けて電気通信事業者も技術的条件を定めることができることとしている
　（⑸を参照のこと）。

⑸　当該電気通信事業者又は当該電気通信事業者とその電気通信設備を接続する
　他の電気通信事業者であつて総務省令で定めるものが総務大臣の認可を受けて
　定める技術的条件

　　⑷で述べたように、技術的に成熟していないネットワークに接続される端末
　設備や多様性に富む端末設備については、総務省令で技術基準を一義的に定め
　ることは適当ではないので、電気通信事業者が総務大臣の認可を受けて技術的
　条件を定めることができることとしている。具体的には、技術革新の状況や国
　際標準化の動向等を勘案し、技術先行的なネットワークに接続される端末設備、
　特定の利用者しか想定されていない端末設備等について、接続の技術的条件が
　定められることとなる。

　　「技術的条件」は、技術基準と同様、第2項の準則を満たす範囲で必要最小
　限のものが定められ、制定主体及び対象が異なるほかは、技術基準と同様の範
　囲で定められることとなる。

　　このような技術的条件は、端末設備メーカ等多数の利害関係者があること、
　また、電気通信事業者が恣意的に定めることを防止する観点から総務大臣の認
　可に係らしめている。総務大臣の認可を受けずに定めた技術的条件は、利用者

390

にそれを強制することができず、結果的にその効力を有しないこととなる。

　この認可を受ける主体については、電気通信回線設備を設置しない電気通信事業者が、電気通信回線設備を設置する電気通信事業者の電気通信設備と接続し、自ら信号の送受信を行う場合は、そのサービスに係る端末設備の接続の技術的条件の設定を行うことができることとしている。

　ただし、ネットワークの安全・信頼性を確保する観点から、無条件でそれが許容されることは適当ではないと考えられることから、総務省令において一定の条件を定めることとされている。具体的には、総務省令において、電気通信回線設備を設置している電気通信事業者との間で、総務大臣の認可を受けて技術的条件を定めることを合意している者と規定している（施行規則第30条の2第1項）。

(6)　その他総務省令で定める場合

　本項は、端末設備の接続を原則として自由とすることを定めるものであるが、総務省令で定める場合には、例外的に電気通信事業者が接続の請求を拒むことができることとしている。具体的には、総務省令において、「利用者から、端末設備であって電波を使用するもの（別に告示で定めるものを除く。）及び公衆電話機その他利用者による接続が著しく不適当なものの接続の請求を受けた場合」と規定している（施行規則第31条）。

〔第2項〕

(7)　電気通信回線設備を損傷し、又はその機能に障害を与えない

　本号は、ネットワークの損傷等を防止するための準則であり、本号により定められる技術基準及び技術的条件としては、送出レベル等の電気的条件がある。

(8)　電気通信回線設備を利用する他の利用者に迷惑を及ぼさない

　「電気通信回線設備を利用する他の利用者」とは、当該電気通信回線設備を設置する電気通信事業者の顧客たる利用者一般をいう。本号は、第三者迷惑防止のための準則であり、漏話減衰量（端末設備規則第15条）等が総務省令で定められている。

(9)　電気通信事業者の設置する電気通信回線設備と利用者の接続する端末設備との責任の分界が明確である

　「責任の分界が明確である」とは、端末設備の故障等の場合にどこに原因があるのかを明らかにし、かつ端末設備の保守等の区分けをはっきりさせておくことをいう（第41条の解説（第6項(15)）を参照のこと）。本号に基づき定め

第52条・第53条

られる技術基準及び技術的条件としては、責任分界点の具備及びその条件（端末設備規則第3条）がある。

第53条（端末機器技術基準適合認定）

（端末機器技術基準適合認定）

第53条　(1) 第86条第1項の規定により登録を受けた者（以下「登録認定機関」という。）は、(2) その登録に係る技術基準適合認定（前条第1項の総務省令で定める技術基準に適合していることの認定をいう。以下同じ。）を受けようとする者から　(3) 求めがあつた場合には、(4) 総務省令で定めるところにより審査を行い、当該求めに係る　(5) 端末機器（総務省令で定める種類の端末設備の機器をいう。以下同じ。）が前条第1項の総務省令で定める技術基準に適合していると認めるときに限り、技術基準適合認定を行うものとする。

2　登録認定機関は、その登録に係る技術基準適合認定をしたときは、(6) 総務省令で定めるところにより、その端末機器に技術基準適合認定をした旨の表示を付さなければならない。

3　何人も、(7) 前項（第104条第4項において準用する場合を含む。）、第58条（第104条第7項において準用する場合を含む。）、第65条、第68条の2又は第68条の8第3項の規定により表示を付する場合を除くほか、国内において端末機器又は端末機器を組み込んだ製品にこれらの表示又は(8) これらと紛らわしい表示を付してはならない。

改正	平成10年法律第 58号
	平成11年法律第160号
第50条繰下げ改正	平成15年法律第125号
改正	平成26年法律第 63号

1　概　要

　登録認定機関の技術基準適合認定について規定し（第1項）、適正な手続を経て技術基準への適合性が確認された端末機器については、表示を付さなければならないとしている（第2項）。その表示により技術基準への適合性が確認されたことが特定及び識別可能となっている端末機器については、電気通信事業者の電

気通信回線設備に接続するときは、当該電気通信事業者の検査を受けることなく、利用者が容易に利用することができるという効果が付与される（第69条の解説を参照のこと）。

第1項の規定違反は、第97条第2項の規定による業務改善命令の対象となる。この命令に違反した場合には、第100条第2項の規定による登録の取消事由に該当する。

第2項等の規定により表示を付する場合を除く技術基準適合の表示やこれと紛らわしい表示は第3項で禁止されており、第3項の規定違反は、第187条の規定（第2号該当。）により、50万円以下の罰金に処せられることとなる。また、法人については両罰規定（第190条第2号）の対象となる。

2　条文内容

〔第1項〕

(1)　第86条第1項の規定により登録を受けた者

　　第86条第1項の規定により、端末機器について、技術基準適合認定の事業を行う者として、同項の登録を受けた者をいう。登録は、総務省令で定める事業区分ごとに受けることとされている。

(2)　その登録に係る

　　技術基準適合認定は、国の事務代行性のない民間機関による行為と位置付けられていることから、登録を受けた事業区分以外の区分において技術基準適合認定を行うことは可能である。（この場合は本法上の義務を負わないが、表示を付することもできない。）

　　このため、本項の適用を受ける技術基準適合認定を法文上明確にするため、登録認定機関の登録に係る技術基準適合認定については「その登録に係る技術基準適合認定」としている。

(3)　求め

　　技術基準適合認定が国の事務代行性のない民間機関による行為と位置付けられていることを踏まえて、行政機関が行う行為と異なる行為に対するものとしてこの語が用いられている。

(4)　総務省令で定めるところにより審査を行い

　　技術基準適合認定の審査は、次のように行うこととされている（技適規則第8条及び別表第1号）。

① 設計の審査

設計の内容が技術基準に適合するものであるかどうかについて審査を行う。

② 試験

技術基準ごとに総務大臣が定める試験方法又はこれと同等以上の方法により試験を行い、かつ、技術基準に適合するものであるかどうかについて審査を行う。または、試験に代えて、一定の要件に適合する試験結果を記載した書類及び当該試験結果が当該要件に適合することを示す書類によって適合性の審査を行う。

(5) **端末機器**

「端末機器」とは「総務省令で定める種類の端末設備の機器」をいう。「端末設備」は、電気通信設備の一つであり、設置された状態を意味している（第52条の解説2 (2)を参照のこと。）のに対して、「端末機器」は、技術基準適合認定を受ける対象としての単体の機器であり、端末設備の用に供し得るかという観点で、設置されない状態であらかじめチェックする対象である。

なお、技術基準適合認定の対象とする端末設備の機器は、一般に次の要件を満たすものが考えられる（具体的な機器は、技適規則第3条第1項に規定）。

① 端末設備のうちでも比較的容易に技術基準の適合性を確認できる機器であって、電気通信回線設備との接続の態様が複雑とならないもの

② 端末設備の接続の技術基準が全て総務省令で一義的に定められており、電気通信事業者がその技術的条件を定める余地のないもの

③ 広く一般に利用される汎用性のあるもの（大量に生産・流通するもの）

〔第2項〕

登録認定機関は、その登録に係る技術基準適合認定をしたときは、適合性が確認された端末機器について、表示を付さなければならないと規定している。

技術基準適合認定の法的効果について規定した本項等の規定に関しては、「特定機器に係る適合性評価手続の結果の外国との相互承認の実施に関する法律」（平成13年法律第111号）が本法の特例を定めている。即ち、我が国との相互承認協定（MRA）の締約国である外国（欧州連合加盟国、シンガポール共和国、アメリカ合衆国及び英国）における登録外国適合性評価機関（外国の適合性評価機関であって、MRAの規定により外国の当局の指定・登録を受けているもの）が我が国の技術基準に適合している旨の認定をした端末機器であって所定の表示を付している端末機器は、登録認定機関の技術基準適合認定を受けた端末機器とみな

第53条

す旨が定められている（同法第31条第1項及び第32条）。

特定機器に係る適合性評価手続の結果の外国との相互承認の実施に関する
法律（平成13年法律第111号）（抄）

第1章　総則

（定義）

第2条　この法律において「相互承認協定」とは、我が国が締結する条約そ
の他の国際約束のうち、我が国と我が国以外の締約国が、適合性評価手続
（特定の機器が各締約国の関係法令等（特定の機器に関する法令及びその
運用に関し各締約国の当局が発する告示その他の定めをいう。次条第1
項において同じ。）に定める技術上の要件に適合しているかどうかを決定
するための手続をいう。以下この条において同じ。）の結果（当該結果の
表示及び証明書を含む。第3項及び第4項において同じ。）を相互に受け
入れることを内容とするものであって、その適確な実施を確保するため
この法律に基づく措置を講ずることが必要なものとして政令で定めるも
のをいう。

2　この法律において「特定機器」とは、特定輸出機器及び特定輸入機器
をいう。

3　この法律において「特定輸出機器」とは、相互承認協定の締約国であ
る外国（以下「外国」という。）が当該相互承認協定の規定により適合性
評価手続の結果を受け入れることとなる通信端末機器、無線機器及び電
気製品をいう。

4　この法律において「特定輸入機器」とは、我が国が相互承認協定の規定
により適合性評価手続の結果を受け入れることとなる通信端末機器、無
線機器及び電気製品をいう。

5　この法律において「適合性評価機関」とは、相互承認協定に規定する機
関であって、適合性評価手続を実施するものをいう。

6　この法律において「登録」とは、相互承認協定の規定により行われる
適合性評価機関の登録をいう。

7　（略）

395

第4章　電気通信事業法等の特例

第1節　登録外国適合性評価機関

（定義）

第29条　この章において「登録外国適合性評価機関」とは、外国の適合性評価機関であって、指定（相互承認協定の規定により外国の当局が行う指定をいう。以下この条及び次条において同じ。）及び登録を受けているもの（その指定又は登録の効力が停止されているものを除く。）をいう。

（登録等の公示）

第30条　主務大臣は、相互承認協定の規定により次に掲げる処分が行われたときは、その旨を公示するものとする。

一　外国の適合性評価機関の登録又はその取消し

二　外国の適合性評価機関の登録の効力の停止又はその停止の解除

三　外国の適合性評価機関の指定の効力の停止又はその停止の解除

第2節　電気通信事業法の特例

第31条　登録外国適合性評価機関（電気通信事業法第52条第1項の総務省令で定める技術基準に適合している旨の認定を行う者として同法第86条第1項の総務省令で定める事業の区分と同一の区分ごとに登録を受けている者に限る。以下この条において同じ。）が端末機器（同法第53条第1項に規定する端末機器をいい、当該登録を受けている区分に係るものに限る。次項において同じ。）について技術基準適合認定（同条第1項に規定する技術基準適合認定をいう。以下この項において同じ。）を行った場合には、当該技術基準適合認定を登録認定機関（同条第1項に規定する登録認定機関をいう。以下この条において同じ。）がした技術基準適合認定と、当該登録外国適合性評価機関による技術基準適合認定を受けた者を登録認定機関による技術基準適合認定を受けた者とそれぞれみなして、同法第53条第2項、第54条、第55条第1項、第62条第1項、第166条第2項並びに第167条第1項、第2項及び第5項の規定（これらの規定に係る罰則を含む。）を適用する。この場合において、同法第53条第2項中「登録認定機関」とあるのは「特定機器に係る適合性評価手続の結果の外国との相互承認の実施に関する法律（平成13年法律第111号）第31条第1項前段に規定する登録外国適合性評価機関」と、「付さなければならない」とあるのは「付すことができる」とするほか、必要な技術的読替え

は、政令で定める。

2　（略）

第32条　前条の規定の適用がある場合における電気通信事業法第53条第3項、第55条第2項、第60条第2項、第62条第4項、第68条の2、第68条の8第3項、第166条第7項及び第8項、第167条第3項、第168条並びに第171条の規定（同法第53条第3項の規定に係る罰則を含む。）の適用については、同法第53条第3項中「第104条第4項において準用する場合」とあるのは「第104条第4項において準用する場合及び特定機器に係る適合性評価手続の結果の外国との相互承認の実施に関する法律（平成13年法律第111号。以下「相互承認実施法」という。）第31条第1項の規定により読み替えて適用される場合」と、「第104条第7項において準用する場合」とあるのは「第104条第7項において準用する場合及び相互承認実施法第31条第2項の規定により適用される場合」と、同法第68条の2及び第68条の8第3項中「第104条第4項において準用する場合」とあるのは「第104条第4項において準用する場合及び相互承認実施法第31条第1項の規定により読み替えて適用される場合」と、「第104条第7項において準用する場合」とあるのは「第104条第7項において準用する場合及び相互承認実施法第31条第2項の規定により適用される場合」とするほか、必要な技術的読替えは、政令で定める。

(6)　総務省令で定めるところにより

　　総務省令においては、表示の方法や内容等を定めている。具体的には、表示の方法については、①端末機器の見やすい箇所に付す方法（当該表示を付すことが困難又は不合理である端末機器にあっては、付属の取扱説明書及び包装又は容器の見やすい箇所に付す方法）、②端末機器に電磁的方法により記録し当該端末機器の映像面に直ちに明瞭な状態で表示することができるようにする方法、③端末機器に電磁的方法により記録し当該端末機器に接続した製品の映像面に直ちに明瞭な状態で表示することができるようにする方法のいずれかの方法と定められており、いずれにおいても、次の様式に記号Ⓐ及び技術基準適合認定番号を付加したものにより表示すると定められている。

第53条

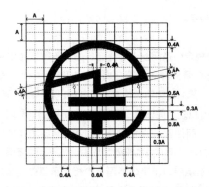

注1　大きさは、表示を容易に識別することができるものであること。
　2　材料は、容易に損傷しないものであること（電磁的方法によって表示を付す場合を除く）。
　3　色彩は、適宜とする。ただし、表示を容易に識別することができるものであること。
　4　技術基準適合認定番号又は設計認証番号の最後の3文字は総務大臣が別に定める登録認定機関又は承認認定機関の区別とし、最初の文字は端末機器の種類に従い次表に定めるとおりとし、その他の文字等は総務大臣が別に定めるとおりとすること。なお、技術基準適合認定又は設計認証が、二以上の種類の端末機器が構造上一体となっているものについて同時になされたものであるときには、当該種類の端末機器について、次の表に掲げる記号を列記するものとする。

端末機器の種類	記号
一　アナログ電話用設備又は移動電話用設備に接続される端末機器	A
二　インターネットプロトコル電話用設備に接続される端末機器	E
三　インターネットプロトコル移動電話用設備に接続される端末機器	F
四　無線呼出用設備に接続される端末機器	B
五　総合デジタル通信用設備に接続される端末機器	C
六　専用通信回線設備又はデジタルデータ伝送用設備に接続される端末機器	D

（技適規則第10条第1項及び第3項並びに様式第7号）

〔第3項〕
　接続検査不要の要件とされた表示について、その信頼性を保護するため、本法

で認められた者が、本法に規定する手続により表示を付する場合を除くほか、表示を端末機器に付してはならないことを規定している。

(7) 前項（第104条第4項において準用する場合を含む。）、第58条（第104条第7項において準用する場合を含む。）、第65条、第68条の2又は第68条の8第3項の規定により表示を付する場合

　　技術基準適合認定における登録認定機関（承認認定機関について準用）、設計認証における認証取扱業者（承認認定機関による設計認証を受けた者について準用）、技術基準適合自己確認における届出業者、適合表示端末機器を組み込んだ製品を取り扱うことを業とする者又は特定端末機器の修理等における登録修理業者が適正な手続を経て表示を付する場合を指す。

(8) これらと紛らわしい表示

　　真正の表示でないにもかかわらず、一般社会通念上これらと紛らわしくて他人が混同誤認するおそれのある表示をいう。

3　参　考

　　技術基準適合認定制度では、本法の制定時においては、郵政大臣又は郵政大臣の事務代行として指定認定機関が技術基準適合認定を行うこととされていた。平成10年法律第58号による本法の改正により認定試験事業者制度が創設され、認定を受けた試験事業者が行う端末機器の試験結果を技術基準適合認定において活用できるよう措置が講じられた。

　　その後、「公益法人に対する行政の関与の在り方の改革実施計画」（平成14年3月29日閣議決定）等に基づき、平成15年法律第125号による本法の改正により、指定法人による端末機器の技術基準適合認定制度を現行の登録認定機関による制度に移行する改正が行われた。その際、認定試験事業者による試験結果の活用規定は、次の理由から廃止された。

① 一定の測定法を定めることにより、審査を行う者の資格の有無を問わず、定められた方法に従えば審査が可能となること

② 登録認定機関は、民間の事業者であり、技術基準適合認定の業務の一部である審査について、測定法等定められた方法に従えば、その結果を外部から受け入れることについては、原則として登録認定機関の責任においてなされるべきであること

第54条（妨害防止命令）

（妨害防止命令）

第54条　総務大臣は、(1) 登録認定機関による技術基準適合認定を受けた端末機器であつて前条第２項又は第68条の８第３項の表示が付されているものが、第52条第１項の総務省令で定める技術基準に適合しておらず、かつ、当該端末機器の使用により電気通信回線設備を利用する他の利用者の通信に妨害を与えるおそれがあると認める場合において、(2) 当該妨害の拡大を防止するために特に必要があると認めるときは、当該技術基準適合認定を受けた者に対し、(3) 当該端末機器による妨害の拡大を防止するために必要な措置を講ずべきことを命ずることができる。

追加　平成10年法律第 58号
改正　平成11年法律第160号
第50条の２繰下げ改正　平成15年法律第125号
改正　平成26年法律第 63号

1　概　要

　技術基準に適合しない端末機器で、その使用により電気通信回線設備を利用する他の利用者の通信に妨害を与えるおそれがあるものについては、第55条の規定により、表示が付されていないものとみなし、その効果を否定し、公示することとされている。しかしながら、すでに市場に流通している又は使用されている端末機器については、それらが購入され、使用されることとなるおそれも否定できない。そのような端末機器が、技術基準に適合しているものとして、電気通信事業者の電気通信回線設備に接続し、引き続き使用されるならば更なる通信の妨害が発生することとなる。

　このため、技術基準に適合せず、他の通信に異常輻輳等による妨害を与えるおそれのある端末機器について、既に流通している又は使用されているものに対し、回収、修理等の措置をとることを総務大臣が命ずること（妨害防止命令）ができるようにしている。

　本条の規定による命令に違反した者は、第181条の規定（第１号該当。）により、１年以下の拘禁刑（令和４年法律第68号の施行後。）又は100万円以下の罰金に処せられる。また、当該者が法人により使用される者等であった場合には、その法人は第190条の両罰規定（第１号該当。）により１億円以下の罰金に処せら

れる。

2 条文内容

(1) **登録認定機関による技術基準適合認定を受けた端末機器であつて前条第2項又は第68条の8第3項の表示が付されているもの**

　本条の命令の対象とするのは、登録認定機関により技術基準適合認定を受けた端末機器で表示が付されているものである。表示により具体的にどの端末機器が技術基準適合認定の審査を受けたものであるかを特定及び識別することが可能となる。また、第53条第2項又は第68条の8第3項の表示が付されている端末機器とは、適正な手続により表示が付されているもののみならず、登録認定機関が適正な手続によらずに技術基準適合認定を行い表示を付した端末機器も含むものである。

(2) **当該妨害の拡大を防止するために特に必要があると認めるとき**

　妨害防止命令においては、命令を発動する要件として、

① 技術基準に適合しておらず

② 当該端末機器の使用により電気通信回線設備を利用する他の利用者の通信に妨害を与えるおそれがあると認められる場合

③ 当該妨害の拡大を防止するために特に必要があると認めるとき

の3点を規定している。

　「当該妨害の拡大を防止するため特に必要があると認められるとき」とは、例えば、重要通信の確保のための機能を有しておらず災害時等における重要通信の確保に支障が生ずることが確実である技術基準不適合機器や、発信機能が異常なために極端な異常輻輳を発生させる技術基準不適合機器が、広く市場に出回っており、それらを一刻も早く市場から排除しないと、重要通信の確保が困難である等社会的な影響が大きい場合等が想定される。

　なお、妨害防止命令の発動においては、まず、報告徴収又は立入検査を行い、技術基準への不適合の程度、不適合機器による妨害の発生等の状況、不適合機器の出荷状況（出荷先、出荷台数）等を確認し、これを踏まえ、妨害の拡大による社会的影響と技術基準不適合機器の市場からの回収に係るコスト等を総合的に検討し、その発動の是非が判断されることとなる。

(3) **当該端末機器による妨害の拡大を防止するために必要な措置**

　命ずることができる措置は、妨害の拡大を防止するために効果的な措置であ

り、その技術基準への不適合の態様、流通・使用の状況により異なることが想定される。具体的には、例えば次のような措置が考えられる。

① 命令の対象となる端末機器で市場に流通しているものの回収

② 命令の対象となる端末機器で使用されているものについての、技術基準に適合するような修理

③ 命令の対象となる端末機器が他の利用者の通信に妨害を与えるおそれがある旨の周知

なお、本命令は、基準認証制度の枠内の端末機器について行われるものであることから、命令の対象となった端末機器について、表示を付さずに販売することまで禁止することができるものではない。表示がない端末機器は、接続検査を受けることにより接続することができ、当該端末機器を接続しようとする回線設備を設置する電気通信事業者が技術基準への適合性を個別に検査することとなる。

第55条（表示が付されていないものとみなす場合）

（表示が付されていないものとみなす場合）

第55条 (1)登録認定機関による技術基準適合認定を受けた端末機器であつて第53条第2項又は第68条の8第3項の規定により表示が付されているものが第52条第1項の総務省令で定める技術基準に適合していない場合において、総務大臣が電気通信回線設備を利用する他の利用者の通信への妨害の発生を防止するため特に必要があると認めるときは、当該端末機器は、(2)第53条第2項又は第68条の8第3項の規定による表示が付されていないものとみなす。

2 総務大臣は、前項の規定により端末機器について表示が付されていないものとみなされたときは、その旨を公示しなければならない。

追加	平成10年法律第 58号
改正	平成11年法律第160号
第50条の3繰下げ改正	平成15年法律第125号
改正	平成26年法律第 63号

1 概 要

技術基準適合認定を受けた端末機器が技術基準に適合せず、その使用により電

気通信回線設備を利用する他の利用者の通信に妨害を与えるおそれがある場合において、その防止のために、当該端末機器について表示が付されていないものとみなし、総務大臣がその旨を公示することを規定している。

2　条文内容

〔第1項〕

　技術基準適合認定制度を適正に運営する観点から、技術基準適合認定を受けた端末機器が、技術基準に適合せず、異常輻輳等により他の利用者の通信に妨害を与えるおそれがある場合において、表示が付されていないものとみなすことにより、以後、接続検査不要の法的効果を適用しないこととしている。本項の要件が満たされる場合には、第54条の妨害防止命令も発動できるものであり、必要に応じてこれらの規定が活用されることにより、効果的に妨害の防止を図ることができるようにしている。

(1)　登録認定機関による技術基準適合認定を受けた端末機器であつて第53条第2項又は第68条の8第3項の規定により表示が付されているもの

　　みなしの対象とするのは、登録認定機関により技術基準適合認定を受けた端末機器で適正な表示が付されているものである。第53条第2項又は第68条の8第3項の規定によらず不法に表示が付されている端末機器、表示が付されていない端末機器は、そもそも適正な表示が付されている端末機器とはならないため、本規定の対象とはならない。

(2)　第53条第2項又は第68条の8第3項の規定による表示が付されていないものとみなす

　　接続検査不要の法的効果が適用される端末機器は、表示が付されていることが要件とされているが、本規定により表示が付されていないものとみなされると、要件を満たさないこととなり、以後、接続検査不要の法的効果の適用が否定される。

　　また、本規定により表示が付されていないものとみなされると、表示が実際には適正な手続により付されていた等の事情にかかわらず、その端末機器は要件を満たしてないものとして扱われる。

〔第2項〕

　表示が付されていないものとみなした場合には、その旨を広く国民一般に周知することが必要であることから、本項において総務大臣はその旨を公示すること

第55条・第56条

としている。表示が付されていないものとみなされる効果は、実質的には公示の
時点より発生する。

第56条（端末機器の設計についての認証）

（端末機器の設計についての認証）

第56条　登録認定機関は、(1) 端末機器を取り扱うことを業とする者から　(2)
求めがあつた場合には、その端末機器を、第52条第１項の総務省令で定め
る技術基準に適合するものとして、(3) その設計（当該設計に合致すること
の確認の方法を含む。）について認証（以下「設計認証」という。）する。

2　登録認定機関は、(4) その登録に係る設計認証の求めがあつた場合には、
(5) 総務省令で定めるところにより審査を行い、当該求めに係る設計が第
52条第１項の総務省令で定める技術基準に適合するものであり、かつ、
当該設計に基づく端末機器のいずれもが当該設計に合致するものとなるこ
とを確保することができると認めるときに限り、設計認証を行うものとす
る。

追加　平成10年法律第 58号
改正　平成11年法律第160号
第50条の４繰下げ改正　平成15年法律第125号

1　概　要

　登録認定機関が設計認証を行う場合について規定している。設計認証により、
当該設計認証を受けた設計に基づき製作される個々の端末機器について、個別の
審査、認定を行うことなく技術基準適合認定の効果を賦与することが可能となる。

2　条文内容

〔第１項〕

(1)　端末機器を取り扱うことを業とする者

　「業とする」とは、端末機器を取り扱うことを反復して行うことをいう。な
お、取扱いの態様については特に制限していないが、例としては、製作、販売、
修理、点検、加工等が想定される。

第56条

(2) 求め

設計認証が国の事務代行性のない民間機関による行為と位置付けられていることを踏まえて、行政機関が行う行為と異なる行為に対するものとして用いられている。

(3) その設計（当該設計に合致することの確認の方法を含む。）

認証の客体とする端末機器の範囲を規定する属性は、設計及び当該設計に合致することの確認の方法を一体としてみたものであることを規定したものである。すなわち、認証に係る設計に基づく端末機器であっても、当該認証に係る確認の方法に基づかないものは、当該認証の客体には含まれないことを意味するものである。

「設計」とは、端末機器の製作に先立って、端末機器の性能、構造等についての計画を立て、書面及び図面で明示するものである。また、「当該設計に合致することの確認方法」とは、当該認証に係る設計に基づく端末機器について行われる、当該設計に合致することの確認の方法をいい、具体的には端末機器の試験等が該当する。

〔第2項〕

(4) その登録に係る

設計認証は、国の事務代行性のない民間機関による行為と位置付けられていることから、登録を受けた事業区分以外の区分において設計認証を行うことは可能である。（この場合は、本法上の義務を負わないが、表示を付することもできない。）

このため、本項の適用を受ける設計認証を法文上明確にするため、登録認定機関の登録に係る設計認証について、「その登録に係る設計認証」としている。

(5) 総務省令の定めるところにより審査を行い

設計認証の審査は、次のように行うこととされている（技適規則第19条第1項及び第2項並びに別表第2号及び第3号）。

① 設計の審査

設計の内容が技術基準に適合するものであるかどうかについて審査を行う。

② 試験

技術基準ごとに総務大臣が定める試験方法又はこれと同等以上の方法により試験を行い、かつ、技術基準に適合するものであるかどうかについて審査を行う。または、試験に代えて、一定の要件に適合する試験結果を記載した

405

書類及び当該試験結果が当該要件に適合することを示す書類によって適合性
の審査を行う。

③　確認の方法の審査

設計認証に係る確認方法書（組織・管理者の責任及び権限、設計合致義務
を履行するための管理方法、端末機器の検査、測定器等の管理等を記載した
書類等又はこれに類するもの）及び設計認証の求めに係る設計に基づく一の
端末機器（又は上記②の試験結果を記載した書類）により、設計認証の求め
に係る設計に基づく端末機器のいずれもが当該設計に合致することを確保す
ることができるかどうかについて審査を行う。

3　参　考

端末機器の設計についての認証制度は、平成10年法律第58号による本法の改
正により、総務大臣又は指定認定機関による認証制度として創設された。その後、
平成15年法律第125号による本法の改正により現行の登録認定機関による認証制
度に移行した。なお、その際、登録認定機関による技術基準適合認定の場合と同
じく、認定試験事業者による試験結果の活用規定は廃止された。

第57条（設計合致義務等）

（設計合致義務等）

第57条　登録認定機関による設計認証を受けた者（以下「認証取扱業者」
という。）は、当該設計認証に係る設計（以下「認証設計」という。）に基
づく端末機器を (1) 取り扱う場合においては、当該端末機器を当該認証設
計に合致するようにしなければならない。

2　認証取扱業者は、設計認証に係る (2) 確認の方法に従い、その取扱いに
係る前項の端末機器について検査を行い、(3) 総務省令で定めるところによ
り、その検査記録を作成し、これを保存しなければならない。

追加及び第50条の５繰下げ　平成15年法律第125号

1　概　要

登録認定機関による設計認証を受けた者（認証取扱業者）に対して、当該設計

認証に係る設計（認証設計）に基づく端末機器を取り扱う場合においては、認証設計に合致するようにしなければならない義務を課すとともに、設計認証に係る確認の方法に従い、その端末機器について検査を行い、その検査記録を作成し、これを保存しなければならない義務を規定している。

　設計認証の法的効果について規定した本条等の規定に関しては、「特定機器に係る適合性評価手続の結果の外国との相互承認の実施に関する法律」が本法の特例を定めている。即ち、我が国との相互承認協定（ＭＲＡ）の締約国である外国（欧州連合加盟国、シンガポール共和国、アメリカ合衆国及び英国）における登録外国適合性評価機関（外国の適合性評価機関であって、ＭＲＡの規定により外国の当局の指定・登録を受けているもの）が我が国の技術基準に適合するものとして設計認証をした場合に当該認証に係る設計に基づく端末機器であって所定の表示を付しているものは、登録認定機関の設計認証に係る設計に基づく端末機器とみなす旨が定められている（同法第31条第2項及び第32条）。

特定機器に係る適合性評価手続の結果の外国との相互承認の実施に関する法律（平成13年法律第111号）（抄）

第1章　総則

　（定義）

第2条　［第53条の解説〔第2項〕を参照のこと］

第4章　電気通信事業法等の特例

第1節　登録外国適合性評価機関

　（定義）

第29条　［第53条の解説〔第2項〕を参照のこと］

　（登録等の公示）

第30条　［第53条の解説〔第2項〕を参照のこと］

第2節　電気通信事業法の特例

第31条　（略）

2　登録外国適合性評価機関が端末機器の設計（当該設計に合致することの確認の方法を含む。）について設計認証（電気通信事業法第56条第1項に規定する設計認証をいう。以下この項において同じ。）を行った場合には、当該設計認証を登録認定機関がした設計認証と、当該登録外国適合性評価

機関による設計認証を受けた者を登録認定機関による設計認証を受けた者とそれぞれみなして、同法第57条から第59条まで、第60条第1項、第61条、第62条第2項及び第3項、第166条第3項並びに第167条第4項及び第6項の規定（これらの規定に係る罰則を含む。）を適用する。この場合において、同法第60条第1項第5号中「登録認定機関」とあるのは、「特定機器に係る適合性評価手続の結果の外国との相互承認の実施に関する法律（平成13年法律第111号）第31条第1項前段に規定する登録外国適合性評価機関」とするほか、必要な技術的読替えは、政令で定める。

第32条　〔第53条の解説〔第2項〕を参照のこと〕

2　条文内容

〔第1項〕

(1)　取り扱う

　　取扱いの態様については特に制限していないが、例としては、製作、販売、修理、点検、加工等が想定される。

〔第2項〕

(2)　確認の方法

　　「確認の方法」は、設計に基づく端末機器のいずれもが当該設計に合致するものになることを確保することができると認められるものとして、登録認定機関が設計認証を行ったものである。このため、通常であれば、これに従い検査を行う限りは、第1項の設計に合致させる義務は履行されると考えられる。

　　しかしながら、確認の方法に従うのみでは、予想されていない事由等により、設計に合致しない端末機器が製造等される事態が生ずることも想定されるため、認証取扱業者に設計に合致することを義務付けることにより、最終的な設計合致を確保することとしている。

(3)　総務省令で定めるところにより

　　総務省令において、検査記録の記載事項、保存期間（10年間）及び保存方法について定めている（技適規則第21条）。

第58条・第59条

第58条（認証設計に基づく端末機器の表示）

（認証設計に基づく端末機器の表示）

第58条　認証取扱業者は、認証設計に基づく端末機器について、前条第２項の規定による義務を履行したときは、当該端末機器に (1) 総務省令で定める表示を付することができる。

追加及び第50条の６繰下げ　平成15年法律第125号

1　概　要

　認証取扱業者が、認証設計に基づく端末機器について、設計認証に係る確認の方法に基づき、検査を行い、検査記録の作成及び保存を行った場合に、表示を付することができることを規定している。

　表示を付された端末機器については、第69条の接続検査を不要とする効果が認められる。

2　条文内容

(1)　総務省令で定める表示

　　総務省令においては、表示の方法や内容等を定めている。表示の方法については、①端末機器の見やすい箇所に付す方法（当該表示を付すことが困難又は不合理である端末機器にあっては、付属の取扱説明書及び包装又は容器の見やすい箇所に付す方法）、②端末機器に電磁的方法により記録し当該端末機器の映像面に直ちに明瞭な状態で表示することができるようにする方法、③端末機器に電磁的方法により記録し当該端末機器に接続した製品の映像面に直ちに明瞭な状態で表示することができるようにする方法のいずれかの方法と定めており、いずれにおいても、第53条第２項の場合と同じ様式に記号Ⓣ及び設計認証番号を付加したものによることと定めている（技適規則第22条第１項及び第３項並びに様式第７号）。

第59条（認証取扱業者に対する措置命令）

（認証取扱業者に対する措置命令）

第59条　総務大臣は、認証取扱業者が第57条第１項の規定に違反している

409

第59条・第60条

> と認める場合には、当該認証取扱業者に対し、設計認証に係る確認の方法
> を改善するために必要な措置をとるべきことを命ずることができる。

追加及び第50条の7繰下げ改正　平成15年法律第125号

概　要

　認証取扱業者が設計合致義務に違反した場合に、総務大臣が確認の方法の改善
の措置を命ずることができることを規定している。

　認証設計に合致しない端末機器があった場合に、その認証取扱業者に対し確認
の方法を改善するために必要な措置を命ずることとすることにより、設計への合
致及び技術基準への適合性を確保しようとするものである。

　第57条においては、設計認証に係る確認の方法が十分でない場合等も含め、
設計合致の責任を認証取扱業者に負わせている。このため、設計合致義務への違
反については、直接罰則をもって担保することや直ちに表示の禁止ができるとす
ることとはせず、総務大臣において確認の方法の改善の措置を命ずることができ
るとすることとしている。

　なお、措置命令の対象となり得る設計合致義務違反の場合であっても、違反に
係る端末機器が技術基準に違反しており、その使用により、異常輻輳等により他
の利用者の通信に妨害を与えるおそれがあると認められるときは、本条の措置命
令を経ずに、第60条第1項第1号に該当するものとして、表示を付することを禁
止することができる。

　本条の規定による命令に違反した場合には、第60条第1項第3号に該当する
ものとして、表示禁止対象となる。

第60条　（表示の禁止）

> （表示の禁止）
> 第60条　総務大臣は、次の各号に掲げる場合には、認証取扱業者に対し、
> 　2年以内の期間を定めて、当該各号に定める認証設計又は設計に基づく端
> 　末機器に (1)第58条の表示を付することを禁止することができる。
> 一　認証設計に基づく端末機器が第52条第1項の総務省令で定める技術

第60条

　　　基準に適合していない場合において、電気通信回線設備を利用する他の
　　　利用者の通信への妨害の発生を防止するため　⑵特に必要があると認め
　　　るとき（⑶第6号に掲げる場合を除く。）。　当該端末機器の認証設計
　二　認証取扱業者が第57条第2項の規定に違反したとき。　当該違反に
　　　係る端末機器の認証設計
　三　認証取扱業者が前条の規定による命令に違反したとき。　当該違反に
　　　係る端末機器の認証設計
　四　認証取扱業者が　⑷不正な手段により登録認定機関による設計認証を
　　　受けたとき。　当該設計認証に係る設計
　五　登録認定機関が第56条第2項の規定又は第103条において準用する
　　　第91条第2項の規定に違反して設計認証をしたとき。　当該設計認証
　　　に係る設計
　六　第52条第1項の　⑸総務省令で定める技術基準が変更された場合にお
　　　いて、当該変更前に設計認証を受けた設計が当該変更後の技術基準に適
　　　合しないと認めるとき。　当該設計
2　総務大臣は、前項の規定により表示を付することを禁止したときは、そ
　の旨を公示しなければならない。

追加及び第50条の8繰下げ改正　平成15年法律第125号

1　概　要

　総務大臣は、認証取扱業者に対し、一定の法律・命令違反があった場合等に、
認証設計に基づく端末機器に表示を付することを禁止できること（第1項）及び
その旨を公示すべきこと（第2項）を規定している。登録認定機関の設計認証は
国の事務代行性のない民間の行為であり、設計認証の取消しを行うことはできな
いことから、本条の規定は、いわば設計認証の取消しに代わる措置としての意味
合いを有する。

2　条文内容

〔第1項〕

　設計認証制度を適正に運営する観点から、認証取扱業者に対し、技術基準不適
合で他の利用者の通信に妨害を与えるおそれのある端末機器、認証取扱業者の義

411

務等の違反、登録認定機関の義務違反又は設計の技術基準への不適合がある場合に、総務大臣が、認証取扱業者に対し、2年以内の期間、違反等に係る設計に基づく端末機器に表示を付することを禁止できることとしている。

　各号においては、表示を付することを禁止することができる場合を規定している。

　第1号は、認証設計に基づく端末機器について、技術基準に適合しておらず、異常輻輳等により他の利用者の通信に妨害を与えるおそれがある場合であり、この場合には以後の妨害の発生を防止する必要があるため、表示の禁止の対象とするものである。

　第2号及び第3号は、認証取扱業者が義務又は命令に違反した場合であり、この場合には、当該認証取扱業者が取り扱う認証設計に基づく端末機器については、技術基準への適合性が十分に確保できないものと認められるため、表示の禁止の対象とするものである。

　第4号及び第5号は、設計認証に瑕疵があった場合であり、この場合には設計の技術基準への適合性又は確認の方法の適切性に問題がある可能性があるため、表示の禁止の対象とするものである。

　第6号は、技術基準の変更により、認証設計が技術基準に適合しなくなるに至った場合であり、引き続いて表示を付することを認めるのは適切ではないことから、表示の禁止の対象とするものである。

(1)　**第58条の表示を付することを禁止する**

　　認証取扱業者は、第58条の規定により表示を付することが認められるが、本規定により、表示を禁止された者は、適正な手続によるか否かを問わず、対象となる認証設計又は設計に基づく端末機器に表示を付する権能を剥奪される。もとより第53条第3項において、適正な手続によらず表示を付することは制限されており、違反は第187条第2号（50万円以下の罰金）に該当し罰せられるが、本条第1項第1号に該当する場合の表示の禁止違反については、適正な手続によらずに表示を付しても第187条第2号ではなく、第181条第2号（1年以下の拘禁刑（令和4年法律第68号の施行後。）又は100万円以下の罰金）に該当することとなる。両罰規定（第190条）の適用もある。

(2)　**特に必要があると認めるとき**

　　第1号に該当する場合の表示の禁止は、単に妨害のおそれがあるだけではなく、その違反が他の利用者の通信に直接与える影響が重大である場合を対象と

するものである。このため、総務大臣が特に必要であると認める場合に限定している。

これを踏まえ、第1号に該当する場合の表示の禁止違反は、第181条第2号において、罰則が通常の表示の違反より重いもの（1年以下の拘禁刑（令和4年法律第68号の施行後。）又は100万円以下の罰金）とされており、更に第190条第1号において1億円以下の罰金とする両罰規定の対象とされている。

なお、第1号の場合については、第2号から第5号までのいずれかに重ねて該当する場合もある。第1号の場合は、第2号から第5号までのいずれに該当するかを特定するまでもなく、表示を付することを禁止する必要性が明らかな場合である。

(3) 第6号に掲げる場合を除く

技術基準が変更になったことにより、過去の技術基準に適合していても、新たな技術基準に適合せず、第1号に該当するような妨害が生ずることが想定される。しかしながら、第1号に該当する場合の表示の禁止は通常より罰則が重いものであり、技術基準の変更という後発的事情により第1号に該当することとなるに至った場合についてまで対象とすべきものでない。このため、その趣旨を明確にするべく第6号の場合を除くこととしている。

(4) 不正な手段により

例えば、虚偽の端末機器の試験結果に基づき申込を行った場合等である。

(5) 総務省令で定める技術基準が変更された場合

総務省令の改正による技術基準の変更の際、既に表示の付された端末機器に関して、当該改正省令において必要な範囲内で経過措置を定めることができることはいうまでもない。第6号に該当するのは、経過措置を含めても基準に適合しない場合をいうものである。

〔第2項〕

第1項の規定により表示を付することを禁止した場合には、総務大臣がその旨を公示することにより、国民に周知することを規定している。なお、公示は官報で告示することによって行うこととされている（技適規則第24条第1項）。

第61条・第62条

第61条（準用）

（準用）

第61条　第54条の規定は認証取扱業者について、第55条の規定は認証設計に基づく端末機器について準用する。この場合において、第54条中「登録認定機関による技術基準適合認定を受けた」とあるのは「認証設計に基づく」と、同条中「前条第2項」とあり、及び第55条第1項中「第53条第2項」とあるのは「第58条」と、第54条中「は、当該」とあるのは「は、当該認証設計に係る」と読み替えるものとする。

追加及び第50条の9繰下げ改正　平成15年法律第125号

概　要

　設計認証制度を適正に運用する観点から、技術基準適合認定を受けた者に関する規定である、妨害防止命令を規定する第54条を認証取扱業者について準用し、また、技術基準適合認定を受けた端末機器に関する規定である、表示が付されていないものとみなす場合を規定する第55条を認証設計に基づく端末機器について準用し、必要な読替えを行うものである。

　本条において準用する第54条の規定による命令に違反した者は、第181条の規定（第1号該当。）により、1年以下の拘禁刑（令和4年法律第68号の施行後。）又は100万円以下の罰金に処せられる。また、当該者が法人により使用される者等であった場合には、その法人は第190条の両罰規定（第1号該当。）により1億円以下の罰金に処せられる。

第62条（外国取扱業者）

（外国取扱業者）

第62条　登録認定機関による技術基準適合認定を受けた者が外国取扱業者（外国において本邦内で使用されることとなる端末機器を取り扱うことを業とする者をいう。以下同じ。）である場合における当該外国取扱業者に対する第54条の規定の適用については、同条中「命ずる」とあるのは、「請求する」とする。

414

第62条

2 認証取扱業者が外国取扱業者である場合における当該外国取扱業者に対する第59条、第60条第1項第3号及び前条において準用する第54条の規定の適用については、第59条及び前条において準用する第54条中「命ずる」とあるのは「請求する」と、第60条第1項第3号中「命令に違反した」とあるのは「請求に応じなかつた」と、「違反に」とあるのは「請求に」とする。

3 第60条第1項の規定によるほか、総務大臣は、次の各号に掲げる場合には、登録認定機関による設計認証を受けた外国取扱業者に対し、2年以内の期間を定めて、当該各号に定める認証設計に基づく端末機器に第58条の表示を付することを禁止することができる。

一 総務大臣が第166条第3項において準用する同条第2項の規定により当該外国取扱業者に対し報告をさせようとした場合において、その報告がされず、又は虚偽の報告がされたとき。 当該報告に係る端末機器の認証設計

二 総務大臣が第166条第3項において準用する同条第2項の規定によりその職員に当該外国取扱業者の事業所において検査をさせようとした場合において、その検査が拒まれ、妨げられ、又は忌避されたとき。当該検査に係る端末機器の認証設計

三 当該外国取扱業者が第167条第6項の規定により読み替えて適用する同条第1項の規定による請求に応じなかつたとき。 当該請求に係る端末機器の認証設計

4 総務大臣は、前項の規定により表示を付することを禁止したときは、その旨を公示しなければならない。

追加及び第50条の10繰下げ改正　平成15年法律第125号

1　概　要

技術基準適合認定又は設計認証を受けた外国取扱業者（外国において本邦内で使用されることとなる端末機器を取り扱うことを業とする者）に関し、第54条の規定の適用（第59条、第60条第1項第3号又は第61条において準用する場合を含む。）における必要な読替えを行い、また設計認証を受けた外国取扱業者に対する表示禁止の特例を規定するものである。

415

第62条・第63条

2 条文内容

〔第1項〕

　技術基準適合認定を受けた者が外国取扱業者である場合であっても、原則国内の者と同じ規定が適用される。ただし、「命ずる」という権力行使的な表現は、外国の主権下にある外国取扱業者については不適当であるため、第1項において、「命ずる」を「請求する」と読み替えている。

〔第2項〕

　認証取扱業者が外国取扱業者である場合についても、原則国内の者と同じ規定が適用される。本項は、第1項と同じく、認証取扱業者である外国取扱業者に関し、権力行使的な表現について読替えを行っている。

〔第3項〕

　設計認証を受けた外国取扱業者については、罰則による担保を図ることができない場合があることから、本項において、報告懈怠若しくは検査忌避等又は提出命令への違反については、表示の禁止により担保することとしている。

　立入検査については、その拒否等をした主体が、外国取扱業者の場合のみならず、外国の政府等の場合（査証の発給又は入国が拒否された場合）であっても、表示の禁止事由に該当することとなる。

　なお、妨害防止命令を発することができる場合には、第60条第1項第1号に該当し、表示を禁止することができることから、設計認証を受けた外国取扱業者に係る特例は設けられていない。

〔第4項〕

　第3項において表示禁止の特例を設けたことに伴い、その公示の規定を設けるものである。なお、公示は、官報に告示することによって行うこととされている（技適規則第24条第1項）。

第63条（技術基準適合自己確認等）

（技術基準適合自己確認等）

第63条　端末機器のうち、⑴ 端末機器の技術基準、使用の態様等を勘案して、電気通信回線設備を利用する他の利用者の通信に著しく妨害を与えるおそれが少ないものとして ⑵ 総務省令で定めるもの（以下「特定端末機

器」という。）の製造業者又は輸入業者は、その特定端末機器を、第52条第1項の総務省令で定める技術基準に適合するものとして、その設計（当該設計に合致することの確認の方法を含む。）について自ら確認することができる。

2　製造業者又は輸入業者は、(3) 総務省令で定めるところにより検証を行い、その特定端末機器の設計が第52条第1項の総務省令で定める技術基準に適合するものであり、かつ、当該設計に基づく特定端末機器のいずれもが当該設計に合致するものとなることを確保することができると認めるときに限り、前項の規定による確認（次項において「技術基準適合自己確認」という。）を行うものとする。

3　製造業者又は輸入業者は、技術基準適合自己確認をしたときは、総務省令で定めるところにより、次に掲げる事項を総務大臣に届け出ることができる。

一　氏名又は名称及び住所並びに法人にあつては、その代表者の氏名

二　技術基準適合自己確認を行つた特定端末機器の種別及び設計

三　前項の検証の結果の概要

四　第2号の設計に基づく特定端末機器のいずれもが当該設計に合致することの確認の方法

五　その他技術基準適合自己確認の方法等に関する事項で総務省令で定めるもの

4　前項の規定による届出をした者（以下「届出業者」という。）は、総務省令で定めるところにより、第2項の検証に係る記録を作成し、これを保存しなければならない。

5　届出業者は、第3項第1号、第4号又は第5号に掲げる事項に変更があつたときは、総務省令で定めるところにより、遅滞なく、その旨を総務大臣に届け出なければならない。

6　総務大臣は、第3項の規定による届出があつたときは、(4) 総務省令で定めるところにより、その旨を公示しなければならない。前項の規定による届出があつた場合において、その公示した事項に変更があつたときも、同様とする。

追加及び第50条の11繰下げ改正　平成15年法律第125号

第63条

1 概　要

　他の利用者の通信に著しく妨害を与えるおそれが少ない特定端末機器について、技術基準適合自己確認を行うための手続を規定している。

2 条文内容

〔第1項〕

　製造業者又は輸入業者は、その特定端末機器を、第52条第1項の総務省令で定める技術基準に適合するものとして、その設計（当該設計に合致することの確認の方法を含む。）を自ら確認できる旨を規定している。

(1)　端末機器の技術基準、使用の態様等を勘案して、電気通信回線設備を利用する他の利用者の通信に著しく妨害を与えるおそれが少ないもの

　　基準不適合機器を使用した場合であっても、電気通信回線設備を利用する他の利用者の通信に著しい妨害を与えるおそれが少ないと認められる端末機器（特定端末機器）を技術基準適合自己確認の制度の対象としている。

　　「端末機器の技術基準、使用の態様等を勘案」とは、総務大臣が端末機器の種別ごとに「電気通信回線設備を利用する他の利用者の通信に著しく妨害を与えるおそれ」を判断するための判断要素を例示したものである。

　　「技術基準」とは、具体的には、端末機器の技術基準として総務省令で定められている電気的条件、光学的条件、絶縁抵抗等を指す。

　　「技術基準」については、

①　技術基準が複雑であり、又は新しい方式の技術基準である等の場合、製造業者等の間で技術基準が十分に理解されているか

②　技術基準に対応した測定方法が詳細かつ明確に定められておらず、製造業者ごとに測定の仕方が異なる場合、端末機器の検証を確実に行うことが可能か

等を勘案することとなる。

　　一方、「使用の態様」とは、その端末機器が通常使用される方法、状態のありさま等を指しており、端末機器が使用される場所、使用される頻度等が使用の態様として判断されることとなる。

　　その他、市場における基準不適合機器の発生の状況、登録認定機関が行う審査において持ち込まれた機器の技術基準への適合性の状況、生産・流通される設備の台数等の事項が必要に応じて勘案されることとなる。

仮に基準不適合機器が電気通信回線設備を利用する他の利用者の通信に妨害を与えた場合には、その妨害の程度によっては、通信の確保が損なわれ、人命や財産の安全を損なう事態を招くおそれがある。例えば、通信速度の高速化に対応して高周波数成分までを利用する端末機器を使用するケースにおいては、不適合機器が使用されると、同一の電気通信回線設備を使用する他の利用者の通信に妨害を与え、人命や財産の保護等に係る通信に著しい妨害を与える危険性が高いと判断されることがある。

このため、技術基準や使用の態様等を勘案し技術基準適合自己確認制度における基準不適合機器が発生した場合の社会的影響を検討の上、基準不適合機器を使用した場合であっても、電気通信回線設備を利用する他の利用者の通信に著しい妨害を与えるおそれが少ないと認められる端末機器を制度の対象としている。

(2) 総務省令で定めるもの

対象機器は、新しく開発された端末機器に係る技術基準の浸透度、客観的な測定方法の確立・普及等の技術基準の適合性に係る状況によっては、速やかに追加等の変更を行うことができる必要があることから、総務省令で定めることとしている。なお、現行の対象機器としては、具体的には、アナログ電話用設備・移動電話用設備、インターネットプロトコル電話用設備、インターネットプロトコル移動電話用設備、無線呼出用設備、総合デジタル通信用設備及び専用通信回線設備・デジタルデータ伝送用設備に接続される端末機器について規定されている（技適規則第3条第2項）。

〔第2項〕

技術基準適合自己確認の具体的な方法を規定している。技術基準適合自己確認を行う場合には、総務省令で定める方法に従って設計が技術基準に適合することを検証し、さらに、設計に基づいて製作等された特定端末機器のいずれもがその設計に合致するものとなることを確保することができると認めるときに限り第1項の自己確認を行うものと規定している。

(3) 総務省令で定めるところにより

設計の検証、試験、確認の方法の検証についてそれぞれ方法が定められている（技適規則第41条第1項及び別表第4号）。

〔第3項〕

製造業者又は輸入業者は、技術基準適合自己確認をしたときは、総務省令で定

めるところにより、所定の事項を総務大臣に届け出ることができることとしている。届出の単位は、技術基準適合自己確認ごとに行うこととなり、同一の者であっても異なる種別又は設計の特定端末機器について自己確認を行った場合は別の届出を行うこととなる。

〔第4項〕

　第3項の届出を行った者（届出業者）について、第2項の検証に係る記録を作成し保存するべき義務を規定している。記録の記載事項、保存期間（10年間）及び保存方法について技適規則第41条第4項から第6項までに規定している。

〔第5項〕

　届出事項に関して変更が生じた場合の届出義務を規定している。

〔第6項〕

　第3項の規定による届出があったときは、総務大臣が所要の事項を公示しなければならないことを規定している。

(4)　総務省令で定めるところにより

　公示の内容としては、次の5項目が定められている（技適規則第41条第11項）。また、公示は、インターネットの利用その他の適切な方法によって行うこととされている（技適規則第44条第2項）。

①　届出業者の氏名又は名称

②　特定端末機器の種別

③　特定端末機器の名称

④　届出番号

⑤　第3項の届出の年月日

第64条（設計合致義務等）

（設計合致義務等）

第64条　届出業者は、前条第3項の規定による届出に係る設計（以下「届出設計」という。）に基づく特定端末機器を製造し、又は輸入する場合においては、当該特定端末機器を当該届出設計に合致するようにしなければならない。

2　届出業者は、前条第3項の規定による届出に係る確認の方法に従い、そ

第64条

> の製造又は輸入に係る前項の特定端末機器について検査を行い、総務省令で定めるところにより、その検査記録を作成し、これを保存しなければならない。

追加及び第50条の12繰下げ　平成15年法律第125号

概　要

　技術基準適合自己確認の届出業者に対して、特定端末機器を製造し又は輸入する場合においては、当該特定端末機器を当該届出設計に合致するようにしなければならない義務を課す（第1項）とともに、届出に係る確認の方法に従い、製造等を行う特定端末機器について検査を行い、その検査記録を作成し、これを保存しなければならない義務を規定している（第2項）。

　第1項においては、届出業者に対し、当該設計に合致させる義務を規定しているが、これを具体化するために、第2項において、設計認証に係る確認の方法に従って検査を行い、その記録の作成、保存をすることを義務としている（検査記録の記載事項、保存期間（10年間）及び保存方法について技適規則第42条に規定）。

　「確認の方法」は、設計に基づく特定端末機器のいずれもが当該設計に合致するものになることを確保することができると認められるものとして届出が行われたものである。このため、通常であればこれに従い検査を行う限りは、第1項の設計に合致させる義務は履行されると考えられる。

　しかしながら、確認の方法に従うのみでは、予想されていない事由等により、設計に合致しない端末機器が製造等される事態が生ずることも想定されるため、届出業者に設計に合致することを義務付けることにより、最終的な設計合致を確保しようとしている。

　第1項の規定による義務に違反した場合には、第68条において準用する第59条の措置命令の対象となる。また、第2項の規定に違反した者は、第66条の表示禁止の対象となる。

第65条

第65条（表示）

（表示）

第65条　届出業者は、届出設計に基づく特定端末機器について、前条第2項の規定による義務を履行したときは、当該特定端末機器に　(1) 総務省令で定める表示を付することができる。

追加及び第50条の13繰下げ　平成15年法律第125号

1　概　要

　届出業者が、届出設計に基づく特定端末機器に、届出に係る確認の方法に基づく検査及び記録の作成・保存を行った場合に、表示を付することができることを規定している。

　適正な手続を経て技術基準への適合性が確認された端末機器については、表示を付することができることとし、その表示により技術基準への適合性が確認されたことが特定及び識別可能となっている端末機器について、接続検査不要の法的効果の適用を認めることとしている。

　技術基準適合自己確認においては、届出業者が、特定端末機器の設計について検証を行い、その製造又は輸入する特定端末機器が設計に合致することを届出に係る確認の方法に基づき検査することにより、届出設計に基づく特定端末機器の技術基準への適合性が確保されることとなる。

　また、検査記録の作成及び保存についても、適正に履行されなければ、そもそも検査の実施及びその適切性について、事後的に検証ができないものであることから、検査と一体として履行される必要がある。

　このため、本条においては、届出業者に、第64条第2項の検査及び記録の作成・保存の義務の履行を前提に、検査を受けた端末機器に表示を付することを認めるものである。

　届出業者が　本条の規定によらずに表示を付した場合には、第53条第3項の違反として第187条第2号該当となり、罰則により、50万円以下の罰金に処せられることとなる。

422

2 条文内容
(1) 総務省令で定める表示

総務省令においては、表示の方法や内容等を定めている。具体的には、表示の方法については、①特定端末機器の見やすい箇所に付す方法（当該表示を付すことが困難又は不合理である特定端末機器にあっては、付属の取扱説明書及び包装又は容器の見やすい箇所に付す方法）、②特定端末機器に電磁的方法により記録し当該特定端末機器の映像面に直ちに明瞭な状態で表示することができるようにする方法、③特定端末機器に電磁的方法により記録し当該特定端末機器に接続した製品の映像面に直ちに明瞭な状態で表示することができるようにする方法のいずれかの方法と定められており、いずれにおいても、次の様式に記号T及び識別番号を付加したものにより表示すると定められている。

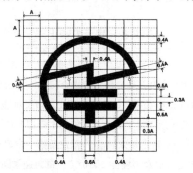

注1　大きさは、表示を容易に識別することができるものであること。
　2　材料は、容易に損傷しないものであること（電磁的方法によって表示を付す場合を除く）。
　3　色彩は、適宜とする。ただし、表示を容易に識別することができるものであること。
　4　識別番号の最初の6文字は届出番号とし、7文字目は特定端末機器の種別に従い次表で定めるとおりとし、最後の2文字は当該特定端末機器について技術基準適合自己確認の届出を行った西暦年数の十位以下を示す数字とする。なお、技術基準適合自己確認が、二以上の種別の端末機器が構造上一体となっているものについて同時になされたものであるときには、当該種別の端末機器について、次の表に掲げる記号を列記するものとする。

特　定　端　末　機　器　の　種　類	記号
一　アナログ電話用設備又は移動電話用設備に接続される端末機器	A
二　インターネットプロトコル電話用設備に接続される端末機器	E
三　インターネットプロトコル移動電話用設備に接続される端末機器	F
四　無線呼出用設備に接続される端末機器	B
五　総合デジタル通信用設備に接続される端末機器	C
六　専用通信回線設備又はデジタルデータ伝送用設備に接続される端末機器	D

(技適規則第43条第1項及び第3項並びに様式第14号)

第66条（表示の禁止）

（表示の禁止）

第66条　総務大臣は、次の各号に掲げる場合には、届出業者に対し、2年以内の期間を定めて、当該各号に定める届出設計又は設計に基づく特定端末機器に (1)前条の表示を付することを禁止することができる。

一　届出設計に基づく特定端末機器が第52条第1項の総務省令で定める技術基準に適合していない場合において、電気通信回線設備を利用する他の利用者の通信への妨害の発生を防止するため (2)特に必要があると認めるとき（ (3)第5号に掲げる場合を除く。）。　当該特定端末機器の届出設計

二　届出業者が第63条第3項の規定による届出をする場合において、虚偽の届出をしたとき。　当該虚偽の届出に係る設計

三　届出業者が第63条第4項又は第64条第2項の規定に違反したとき。　当該違反に係る特定端末機器の届出設計

四　届出業者が第68条において準用する第59条の規定による命令に違反したとき。　当該違反に係る特定端末機器の届出設計

五　第52条第1項の (4)総務省令で定める技術基準が変更された場合において、当該変更前に第63条第3項の規定により届け出た設計が当該変更後の技術基準に適合しないと認めるとき。　当該設計

第66条

> 2 総務大臣は、前項の規定により表示を付することを禁止したときは、その旨を公示しなければならない。

追加及び第50条の14繰下げ改正 平成15年法律第125号

1 概　要

　届出業者に対し、総務大臣は、一定の場合に届出設計に基づく特定端末機器に表示を付することを禁止できること、そして、これにより表示を付することを禁止したときはその旨を公示すべきことを規定している。

2 条文内容

〔第1項〕

　技術基準適合自己確認制度を適正に運営する観点から、届出業者に対し、届出業者の義務等の違反がある場合又は設計の技術基準不適合によって通信への妨害のおそれがある場合に、総務大臣が、届出業者に対し、2年以内の期間、違反等に係る設計に基づく特定端末機器に表示を付することを禁止できることとしている。

　各号においては、表示を付することを禁止することができる場合を規定している。

　第1号は、届出設計に基づく特定端末機器について、技術基準に適合しておらず、異常輻輳等により他の利用者の通信に妨害を与えるおそれがある場合であり、この場合には以後の妨害の発生を防止する必要があるため、表示の禁止の対象とするものである。

　第2号は、届出の内容に瑕疵があった場合であり、この場合には設計の技術基準への適合性又は確認の方法の確かさに問題がある可能性があるため、表示の禁止の対象とするものである。

　第3号及び第4号は、届出業者が義務又は命令に違反した場合であり、この場合には、当該届出業者が製造又は輸入する届出設計に基づく特定端末機器については、技術基準への適合性が十分に確保できないものと認められるため、表示の禁止の対象とするものである。

　第5号は、技術基準の変更により、届出設計が技術基準に適合しなくなるに至った場合であり、引き続いて表示を付させることを認めるのは適切ではないことから、表示の禁止の対象とするものである。

　本項の規定による表示の禁止違反は、法律の規定によらず表示を付したことと

425

第66条

なるため、第53条第３項に対する違反に該当するものとして、50万円以下の罰金（第187条第２号該当。）に処せられ、法人についても両罰（第190条第２号該当。）の対象となる。ただし、第１号に該当する場合の表示の禁止違反は、行為者は１年以下の拘禁刑（令和４年法律第68号の施行後。）又は100万円以下の罰金（第181条第２号該当。）、また、法人については両罰規定の対象であり（第190条第１号該当。）、１億円以下の罰金に処せられることとなる。

(1) 前条の表示を付することを禁止する

　　届出業者は、第65条の規定による場合には、表示を付することを認められるが、本条により、表示を禁止された者は、適正な手続によるか否かを問わず、対象となる届出設計又は設計に基づく特定端末機器に表示を付する権能を剥奪される。もとより第53条第３項において、適正な手続によらず表示を付することは制限されており、違反は第187条第２号（50万円以下の罰金）に該当するが、本条第１項第１号に該当する場合の表示の禁止違反については、適正な手続によらずに表示を付しても第187条第２号ではなく、第181条第２号（１年以下の拘禁刑（令和４年法律第68号の施行後。）又は100万円以下の罰金）に該当することとなる。両罰規定（第190条）の適用もある。

(2) 特に必要があると認めるとき

　　第１号に該当する場合の表示の禁止は、単に妨害のおそれがあるだけではなく、その違反が他の利用者の通信に直接与える影響が重大である場合を対象とするものである。このため、総務大臣が特に必要であると認める場合に限定している。

　　これを踏まえ、第１号に該当する場合の表示の禁止違反は、第181条第２号において、罰則が通常の表示の違反より重いものとしており、更に第190条第１号において１億円以下の罰金とする両罰規定の対象としている。

　　なお、第１号の場合は、第２号から第５号までのいずれかに重ねて該当する場合もある。第１号の場合は、第２号から第５号までのいずれに該当するかを特定するまでもなく、表示を付することを禁止する必要性が明らかな場合である。

(3) 第５号に掲げる場合を除く

　　技術基準が変更になったことにより、過去の技術基準に適合していても、新たな技術基準に適合せず、第１号に該当するような妨害が生ずることが想定される。しかしながら、第１号に該当する場合の表示の禁止は通常より罰則が重いものであり、技術基準の変更という後発的事情により第１号に該当すること

となるに至った場合についてまで対象とすべきものでない。このため、その趣旨を明確にするべく第5号の場合を除くこととしている。

(4) **総務省令で定める技術基準が変更された場合**

総務省令の改正による技術基準の変更の際、既に表示の付された端末機器に関して、当該改正省令において必要な範囲内で経過措置を定めることができることはいうまでもない。第5号に該当するのは、経過措置を含めても基準に適合しない場合をいうものである。

〔第2項〕

第1項の規定により、表示を付することを禁止した場合には、本項において、総務大臣がその旨を公示することにより、国民に周知することを規定している。公示は、官報に告示することによって行うこととしている（技適規則第44条第1項）。

第67条

第67条　総務大臣は、(1) 届出業者が前条第1項第2号から第4号までのいずれかに該当した場合において、再び同項第2号から第4号までのいずれかに該当するおそれがあると認めるときは、当該届出業者に対し、2年以内の期間を定めて、(2) 特定端末機器に (3) 第65条の表示を付することを禁止することができる。

2　総務大臣は、前項の規定により表示を付することを禁止したときは、その旨を公示しなければならない。

追加及び第50条の15繰下げ改正　平成15年法律第125号

1　概　要

繰り返し義務等に違反するおそれがあると認められる悪質な届出業者に対し、総務大臣が全ての特定端末機器に表示を付することを禁止できること及びこれにより表示を付することが禁止されたときは、総務大臣は、その旨を公示すべきことを規定している。

第67条

2 条文内容

〔第1項〕

技術基準適合自己確認制度は、届出業者が自ら検証及び検査を行って表示を付するものであり、検証及び検査等に問題がある場合には、事後的に表示の禁止や妨害防止命令を発することとなる。しかしながら、繰り返し義務・命令等に違反するような届出業者が存在した場合等に、そのような者について、届出によれば接続検査不要の法的効果が適用される要件となる表示を付することができることとすると、表示に対する信頼性を損ない、ひいては技術基準適合自己確認制度の適正な運用を妨げるおそれがある。

このため、繰り返し義務・命令等に違反するおそれがあると認められる届出業者について、その届出設計に基づく特定端末機器について表示を付することを禁止するのみならず、将来にわたって、一定期間、特定端末機器の全部について技術基準適合自己確認の表示を付することを禁止することができることとするものである。

本項の規定による表示の禁止違反は、行為者は1年以下の拘禁刑（令和4年法律第68号の施行後。）又は100万円以下の罰金（第181条第2号該当。）、また、法人については両罰規定の対象であり（第190条第1号該当。）、1億円以下の罰金に処せられることとなる。

(1) 届出業者が前条第1項第2号から第4号までのいずれかに該当した場合において、再び同項第2号から第4号までのいずれかに該当するおそれがあると認めるとき

第66条第1項第2号から第4号までは、いずれも届出業者に帰責があることにより表示の禁止ができる場合である。第1号は必ずしも帰責事由がある場合に限られず、第5号は、技術基準の変更によるものであり、再び該当するか否かの判断には関係がないことから、いずれも本条の要件からは外されている。

届出業者が一度これらのいずれかに該当した場合に、再びこれらのいずれかに該当するおそれがあると認められるときとは、一概に表すことができないが、故意又は重大な過失によりたびたび第66条第1項第2号から第4号までのいずれかに基づき表示を付することを禁止された場合などが想定される。

なお、本条の表示禁止の発動に当たっては、必ずしも第66条第1項第2号から第4号までの規定により表示の禁止がなされていることまでは求められていない。これは、例えば、同項第1号の規定により届出設計に基づく端末機器

について表示の禁止が発動された場合には、同項第2号から第4号までに該当していた場合が含まれ得るためであり、同項第1号に基づき表示が禁止された場合であっても、本項の要件に該当することは想定されるものである。

(2) 特定端末機器

　　第66条と異なり、本条の表示の禁止は、届出設計に基づく特定端末機器に限定されず、第63条第1項の特定端末機器の全部について表示を付することが禁止されるものである。

　　このため、本条の規定による表示の禁止後には、仮に技術基準適合自己確認を行い、第63条第3項の規定による届出をしても、第65条の表示を付することはできない。

(3) 第65条の表示を付することを禁止する

　　届出業者は、第65条の規定による場合には、表示を付することを認められるが、本条により、表示を禁止された者は、適正な手続によるか否かを問わず、対象となる届出設計又は設計に基づく特定端末機器に表示を付する権能を剥奪される。もとより第53条第3項において、適正な手続によらず表示を付することは制限されており、違反は第187条第2号（50万円以下の罰金）に該当するが、本条第1項第1号に該当する場合の表示の禁止違反については、適正な手続によらずに表示を付しても第187条第2号ではなく、第181条第2号（1年以下の拘禁刑（令和4年法律第68号の施行後。）又は100万円以下の罰金）に該当することとなる。

〔第2項〕

　　第1項の規定により、表示を付することを禁止した場合には、総務大臣がその旨を公示することにより、国民に周知することを規定している。公示は、官報に告示することによって行うこととしている（技適規則第44条第1項）。

第68条（準用）

　（準用）

第68条　第54条及び第59条の規定は特定端末機器及び届出業者について、第55条の規定は届出設計に基づく特定端末機器について準用する。この場合において、第54条中「登録認定機関による技術基準適合認定を受

けた」とあるのは「届出設計に基づく」と、同条中「前条第２項」とあり、及び第55条第１項中「第53条第２項」とあるのは「第65条」と、第54条中「は、当該」とあるのは「は、当該届出設計に係る」と、第59条中「第57条第１項」とあるのは「第64条第１項」と、「設計認証」とあるのは「第63条第３項の規定による届出」と読み替えるものとする。

追加及び第50条の16繰下げ改正　平成15年法律第125号

概　要

　技術基準適合自己確認制度を適正に運用する観点から、技術基準適合認定を受けた者に対する妨害防止命令を規定する第54条及び認証取扱業者に対する措置命令を規定する第59条を特定端末機器及び届出業者について準用し、また、技術基準適合認定を受けた端末機器について表示が付されていないものとみなす場合を規定する第55条を届出設計に基づく特定端末機器について準用し、必要な読替えを行うものである。

　本条において準用する第54条の規定による命令に違反した者は、第181条の規定（第１号該当。）により、１年以下の拘禁刑（令和４年法律第68号の施行後。）又は100万円以下の罰金に処せられる。また、当該者が法人により使用される者等であった場合には、その法人は第190条の両罰規定（第１号該当。）により１億円以下の罰金に処せられる。

第68条の２（同一の表示を付することができる場合）

（同一の表示を付することができる場合）
第68条の２　第53条第２項（第104条第４項において準用する場合を含む。）、第58条（第104条第７項において準用する場合を含む。）若しくは第65条又は (1)第68条の８第３項の規定により表示が付されている端末機器（第55条第１項（第61条、前条並びに第104条第４項及び第７項において準用する場合を含む。）の規定により表示が付されていないものとみなされたものを除く。以下「適合表示端末機器」という。）を組み込んだ (2)製品を取り扱うことを業とする者は、(3)総務省令で定めるところに

第68条の2

より、製品に組み込まれた適合表示端末機器に付されている表示と同一の
表示を当該製品に付することができる。

追加　平成26年法律第63号

1　概　要

　パーソナルコンピュータや掃除機等の家電製品などを含む様々な製品の中に、
技術基準適合認定等を受け、表示が付された端末機器（以下「適合表示端末機
器」という。）が内蔵される場合、製品の利用者が内蔵された適合表示端末機器
の表示について確認することを容易にするために、適合表示端末機器を組み込ん
だ製品を取り扱うことを業とする者に限り、製品に内蔵される適合表示端末機器
に付されている表示と「同一の表示」を製品に付することを可能としている。

2　条文内容

(1)　第68条の8第3項の規定により表示が付されている端末機器

　　登録修理業者が第68条の8第3項の規定に基づき表示を付した端末機器を
　製品に組み込むことも想定されるため、当該端末機器の表示と「同一の表示」
　を製品に付することができることとしている。

(2)　製品を取り扱うことを業とする者

　　製造業者、輸入業者、販売業者などが想定される。

(3)　総務省令で定めるところにより

　　総務省令では、製品に組み込まれた適合表示端末機器に付されている表示を
　目視その他の適切な方法により確認することとし、表示の方法については、①
　当該適合表示端末機器を組み込んだ製品の見やすい箇所に付す方法（表示を付
　すことが困難又は不合理であるものにあっては、当該製品に付属する取扱説明
　書及び包装又は容器の見やすい箇所に付す方法）、②当該適合表示端末機器を
　組み込んだ製品に電磁的方法により記録し、当該表示を当該適合表示端末機器
　を組み込んだ製品の映像面に直ちに明瞭な状態で表示することができるように
　する方法、③表示を当該適合表示端末機器を組み込んだ製品に電磁的方法によ
　り記録し、当該表示を当該製品に接続した製品の映像面に直ちに明瞭な状態で
　表示することができるようにする方法のいずれかの方法と定めている（技適規
　則第10条第2項、第22条第2項、第29条第2項、第38条第2項及び第43条

431

第68条の2・第68条の3

第2項)。

第68条の3 （修理業者の登録）

（修理業者の登録）

第68条の3　特定端末機器（適合表示端末機器に限る。以下この条、次条
及び第68条の7から第68条の9までにおいて同じ。）の修理の事業を行
う者は、総務大臣の登録を受けることができる。

2　前項の登録を受けようとする者は、(1) 総務省令で定めるところにより、
次に掲げる事項を記載した申請書を総務大臣に提出しなければならない。

一　氏名又は名称及び住所並びに法人にあつては、その代表者の氏名

二　事務所の名称及び所在地

三　修理する特定端末機器の範囲

四　特定端末機器の修理の方法の概要

五　修理された特定端末機器が　(2) 第52条第1項の総務省令で定める技術
基準に適合することの確認（次項、次条及び第68条の7から第68条の
9までにおいて「修理の確認」という。）の方法の概要

3　前項の申請書には、(3) 総務省令で定めるところにより、特定端末機器の
修理の方法及び修理の確認の方法を記載した修理方法書　(4) その他総務省
令で定める書類を添付しなければならない。

追加　平成26年法律第63号

1　概　要

利用者が安心して認証取扱業者等以外の第三者修理業者による第三者修理を利
用できる環境の整備のため、修理業者が、適合表示端末機器について技術基準適
合性に影響を及ぼすおそれが少ない修理を行い、修理後の適合表示端末機器が技
術基準に適合していることを確認できる場合は、その修理事業について総務大臣
の登録を受けることができることを規定している。

2 条文内容

〔第2項〕

(1) 総務省令で定めるところにより

　総務省令においては、申請書類の様式を定めている（技適規則第45条第1項及び様式第15号）。

(2) 第52条第1項の総務省令で定める技術基準

　「第52条第1項の技術基準」と規定する場合は、「第52条第1項の総務省令で定める技術基準」に加えて、同項括弧書にある「技術的条件」を含むことになる（第52条第2項の柱書でも同様）ところ、本項では、この「技術的条件」を含まない「第52条第1項の総務省令で定める技術基準」としている（第68条の4第1項第2号においても同様）。

〔第3項〕

(3) 総務省令で定めるところにより

　総務省令では、修理方法書の記載事項（修理の手順及び修理の確認の手順等）を定めている（技適規則第45条第2項及び第4項並びに別表第6号）。

(4) その他総務省令で定める書類

　修理体制、管理体制等の管理に関する事項等を記載した書類及び誓約書を総務省令で定めている（技適規則第45条第3項及び別表第7号及び様式第16号）。

第68条の4 （登録の基準）

（登録の基準）

第68条の4　総務大臣は、前条第1項の登録を申請した者が次の各号のいずれにも適合しているときは、その登録をしなければならない。

　一　特定端末機器の修理の方法が、修理された特定端末機器の使用により電気通信回線設備を利用する他の利用者の通信に著しく妨害を与えるおそれが少ないものとして (1) 総務省令で定める基準に適合するものであること。

　二　修理の確認の方法が、修理された特定端末機器が (2) 第52条第1項の総務省令で定める技術基準に適合することを確認できるものであること。

2　次の各号のいずれかに該当する者は、前条第1項の登録を受けることができない。

第68条の4

　　一　第68条の11の規定により登録を取り消され、その取消しの日から2
　　　年を経過しない者であること。
　　二　法人であつて、その役員のうちに前号に該当する者があること。
　3　前条及び前2項に規定するもののほか、同条第1項の登録に関し必要な
　　事項は、総務省令で定める。

追加　平成26年法律第63号

1　概　要

　登録修理業者の登録の基準として、業務を適確に実施するための条件を具備し
ているかについて審査するための基準と申請者の欠格事由を規定している。

2　条文内容

〔第1項〕

(1)　総務省令で定める基準

　　総務省令では、修理する箇所が、表示装置、フレーム、マイク、スピーカ、
カメラ、操作ボタン、コネクタ、バイブレータ、電池その他の箇所であって、
電気通信回線設備を利用する他の利用者の通信に影響を与えるおそれの少ない
ものであること、同等の部品を用いるものであること等を要件とする基準を定
めている（技適規則第46条）。

(2)　第52条第1項の総務省令で定める技術基準

　　「第52条第1項の技術基準」と規定する場合は、「第52条第1項の総務省令
で定める技術基準」に加えて、同項括弧書にある「技術的条件」を含むことに
なる（第52条第2項の柱書でも同様）ところ、本項では、この「技術的条件」
を含まない「第52条第1項の総務省令で定める技術基準」としている（第68
条の3第2項第5号においても同様）。

第68条の5・第68条の6

第68条の5 （登録簿）

（登録簿）

第68条の5　総務大臣は、第68条の3第1項の登録を受けた者（以下「登録修理業者」という。）について、登録修理業者登録簿を備え、次に掲げる事項を登録しなければならない。

一　登録の年月日及び登録番号

二　第68条の3第2項各号に掲げる事項

追加　平成26年法律第63号

概　要

　総務大臣から登録修理業者の登録を受けた者の登録簿への記載事項等を規定している。

　登録の効力発生時期は、本条の規定により総務大臣が所定の事項を登録修理業者登録簿に記載した時点ではなく、第68条の3第1項の登録を受けた時点である。

第68条の6 （変更登録等）

（変更登録等）

第68条の6　登録修理業者は、第68条の3第2項第3号から第5号までに掲げる事項を変更しようとするときは、総務大臣の変更登録を受けなければならない。ただし、(1) 総務省令で定める軽微な変更については、この限りでない。

2　前項の変更登録を受けようとする者は、総務省令で定めるところにより、変更に係る事項を記載した申請書を総務大臣に提出しなければならない。

3　第68条の3第3項及び第68条の4の規定は、第1項の変更登録について準用する。

4　登録修理業者は、第68条の3第2項第1号若しくは第2号に掲げる事項に変更があつたとき、修理方法書を変更したとき（第1項の変更登録を受けたときを除く。）又は第1項ただし書の総務省令で定める軽微な変更をしたときは、遅滞なく、その旨を総務大臣に届け出なければならない。

435

第68条の6・第68条の7

追加　平成26年法律第63号

1　概　要

　登録修理業者は、修理する特定端末機器の範囲が拡大する場合等において、変更登録をしなければならないことを規定している。また、名称、住所等の軽微な事項を変更する場合には、変更の届出をしなければならないことを規定している。

2　条文内容

〔第1項〕

(1)　総務省令で定める軽微な変更については、この限りでない

　　修理する特定端末機器の範囲の縮小については、登録の基準に基づいた審査を要するものではないことから、変更登録ではなく届出の対象としている（技適規則第47条第2項）。

第68条の7　（登録修理業者の義務）

（登録修理業者の義務）
第68条の7　登録修理業者は、その登録に係る特定端末機器を修理する場合には、修理方法書に従い、修理及び修理の確認をしなければならない。
2　登録修理業者は、その登録に係る特定端末機器を修理する場合には、総務省令で定めるところにより、修理及び修理の確認の記録を作成し、これを保存しなければならない。

追加　平成26年法律第63号

概　要

　登録修理業者は、その登録に係る特定端末機器を修理する場合には、修理方法書に従い修理及び修理の確認をするとともに、修理及び修理の確認の記録を作成・保存しなければならないと規定している。

第68条の8（表示）

（表示）

第68条の8　登録修理業者は、その登録に係る特定端末機器を修理したときは、(1) 総務省令で定めるところにより、当該特定端末機器に修理をした旨の表示を付さなければならない。

2　何人も、前項の規定により表示を付する場合を除くほか、国内において端末機器に同項の表示又はこれと紛らわしい表示を付してはならない。

3　登録修理業者は、修理方法書に従い、その登録に係る特定端末機器の修理及び修理の確認をしたときは、総務省令で定めるところにより、当該特定端末機器に、第53条第2項（第104条第4項において準用する場合を含む。）、第58条（第104条第7項において準用する場合を含む。）、第65条又はこの項の規定により当該特定端末機器に付されている表示と同一の表示を付することができる。

追加　平成26年法律第63号

1　概　要

　登録修理業者は、その登録に係る特定端末機器の修理をしたときは、その旨の表示を付さなければならないこととするとともに、何人も、この場合を除き、この表示又はこの表示と紛らわしい表示を付してはならないとしている。

　また、登録修理業者が、修理のために、認証取扱業者等が付した表示を毀損せざるを得ない事態も想定されるが、当該登録修理業者が、技術基準の適合確認を行えば、修理部分も含め、修理端末全体の技術基準適合性は維持されていることになることから、この場合、当該登録修理業者は、毀損した表示と同一の表示を付すことができることとしている。

2　条文内容

〔第1項〕

(1)　総務省令で定めるところにより

　総務省令では、表示は、技適規則第48条第1項の規定により通知された登録番号（T及び6桁の数字）を枠で囲み、「登録修理」の文字に続けて付加したものとしている。

登録修理　│ T × × × × × × │

注1　文字の大きさは、直径３ミリメートル以上であること。

2　材料は、容易に損傷しないものであること。

3　色彩は、適宜とする。ただし、表示を容易に識別することができるものであること。

（技適規則第51条第１項及び様式第19号）

第68条の９（登録修理業者に対する改善命令等）

（登録修理業者に対する改善命令等）

第68条の９　総務大臣は、登録修理業者が ⑴ 第68条の４第１項各号のいずれかに適合しなくなつたと認めるときは、当該登録修理業者に対し、これらの規定に適合するために必要な措置をとるべきことを命ずることができる。

2　総務大臣は、登録修理業者が第68条の７の規定に違反していると認めるときは、当該登録修理業者に対し、修理の方法又は修理の確認の方法の改善その他の措置をとるべきことを命ずることができる。

3　総務大臣は、登録修理業者が修理したその登録に係る特定端末機器が、第52条第１項の総務省令で定める技術基準に適合しておらず、かつ、当該特定端末機器の使用により電気通信回線設備を利用する他の利用者の通信に妨害を与えるおそれがあると認める場合において、当該妨害の拡大を防止するために特に必要があると認めるときは、当該登録修理業者に対し、⑵ 当該特定端末機器による妨害の拡大を防止するために必要な措置を講ずべきことを命ずることができる。

追加　平成26年法律第63号

1　概　要

　登録修理業者が登録の基準に適合しないときに総務大臣が適合命令を行い、また、登録修理業者が修理及び修理の確認並びにその記録の作成及び保存に係る義務に違反しているときに総務大臣が業務の改善命令を行うことができることを規定している（第１項及び第２項）。

第68条の9・第68条の10

　さらに、登録修理業者が修理した特定端末機器が技術基準に適合しておらず、電気通信回線設備を利用する他の利用者の通信に妨害を与えるおそれがあると認める場合には、総務大臣が、当該登録修理業者に対して必要な措置を講ずることを命ずることができることを規定している（第3項）。

2　条文内容

〔第1項〕

(1)　**第68条の4第1項各号のいずれかに適合しなくなつたと認めるとき**

　登録を受けた修理業者であっても、その後の状況変化により、登録の要件に適合しなくなる事態が想定され、このような場合には、適切な修理が担保できなくなるおそれがあるため、総務大臣が登録修理業者に対し、登録の要件に適合するよう必要な措置を命ずることができることとしている。

〔第3項〕

(2)　**当該特定端末機器による妨害の拡大を防止するために必要な措置**

　技術基準に適合しない端末機器が、すでに市場に流通している又は使用されている場合、それが技術基準に適合しているものとして、電気通信事業者の電気通信回線設備に接続し、引き続き使用されるならば、更なる通信の妨害が発生することとなるため、総務大臣が回収等の措置を命ずることができることとしている。

第68条の10（廃止の届出）

（廃止の届出）

第68条の10　登録修理業者は、その登録に係る事業を廃止したときは、遅滞なく、その旨を総務大臣に届け出なければならない。

2　前項の規定による届出があつたときは、第68条の3第1項の登録は、その効力を失う。

追加　平成26年法律第63号

概　要

　登録修理業者がその登録に係る業務の廃止を行う場合の届出を規定している

439

（第1項）。また、当該届出があった場合には、登録修理業者の登録の効力は失われることを規定している（第2項）。

第68条の11（登録の取消し）

（登録の取消し）
第68条の11　総務大臣は、登録修理業者が第68条の4第2項第2号に該当するに至つたときは、その登録を取り消さなければならない。
2　総務大臣は、登録修理業者が次の各号のいずれかに該当するときは、その登録を取り消すことができる。
一　(1) 第68条の6第1項若しくは第4項又は第68条の8第1項の規定に違反したとき。
二　第68条の9の規定による命令に違反したとき。
三　不正な手段により第68条の3第1項の登録又は第68条の6第1項の変更登録を受けたとき。

追加　平成26年法律第63号

1　概　要

総務大臣による登録修理業者の登録の取消しを規定している。

2　条文内容

〔第2項〕

(1)　**第68条の6第1項若しくは第4項又は第68条の8第1項の規定**

登録修理業者が、変更登録若しくは変更の届出義務又は修理をした旨の表示義務に違反したときは、総務大臣は登録を取り消すことができる旨を規定している。

登録修理業者に係る義務のうち、第68条の7各項に違反した場合には、第68条の9第2項において改善命令の対象となる。第68条の10第1項違反については、廃止届出義務違反であり、廃止した者であることから、取消事由には含めておらず、過料に処せられる（第192条）。

第68条の12（登録の抹消）

> （登録の抹消）
>
> 第68条の12　総務大臣は、第68条の10第２項の規定により登録修理業者の登録がその効力を失つたとき、又は前条の規定により登録修理業者の登録を取り消したときは、当該登録修理業者の登録を抹消しなければならない。

追加　平成26年法律第63号

概　要

　登録修理業者からその登録に係る事業を廃止した届出（第68条の10第１項）があり、登録がその効力を失ったとき（同条第２項）又は登録の取消し（第68条の11）をしたときは、総務大臣はその登録を抹消しなければならないことを規定している。

第69条（端末設備の接続の検査）

> （端末設備の接続の検査）
>
> 第69条　利用者は、適合表示端末機器を接続する場合その他 (1) 総務省令で定める場合を除き、電気通信事業者の電気通信回線設備に端末設備を接続したときは、当該電気通信事業者の検査を受け、その接続が第52条第１項の総務省令で定める技術基準に適合していると認められた後でなければ、これを使用してはならない。これを変更したときも、同様とする。
>
> 2　電気通信回線設備を設置する電気通信事業者は、(2) 端末設備に異常がある場合その他電気通信役務の円滑な提供に支障がある場合において必要と認めるときは、利用者に対し、その端末設備の接続が第52条第１項の総務省令で定める技術基準に適合するかどうかの検査を受けるべきことを求めることができる。この場合において、当該利用者は、(3) 正当な理由がある場合その他総務省令で定める場合を除き、その請求を拒んではならない。
>
> 3　前項の規定は、第52条第１項の規定により認可を受けた同項の総務省令

441

第69条

で定める電気通信事業者について準用する。この場合において、前項中
「総務省令で定める技術基準」とあるのは、「規定により認可を受けた技術
的条件」と読み替えるものとする。
4　第1項及び第2項（前項において準用する場合を含む。）の検査に従事
する者は、端末設備の設置の場所に立ち入るときは、その身分を示す証明
書を携帯し、関係人に提示しなければならない。

	改正	平成10年法律第 58号
		平成11年法律第160号
第51条繰下げ改正		平成15年法律第125号
	改正	平成26年法律第 63号
		平成30年法律第 24号

1　概　要

　利用者による端末設備の接続により電気通信事業者の電気通信ネットワークに
支障を及ぼすことを防止するために、電気通信事業者が端末設備の接続の検査を
することができることを規定している。技術基準適合認定等の表示が付された機
器（表示が付されていないものとみなされた場合を除く。）等については、電気
通信事業者の接続の検査が免除される。

2　条文内容

〔第1項〕

(1)　総務省令で定める場合

　本項の総務省令では、電気通信事業者の端末設備の接続の検査を省略できる
場合を規定しており、具体的には、次の場合である（施行規則第32条第1項）。

①　端末設備を同一構内において移動するとき

②　通話の用に供しない端末設備又は網制御機能を有しない端末設備を増設し、
取り替え、又は改造するとき

③　防衛省が、第52条第1項の技術基準に適合するかどうかを判断するため
に必要な資料を提出したとき

④　電気通信事業者が、検査を省略することが適当であるとしてその旨を公示
したものを接続するとき

⑤　電気通信事業者が第52条第1項の規定に基づき総務大臣の認可を受けて
定める技術的条件（利用者の端末設備が送信型対電気通信設備サイバー攻撃

（情報通信ネットワーク又は電磁的方式で作られた記録に係る記録媒体を通じた電子計算機に対する攻撃のうち、送信先の電気通信設備の機能に障害を与える電気通信の送信により行われるもの。）を行うことの禁止に関するもの及び不正アクセス行為の禁止等に関する法律（平成11年法律第128号）第2条第3項に規定するアクセス制御機能に係る同条第2項に規定する識別符号の設定に関するものを除く。）に適合していることについて登録認定機関又は承認認定機関が認定をした端末機器を接続したとき

⑥　専らその全部又は一部を電気通信事業を営む者が提供する電気通信役務を利用して行う放送の受信のために使用される端末設備であるとき

⑦　本邦に入国する者が、自ら持ち込む端末設備（第52条第1項に定める技術基準に相当する技術基準として総務大臣が別に告示する技術基準に適合しているものに限る。）であって、その入国の日から同日以後90日を経過する日までの間に限り使用するものを接続するとき

⑧　電波法第4条の2第2項の規定による届出に係る無線設備である端末設備（第52条第1項で定める技術基準に相当する技術基準として総務大臣が別に告示する技術基準に適合しているものに限る。）であって、当該届出の日から同日以後180日を経過する日までの間に限り使用するものを接続するとき

〔第2項〕

(2)　端末設備に異常がある場合その他電気通信役務の円滑な提供に支障がある場合

　　　例えば、マルウェア等に感染している端末設備が多数ネットワークに接続しており、これらにより送信型対電気通信設備サイバー攻撃が発生する蓋然性が高いことから電気通信役務の円滑な提供に支障がある場合等が想定される。

(3)　正当な理由がある場合その他総務省令で定める場合

　　　利用者が電気通信事業者から端末設備の接続の検査の求めがあった場合に、正当な理由がある場合（検査に従事する者が検査の理由及び必要性を明らかにしない場合及び第4項に規定する身分を示す証明書を携帯していない場合等が想定される。）その他総務省令で定める場合には拒否できることが認められている。

　　　総務省令では、電気通信事業者が、利用者の営業時間外及び日没から日の出までの間において検査を受けるべきことを求めるとき等を規定している（施行規則第32条第2項）。

第69条・第70条

〔第3項〕

　利用者の端末設備が接続されている電気通信回線設備を設置する電気通信事業者とその電気通信設備を接続する他の電気通信事業者であって第52条第1項の規定により技術的条件の認可を受けた者について、利用者に対し、その端末設備が当該技術的条件に適合するかどうかの検査を求めることができることとしている。

　本項の検査は、本条第2項の検査とは異なり、他の電気通信事業者が設置する電気通信回線設備を介して接続された端末設備について、電気通信事業者が利用者に検査を受けるべきことを求めることができるものとなっている。

〔第4項〕

　電気通信事業者による検査は、利用者の居住場所や事業場で行われる場合には、場合によっては利用者の意思に反してまでも行われることもあり、立入検査としての性格を帯びている。このため、利用者に対する権利、自由の制限となる場合があるため、検査を行う者であることを明確にする必要があることから、検査に立ち入るときの身分証明書の携帯及び関係人への提示が規定されている。他方で、この検査に当たり、端末設備の設置の場所に立ち入らない場合には検査に従事する者に身分証明書の携帯及び関係人への提示を義務付ける必要がないことから、これらの義務について、端末設備の設置の場所に立ち入る場合に限定している。

第70条（自営電気通信設備の接続）

（自営電気通信設備の接続）

第70条　電気通信事業者は、電気通信回線設備を設置する電気通信事業者以外の者からその電気通信設備（端末設備以外のものに限る。以下「(1) 自営電気通信設備」という。）をその (2) 電気通信回線設備に接続すべき旨の請求を受けたときは、次に掲げる場合を除き、その請求を拒むことができない。

　一　その自営電気通信設備の接続が、(3) 総務省令で定める技術基準（当該 (4) 電気通信事業者又は当該電気通信事業者とその電気通信設備を接続する他の電気通信事業者であつて総務省令で定めるものが総務大臣の許可を受けて定める技術的条件を含む。次項において同じ。）に適合し

444

第70条

　　ないとき。

　二　その自営電気通信設備を接続することにより当該 (5) 電気通信事業者
　　の電気通信回線設備の保持が経営上困難となることについて当該電気
　　通信事業者が総務大臣の認定を受けたとき。

2　第52条第2項の規定は前項第1号の総務省令で定める技術基準につい
　て、前条の規定は同項の請求に係る自営電気通信設備の接続の検査につい
　て、それぞれ準用する。この場合において、同条第1項中「第52条第1
　項の総務省令で定める技術基準」とあるのは「次条第1項第1号の総務
　省令で定める技術基準（同号の規定により認可を受けた技術的条件を含
　む。次項において同じ。）」と、同条第2項及び第3項中「第52条第1項」
　とあるのは「次条第1項第1号」と、同項中「同項」とあるのは「同号」
　と読み替えるものとする。

改正　　平成11年法律第160号
第52条繰下げ改正　　平成15年法律第125号
改正　　平成30年法律第 24号

1　概　要

　自営電気通信設備を電気通信回線設備に接続することについて、端末設備と同
様に、技術基準及び技術的条件にその接続が適合することを条件に、原則として
利用者による接続を自由としている。

2　条文内容

〔第1項〕

(1)　自営電気通信設備

　　自営電気通信設備とは、電気通信回線設備を設置する電気通信事業者以外の
　者が設置する電気通信設備のうち端末設備以外のものをいう。電力会社や鉄道
　会社等の自営通信システムや端末設備としてはとらえることのできないLAN
　システム等専ら電気通信役務を提供するために用いられるものではない電気通
　信回線設備を想定している。

　　なお、平成22年法律第65号附則第2条の規定により廃止されたが同法附則
　第7条の規定によりなお従前の例によるとされる旧有線放送電話に関する法
　律（昭和32年法律第152号）第7条の規定の適用により電気通信事業者の電気

445

第70条

通信回線設備に接続する有線放送電話業務の用に供される有線電気通信設備は、当該電気通信事業者の当該電気通信回線設備との接続に当たっては、自営電気通信設備として扱われる。

（「有線放送電話業務」とは、有線放送電話役務を提供する業務をいう（旧有線放送電話に関する法律第2条第2項）。「有線放送電話役務」とは、有線ラジオ放送（ラジオの共同聴取、告知放送又は街頭放送）の業務を行うための有線電気通信設備及びこれに附置する送受話器その他の有線電気通信設備を用いて他人の通信を媒介し、その他これらの有線電気通信設備を他人の通信の用に供すること（有線ラジオ放送たるものを除く。）をいう（同条第1項）。）

放送法等の一部を改正する法律（平成22年法律第65号）（抄）
　　　附　則
（有線放送電話に関する法律の廃止に伴う経過措置）
第7条　この法律の施行の際現に附則第2条の規定による廃止前の有線放送電話に関する法律第3条の許可を受けている者に対する同法及び電気通信事業法の規定の適用については、なお従前の例による。

平成22年法律第65号による廃止前の有線放送電話に関する法律（昭和32年法律第152号）（抄）
第7条　有線放送電話業者は、電気通信事業法（昭和59年法律第86号）第70条第1項の規定により、その業務の用に供する有線電気通信設備を同法第2条第5号に規定する電気通信事業者の電気通信回線設備に接続しようとするときは、総務大臣に届け出なければならない。これを変更しようとするときも、同様とする。

---

(2)　電気通信回線設備に接続すべき旨の請求

第52条と同様に、本条においては、「電気通信回線設備」という用語は、その損壊や故障が利用者の利益に及ぼす影響が軽微な電気通信設備については除外されたものとして使用している（第52条第1項を参照のこと）。

(3)　総務省令で定める技術基準

自営電気通信設備の接続に関する技術基準は、原則として総務省令で定めることとされており、端末設備の接続の技術基準が準用されている（端末設備規

則第36条）。

⑷　**電気通信事業者又は当該電気通信事業者とその電気通信設備を接続する他の電気通信事業者であつて総務省令で定めるもの**

　　第52条と同様に、電気通信回線設備を設置しない電気通信事業者が、他の電気通信事業者の電気通信回線設備と接続し、自ら信号の送受信を行う場合においては、前者の電気通信事業者が当該サービスに係る自営電気通信設備の接続の技術的条件の設定を行うことができることとするものである（第52条第1項の解説を参照のこと）。

⑸　**電気通信事業者の電気通信回線設備の保持が経営上困難となる**

　　電気通信回線設備を設置する電気通信事業者が、自営電気通信設備の接続によりそれと因果関係をもって経営上のダメージを受け、電気通信回線設備を保持して事業を継続することが困難となることをいう。第29条第1項第11号における業務の改善命令の発動要件の一つと同義である。

〔第2項〕

　　自営電気通信設備の接続について、その技術基準及び技術的条件に関し、端末設備の接続の技術基準の準則（第52条第2項）を、その接続の検査に関し、端末設備の接続の検査の規定（第69条）を、各々準用している。

第71条（工事担任者による工事の実施及び監督）

（工事担任者による工事の実施及び監督）

第71条　利用者は、端末設備又は自営電気通信設備を接続するときは、⑴工事担任者資格者証の交付を受けている者（以下「工事担任者」という。）に、当該　⑵工事担任者資格者証の種類に応じ、⑶これに係る工事を行わせ、又は実地に監督させなければならない。ただし、⑷総務省令で定める場合は、この限りでない。

2　工事担任者は、その工事の実施又は監督の職務を誠実に行わなければならない。

改正　平成11年法律第160号
第53条繰下げ　平成15年法律第125号

第71条

1 概　要

　利用者による端末設備又は自営電気通信設備の接続は、電気通信に関する知識を要し、その良否は電気通信回線設備を通じて他に与える影響が大きいことから、電気通信回線設備の損傷を事前に防止するとともに、人体の保護を確実ならしめるため、総務大臣がその資格を認定した工事担任者にこれに係る工事を行わせ、又は実地に監督させることを義務付けている。

2　条文内容

〔第1項〕

(1)　**工事担任者資格者証**

　　工事担任者資格者証の様式は、工担者規則第38条第1項及び別表第11号に定められている。有効期限は、定められていない。

(2)　**工事担任者資格者証の種類**

　　「工事担任者資格者証の種類」は、接続工事の態様、工事担任者として求められる知識及び技能の範囲を斟酌して、次条第1項の総務省令（工担者規則第4条）において定めている（第72条第1項の解説を参照のこと）。

(3)　**これに係る工事を行わせ、又は実地に監督させなければならない**

　　「これに係る工事」とは、端末設備又は自営電気通信設備の接続に係る工事のことであり、具体的には、電気通信回線設備への接続やこれに伴う調整及び屋内配線の設置工事など端末設備又は自営電気通信設備の接続により通信が可能となる一切の工事をいう。

　　「実地に監督」するとは、実際に端末設備又は自営電気通信設備の接続に係る工事に従事しなくとも、当該工事に従事する者を指揮し、又は指示し、当該工事作業に関する一切の責任を負うことをいう。

(4)　**総務省令で定める場合**

　　利用者による端末設備又は自営電気通信設備の接続に電気通信に関する知識を要せず、一般の利用者がこれを行ってもネットワークの損傷等が発生せず他の利用者に悪影響が及ばない場合には、総務省令により工事担任者による工事を要しないこととされている。具体的には、専用設備（専用の役務に係る電気通信設備）に端末設備又は自営電気通信設備を接続するとき、船舶・航空機に設置する端末設備のうち海事衛星通信用の船舶地球局設備・航空機地球局設備に接続する端末設備又は岸壁に係留する船舶に臨時に設置する端末設備を接続

448

するとき、技術基準適合認定を受けた端末機器等を一定の方式（プラグジャック方式・アダプタ式ジャック方式・音響結合方式・電波により接続する方式）により接続するときが該当する（工担者規則第3条、平成2年郵政省告示第717号及び昭和60年郵政省告示第224号）。

〔第2項〕

　本項は、工事担任者の職務誠実義務を定めた訓示的規定である。本項の職務誠実義務に違反すると、罰則の適用はないが、第72条第2項において準用する第47条の規定により総務大臣は工事担任者資格者証の返納を命ずることができる（第49条の解説を参照のこと）。

第72条（工事担任者資格者証）

（工事担任者資格者証）

第72条　⑴工事担任者資格者証の種類及び　⑵工事担任者が行い、又は監督することができる端末設備若しくは自営電気通信設備の接続に係る工事の範囲は、総務省令で定める。

2　⑶第46条第3項から第5項まで及び第47条の規定は、工事担任者資格者証について準用する。この場合において、第46条第3項第1号中「電気通信主任技術者試験」とあるのは「工事担任者試験」と、同項第3号中「専門的知識及び能力」とあるのは「知識及び技能」と読み替えるものとする。

改正　平成11年法律第160号
第54条繰下げ改正　平成15年法律第125号

1　概　要

　工事担任者資格者証の種類、工事担任者が行い、又は監督することができる工事の範囲、工事担任者資格者証の交付要件等を定めている。

第72条

2 条文内容

〔第1項〕

(1) 工事担任者資格者証の種類

　　工事担任者資格者証は、端末設備とネットワークとの接続点（インターフェース）において入出力する信号がアナログ信号であるか（アナログ伝送路設備）、あるいはデジタル信号であるか（デジタル伝送路設備）によって、技術基準の内容が大きく異なり、また、接続工事に必要な知識及び技能も異なってくることを勘案するとともに、電気通信技術の進展を考慮した上で、5種（第1・2級アナログ通信、第1・2級デジタル通信及び総合通信）に分けられている（工担者規則第4条）。

(2) 工事担任者が行い、又は監督することができる端末設備若しくは自営電気通信設備の接続に係る工事の範囲

　　工事担任者が行い、又は監督することができる工事の範囲が、工事担任者資格者証の種類に応じて総務省令において定められている。具体的には、第1・2級アナログ通信については、アナログ伝送路設備又は総合デジタル通信用設備に端末設備又は自営電気通信設備を接続するための工事が、第1・2級デジタル通信については、デジタル伝送路設備（総合デジタル通信用設備を除く。）に端末設備又は自営電気通信設備を接続するための工事が、総合通信については、アナログ伝送路設備又はデジタル伝送路設備に端末設備又は自営電気通信設備を接続するための工事が、各々、行い、又は監督することができる工事の範囲として定められている（工担者規則第4条）。

〔第2項〕

　　工事担任者資格者証について、資格者証の交付要件（第46条第3項）、資格者証の交付の欠格事由（第46条第4項）、資格者証の交付に関する手続的事項（第46条第5項）及び資格者証の返納（第47条）に関する規定を準用するための規定である。

(3) 第46条第3項

　　工事担任者資格者証の交付要件は、次のとおりである。

① 工事担任者試験に合格した者

② 工事担任者資格者証の交付を受けようとする者の養成課程で一定の要件を満たすものを修了した者

③ ①及び②と同等以上の知識及び技能を有すると総務大臣が認定した者

ここで、「工事担任者資格者証の交付を受けようとする者の養成課程」とは、工事担任者としての知識を教授し、それにふさわしい能力を身につける一定の電気通信工学関係の課程であり、学校教育法上の大学や専修学校等に設置されているものである。必ずしも工事担任者資格者証の交付を受けようとする者を養成することを直接の目的としていなくてもよいが、認定の基準として、養成課程を確実に実施することのできるものと認める者が実施するものであること等の基準が工担者規則第25条において定められている。

3　参　考
旧公衆電気通信法においては、電電公社及び国際電電が工事担任者の認定を行うこととされていた（第105条）が、本法の制定により電気通信分野に競争原理が導入されたことに伴い、工事担任者の認定という行政的事務については、公正競争を確保する見地から郵政大臣（現在の総務大臣）が行うこととされ、工事担任者が行い、又は監督することができる範囲等について郵政省令（現在の総務省令）で明定するとともに、資格者証制度を導入することにより工事担任者制度の充実が図られ、今日に至っている。

第73条（工事担任者試験）

（工事担任者試験）
第73条　工事担任者試験は、(1) 端末設備及び自営電気通信設備の接続に関して必要な知識及び技能について行う。
2　(2) 第48条第２項及び (3) 第３項の規定は、工事担任者試験について準用する。この場合において、同条第２項中「電気通信主任技術者資格者証」とあるのは、「工事担任者資格者証」と読み替えるものとする。

第55条繰り下げ改正　平成15年法律第125号

1　概　要
工事担任者試験の内容、実施主体、実施手続等について規定している。

第73条

2 条文内容

〔第1項〕

(1) 端末設備及び自営電気通信設備の接続に関して必要な知識及び技能

　工事担任者には、「端末設備及び自営電気通信設備の接続に関して必要な知識及び技能」が要求される。具体的には、電気通信技術の基礎、端末設備の接続のための技術及び理論並びに端末設備の接続に関する法規の知識・技能が求められる（工担者規則第7条）。

　なお、工事担任者は、端末設備又は自営電気通信設備の接続に従事する従事者資格という性格を基本的に有していることから、その「技能」をみるために実技試験を行うことが考えられるが、端末設備のパッケージ化の進展により接続工事が比較的容易となっているため、接続のための一定程度の知識を有していれば容易に技能を修得することができると考えられることから、実技試験は行わないこととされ、原則として筆記又は電子機器その他の機器を使用する方法により工事担任者試験を行うこととされている（工担者規則第5条）。

〔第2項〕

　工事担任者試験について、その実施主体（第48条第2項）に関して、また、その試験科目、受験手続その他実施細目（第48条第3項）に関して、電気通信主任技術者試験に関する規定を準用している。

(2) 第48条第2項

　工事担任者試験は、工事担任者資格者証の区分に応じて、五つに区分される（工担者規則第7条）。工事担任者試験の実施主体は、総務大臣であるが、その試験事務については、総務大臣の指定する指定試験機関が行うこととなる（第74条第1項）。

(3) 第3項

　工事担任者試験の試験科目は、「電気通信技術の基礎」、「端末設備の接続のための技術及び理論」及び「端末設備の接続に関する法規」の3科目である（工担者規則第7条）。

　工事担任者試験の受験手続（工担者規則第13条から第16条まで）、試験回数（工担者規則第12条）及び不正受験者に対する措置（工担者規則第6条）については、電気通信主任技術者試験の場合と同様である。

　試験の免除については、電気通信主任技術者試験と同様、科目合格の制度を設け、合格点を得た試験科目については、3年以内に再び試験を受ける場合は

452

試験を免除するほか、ある種類の工事担任者資格者証の交付を受けた者は、他の種類の工事担任者資格者証に係る試験科目を免除することとされている（工担者規則第8条及び第9条第1項並びに 別表第1号及び第2号）。また、電気通信主任技術者若しくは無線従事者の資格を有する者又は建設業法（昭和24年法律第100号）による技術検定試験の合格者について、当該資格を得るための試験の試験科目及び知識には、工事担任者と共通のものがあることを考慮して、電気通信主任技術者資格者証の交付を受けている者、電波法第41条の規定により無線従事者の免許を受けている者又は建設業法第27条第1項の規定による技術検定のうち検定種目を電気通信工事施工管理とするものに合格した者（ただし、2級の第1次検定に必要な試験にのみ合格した者を除く。）について、一部の試験科目の免除が認められている（工担者規則第9条第2項及び別表第3号）。

さらに、端末設備の接続の工事に関し、一定の実務経歴を有する場合にも一部の試験科目の免除が認められている（工担者規則第10条及び別表第4号）。

このほか、総務大臣の認定を受けた教育施設において認定に係る教育課程を修了した者は、「電気通信技術の基礎」の試験科目の試験が免除される（工担者規則第11条）。

第5節　届出媒介等業務受託者

総　説

　電気通信役務の提供に関する契約の締結の媒介、取次ぎ又は代理の業務等の重要性の増大等を踏まえ、総務大臣が直接に媒介等業務受託者を正確・網羅的・迅速に把握し、行為規範の遵守を含めた監督の実効性を向上させるため、次のとおり、一定の電気通信役務の提供に関する契約の締結の媒介等の業務を行う者について、総務大臣に対する届出義務を課している。

・　届出を行う者：　電気通信事業者又は媒介等業務受託者から委託を受けて第26条第1項各号に掲げる電気通信役務の提供に関する契約の締結の媒介等の業務を行おうとする者

・　届出内容：　届出を行う者の氏名・名称・住所・代表者の氏名（法人の場合）、委託元となる者の氏名・名称・住所、媒介等の業務の対象となる電気通信役務を提供する電気通信事業者の氏名・名称・住所、媒介等の業務の対象となる電気通信役務の別等

・　関係手続：　変更届出、廃止届出等

第73条の2 （媒介等の業務の届出等）

（媒介等の業務の届出等）

第73条の2　電気通信事業者又は媒介等業務受託者から委託を受けて第26条第1項各号に掲げる電気通信役務の提供に関する契約の締結の媒介等の業務を行おうとする者は、総務省令で定めるところにより、次に掲げる事項を記載した書類を添えて、その旨を総務大臣に届け出なければならない。

一　(1) 氏名又は名称及び住所並びに法人にあつては、その代表者の氏名

二　(2) 委託を受ける電気通信事業者又は媒介等業務受託者の氏名又は名称及び住所

三　(3) 当該媒介等の業務に係る電気通信役務を提供する電気通信事業者の氏名又は名称及び住所

四　(4) 当該媒介等の業務に係る電気通信役務についての第26条第1項各号に掲げる電気通信役務の別

五　(5) その他総務省令で定める事項

2　前項の届出をした者（以下「届出媒介等業務受託者」という。）は、(6) 同項各号に掲げる事項に変更があつたときは、遅滞なく、その旨を総務大臣に届け出なければならない。ただし、(7) 総務省令で定める軽微な変更については、この限りでない。

3　届出媒介等業務受託者が前2項の規定による届出に係る第26条第1項各号に掲げる電気通信役務の提供に関する契約の締結の媒介等の業務（以下この項及び次項において「届出媒介等業務」という。）を行う事業の全部を譲渡し、又は届出媒介等業務受託者について合併、分割（届出媒介等業務を行う事業の全部を承継させるものに限る。）若しくは相続があつたときは、当該事業の全部を譲り受けた者又は合併後存続する法人若しくは合併により設立した法人、分割により当該事業の全部を承継した法人若しくは相続人（相続人が二人以上ある場合においてその協議により当該事業を承継すべき相続人を定めたときは、その者）は、届出媒介等業務受託者の地位を承継する。この場合において、届出媒介等業務受託者の地位を承継した者は、遅滞なく、その旨を総務大臣に届け出なければならない。

4　届出媒介等業務受託者は、届出媒介等業務を廃止したときは、遅滞なく、その旨を総務大臣に届け出なければならない。

第73条の2

5　届出媒介等業務受託者たる法人が合併以外の事由により解散したときは、その清算人（解散が破産手続開始の決定による場合にあつては、破産管財人）は、遅滞なく、その旨を総務大臣に届け出なければならない。

追加　令和元年法律第5号
改正　令和4年法律第70号

1　概　要

　総務大臣が直接に媒介等業務受託者を正確・網羅的・迅速に把握し、行為規範の遵守を含めた監督の実効性を確保するため、電気通信事業者又は媒介等業務受託者から委託を受けて第26条第1項各号に掲げる電気通信役務の提供に関する契約の締結の媒介等の業務を行おうとする者について、総務大臣に対する届出義務を課している。

　届出をせず、又は虚偽の届出をして契約の締結の媒介等の業務を行った者は、6月以下の拘禁刑（令和4年法律第68号の施行後。）又は50万円以下の罰金に処する（第185条）。両罰規定（第190条）の適用もある。

2　条文内容

〔第1項〕

　電気通信事業者又は媒介等業務受託者から委託を受けて第26条第1項各号に掲げる電気通信役務の提供に関する契約の締結の媒介等の業務を行おうとする者について、総務大臣への届出を要することを規定している。

　本項の届出制度は、総務大臣が媒介等業務受託者を正確・網羅的・迅速に把握し、監督の実効性の向上を図るものであるから、届出事項は、総務大臣が媒介等業務受託者を把握・監督するために必要な情報としている。

(1)　氏名又は名称及び住所並びに法人にあつては、その代表者の氏名

　　「氏名又は名称」とは、届出を行う者が自然人である場合には「氏名」、法人である場合には「名称」を意味し、「住所」とは、本社、本店等事業遂行の中心となる場所をいう。

(2)　委託を受ける電気通信事業者又は媒介等業務受託者の氏名又は名称及び住所

　　2以上の段階に渡って委託される構造となっている媒介等の業務の全体的な構造を把握するためには、媒介等業務受託者が委託を受ける者を把握する必要があり、その氏名又は名称及び住所を届出事項としている。なお、本届出事項

は、委託を受ける電気通信事業者又は媒介等業務受託者を特定するためのものであり、その特定に当たって不要な代表者の氏名は含まれない。

(3) 当該媒介等の業務に係る電気通信役務を提供する電気通信事業者の氏名又は名称及び住所

　　媒介業務等受託者を適切に監督するため、また、これに加えて、第27条の4の規定により電気通信事業者が媒介等業務受託者を適切に指導等の措置を講じているかを確認するため、媒介等業務受託者がどの電気通信事業者の電気通信役務の提供に関する契約の締結の媒介等の業務を行っているかを把握する必要があることから、媒介等の業務に係る電気通信役務を提供する電気通信事業者の氏名又は名称及び住所を届出事項としている。

(4) 当該媒介等の業務に係る電気通信役務についての第26条第1項各号に掲げる電気通信役務の別

　　媒介等の業務に係る電気通信役務の区分の別は、媒介等業務受託者の把握に当たっての基礎的な情報であり、届出事項としている。

(5) その他総務省令で定める事項

　　総務省令では、具体的には、本条の規定により届出をしようとする者の法人番号（行政手続における特定の個人を識別するための番号の利用等に関する法律（平成25年法律第27号）第2条第15項に規定する法人番号）（法人番号を有するときに限る。）、電話番号及び電子メールアドレス、媒介等の業務に係る再委託の有無等を規定している（施行規則第39条第3項）。

〔第2項〕

　第1項の規定により届け出た事項の変更について遅滞なく届け出ることとしている。

(6) 同項各号に掲げる事項に変更があつたときは、遅滞なく、その旨を総務大臣に届け出なければならない

　　第2項の届出事項の変更の届出は、全ての届出事項について、事後に把握すれば足りるもの又は他律的な要因により変更が生じるものであるため、変更後の届出（事後届出）としている。

(7) 総務省令で定める軽微な変更については、この限りでない

　　第1項の届出をした者（届出媒介等業務受託者）が届け出た事項のうち、当該届出媒介等業務受託者から変更した旨の届出を受けなくとも、媒介等業務受託者の適切な監督に支障が生じない軽微な変更については、届出対象から除外

している。具体的には、総務省令において、当該委託元電気通信事業者等の氏名若しくは名称又は住所のみの変更については、届出を不要としている（施行規則第39条第5項）。

〔第3項〕

届出に係る第26条第1項各号に掲げる電気通信役務の提供に関する契約の締結の媒介等の業務（「届出媒介等業務」）を行う事業の全部を譲渡し、又は届出媒介等業務受託者について合併、分割又は相続があった際は、当該事業の全部を譲り受けた者、合併後の存続法人等、分割により届出媒介等業務を行う事業の全部を承継した法人又は相続人が届出媒介等業務受託者の地位を承継するとし、地位を承継した者は遅滞なく総務大臣に届け出ることとしている。

〔第4項〕

届出媒介等業務を廃止した際は、そのことを総務大臣が把握できるよう、届出媒介等業務受託者は、遅滞なく届け出ることとしている。

「廃止」とは、その営業を消滅させることである。

電気通信事業については、その全部又は一部の休止について、その利用者の利益に及ぼす影響に鑑み、第26条の4において、周知義務を課すとともに、第18条第1項において、総務大臣が把握できるよう届出を要する旨を規定しているが、届出媒介等業務においては、業務の全部又は一部の休止があっても、電気通信事業の休止におけるような利用者の利益に及ぼす影響があるわけではないので、届出義務は課していない。

〔第5項〕

届出媒介等業務受託者たる法人が合併以外の事由により解散した際は、そのことを総務大臣が把握できるよう、清算人は遅滞なく届け出ることとしている。なお、届出媒介等業務受託者たる自然人が死亡した場合には、第3項の承継の手続きに則り、その旨を総務大臣が把握することになる。

第73条の3　（電気通信事業者の業務に関する規定の準用）

（電気通信事業者の業務に関する規定の準用）
第73条の3　第26条及び第27条の2の規定は届出媒介等業務受託者について、第27条の3第2項の規定は同条第1項の規定により指定された電気

通信事業者が提供する移動電気通信役務の提供に関する契約の締結の媒介等の業務を行う届出媒介等業務受託者について、それぞれ準用する。この場合において、次の表の上欄に掲げる規定中同表の中欄に掲げる字句は、それぞれ同表の下欄に掲げる字句に読み替えるものとする。

第26条第1項	締結	締結の媒介等（第27条の4に規定する媒介等をいう。第27条の3第2項において同じ。）
第27条の2第2号	自己	自己若しくは当該勧誘に係る電気通信役務を提供する電気通信事業者
第27条の3第2項第1号	その移動電気通信役務	その媒介等の業務に係る移動電気通信役務
第27条の3第2項第2号	その移動電気通信役務	その媒介等の業務に係る移動電気通信役務
	締結	締結の媒介等
	又は	又は他の

追加　令和元年法律第5号

概　要

　届出媒介等業務受託者の行為規律として、電気通信事業者の行為規律の規定を準用することとしている。

　準用することとしている条項は、第26条（提供条件の説明）及び第27条の2（事実不告知・不実告知の禁止（第1号）、名称等・勧誘目的を明示しない勧誘の禁止（第2号）、勧誘継続行為の禁止（第3号）及びその他利用者利益の保護に支障のおそれがある行為の禁止（第4号））並びに移動電気通信役務の提供に関する第27条の3第2項（端末購入等の補助等の禁止（第1号）及び過度な期間拘束契約の禁止（第2号））となっている。

　提供条件の説明や勧誘は、電気通信事業者だけではなく、媒介等業務受託者が行う、又は行い得るものであり、これにより利用者の利益を阻害するおそれがあることから、第26条及び第27条の2の規定を届出媒介等業務受託者について準用することとしている。

　端末購入等の補助等及び過度な期間拘束契約については、電気通信事業者だけではなく、媒介等業務受託者が行う、又は行い得るものであり、これらを行う目

的は電気通信事業者と同じ（利用者確保）であり、これにより電気通信事業者間の適正な競争関係を阻害するおそれがあることから、第27条の3第2項の規定を届出媒介等業務受託者について準用することとしている。

　本条の規定により準用する各条項の規定に基づき定める総務省令においては、電気通信事業者についての規定を準用している（施行規則第40条及び第40条の2）。

第73条の4 （業務の改善命令）

> （業務の改善命令）
> 第73条の4　総務大臣は、次の各号のいずれかに該当するときは、当該各号に定める者に対し、利用者の利益を確保するために必要な限度において、業務の方法の改善その他の措置をとるべきことを命ずることができる。
> 　一　届出媒介等業務受託者が前条において準用する第26条第1項又は第27条の2の規定に違反したとき　当該届出媒介等業務受託者
> 　二　第27条の3第1項の規定により指定された電気通信事業者が提供する移動電気通信役務の提供に関する契約の締結の媒介等の業務を行う届出媒介等業務受託者が前条において準用する第27条の3第2項の規定に違反したとき　当該届出媒介等業務受託者

追加　令和元年法律第　5号

概　要

　第73条の3において電気通信事業者の行為規律を届出媒介等業務受託者について準用することに伴い、届出媒介等業務受託者が行為規律に違反した場合の業務改善命令の規定を本条に設けている。

　第73条の3において準用する提供条件の説明義務（第73条の3において準用する第26条第1項）、禁止行為（事実不告知・不実告知の禁止、自己の名称等を告げずに勧誘する行為の禁止、勧誘継続行為の禁止及びその他利用者利益の保護に支障のある行為の禁止）（第73条の3において準用する第27条の2）及び移動電気通信役務の提供に関する禁止行為（端末購入等の補助等の禁止及び過度な期間拘束契約の禁止）（第73条の3において準用する第27条の3第2項）について担保するため、総務大臣は、これらに違反した届出媒介等業務受託者に対し、業務の方法の改善その他の措置をとるべきことを命じることができるものとしている。

第6節　指定試験機関等

総　説

　本節は、電気通信主任技術者試験又は工事担任者試験の実施に関する事務を行う指定試験機関の指定の基準、業務、監督等に関する規律（第1款）、登録講習機関の登録の基準、業務、監督等に関する規律（第2款）、登録認定機関の登録の基準、業務、監督等に関する規律（第3款）並びに承認認定機関に関する規律（第4款）について規定している。

　指定試験機関は、行政事務の簡素合理化を図り民間能力の活用を図るため、事務執行の公正中立を確保しながら、定型的・機械的である試験事務を第三者機関が行うことを目的として設けられた制度である。電気通信主任技術者は電気通信事業者による配置が義務付けられており（第45条）、利用者による端末設備又は自営電気通信設備の接続に当たっては、工事担任者による工事の実施又は実地監督が義務付けられている（第71条）。これらの措置は、事業用電気通信設備の技術基準適合性の確保及び電気通信回線設備の損傷防止等電気通信ネットワークの安全・信頼性の確保のためであり、電気通信主任技術者及び工事担任者には一定の専門的知識を有することが求められている。このため、指定試験機関による試験事務の実施については、これを適確に実施することができる法人を申請に基づいて指定することとしており（第74条及び第75条）、判定については一定の要件を満たす試験員に行わせる（第76条）ほか、試験事務規程の作成・認可（第79条）、事業計画等の認可（第80条）、総務大臣による監督命令（第82条）等の措置を講じている。また、試験の中立公正を確保するため、役員及び職員の秘密保持義務（第78条）を規定している。

　登録講習機関の制度は、電気通信主任技術者の受講する講習の効果を担保するため、講習を実施する機関について、一定水準の講習を実施する能力や、公平・中立性を確保するために平成26年法律第63号による本法の改正により創設された。当該機関の登録については、法定する基準に適合する限り、総務大臣の裁量の余地なく登録を受けられることとし（第85条の3）、登録の更新制（第85条の4）、登録簿（第85条の5）等について規定を設けており、業務の規律については、講習事務規程の届出制（第85条の8）、改善命令（第85条の11）、登録の取消し（第85条の13）等の制度を設けている。

　登録認定機関については、既に前節の解説にもあるように、端末機器の技術基

準適合認定を行う機関として、平成15年法律第125号による本法の改正により指定認定機関から移行したものである。当該機関の登録については、法定する基準に適合する限り、総務大臣の裁量の余地なく登録を受けられることとし（第87条）、登録の更新制（第88条）、登録簿（第89条）等について規定を設けており、業務の規律については、業務規程の届出制（第94条）、改善命令（第97条）、登録の取消し（第100条）等の制度を設けている。これらの規定は、平成15年法律第125号による本法の改正により、自主性を尊重したものに改正されたものである（業務規程は従前の認可制から届出制に緩和され、改善命令については発動要件が法定された。）。平成13年法律第62号による本法の改正により、既に指定法人制度の下においても公益法人要件が撤廃され、複数機関の指定による競争的な業務の実施が実現していたが、平成15年法律第125号による本法の改正により、さらに登録認定機関の業務が行政事務ではなく、民間の事業となり、総務大臣の関与も最小限とされている。

　また、承認認定機関は、外国において我が国の技術基準適合認定の制度に類する制度に基づいて端末機器の検査、試験等を行っている者が、外国において、我が国で使用されることとなる端末機器について技術基準適合認定及び設計認証を行う場合における認定機関として、平成10年法律第58号による本法の改正により追加されたものである。承認認定機関に係る規定については、平成15年法律第125号による本法の改正により登録機関制度が指定法人制度から移行した際にこれに伴う改正が行われている（第104条及び第105条の解説を参照のこと）。

第74条

第1款　指定試験機関
第74条（指定試験機関の指定等）

> （指定試験機関の指定等）
> 第74条　総務大臣は、その (1) 指定する者（以下「指定試験機関」という。）
> に、(2) 電気通信主任技術者試験又は工事担任者試験の実施に関する事務
> （以下「試験事務」という。）を行わせることができる。
> 2　指定試験機関の指定は、(3) 総務省令で定める区分ごとに、試験事務を行
> おうとする者の (4) 申請により行う。
> 3　総務大臣は、指定試験機関の指定をしたときは、その旨を (5) 公示しな
> ければならない。
> 4　総務大臣は、指定試験機関の指定をしたときは、当該指定に係る区分の
> 試験事務を行わないものとする。

改正　平成11年法律第160号
第56条繰下げ　平成15年法律第125号

1　概　要

電気通信主任技術者試験及び工事担任者試験について、行政事務の簡素合理化を図り民間能力の活用を図るため、総務大臣は、電気通信主任技術者試験又は工事担任者試験の実施に関する事務を、その指定する第三者機関に行わせることができることとするとともに、その指定に関する手続を規定している。

2　条文内容

〔第1項〕

電気通信主任技術者試験及び工事担任者試験の実施に関する事務については定型的かつ機械的に処理され得るものであることから、総務大臣は、事務執行の公正・中立性を確保することを前提として、民間の第三者機関に当該事務を行わせることができることとしている。

現在、電気通信主任技術者試験及び工事担任者試験の試験事務を行う指定試験機関として、一般財団法人日本データ通信協会が指定されている（昭和60年郵政省告示第250号及び平成17年総務省告示第1023号）。

(1) 指定

総務大臣は、指定により申請者に対し、試験事務を行い得る地位を付与する

463

第74条

ることができる。「指定」により、総務大臣は、第三者機関を行政事務の執行
者たる地位に立たせることとなり、かつ、当該第三者機関に対する監督権限を
行使し得る地位に立つこととなる。

(2) 電気通信主任技術者試験又は工事担任者試験の実施に関する事務

「電気通信主任技術者試験又は工事担任者試験の実施に関する事務」とは、
それぞれの試験に係る事務のうち、試験問題の作成、受験申請の受付、手数料
の収納、受験票の作成及び発送、受験者名簿の作成、試験場の確保、試験の執行、
採点、試験結果の通知等試験を実際に施行する場合に必要な一切の事務をいう。
しかしながら、試験問題の作成の基準の策定、試験の合否の判定基準の策定等
電気通信主任技術者として必要な専門的知識及び能力又は工事担任者として必
要な知識及び技能を有するかについての審査のための基礎となる事項、すなわ
ち試験そのものは、なお、総務大臣が行い得るものとして留保されている。

〔第2項〕

(3) 総務省令で定める区分

指定試験機関の指定の単位については、試験に内在する制約から指定の単位
ごとに一つに限られることとなる（第75条第1項の解説を参照のこと）。具体
的には、試験の区分は電気通信主任技術者資格者証及び工事担任者資格者証の
種類の別とされている（主任技術者規則第44条及び工担者規則第42条）。

(4) 申請により

指定試験機関の指定は、当該機関となろうとする者の申請が前提であり、総
務大臣が一方的に指定することはできない。これは民間への事務委任であるか
ら、民間の第三者機関の意思を尊重するためのものである。

〔第3項〕

(5) 公示

公示の方法としては、官報により告示することにより行うこととされている
（主任技術者規則第57条及び工担者規則第55条）。

〔第4項〕

民間能力を活用してできるだけ行政事務の簡素合理化を図るため、総務大臣は
指定試験機関を指定したときは、その指定に係る試験事務について、一切当該指
定試験機関に委ねることとしている。

第75条（指定試験機関の指定の基準）

（指定試験機関の指定の基準）

第75条　総務大臣は、前条第2項の申請に係る区分の試験事務につき (1) 他に指定試験機関の指定を受けた者がなく、かつ、当該申請が次の各号に適合していると認めるときでなければ、指定試験機関の指定をしてはならない。

一　(2) 職員、設備、試験事務の実施の方法その他の事項についての試験事務の実施に関する計画が試験事務の適確な実施のために適切なものであること。

二　前号の試験事務の実施に関する計画を適確に実施するに足りる (3) 経理的基礎及び技術的能力があること。

三　試験事務以外の業務を行つている場合には、その業務を行うことによつて (4) 試験事務が不公正になるおそれがないこと。

2　総務大臣は、前条第2項の申請をした者が次の各号のいずれかに該当するときは、指定試験機関の指定をしてはならない。

一　(5) 一般社団法人又は一般財団法人以外の者であること。

二　(6) この法律又は有線電気通信法若しくは電波法の規定により罰金以上の刑に処せられ、その執行を終わり、又はその執行を受けることがなくなつた日から2年を経過しない者であること。

三　第84条第1項又は第2項の規定により (7) 指定を取り消され、その取消しの日から2年を経過しない者であること。

四　その (8) 役員のうちに、次のいずれかに該当する者があること。

イ　第2号に該当する者

ロ　第77条第3項の規定による命令により解任され、その解任の日から2年を経過しない者

改正　平成11年法律第160号
第57条繰下げ改正　平成15年法律第125号
改正　平成18年法律第 50号

1　概　要

指定試験機関の指定の基準として、試験事務を適確に実施するための条件を具備しているかについて審査するための基準と申請者の欠格事由を規定している。

第75条

2 条文内容

〔第1項〕

(1) 他に指定試験機関の指定を受けた者がなく

当該申請に係る区分につき複数の指定試験機関が存在することとなれば、試験問題にばらつきが生ずる等試験事務の同一性が損なわれ、受験者の取扱いに不公平が生ずるおそれがあることから、指定試験機関の指定は、前条第2項の総務省令で定める区分ごとに一に限ることとしている。

なお、指定の申請が競合する場合は、試験事務が総務大臣の行う行政事務の代行であるという点に鑑み、本項本号に規定する項目について審査したうえでそれらの各項目に適合する度合いから見て指定試験機関として最も適当である者を一に限り指定することになると考えられる。

(2) 職員、設備、試験事務の実施方法その他の事項についての試験事務の実施に関する計画

第1号では、試験事務の実施に関する計画の妥当性を審査する。「試験事務の実施に関する計画」として、「職員」に係るものとして、職員の配置員数、試験事務に当たる者の資格要件等が審査される。試験事務のうち判定に関する事務については、次条の規定によりそれに当たる者の要件を総務省令で規定しているので、指定の際の基準としても、これに適合することが必要である。

「設備」に係るものは、試験設備その他の設備の内容及び規模等が審査される。「試験事務の実施の方法」に係るものとしては、試験事務の実施日時及び実施場所等が審査される。

この他に「その他の事項」としては、試験事務の実施予定件数等が考えられる。

(3) 経理的基礎及び技術的能力

第2号では、試験事務の実施に関する計画が実際に実施できるだけの「経理的基礎及び技術的能力」の裏付けを審査する。「経理的基礎」があるかどうかについては、通常自己財産を中心として審査されるが、場合によっては、融資を受けることができる能力についての審査が加味されることもある。「技術的能力」とは、試験事務のうち判定に関する事務に当たる者が要件を備えていることの証明、試験設備が技術上問題のないこと等が審査される。

(4) 試験事務が不公正になるおそれ

第3号では、試験事務以外の業務を行っている場合は、そのことによって試

験事務の公正さが害されることのないか審査される。例えば、申請者が、登録講習機関の経営に従事する等、試験事務に特別の利害関係にある場合は、「試験事務が不公正になるおそれ」に該当すると考えられる。

〔第2項〕

(5) 一般社団法人又は一般財団法人

第1号は、試験事務を公正に実施するためには、営利を目的としない法人が適正であることから規定しているものである。

指定試験機関については、国の事務を代行しているという性格に鑑み、指定の要件として、第1項第1号から第3号までを定め、さらに、監督規定として、

① 試験事務規程について認可を受けなければならないこと（第79条第1項）

② 事業計画及び収支予算について総務大臣の認可を受け、事業報告及び収支決算について総務大臣に提出すること（第80条）

③ 総務大臣が監督上必要な命令をすることができること（第82条）

④ 要件、義務及び命令等に違反した場合には、指定が取り消されること（第84条第1項及び第2項）

⑤ 手数料を必要とする業務については、手数料の額について国が実費を勘案して定めていること（第174条第1項）

等を規定しているところである。

このように、指定試験機関については、個々の業務に必要な要件及び監督に関して財務面も含め規定が整備されており、公益社団法人又は公益財団法人としての収益及び費用構造について規律されていることまで求める意義は薄いことから、指定の要件を「公益社団法人又は公益財団法人」ではなく、「一般社団法人又は一般財団法人」としている。

(6) この法律又は有線電気通信法若しくは電波法の規定により罰金以上の刑に処せられ、その執行を終わり、又はその執行を受けることがなくなつた日から2年

第2号は、本法又は電気通信に関する基本法たる有線電気通信法若しくは電波法に規定する罪を犯して刑に処せられたような者は、そもそも行政事務である試験事務を行う者として指定を受ける適格性を欠くものとしており、第12条と同趣旨である。

「その執行を終わり」とは、拘禁刑（令和4年法律第68号の施行後。）等にあっては刑期の終了を、罰金刑にあっては、罰金の完納をいう。「執行を受けることがなくなつた」とは、刑の執行の免除を指し、これには、恩赦法第8

条の「刑の執行の免除」、刑法第5条に規定する外国で言い渡された刑の執行を受けたときの刑の「免除」、同法第31条の時効による「執行の免除」がある。執行猶予の判決を受けた者が、これを取り消されることなく猶予期間を満了したときは、刑の言渡しは効力を失うから（同法第27条）、そのときに本号そのものに該当しないことになり、欠格者ではなくなる。

なお、「2年」の期間は一つの政策判断であり、この程度の期間が経過すれば一定の反省を経て、その欠格性は治癒されるものとみられたものである（第12条第1項第1号、第46条第4項第2号、第50条の3第1項、第85条の3第2項第1号、第87条第2項第1号及び第118条第1号を参照のこと）。

(7) 指定を取り消され

第3号は、指定を取り消されたような者は、そもそも電気通信行政に係る試験事務を行う者として指定を受けるに値しないので規定しているものである。

(8) 役員

第4号は、役員は、法人の業務を執行し又は監査する立場にある者であることから、この役員のうちに、本法又は電気通信の基本法たる有線電気通信法若しくは電波法に違反した者や、第77条第3項の規定による解任命令により解任された経歴を有する者がある場合には、当該法人が試験事務を適確に実施する保障がなくなると考えられることから、規定しているものである。

第76条（試験員）

（試験員）

第76条　指定試験機関は、試験事務を行う場合において、電気通信主任技術者として必要な専門的知識及び能力又は工事担任者として必要な知識及び技能を有するかどうかの (1) 判定に関する事務については、(2) 総務省令で定める要件を備える者（以下「試験員」という。）に (3) 行わせなければならない。

改正　平成11年法律第160号
第58条繰下げ　平成15年法律第125号

1 概　要

　試験事務の適正な実施を確保するため、指定試験機関の試験事務のうち判定に関する事務について試験員に行わせることを規定している。

　指定試験機関の行う試験事務の多くは定型的・機械的に処理されるものであるが、電気通信主任技術者としての必要な専門的知識及び能力又は工事担任者として必要な知識及び技能を有するかどうかの判定に関する事務は、試験の水準及び合否と直接関わるものであることから、これについては一定の要件を満たす者に行わせなければならないものとしている。

2 条文内容

(1) 判定に関する事務

　　判定に関する事務としては、試験問題の作成及び採点の事務がある。

(2) 総務省令で定める要件

　　電気通信主任技術者の試験員の要件は、次のいずれかに該当する者であることである（主任技術者規則第47条）。

　① 電気通信主任技術者資格者証の交付を受けている者であって試験事務に3年以上従事した経験を有するもの

　② 電気通信主任技術者資格者証の交付を受けている者であって、電気通信事業者の事業用電気通信設備の工事、維持又は運用に3年以上従事した経験（指導監督的実務経験1年以上を含む。）を有するもの

　③ 大学等において電気通信工学に関する学科を修めて卒業した者であって、電気通信技術に関する業務に10年以上従事した経験を有するもの

　④ 大学等において電気通信工学に関する学科を担当する教授若しくは准教授の職にあり、又はこれらの職にあった者

　⑤ 総務大臣が①②③又は④と同等以上の専門的知識及び能力を有すると認める者

　　工事担任者試験の試験員の要件は、次のいずれかに該当する者であることである（工担者規則第45条）。

　① 第1級アナログ通信、第1級デジタル通信又は総合通信の資格者証の交付を受けた者であって、試験事務又は端末設備等の接続に係る工事に3年以上従事した経験を有するもの

　② 大学等において電気通信工学に関する学科を修めて卒業した者であって、

電気通信技術に関する業務に10年以上従事した経験を有するもの
③ 大学等において電気通信工学に関する学科を担当する教授若しくは准教授の職にあり、又はこれらの職にあった者
④ 総務大臣が①②又は③と同等以上の知識及び技能を有すると認める者
(3) 行わせなければならない

　指定試験機関が本条の規定に違反したときは、総務大臣は、指定の取消し等の処分を行うことができる（第84条第2項第1号）。

第77条（役員等の選任及び解任）

（役員等の選任及び解任）

第77条　指定試験機関の役員の選任及び解任は、総務大臣の認可を受けなければ、(1) その効力を生じない。

2　指定試験機関は、試験員を選任し、又は解任したときは、(2) 遅滞なく、その旨を総務大臣に (3) 届け出なければならない。

3　総務大臣は、指定試験機関の役員又は試験員が、この法律、この法律に基づく命令若しくは処分又は第79条第1項の試験事務規程に違反したときは、その指定試験機関に対し、その役員又は試験員を (4) 解任すべきことを命ずることができる。

改正　平成11年法律第160号
第59条繰下げ改正　平成15年法律第125号

1　概　要

　指定試験機関の役員及び試験員の選任及び解任の手続について規定している。

2　条文内容

〔第1項〕

　指定試験機関の役員については、指定試験機関の中立公正を確保し、試験事務の執行の適正を確保するためには、試験事務の執行又は監督に当たるべき役員の選任は慎重を期す必要があることから、その選任は総務大臣の認可を必要としている。また、一度選任された役員が試験事務の利害関係者からの圧力等により不当に解任されることがないようにするため、その解任についても総務大臣の認可

第77条・第78条

を必要としている。

(1) その効力を生じない

　　総務大臣の認可を受けなければ、選任又は解任という法律行為の効力が発生しないという意味である。このため、例えば、総務大臣の認可を受けないで選任された役員が法人を代表して行った法律行為は、表見法理が働く場合は格別として、原則として無効である。

〔第2項〕

　　指定試験機関の試験員については、その要件は総務省令に定められている（第76条）ところであり、試験員の員数を指定試験機関の監督の観点から把握しておく必要があるため、その選任及び解任を総務大臣に届け出ることとしている。

(2) 遅滞なく

　　「遅滞なく」とは、可及的速やかにという意味であり、本項の場合は特段の事情がない限り、概ね1週間から10日程度経過するまでにということである。

(3) 届け出なければならない

　　指定試験機関が、本項の規定に違反したときは、総務大臣は指定の取消し等の処分を行うことができる（第84条第2項第1号）。

〔第3項〕

　　指定試験機関の役員及び試験員に適正な者を配置するという本条の趣旨を確保するために、これらの者の解任命令を規定している。

(4) 解任すべきことを命ずることができる

　　本項の解任命令は、指定試験機関に対して発せられるものであり、直接、当該役員又は試験員本人に対して発せられるものではない。なお、本項の規定による命令に違反した指定試験機関に対しては総務大臣は指定の取消し等の処分を行うことができる（第84条第2項第3号）。

第78条（秘密保持義務等）

（秘密保持義務等）

第78条　指定試験機関の役員若しくは ⑴ 職員（試験員を含む。）又はこれらの職にあつた者は、⑵ 試験事務に関して知り得た秘密を ⑶ 漏らしてはならない。

2　試験事務に従事する指定試験機関の役員及び職員（試験員を含む。）は、

471

第78条

---

(4) 刑法（明治40年法律第45号）その他の罰則の適用については、(5) 法令により公務に従事する職員とみなす。

第60条繰下げ　平成15年法律第125号

1 概　要

　試験事務の業務が適確に実施されることを確保するため、指定試験機関の役員及び職員等に対して公務員と同様に秘密保持義務を課し、かつ、罰則の適用についても公務員と同様に扱うことを規定している。

2 条文内容

〔第1項〕

(1) 職員（試験員を含む。）

　　職員とは、指定試験機関と雇用契約を締結している者をいい、その具体的範囲は当該機関の就業規則等で定められることとなる。

　　「試験員を含む」旨規定しているのは、試験員は通常職員となるものと考えられるが、場合によっては雇用契約によらないで委任契約により判定に関する事務の業務に従事することも考えられるためである。

(2) 試験事務に関して知り得た秘密

　　刑法上保護される「秘密」とは、一般に、「小範囲の者にしか知られていない事実で、本人が他に知られないことにつき客観的にみて相当の利益をもつものをいう」と解されており、この点からすれば、試験事務に関して知り得た秘密としては、電気通信主任技術者試験又は工事担任者試験の結果（試験における得点、合否）が考えられる。また、試験事務規程で秘密事項を定めた場合や業務執行役員が個々に秘密事項を指定した場合には「秘密」に該当するものと解される。

(3) 漏らしてはならない

　　秘密を「漏らす」とは、他人に積極的に告げる場合のほか、他人が知り得る状態におくことをいう（第4条の解説を参照のこと）。

　　本項に違反して職務に関し知り得た秘密を漏らした者は、1年以下の拘禁刑（令和4年法律第68号の施行後。）又は50万円以下の罰金に処する（第182条第1項）。

〔第2項〕

(4) 刑法（明治40年法律第45号）その他の罰則の適用

本項により適用されることとなる罰則の規定としては、公務執行妨害罪（刑法第95条第1項）、職務強要罪（同法第95条第2項）、公文書偽造罪（同法第155条）、虚偽公文書作成罪（同法第156条）、公印偽造又は不正使用罪（同法第165条）、公記号偽造又は不正使用罪（同法第166条）、公務員職権濫用罪（同法第193条）、収賄罪（同法第197条から第197条の4まで）、贈賄罪（同法第198条）、公用文書等毀棄罪（同法第258条）の各規定や、暴力行為等処罰ニ関スル法律（大正15年法律第60号）第3条第2項等の規定があげられる。

(5) 法令により公務に従事する職員

刑法その他の罰則においては、公務を保護するため、上記(4)の例にあるような公務若しくは公務員に対する侵害行為を特別に処罰し、又は公務員の行為についてその与える影響から特に犯罪として扱い、若しくは刑を加重する配慮がなされている。その場合、「公務員」とは、「国又は地方公共団体の職員その他法令により公務に従事する議員、委員その他の職員」をいう（刑法第7条第1項）ので、本項により「指定試験機関の役員及び職員（試験員を含む。）」は、刑法上「公務員」とみなされる。また、これらの者は、刑法総則の規定が原則として「他の法令の罪についても、適用」される（同法第8条）ので、刑法以外の罰則の適用においても公務員として扱われることとなる。

なお、指定試験機関の事務所等は、公務員とみなされたその役員及び職員が「職務を行う所」であるから、刑罰の適用上「公務所」となる（同法第7条第2項）。

第79条（試験事務規程）

（試験事務規程）

第79条　指定試験機関は、総務省令で定める試験事務の実施に関する事項について (1)試験事務規程を定め、総務大臣の (2)認可を受けなければならない。これを変更しようとするときも、同様とする。

2　総務大臣は、前項の認可をした試験事務規程が試験事務の適確な実施上不適当となつたと認めるときは、その指定試験機関に対し、これを (3)変

第79条

更すべきことを命ずることができる。

改正　平成11年法律第160号
第61条繰下げ　平成15年法律第125号

1　概　要

　試験事務の適確な実施を確保するため、指定試験機関に試験事務実施のための根本規範である試験事務規程の制定を義務付け、この制定及び変更を総務大臣の認可に係らしめることを規定している。また、認可後においても総務大臣の変更命令によってこの趣旨を担保している。

2　条文内容

〔第1項〕

(1)　**試験事務規程**

　試験事務規程で定めるべき事項としては、次のようなものがある（主任技術者規則第50条及び工担者規則第48条）。

①　試験事務を行う時間及び休日に関する事項

②　試験事務を行う事務所及び試験地に関する事項

③　試験事務の実施の方法に関する事項

④　手数料の収納の方法に関する事項

⑤　試験員の選任及び解任並びにその配置に関する事項

⑥　試験事務に関する秘密の保持に関する事項

⑦　試験事務に関する帳簿及び書類の管理に関する事項

⑧　その他試験事務の実施に関し必要な事項

(2)　**認可を受けなければならない**

　指定試験機関が本項の規定に違反したとき又は本項の認可を受けた試験事務規程によらないで試験事務を行ったときは、総務大臣は、指定の取消し等の処分を行うことができる（第84条第2項第1号又は第4号）。

〔第2項〕

(3)　**変更すべきことを命ずる**

　指定試験機関が、本項の変更命令に違反したときは、総務大臣は指定の取消し等の処分を行うことができる（第84条第2項第3号）。

第80条

第80条（事業計画等）

（事業計画等）

第80条　指定試験機関は、毎事業年度、(1) 事業計画及び収支予算を作成し、当該事業年度の開始前に（指定を受けた日の属する事業年度にあつては、その指定を受けた後遅滞なく）、総務大臣の (2) 認可を受けなければならない。これを変更しようとするときも、同様とする。

2　指定試験機関は、毎事業年度、(3) 事業報告書及び収支決算書を作成し、当該事業年度の終了後３月以内に総務大臣に提出しなければならない。

改正　平成11年法律第160号
第62条繰下げ　平成15年法律第125号

1　概　要

　指定試験機関に対し、事業計画及び収支予算について総務大臣の認可を受けることを義務付けるとともに、事業報告書及び収支決算書を総務大臣に提出することを義務付けている。

　これは、当該事業年度及び将来における試験事務の適正な執行を確保するとともに、適正に執行されなければならない試験事務の裏付けとなる金銭の収支面から担保するため、あらかじめ及び事後的に総務大臣がチェックするものである。

2　条文内容

〔第１項〕

(1)　事業計画及び収支予算

　　事業計画とは、指定試験機関が当該事業年度内において実施することを予定する試験事務の概要等を記載する書類をいい、収支予算とは、当該事業年度における試験事務の収入見積もり並びにこれに応じて支出すべき目的及び金額の予定を記載する書類をいう。

(2)　認可を受けなければならない

　　総務大臣の認可は、試験事務の適正な執行を確保することを目的としたものであることから、本項により認可を受けなければならない事業計画及び収支予算の範囲は、試験事務に関する部分に限られる（ただし、法律上区分経理が義務付けられているわけではないので、他の事業を併せた事業計画等が提出され

475

第80条・第81条

ても違法ではない）。

　なお、試験事務の実施が他の業務との関係で不適正となっているか又はそのおそれがあると認められる場合には、第82条の規定に基づき、必要に応じて当該他の業務に関する事業計画の提出命令等が発せられることもあり得る。

　総務大臣は、事業計画及び収支予算が指定試験機関の能力、予見される受験申請件数等からみて適当である場合は、これを認可することとなる。なお、指定試験機関が本項の規定に違反したときは、指定の取消し等の処分を行うことができる（第84条第2項第1号）。

〔第2項〕

(3)　事業報告書及び収支決算書

　事業報告書とは、当該事業年度において実施した試験事務の概要等を記載した書類をいい、収支決算書とは、予算で定められた各項目の収支状況、予備費の使用額及びその使用の理由、翌事業年度への繰越額等を記載した書類をいう。

第81条（帳簿の備付け等）

（帳簿の備付け等）

第81条　指定試験機関は、(1) 総務省令で定めるところにより、帳簿（その作成に代えて電磁的記録（電子的方式、磁気的方式その他の人の知覚によつては認識することができない方式で作られる記録であつて、電子計算機による情報処理の用に供されるものをいう。以下同じ。）の作成がされている場合における当該 (2) 電磁的記録を含む。以下同じ。）を備え付け、これに (3) 試験事務に関する事項で総務省令で定めるものを記載し、又は記録し、及びこれを保存しなければならない。

改正　平成11年法律第160号
第63条繰下げ改正　平成15年法律第125号
改正　平成30年法律第　24号

1　概　要

　試験事務の実施状況をつまびらかにすることによって試験事務の適正な実施の確保に資するため、指定試験機関に対し、試験事務に関する事項を記載した帳簿を備え付け、かつ、これを保全することを義務付けている。

2 条文内容

(1) 総務省令で定めるところ

帳簿を備え付け、保存する方法が定められている（主任技術者規則第53条第2項及び工担者規則第51条第2項）。具体的には、

① 帳簿を備え付ける場所は、試験事務を行う事務所ごととし、

② 帳簿の保存期間は3年とする

旨が定められている。また、帳簿は電磁的方法による記録媒体により保存することも可能とされている。

(2) 電磁的記録

帳簿の備付け等について、電磁的記録の作成により行うことができる旨を明示している（第116条第1項において準用する場合を含む）。

(3) 試験事務に関する事項で総務省令で定めるもの

帳簿に記載すべき事項としては、

① 試験事務の区分

② 試験年月日

③ 試験地

④ 受験者の受験番号、氏名及び生年月日

⑤ 合否の別

⑥ 合格年月日

が定められている（主任技術者規則第53条第1項及び工担者規則第51条第1項）。

第82条（監督命令）

（監督命令）

第82条　総務大臣は、(1) この法律を施行するため必要があると認めるときは、指定試験機関に対し、(2) 試験事務に関し監督上必要な命令をすることができる。

改正　平成11年法律第160号
第64条繰下げ　平成15年法律第125号

第82条・第83条

1　概　要

指定試験機関に対する総務大臣の監督命令権を定めている。

指定試験機関に対してこのような包括的な監督命令権が付与されているのは、第75条第1項各号（指定の基準）のいずれかに適合しなくなったと認められるとき、又は指定試験機関に対する監督規定に違反したときに、直ちに第84条第1項の規定による指定の取消し等の行政処分を行うのではなく、改善命令又は適合命令を発してできるだけ指定試験機関の存立の維持又は試験事務の適正な継続の維持を図ろうとする趣旨とともに、他の監督規定では対処しえない事態が生じた場合（指定試験機関が行っている試験事務以外の業務に係る資料の提出を命ずる必要性が生じた場合等）に必要な監督命令を可能にするという趣旨による。

2　条文内容

(1)　この法律を施行するため必要があると認めるとき

指定試験機関について規定する本款の規定だけではなく、本法全体の施行上必要と認めるときをも含む趣旨である。試験事務は、電気通信主任技術者試験にあっては事業用電気通信設備の技術基準適合維持義務と、工事担任者試験にあっては端末設備及び自営電気通信設備の接続における技術基準適合性の確保と密接に関連するなど、電気通信設備の技術基準に関する規律の重要な柱の一つをなすものであることから、総務大臣の監督命令は試験事務の適正な実施のために限ることなく、本法全体の施行のために行使することがあり得るものである。

(2)　試験事務に関し監督上必要な命令

本条の規定に基づく監督命令の行使に当たっては、指定試験機関に対する不当な干渉とならないように留意すべきであることを考慮したものである。

なお、指定試験機関が本条の規定に基づく監督命令に違反したときは、総務大臣は、指定の取消し等の処分を行うことができる（第84条第2項第3号）。

第83条（業務の休廃止）

（業務の休廃止）

第83条　指定試験機関は、総務大臣の許可を受けなければ、試験事務の全

第83条

部若しくは (1) 一部を休止し、又は廃止してはならない。

2　総務大臣は、前項の許可をしたときは、その旨を (2) 公示しなければな
らない。

改正　平成11年法律第160号
第65条繰下げ　平成15年法律第125号

1　概　要

　指定試験機関が総務大臣に代わって試験事務を行うものであるとともに、その
試験事務は、同一の区分につき一の者が行うものであるところから、指定試験機
関が勝手に試験事務の休廃止を行うことは、電気通信主任技術者試験及び工事担
任者試験を受けようとする者に不都合をもたらす等電気通信主任技術者試験及び
工事担任者試験の制度の適正な運営に支障を来たすこととなるため、これを総務
大臣の許可に係らしめている。

2　条文内容

〔第1項〕

(1)　一部を休止し、又は廃止

　「一部の休止又は廃止」とは、複数の区分について試験事務を行っている場
合においてある種類の区分について試験事務を休止又は廃止することが該当す
るほか、複数の場所で試験事務を行っている場合において一部の場所における
試験事務を休止又は廃止することが該当する。

〔第2項〕

(2)　公示

　本項の「公示」は、指定試験機関の試験事務の休廃止による受験者の不測の
損害を避ける趣旨から規定されたものである。したがって、公示は実際に試験
事務の休廃止がなされる前に行わなければならないと解される。

　なお、「公示」は、官報に告示することによって行うこととされている（主
任技術者規則第57条及び工担者規則第55条）。

479

第84条

第84条（指定の取消し等）

（指定の取消し等）

第84条　総務大臣は、指定試験機関が第75条第2項第1号、第2号又は第4号に該当するに至つたときは、その指定を取り消さなければならない。

2　総務大臣は、指定試験機関が次の各号のいずれかに該当するときは、その指定を取り消し、又は期間を定めて試験事務の全部若しくは一部の停止を命ずることができる。

一　(1)この款の規定に違反したとき。

二　(2)第75条第1項各号のいずれかに適合しなくなつたと認められるとき。

三　(3)第77条第3項、第79条第2項又は第82条の規定による命令に違反したとき。

四　第79条第1項の規定により認可を受けた試験事務規程によらないで試験事務を行つたとき。

五　不正な手段により指定を受けたとき。

3　総務大臣は、第1項若しくは前項の規定により指定を取り消し、又は同項の規定により試験事務の全部若しくは一部の停止を命じたときは、その旨を (4)公示しなければならない。

改正　平成11年法律第160号
第66条繰下げ改正　平成15年法律第125号

1　概　要

　指定試験機関が種々の監督規律に違反した場合に、指定を存続し、又は試験事務を継続させることは、電気通信主任技術者試験及び工事担任者試験の制度の適正な運営上支障がある場合が考えられることから、総務大臣による指定試験機関に対する指定の取消し及び試験事務の停止命令について規定している。

2　条文内容

〔第1項〕

　指定の必要的取消しを行う場合を定めている。第75条の指定の基準のうち同条第2項で定めるものは、いわゆる欠格事由であり、指定試験機関がこれらの条項（第3号は論理上除外される。）のいずれかに該当するに至ったときは、総務大臣はその指定を取り消さなければならないとしている。

〔第２項〕

指定の任意的取消し又は試験事務の停止命令を行う場合について定めている。

指定試験機関が本項の業務の停止の命令に違反したときは、その違反行為をした指定試験機関の役員又は職員は、１年以下の拘禁刑（令和４年法律第68号の施行後。）又は50万円以下の罰金に処する（第184条）。

(1) この款の規定に違反したとき

「この款の規定」に該当する規定としては、次のようなものがある。

① 第76条（試験員による判定に関する事務の実施）

② 第77条第１項及び第２項（役員の選解任の認可及び試験員の選解任の届出）

③ 第79条第１項（試験事務規程の認可）

④ 第80条（事業計画等の認可及び事業報告書等の提出）

⑤ 第81条（帳簿の備付け等）

⑥ 第83条第１項（試験事務の休廃止の許可）

本号に該当する場合には、情状が重い場合は格別、通常はひとまず第82条の規定による監督命令により指定試験機関に対して改善を図るよう求め、その上で、なお、補正又は改善がなされない場合、本項による処分に至るのが妥当であると解される。

(2) 第75条第１項各号のいずれかに適合しなくなつたと認められるとき

指定の基準に該当しなくなったときである。指定の基準は、申請者が試験事務を行うのに適当な者であるかどうかの判断基準であるため、指定試験機関の存続又はその試験事務の継続の適否の判断基準ともなるものである。

(3) 第77条第３項、第79条第２項又は第82条の規定による命令に違反したとき

指定試験機関の役員若しくは試験員の解任命令（第77条第３項）、試験事務規程の変更命令（第79条第２項）又は指定試験機関に対する監督命令（第82条）に違反したときである。

〔第３項〕

指定試験機関の指定の取消し等による受験者の不測の損害を回避するため、指定試験機関の指定の取消し等を行った場合の公示について規定している。

(4) 公示

「公示」は、官報に告示することによって行うこととされている（主任技術

第84条・第85条

者規則第57条及び工担者規則第55条)。

第85条(総務大臣による試験事務の実施)

（総務大臣による試験事務の実施）

第85条　総務大臣は、指定試験機関が第83条第１項の規定により試験事務
の全部若しくは一部を休止したとき、前条第２項の規定により指定試験機
関に対し試験事務の全部若しくは一部の停止を命じたとき、又は指定試験
機関が天災その他の事由により試験事務の全部若しくは一部を実施するこ
とが困難となつた場合において必要があると認めるときは、第74条第４
項の規定にかかわらず、⑴試験事務の全部又は一部を自ら行うものとする。

２　総務大臣は、前項の規定により試験事務を行うこととし、又は同項の規
定により行つている試験事務を行わないこととするときは、あらかじめそ
の旨を ⑵公示しなければならない。

３　総務大臣が、第１項の規定により試験事務を行うこととし、第83条第
１項の規定により試験事務の廃止を許可し、又は前条第１項若しくは第２
項の規定により指定を取り消した場合における ⑶試験事務の引継ぎその
他の必要な事項は、総務省令で定める。

改正　平成11年法律第160号
第67条繰下げ改正　平成15年法律第125号

1　概　要

　指定試験機関が試験事務を行わなくなった場合、試験事務の空白状態が生ずる
という弊害を避けるため、総務大臣が試験事務を実施することについて規定して
いる。

2　条文内容

〔第１項〕

⑴　試験事務の全部又は一部を自ら行う

　　総務大臣は、指定試験機関の指定をしたときは、その指定に係る試験事務を
　行わないこととしている（第74条第４項）ので、

　　①　指定試験機関が総務大臣の許可を受けて試験事務を休止したとき（第83

条第1項)

② 総務大臣が指定試験機関に対し試験事務の停止を命じたとき（第84条第2項）

③ 指定試験機関が天災等の事由により試験事務を実施することが困難となった場合

には、試験事務の空白状態が生ずることとなる。このため、この弊害を回避するため、①から③までの場合には総務大臣が自ら試験事務を行うこととしている。

なお、指定試験機関が試験事務を総務大臣の許可を受けて廃止したとき、又は指定の取消しを受けたときは、これらは指定関係の終了原因であるので、この場合は当然総務大臣が試験事務を行うこととなる。

〔第2項〕

(2) 公示しなければならない

本項の「公示」は、

① 総務大臣が指定試験機関に代わって臨時に試験事務を行うこととなったこと

② 総務大臣が臨時に行っていた試験事務を、再び指定試験機関が行うこととなったこと

をあらかじめ一般に周知するものである。

本項の「公示」は、官報に告示することによって行うこととされている（主任技術者規則第57条及び工担者規則第55条）。

〔第3項〕

(3) 試験事務の引継ぎその他の必要な事項

本項の総務省令では次の事項を定めている（主任技術者規則第56条及び工担者規則第54条）。

① 試験事務を総務大臣に引き継ぐこと。

② 試験事務に関する帳簿及び書類を総務大臣に引き継ぐこと。

③ その他総務大臣が必要と認める事項

第85条の2

第2款　登録講習機関
第85条の2（登録講習機関の登録）

（登録講習機関の登録）

第85条の2　講習の実施に関する事務（以下「講習事務」という。）を行う者は、別表第1の各項の講習の欄に掲げる講習の区分ごとに、総務大臣の登録を受けることができる。

2　前項の登録を受けようとする者は、(1) 総務省令で定めるところにより、次に掲げる事項を記載した申請書を総務大臣に提出しなければならない。

一　氏名又は名称及び住所並びに法人にあつては、その代表者の氏名

二　登録を受けようとする別表第一の各項の講習の欄に掲げる講習の区分

三　事務所の名称及び所在地

四　講習の講師の選任に関する事項

五　講習事務の開始の予定期日

3　前項の申請書には、(2) 講習事務の実施に関する計画を記載した書類その他総務省令で定める書類を添付しなければならない。

追加　平成26年法律第63号

1　概　要

　電気通信主任技術者の講習の受講に当たっては、適切な内容の講習を実施する機関を要する。その際、講習の効果を担保するためには、講習を実施する機関について、一定水準の講習を実施する能力や、公平・中立性を確保するための国の関与が必要であることから、本件講習を実施する機関について、登録制度とすること、申請により登録講習機関の登録を受けることができる旨を規定している。

2　条文内容

〔第2項〕

(1)　総務省令で定めるところにより

　総務省令では、当該登録に係る申請書の様式を定めている（主任技術者規則第58条第1項及び別表第15号様式）。

〔第3項〕

(2)　**講習事務の実施に関する計画を記載した書類その他総務省令で定める書類**

　　講習事務の実施に関する計画を記載した書類（組織及び運営に関する事項（申請者が法人の場合に限る。）、講習の実施方法並びに講習事務に関する帳簿及び書類の管理に関する事項が記載されたもの）及び次の書類の添付が必要である旨が本項及び総務省令で定められている（主任技術者規則第58条第2項、第3項、別表第16号様式及び別表第17号様式）。

①　定款の謄本及び登記事項証明書（申請者が個人である場合にあっては、過去2年間の経歴を記載した書類）

②　登録の申請に関する意思の決定を証する書類

③　第85条の3第2項各号に該当しないことを示す書類

④　講師が別表第1の要件を満たすことを示す書類

⑤　その他参考となる事項を記載した書類

第85条の3（登録の基準）

（登録の基準）

第85条の3　総務大臣は、前条第1項の登録を申請した者の行う講習事務が、別表第1の各項の講習の欄に掲げる講習の区分に応じ、当該各項の科目の欄に掲げる科目について、それぞれ当該各項の講師の欄に掲げる者のいずれかに該当する者が講師として従事するものであるときは、その登録をしなければならない。

2　次の各号のいずれかに該当する者は、前条第1項の登録を受けることができない。

一　(1)この法律又は有線電気通信法若しくは電波法の規定により罰金以上の刑に処せられ、その執行を終わり、又はその執行を受けることがなくなつた日から2年を経過しない者であること。

二　(2)第85条の13第1項又は第2項の規定により登録を取り消され、その取消しの日から2年を経過しない者であること。

三　(3)法人であつて、その役員のうちに前2号のいずれかに該当する者があること。

3　前条及び前2項に規定するもののほか、同条第1項の登録に関し必要

第85条の3

> な事項は、総務省令で定める。

追加　平成26年法律第63号

1　概　要

　登録講習機関の登録の基準として、講習事務を適確に実施するための条件を具備しているかについて審査するための基準と申請者の欠格事由を規定している。また、第85条の2及び本条に規定するもののほか、登録に関し必要な事項を総務省令に委任している。

2　条文内容

〔第2項〕

(1)　この法律又は有線電気通信法若しくは電波法の規定により罰金以上の刑に処せられ、その執行を終わり、又はその執行を受けることがなくなつた日から2年を経過しない者

　　本法のほか、電気通信事業に特に関係の深い有線電気通信法又は電波法の規定に違反した者について、登録の適格性を欠くものとしている。これにより、電気通信事業者の法令遵守を担保しようとしている。

　　「その執行を終わり」とは、拘禁刑（令和4年法律第68号の施行後。）等にあつては刑期の終了を、罰金刑にあつては罰金の完納をいう。「執行を受けることがなくなつた」とは、刑の執行の免除を指し、これには、恩赦法第8条の「刑の執行の免除」、刑法第5条に規定する外国で言い渡された刑の執行を受けたときの刑の「免除」、同法第31条の時効による「執行の免除」がある。

　　執行猶予の判決を受けた者が、これを取り消されることなく猶予期間を満了したときは、刑の言渡しは効力を失うから（同法第27条）、そのときに本号そのものに該当しないことになり、欠格者ではなくなる。

　　なお、「2年」の期間は一つの政策判断であり、この程度の期間が経過すれば一定の反省を経て、その欠格性は治癒されるものとみられたものである（第12条第1項第1号、第46条第4項第2号、第50条の3第1号、第75条第2項第2号、第87条第2項第1号及び第118条第1号を参照のこと）。

第85条の3・第85条の4

(2) 第85条の13第1項又は第2項の規定により登録を取り消され、その取消しの日から2年を経過しない者

　　登録取消処分を受けた場合には、その処分の日から2年を経過しないと登録の適格性を欠く旨を規定している。

(3) 法人であつて、その役員のうちに前2号のいずれかに該当する者があること

　　法人であって、その役員中に前2号の欠格事由に該当する者がいるときにも、登録の適格性を欠くこととしている。

第85条の4　（登録の更新）

（登録の更新）

第85条の4　第85条の2第1項の登録は、(1) 3年を下らない政令で定める期間ごとにその更新を受けなければ、その期間の経過によつて、その効力を失う。

2　(2) 第85条の2第2項及び第3項並びに前条の規定は、前項の登録の更新について準用する。

追加　平成26年法律第63号

1　概　要

登録講習機関の登録の更新について規定している。

2　条文内容

〔第1項〕

(1) 3年を下らない政令で定める期間ごとに

　　政令では、登録の更新について、3年ごとと定めている（施行令第3条）。

電気通信事業法施行令（昭和60年政令第75号）（抄）

　（登録講習機関に係る登録の有効期間）

第3条　法第85条の4第1項の政令で定める期間は、3年とする。

第85条の4〜第85条の6

〔第2項〕

(2) 第85条の2第2項及び第3項並びに前条の規定は、前項の登録の更新について準用する

　登録の申請書、申請書添付書類及び登録の基準については、登録の更新について準用することを規定している。

第85条の5 （登録簿）

（登録簿）

第85条の5　総務大臣は、登録講習機関について、登録講習機関登録簿を備え、次に掲げる事項を登録しなければならない。

一　登録及びその更新の年月日並びに登録番号

二　第85条の2第2項第1号から第3号までに掲げる事項

追加　平成26年法律第63号

概　要

　総務大臣から登録講習機関の登録を受けた者の登録簿への記載事項等を規定している。登録の効力発生時期は、本項の規定により総務大臣が所定の事項を登録講習機関登録簿に記載した時点ではなく、第85条の2に基づく登録を受けた時点である。

第85条の6 （登録の公示等）

（登録の公示等）

第85条の6　総務大臣は、第85条の2第1項の登録をしたときは、登録講習機関の氏名又は名称及び住所並びに登録に係る別表第1の各項の講習の欄に掲げる講習の区分、講習事務を行う事務所の所在地及び講習事務の開始の日を公示しなければならない。

2　登録講習機関は、第85条の2第2項第1号又は第3号に掲げる事項を変更しようとするときは、変更しようとする日の2週間前までに、その旨

488

第85条の6

　を総務大臣に届け出なければならない。

　3　総務大臣は、前項の規定による届出（ ⑴ 登録講習機関の氏名若しくは
　　名称若しくは住所又は講習事務を行う事務所の所在地の変更に係るものに
　　限る。）があつたときは、その旨を公示しなければならない。

追加　平成26年法律第63号

1　概　要

　登録講習機関に関する公示及びその名称等の変更の届出を規定している。登録
年月日及び登録番号については、変更されることがないため、届出の対象外とし
ている。

2　条文内容

〔第3項〕

⑴　登録講習機関の氏名若しくは名称若しくは住所又は講習事務を行う事務所の
　所在地の変更に係るものに限る

　　「変更」届出の際の公示項目は「登録」の際の公示項目の一部であることを
　明示している。登録及び変更のときに公示される項目は、下表のとおり。

登録講習機関の登録・変更のときの公示項目
（○登録・届出事項、●：公示するもの　×：公示しないもの）

項　　目	登録申請書	登録の公示	変更の届出	変更の公示
氏名（個人）	○	●	○	●
名称（法人）	○	●	○	●
代表者の氏名（法人）	○	×	○	×
住所	○	●	○	●
講習の区分	○	●	－	×
事務所の名称	○	×	○	×
事務所の所在地	○	●	○	●
講習の講師の選任に関する事項	○	×	－	×
講習事務の開始の予定期日 ／講習事務の開始の日	○	●	－	×

第85条の7

第85条の7　（講習事務の実施に係る義務）

（講習事務の実施に係る義務）
第85条の7　登録講習機関は、(1) 公正に、かつ、第85条の3第1項の規定及び (2) 総務省令で定める基準に適合する方法により講習事務を行わなければならない。

追加　平成26年法律第63号

1　概　要

　登録講習機関が講習事務を適確に行うことを担保するため、公正に講習事務を行い、かつ、登録の基準等に適合することを登録講習機関に義務付けている。

2　条文内容

(1)　公正に

　受講者の所属等により差別的取扱いをしないこと等が考えられる。

(2)　総務省令で定める基準

　次について基準が定められている（主任技術者規則第61条第1項及び別表第19号様式）。

①　講習を毎年1回以上行うこと

②　講習は、講義及び修了考査により行うこと

③　講習の講義内容、教材に含める事項及び講義時間は、総務大臣が別に告示するものであること

④　講習の実施に関し必要な事項及び当該講習が登録講習機関として行う講習である旨をあらかじめ公示すること

⑤　講習に関する不正行為を防止するための措置を講じること

⑥　講師は、講義の内容に関する受講者の質問に対し適切に応答すること

⑦　修了考査は、講義の終了後に行い、受講者が講義の内容を十分に理解しているかどうか的確に把握できるものであること

⑧　講習を修了した者に対し、修了証を交付すること

⑨　講習事務以外の業務を行う場合にあっては、当該業務が講習事務であると誤認されるおそれがある表示等をしないこと

第85条の8 (講習事務規程)

（講習事務規程）

第85条の8　登録講習機関は、その登録に係る講習事務に関する規程（次項において「講習事務規程」という。）を定め、講習事務の開始前に、(1) 総務大臣に届け出なければならない。これを変更しようとするときも、同様とする。

2　講習事務規程には、講習の実施方法、講習に関する料金その他の (2) 総務省令で定める事項を定めておかなければならない。

追加　平成26年法律第63号

1　概　要

登録講習機関の講習事務規程の届出及び変更の届出を規定している。

なお、不適当な講習事務規程により講習事務が適切に行われず、第85条の7の規定に違反している場合には、第85条の11の改善命令の対象となる。

2　条文内容

〔第1項〕

(1)　総務大臣に届け出なければならない

総務大臣は、講習を受けようとする者への情報提供や改善措置等の発動等の制度の円滑な運用のため、一定の業務内容を把握しておく必要があり、一定の事項について講習事務規程として登録講習機関に届出を義務付けている。

〔第2項〕

(2)　総務省令で定める事項

次の事項について定めている（主任技術者規則第63条）。

① 講習事務を行う時間及び休日に関する事項

② 講習事務を行う事務所及び講習の実施場所に関する事項

③ 講習の毎事業年度の実施計画の作成に関する事項

④ 講習の実施に係る公示の方法に関する事項

⑤ 講習の受講の申請に関する事項

⑥ 講習の内容及び時間に関する事項

⑦ 講習に用いる教材に関する事項

⑧　修了考査の方法に関する事項

⑨　修了証の交付に関する事項

⑩　講習に関する料金及びその収納の方法に関する事項

⑪　講習事務に関する帳簿及び書類の管理に関する事項

⑫　財務諸表等の備付け及び財務諸表等に係る閲覧の請求の受付に関する事項

⑬　講習事務に関する公正の確保に関する事項

⑭　不正受講者の処分及び当該処分に係る総務大臣への報告に関する事項

⑮　その他講習事務の実施に関し必要な事項

第85条の9　（財務諸表等の備付け及び閲覧等）

（財務諸表等の備付け及び閲覧等）

第85条の9　登録講習機関は、毎事業年度経過後3月以内に、その事業年度の財産目録、貸借対照表及び損益計算書又は収支計算書並びに事業報告書（その作成に代えて電磁的記録の作成がされている場合における当該電磁的記録を含む。次項、第95条及び第192条第2号において「財務諸表等」という。）を作成し、5年間事務所に備えて置かなければならない。

2　講習を受けようとする者その他の利害関係人は、登録講習機関の業務時間内は、いつでも、次に掲げる請求をすることができる。ただし、(1)第2号又は第4号の請求をするには、登録講習機関の定めた費用を支払わなければならない。

一　財務諸表等が書面をもつて作成されているときは、当該書面の閲覧又は謄写の請求

二　前号の書面の謄本又は抄本の請求

三　財務諸表等が電磁的記録をもつて作成されているときは、当該電磁的記録に記録された事項を　(2)総務省令で定める方法により表示したものの閲覧又は謄写の請求

四　前号の電磁的記録に記録された事項を　(3)電磁的方法であつて総務省令で定めるものにより提供することの請求又は当該事項を記載した書面の交付の請求

第85条の9

追加　平成26年法律第63号
改正　平成30年法律第24号

1　概　要

　登録講習機関が、財務諸表を作成し、5年間事務所に備え付けておかなければ
ならないことを規定している。講習を受ける者は、登録講習機関を選択する際に
は、その経理状況や事業の状況について、自らの責任で判断する必要があるため、
その判断に不可欠な財務諸表の備付けを登録講習機関に義務付けている。

　なお、会社法第435条第3項の規定等により、貸借対照表、損益計算書等を電
磁的記録をもって作成している場合について、その電磁的記録を財務諸表等に含
むこととしている。

2　条文内容

〔第2項〕

　財務諸表等が書面で作成されている場合と電磁的記録で作成されている場合と
に分けて、情報開示の具体的な手段を規定し、電磁的記録については、その閲覧
方法等を総務省令で定めることとしている。

⑴　第2号又は第4号の請求をするには、登録講習機関の定めた費用を支払わな
　ければならない

　　登録講習機関に費用が発生する請求について、請求者が登録講習機関に費用
　を払わなければならないこととしている。

⑵　総務省令で定める方法により表示したもの

　　総務省令では、電磁的記録に記録された事項を紙面又は出力装置の映像面に
　表示する方法を定めている（主任技術者規則第64条第1項）。

⑶　電磁的方法であつて総務省令で定めるもの

　　総務省令では、次に掲げるもののうち登録講習機関が定めるものと定めてい
　る（主任技術者規則第64条第2項）。

　①　送信者の使用に係る電子計算機と受信者の使用に係る電子計算機とを電気
　　通信回線で接続した電子情報処理組織を使用する方法であって、当該電気通
　　信回線を通じて情報が送信され、当該受信者の使用に係る電子計算機に備え
　　られたファイルに当該情報が記録されるもの

　②　磁気ディスク等をもって調製するファイルに情報を記録したものを交付す

493

第85条の9・第85条の10

る方法

第85条の10（帳簿の備付け等）

（帳簿の備付け等）

第85条の10　登録講習機関は、(1) <u>総務省令で定めるところにより</u>、帳簿を備え付け、これに講習事務に関する事項で　(2) <u>総務省令で定めるもの</u>を記載し、又は記録し、及びこれを保存しなければならない。

追加　平成26年法律第63号
改正　平成30年法律第24号

1　概　要

　登録講習機関の帳簿の備え付け、記載又は記録、保存の義務について規定している。登録講習機関の講習事務の状況を詳らかにするとともに、総務大臣においてその状況を把握することにより、登録講習機関における講習事務の適正な運営の確保に資するため、帳簿の記載又は記録と保存とを登録講習機関に義務付けている。

2　条文内容

(1)　<u>総務省令で定めるところにより</u>

　　登録講習機関は、帳簿を講習事務を行う事務所ごとに作成して備え付け、その作成した日から5年間保存しなければならないこと等が定められている（主任技術者規則第65条第1項及び第2項）。

(2)　<u>総務省令で定めるもの</u>

　　次の事項が定められている（主任技術者規則第65条第3項）。

①　講習の実施年月日、実施時間及び実施場所

②　受講申込者数、受講者数及び講習修了者数

③　講師の氏名並びに担当した講義内容及び講義時間

④　講習修了者一覧表に記載する事項

第85条の11（改善命令等）

（改善命令等）
第85条の11　総務大臣は、登録講習機関が (1) 第85条の３第１項の規定に
適合しなくなつたと認めるときは、当該登録講習機関に対し、同項の規定
に適合するため必要な措置をとるべきことを命ずることができる。
2　総務大臣は、登録講習機関が (2) 第85条の７の規定に違反していると認
めるときは、当該登録講習機関に対し、同条の規定による講習事務を行う
べきこと又は (3) 講習の方法その他の業務の方法の改善に関し必要な措置
をとるべきことを命ずることができる。

追加　平成26年法律第63号

1　概　要

　登録講習機関が登録の基準に適合しないときに総務大臣が適合命令を行い、ま
た、登録講習機関が講習事務の実施に係る義務に違反しているときに総務大臣が
業務の改善命令を行うことができる旨を規定している。

2　条文内容

〔第１項〕

(1)　第85条の３第１項の規定に適合しなくなつたと認めるとき

　　登録講習機関が、その後の事情の変化により、登録の要件に適合しなくなる
事態が想定され、このような場合には、適切な講習の実施が阻害されるおそれ
があることから、総務大臣が登録講習機関に対し、登録の要件に適合するよう
必要な措置を命ずることができることとしている。

〔第２項〕

(2)　第85条の７の規定に違反していると認めるとき

　　登録講習機関において講習事務の実施に係る義務への違反がある場合は、適
切な講習の実施が阻害されるおそれがあることから、総務大臣は、登録講習機
関に対し、講習の方法等に関し業務の改善を命ずることができることとしている。

(3)　講習の方法その他の業務の方法

　　職員の配置方法や講師の選任方法、営業時間、帳簿及び書類の管理方法等が
想定される。

第85条の12（講習事務の休廃止）

（講習事務の休廃止）

第85条の12　登録講習機関は、その登録に係る講習事務を休止し、又は廃止しようとするときは、(1) 総務省令で定めるところにより、あらかじめ、その旨を総務大臣に届け出なければならない。

2　登録講習機関が講習事務の全部を廃止したときは、当該登録講習機関の登録は、その効力を失う。

3　総務大臣は、第１項の規定による届出があつたときは、その旨を公示しなければならない。

追加　平成26年法律第63号

1　概　要

登録講習機関がその登録に係る業務の休廃止を行う場合の届出及びその公示について規定している。

2　条文内容

〔第１項〕

(1)　総務省令で定めるところにより

①休止（廃止）しようとする講習事務の範囲、②休止（廃止）しようとする年月日及び休止しようとする場合はその期間並びに③休止（廃止）の理由について記載した届出書の提出が求められることが定められている（主任技術者規則第66条及び別表第22号様式）。

第85条の13（登録の取消し等）

（登録の取消し等）

第85条の13　総務大臣は、登録講習機関が第85条の３第２項第１号又は第３号に該当するに至つたときは、その登録を取り消さなければならない。

2　総務大臣は、登録講習機関が次の各号のいずれかに該当するときは、その登録を取り消し、又は期間を定めてその登録に係る (1) 講習事務の全部

第85条の13

若しくは一部の停止を命ずることができる。
一 (2)この款の規定に違反したとき。
二 正当な理由がないのに第85条の9第2項各号の規定による請求を拒んだとき。
三 第85条の11の規定による命令に違反したとき。
四 不正な手段により第85条の2第1項の登録又はその更新を受けたとき。
3 総務大臣は、第1項若しくは前項の規定により登録を取り消し、又は同項の規定により講習事務の全部若しくは一部の停止を命じたときは、その旨を公示しなければならない。

追加 平成26年法律第63号

1 概 要

登録講習機関の登録の取消し（第1項）、登録講習機関に対する業務の停止命令（第2項）及びそれらの公示（第3項）について規定している。

登録講習機関が、欠格条項に該当したときは、総務大臣はその登録を取り消さなければならないとし（第1項）、①第2章第6節第2款（第85条の2から第85条の15まで）の規定に違反したとき、②財務諸表等の閲覧等を不当に拒んだとき、③適合命令又は改善命令に違反したとき、④不正な手段により登録又はその更新を受けたときについて、総務大臣は登録の取消しや、講習の全部又は一部の停止を命ずることができる旨を規定している（第2項）。

登録講習機関が第2項の事務の停止命令に違反したときは、その違反行為をした登録講習機関の役員又は職員は、1年以下の拘禁刑（令和4年法律第68号の施行後。）又は50万円以下の罰金に処する（第182条）。両罰規定（第190条）の適用もある。

2 条文内容

〔第2項〕

(1) 講習事務の全部若しくは一部の停止

総務大臣が講習の停止命令を行おうとする場合に、どの場合にも全ての講習についてこれを命じなければならないとすると、講習を受けようとする者の利

第85条の13〜第85条の15

益が損なわれる場合があることも想定されることから、「講習の全部又は一部」
としている。

(2) この款の規定に違反したとき

登録事項の変更の届出、講習規程の届出、業務の休廃止の届出の義務又は財
務諸表等若しくは帳簿の備付け等の義務に違反したとき等である。

第85条の14（登録の抹消）

（登録の抹消）

第85条の14　総務大臣は、第85条の4第1項若しくは第85条の12第2項
の規定により登録講習機関の登録がその効力を失つたとき、又は前条第1
項若しくは第2項の規定により登録講習機関の登録を取り消したときは、
当該登録講習機関の登録を抹消しなければならない。

追加　平成26年法律第63号

概　要

登録講習機関が登録の更新をしないとき（第85条の4第1項）若しくは登録
講習機関からその登録に係る講習事務の全部を廃止した届出（第85条の12第1
項）があり、登録がその効力を失つたとき（同条第2項）又は登録の取消し（第
85条の13第1項又は第2項）をしたときは、総務大臣はその登録を抹消しなけ
ればならないことを規定している。

第85条の15（総務大臣による講習事務の実施）

（総務大臣による講習事務の実施）

第85条の15　総務大臣は、第85条の2第1項の登録を受けた者がいないと
き、第85条の12第1項の規定による講習事務の休止又は廃止の届出があ
つたとき、第85条の13第1項若しくは第2項の規定により登録を取り消
し、又は同項の規定により登録講習機関に対し講習事務の全部若しくは一
部の停止を命じたとき、登録講習機関が天災その他の事由によりその登録

498

第85条の15

に係る講習事務の全部又は一部を実施することが困難となつたとき、その他必要があると認めるときは、講習事務の全部又は一部を自ら行うことができる。

2　総務大臣は、前項の規定により講習事務を行うこととし、又は同項の規定により行つている講習事務を行わないこととするときは、あらかじめその旨を公示しなければならない。

3　総務大臣が第１項の規定により講習事務を行うこととした場合における
(1) 講習事務の引継ぎその他の必要な事項は、総務省令で定める。

追加　平成26年法律第63号

1　概　要

　登録講習機関が講習事務を行わない場合等における総務大臣が行う講習事務の実施について規定している。

2　条文内容

〔第１項〕

　登録講習機関が講習事務を行わなければ、電気通信事業者が電気通信主任技術者へ講習を受講させる義務を履行することができなくなり、電気通信役務の確実かつ安定的な提供の確保に支障が生ずる場合も想定されることから、第85条の２第１項の登録を受ける者がいないとき、登録講習機関の講習事務の休廃止の届出があったとき、登録を取り消したとき、講習事務の停止を命じたとき、天災等によりその登録に係る講習事務の実施が困難となったときその他必要があると認めるときにおいて、総務大臣が自ら講習事務を行うことができることとしている。

〔第３項〕

(1) 講習事務の引継ぎその他の必要な事項は、総務省令で定める

　　総務省令では、次の事項を定めている（主任技術者規則第67条）。

①　講習事務を総務大臣に引き継ぐこと

②　講習事務に関する帳簿及び書類を総務大臣に引き継ぐこと

③　その他総務大臣が必要と認める事項

499

第3款　登録認定機関
第86条（登録認定機関の登録）

（登録認定機関の登録）

第86条　端末機器について、技術基準適合認定の事業を行う者は、(1) 総務省令で定める事業の区分（以下この節において単に「事業の区分」という。）ごとに、総務大臣の登録を受けることができる。

2　前項の登録を受けようとする者は、総務省令で定めるところにより、次に掲げる事項を記載した申請書を総務大臣に提出しなければならない。

一　氏名又は名称及び住所並びに法人にあつては、その代表者の氏名

二　事業の区分

三　事務所の名称及び所在地

四　技術基準適合認定の審査に用いる測定器その他の設備の概要

五　第91条第2項の認定員の選任に関する事項

六　業務開始の予定期日

3　前項の申請書には、技術基準適合認定の業務の実施に関する計画を記載した書類その他総務省令で定める書類を添付しなければならない。

改正　平成11年法律第160号

第68条繰下げ改正　平成15年法律第125号

改正　平成26年法律第 63号

1　概　要

　技術基準適合認定の事業を行う者が、第1項の総務省令で定める事業の区分ごとに総務大臣の登録を受けることができる旨を定め、登録を受けようとする場合の具体的な手続等を規定している。

2　条文内容

〔第1項〕

　端末機器について技術基準適合認定の事業を行う者は、総務省令で定める事業の区分ごとに総務大臣の登録を受けることができることを定めている。

(1)　総務省令で定める事業の区分

　　総務省令では、登録認定機関の登録の単位を定めている。具体的には、端末機器の種類をもって区分がなされており、①通話の用に供する端末機器及び②

それ以外の端末機器の2区分とされている（技適規則第4条）。

〔第2項〕

第1項の登録の申請をしようとする者が、当該申請の際に申請書に記載すべき事項について定めたものである。なお、申請書の様式等その詳細については総務省令で定めることとしている（技適規則第5条第1項及び様式第1号）。

〔第3項〕

申請書に添付することとなる書類を定めるものである。次条の登録基準と関連するが、登録の申請の際に技術基準適合認定の業務の実施に関する計画を記載した書類を添付することとしているのは、登録認定機関は測定器その他の設備を用いるとともに、認定員を配置して技術基準適合認定を行う必要があることから、技術基準適合認定を適切に行うことができることを総務大臣が把握しておく必要があるためである（技適規則第5条第2項及び第3項）。

3 参 考

登録認定機関制度は、平成15年法律第125号による本法の改正により、「公益法人に対する行政の関与の在り方の改革実施計画」（平成14年3月29日閣議決定）を踏まえ、国の事務代行として指定認定機関が行っていたそれまでの技術基準適合認定制度を改め、国の事務代行性のない登録認定機関が技術基準への適合性を認定する制度へと移行したものである。

また、登録認定機関制度への移行に当たっては、技術基準適合認定の業務は民間の自由な活動を基本とすることとし、登録認定機関相互においても競争原理を活用することにより、技術基準適合認定の業務の質の向上を図ることが重要であることから、国の関与は技術基準適合認定の業務の適正かつ公正な実施を確保するために必要最小限のものに限定することとされた。

なお、登録認定機関制度への移行により、技術基準適合認定は国の事務代行性のない民間による行為とされたことから、登録認定機関以外の民間事業者も技術基準適合性の確認を行うことや、また、登録認定機関であっても、登録を受けた事業区分以外の区分において技術基準適合性の確認を行うことは禁止されていない。ただし、登録を受けた事業区分についてのみ、表示を付すことができることとされている。

第87条（登録の基準）

（登録の基準）

第87条　総務大臣は、前条第１項の登録を申請した者（以下この項において「登録申請者」という。）が次の各号のいずれにも適合しているときは、(1) その登録をしなければならない。

一　別表第２に掲げる条件のいずれかに適合する知識経験を有する者が技術基準適合認定を行うものであること。

二　別表第３に掲げる測定器その他の設備であつて、次のいずれかに掲げる較正又は校正（以下この号において「較正等」という。）を受けたもの（(2) その較正等を受けた日の属する月の翌月の１日から起算して１年（技術基準適合認定を行うのに優れた性能を有する測定器その他の設備として総務省令で定める測定器その他の設備に該当するものにあつては、当該測定器その他の設備の区分に応じ、１年を超え３年を超えない範囲内で総務省令で定める期間）以内のものに限る。）を使用して技術基準適合認定を行うものであること。

　　イ　国立研究開発法人情報通信研究機構（ハにおいて「機構」という。）又は電波法第102条の18第１項の指定較正機関が行う較正

　　ロ　計量法（平成４年法律第51号）第135条又は第144条の規定に基づく校正

　　ハ　外国において行う較正であつて、機構又は電波法第102条の18第１項の指定較正機関が行う較正に相当するもの

　　ニ　イからハまでのいずれかに掲げる較正等を受けたものを用いて行う較正等

三　登録申請者が、端末機器の (3) 製造業者、輸入業者又は販売業者（以下この号において「特定製造業者等」という。）に (4) 支配されているものとして次のいずれかに該当するものでないこと。

　　イ　登録申請者が株式会社である場合には、特定製造業者等がその親法人（会社法第879条第１項に規定する親法人をいう。）であること。

　　ロ　登録申請者の役員（持分会社（会社法第575条第１項に規定する持分会社をいう。）にあつては、業務を執行する社員）に占める特定製造業者等の役員又は職員（過去２年間に当該特定製造業者等の役員又

第87条

は職員であつた者を含む。）の割合が２分の１を超えていること。

ハ　登録申請者（法人にあつては、その代表権を有する役員）が、特定製造業者等の役員又は職員（過去２年間に当該特定製造業者等の役員又は職員であつた者を含む。）であること。

2　次の各号のいずれかに該当する者は、前条第１項の登録を受けることができない。

一　(5)この法律又は有線電気通信法若しくは電波法の規定により罰金以上の刑に処せられ、その執行を終わり、又はその執行を受けることがなくなつた日から２年を経過しない者であること。

二　(6)第100条第１項又は第２項（第103条において準用する場合を含む。）の規定により登録を取り消され、その取消しの日から２年を経過しない者であること。

三　(7)法人であつて、その役員のうちに前２号のいずれかに該当する者があること。

3　前条及び前２項に規定するもののほか、同条第１項の (8)登録に関し必要な事項は、総務省令で定める。

改正	平成11年法律第160号
	平成13年法律第 62号
第69条繰下げ改正	平成15年法律第125号
改正	平成17年法律第 87号
	平成26年法律第 63号
	平成26年法律第 67号
	平成29年法律第 27号
	令和２年法律第 30号

1　概　要

前条の規定に基づき行われた登録の申請について、その登録の基準を定めている。

2　条文内容

〔第１項〕

技術基準適合認定を行う者の資格要件（第１号）及び技術基準適合認定の審査に用いる測定器その他の設備（第２号）について、その具体的内容を別表で規定するとしている（別表第２及び別表第３の解説を参照のこと）。また、登録認定

503

第87条

機関としての業務の公正性の要件を規定している（第3号）。

(1) その登録をしなければならない

　　一定の要件に適合する者であれば、行政庁の裁量の余地なく登録されること
を外形的に明らかにするため、「登録しなければならない」旨を規定している。

(2) その較正等を受けた日の属する月の翌月の1日から起算して1年（技術基準
適合認定を行うのに優れた性能を有する測定器その他の設備として総務省令で
定める測定器その他の設備に該当するものにあつては、当該測定器その他の設
備の区分に応じ、1年を超え3年を超えない範囲内で総務省令で定める期間）
以内のものに限る

　　測定器その他の設備では、使用されている部品等についての温度等の環境に
よる一過性の変化（環境変化）と経年的な品質変化（経年変化）により、計測
値の誤差が発生する。その部品に起因する計測値の誤差が、電気信号が測定器
等の各回路間を通過する際に蓄積されて複合的に増幅され、最終的に計測値に
影響を及ぼすこととなる。その測定器等の全体として誤差が許容範囲から逸脱
しない範囲に収まるように、定期的に較正等を行うことにより精度を維持する
必要がある。そのため、登録認定機関の登録の要件の一つとして、別表第3に
掲げる測定器その他の設備であって1年以内に較正等を受けたもの（ただし、
測定器その他の設備については、技術の発達により、部品の集積化が図られ、
構造の単純化等により、誤差が増幅されづらくなり、また、個別の部品につい
ても、環境変化による誤差が生じづらいものも使われるようになっているため、
そのような優れた性能を有する測定器その他の設備として総務省令で定めるも
のに該当するものにあっては、1年を超え3年を超えない範囲内で総務省令で
定める期間以内に較正等を受けたもの）を使用して技術基準適合認定を行うも
のであることを規定している。

(3) 製造業者、輸入業者又は販売業者

　　技術基準適合認定を受ける者は、製造業者及び輸入業者が多数であり、販売
業者は少数であるが、販売業者が登録認定機関を支配した場合の影響度合いに
鑑み、販売業者についても製造業者及び輸入業者と同様に取り扱うこととして
いる。

(4) 支配されているものとして次のいずれかに該当するものでないこと

　　本法における技術基準適合認定制度は、登録認定機関が端末機器の製造業者、
輸入業者又は販売業者に支配された場合には、公正な業務が確保されていると

第87条

は言い難いことから、これらの者による支配を排除するものである。

〔第2項〕

登録の欠格要件を定めている。これにより、欠格要件に該当する者に対しては登録を拒否することとなる。

(5) **この法律又は有線電気通信法若しくは電波法の規定により罰金以上の刑に処せられ、その執行を終わり、又はその執行を受けることがなくなつた日から2年を経過しない者**

本法のほか、電気通信事業に特に関係の深い有線電気通信法又は電波法の規定に違反した者について、登録の適格性を欠くものとしている。これにより、電気通信事業者の法令遵守を担保しようとしている。

「その執行を終わり」とは、拘禁刑（令和4年法律第68号の施行後。）等にあっては刑期の終了を、罰金刑にあっては罰金の完納をいう。「執行を受けることがなくなつた」とは、刑の執行の免除を指し、これには、恩赦法第8条の「刑の執行の免除」、刑法第5条に規定する外国で言い渡された刑の執行を受けたときの刑の「免除」、同法第31条の時効による「執行の免除」がある。

執行猶予の判決を受けた者が、これを取り消されることなく猶予期間を満了したときは、刑の言渡しは効力を失うから（同法第27条）、そのときに本号そのものに該当しないことになり、欠格者ではなくなる。

なお、「2年」の期間は一つの政策判断であり、この程度の期間が経過すれば一定の反省を経て、その欠格性は治癒されるものとみられたものである（第12条第1項第1号、第46条第4項第2号、第50条の3第1号、第75条第2項第2号、第85条の3第2項第1号及び第118条第1号参照）。

(6) **第100条第1項又は第2項（第103条において準用する場合を含む。）の規定により登録を取り消され、その取消しの日から2年を経過しない者**

登録取消処分を受けた場合には、その処分の日から2年を経過しないと登録の適格性を欠く旨を規定している。

(7) **法人であつて、その役員のうちに前2号のいずれかに該当する者があること**

法人であって、その役員中に前2号の欠格事由に該当する者がいるときにも、登録の適格性を欠くこととしている。

〔第3項〕

(8) **登録に関し必要な事項**

「登録に関し必要な事項」とは、登録に関する具体的な審査の方法や審査の

505

第87条・第88条

結果の通知方法等であり、総務省令に委任している。なお、現在、この総務省令は定められていない。

第88条（登録の更新）

（登録の更新）
第88条　第86条第1項の登録は、5年以上10年以内において政令で定める期間ごとにその更新を受けなければ、その期間の経過によつて、その効力を失う。

2　第86条第2項及び第3項並びに前条の規定は、前項の登録の更新について準用する。

追加　平成13年法律第 62号
第69条の2繰下げ改正　平成15年法律第125号

概　要

登録認定機関の登録の更新について規定している。

第1項では、登録認定機関が5年以上10年以内において政令で定める期間ごとにその更新を受けなければ、その期間の経過によって、登録の効力を失うことを定めている。政令では、登録の有効期間は5年としている（施行令第4条）。

電気通信事業法施行令（昭和60年政令第75号）（抄）
（登録認定機関に係る登録の有効期間）
第4条　法第88条第1項の政令で定める期間は、5年とする。

登録の更新を受けることができなかった場合等、期間の経過によってその効力を失う場合においては、業務を廃止せざるを得ないため、第99条第1項の規定による業務の廃止の届出をしなければならない。

506

第89条・第90条

第89条（登録簿）

（登録簿）

第89条　総務大臣は、登録認定機関について、登録認定機関登録簿を備え、次に掲げる事項を登録しなければならない。

一　登録及びその更新の年月日並びに登録番号

二　第86条第2項第1号から第3号までに掲げる事項

追加及び第69条の3繰下げ改正　平成15年法律第125号
改正　平成26年法律第　63号

概　要

登録認定機関の登録簿への記載事項等を規定している。

なお、登録の効力発生時期は、本条の規定により総務大臣が所定の事項を登録認定機関登録簿に記載した時点ではなく、第86条に基づく登録を受けたときである。

第90条（登録の公示等）

（登録の公示等）

第90条　総務大臣は、第86条第1項の登録をしたときは、登録認定機関の氏名又は名称及び住所並びに (1) 登録に係る事業の区分、技術基準適合認定の業務を行う事務所の所在地及び技術基準適合認定の (2) 業務の開始の日を公示しなければならない。

2　登録認定機関は、(3) 第86条第2項第1号又は第3号に掲げる事項を変更しようとするときは、変更しようとする日の2週間前までに、その旨を総務大臣に届け出なければならない。

3　総務大臣は、前項の規定による届出（ (4) 登録認定機関の氏名若しくは名称若しくは住所又は技術基準適合認定の業務を行う事務所の所在地の変更に係るものに限る。）があつたときは、その旨を公示しなければならない。

改正　平成11年法律第160号
第70条繰下げ改正　平成15年法律第125号
改正　平成26年法律第　63号

507

第90条

1　概　要

登録認定機関に関する公示及びその名称等の変更の届出について、規定している。

2　条文内容

〔第1項〕

技術基準適合認定を受けようとする者の利便に資するため、総務大臣が登録認定機関の登録をしたときは、当該登録認定機関の氏名又は名称及び住所等の事項を公示しなければならないこととしている。

(1)　登録に係る

事業の区分、技術基準適合認定の業務を行う事務所の所在地及び技術基準適合認定の業務の開始の日については登録に係るものであることを明確にしている。

(2)　業務の開始の日を公示

事前に一般に周知することで技術基準適合認定を受けようとする者の利便に資する観点から、登録認定機関の業務開始の予定期日を総務大臣が公示することとしている。この趣旨に鑑みれば、業務の開始の日は、実際の業務開始よりも前に公示しておく必要がある。

〔第2項〕

(3)　第86条第2項第1号又は第3号に掲げる事項

登録の申請書の記載事項のうち、「事業の区分」(第86条第2項第2号)については、その変更は新たな登録にほかならず、「認定員の選任」(同項第5号)については、第93条においてその変更があった場合には届出を義務付けることとしているため、除かれている。なお、「業務開始の予定期日」(第86条第2項第6号)については、通常その変更は考えられず、「技術基準適合認定の審査に用いる測定器その他の設備の概要」(同項第4号)については、登録の更新の際に提出することで足りるため、いずれも届出は要さないこととしている。

〔第3項〕

第2項の規定による届出があったときは、同様の観点から、総務大臣がその旨を公示しなければならないこととしている。

(4)　登録認定機関の氏名若しくは名称若しくは住所又は技術基準適合認定の業務を行う事務所の所在地の変更に係るものに限る

「変更」届出の際の公示項目は「登録」の際の公示項目の一部であることを明

確にしている。登録及び変更時に公示される項目は、下表のとおり。

登録認定機関の登録・変更時の公示項目

（○登録・届出事項、●：公示するもの　×：公示しないもの）

項目	登録申請書	登録の公示	変更の届出	変更の公示
氏名（個人）	○	●	○	●
名称（法人）	○	●	○	●
代表者の氏名（法人）	○	×	○	×
住所	○	●	○	●
事業の区分	○	●	－	×
事務所の名称	○	×	○	×
事務所の所在地	○	●	○	●
技術基準適合認定の審査に用いる測定器その他設備の概要	○	×	－	×
第91条第2項の認定員の選任に関する事項	○	×	－	×
業務開始の予定期日／開始の日	○	●	－	×

第91条（技術基準適合認定の義務等）

（技術基準適合認定の義務等）

第91条　登録認定機関は、その登録に係る技術基準適合認定を行うべきことを求められたときは、(1) 正当な理由がある場合を除き、遅滞なく、技術基準適合認定のための審査を行わなければならない。

2　登録認定機関は、前項の審査を行うときは、総務省令で定める方法に従い、別表第2に掲げる条件に適合する知識経験を有する者（以下「 (2) 認定員」という。）に行わせなければならない。

改正　平成11年法律第160号
第71条繰下げ改正　平成15年法律第125号
改正　平成26年法律第 63号

第91条・第92条

1 概　要

　登録認定機関が技術基準適合認定のための審査を行うに当たっての義務を規定している。

2 条文内容

〔第1項〕

　技術基準適合認定の業務の適確な実施により国民の利益に資することを確保するため、登録認定機関が、技術基準適合認定の申込みを理由なく拒否したり、認定を遅らせたりすることがないように、技術基準適合認定のための審査を行う義務を規定している。

(1)　正当な理由

　　認定手数料が支払われなかったり、営業時間外に申込みがされたりした場合や天災地変等により審査業務が不可能な場合をいい、要員の確保ができない等登録認定機関の主観的事情は考慮の対象にならない。

〔第2項〕

(2)　認定員

　　技術基準適合認定の業務が適正に実施されることを確保するため、技術基準適合認定の審査は、審査に必要な知識と能力を有している者（認定員）が行うこととしている（別表第2の解説を参照のこと）。

第92条（技術基準適合認定の報告等）

（技術基準適合認定の報告等）

第92条　登録認定機関は、その登録に係る技術基準適合認定をしたときは、技術基準適合認定を受けた端末機器の種別その他総務省令で定める事項を総務大臣に報告しなければならない。

2　総務大臣は、前項の報告を受けたときは、総務省令で定めるところにより、その旨を公示しなければならない。

第71条の2繰下げ改正　平成15年法律第125号

第92条・第93条

1　概　要

　登録認定機関が技術基準適合認定を行った場合、総務大臣へ一定の事項を報告し、報告を受けた総務大臣は、その旨を公示することを規定している。

2　条文内容

　登録認定機関から技術基準適合認定を受けた端末機器に関する情報は、

① 　端末機器が接続される電気通信事業者による電気通信回線設備の運用管理

② 　端末機器を電気通信回線設備に接続する利用者の利便

③ 　基準不適合機器が市場に流通した場合等における国等による原因究明

のために必要不可欠である。

　このため、当該情報を、総務大臣が電気通信事業者や利用者等に広く公示することが適当であることから、報告徴収規定とは別に、登録認定機関に対し、「技術基準適合認定をしたときは、・・・総務大臣に報告しなければならない」とするとともに、「技術基準適合認定を受けた端末機器」に関し「総務大臣は、・・・その旨を公示しなければならない」としている。

　報告事項は、次のとおりとされている（技適規則第8条第3項及び様式第5号）。

① 　技術基準適合認定を受けた者の氏名又は名称及び住所並びに法人にあっては、その代表者の氏名

② 　技術基準適合認定を受けた端末機器の種類

③ 　技術基準適合認定を受けた端末機器の名称

④ 　技術基準適合認定番号

⑤ 　技術基準適合認定をした年月日

　また、公示は、上記①から⑤までの事項（①については氏名又は名称に限る。）について行うこととされている（技適規則第8条第4項）。

第93条（役員等の選任及び解任）

（役員等の選任及び解任）

第93条　登録認定機関は、役員又は認定員を選任し、又は解任したときは、遅滞なく、その旨を総務大臣に届け出なければならない。

第93条・第94条

追加　平成13年法律第 62号
第71条の3繰下げ改正　平成15年法律第125号

概　要

　登録認定機関の公正な業務を確保する観点から、総務大臣において登録の取消
事由に該当するかどうかを把握するため、登録認定機関の役員等の選解任の届出
を規定している。

第94条（業務規程）

（業務規程）

第94条　登録認定機関は、その ⑴ 登録に係る ⑵ 事業の区分、技術基準適
　合認定の業務の実施の方法その他の総務省令で定める事項について業務規
　程を定め、当該業務の開始前に、総務大臣に届け出なければならない。こ
　れを変更しようとするときも、同様とする。

追加及び第71条の4繰下げ　平成15年法律第125号

1　概　要

　登録認定機関の業務規程の届出及びその変更の届出について規定している。

　総務大臣においては、技術基準適合認定を受けようとする者への情報提供や改
善措置等の発動等の制度の円滑な運用のため、一定の業務内容を把握しておく必
要があり、一定の事項について業務規程として届出を義務付けている。

2　条文内容

⑴　登録に係る

　事業の区分、技術基準適合認定の業務の実施の方法等については登録に係る
　ものであることを明確にしている。

⑵　事業の区分、技術基準適合認定の業務の実施の方法その他の総務省令で定
　める事項

　業務規程に記載する事項は、具体的には、

512

① 登録に係る事業の区分

② 技術基準適合認定の業務を行う時間及び休日に関する事項

③ 技術基準適合認定の業務を行う事務所に関する事項

④ 技術基準適合認定の業務の実施の方法（試験を他者に委託する場合に受託者との間で取り決める事項を含む。）及びその公開の方法に関する事項

⑤ 他の者に試験を委託する場合は、次に掲げる事項

　イ　受託者の氏名又は名称及び住所

　ロ　受託者との間で取り決める事項の閲覧等の方法に関する事項

⑥ 手数料の額及びその収納の方法に関する事項

⑦ 認定員の選任及び解任並びにその配置に関する事項

⑧ 技術基準適合認定の業務に関する秘密の保持に関する事項

⑨ 技術基準適合認定の業務に関する帳簿及び書類の管理に関する事項

⑩ 財務諸表等の備付け及び閲覧等の方法に関する事項

⑪ その他技術基準適合認定の業務の実施に関し必要な事項

の各項目を総務省令において定めている（技適規則第12条）。

第95条（財務諸表等の備付け及び閲覧等）

（財務諸表等の備付け及び閲覧等）

第95条　登録認定機関は、毎事業年度経過後３月以内に、その事業年度の財務諸表等を作成し、５年間事務所に備えて置かなければならない。

２　端末機器を取り扱うことを業とする者その他の利害関係人は、登録認定機関の営業時間内は、いつでも、次に掲げる請求をすることができる。ただし、第２号又は第４号の請求をするには、登録認定機関の定めた費用を支払わなければならない。

　一　財務諸表等が書面をもつて作成されているときは、当該書面の閲覧又は謄写の請求

　二　前号の書面の謄本又は抄本の請求

　三　財務諸表等が電磁的記録をもつて作成されているときは、当該電磁的記録に記録された事項を総務省令で定める方法により表示したものの閲覧又は謄写の請求

第95条

> 四 前号の電磁的記録に記録された事項を電磁的方法であつて総務省令で
> 定めるものにより提供することの請求又は当該事項を記載した書面の交
> 付の請求

追加及び第71条の5繰下げ改正 平成15年法律第125号
改正 平成17年法律第 87号
平成26年法律第 63号

1 概 要

登録認定機関に対し財務諸表等の備付けを義務付けるとともに、利害関係者が
その書面・電磁的記録の閲覧等の請求ができることを規定している。

2 条文内容

〔第1項〕

登録認定機関が財務諸表を作成し、5年間事務所に備え付けておかなければな
らないことを規定している。技術基準適合認定を受ける者は、登録認定機関を選
択する際には、その経理状況や事業の状況について、自らの責任で判断する必要
があるため、その判断に不可欠な財務諸表等の備付けを登録機関に義務付けてい
る。

〔第2項〕

利害関係人は、登録認定機関の営業時間内は、財務諸表等の閲覧等の請求がで
きること等を規定したものである。また、本項は、財務諸表等が書面で作成され
ている場合と電磁的記録で作成されている場合とに分けて、情報開示の具体的な
手段を規定しており、書面の謄本・抄本の請求や電磁的記録に記録された事項の
提供等の請求をする場合には、登録機関に費用が発生することから、請求者が登
録機関に費用を払わなければならないこととしている。

なお、利害関係人という観点からは、製造業者、輸入業者及び販売業者に限定
されず、広く技術基準適合認定等を受けようとする者がこれに該当すると考えら
れ、第56条第1項の規定ぶりとも平仄をとり、「端末機器を取り扱うことを業と
する者」が利害関係人の代表例として示されたものである。

514

第96条・第97条

第96条（帳簿の備付け等）

（帳簿の備付け等）

第96条　登録認定機関は、(1) 総務省令で定めるところにより、帳簿を備え付け、これに (2) 技術基準適合認定の業務に関する事項で総務省令で定めるものを記載し、又は記録し、及びこれを保存しなければならない。

追加及び第71条の6繰下げ　平成15年法律第125号
改正　平成30年法律第 24号

1　概　要

　登録認定機関の帳簿の備付け、記載又は記録、保存の義務について規定している。登録認定機関においてその業務の状況を詳らかにするとともに、総務大臣においてその状況を把握することにより、登録認定機関における業務の適正な運営の確保に資することになるため、帳簿の記載又は記録と保存とを登録認定機関に義務付けている。

2　条文内容

(1) 総務省令で定めるところにより

　総務省令では、帳簿を備え付ける場所、帳簿の保存期間（10年間）等を定めている（技適規則第15条第2項及び第3項）。

(2) 技術基準適合認定の業務に関する事項で総務省令で定めるもの

　帳簿に記載すべき事項として、①技術基準適合認定を求めた者の氏名又は名称、住所及び連絡先、②申込の受理年月日、③端末機器の種類及び設計、④端末機器の名称及び製造番号、⑤試験方法、⑥審査を行った際に使用した測定器等ごとの名称又は型式等、⑦審査の経過及び結果、⑧技術基準適合認定番号及び認定年月日が定められている（技適規則第15条第1項）。

第97条（改善命令等）

（改善命令等）

第97条　総務大臣は、登録認定機関が第87条第1項各号のいずれかに適合

515

第97条

> しなくなつたと認めるときは、当該登録認定機関に対し、これらの規定に
> 適合するため必要な措置をとるべきことを命ずることができる。
> 2　総務大臣は、登録認定機関が第53条第1項又は第91条の規定に違反し
> ていると認めるときは、当該登録認定機関に対し、技術基準適合認定のた
> めの審査を行うべきこと又は技術基準適合認定のための審査の方法その他
> の業務の方法の改善に関し必要な措置をとるべきことを命ずることができ
> る。

追加及び第71条の7繰下げ改正　平成15年法律第125号

1　概　要

　総務大臣は、登録認定機関が登録の基準に適合しないときに適合命令を行い、
また、登録認定機関が技術基準適合認定の義務等に違反しているときに業務の改
善命令を行うことができることを規定している。

2　条文内容

〔第1項〕

　いったん登録を受けた登録認定機関であっても、その後の事情の変化により、
登録基準に適合しなくなる事態が想定され、このような場合には、適切な技術基
準適合認定の業務の実施が阻害されるおそれがあることから、これを防止するた
め、総務大臣は、登録認定機関に対し、登録基準に適合するよう必要な措置をと
るべきことを命ずることができることとしている。

〔第2項〕

　登録認定機関制度においては、登録認定機関による適正かつ公正な業務の実施
が不可欠であるとの観点から、第53条第1項又は第91条の規定に違反し技術基
準適合認定若しくは技術基準適合認定をした旨の表示の適正な実施又は技術基準
適合のための審査を行うに当たっての義務の履行が行われていないと認められる
ときは、総務大臣は、登録認定機関に対し、業務の方法の改善に関し必要な措置
をとるべきことを命ずることができることとしている。なお、「その他の業務の
方法」とは、職員の配置や認定員の選任の方法、営業時間、帳簿及び書類の管理、
測定器等の設備の配置等が想定される。

第98条（技術基準適合認定についての申請及び総務大臣の命令）

> （技術基準適合認定についての申請及び総務大臣の命令）
> 第98条　第53条第1項の規定により技術基準適合認定を求めた者は、その求めに係る端末機器について、登録認定機関が技術基準適合認定のための審査を行わない場合又は登録認定機関の技術基準適合認定の結果に異議のある場合は、総務大臣に対し、登録認定機関が技術基準適合認定のための審査を行うこと又は改めて技術基準適合認定のための審査を行うことを命ずべきことを申請することができる。
> 2　総務大臣は、前項の申請があつた場合において、当該申請に係る登録認定機関が第53条第1項又は第91条の規定に違反していると認めるときは、当該申請に係る登録認定機関に対し、前条第2項の規定による命令をしなければならない。
> 3　総務大臣は、前項の場合において、前条第2項の規定による命令をし、又は命令をしないことの決定をしたときは、遅滞なく、当該申請をした者に通知しなければならない。

追加及び第71条の8繰下げ改正　平成15年法律第125号

1　概　要

　登録認定機関の技術基準適合認定の結果に不服のある者は、総務大臣に対し、登録認定機関が再審査を行うことを求めることができること等を規定している。

2　条文内容

〔第1項〕

　登録認定機関の審査結果に異議がある場合、登録認定機関の参入状況によっては、製造業者等の事業が制限されることとなること、また技術基準適合認定を受けていない場合は、事実上端末機器の製造業者等はその事業を制約されることになり、迅速な解決が必要であることから、製造業者等への救済手段として、技術基準適合認定の妥当性について判断を求める申請を行うことができることとしている。登録認定機関の登録に係る部分について技術基準適合認定を求めた者のみが申請できるのであり、それ以外の部分は申請の対象とはならない。

〔第2項〕

　第1項の申請があった場合に、登録認定機関が技術基準適合認定の義務等に違反していると認めるときは、総務大臣は、前条第2項の規定による業務の改善命令をしなければならないこととしている。

〔第3項〕

　総務大臣は、第2項の場合に、業務の改善命令を行うかどうかの決定をしたときは、遅滞なく申請者に通知しなければならないこととしている。

第99条（業務の休廃止）

（業務の休廃止）

第99条　登録認定機関は、その登録に係る技術基準適合認定の業務を休止し、又は廃止しようとするときは、(1) 総務省令で定めるところにより、あらかじめ、その旨を総務大臣に届け出なければならない。

2　登録認定機関が技術基準適合認定の業務の全部を廃止したときは、当該登録認定機関の登録は、その効力を失う。

3　総務大臣は、第1項の規定による届出があつたときは、その旨を (2) 公示しなければならない。

追加及び第71条の9繰下げ　平成15年法律第125号

1　概　要

　登録認定機関がその登録に係る業務の休廃止を行う場合の届出及びその公示を規定している。

2　条文内容

〔第1項〕

(1)　総務省令で定めるところにより

　登録認定機関の登録は、総務省令で定める事業の区分ごとに行うこととしており（第86条第1項）、当該登録を行った事業区分に該当する技術基準適合認定の業務について休廃止を行う場合には総務大臣に事前に届出を行わなければならないこととしている。届出を行う場合の記載事項としては、

① 休止又は廃止しようとする技術基準適合認定の業務の範囲

② 休止又は廃止しようとする年月日及び休止しようとする場合はその期間

③ 休止又は廃止の理由

がある（技適規則第16条及び様式第11号）。

〔第2項〕

技術基準適合認定の業務の全部を廃止したときに、登録認定機関の登録の効力が失われることとしている。

〔第3項〕

(2) 公示

本項の「公示」は、登録認定機関の技術基準適合認定の業務の休廃止による技術基準適合認定を受けようとする者の不測の損害を避ける趣旨から規定されたものである。したがって、公示は、実際に技術基準適合認定の業務の休廃止がなされる前に行わなければならないと解される。「公示」は、官報に告示することによって行うこととされている（技適規則第18条第1項）。

第100条（登録の取消し等）

（登録の取消し等）

第100条　総務大臣は、登録認定機関が第87条第2項第1号又は第3号に該当するに至つたときは、その登録を取り消さなければならない。

2　総務大臣は、登録認定機関が次の各号のいずれかに該当するときは、その登録を取り消し、又は期間を定めてその登録に係る技術基準適合認定の(1)業務の全部若しくは一部の停止を命ずることができる。

一　(2)この款の規定に違反したとき。

二　(3)第97条の規定による命令に違反したとき。

三　不正な手段により第86条第1項の登録又はその更新を受けたとき。

3　総務大臣は、第1項若しくは前項の規定により登録を取り消し、又は同項の規定により技術基準適合認定の業務の全部若しくは一部の停止を命じたときは、その旨を(4)公示しなければならない。

追加及び第71条の10繰下げ改正　平成15年法律第125号
改正　平成26年法律第 63号

第100条

1　概　　要

登録認定機関の登録の取消し及び登録認定機関に対する業務の停止命令並びにその公示について規定している。

2　条文内容

〔第1項〕

総務大臣は、登録認定機関が登録の欠格事由に該当する場合には、登録を取り消さなければならないこととしている。

〔第2項〕

登録認定機関が、この款の規定に違反し、若しくは登録の基準への適合命令若しくは業務の改善命令に違反したとき、又は不正な手段により登録（更新を含む。）を受けたときに、総務大臣は、登録取消し又は業務の停止命令を行うことができることとしている。

登録認定機関が本項の業務の停止命令に違反したときは、その違反行為をした登録認定機関の役員又は職員は、1年以下の拘禁刑（令和4年法律第68号の施行後。）又は50万円以下の罰金に処する（第182条）。両罰規定（第190条）の適用もある。

(1)　業務の全部若しくは一部

「業務の全部若しくは一部」とは、一の登録に係る事業の区分を業務の全部と捉え、当該登録に係る事業の区分における個々の端末機器の種別に係る部分を業務の一部と捉える。これは、総務大臣が業務の停止命令を行おうとする場合に、いかなる場合でも全ての端末機器についてこれを命じなければならないこととすると、技術基準適合認定を受けようとする者の利益が損なわれる場合があることも想定されるからである。

(2)　この款の規定

本号に該当する規定としては次のものがある。

①　第91条第1項及び第2項（技術基準適合認定のための審査及び認定員による審査）

②　第92条第1項（技術基準適合認定の報告）

③　第93条（役員又は認定員の選解任の届出）

④　第94条（業務規程の届出）

⑤　第95条第1項（財務諸表等の備付け等）

⑥　第96条（帳簿の備付け等）

⑦　第99条（業務の休廃止の届出）

(3)　<u>第97条の規定による命令</u>

　　本号は、登録基準への適合命令（第97条第1項）又は業務の改善命令（同条第2項）に違反したときである。

〔第3項〕

　　総務大臣が登録の取消し及び業務の停止命令をしたときは、技術基準適合認定を受けようとする者に周知させることが必要であるとの観点から、公示しなければならないこととしている。

(4)　<u>公示</u>

　　「公示」は、官報に告示することによって行うこととされている（技適規則第18条第1項）。

第101条（登録の抹消）

（登録の抹消）

第101条　総務大臣は、第88条第1項若しくは第99条第2項の規定により登録認定機関の登録がその効力を失つたとき、又は前条第1項若しくは第2項の規定により登録認定機関の登録を取り消したときは、当該登録認定機関の登録を抹消しなければならない。

追加及び第71条の11繰下げ改正　平成15年法律第125号

概　要

　　登録認定機関が登録の更新をせずその効力を失ったとき（第88条第1項）、業務の全部の廃止により登録の効力を失ったとき（第99条第2項）、又は登録の取消し（前条第1項又は第2項）をしたときは、総務大臣はその登録を抹消しなければならないことを規定している。

第102条

第102条（総務大臣による技術基準適合認定の実施）

（総務大臣による技術基準適合認定の実施）

第102条　総務大臣は、第86条第１項の登録を受ける者がいないとき、又は登録認定機関が第99条第１項の規定により技術基準適合認定の業務を休止し、若しくは廃止した場合、第100条第１項若しくは第２項の規定により登録を取り消した場合、同項の規定により登録認定機関に対し技術基準適合認定の業務の全部若しくは一部の停止を命じた場合若しくは登録認定機関が天災その他の事由によりその登録に係る技術基準適合認定の業務の全部若しくは一部を実施することが困難となつた場合において必要があると認めるときは、(1) 技術基準適合認定の業務の全部又は一部を自ら行うものとする。

２　総務大臣は、前項の規定により技術基準適合認定の業務を行うこととし、又は同項の規定により行つている技術基準適合認定の業務を行わないこととするときは、あらかじめその旨を (2) 公示しなければならない。

３　総務大臣が第１項の規定により技術基準適合認定の業務を行うこととした場合における (3) 技術基準適合認定の業務の引継ぎその他の必要な事項は、総務省令で定める。

改正　平成10年法律第 58号
平成11年法律第160号
平成13年法律第 62号
第72条繰下げ改正　平成15年法律第125号

1　概　要

　登録認定機関が技術基準適合認定を行わない場合における総務大臣が行う技術基準適合認定の実施について規定している。

2　条文内容

〔第１項〕

(1)　技術基準適合認定の業務の全部又は一部を自ら行う

　　登録認定機関が技術基準適合認定の業務を行わなければ、接続検査不要の法的効果を受けることができず、端末機器の円滑な接続に支障が生ずる場合も想定されることから、登録を受ける者がいないときは当然として、登録認定機関

第102条・第103条

が、業務を休廃止した場合、登録を取り消された場合、業務の停止を命じられた場合、又は天災等により業務の実施が困難となった場合において、他の登録認定機関による機能の代替も期待できないとき等総務大臣が必要と認めるときは、総務大臣が技術基準適合認定を自ら行うこととしている。

〔第2項〕

(2) 公示しなければならない

　　総務大臣が技術基準適合認定の業務を行うこととする等の場合には、技術基準適合認定を受けようとする者に知らしめることが必要であるとの観点から、あらかじめその旨を公示することとしている。「公示」は、官報で告示することによって行うこととされている（技適規則第18条第1項）。

〔第3項〕

(3) 技術基準適合認定の業務の引継ぎその他の必要な事項

　　総務大臣が技術基準適合認定の業務を行うこととした場合に、当該業務の引継ぎその他の必要な事項は、総務省令で定めることとしている。総務省令では、次の事項について登録認定機関が行わなければならないこととしている（技適規則第17条）。

① 技術基準適合認定の業務を総務大臣に引き継ぐこと

② 技術基準適合認定の業務に関する帳簿及び書類を総務大臣に引き継ぐこと

③ その他総務大臣が必要と認める事項

第103条（準用）

（準用）

第103条　第91条から第93条まで、第96条、第97条第2項及び第98条の規定は登録認定機関が設計認証を行う場合について、第94条、第99条、第100条第2項及び第3項並びに前条の規定は登録認定機関が技術基準適合認定の業務及び設計認証の業務を行う場合について準用する。この場合において、第92条第1項中「を受けた」とあるのは「に係る設計に基づく」と、第94条中「当該業務」とあるのは「これらの業務」と、第97条第2項並びに第98条第1項及び第2項中「第53条第1項」とあるのは「第56条第2項」と、同条第1項中「端末機器」とあるのは「設計（当該設計に合致することの確認の方法を含む。）」と読み替えるものとする。

523

第103条

追加　平成10年法律第 58号
改正　平成11年法律第160号
第72条の２繰下げ改正　平成15年法律第125号

概　要

　登録認定機関が設計認証を行う場合並びに登録認定機関が技術基準適合認定の業務及び設計認証の業務を行う場合に関し、技術基準適合認定及び設計認証の規定の準用及び読替えを行うものである。

　本条は、登録認定機関が技術基準適合認定を行う場合の規定である、第91条の技術基準適合認定を行う際の義務等、第92条の技術基準適合認定の報告及びその公示、第93条の役員等の選任及び解任、第96条の帳簿の備付け等、第97条第２項の改善命令、第98条の技術基準適合認定についての申請及び総務大臣の命令の規定を、登録認定機関が設計認証を行う場合に、また、第94条の業務規程、第99条の業務の休廃止の届出、第100条第２項及び第３項の登録の取消し・業務停止命令及び第102条の総務大臣による技術基準適合認定の実施の規定を、登録認定機関が技術基準適合認定の業務及び設計認証の業務を行う場合について準用することとし、必要な読替えを行うものである。

　登録認定機関が本条において準用する第100条第２項の業務の停止命令に違反したときは、その違反行為をした登録認定機関の役員又は職員は、１年以下の拘禁刑（令和４年法律第68号の施行後。）又は50万円以下の罰金に処する（第182条）。両罰規定（第190条）の適用もある。

524

第104条

第4款　承認認定機関
第104条（承認認定機関の承認等）

（承認認定機関の承認等）

第104条　総務大臣は、外国の法令に基づく端末機器の検査に関する制度で技術基準適合認定の制度に類するものに基づいて ⑴ 端末機器の検査、試験等を行う者であつて、⑵ 当該外国において、外国取扱業者が取り扱う本邦内で使用されることとなる端末機器について ⑶ 技術基準適合認定を行おうとするものから申請があつたときは、⑷ 事業の区分ごとに、これを ⑸ 承認することができる。

2　前項の規定による承認を受けた者（以下「承認認定機関」という。）は、その承認に係る技術基準適合認定の業務を休止し、又は廃止したときは、遅滞なく、その旨を総務大臣に届け出なければならない。

3　総務大臣は、前項の規定による届出があつたときは、その旨を公示しなければならない。

4　第53条第1項及び第2項、第55条、第90条第2項及び第3項、第91条、第92条、第94条並びに第96条から第98条までの規定は承認認定機関について、第54条の規定は承認認定機関による技術基準適合認定を受けた者について、第86条第2項及び第3項、第87条並びに第90条第1項の規定は総務大臣が行う第1項の規定による承認について準用する。

5　前項の場合において、次の表の上欄に掲げる規定中同表の中欄に掲げる字句は、それぞれ同表の下欄に掲げる字句に読み替えるものとする。

第53条第1項及び第2項、第91条第1項、第92条第1項並びに第94条	登録	承認
第54条	登録認定機関	承認認定機関
	命ずる	請求する
第87条第1項各号列記以外の部分	登録申請者	承認申請者
	適合しているときは	⑹ 適合しているときでなければ
	しなければならない	してはならない
第87条第1項第3号（イを除く。）	登録申請者	承認申請者
第87条第1項第3号イ	登録申請者	承認申請者
	親法人（	⑺ 外国における親法人（

525

	いう。)	(7) いう。) に相当するもの
第87条第2項第2号	第100条第1項又は第2項（第103条において準用する場合を含む。）	第105条第1項又は第2項
第87条第3項	前条及び前2項	前条第2項及び第3項、前2項並びに第104条第1項
第90条第1項	登録認定機関	承認認定機関
第97条	命ずる	請求する
第98条第1項	命ずべき	請求すべき
第98条第2項及び第3項	命令	請求

6　承認認定機関は、外国取扱業者の求めにより、本邦内で使用されることとなる端末機器について、設計認証を行うことができる。

7　第55条、第56条第2項、第91条、第92条、第96条、第97条第2項及び第98条の規定は承認認定機関が設計認証を行う場合について、第57条から第60条まで、第61条において準用する第54条並びに第62条第3項及び第4項の規定は承認認定機関による設計認証を受けた者について、第94条並びに第2項及び第3項の規定は承認認定機関が技術基準適合認定の業務及び設計認証の業務を行う場合について準用する。

8　前項の場合において、次の表の上欄に掲げる規定中同表の中欄に掲げる字句は、それぞれ同表の下欄に掲げる字句に読み替えるものとする。

第55条第1項	を受けた	に係る設計に基づく
	第53条第2項	第58条
第56条第2項及び第91条第1項	登録	承認
第59条及び第61条において準用する第54条	命ずる	請求する
第60条第1項第3号	命令に違反した	請求に応じなかつた
	違反に	請求に
第60条第1項第4号	登録認定機関	承認認定機関
第60条第1項第5号	登録認定機関	承認認定機関
	第103条	第104条第7項
第62条第3項第1号及び第2号	第166条第3項	第166条第6項

第62条第3項第3号	第167条第6項	第167条第7項
第92条第1項	登録	承認
	を受けた	に係る設計に基づく
第94条	登録	承認
	当該業務	これらの業務
第97条第2項	第53条第1項	第56条第2項
	命ずる	請求する
第98条第1項	第53条第1項	第56条第2項
	端末機器	設計（当該設計に合致することの確認の方法を含む。）
	命ずべき	請求すべき
第98条第2項	第53条第1項	第56条第2項
	命令	請求
第98条第3項	命令	請求

追加　平成10年法律第 58号
改正　平成11年法律第160号
　　　平成13年法律第 62号
第72条の3繰下げ改正　平成15年法律第125号
改正　平成17年法律第 87号
　　　平成27年法律第 26号
　　　令和2年法律第 30号

1　概　要

外国において当該国の法令に基づき技術基準適合認定の制度に類するものに基づいて端末機器の検査・試験等を行う者であって、我が国の本法の手続に従って、外国取扱業者が取り扱う本邦内で使用されることとなる端末機器が第52条第1項に定められている技術基準に適合していることの認定を行おうとする者を、総務大臣が承認する制度について規定している。

2　条文内容

〔第1項〕

(1)　端末機器の検査、試験等を行う者

端末機器が技術基準に適合しているかどうか確認するために、端末機器の検査、試験等を行う者であり、我が国の技術基準適合認定制度における「認定」

を行うことのできる者に相当するものを意味する。ここで「等」とは、検査を行い、又は試験を行った結果により技術基準適合性を評価、判定し、さらに認定、証明、承認等を行うことを意味するものである。

(2) 当該外国において、外国取扱業者が取り扱う本邦内で使用されることとなる端末機器

　　外国の者が行った認証結果を受け入れるのは、外国取扱業者（第62条第1項に規定する外国取扱業者をいう。）が本邦に端末機器を輸出する際の技術基準適合認定に係る負担を軽減することを目的とすることから、申請できる者を「外国取扱業者」に限定している。

　　また、本邦内で使用されることが想定されない端末機器を対象とする必要がないことから、対象を「本邦内で使用されることとなる端末機器」に限定している。なお、「本邦内で使用されることとなる」とは、本邦に輸出することになることのほか、例えば本邦外において個人が端末機器を購入し本邦内に持ち込み使用されること、また、本邦以外に輸出される端末機器が第三国を経由して本邦に流入し使用されること等が想定される。

(3) 技術基準適合認定

　　第52条第1項の総務省令で定める技術基準に適合していることの認定をいう（第53条第1項）。

(4) 事業の区分ごと

　　第86条第1項に規定する「総務省令で定める事業の区分」をいい、承認を行う区分は、登録認定機関の登録を行う区分と同じである。

(5) 承認

　　承認認定機関の承認については、外国の者が技術基準適合認定と同等の認定を行うことができると認めた場合に、その認定結果を受け入れることについて「同意を与える」ものといえるため、「承認」の語を用いている。

〔第2項〕

　技術基準適合認定を受けた端末機器が技術基準に適合していることが確実に担保されるよう、総務大臣において端末機器の認定を行う機関の状況を正確に把握しておく必要があるため、承認認定機関の承認に係る技術基準適合認定の業務の休廃止を届出に係らしめている。

〔第3項〕

　承認認定機関から技術基準適合認定の業務の休廃止の届出があったときは、技

術基準適合認定を受けようとする者の混乱を回避し、技術基準適合認定制度の適正かつ確実な運用を図る観点から、承認認定機関が業務を休廃止した旨を技術基準適合認定を受けようとする者に知らしめるため、総務大臣がその旨を公示しなければならないこととしている。「公示」は、官報に告示することによって行うこととされている（技適規則第34条第1項）。

〔第4・5項〕

　承認認定機関は、登録認定機関とは異なるものであることから、承認認定機関が行う認定が登録認定機関が行う技術基準適合認定と同等のものとなることを確保するため、登録認定機関が行う技術基準適合認定に係る規定及び登録認定機関に係る規定等を準用するとともに、準用に当たって必要な読替えを行うものである。

　なお、次の規定については、準用しないこととしている。

① 第89条（登録簿）

　承認認定機関について登録簿を設けることとはしていないため。

② 第93条（役員等の選任及び解任）

　外国の法令に基づき技術基準適合認定の制度に類するものに基づいて、端末機器の検査、試験等を行う者に承認の対象を限定することで、機関としての業務の公平性、中立性が確保されると考えられ、外国の機関内の個々人に着目して規律・監督まで行う必要はないため。

③ 第95条（財務諸表等の備付け・閲覧等）

　承認認定機関が行う技術基準適合認定の業務の継続性については確保する必要はないため。

(6) 適合しているときでなければ

　一定の要件に適合する者であれば行政の裁量の余地なく登録される登録認定機関制度と異なり、総務大臣の判断により承認を与える制度を維持するための読替えである。

(7) 外国における親法人（会社法第879条第1項に規定する親法人をいう。）に相当するもの

　外国の者については、一般には我が国の会社法制が適用されないことから、必要な読替えを行うものである。

〔第6項〕

　第56条第1項に規定する設計認証を承認認定機関も行うことができることを

第104条・第105条

規定している。

〔第7・8項〕

　承認認定機関が行う設計認証に関して、表示に関する規定、認証に関する規定、業務の休廃止に係る規定等を準用するとともに、必要な読替えを行うこととしている。

3　参　考

　平成15年法律第125号による本法の改正により指定認定機関制度から登録認定機関制度に移行したが、承認認定機関については、一定の要件に適合する者であれば行政の裁量の余地なく登録される登録制度へ移行することとはせず、承認認定機関の認定を受けた端末機器を我が国において受け入れることについて、総務大臣の判断により承認を与える制度が維持されている。

　これは、外国の者に対しては、我が国の執行管轄権が及ばないものであることから、立入検査の強制執行、罰則の適用等を為しえず、総務大臣は当該外国の者に対し監督関係の実効性を担保することができないこと、及び承認の前提である「外国の法令に基づく端末機器の検査に関する制度で技術基準適合認定の制度に類するものに基づいて端末機器の検査、試験等を行う機関」であることの判断は、総務大臣の判断に裁量の余地が残されていることによるものである。

第105条　（承認の取消し）

（承認の取消し）

第105条　総務大臣は、承認認定機関が前条第1項に規定する外国における資格を失つたとき又は同条第4項において準用する第87条第2項第1号若しくは第3号に該当するに至つたときは、その承認を取り消さなければならない。

2　総務大臣は、承認認定機関が次の各号のいずれかに該当するときは、その (1)承認を取り消すことができる。

一　前条第2項（同条第7項において準用する場合を含む。）の規定、同条第4項において準用する第90条第2項、第91条、第92条第1項、第94条若しくは第96条の規定又は前条第7項において準用する第91条、

第92条第1項、第94条若しくは第96条の規定に違反したとき。

二　前条第4項において準用する第97条の規定又は前条第7項において準用する第97条第2項の規定による請求に応じなかつたとき。

三　(2) 不正な手段により承認を受けたとき。

四　総務大臣が第166条第6項において準用する同条第4項の規定により承認認定機関に対し報告をさせようとした場合において、その (3) 報告がされず、又は虚偽の報告がされたとき。

五　総務大臣が第166条第6項において準用する同条第4項の規定によりその職員に承認認定機関の (4) 事務所又は事業所において検査をさせようとした場合において、その (5) 検査が拒まれ、妨げられ、又は忌避されたとき。

3　総務大臣は、前2項の規定により承認を取り消したときは、その旨を (6) 公示しなければならない。

追加　平成10年法律第 58号
改正　平成11年法律第160号
　　　平成13年法律第 62号
第72条の4繰下げ改正　平成15年法律第125号

1　概　要

　承認認定機関の承認の取消しについて規定している。登録認定機関に対しては、登録の取消し又は罰則をもって業務の適正な遂行を担保しているが、外国の者である承認認定機関については、我が国の罰則を執行することが困難な場合があるため、登録認定機関については罰則により業務の適正な遂行を担保している事項を、承認認定機関については承認の取消しをもってこれを担保する必要があることから本条が設けられている。

2　条文内容

〔第1項〕

　承認の必要的な取消しを行う場合について規定したものである。承認認定機関が外国の法令に基づく技術基準適合認定制度に類するものに基づいて端末機器の検査、試験等を行う者としての資格を失ったとき又は第104条第4項において準用する第87条第2項各号（第2号を除く。）に該当する事態に至ったときは、本

第105条

来、承認を受けられない者となるため、承認を取り消さなければならないことと
している。

〔第2項〕

　裁量的な承認の取消しを行う場合について規定している。取消事由は、基本的
には登録認定機関の登録の取消しと同様の趣旨で設けているものであるが、承認
認定機関は外国の者であることから、国内の登録認定機関と異なり我が国の罰則
を執行することが困難な場合があるため、国内の登録認定機関については罰則に
より業務の適正な遂行を担保している事項（登録認定機関に対する報告徴収又は
立入検査に関する罰則（第188条第17号））を、承認認定機関については承認の
取消しによりこれを担保している。

(1)　承認を取り消すことができる

　　第1項と異なり「取り消すことができる」としているのは、認定の業務の適
　正かつ確実な実施が確保されていないが、改善措置等により確保されることが
　見込まれる場合においては、直ちに取消しを行うことは、承認認定機関のほか
　申請者に対しても不利益を与えることになるため、一時的に本項に掲げる事項
　に適合しなくなった場合等においても直ちに承認を取り消すことはせず、例え
　ば認定に係る業務を休止して業務状況を改善する等本項に掲げる事項に適合す
　るための時間的猶予をある程度与えるなど、承認認定機関が柔軟に対応できる
　ようにすることを可能にしている。

(2)　不正な手段により承認を受けたとき

　　承認認定機関の承認を受けようとする者が、例えば、虚偽の内容に基づいて
　申請等を行い、承認を受けたとき等がこれに相当する。この場合には、承認認
　定機関は実際には承認の基準に適合していない可能性があるため、業務を適正
　かつ確実に実施する上で支障があることから、取消事由としている。

(3)　報告がされず、又は虚偽の報告がされたとき

　　総務大臣が本法を施行するため必要があると認めて、承認認定機関に対し業
　務に係る内容について報告を求めた場合において、報告がされず、又は虚偽の
　報告がされたときをいう。この場合は、業務が適正かつ確実に実施されている
　ことの確認ができないことから、取消事由としている。

(4)　事務所又は事業所

　　「事務所」とは、人又は法人等の事業活動の中心である一定の場所を意味し、
　「事業所」とは、事業の内容たる活動が行われる一定の場所を意味し、認定に

532

係る試験を行っている場所等も含む。

(5) <u>検査が拒まれ、妨げられ、又は忌避されたとき</u>

検査の職務の円滑な遂行の障害となる行為を全て網羅する趣旨である。「拒む」及び「妨げる」とは、行為者が行政庁の職員の職務遂行に対して何らかの積極的行動に出る場合を意味するのに対して、「忌避する」とはそのような積極的行動がない場合を意味するものである。具体的には、「拒む」とは、立入検査を行おうとする職員の立ち入りを拒否する意思を表明すること、「妨げる」とは、検査に着手しようとし、又は検査をしている職員の業務を妨害すること、「忌避する」とは、休業日等の口実を設け検査を回避しようとする場合等が想定される。

〔第3項〕

(6) <u>公示しなければならない</u>

承認認定機関による認定を受けようとする者の混乱を回避し、技術基準適合認定制度を適正かつ確実に運用する観点から、承認認定機関の承認を取り消した際には、その事実を認定を受けようとする者に知らしめるために、公示を行わなければならないこととしている。公示は、官報で告示することによって行われることとされている（技適規則第34条第1項）。

【参考】登録認定機関と承認認定機関に関する規定対照表

規　　　定	登録認定機関	承認認定機関
欠格条項	第87条第2項	第104条第4項（準用）
認定機関の登録／承認 登録／承認の申請	第86条第1項 第2・3項	第104条第1項 第104条第4項（準用）
登録／承認の基準	第87条第1項	第104条第4項（準用）
登録の更新	第88条	－
登録の公示等	第90条	第104条第4項（準用）
技術基準適合認定等	第53条第1項	第104条第4項（準用）
報告・公示	第92条第1・2項	第104条第4・7項（準用）
認定義務等	第91条	第104条第4・7項（準用）
役員等の選解任	第93条	－
業務規程	第94条	第104条第4・7項（準用）
財務諸表の備付け及び閲覧等	第95条	－
帳簿の備付け等	第96条	第104条第4・7項（準用）

第105条

適合命令・改善命令	第97条	第104条第4・7項（準用）
認定の申請及び命令	第98条	第104条第4・7項（準用）
業務の休廃止の届出	第99条第1項	第104条第2項、第7項（第2項の準用）
休廃止の公示	第3項	第104条第3項、第7項（第3項の準用）
登録の取消し・業務停止命令／承認の取消し	第100条	第105条
総務大臣による実施	第102条	－
準用（登録認定機関が設計認証を行う場合等）	第103条	－
設計認証	第56条第1項	第104条第6項
設計認証の方法	第2項	第104条第7項（準用）
準用（認証取扱業者等）	第61条	－
設計認証を受けた者に対する規定	第57条～第60条	第104条第7項（準用）
認定を受けた者の報告・検査	第166条第2項	－
準用（認証取扱業者の報告・検査）	第166条第3項	－
外国取扱業者 変更適用 表示禁止（設計認証）	第62条第1・2項 第3・4項	－ 第104条第7項（準用）

注）網掛け部分の規定は、これらの規定に対する違反等が第105条において承認認定機関の承認の取消事由となっているもの。

第7節　基礎的電気通信役務支援機関

総　説

　本節は、国民生活に不可欠であるためあまねく日本全国における提供が確保されるべき電気通信役務（基礎的電気通信役務）の提供を確保するため、総務大臣の指定する基礎的電気通信役務支援機関（第106条）が、支援業務を行う制度について規定している。

　基礎的電気通信役務のうち、電話に係る役務である第1号基礎的電気通信役務については、基礎的電気通信役務支援機関が、接続電気通信事業者等から第一種負担金を徴収し（第110条）、一定の要件を満たす第1号基礎的電気通信役務を提供する総務大臣の指定する第一種適格電気通信事業者（第108条）に対して、第一種交付金を交付（第109条）する制度について規定されている。

　また、基礎的電気通信役務のうち、高速度データ伝送電気通信役務に係る役務である第2号基礎的電気通信役務については、基礎的電気通信役務支援機関が、高速度データ伝送役務提供事業者から第二種負担金を徴収し（第110条の5）、一定の要件を満たす第2号基礎的電気通信役務を提供する総務大臣の指定する第二種適格電気通信事業者（第110条の3）に対して、第二種交付金を交付（第110条の4）する制度について、規定されている。

第106条（基礎的電気通信役務支援機関の指定）

（基礎的電気通信役務支援機関の指定）

第106条　総務大臣は、(1) 基礎的電気通信役務の提供の確保に寄与すること
を目的とする (2) 一般社団法人又は一般財団法人であつて、次条に規定す
る業務（以下「(3) 支援業務」という。）に関し次に掲げる基準に適合する
と認められるものを、その申請により、(4) 全国に一を限つて、基礎的電気
通信役務支援機関（以下「支援機関」という。）として (4) 指定すること
ができる。

一　職員、設備、支援業務の実施の方法その他の事項についての (5) 支援
　業務の実施に関する計画が支援業務の適確な実施のために適切なもので
　あること。

二　前号の支援業務の実施に関する計画を適確に実施するに足りる (6) 経
　理的基礎及び技術的能力があること。

三　(7) 支援業務以外の業務を行つている場合には、その (7) 業務を行うこ
　とによつて支援業務が不公正になるおそれがないこと。

追加　平成13年法律第 62号
第72条の６繰下げ　平成15年法律第125号
改正　平成18年法律第 50号

1　概　要

　国民生活に不可欠であるためあまねく日本全国における提供が確保されるべき
電気通信役務である基礎的電気通信役務の提供を確保するため、支援業務を行う
基礎的電気通信役務支援機関（支援機関）を総務大臣が全国に一を限って指定で
きる旨を定めている。

2　条文内容

(1)　基礎的電気通信役務の提供の確保に寄与することを目的とする

　基礎的電気通信役務については、「国民生活に不可欠であるためあまねく日
本全国における提供が確保されるべきもの」であり、「その適切、公平かつ安
定的な提供に努めなければならない」ものとしており（第７条）、基礎的電気
通信役務支援機関は、その提供の確保に寄与することを目的とする法人である
こととしている。

(2) 一般社団法人又は一般財団法人

　基礎的電気通信役務の提供を確保するため、支援業務を行うのに当たり、営利を目的とするのは適切ではないことから、営利を目的としない法人が適正であると考えられたものである。

　基礎的電気通信役務支援機関については、指定の要件として、

① その業務計画が業務の適正かつ確実な実施に適合したものであること（第1号）

② 業務の実施に関する計画を適正かつ確実に実施するに足りる経理的基礎及び技術的能力を有すること（第2号）

③ 当該業務以外の業務を行っている場合には、その業務を行うことによって不公正になるおそれがないこと（第3号）

を定め、さらに、監督規定として、

① 支援業務規程について認可を受けなければならないこと（第116条の規定により準用する第79条第1項）

② 事業計画及び収支予算について総務大臣の認可を受け、事業報告及び収支決算について総務大臣に提出すること（第116条の規定により準用する第80条）

③ 総務大臣がその業務に関し報告等を求め、監督上必要な命令をすることができること（第116条の規定により準用する第82条）

④ 要件、義務及び命令等に違反した場合には、指定が取り消されること（第116条の規定により準用する第84条第1項及び第2項）

等を規定している。

　このように、基礎的電気通信役務支援機関については、個々の業務に必要な要件及び監督に関して財務面も含め規定が整備されており、公益社団法人又は公益財団法人としての収益及び費用構造について規律されていることまで求める意義は薄いことから、指定の要件を「一般社団法人又は一般財団法人」としている。

(3) 支援業務

　第一種・第二種適格電気通信事業者に対する交付金の交付の業務及びその附帯業務である（次条を参照のこと）。

(4) 全国に一を限つて・・・指定する

　支援機関を全国に一に限って指定するのは、交付金の交付を受ける複数の電気通信事業者と負担金の納付義務を負う多数の電気通信事業者との間の資金授

第106条・第107条

受及び連絡調整に関する事務について、これを一元的に支援機関で行うことにより、効率的な事務の遂行が可能になると考えられるためである。

平成17年12月27日の告示（平成17年総務省告示第1377号）により、社団法人電気通信事業者協会（現在の一般社団法人電気通信事業者協会）が指定されている。

(5) **支援業務の実施に関する計画が支援業務の適確な実施のために適切なもの**

支援機関が行う支援業務について、当該業務を十分行うに足る職員や設備を有している等、指定申請に際して提出される業務実施計画書の内容が本制度の趣旨に合致したものであり、かつ十分な実施体制を有していることが求められる。

(6) **経理的基礎及び技術的能力**

支援機関が行う支援業務に要する経費は負担金の一部により支弁されることから当該業務の実施について十分な自己財産を有していること等を求めるものではないが、支援機関の財政的基盤に特段の問題がなく、支援業務が円滑に行われ得るものであることを確認する必要がある。

また、第一種・第二種適格電気通信事業者が支援機関に対して提出する原価等を把握・検証するとともに、これを基に支援機関が交付金及び負担金の額を算定すること等が求められるため、会計処理等について必要な技術的能力を有していることが求められる。

(7) **支援業務以外の・・・業務を行うことによつて支援業務が不公正になるおそれがないこと**

例えば、支援業務以外の業務により得た情報を支援業務の運営に流用する等により支援業務の運営が公正性を欠くことのないよう措置されていることを確認する必要がある。

第107条（業務）

（業務）

第107条　支援機関は、次に掲げる業務を行うものとする。

　一　次条第1項の規定により指定された第一種適格電気通信事業者に対し、(1) 当該指定に係る第1号基礎的電気通信役務の提供に要する費用の

額が当該指定に係る第１号基礎的電気通信役務の提供により生ずる収益の額を上回ると見込まれる場合において、(2) 当該上回ると見込まれる額の費用の一部に充てるための交付金を交付すること。

二　第110条の３第１項の規定により指定された第二種適格電気通信事業者に対し、(3) その全ての担当支援区域（同条第２項に規定する担当支援区域をいい、第２号基礎的電気通信役務（総務省令で定める規模を超える電気通信回線設備を設置して提供するものに限る。）を継続して提供している期間が総務省令で定める期間を超えるものに限る。以下この号において同じ。）における第２号基礎的電気通信役務の提供に要する費用の額が当該全ての担当支援区域における第２号基礎的電気通信役務の提供により生ずる収益の額を上回ると見込まれる場合において、(4) 当該上回ると見込まれる額の費用の一部に充てるための交付金（(5) 第110条の２第１項に規定する一般支援区域に係る交付金にあつては、当該交付金の額を算定する年度（毎年４月１日から翌年３月31日までをいう。以下この節において同じ。）の前年度の第２号基礎的電気通信役務の提供に要した費用の額が当該前年度の第２号基礎的電気通信役務の提供により生じた収益の額を上回る当該第二種適格電気通信事業者に対して当該上回る額を限度として交付するものに限る。）を交付すること。

三　前２号に掲げる業務に (6) 附帯する業務を行うこと。

追加　平成13年法律第 62号
第72条の７繰下げ　平成15年法律第125号
改正　令和４年法律第 70号

1　概　要

　支援機関が行うべき支援業務の内容として、第一種・第二種適格電気通信事業者へ交付金を交付すること及びその附帯業務を行うことを定めている。

2　条文内容

(1)　当該指定に係る第１号基礎的電気通信役務の提供に要する費用の額が当該指定に係る第１号基礎的電気通信役務の提供により生ずる収益の額を上回ると見込まれる場合

　第一種適格電気通信事業者の指定は、基礎的電気通信役務のうち電話に係る

ものである第1号基礎的電気通信役務の種別（第108条第2項の総務省令（施行規則第40条の7）に規定。）ごとに行われるものであることから、「当該指定に係る第1号基礎的電気通信役務」と規定している。

「費用の額」及び「収益の額」は、実際会計上の費用及び収益を意味するものであり、交付金の交付を受けるための最低限の要件として、現実に赤字が見込まれていることを定めている。

(2)　当該上回ると見込まれる額の費用の一部に充てるための交付金

支援機関の最も重要な業務が交付金の交付であること、また、交付される交付金の額は、第1号基礎的電気通信役務の提供によって見込まれる第一種適格電気通信事業者の赤字額の全てではなく、その一部の額（具体的には、第109条第1項の総務省令（交付金等算定規則第5条等）で定める方法により算定され、総務大臣の認可を受けた額）が交付されることとなることを定めている。

「一部に充てるため」とされているのは、第一種適格電気通信事業者の第1号基礎的電気通信役務の提供に係る実際会計上の費用が実際会計上の収益を上回る赤字分についてその全てを交付金で充てることとすると、本制度が単に実際会計上の赤字補填の制度となることとなり、第1号基礎的電気通信役務の提供に係る経営の効率化を図ることを前提に外部補助を行うという制度の趣旨に適合しないこととなると考えられたからである。

(3)　その全ての担当支援区域（同条第2項に規定する担当支援区域をいい、第2号基礎的電気通信役務（総務省令で定める規模を超える電気通信回線設備を設置して提供するものに限る。）を継続して提供している期間が総務省令で定める期間を超えるものに限る。・・・）における第2号基礎的電気通信役務の提供に要する費用の額が当該全ての担当支援区域における第2号基礎的電気通信役務の提供により生ずる収益の額を上回ると見込まれる場合

第110条の4第1項で規定する第二種交付金制度の趣旨は、基礎的電気通信役務のうち高速度データ伝送電気通信役務である第2号基礎的電気通信役務の提供に係る収支が赤字と見込まれる区域について、第2号基礎的電気通信役務の提供を確保しようとすることである。（赤字と見込まれる区域の詳細については、第110条の2の解説を参照のこと。）

第二種交付金の支援対象者について、第110条の4第1項で規定する第二種交付金の交付を受けるためには、次のとおり、第110条の3第2項で規定する担当支援区域において第2号基礎的電気通信役務の提供に関し赤字が見込まれ、

かつ、一定規模を超える電気通信回線設備を設置して第2号基礎的電気通信役務を一定期間継続して提供していることを必要とするものである。

① 全ての担当支援区域における第2号基礎的電気通信役務の収支差額の合計が赤字と見込まれること

　第二種交付金の支援対象者の要件として、全ての担当支援区域における第2号基礎的電気通信役務の提供により赤字が見込まれることとしている。

② 一定期間継続して第2号基礎的電気通信役務を提供すること

　赤字と見込まれ事業撤退の蓋然性の高い支援区域において、第2号基礎的電気通信役務の提供を安定的に確保するためには、一定期間継続して第2号基礎的電気通信役務を提供する電気通信事業者に限って第二種交付金の交付を受けられるようにすることが必要である。このため、第二種交付金の支援対象者の要件として、その担当支援区域で一定期間継続して第2号基礎的電気通信役務を提供することを規定している。

　上述の一定期間については、第二種交付金制度が、第二種適格電気通信事業者から第二種交付金の額を算定するための資料の届出を支援機関が受け、年度ごとに第二種交付金の額が認可されるものであることも踏まえ、総務省令では、1年と規定している（施行規則第40条の6の3）。

③ 上記②の第2号基礎的電気通信役務は一定規模を超える電気通信回線設備を設置して提供するものであること

　一定規模を超えることを必要とする電気通信回線設備としては加入者回線を想定しているところ、一定規模を超える加入者回線を設置して行う電気通信事業は、初期費用や維持費が大きいため、支援区域は赤字が見込まれることに鑑みると、当該電気通信事業を行う者の撤退の可能性が高くなり、第2号基礎的電気通信役務の提供を確保できなくなる蓋然性が高くなる。

　このような事態を防ぐことが、第二種交付金の制度の趣旨に適うことになるから、第二種交付金の支援対象者の要件として、一定規模を超える電気通信回線設備を設置して第2号基礎的電気通信役務を提供することを規定している。

　「一定規模を超える電気通信回線設備」の「規模」は、総務省令では、担当支援区域における第2号基礎的電気通信役務の提供に係る電気通信回線設備の規模として、一般支援区域では、100分の50、特別支援区域では、100分の10と定められている（施行規則第40条の6の2）。

第107条

⑷　当該上回ると見込まれる額の費用の一部に充てるための交付金

　　支援機関の最も重要な業務が交付金の交付であること、また、交付される交付金の額は、第2号基礎的電気通信役務の提供によって見込まれる第二種適格電気通信事業者の赤字額の全てではなく、その一部の額のみ（具体的には、第110条の4第1項の総務省令で定める方法により算定され、総務大臣の認可を受けた額）が交付されることとなることを定めている。

　　「一部に充てるため」とされているのは、第二種適格電気通信事業者の第2号基礎的電気通信役務の提供に係る実際会計上の費用が実際会計上の収益を上回る赤字分についてその全てを交付金で充てることとすると、本制度が単に実際会計上の赤字補填の制度となることとなり、第2号基礎的電気通信役務の提供に係る経営の効率化を図ることを前提に外部補助を行うという制度の趣旨に適合しないこととなると考えられたからである。

⑸　第110条の2第1項に規定する一般支援区域に係る交付金にあつては、当該交付金の額を算定する年度（毎年4月1日から翌年3月31日までをいう。・・・）の前年度の第2号基礎的電気通信役務の提供に要した費用の額が当該前年度の第2号基礎的電気通信役務の提供により生じた収益の額を上回る当該第二種適格電気通信事業者に対して当該上回る額を限度として交付するものに限る

　　一般支援区域においては、交付金額の肥大化を防ぎ、必要な範囲内での第二種交付金による支援を行う観点から、支援を行う第二種適格電気通信事業者について、交付金の額を算定する前年度における当該電気通信事業者の第2号基礎的電気通信役務の提供に係る全体の財務会計上の赤字額を上限額として、第二種交付金による支援を行うこととしている。

　　これに対して、第110条の2第2項で規定する特別支援区域については、その地理的条件等により第2号基礎的電気通信役務の提供を確保することが著しく困難であると見込まれることが想定されるため、第二種交付金による支援を行うことで初めて当該区域における第2号基礎的電気通信役務の提供を安定的に確保することが可能と考えられることから、一般支援区域と異なり、交付金の額を算定する前年度における第2号基礎的電気通信役務の提供に係る全体の財務会計上の赤字額を上限額とすることとはしていない（第110条の2の解説を参照のこと）。

(6) 附帯する業務

　支援機関は、交付金の交付を行うために、それに附帯する業務を行うこととしている。具体的には、第一種交付金の算定（第109条）及び第二種交付金の算定（第110条の４）をしなければならず、第一種負担金の徴収（第110条）及び第二種負担金の徴収（第110条の５）、資料の提出の求め（第111条）のほか、具体的な支援業務の実施に際しての細則である支援業務規程の整備、当該制度に係る電気通信事業者からの照会への対応等を行うことができる。

第108条（第一種適格電気通信事業者の指定）

（第一種適格電気通信事業者の指定）

第108条　総務大臣は、(1)支援機関の指定をしたときは、第１号基礎的電気通信役務を提供する電気通信事業者であつて、次に掲げる基準に適合すると認められるものを、(2)その申請により、第一種適格電気通信事業者として指定することができる。

　一　(3)総務省令で定めるところにより、申請に係る第１号基礎的電気通信役務の提供の業務に関する収支の状況その他総務省令で定める事項を公表していること。

　二　申請に係る第１号基礎的電気通信役務を提供するために設置している電気通信設備が第一種指定電気通信設備及び第二種指定電気通信設備以外の電気通信設備であるときは、(4)当該電気通信設備と他の電気通信事業者の電気通信設備との接続に関し、当該第１号基礎的電気通信役務を提供する電気通信事業者が取得すべき金額及び接続条件について接続約款を定め、総務省令で定めるところにより、これを公表していること。

　三　申請に係る第１号基礎的電気通信役務に係る　(5)業務区域の範囲が総務省令で定める基準に適合するものであること。

２　前項の規定による指定は、(6)総務省令で定める第１号基礎的電気通信役務の種別ごとに行う。

３　第一種適格電気通信事業者（第一種指定電気通信設備を設置する電気通信事業者又は第二種指定電気通信設備を設置する電気通信事業者以外の電気通信事業者に限る。）は、第１項第２号に規定する接続約款を変更しよ

うとするときは、(7)総務省令で定めるところにより、その実施前に、総務大臣に届け出るとともに、これを公表しなければならない。

4 第17条第1項の規定による電気通信事業者の地位の承継があつた場合において、当該電気通信事業者が第一種適格電気通信事業者であつたときは、当該電気通信事業者の地位を承継した電気通信事業者は、第一種適格電気通信事業者の地位を承継するものとする。

5 総務大臣は、第一種適格電気通信事業者が次の各号のいずれかに該当するとき、又は第一種適格電気通信事業者から第1項の規定による指定の取消しの申請があつたときは、その(8)指定を取り消すことができる。

一 次条第2項又は第3項の規定に違反したとき。

二 第1項各号のいずれかに適合しなくなつたと認められるとき。

三 第43条第2項において準用する同条第1項の規定による命令又は処分（第41条第3項に規定する電気通信設備に係る命令又は処分に限る。）に違反したとき。

追加　平成13年法律第　62号
第72条の8繰下げ改正　平成15年法律第125号
改正　令和2年法律第　30号
令和4年法律第　70号

1 概　要

　第1号基礎的電気通信役務を提供する電気通信事業者のうち、一定の要件を満たす者を、当該電気通信事業者の申請により第一種適格電気通信事業者として総務大臣が指定することができることとしている。

2 条文内容

〔第1項〕

(1) 支援機関の指定をしたときは

　　第一種交付金の制度は、民間発意型の受益者負担金制度であり、基礎的電気通信役務の提供の確保に寄与することを目的とする一般社団法人又は一般財団法人（基礎的電気通信役務支援機関）の指定申請及び当該申請に対する総務大臣の指定をもって制度が稼動し始めるものである。

　　このため、指定法人の指定に先立って第一種適格電気通信事業者の指定をし

たとしても、当該第一種適格電気通信事業者が第一種交付金の交付を受けるための関係業務を実施する機関が存在しないこととなり制度は稼動し得ないものであることから、支援機関の指定が行われた後において第一種適格電気通信事業者の指定を行うことができる旨を規定している。

(2) その申請により、第一種適格電気通信事業者として指定

　　総務大臣による第一種適格電気通信事業者の指定は、その効果として第一種交付金の交付を受けることが可能となるという利益処分であり、あくまで申請により指定を行うこととするものである。したがって、第1号基礎的電気通信役務を提供する電気通信事業者であったとしても、当該電気通信事業者が申請を行わない限り第一種適格電気通信事業者として指定されることはない。

(3) 総務省令で定めるところにより、申請に係る第1号基礎的電気通信役務の提供の業務に関する収支の状況その他総務省令で定める事項を公表

　　第一種適格電気通信事業者が第一種交付金の交付を受ける場合、支援機関による第一種交付金の交付のための原資として、第1号基礎的電気通信役務を提供するために用いられる電気通信設備と接続等を行うことにより受益している電気通信事業者（接続電気通信事業者等）から必要な負担金が徴収される。

　　このため、第1号基礎的電気通信役務の提供に関する収支の整理・公表はもとより、第一種交付金の交付を受けた後において、当該第一種交付金等に係る会計の整理・公表が必要不可欠である。よって、当該会計の整理を行うに足る能力を有し、また現に第1号基礎的電気通信役務の提供の業務に関する収支について公表していることを指定の要件としている。

　　具体的な公表の方法として、公表する事項は第1号基礎的電気通信役務収支表によることとされ（施行規則第40条の4第1項及び様式第38の2）、会計監査人の証明を受ける（施行規則第40条の5の3）とともに、事業所への備置き及びインターネット上の公表を5年間行うべきこととされている（施行規則第40条の4第2項及び第3項）。

(4) 当該電気通信設備と他の電気通信事業者の電気通信設備との接続に関し、当該第1号基礎的電気通信役務を提供する電気通信事業者が取得すべき金額及び接続条件について接続約款を定め、総務省令で定めるところにより、これを公表

　　第一種交付金の交付のための原資は接続電気通信事業者等から第一種負担金として徴収されるため、第一種適格電気通信事業者として交付金の交付を受けるためには、その前提として接続約款を定め、自らの電気通信設備を他の電気

第108条

通信事業者に開放していることが外形的に担保されていることを要件とする必要があることから、接続約款の公表が義務付けられている第一種指定電気通信設備及び第二種指定電気通信設備（第33条及び第34条）以外の電気通信設備についても、接続約款を定め、公表すべきことを定めている。

接続約款には、接続箇所、接続箇所における技術的条件、取得すべき金額等を定めることとされ、インターネットを利用することにより、公表することとされている（施行規則第40条の4の3）。

(5) 業務区域の範囲が総務省令で定める基準に適合

本制度の目的は、日本全国あまねく第1号基礎的電気通信役務の提供を確保することにある。しかし、それぞれの第一種適格電気通信事業者は、主体的に相互に連携してあまねく日本全国の第1号基礎的電気通信役務の確保を図るべく行動するものではなく、あくまでそれぞれの第一種適格電気通信事業者が自らの経営判断により選択した業務区域において第1号基礎的電気通信役務を提供し、これが結果として第1号基礎的電気通信役務の全国あまねく提供の確保につながるものである。

一般に、各電気通信事業者の事業展開は採算地域から開始され、段階的にその他の地域へと業務区域の拡大が行われていくものであり、仮に採算地域に限定して第1号基礎的電気通信役務を提供する電気通信事業者を第一種適格電気通信事業者として指定したとしても、当該電気通信事業者は第1号基礎的電気通信役務の提供により黒字が発生しており、第一種交付金の交付が受けられないに過ぎないとも考えられる。しかし、各第一種適格電気通信事業者が一定の面的な広がりをもって第1号基礎的電気通信役務の提供を確保することにより、総体として全国あまねく提供が実現する蓋然性が高まることとなる。

このため、第1号基礎的電気通信役務のうち、アナログ固定電話役務並びに当該役務を提供する電気通信事業者が提供する当該役務相当の光インターネットプロトコル電話役務（0AB～Jの電気通信番号を用いるもの）及びワイヤレス固定電話用設備を用いて提供する音声伝送役務（施行規則第14条第1号、第3号及び第4号に規定する第1号基礎的電気通信役務）の業務区域の範囲の基準については、原則都道府県を単位として、役務の提供可能世帯の割合が100％であるべきことを定め（施行規則第40条の6第1号）、社会生活上の安全及び戸外での最低限の通信手段を確保するのに必要な公衆電話機（第一種公衆電話機）（施行規則第14条第2号に規定する第1号基礎的電気通信役務）の

業務区域の範囲の基準については、同号に規定する設置基準（市街地においてはおおむね１キロメートル四方に１台、それ以外の地域（世帯又は事業所が存在する地域に限る。）においてはおおむね２キロメートル四方に１台の基準）を満たし、かつ、告示（平成17年総務省告示第1379号）で定める都道府県ごとの設置台数の基準に適合すべきことを定めている（施行規則第40条の６第２号）。

〔第２項〕

(6)　**総務省令で定める第１号基礎的電気通信役務の種別**

　　　第１号基礎的電気通信役務の種別は、次の①及び②の第１号基礎的電気通信役務をあわせたものと、次の①、②及び③の第１号基礎的電気通信役務をあわせたもののいずれかとされている（施行規則第40条の７）。

①　アナログ固定電話役務で（イ）端末系伝送路設備に係るもの及び（ロ）緊急通報に係るもの（施行規則第14条第１号）

②　社会生活上の安全及び戸外での最低限の通信手段を確保するのに必要な公衆電話機（第一種公衆電話機）を設置して提供する市内通信及び緊急通報に係るもの（施行規則第14条第２号）

③　①を提供する電気通信事業者がワイヤレス固定電話用設備を用いて提供する①相当の音声伝送役務（施行規則第14条第４号）

〔第３項〕

(7)　**総務省令で定めるところにより、その実施前に、総務大臣に届け出るとともに、これを公表**

　　　第１項第２号と同じ趣旨から、第一種適格電気通信事業者が、同号に規定する第一種指定電気通信設備及び第二種指定電気通信設備以外の電気通信設備に係る接続約款を変更する場合には、事前に行政に届け出るとともに公表しなければならないこととしている。

　　　具体的には、接続約款を変更した場合には、その実施の７日前までに総務大臣に接続約款の新旧対照を届け出るとともに、インターネットで公表することとされている（施行規則第40条の４の４及び様式第38の３）。

〔第５項〕

(8)　**指定を取り消す**

　　　第一種適格電気通信事業者が、第一種交付金の額の適切な算定を行うための資料を支援機関に届け出ないとき（第１号）、第一種適格電気通信事業者とし

547

ての要件に適合しなくなったとき（第2号）、技術基準適合命令に違反したとき（第3号）、又は自ら指定の取消しを申請したときは、総務大臣は、当該電気通信事業者について第一種交付金の交付の対象となる第一種適格電気通信事業者としての指定を取り消すことができる旨を定めている。

第109条（第一種交付金の交付）

（第一種交付金の交付）

第109条　支援機関は、年度ごとに、(1) 総務省令で定める方法により第107条第1号の交付金（以下「第一種交付金」という。）の額を算定し、当該第一種交付金の額及び (2) 交付方法について総務大臣の認可を受けなければならない。

2　第一種適格電気通信事業者は、(3) 総務省令で定めるところにより、第一種交付金の額を算定するための資料として、当該算定の前年度における前条第1項の規定による指定に係る第1号基礎的電気通信役務の提供に要した原価及び当該指定に係る第1号基礎的電気通信役務の提供により生じた収益の額その他総務省令で定める事項を支援機関に届け出なければならない。

3　前項の原価は、(4) 能率的な経営の下における適正な原価を算定するものとして総務省令で定める方法により算定しなければならない。

4　支援機関は、第1項の認可を受けたときは、(5) 総務省令で定めるところにより、第一種交付金の額を公表しなければならない。

追加　　　　　　　　平成13年法律第　62号
第72条の9繰下げ改正　平成15年法律第125号
改正　　　　　　　　令和4年法律第　70号

1　概　要

支援機関が第一種適格電気通信事業者に交付する交付金（「第一種交付金」）の額を算定し、その額及び交付方法について総務大臣の認可を受けるべきこと並びにその算定方法等第一種交付金の交付に係る制度について定めている。

第109条

2 条文内容

〔第1項〕

第一種交付金の額及びその交付方法を総務大臣の認可事項としている。

(1) 総務省令で定める方法により第107条第1号の交付金（以下「第一種交付金」という。）の額を算定

支援機関が第一種適格電気通信事業者に交付する交付金の額の算定方法については、交付金等算定規則第5条等に規定されている。

具体的には、第一種適格電気通信事業者ごとに、補填の対象となる額（以下「補填対象額」という。）をそれぞれ計算し、その合計額から当該第一種適格電気通信事業者を接続電気通信事業者等とみなして第一種負担金の算定の規定を適用して算定した額（以下「算定自己負担額」という。）を除いて計算することとされている（交付金等算定規則第5条第1項）。ただし、一の接続電気通信事業者等の第一種負担金の総額（当該接続電気通信事業者等が第一種適格電気通信事業者である場合には、その算定自己負担額を含む。）が、当該接続電気通信事業者等の収益の額の3％を超えないこと（第110条第1項ただし書及び施行令第5条第2項）（第110条の解説（2(4)）を参照のこと。）とするための減額の方法が定められ（交付金等算定規則第5条第2項）、また、第一種交付金の額は第1号基礎的電気通信役務の提供に係る実際の赤字額を上限とすることも定められている（交付金等算定規則第5条第3項）。

(2) 交付方法

交付方法として、第一種交付金を第一種適格電気通信事業者に交付する期限、交付手段（銀行振込等）等を定めるものである。

〔第2項〕

(3) 総務省令で定めるところにより、第一種交付金の額を算定するための資料として、当該算定の前年度における前条第1項の規定による指定に係る第1号基礎的電気通信役務の提供に要した原価及び当該指定に係る第1号基礎的電気通信役務の提供により生じた収益の額その他総務省令で定める事項を支援機関に届け出なければならない

第一種適格電気通信事業者は、第一種交付金の額を算定するための資料として、支援機関に対して、原価及び収益の額を年度ごとに年度経過後5か月以内にその算出の根拠となる書類を添えて提出しなければならないこととしている（交付金等算定規則第6条第1項及び別表第1）。

549

第109条・第110条

　また、同様に第一種交付金の額を算定するための資料として、①収容局ごとのアナログ加入者回線の数及び加入者回線単価、②収容局ごとの緊急通信の提供に係る原価、③アナログ電話及びＩＳＤＮ電話から発信した通信量の合計に占めるアナログ電話から発信した通信量の割合、④公衆電話機から発信した通信量の合計に占める第一種公衆電話機から発信する通信量の割合、⑤第一種公衆電話機を設置して提供する市内通信及び緊急通報の役務に係る他人資本費用、自己資本費用及び利益対応税の額を届け出ることとされており、①、②及び⑤については年度経過後５か月以内に、③及び④については年度経過後３か月以内に提出することとされている（交付金等算定規則第６条第２項、第７条、別表第１の２、第２及び第２の２）。

〔第３項〕

(4)　能率的な経営の下における適正な原価を算定するものとして総務省令で定める方法により算定

　第一種適格電気通信事業者が支援機関に届け出るべき原価の算定方法については、交付金等算定規則第11条から第21条までに規定されている。

　具体的には、「電気通信役務の提供に係る電気通信設備を通常用いることができる高度で新しい電気通信技術を利用した効率的なものとなるように新たに構成した場合の・・・通信量又は回線数の増加に応じて増加することとなる当該電気通信設備にかかる費用」（交付金等算定規則第15条第１項）等を基礎として算定することとされており、いわゆる長期増分費用方式により算定することとされている。

〔第４項〕

(5)　総務省令で定めるところにより、第一種交付金の額を公表

　支援機関は、第一種交付金の額を主たる事務所に備え置くこと及びインターネットを利用することにより10年間公表しなければならないことが定められている（施行規則第40条の８）。

第110条（第一種負担金の徴収）

（第一種負担金の徴収）
第110条　支援機関は、年度ごとに、(1) 第107条第１号に掲げる業務（これに附帯する業務を含む。第112条第１項において同じ。）に要する費用の

550

全部又は一部に充てるため、(2) 次に掲げる電気通信事業者であつて、(3) その事業の規模が政令で定める基準を超えるもの（以下この条において「接続電気通信事業者等」という。）から、負担金を徴収することができる。ただし、接続電気通信事業者等の前年度における電気通信役務の提供により生じた (4) 収益の額（(5) その者が、前年度又はその年度（第3項の規定による通知を受けるまでの間に限る。）において、他の接続電気通信事業者等について合併、分割（電気通信事業の全部を承継させるものに限る。）若しくは相続があつた場合における合併後存続する法人若しくは合併により設立された法人、分割により当該電気通信事業の全部を承継した法人若しくは相続人又は他の接続電気通信事業者等から電気通信事業の全部を譲り受けた者であるときは、合併により消滅した法人、分割をした法人若しくは被相続人又は当該電気通信事業を譲り渡した接続電気通信事業者等の前年度における電気通信役務の提供により生じた収益の額を含む。）(4) として総務省令で定める方法により算定した額に対する当該負担金（以下「第一種負担金」という。）の額の割合は、政令で定める割合を超えてはならない。

一 (6) 第一種適格電気通信事業者が第108条第1項の規定による指定に係る第1号基礎的電気通信役務を提供するために設置している電気通信設備との接続に関する協定を締結している電気通信事業者

二 (7) 前号に掲げる電気通信事業者の電気通信設備との接続に関する協定を締結している電気通信事業者その他電気通信事業者の電気通信設備を介して同号に規定する電気通信設備と接続する電気通信設備を設置している電気通信事業者

三 (8) 第1号に規定する電気通信設備、これと接続する電気通信設備又は電気通信事業者の電気通信設備を介して同号に規定する電気通信設備と接続する電気通信設備を用いる卸電気通信役務の提供を受ける契約を締結している電気通信事業者

2 支援機関は、年度ごとに、(9) 総務省令で定める方法により第一種負担金の額を算定し、第一種負担金の額及び (10) 徴収方法について総務大臣の認可を受けなければならない。

3 支援機関は、前項の認可を受けたときは、接続電気通信事業者等に対し、その認可を受けた事項を記載した書面を添付して、納付すべき第一種負

第110条

担金の額、納付期限及び納付方法を通知しなければならない。

4　⑾ 接続電気通信事業者等は、前項の規定による通知に従い、支援機関に対し、第一種負担金を納付する義務を負う。

5　第3項の規定による通知を受けた接続電気通信事業者等は、納付期限までにその第一種負担金を納付しないときは、⑿ 第一種負担金の額に納付期限の翌日から当該第一種負担金を納付する日までの日数1日につき総務省令で定める率を乗じて計算した金額に相当する金額の延滞金を納付する義務を負う。

6　支援機関は、接続電気通信事業者等が納付期限までにその第一種負担金を納付しないときは、督促状によつて、期限を指定して督促しなければならない。

7　支援機関は、前項の規定による督促を受けた接続電気通信事業者等がその指定の期限までにその督促に係る第一種負担金及び第5項の規定による延滞金を納付しないときは、総務大臣にその旨を申し立てることができる。

8　⒀ 総務大臣は、前項の規定による申立てがあつたときは、当該接続電気通信事業者等に対し、支援機関に第一種負担金及び第5項の規定による延滞金を納付すべきことを命ずることができる。

追加　平成13年法律第 62号
第72条の10繰下げ改正　平成15年法律第125号
改正　令和4年法律第 70号

1　概　要

　支援機関が接続電気通信事業者等から負担金（「第一種負担金」）を徴収することができること及び負担金額の算定方法、徴収方法その他の第一種負担金の徴収に関すること並びに接続電気通信事業者等が納付しない場合に総務大臣が納付を命ずることができることについて定めている。

2　条文内容

〔第1項〕

(1)　第107条第1号に掲げる業務（これに附帯する業務を含む。・・・）に要する費用の全部又は一部に充てるため

　第一種負担金の額は、第一種交付金の額に支援業務に係る事務経費を加算し

て算定されるものであり、通常は支援業務に要する費用の「全部」に充てることとなるが、例えば、第一種負担金の徴収から第一種交付金の交付までの間に当該資金を運用して得た金利収入を当該費用に充てる等の状況も想定されることから、通常の用例に従い、「全部又は一部」と規定している。

(2) **次に掲げる電気通信事業者**

第一種適格電気通信事業者が提供する第1号基礎的電気通信役務の赤字額の一部を負担すべき電気通信事業者としては、第一種適格電気通信事業者が第1号基礎的電気通信役務を提供するために設置した電気通信設備を利用することにより利益を受けている電気通信事業者に限定することが適切であり、具体的には第1号から第3号までに掲げる電気通信事業者（(6)、(7)及び(8)を参照のこと。）を対象として定めている。

これらのいずれにも合致していない電気通信事業者としては、直接又は間接に第一種適格電気通信事業者と接続協定又は卸電気通信役務の提供に係る契約を締結していない電気通信事業者が当たり、例えば、自前回線のみで電気通信役務を提供している衛星通信事業者や専用役務事業者（例えば、金融機関間を専用回線で接続している電気通信事業者等）が考えられる。

(3) **その事業の規模が政令で定める基準を超えるもの（以下この条において「接続電気通信事業者等」という。）**

新規参入直後の電気通信事業者などの事業規模の小さい電気通信事業者から直ちに第一種負担金を徴収することは競争促進の観点から望ましくなく、また、受益も小さく、徴収コストに比較して徴収金額も小さく事務の効率が悪いと考えられることから、事業の規模が一定の基準を上回る場合、具体的には、前年度の電気通信役務の提供から得た収益が10億円を超える電気通信事業者のみを、第一種負担金を課す対象とすることとしている（施行令第5条第1項）。

また、収益の額の算定の対象となる電気通信役務が音声伝送役務、専用役務及びデータ伝送役務であること等、その算定方法が総務省令で定められている（交付金等算定規則第24条）。

電気通信事業法施行令（昭和60年政令第75号）(抄)

（第一種負担金を徴収することができる電気通信事業者の事業の規模の基準等）

第5条　法第110条第1項の政令で定める基準は、電気通信事業者の前年度

第110条

> における電気通信役務の提供により生じた収益の額として総務省令で定める方法により算定した額が10億円であることとする。
>
> 2 （略）

(4) <u>収益の額・・・として総務省令で定める方法により算定した額に対する当該負担金（以下「第一種負担金」という。）の額の割合は、政令で定める割合を超えてはならない</u>

接続電気通信事業者等が負担する第一種負担金が、第一種適格電気通信事業者による第1号基礎的電気通信役務の提供のための赤字額の一部を補填するために客観的に算定されたものであったとしても、第一種負担金が接続電気通信事業者等の経営を過度に圧迫しないようにするとともに、その額について一定の予見可能性を与えることが適当であると考えられることから、第一種負担金の額は接続電気通信事業者等の電気通信事業収益の一定割合を上限とすることとしている。

具体的には、3％が上限として定められている（施行令第5条第2項）。

> 電気通信事業法施行令（昭和60年政令第75号）(抄)
>
> （第一種負担金を徴収することができる電気通信事業者の事業の規模の基準等）
>
> 第5条 （略）
>
> 2 法第110条第1項ただし書の政令で定める割合は、100分の3とする。

(5) <u>その者が、前年度又はその年度（第3項の規定による通知を受けるまでの間に限る。）において、他の接続電気通信事業者等について合併、分割（電気通信事業の全部を承継させるものに限る。）若しくは相続があった場合における合併後存続する法人若しくは合併により設立された法人、分割により当該電気通信事業の全部を承継した法人若しくは相続人又は他の接続電気通信事業者等から電気通信事業の全部を譲り受けた者であるときは、合併により消滅した法人、分割をした法人若しくは被相続人又は当該電気通信事業を譲り渡した接続電気通信事業者等の前年度における電気通信役務の提供により生じた収益の額を含む</u>

接続電気通信事業者等が当該年度又は前年度において、合併、分割、相続又

第110条

は事業譲渡をした場合における、第一種負担金の負担比率を算定する際の算定ベースとなる収益の額の算定の方法について規定したものである。

例えば、合併の場合は、合併後の存続会社の収益に合併により消滅した法人の収益の額を加えた収益をベースとするものである。分割、相続又は事業譲渡についても、合併と同様の考え方を採っている。

(6)　第一種適格電気通信事業者が第108条第1項の規定による指定に係る第1号基礎的電気通信役務を提供するために設置している電気通信設備との接続に関する協定を締結している電気通信事業者

　　第一種適格電気通信事業者が設置した第1号基礎的電気通信役務を提供するための電気通信設備と直接に電気通信設備を接続している電気通信事業者は、第一種適格電気通信事業者による第1号基礎的電気通信役務の提供から直接利益を受けていると考えられるため、第一種負担金の徴収の対象としている。

(7)　前号に掲げる電気通信事業者の電気通信設備との接続に関する協定を締結している電気通信事業者その他電気通信事業者の電気通信設備を介して同号に規定する電気通信設備と接続する電気通信設備を設置している電気通信事業者

　　(6)の電気通信事業者と同様に、第一種適格電気通信事業者が設置した第1号基礎的電気通信役務を提供するための電気通信設備と間接的に接続する電気通信事業者についても、第一種適格電気通信事業者による第1号基礎的電気通信役務の提供から間接的に利益を受けていると考えられるため、第一種負担金の徴収の対象としている。

　　前段においては、「前号に掲げる電気通信設備との接続に関する協定を締結している電気通信事業者」として第1号の電気通信事業者と接続している第一段階の間接接続事業者を規定し、後段では「その他電気通信事業者の電気通信設備を介して同号に規定する電気通信設備と接続する電気通信設備を設置している電気通信事業者」として、第一段階の間接接続事業者と接続している第二段階以降の間接接続事業者を規定しており、多段階接続により第一種適格電気通信事業者と接続している事業者は、全て、当該規定により第一種負担金の徴収の対象に含まれることが規定されている。

(8)　第1号に規定する電気通信設備、これと接続する電気通信設備又は電気通信事業者の電気通信設備を介して同号に規定する電気通信設備と接続する電気通信設備を用いる卸電気通信役務の提供を受ける契約を締結している電気通信事業者

555

第110条

同様に、第一種適格電気通信事業者が設置した第1号基礎的電気通信役務を提供するための電気通信設備及びこれと直接的又は間接的に接続する電気通信設備を用いる卸電気通信役務の提供を受ける契約を締結している電気通信事業者についても、第一種適格電気通信事業者による第1号基礎的電気通信役務の提供から間接的に利益を受けていると考えられるため、第一種負担金の徴収の対象とされている。

〔第2項〕

(9) 総務省令で定める方法により第一種負担金の額を算定

第一種負担金の額の算定は、第一種適格電気通信事業者ごとに、支援機関が第一種適格電気通信事業者ごとに算定する各月の1電気通信番号当たりの第一種負担金の額（番号単価）に接続電気通信事業者等ごとの毎月末の電気通信番号の数をそれぞれ乗じて得た額を合計することを基本として、接続電気通信事業者等ごとの第一種負担金の額を算定することとされている（交付金等算定規則第27条）。

なお、上記の番号単価は、全ての第一種適格電気通信事業者に対する第一種交付金の総額に支援機関の事務費用を合算した額を、全ての接続電気通信事業者等が保有する電気通信番号の総数に月数を乗じた数で除した額を基礎に計算することとされている（平成18年総務省告示第429号）。

(10) 徴収方法

徴収方法としては、接続電気通信事業者等の第一種負担金の納付期限、納付方法（銀行振込等）等を定めるものである。

〔第4項〕

(11) 接続電気通信事業者等は、前項の規定による通知に従い、支援機関に対し、第一種負担金を納付する義務を負う

接続電気通信事業者等による支援機関への第一種負担金の支払いは、接続電気通信事業者等が任意に支払うものではなく、また、契約により義務が生じるものでもなく、法定の義務であることを明らかにしたものである。

〔第5項〕

(12) 第一種負担金の額に納付期限の翌日から当該第一種負担金を納付する日までの日数1日につき総務省令で定める率を乗じて計算した金額に相当する金額の延滞金を納付する義務を負う

第一種負担金の支払いのみならず、その延滞金の支払いについても、接続電

気通信事業者等の法定の義務であることを明らかにしたものであり、その率は
1日当たり0.04％となっている（交付金等算定規則第29条）。

〔第8項〕

⒀　**総務大臣は、前項の規定による申立てがあつたときは、当該接続電気通信事業者等に対し、支援機関に第一種負担金及び第5項の規定による延滞金を納付すべきことを命ずることができる**

　接続電気通信事業者等による第一種負担金及び延滞金の支払いを担保するため、総務大臣が納付命令を行うことができることを定めた規定である。この命令に反したとしても、直ちに刑罰の対象となるものではないが、登録の取消し（第14条第1項第1号）の対象となり得ること等により、その実効性が担保されることとなる。

第110条の2　（第2号基礎的電気通信役務一般支援区域等の指定）

（第2号基礎的電気通信役務一般支援区域等の指定）

第110条の2　総務大臣は、支援機関の指定をしたときは、総務省令で定めるところにより、⑴全国を総務省令で定める地域の単位に分けた区域（以下この項及び次項において「単位区域」という。）のうち次の各号のいずれにも該当するもの（同項各号のいずれにも該当するものを除く。）を⑵第2号基礎的電気通信役務一般支援区域（以下「一般支援区域」という。）として指定することができる。

一　⑶当該単位区域において第2号基礎的電気通信役務を提供するために通常要すると見込まれる費用の額から当該単位区域において第2号基礎的電気通信役務の提供により通常生ずると見込まれる収益の額を減じた額として総務省令で定める方法により算定した額が零を上回ること。

二　⑷当該単位区域において現に第2号基礎的電気通信役務（総務省令で定める規模を超える電気通信回線設備を設置して提供するものに限る。）を提供している電気通信事業者（当該単位区域において当該第2号基礎的電気通信役務を継続して提供している期間が総務省令で定める期間を超える者に限る。）の数が一以下であること。

2 総務大臣は、支援機関の指定をしたときは、総務省令で定めるところにより、単位区域のうち次の各号のいずれにも該当するものを (5) 第2号基礎的電気通信役務特別支援区域（以下「特別支援区域」という。）として指定することができる。

一 次のいずれかに該当すること。

イ (6) 前項第1号の総務省令で定める方法により算定した額が零を上回る場合において、当該上回る額が第2号基礎的電気通信役務の提供を確保することが著しく困難であると見込まれる額として総務省令で定める額以上であること。

ロ (7) 当該単位区域の地理的条件その他の総務省令で定める事項が第2号基礎的電気通信役務の提供を確保することが著しく困難であると見込まれる場合として総務省令で定める場合に該当すること。

二 (8) 前項第2号に該当すること。

3 総務大臣は、一般支援区域が第1項各号のいずれかに該当しなくなつたとき、又は特別支援区域が前項各号のいずれかに該当しなくなつたときは、総務省令で定めるところにより、その指定を解除するものとする。

4 総務大臣は、一般支援区域若しくは特別支援区域の指定をしたとき、又は当該指定を解除したときは、遅滞なく、その旨を支援機関に通知するとともに、これを公表するものとする。

追加　令和4年法律第70号

1　概　要

全国を単位区域に分けて第二種交付金の支援対象となる一般支援区域と特別支援区域を規定している。

2　条文内容

〔第1項〕

(1) 全国を総務省令で定める地域の単位に分けた区域（以下この項及び次項において「単位区域」という。）

総務省令では、地域の単位を町又は字とするとしている（施行規則第40条の8の2第1項）。

第110条の2

(2) 第2号基礎的電気通信役務一般支援区域（以下「一般支援区域」という。）
として指定

　一般支援区域と特別支援区域における第二種適格電気通信事業者に対する支
援の差異は、一般支援区域に係る第二種交付金の額については、算定する前年
度における当該第二種適格電気通信事業者の第2号基礎的電気通信役務の提供
に係る全体の財務会計上の赤字額を上限額として設けるのに対して、特別支援
区域に係る第二種交付金の額には、そのような上限額を設けないことである
（第107条の解説を参照のこと）。

　(3)(4)の要件のいずれにも該当する区域を「一般支援区域」として指定するこ
ととしている（一般支援区域の指定については、制度の安定性や規制コストの
観点から、必要な要件が満たされた場合に一定期間ごとに実施することが適当
と考えられることから、端末系伝送路設備を設置して第2号基礎的電気通信役
務を提供する電気通信事業者による電気通信回線設備の規模等の報告（施行規
則第14条の5）があった場合において、当該報告に係る単位区域が一般支援
区域の指定の要件に該当すると認められるときに、毎事業年度経過後5月以内
に行うこととしている（施行規則第40条の8の3））。

(3) 当該単位区域において第2号基礎的電気通信役務を提供するために通常要す
ると見込まれる費用の額から当該単位区域において第2号基礎的電気通信役務
の提供により通常生ずると見込まれる収益の額を減じた額として総務省令で定
める方法により算定した額が零を上回ること

　一般支援区域として指定する要件の第一を、総務省令で定める方法（施行規
則第40条の8の4）に基づき算定した当該区域の第2号基礎的電気通信役務
の提供に係る収支が赤字と見込まれることとしている。

　これは、第2号基礎的電気通信役務の収支が赤字と見込まれる区域は、第二
種適格電気通信事業者の撤退の可能性が高くなり、第2号基礎的電気通信役務
の提供を確保できない蓋然性が高くなることから、これを防ぐことが第二種交
付金の制度の趣旨に適うことになるためである。

　総務省令では、単位区域ごとに通常要すると見込まれる電気通信回線1回線
当たりの費用として総務大臣が定める方法により算定される額から単位区域ご
とに通常生ずると見込まれる電気通信回線1回線当たりの平均的な収入見込額
として総務大臣が定める額（月額3869円（令和5年総務省告示第214号））を
減じる方法を規定している（施行規則第40条の8の4）。

559

第110条の2

(4) 当該単位区域において現に第2号基礎的電気通信役務（総務省令で定める規模を超える電気通信回線設備を設置して提供するものに限る。）を提供している電気通信事業者（当該単位区域において当該第2号基礎的電気通信役務を継続して提供している期間が総務省令で定める期間を超える者に限る。）の数が一以下であること

　一般支援区域として指定する要件の第二を、当該区域において自ら一定の規模を超える電気通信回線設備を設置して、一定期間継続して第2号基礎的電気通信役務を提供している者が一者以下であることとしている。

　第二種交付金の支援対象となる単位区域を、第2号基礎的電気通信役務を提供している者が一以下である区域とすることとしているのは、実態として継続的に複数の電気通信事業者が当該区域で第2号基礎的電気通信役務を提供している場合、当該区域は一定の収益性を有していることが想定されるためである。

　ここで一者以下と捉える電気通信事業者は、第2号基礎的電気通信役務を①一定規模を超える電気通信回線設備を設置して提供し、②一定期間継続して提供することの両方の要件を充たすことが必要としている。

　①について、区域内に一定規模を超える電気通信回線設備を設置して行う電気通信事業は、初期投資や維持費が大きく、特に他に一定規模を超える電気通信回線設備を設置する電気通信事業者がいる区域に参入する場合には、当該区域の収益性を慎重に判断して行うものと考えられることから、一定規模を超える電気通信回線設備を設置する電気通信事業者が二以上いる区域は、収益性がある区域と想定される。したがって、一者以下と捉える電気通信事業者は、一定規模を超える電気通信回線設備を設置して第2号基礎的電気通信役務を提供する電気通信事業者としている。

　「一定規模を超える電気通信回線設備」は、総務省令では、単位区域ごとの第2号基礎的電気通信役務の提供に係る電気通信回線設備の規模として、100分の50と規定している（施行規則第40条の6の2第2項）。

　②について、当該区域に第2号基礎的電気通信役務を提供する電気通信事業者が参入しても、採算が取れない場合には短期間で撤退する可能性がある。このため、当該区域に収益性があると考えるためには、当該区域で第2号基礎的電気通信役務を提供する電気通信事業者が一定期間継続して事業を営んでいることを必要とするものである。

　「一定期間」は、総務省令で定める期間としており、総務省令では、1年と

している（施行規則第40条の6の3）。

〔第2項〕

(5) **第2号基礎的電気通信役務特別支援区域（以下「特別支援区域」という。）として指定**

　　(6)又は(7)のいずれか及び(4)の要件のいずれにも該当する区域を「特別支援区域」として指定することとしている。（特別支援区域の指定については、制度の安定性や規制コストの観点から、必要な要件が満たされた場合に一定期間ごとに実施することが適当と考えられることから、端末系伝送路設備を設置して第2号基礎的電気通信役務を提供する電気通信事業者による電気通信回線設備の規模等の報告（施行規則第14条の5）があった場合において、当該報告に係る単位区域が特別支援区域の指定の要件に該当すると認められるときに、毎事業年度経過後5月以内に行うこととしている（施行規則第40条の8の3））。

(6) **前項第1号の総務省令で定める方法により算定した額が零を上回る場合において、当該上回る額が第2号基礎的電気通信役務の提供を確保することが著しく困難であると見込まれる額として総務省令で定める額以上であること**

　　特別支援区域として指定する要件の第一を、(6)又は(7)のいずれかに該当することとしているところ、その前者として、当該区域の収支見込額が総務省令で定める額以上の赤字であることとしている。

　　離島などの第2号基礎的電気通信役務の提供に係る収支の赤字額が相対的に極めて大きいと見込まれる区域も第2号基礎的電気通信役務を提供すべき区域として存在しているが、このような区域は、第2号基礎的電気通信役務に係る収支が黒字の電気通信事業者であっても参入する蓋然性は低く、一度参入した電気通信事業者であっても当該区域から撤退する蓋然性が高い。

　　このような区域で第2号基礎的電気通信役務の提供を確保するためには、当該区域で第2号基礎的電気通信役務を提供する電気通信事業者の維持費に係る負担を軽減することが特に必要となることから、一般支援区域とは異なり、当該区域に係る第二種交付金の額については、第2号基礎的電気通信役務の提供に係る全体の財務会計上の赤字額を上限額としないこととしている。

　　具体的には、離島などの第2号基礎的電気通信役務の提供に係る収支の赤字額が相対的に極めて大きいと見込まれる区域を想定しており、一般支援区域と特別支援区域の間の閾値となる赤字額は総務省令で規定することとしている。

(7) 当該単位区域の地理的条件その他の総務省令で定める事項が第2号基礎的電気通信役務の提供を確保することが著しく困難であると見込まれる場合として総務省令で定める場合に該当すること

　特別支援区域として指定する要件の第一を、(6)又は(7)のいずれかに該当することとしているところ、その後者として、地理的条件その他の総務省令で定める事項（電気通信回線設備の規模、第2号基礎的電気通信役務の提供に係る電気通信回線設備を所有する者の属性（施行規則第40条の8の5第1項））により第2号基礎的電気通信役務の提供の確保が著しく困難であることとしている。

　一部の離島など極めて地理的条件の悪い区域は、第2号基礎的電気通信役務を提供する電気通信回線設備の整備コストが膨大となることが見込まれる。このように、未提供区域への参入は期待しにくく、提供区域であっても既に整備されている電気通信回線設備が撤去された場合には再整備が行われる蓋然性が低い区域では、第2号基礎的電気通信役務の提供の確保が困難となるおそれがあるため、「地理的条件等により提供の確保が著しく困難」であることを特別支援区域の要件において規定している。

(8) 前項第2号に該当すること

　特別支援区域として指定する要件の第二を、(4)と同じ、当該区域において自ら一定の規模を超える電気通信回線設備を設置して、一定期間継続して第2号基礎的電気通信役務を提供する者が一者以下であることとしている。

　一者以下と捉える電気通信事業者は、一般支援区域と同様、第2号基礎的電気通信役務を①一定規模を超える電気通信回線設備を設置して提供し、②一定期間継続して提供することの両方の要件を充たすことが必要である。

〔第3項〕

　総務大臣は、一般支援区域又は特別支援区域がその要件に該当しなくなったときは、その指定を解除することとしている（一般支援区域又は特別支援区域の指定の解除については、制度の安定性や規制コストの観点から、必要な要件が満たされた場合に一定期間ごとに実施することが適当と考えられることから、端末系伝送路設備を設置して第2号基礎的電気通信役務を提供する電気通信事業者による電気通信回線設備の規模等の報告（施行規則第14条の5）があった場合において、当該報告に係る単位区域が一般支援区域又は特別支援区域の指定の要件に該当しなくなったと認められるときに、毎事業年度経過後5月以内に行うこととしている（施行規則第40条の8の3））。

〔第4項〕

　総務大臣は、一般支援区域若しくは特別支援区域を新たに指定し、又は当該指定を解除したときは、遅滞なく、その旨を支援機関に通知するとともに、公表することとしている。

　これは、支援機関が支援区域の変更に伴う事務を遅滞なく行うとともに、第2号基礎的電気通信役務を提供する電気通信事業者が、自らが第二種適格電気通信事業者の要件を満たすか否か、また、第二種適格電気通信事業者が、自らの担当支援区域に変更が生ずるか否か等を確認することができるようにするためである。

第110条の3　（第二種適格電気通信事業者の指定）

（第二種適格電気通信事業者の指定）

第110条の3　総務大臣は、支援機関及び支援区域（一般支援区域及び特別支援区域をいう。以下この条において同じ。）の指定をしたときは、⑴第2号基礎的電気通信役務を提供する電気通信事業者であつて、次に掲げる基準に適合すると認められるものを、その申請により、第二種適格電気通信事業者として指定することができる。

一　⑵総務省令で定めるところにより、申請に係る第2号基礎的電気通信役務の提供の業務に関する収支の状況その他総務省令で定める事項を公表していること。

二　⑶申請に係る第2号基礎的電気通信役務に係る業務区域の範囲が一以上の支援区域（次のいずれにも該当するものに限る。次項において同じ。）の全部を含むこと。

　　イ　⑷当該支援区域について他の第二種適格電気通信事業者が次項に規定する担当支援区域の指定をされていないこと。

　　ロ　⑸当該支援区域において申請に係る第2号基礎的電気通信役務を提供するために設置する電気通信回線設備の規模が第107条第2号の総務省令で定める規模を超えること。

2　前項の規定により総務大臣が第二種適格電気通信事業者を指定するときは、併せて、その申請に係る第2号基礎的電気通信役務に係る業務区域の範囲に含まれる支援区域を、当該支援区域ごとに、⑹当該第二種適格電

気通信事業者に係る支援区域（以下この条及び次条第3項において「担当支援区域」という。）として指定しなければならない。当該業務区域の範囲に新たな支援区域が含まれることとなつたときも、同様とする。

3　総務大臣は、次の各号に掲げる場合には、当該各号に定める担当支援区域の指定を解除するものとする。

一　担当支援区域に係る支援区域の指定を解除したとき　当該解除に係る担当支援区域

二　第二種適格電気通信事業者がその担当支援区域について次のイ又はロに該当することとなつたとき　当該イ又はロに定める当該担当支援区域

　イ　当該担当支援区域の全部又は一部がその提供する第2号基礎的電気通信役務に係る業務区域の範囲に含まれないこととなつたとき　当該範囲に含まれないこととなつた当該担当支援区域

　ロ　当該担当支援区域が第1項第2号ロに該当しないこととなつたとき　当該同号ロに該当しないこととなつた当該担当支援区域

三　第6項の規定により第二種適格電気通信事業者の指定の取消しをしたとき　当該第二種適格電気通信事業者の全ての担当支援区域

4　総務大臣は、第1項の規定による第二種適格電気通信事業者の指定及び第2項前段の規定による当該第二種適格電気通信事業者に係る担当支援区域の指定をしたときは、遅滞なく、その旨を支援機関及び当該第二種適格電気通信事業者に通知するとともに、これを公表するものとする。同項後段の規定による担当支援区域の指定、前項の規定による担当支援区域の指定の解除又は第6項の規定による第二種適格電気通信事業者の指定の取消しをしたときも、同様とする。

5　第17条第1項の規定による電気通信事業者の地位の承継があつた場合において、当該電気通信事業者が第二種適格電気通信事業者であつたときは、当該電気通信事業者の地位を承継した電気通信事業者は、第二種適格電気通信事業者の地位を承継するものとする。

6　総務大臣は、第二種適格電気通信事業者が次の各号のいずれかに該当するとき、又は第二種適格電気通信事業者から第1項の規定による指定の取消しの申請があつたときは、その指定を取り消すことができる。

一　次条第3項又は第4項の規定に違反したとき。

二　第1項各号のいずれかに適合しなくなつたと認められるとき。

追加　令和4年法律第　70号

1　概　要

　第2号基礎的電気通信役務を提供する電気通信事業者のうち、一定の要件を満たす者を、当該電気通信事業者の申請により第二種適格電気通信事業者として総務大臣が指定することができることを規定している。

2　条文内容

〔第1項〕

(1)　**第2号基礎的電気通信役務を提供する電気通信事業者であつて、次に掲げる基準に適合すると認められるものを、その申請により、第二種適格電気通信事業者として指定**

　　第二種交付金の制度は、民間発意型の受益者負担金制度であり、基礎的電気通信役務の提供の確保に寄与することを目的とする一般社団法人又は一般財団法人（基礎的電気通信役務支援機関）を指定するとともに、第二種交付金の対象となる支援区域を指定することをもって制度が稼働し始めるものである。

　　支援機関は、第二種適格電気通信事業者に対し、その担当支援区域における第2号基礎的電気通信役務に係る赤字見込額の一部を第二種交付金により支援することとなるところ、総務大臣による第二種適格電気通信事業者の指定は、第2号基礎的電気通信役務を提供する電気通信事業者の申請により、(2)(3)の要件のいずれにも該当した場合に行うこととしている。

　　総務大臣による第二種適格電気通信事業者の指定は、第二種交付金の交付を受けることが可能となる利益処分であり、あくまで当該電気通信事業者の申請により指定を行うこととするものであるため、当該電気通信事業者が申請を行わない限り第二種適格電気通信事業者として指定されることはない。

(2)　**総務省令で定めるところにより、申請に係る第2号基礎的電気通信役務の提供の業務に関する収支の状況その他総務省令で定める事項を公表していること**

　　第二種適格電気通信事業者の指定の要件の第一を、第二種交付金の申請に係る第2号基礎的電気通信役務の提供の業務に関する収支の状況その他総務省令で定める事項を公表していることとしている。

　　第二種適格電気通信事業者が、その担当支援区域における第2号基礎的電

通信役務の提供を確保するために必要な額と比較して過大な交付金を受け取ることがないよう、一般支援区域においては第2号基礎的電気通信役務の提供に係る財務会計上の赤字額を交付金の上限額とするところ、その赤字額等を明らかにする観点から、第2号基礎的電気通信役務の提供の業務に関する収支及びその他総務省令で定める事項（第2号基礎的電気通信役務収支表及び特別支援区域整備・役務提供計画書（業務区域に特別支援区域が含まれる場合。）によるもの（施行規則第40条の4の6第1項））の公表が必要となる。このため、当該収支の状況の整理を行うに足りる能力を有し、また現に当該収支の状況を公表していることを指定の要件としている。

具体的な公表方法として、指定の申請の前に、営業所その他の事業所に備え置き、公衆の縦覧に供するとともに、その備置きの日から7日以内にインターネットを利用することが総務省令で規定されている（施行規則第40条の4の6第2項）。

(3) 申請に係る第2号基礎的電気通信役務に係る業務区域の範囲が一以上の支援区域（次のいずれにも該当するものに限る。・・・）の全部を含むこと

第二種適格電気通信事業者の指定の要件の第二を、第2号基礎的電気通信役務に係る業務区域に一以上の一定の要件を満たす支援区域の全部を含むこととしている。

これについては、実態に即した柔軟な対応を行う観点から、申請する電気通信事業者が第2号基礎的電気通信役務を提供する支援区域を一括して申請に含めた上で、第二種適格電気通信事業者の指定を行う方法を採っているものである。

第二種交付金の趣旨は、第2号基礎的電気通信役務の提供に係る収支が赤字となることが見込まれる支援区域について、赤字見込額の一部を第二種交付金により支援するものであることから、第二種適格電気通信事業者の指定申請の際に、当該申請を行う者の業務区域に支援区域を含むことを指定の要件としている。

また、第二種適格電気通信事業者の指定申請に際して、一以上の支援区域の全部としているのは、第2号基礎的電気通信役務のあまねく提供に資するため、第二種交付金による支援を受けて支援区域の一部だけで第2号基礎的電気通信役務を提供することは認めないこととするためである。

申請に係る支援区域は、(4)(5)の要件を満たすことを必要としている。

第110条の3

⑷　当該支援区域について他の第二種適格電気通信事業者が次項に規定する担当
　支援区域の指定をされていないこと

　　申請に係る支援区域で他の第二種適格電気通信事業者の担当支援区域が指定
　されていないことを第二種適格電気通信事業者の指定の要件の第二に含めてい
　る。

　　支援区域は、一定規模（一般支援区域の場合、100分の50（施行規則第40条
　の6の2））を超える電気通信回線設備を設置する電気通信事業者が一以下の
　区域であることを要件としているため、ある担当支援区域の指定を受けること
　ができる第2号基礎的電気通信役務を提供する電気通信事業者が二以上生じる
　ことは基本的に想定しておらず、ある担当支援区域で第二種交付金の支援を受
　けることができる第二種適格電気通信事業者の数も二以上となることは想定し
　ていない。

　　しかし、例えば、第2号基礎的電気通信役務を提供する電気通信事業者がそ
　の業務区域の拡大により、別の第二種適格電気通信事業者の担当支援区域とし
　て指定されている特別支援区域に、一定規模（100分の10（施行規則第40条の
　6の2））を超える電気通信回線設備を設置して参入することがあり得る。こ
　のような場合に、この新規参入事業者も第二種適格電気通信事業者に指定する
　と、二者が第二種交付金の交付を受けられる（第107条第2号）ことになりか
　ねず、支援区域で第二種交付金の交付を受けられる者は一者であることと反す
　ることになる。このような事態を回避するため、申請に係る支援区域は、他の
　第二種適格電気通信事業者の担当支援区域に指定されていないことを要件とし
　ている。

　　なお、上述の例のように、第二種適格電気通信事業者が指定されている担当
　支援区域に、他の電気通信事業者が一定規模（一般支援区域の場合、100分の
　50（施行規則第40条の6の2））を超える電気通信回線設備を設置して第2号
　基礎的電気通信役務を提供することとなる場合において、そのような一定規模
　を超える電気通信回線設備を設置する電気通信事業者が二以上存在することと
　なったときには、毎事業年度経過後5月以内に行われる（施行規則第40条の8
　の3）支援区域の指定・指定解除の際に支援区域の解除が行われることとなる。

567

第110条の3

(5) 当該支援区域において申請に係る第2号基礎的電気通信役務を提供するため に設置する電気通信回線設備の規模が第107条第2号の総務省令で定める規 模を超えること

一定規模を超える電気通信回線設備を設置していることを第二種適格電気通 信事業者の指定の要件の第二に含めている。

支援区域内に第2号基礎的電気通信役務が提供されるためには、当該支援区 域内に一定規模を超える電気通信回線設備を設置する電気通信事業者が必要と なるところ、当該電気通信回線設備を設置して行う電気通信事業は、初期費用 や維持費が大きく、収益性の乏しい地域では、赤字となることが見込まれるた め、第二種交付金によりその維持費を支援しようとするものである。

このため、申請に係る支援区域は、一定規模を超える電気通信回線設備を設 置していることを要件としている。

第107条第2号において、第二種交付金の支援対象者については、第二号基 礎的電気通信役務に関して、総務省令で定める規模を超える電気通信回線設備 を設置して提供するものに限るという要件を含んでいるが、第二種適格電気通 信事業者の指定に際しても、総務省令で定める規模の要件の考え方は同様のも のとしている。

〔第2項〕

(6) 当該第二種適格電気通信事業者に係る支援区域（以下この条及び次条第3項 において「担当支援区域」という。）として指定

総務大臣が第二種適格電気通信事業者を指定する際には、併せて当該第二種 適格電気通信事業者の第2号基礎的電気通信役務に係る業務区域のうち支援区 域に該当する区域を、担当支援区域として指定することとしている。

なお、第二種適格電気通信事業者の第2号基礎的電気通信役務に係る業務区 域の範囲に新たな支援区域が含まれることとなった場合は、第13条又は第16 条に規定する電気通信事業の登録又は届出の変更に係る手続において当該変更 を総務大臣が把握することが可能であるため、当該支援区域が他の第二種適格 電気通信事業者の担当支援区域に指定されていない限り、これを受けて総務大 臣が当該第二種適格電気通信事業者の担当支援区域に当該支援区域を追加する ことになる。

〔第3項〕

総務大臣は、担当支援区域に係る支援区域の指定を解除したとき（第1号）、

568

担当支援区域が業務区域の範囲に含まれなくなったとき（第2号イ）、担当支援区域で一定規模を超える電気通信回線設備を設置しなくなったとき（第2号ロ）は当該担当支援区域の指定を解除し、第二種適格電気通信事業者の指定を取り消したとき（第3号）は全ての担当支援区域の指定を解除するものとしている。

〔第4項〕

　総務大臣は、次の場合には、遅滞なく、その旨を支援機関及び当該第二種適格電気通信事業者に通知するとともに、公表することとしている。

・第二種適格電気通信事業者の指定及び当該第二種適格電気通信事業者に係る担当支援区域の指定をしたとき（第1項及び第2項前段）

・担当支援区域の指定をしたとき（第2項後段）

・担当支援区域の指定を解除したとき（第3項）

・第二種適格電気通信事業者の指定を取り消したとき（第6項）

　これは、新たに第二種適格電気通信事業者が指定されることにより、支援機関及び当該第二種適格電気通信事業者に、その担当支援区域における第二種交付金に係る事務が発生するため、それらの事務を遅滞なく行う必要があるためである。

　また、第二種適格電気通信事業者の指定申請の際に、申請する支援区域が、他の第二種適格電気通信事業者が担当支援区域の指定を受けていない区域であることを要件としているところ、他の電気通信事業者が、既に第二種適格電気通信事業者が担当支援区域の指定を受けている区域であるか否かを確認することができるよう、これらを公表することとしている。

〔第5項〕

　第二種適格電気通信事業者である電気通信事業者について、第17条第1項の規定によりその地位が承継された場合は、当該第二種適格電気通信事業者である電気通信事業者の地位を承継した電気通信事業者は、第二種適格電気通信事業者の地位を承継することとしている。

〔第6項〕

　第二種適格電気通信事業者が、①第110条の4第3項若しくは第4項の規定に違反したとき又は第二種適格電気通信事業者がその指定要件に該当しなくなったとき、②第二種適格電気通信事業者からその指定の取消しの申請があったときは、当該第二種適格電気通信事業者の指定を取り消すことができることとしている。

第110条の4

第110条の4 （第二種交付金の交付）

（第二種交付金の交付）

第110条の4　支援機関は、年度ごとに、(1) 総務省令で定める方法により第107条第２号の交付金（以下「第二種交付金」という。）の額を算定し、当該第二種交付金の額及び(2) 交付方法について総務大臣の認可を受けなければならない。

2　前項の認可の申請は、(3) 一般支援区域又は特別支援区域の区分ごとに第二種交付金の額の内訳を明らかにした書類を添えてしなければならない。

3　第二種適格電気通信事業者は、(4) 総務省令で定めるところにより、第二種交付金の額の算定をするための資料として、その担当支援区域ごとに、当該算定の前年度における第２号基礎的電気通信役務の提供に要した原価及び第２号基礎的電気通信役務の提供により生じた収益の額その他総務省令で定める事項を支援機関に届け出なければならない。

4　前項の原価は、(5) 能率的な経営の下における適正な原価を算定するものとして総務省令で定める方法により算定し、同項の収益は、(6) 標準的な料金を設定するとしたならば通常生ずる収益を算定するものとして総務省令で定める方法により算定しなければならない。

5　支援機関は、第１項の認可を受けたときは、総務省令で定めるところにより、第二種交付金の額を公表しなければならない。

追加　令和４年法律第　70号

1　概　要

　支援機関が第二種適格電気通信事業者に交付する第二種交付金の額及び交付方法に関する総務大臣の認可、第二種適格電気通信事業者の担当支援区域ごとの第２号基礎的電気通信役務に係る収支の算定方法等について規定している。

2　条文内容

〔第１項〕

　第二種交付金の額及びその交付方法を総務大臣の認可事項としている。

(1)　総務省令で定める方法により第107条第２号の交付金（以下「第二種交付金」という。）の額を算定

　支援機関が第二種適格電気通信事業者に交付する第二種交付金の額の算定方

法については、総務省令において規定することとしている。

(2) 交付方法

交付方法として、第二種交付金を第二種適格電気通信事業者に交付する時期、交付手段（銀行振込等）等を定めるものである。

〔第2項〕

(3) 一般支援区域又は特別支援区域の区分ごとに第二種交付金の額の内訳を明らかにした書類

第二種交付金の額及びその交付方法に係る認可の申請については、第二種交付金の支援区域を、一般支援区域と特別支援区域に分けて観念していることから、それぞれの支援区域における第二種交付金の内訳を把握するため一般支援区域又は特別支援区域の区分ごとに第二種交付金の額の内訳を明らかにした書類を添えてしなければならないと規定している。

〔第3項〕

(4) 総務省令で定めるところにより、第二種交付金の額の算定をするための資料として、その担当支援区域ごとに、当該算定の前年度における第2号基礎的電気通信役務の提供に要した原価及び第2号基礎的電気通信役務の提供により生じた収益の額その他総務省令で定める事項を支援機関に届け出なければならない

第二種交付金の交付対象となる区域は、第二種適格電気通信事業者の第2号基礎的電気通信役務に係る収支が赤字となることが見込まれる必要があることから、支援機関が第二種交付金の総額を算定するに当たって、当該第二種交付金の交付を受けようとする第二種適格電気通信事業者は、担当支援区域ごとに前年度における第2号基礎的電気通信役務の提供に要した原価及び当該役務の提供によって生じた収益の額等算定に必要な情報を支援機関に届け出ることとしている。

〔第4項〕

(5) 能率的な経営の下における適正な原価を算定するものとして総務省令で定める方法により算定

第二種適格電気通信事業者が支援機関に届け出るべき原価の算定方法については、総務省令で定めることとしている。

(6) 標準的な料金を設定するとしたならば通常生ずる収益を算定するものとして総務省令で定める方法により算定

第二種適格電気通信事業者が支援機関に届け出るべき収益については、担当

支援区域ごとの契約者数に標準的な料金を乗じて得た収益を算定するものとして総務省令で定める方法により算定するものとしている。

〔第5項〕

支援機関は、第二種交付金の額を、総務省令で定めるところにより、公表しなければならない旨を規定している。

第110条の5 （第二種負担金の徴収）

（第二種負担金の徴収）

第110条の5　支援機関は、年度ごとに、⑴ 第107条第2号に掲げる業務（これに附帯する業務を含む。第112条第1項において同じ。）に要する費用の全部又は一部に充てるため、⑵ 高速度データ伝送電気通信役務（総務省令で定めるものを除く。）を提供する電気通信事業者であつて、その事業の規模が政令で定める基準を超えるもの（以下この項において「高速度データ伝送役務提供事業者」という。）から、負担金を徴収することができる。ただし、高速度データ伝送役務提供事業者の前年度における電気通信役務の提供により生じた ⑶ 収益の額（⑷ その者が、前年度又はその年度（次項において準用する第110条第3項の規定による通知を受けるまでの間に限る。）において、他の高速度データ伝送役務提供事業者について合併、分割（電気通信事業の全部を承継させるものに限る。）若しくは相続があつた場合における合併後存続する法人若しくは合併により設立された法人、分割により当該電気通信事業の全部を承継した法人若しくは相続人又は他の高速度データ伝送役務提供事業者から電気通信事業の全部を譲り受けた者であるときは、合併により消滅した法人、分割をした法人若しくは被相続人又は当該電気通信事業を譲り渡した高速度データ伝送役務提供事業者の前年度における電気通信役務の提供により生じた収益の額を含む。）⑶ として総務省令で定める方法により算定した額に対する当該負担金（以下「第二種負担金」という。）の額の割合は、政令で定める割合を超えてはならない。

2　第110条第2項から第8項までの規定は、第二種負担金について準用する。この場合において、同条第3項中「接続電気通信事業者等」とあるの

は「高速度データ伝送役務提供事業者（第110条の5第1項に規定する高速度データ伝送役務提供事業者をいう。以下この条において同じ。）」と、同条第4項から第8項までの規定中「接続電気通信事業者等」とあるのは「高速度データ伝送役務提供事業者」と読み替えるものとする。

追加　令和4年法律第　70号

1　概　要

　支援機関が高速度データ伝送電気通信役務を提供する電気通信事業者（「高速度データ伝送役務提供事業者」）から負担金（「第二種負担金」）を徴収することができること及び第二種負担金の額の算定方法等、第二種負担金の徴収に関する事項を規定している（第1項）。

　また、第一種負担金の徴収に係る各規定（第一種負担金の額及び徴収方法についての総務大臣の認可、支援機関から負担事業者に対する第一種負担金の額、納付期限及び納付方法の通知等）は、第二種負担金の徴収についても準用することを規定している（第2項）。

2　条文内容

〔第1項〕

(1)　第107条第2号に掲げる業務（これに附帯する業務を含む。・・・）に要する費用の全部又は一部に充てるため

　　第二種負担金の額は、第二種交付金の額に支援業務に係る事務経費を加算して算定されるものであり、通常は支援業務に要する費用の「全部」に充てることとなるが、例えば、第二種負担金の徴収から第二種交付金の交付までの間に当該資金を運用して得た金利収入を当該費用に充てる等の状況も想定されることから、通常の用例に従い、「全部又は一部」と規定している。

(2)　高速度データ伝送電気通信役務（総務省令で定めるものを除く。）を提供する電気通信事業者であつて、その事業の規模が政令で定める基準を超えるもの（以下この項において「高速度データ伝送役務提供事業者」という。）

　　第二種負担金を負担しなければならない電気通信事業者は、第二種交付金による支援により第2号基礎的電気通信役務の提供が確保されることによって利益を受ける電気通信事業者とし、具体的には、第2号基礎的電気通信役務でない高速度データ伝送電気通信役務を提供する電気通信事業者を含めた高速度

データ伝送電気通信役務を提供する電気通信事業者としている。

これは、第2号基礎的電気通信役務を提供する電気通信事業者だけではなく、第2号基礎的電気通信役務以外の高速度データ伝送電気通信役務を提供する電気通信事業者についても、第2号基礎的電気通信役務の提供が確保されることにより自らの提供する高速度データ伝送電気通信役務の価値が高まることになるためである。（例えば、地方の支援区域において第2号基礎的電気通信役務の提供が確保されることで、都市部在住者も地方の支援区域在住者とビデオ会議等の利用が可能になり、利用者が増加する。）

他方で、高速度データ伝送電気通信役務を提供する電気通信事業者であって、受益が小さく、第二種負担金を支援機関が徴収しない者として、①総務省令で定める役務を提供するもの及び②その事業の規模が一定以下であるもの（その事業の規模が政令で定める基準を超えるもの以外のもの）を規定している。

①について、総務省令では、次のいずれかに該当するものとする（施行規則第40条の7の2）。

1)　専ら卸電気通信役務を利用して提供する電気通信役務
2)　1)のほか、次のイからチまでに掲げる電気通信役務
　　イ　フレームリレーサービス
　　ロ　ATM交換サービス
　　ハ　自営等BWAアクセスサービス
　　ニ　IP-VPNサービス
　　ホ　広域イーサネットサービス
　　ヘ　専用役務
　　ト　仮想移動電気通信サービス
　　チ　通信モジュール（特定の業務の用に供する通信に用途が限定されている利用者の電気通信設備をいう。）向けに提供する電気通信役務

②について、政令では、電気通信事業者の前年度における電気通信役務の提供により生じた収益の額として総務省令で定める方法により算定した額が10億円であることを定めている（施行令第5条の2）。

電気通信事業法施行令（昭和60年政令第75号）(抄)
（第二種負担金を徴収することができる電気通信事業者の事業の規模の基準等）
第5条の2　法第110条の5第1項の政令で定める基準は、電気通信事業者

の前年度における電気通信役務の提供により生じた収益の額として総務省令で定める方法により算定した額が10億円であることとする。

2　（略）

(3)　収益の額・・・として総務省令で定める方法により算定した額に対する当該負担金（以下「第二種負担金」という。）の額の割合は、政令で定める割合を超えてはならない

　　高速度データ伝送役務提供事業者が負担する第二種負担金が、第二種適格電気通信事業者による第2号基礎的電気通信役務の提供のために赤字額の一部を補填するために客観的に算定されたものであったとしても、第二種負担金が高速度データ伝送役務提供事業者の経営を過度に圧迫しないようにするとともに、その額について一定の予見可能性を与えることが適当であるため、第二種負担金の額は高速度データ伝送役務提供事業者の電気通信事業収益の一定割合を上限とすることとしている。

　　具体的には、3％が上限として定められている（施行令第5条の2第2項）。

電気通信事業法施行令（昭和60年政令第75号）(抄)
　（第二種負担金を徴収することができる電気通信事業者の事業の規模の基準等）
第5条の2　（略）
2　法第110条の5第1項ただし書の政令で定める割合は、100分の3とする。

(4)　その者が、前年度又はその年度（次項において準用する第110条第3項の規定による通知を受けるまでの間に限る。）において、他の高速度データ伝送役務提供事業者について合併、分割（電気通信事業の全部を承継させるものに限る。）若しくは相続があつた場合における合併後存続する法人若しくは合併により設立された法人、分割により当該電気通信事業の全部を承継した法人若しくは相続人又は他の高速度データ伝送役務提供事業者から電気通信事業の全部を譲り受けた者であるときは、合併により消滅した法人、分割をした法人若しくは被相続人又は当該電気通信事業を譲り渡した高速度データ伝送役務提供事業者の前年度における電気通信役務の提供により生じた収益の額を含む

　　高速度データ伝送役務提供事業者が当該年度又は前年度において、合併、分

割、相続又は事業譲渡をした場合における、第二種負担金の負担比率を算定する際の算定ベースとなる収益の額の算定の方法について規定したものである。

例えば、合併の場合は、合併後の存続会社の収益に合併により消滅した法人の収益の額を加えた収益をベースとするものである。分割、相続又は事業譲渡についても、合併と同様の考え方を採っている。

〔第2項〕

第110条第2項から第8項までの第一種交付金の徴収に係る規定は、第二種交付金の徴収についても準用することとしている。

これらの規定は、第二種交付金制度の実効性を担保するための規定である。高速度データ伝送役務提供事業者が総務大臣の命令に反したとしても、直ちに刑罰の対象となるものではないが、登録の取消し（第14条第1項第1号）等の対象となり得る等により、その実効性が担保されることとなる。

① 第110条第2項及び第3項

支援機関は、年度ごとに総務省令で定める方法により算定した第二種負担金の額及び徴収方法について総務大臣の認可を受け、その認可を受けたときは、高速度データ伝送役務提供事業者に対し、その認可を受けた事項を記載した書面を添付して納付すべき第二種負担金の額、納付期限及び納付方法を通知しなければならないこととしている。

② 第110条第4項

高速度データ伝送役務提供事業者は、通知に従い、支援機関に対し、第二種負担金を納付する義務を負うこととしている。

③ 第110条第5項及び第6項

高速度データ伝送役務提供事業者が上述の納付義務を履行せず、納付期限までに第二種負担金を納付しなかった場合、当該高速度データ伝送役務提供事業者に対し、延滞金が課されること及び支援機関は期限を指定して督促状によって督促しなければならないこととしている。

④ 第110条第7項及び第8項

支援機関の督促をしても当該高速度データ伝送役務提供事業者が第二種負担金及び延滞金を納付しないときは、支援機関は、総務大臣にその旨を申し立てることができ、また、総務大臣は、申立てがあったときは、当該高速度データ伝送役務提供事業者に対し、支援機関に第二種負担金及び延滞金を納付すべきことを命ずることができることとしている。

第111条・第112条

第111条（資料の提出の請求）

（資料の提出の請求）

第111条　支援機関は、支援業務を行うため必要があるときは、電気通信事業者に対し、⑴資料の提出を求めることができる。

追加　平成13年法律第 62号
第72条の11繰下げ　平成15年法律第125号

1　概　要

　支援機関が、第一種負担金の額を算定するために接続電気通信事業者等の範囲を決定するための資料を求める等、支援業務を行うため必要があるときは、電気通信事業者に対し、資料の提出を求めることができる旨を定めている。

2　条文内容

⑴　資料の提出

　　具体的には、電気通信事業者の電気通信役務に係る収益に関する資料等の提出を求めることが考えられる。

第112条（区分経理）

（区分経理）

第112条　支援機関は、第107条第１号に掲げる業務に係る経理と同条第２号に掲げる業務に係る経理とを区分して整理しなければならない。

2　支援機関は、支援業務以外の業務を行つている場合には、当該業務に係る経理と支援業務に係る経理とを区分して整理しなければならない。

追加　平成13年法律第 62号
第72条の12繰下げ　平成15年法律第125号
改正　令和４年法律第 70号

概　要

　第一種交付金制度の業務に係る経理と第二種交付金制度の業務に係る経理が混同された場合、それぞれの経理について事後的に確認することができないため、

577

第112条・第113条

透明性確保の観点から、区分して整理されることが適切であるため、支援機関に対し、第一種交付金制度の業務に係る経理及び第二種交付金制度の業務に係る経理を区分して整理することを義務付けている（第1項）。

また、支援機関が、支援業務以外の業務を行う場合には、その業務の費用が支援業務に係る費用と混同され、第一種負担金として接続電気通信事業者等から徴収されてしまう又は第二種負担金として高速度データ伝送役務提供事業者から徴収されてしまうおそれもあることから、その業務に係る経理と支援業務に係る経理を区分して整理すべき旨を定めている（第2項）。

第113条（支援業務諮問委員会）

（支援業務諮問委員会）

第113条　支援機関には、支援業務諮問委員会を置かなければならない。

2　支援業務諮問委員会は、支援機関の代表者の諮問に応じ、第一種交付金及び第二種交付金の額及び交付方法、第一種負担金及び第二種負担金の額及び徴収方法その他支援業務の実施に関する重要事項を調査審議し、及びこれらに関し必要と認める意見を支援機関の代表者に述べることができる。

3　支援業務諮問委員会の委員は、⑴電気通信事業者及び学識経験を有する者のうちから、⑵総務大臣の認可を受けて、支援機関の代表者が任命する。

　　　　　　　　　　　　　　追加　平成13年法律第 62号
　　　　　　　　第72条の13繰下げ　平成15年法律第125号
　　　　　　　　　　　　　　改正　令和4年法律第 70号

1　概　要

　支援機関に支援業務諮問委員会を置かなければならないこと、支援業務諮問委員会は、支援機関の代表者の諮問に応じて、支援業務に関する重要事項を調査審議し、必要な意見を述べることができる旨等を定めている。

第113条・第114条

2　条文内容

〔第3項〕

(1) 電気通信事業者及び学識経験を有する者

　　第一種交付金及び第二種交付金の額及び交付方法、第一種負担金及び第二種負担金の額及び徴収方法その他支援業務の実施に関する重要事項は、第一種適格電気通信事業者、第二種適格電気通信事業者、接続電気通信事業者等及び高速度データ伝送役務提供事業者の権利義務に大きな影響を与えることとなることから、利害関係者である電気通信事業者及び学識経験を有する者が参加する支援業務諮問委員会において、調査審議し、必要に応じて意見を述べることができることとして、その適切性の確保を図っている。

(2) 総務大臣の認可を受けて、支援機関の代表者が任命する

　　支援業務諮問委員会の委員の選任が、特定の利害関係者に特に有利になっている等、基礎的電気通信役務の提供に係る費用の公平な負担という本制度の趣旨に照らして不適切なものとなっていないことを担保するため、支援業務諮問委員会の委員の任命には、総務大臣の認可を要する旨を定めている。

第114条（支援機関の指定を取り消した場合における経過措置）

（支援機関の指定を取り消した場合における経過措置）

第114条　第116条第1項において準用する第84条第1項又は第2項の規定により支援機関の指定を取り消した場合において、総務大臣がその取消し後に新たに支援機関を指定したときは、(1) 取消しに係る支援機関の支援業務に係る財産は、新たに指定を受けた支援機関に帰属する。

2　　前項に定めるもののほか、第116条第1項において準用する第84条第1項又は第2項の規定により支援機関の指定を取り消した場合における(2) 支援業務に係る財産の管理その他所要の経過措置（罰則に関する経過措置を含む。）は、合理的に必要と判断される範囲内において、政令で定める。

追加　平成13年法律第　62号
第72条の14繰下げ改正　平成15年法律第125号

1 概　要

　支援機関の指定の取消しが行われ、新たに支援機関が指定された場合には、取消しを受けた旧支援機関の有する支援業務に係る財産は、新たに指定を受けた新支援機関に帰属すること及びその他必要な経過措置を政令で定めるとしている。

2 条文内容

〔第1項〕

(1) **取消しに係る支援機関の支援業務に係る財産は、新たに指定を受けた支援機関に帰属する**

　支援機関の指定が取り消された場合、例えば、それが第一種負担金の徴収後で第一種交付金の交付前、又は第二種負担金の徴収後で第二種交付金の交付前であったときには、その第一種負担金又は第二種負担金が指定を取り消された旧支援機関に保有されたまま、交付されないこととなる。この財産は、本来ならば第一種適格電気通信事業者又は第二種適格電気通信事業者に交付されるべきものであることから、旧支援機関に帰属させるのではなく、第一種交付金又は第二種交付金の交付を行う新たに指定された新支援機関の財産として帰属させるのが適当であるため、その旨を定めている。

〔第2項〕

(2) **支援業務に係る財産の管理その他所要の経過措置（罰則に関する経過措置を含む。）は、合理的に必要と判断される範囲内において、政令で定める**

　第1項に規定するもののほか、必要な経過措置を政令で定めることとする規定であるが、現時点において政令は定められていない。

　しかしながら、例えば、秘密保持義務違反、報告拒否及び検査妨害、帳簿の備付け義務等の違反の罰則について、経過措置を設けることが考えられる。

第115条（支援機関への情報提供等）

（支援機関への情報提供等）

第115条　総務大臣は、支援機関に対し、支援業務の実施に関し必要な情報及び資料の提供又は指導及び助言を行うものとする。

第115条・第116条

追加　平成13年法律第 62号
第72条の15繰下げ　平成15年法律第125号

概　要

　支援業務の適確かつ円滑な実施のために、総務大臣が、支援機関に対し、支援業務の実施に関し必要な情報及び資料の提供又は指導及び助言を行う旨を定めている。

第116条（準用）

（準用）

第116条　第75条第2項第2号から第4号まで、第77条第1項及び第3項、第78条から第84条まで並びに第90条の規定は、支援機関について準用する。

2　前項の場合において、次の表の上欄に掲げる規定中同表の中欄に掲げる字句は、それぞれ同表の下欄に掲げる字句に読み替えるものとする。

第75条第2項	前条第2項	第106条
第77条第3項	役員又は試験員	役員
	試験事務規程	支援業務規程
第78条	職員（試験員を含む。）	職員
	試験事務	支援業務
第79条及び第84条第2項第4号	試験事務	支援業務
	試験事務規程	支援業務規程
第81条、第82条、第83条第1項並びに第84条第2項各号列記以外の部分及び第3項	試験事務	支援業務
第84条第1項	第75条第2項第1号、第2号又は第4号	第75条第2項第2号又は第4号
第84条第2項第1号	この款	この款の規定又は第109条第1項若しくは第4項、第110条第2項（第110

581

		条の5第2項において準用する場合を含む。)、第110条の4第1項若しくは第5項、第112条若しくは第113条第3項
第84条第2項第2号	第75条第1項各号	第106条各号
第90条第1項	第86条第1項の登録	支援機関の指定
	氏名又は名称及び住所並びに登録に係る事業の区分、技術基準適合認定の業務	名称及び住所、支援業務
	及び技術基準適合認定の業務	並びに支援業務
第90条第2項	第86条第2項第1号又は第3号に掲げる事項	その名称若しくは住所又は支援業務を行う事務所の所在地
第90条第3項	届出(登録認定機関の氏名若しくは名称若しくは住所又は技術基準適合認定の業務を行う事務所の所在地の変更に係るものに限る。)	届出

追加　平成13年法律第　62号
第72条の16繰下げ改正　平成15年法律第125号
改正　平成26年法律第　63号
令和4年法律第　70号

1　概　要

　支援業務の適切性を確保する等のため、支援機関について、指定試験機関に対する総務大臣による監督、指定試験機関、その役員及び職員の義務並びに登録認定機関の公示等に関する本法の規定を準用する旨を定めている。

　準用される主な条文の内容は、総務大臣による指定の欠格事由(第75条第2項第2号から第4号まで)、総務大臣による役員の選解任の認可又は解任の命令(第77条第1項及び第3項)、支援機関の役員又は職員の秘密保持義務(第78条第1項)、支援機関の役員又は職員のみなし公務員規定(第78条第2項)、総務大臣による支援事務規程の認可及び変更命令(第79条)、総務大臣による事業計画の認可(第80条)、帳簿の備付け等の義務(第81条)、総務大臣による監督命令(第82条)、総務大臣による指定の取消し・業務停止命令(第84条)等である

（具体的内容については、指定試験機関に関する条文及び第90条の解説を参照のこと）。

本条第1項において準用する第84条第2項の規定による業務の停止の命令に違反したときは、その違反行為をした支援機関の役員又は職員は、1年以下の拘禁刑（令和4年法律第68号の施行後。）又は50万円以下の罰金に処する（第184条）。

2 条文内容（3 読替え後の条文を参照のこと）

(1) 支援業務規程（第79条）

支援業務規程で定めるべき事項として、次が定められている（交付金等算定規則第34条）。

① 支援業務を行う時間及び休日に関する事項

② 支援業務を行う事務所に関する事項

③ 支援業務の実施の方法に関する事項

④ 交付金の額及び負担金の額の算定方法に関する事項

⑤ 交付金の交付及び負担金の徴収の方法に関する事項

⑥ 支援機関の役員の選任及び解任に関する事項

⑦ 支援業務諮問委員会の委員の任免に関する事項

⑧ 支援業務に関する秘密の保持に関する事項

⑨ 支援業務に関する帳簿及び書類の管理に関する事項

⑩ その他支援業務の実施に関し必要な事項

(2) 総務省令で定めるところにより、帳簿（その作成に代えて電磁的記録（電子的方式、磁気的方式その他の人の知覚によつては認識することができない方式で作られる記録であつて、電子計算機による情報処理の用に供されるものをいう。以下同じ。）の作成がされている場合における当該電磁的記録を含む。以下同じ。）を備え付け（第81条）

支援機関は、支援業務を行う事業所ごとに、記載の日から5年間帳簿を備え付けなければならないこととされている（交付金等算定規則第37条第2項）。

(3) 支援業務に関する事項で総務省令で定めるものを記載（第81条）

帳簿に記載する事項として、次が定められている（交付金等算定規則第37条第1項）。

① 交付金の交付を受ける適格電気通信事業者の名称

② 交付金の交付申請の年月日

③ 交付金の額

④ 負担金を納付すべき接続電気通信事業者等の名称

⑤ ④に掲げる接続電気通信事業者等ごとの負担金の額

⑥ ④に掲げる接続電気通信事業者等ごとの負担金の納付の年月日

⑦ ①に掲げる適格電気通信事業者ごとの交付金の交付の年月日

3　読替え後の条文

（支援機関の指定の基準）

第75条

2　総務大臣は、第106条の申請をした者が次の各号のいずれかに該当するときは、支援機関の指定をしてはならない。

二　この法律又は有線電気通信法若しくは電波法の規定により罰金以上の刑に処せられ、その執行を終わり、又はその執行を受けることがなくなつた日から2年を経過しない者であること。

三　第84条第1項又は第2項の規定により指定を取り消され、その取消しの日から2年を経過しない者であること。

四　その役員のうちに、次のいずれかに該当する者があること。

イ　第2号に該当する者

ロ　第77条第3項の規定による命令により解任され、その解任の日から2年を経過しない者

（役員等の選任及び解任）

第77条　支援機関の役員の選任及び解任は、総務大臣の認可を受けなければ、その効力を生じない。

3　総務大臣は、支援機関の役員が、この法律、この法律に基づく命令若しくは処分又は第79条第1項の支援業務規程に違反したときは、その支援機関に対し、その役員を解任すべきことを命ずることができる。

（秘密保持義務等）

第78条　支援業務の役員若しくは職員又はこれらの職にあつた者は、支援業務に関して知り得た秘密を漏らしてはならない。

2　支援業務に従事する支援機関の役員及び職員は、刑法（明治40年法律第45号）その他の罰則の適用については、法令により公務に従事する

職員とみなす。

（支援業務規程）

第79条 支援機関 は、総務省令で定める 支援業務 の実施に関する事項について (1)支援業務規程 を定め、総務大臣の認可を受けなければならない。これを変更しようとするときも、同様とする。

2 総務大臣は、前項の認可をした 支援業務規程 が 支援業務 の適確な実施上不適当となつたと認めるときは、その 支援機関 に対し、これを変更すべきことを命ずることができる。

（事業計画等）

第80条 支援機関 は、毎事業年度、事業計画及び収支予算を作成し、当該事業年度の開始前に（指定を受けた日の属する事業年度にあつては、その指定を受けた後遅滞なく）、総務大臣の認可を受けなければならない。これを変更しようとするときも、同様とする。

2 支援機関 は、毎事業年度、事業報告書及び収支決算書を作成し、当該事業年度の終了後３月以内に総務大臣に提出しなければならない。

（帳簿の備付け等）

第81条 支援機関 は、(2)総務省令で定めるところにより、帳簿（その作成に代えて電磁的記録（電子的方式、磁気的方式その他の人の知覚によつては認識することができない方式で作られる記録であつて、電子計算機による情報処理の用に供されるものをいう。以下同じ。）の作成がされている場合における当該電磁的記録を含む。以下同じ。）を備え付け、これに (3)支援業務 に関する事項で総務省令で定めるものを記載し、又は記録し、及びこれを保存しなければならない。

（監督命令）

第82条 総務大臣は、この法律を施行するため必要があると認めるときは、支援機関 に対し、支援業務 に関し監督上必要な命令をすることができる。

（業務の休廃止）

第83条 支援機関 は、総務大臣の許可を受けなければ、支援業務 の全部若しくは一部を休止し、又は廃止してはならない。

2 総務大臣は、前項の許可をしたときは、その旨を公示しなければならない。

（指定の取消し等）

第84条 総務大臣は、支援機関 が 第75条第２項第２号又は第４号 に該当

第116条

するに至つたときは、その指定を取り消さなければならない。

2 総務大臣は、 支援機関 が次の各号のいずれかに該当するときは、その指定を取り消し、又は期間を定めて 支援業務 の全部若しくは一部の停止を命ずることができる。

一 この款の規定又は第109条第１項若しくは第４項、第110条第２項 （第110条の５第２項において準用する場合を含む。）、第110条の４第 １項若しくは第５項、第112条若しくは第113条第３項 の規定に違反したとき。

二 第106条各号 のいずれかに適合しなくなつたと認められるとき。

三 第77条第３項、第79条第２項又は第82条の規定による命令に違反したとき。

四 第79条第１項の規定により認可を受けた 支援業務規程 によらないで 支援業務 を行つたとき。

五 不正な手段により指定を受けたとき。

3 総務大臣は、第１項若しくは前項の規定により指定を取り消し、又は同項の規定により 支援業務 の全部若しくは一部の停止を命じたときは、その旨を公示しなければならない。

（ 指定 の公示等）

第90条 総務大臣は、 支援機関の指定 をしたときは、 支援機関 の 名称及 び住所、支援業務 を行う事務所の所在地 並びに支援業務 の開始の日を公示しなければならない。

2 支援機関 は、 その名称若しくは住所又は支援業務を行う事務所の所在 地 を変更しようとするときは、変更しようとする日の２週間前までに、その旨を総務大臣に届け出なければならない。

3 総務大臣は、前項の規定による 届出 があつたときは、その旨を公示しなければならない。

（注） □ 内は、当然に又は第116条第２項の規定による読替え後

第8節　認定送信型対電気通信設備サイバー攻撃対処協会

総　説

　本節は、サイバー攻撃によるインターネット障害に対処するため、サイバー攻撃の送信元となるマルウェア感染機器などの情報を共有するための制度を整備し、電気通信事業者による利用者への注意喚起やサイバー攻撃の遮断等を促進するための規定を設けるものである。

　本制度で対処することとしているのは、送信型対電気通信設備サイバー攻撃、即ち、設備攻撃又は攻撃先設備探査である。設備攻撃は、情報通信ネットワーク又は電磁的方式で作られた記録に係る記録媒体を通じた電子計算機に対する攻撃のうち、送信先の電気通信設備の機能に障害を与える電気通信の送信であり、攻撃先設備探査は、設備攻撃の前触れとして捉えられる設備攻撃の送信先となる電気通信設備の探査である。

　本節では、送信型対電気通信設備サイバー攻撃又はそのおそれへの対処に向けて、電気通信事業者における取組が円滑にできるように、認定送信型対電気通信設備サイバー攻撃対処協会の制度を設け、認定送信型対電気通信設備サイバー攻撃対処協会の業務及びその認定について規定している。

　即ち、認定送信型対電気通信設備サイバー攻撃対処協会では、①会員である電気通信事業者の委託を受けて、サイバー攻撃の送信元の電気通信設備に係る電気通信事業者に対し、送信型対電気通信設備サイバー攻撃又はそのおそれへの対処を求める通知を行い、また、②通信履歴の電磁的記録を調査して送信型対電気通信設備サイバー攻撃の送信元の電気通信設備を合理的に特定するための調査及び研究を行い、それらの成果の電気通信事業者への普及を行うこととしている他、③送信型対電気通信設備サイバー攻撃に処する電気通信事業者を支援することを業務としており（第116条の2）、総務大臣の認定制度のもとでこれらの業務の実効性が担保されている（第116条の2から第116条の8まで）。

第116条の2

第116条の2 （認定送信型対電気通信設備サイバー攻撃対処協会の認定）

（認定送信型対電気通信設備サイバー攻撃対処協会の認定）

第116条の2　総務大臣は、(1) 電気通信事業者が設立した一般社団法人であつて、次に掲げる要件に該当すると認められるものを、その申請により、次項に規定する業務（以下この節において「送信型対電気通信設備サイバー攻撃対処業務」という。）を行う者として認定することができる。

一　(2) 送信型対電気通信設備サイバー攻撃（次のイ又はロに掲げる行為をいう。次項において同じ。）に対処する電気通信事業者を支援することにより、電気通信役務の円滑な提供を確保するとともにその利用者の利益を保護することを目的とすること。

　　イ　(3) 情報通信ネットワーク又は電磁的方式で作られた記録に係る記録媒体を通じた電子計算機に対する攻撃のうち、送信先の電気通信設備の機能に障害を与える電気通信の送信（(4) 当該電気通信の送信を行う指令を与える電気通信の送信を含む。）(3) により行われるもの（ロ及び次項第1号において「設備攻撃」という。）

　　ロ　(5) 設備攻撃の送信先となる電気通信設備の探査のうち、電気通信事業者がその業務上記録している電気通信の送信元、送信先、通信日時その他の通信履歴（以下単に「通信履歴」という。）の電磁的記録により、設備攻撃に先立つて行われる当該探査を目的とする電気通信の送信（当該電気通信の送信を行う指令を与える電気通信の送信を含む。）であることを合理的に特定できるものとして総務省令で定める電気通信の送信により行われるもの（次項第1号イ(2)及びロ(2)において「攻撃先設備探査」という。）

二　次項第1号イ及びロ又は第2号イ及びロに該当する電気通信事業者を社員（同項第1号及び第2号並びに第3項第2号において「会員」という。）に含む旨の定款の定めがあること。

三　(6) 送信型対電気通信設備サイバー攻撃対処業務を適正かつ確実に行うに必要な業務の実施の方法を定めているものであること。

四　(7) 送信型対電気通信設備サイバー攻撃対処業務を適正かつ確実に行うに足りる知識及び能力並びに財産的基礎を有するものであること。

2　前項の規定による認定を受けた一般社団法人（以下「認定送信型対電気通信設備サイバー攻撃対処協会」という。）は、次に掲げる業務を行う

ものとする。

一 (8) 会員である電気通信事業者であつて次のいずれにも該当するものの委託を受けて、ロ(1)又は(2)に定める者に対し、ロの通知を行うこと。

イ 第52条第1項又は第70条第1項第1号の規定により (9) 認可を受けた技術的条件（ロにおいて単に「技術的条件」という。）において、その利用者の電気通信設備が送信型対電気通信設備サイバー攻撃（次の(1)又は(2)に掲げる行為に限る。ロにおいて同じ。）を行うことを禁止する旨を定めていること。

(1) 設備攻撃（(10) 電気通信事業者がその業務上記録している通信履歴の電磁的記録により送信元の電気通信設備が前項第1号イに規定する電気通信の送信の送信元であることを合理的に特定できるものに限る。ロ(2)において同じ。）

(2) 攻撃先設備探査（(11) 電気通信事業者がその業務上記録している通信履歴の電磁的記録により送信元の電気通信設備が前項第1号ロの総務省令で定める電気通信の送信の送信元であることを合理的に特定できるものに限る。ロ(2)において同じ。）

ロ (12) 電気通信役務の提供条件において、その電気通信設備又はその利用者の電気通信設備が送信型対電気通信設備サイバー攻撃（イ(1)又は(2)に掲げる行為のうち技術的条件においてその利用者の電気通信設備が行うことを禁止する旨を定めているものに限る。以下このロ（(2)を除く。）及び次号ロにおいて同じ。）の送信先であることが特定された場合において、その業務上記録している通信履歴の電磁的記録により当該送信型対電気通信設備サイバー攻撃の送信元の電気通信設備が次の(1)又は(2)に掲げる者の電気通信設備であることが特定されたときは、当該(1)又は(2)に定める者に対し、(13) 当該通信履歴の電磁的記録を証拠として (12) 当該電気通信設備を送信元とする送信型対電気通信設備サイバー攻撃又はそのおそれへの対処を求める通知を行う旨を定めていること。

(1) 他の電気通信事業者 (14) 当該他の電気通信事業者

(2) 他の電気通信事業者（当該送信型対電気通信設備サイバー攻撃が、設備攻撃である場合にはイ（(1)に係る部分に限る。）に該当するものに限り、攻撃先設備探査である場合にはイ（(2)に係る部分

に限る。）に該当するものに限る。）の利用者　⒁ 当該他の電気通信事業者

　二　会員である電気通信事業者であつて次のいずれにも該当するものからロの通信履歴の電磁的記録の提供を受け、⒂ ロの調査及び研究を行うこと並びにその成果の普及を行うこと。

　　イ　⒃ 前号イに該当すること。

　　ロ　⒄ 電気通信役務の提供条件において、その電気通信設備又はその利用者の電気通信設備が送信型対電気通信設備サイバー攻撃の送信先であることが特定された場合において、その業務上記録している通信履歴の電磁的記録により当該送信型対電気通信設備サイバー攻撃の送信元の電気通信設備が合理的に特定できないときは、認定送信型対電気通信設備サイバー攻撃対処協会に対し、⒄ 送信型対電気通信設備サイバー攻撃の送信元の電気通信設備を合理的に特定するための調査及び研究の用に供するため、当該通信履歴の電磁的記録の提供を行う旨を定めていること。

　三　⒅ 前2号に掲げるもののほか、送信型対電気通信設備サイバー攻撃に対処する電気通信事業者を支援すること。

3　第1項の規定による認定を受けようとする者は、次に掲げる事項を記載した申請書を総務大臣に提出しなければならない。

　一　名称及び住所並びに代表者の氏名

　二　特定会員（会員である電気通信事業者であつて、前項第1号イ及びロ又は第2号イ及びロに該当するものをいう。次条第1項及び第3項並びに第188条第15号において同じ。）の氏名又は名称

　三　⒆ 送信型対電気通信設備サイバー攻撃対処業務の範囲及びその実施の方法

　四　⒇ 前3号に掲げるもののほか、総務省令で定める事項

4　前項の申請書には、(21) 定款　(22) その他の総務省令で定める書類を添付しなければならない。

5　認定送信型対電気通信設備サイバー攻撃対処協会は、(23) 第3項第3号に掲げる事項を変更しようとするときは、総務大臣の認定を受けなければならない。ただし、(24) 総務省令で定める軽微な変更については、この限りでない。

第116条の2

　　6　第３項及び第４項の規定は、前項の変更の認定について準用する。こ
　　の場合において、第３項中「次に掲げる事項」とあるのは、「第１号及び
　　第３号に掲げる事項（同号に掲げる事項にあつては、変更に係るものに
　　限る。）」と読み替えるものとする。
　　7　認定送信型対電気通信設備サイバー攻撃対処協会は、第３項各号（第
　　３号を除く。）に掲げる事項に変更があつたとき、又は第５項ただし書の
　　総務省令で定める軽微な変更をしたときは、遅滞なく、その旨を総務大
　　臣に届け出なければならない。

追加　平成30年法律第24号

改正　令和４年法律第70号

1　概　要

　情報通信ネットワークを利用する方法により行われるサイバー攻撃又はそのお
それに対処する電気通信事業者の取組等を支援するため、認定送信型対電気通信
設備サイバー攻撃対処協会の制度を設け、同協会の業務及びその認定について規
定している。

　ここで対処が想定されているサイバー攻撃は、送信型対電気通信設備サイバー
攻撃（設備攻撃又は攻撃先設備探査）である。

　本制度による認定送信型対電気通信設備サイバー攻撃対処協会の支援は、この
サイバー攻撃の送信元側に関しては、電気通信事業者が、このサイバー攻撃の送
信を行うことを利用者等に禁止し、その送信元であることが特定された電気通信
設備がある場合にはその電気通信設備に対処することを円滑にできるようにする
ものであり、このサイバー攻撃の送信先に関しては、電気通信事業者が、その送
信元側の電気通信事業者に対処を求めること等を円滑にできるようにするもので
ある。

　より具体的には、本制度は、電気通信事業者における次のような取組等が円滑
にできるようにするものである。

1)　電気通信事業者が、第52条第１項又は第70条第１項第１号の規定による技
　術的条件において、総務大臣の認可を受けて、その電気通信回線設備に接続す
　る電気通信設備（端末設備又は自営用電気通信設備）が送信型対電気通信設備
　サイバー攻撃を行うことを禁止する。

2)　電気通信事業者が、電気通信役務の提供条件において、その電気通信設備又

591

はその利用者の電気通信設備を送信先とする送信型対電気通信設備サイバー攻撃又はそのおそれについて、次の事項を定める。

① 送信元の電気通信設備が特定されたときは、当該電気通信設備に係る電気通信事業者に対して対処を求める通知を行う旨

② 送信元の電気通信設備が特定できないときは、認定送信型対電気通信設備サイバー攻撃対処協会に対し、当該通信履歴の電磁的記録の提供を行う旨

3） 認定送信型対電気通信設備サイバー攻撃対処協会において、

① 会員である電気通信事業者の委託を受けて、送信先の電気通信設備の機能に障害を与えるサイバー攻撃の送信元であることが通信履歴の電磁的記録により合理的に特定された電気通信設備に係る電気通信事業者に対し、送信型対電気通信設備サイバー攻撃又はそのおそれへの対処を求める通知を行い、また、

② 通信履歴の電磁的記録を調査して送信型対電気通信設備サイバー攻撃の送信元の電気通信設備を合理的に特定するための調査及び研究を行い、それらの成果の電気通信事業者への普及を行う。

4） 電気通信設備の機能に障害を与えるサイバー攻撃の送信元であることが特定された電気通信設備に係る電気通信事業者が、3）①の通知を受けるなどにより、その電気通信設備に対処する（例えば、利用者等に対し、その電気通信設備の接続が1）の技術的条件に適合するかどうかの検査を受けるべきことを求め（第69条第2項（第70条第2項において準用する場合を含む。））、適合しない場合には、当該電気通信事業者は、適合しない当該電気通信設備をその電気通信回線設備に接続すべき旨の請求を拒否する（第52条第1項））。

2 条文内容

〔第1項〕

送信型対電気通信設備サイバー攻撃対処業務（第2項で規定。）を行う一般社団法人の認定に係る次の要件を定めている。

① 電気通信事業者が設立した一般社団法人であること（第1項柱書）

② 送信型対電気通信設備サイバー攻撃に対処する電気通信事業者を支援することによる電気通信役務の円滑な提供の確保と利用者利益の保護を目的とすること（第1号）

③ 次のイ及びロを満たす電気通信事業者を社員（会員）に含む旨の定款の定め

第116条の2

があること（第2号）

イ）技術的条件において、利用者の電気通信設備が送信型対電気通信設備サイバー攻撃を行うことを禁止していること

ロ）電気通信役務の提供条件において、その電気通信設備又はその利用者の電気通信設備を送信先とする送信型対電気通信設備サイバー攻撃又はそのおそれについて、

1) 送信元の電気通信設備が特定されたときは、当該電気通信設備に係る電気通信事業者に対して対処を求める通知を行う旨、又は、

2) 送信元の電気通信設備が特定できないときは、認定送信型対電気通信設備サイバー攻撃対処協会に対し、当該攻撃の送信元の電気通信設備を合理的に特定するための調査及び研究の用に供するため、当該通信履歴の電磁的記録の提供を行う旨

を定めていること

④ 業務を適正かつ確実に行うに必要な業務の実施の方法を定めていること（第3号）

⑤ 業務を適正かつ確実に行うに足りる知識・能力及び財産的基礎を有すること（第4号）

本項の規定に基づく具体的な認定は、平成31年1月8日に一般社団法人ICT-ISACに対して行われた。

(1) <u>電気通信事業者が設立した一般社団法人</u>

本項の認定を受ける者は、第2項第1号及び第2号の送信型対電気通信設備サイバー攻撃対処業務を行うに際し、通信履歴の電磁的記録を反復継続して提供することから、通信履歴の電磁的記録の適切な取扱いを確保する必要があり、また、このため、当該者が提供を受ける当該通信履歴の電磁的記録が利用者から適正に取得される必要がある。

本項の認定を受ける者を一般社団法人としているのは、一般社団法人では、社員総会の決定に基づき策定された定款において各社員が遵守する要件を定めることが可能であり、それにより本項で明示された要件を遵守する電気通信事業者を会員とすることで、会員から通信履歴の電磁的記録が適正に取得されると考えられるためである。

また、本項の認定を受ける者が電気通信事業者により設立されたものとしているのは、原始定款を定めて法人の中心的な役割を担う設立者を電気通信事業

第116条の2

者とすることで、その法人が、上記のような定款を定め、送信型対電気通信設備サイバー攻撃に対処する電気通信事業者を積極的に支援することが期待されるためである。

(2) 送信型対電気通信設備サイバー攻撃（次のイ又はロに掲げる行為をいう。…）

　　送信型対電気通信設備サイバー攻撃は、サイバー攻撃のうち、設備攻撃（電子計算機である電気通信事業者の電気通信設備又はその利用者の電気通信設備の機能に障害を与える送信）又は攻撃先設備探査（設備攻撃の前触れと捉えられる設備攻撃の送信先となる電気通信設備の探査）をいうこととしている。

(3) 情報通信ネットワーク又は電磁的方式で作られた記録に係る記録媒体を通じた電子計算機に対する攻撃のうち、送信先の電気通信設備の機能に障害を与える電気通信の送信・・・により行われるもの（ロ及び次項第1号において「設備攻撃」という。）

　　サイバー攻撃は、情報通信ネットワーク又は電磁的方式で作られた記録に係る記録媒体を通じた電子計算機に対する攻撃と捉えられ、インターネットにつながれていないコンピュータを対象とするものも含まれる。このうち、電気通信事業者が業務上対処するものとしては、情報通信ネットワークを利用する方法により行われ、電気通信事業者の情報通信ネットワークに接続する電子計算機である電気通信事業者の電気通信設備又はその利用者の電気通信設備に対する攻撃が想定される。

　　その中で、電気通信設備の機能に障害を与えないサイバー攻撃は、正常な通信との識別が困難であり、受信者の行為が介在して成立するサイバー攻撃は、電気通信事業者が電気通信役務の提供に際して対処することは困難である。このため、本項で電気通信事業者が対処する送信型対電気通信設備サイバー攻撃を、電気通信の送信そのものによるものに限っており、このうちの電気通信の送信により電気通信設備の機能に障害を与えるものが「設備攻撃」である。

　　これに該当するものとして、例えば、マルウェアに感染した電気通信設備からの大量の電気通信の送信などにより電気通信事業者又は利用者の電気通信設備に過度の負荷をかけるもの（ＤＤｏＳ攻撃及びＤｏＳ攻撃）や、マルウェアに感染させる電気通信の送信であって受信者の行為が介在することなく送信先の電気通信設備にマルウェアに感染させるものが想定される。

　　なお、送信先の電気通信設備の機能に障害を与える電気通信の送信には、利用者の正常な通信が一時的に集中して電気通信設備の処理能力を超えてしまう

場合のものもあるが、こうしたものは「サイバー攻撃」には該当しないため、対象とはならない（当該電気通信設備を管理する電気通信事業者又は利用者が個別に電気通信設備の処理能力の向上などにより対処すべき問題である）。

(4) 当該電気通信の送信を行う指令を与える電気通信の送信を含む

　電気通信設備が、他の電気通信設備から、送信先の電気通信設備の機能に障害を与える電気通信を送信する旨の指令を受けて、送信型対電気通信設備サイバー攻撃を行う場合において、当該指令を与える電気通信の送信も設備攻撃の定義に含むことを明らかにしている。

　具体的には、マルウェアに感染した電気通信設備に対して、ＤＤｏＳ攻撃の攻撃先、攻撃日時、攻撃方法などを指示する電気通信の送信が想定される。

(5) 設備攻撃の送信先となる電気通信設備の探査のうち、電気通信事業者がその業務上記録している電気通信の送信元、送信先、通信日時その他の通信履歴（以下単に「通信履歴」という。）の電磁的記録により、設備攻撃に先立つて行われる当該探査を目的とする電気通信の送信（当該電気通信の送信を行う指令を与える電気通信の送信を含む。）であることを合理的に特定できるものとして総務省令で定める電気通信の送信により行われるもの（次項第１号イ(2)及びロ(2)において「攻撃先設備探査」という。）

　「攻撃先設備探査」として想定しているのは、いわゆる「ポートスキャン」（ＤＤｏＳ攻撃等のサイバー攻撃に先立って、攻撃対象となる電気通信設備に対して、特定のパケットを送信し、それに対する応答や振る舞いを調べることで、外部からアクセス可能なポート（侵入口）を探し出す行為）等のスキャン行為であり、これらは、実務上、攻撃の前触れとして捉えられるものである。

　法文にある、「設備攻撃の送信先となる電気通信設備の探査」には、研究機関によるネットワーク上の機器の脆弱性調査など正当な目的によるスキャン行為のような、「攻撃先設備探査」には当たらないものも一定程度含まれている。「攻撃先設備探査」は、こういった「電気通信設備の探査」のうち、電気通信事業者がその業務上記録している通信履歴の電磁的記録により、攻撃準備行為が行われているであろうと合理的に特定できるものをいう。

　「攻撃先設備探査」に該当する電気通信の送信の具体的な範囲については、総務省令で定めるものとしており、総務省令では、調査研究等の正当な理由によらないポートスキャン行為がこれに該当すると定めている（施行規則第40条の8の6）。

595

第116条の2

(6) 送信型対電気通信設備サイバー攻撃対処業務を適正かつ確実に行うに必要な業務の実施の方法を定めているものであること

　　送信型対電気通信設備サイバー攻撃対処業務を行う一般社団法人においては、電気通信事業者の取扱中に係る通信の秘密のほか、個別の電気通信事業者における送信型対電気通信設備サイバー攻撃の被害件数やその利用者の電気通信設備又は自らの電気通信設備におけるマルウェア感染状況等の事業者に関する機微な情報を有することとなる。

　　このため、送信型対電気通信設備サイバー攻撃対処業務を行うに当たって、必要最小限の通信の秘密が適切に取り扱われることや適切な情報管理がなされること等、送信型対電気通信設備サイバー攻撃対処業務が適正かつ確実に行われることが求められる。

　　具体的には、送信型対電気通信設備サイバー攻撃対処業務に係る人員配置等の実施体制、第2項各号の送信型対電気通信設備サイバー攻撃対処業務の方法、通信の秘密に該当する情報の取扱方法、外部委託する場合の方法及び情報セキュリティ確保の観点からの安全管理措置等から、本号への該当性を認定の審査に際して確認することとなる。

(7) 送信型対電気通信設備サイバー攻撃対処業務を適正かつ確実に行うに足りる知識及び能力並びに財産的基礎を有するものであること

　　具体的には、役職員及び送信型対電気通信設備サイバー攻撃対処業務を行う者の職務履歴、過去の事業報告書・貸借対照表・収支決算書、財産目録等の財産的基礎を明らかにする書類、送信型対電気通信設備サイバー攻撃対処業務における収支見込み及びその算出根拠から、本号への該当性を認定の審査に際して確認することとなる。

〔第2項〕

第1項の規定による認定を受けた一般社団法人（認定送信型対電気通信設備サイバー攻撃対処協会）が行うべき業務として、

① 会員である電気通信事業者の委託を受けて、送信先の電気通信設備の機能に障害を与えるサイバー攻撃の送信元であることが通信履歴の電磁的記録により合理的に特定された電気通信設備に係る電気通信事業者に対し、送信型対電気通信設備サイバー攻撃又はそのおそれへの対処を求める通知を行うこと、

② 通信履歴の電磁的記録を調査して送信型対電気通信設備サイバー攻撃の送信元の電気通信設備を合理的に特定するための調査及び研究を行い、それらの成

果の電気通信事業者への普及を行うこと、

③　①②のほか、送信型対電気通信設備サイバー攻撃に対処する電気通信事業者
　を支援すること
を規定している。

(8)　**会員である電気通信事業者であつて次のいずれにも該当するものの委託を受**
　けて、ロ(1)又は(2)に定める者に対し、ロの通知を行うこと

　　　会員からの委託を受けて、送信型対電気通信設備サイバー攻撃の送信元の電
　気通信設備に係る電気通信事業者（その電気通信設備又はその利用者の電気通
　信設備が送信元であることが特定された電気通信事業者）に送信型対電気通信
　設備サイバー攻撃又はそのおそれへの対処を求める通知を行うことを認定送信
　型対電気通信設備サイバー攻撃対処協会の業務としている。これは、認定送信
　型対電気通信設備サイバー攻撃対処協会の会員が個別に通知を行うと煩雑とな
　ることからである。

　　　なお、当該通知においては、会員である電気通信事業者から提供を受けた送
　信型対電気通信設備サイバー攻撃の送信元の電気通信設備に係る通信履歴を取
　り扱うことから、第164条第4項において、当該通知は、電気通信事業者の取
　扱中に係る通信とみなして第3条及び第4条の規定を適用し、当該業務に従事
　する者は、電気通信事業に従事する者とみなして第4条第2項の規定（電気通
　信事業者の取扱中に係る通信に関して知り得た他人の秘密の保護）を適用して
　いる。

　　　当該通知の秘密を侵した者は、2年以下の拘禁刑（令和4年法律第68号の
　施行後。）又は100万円以下の罰金に処せられる（第179条第1項）。当該通知
　を行う業務に従事する者の場合には、3年以下の拘禁刑（令和4年法律第68
　号の施行後。）又は200万円以下の罰金に処せられる（同条第2項）。両罰規定
　（第190条）の適用もある。

(9)　**認可を受けた技術的条件（・・・）において、その利用者の電気通信設備が**
　送信型対電気通信設備サイバー攻撃 (次の(1)又は(2)に掲げる行為に限る。・・・)
　を行うことを禁止する旨を定めていること

　　　本号の認定送信型対電気通信設備サイバー攻撃対処協会の業務が送信型対電
　気通信設備サイバー攻撃の送信元の電気通信設備を特定して当該電気通信設備
　に係る電気通信事業者の対処を促進することを目的としていることに鑑み、ま
　た、電気通信事業者がその業務上記録している通信履歴の電磁的記録は、通信

第116条の2

の秘密に該当し、その利用は必要最小限とすることが必要であるため、本号の委託に基づき通信履歴の電磁的記録の提供を行う会員は、当該目的に沿って送信型対電気通信設備サイバー攻撃に対処を講ずる者に限定することが必要である。

このことから、本号の委託を行う会員は、認可を受けた技術的条件において、利用者の電気通信設備が送信型対電気通信設備サイバー攻撃を行うことを禁止する旨を定めている電気通信事業者としている。

(10)　電気通信事業者がその業務上記録している通信履歴の電磁的記録により送信元の電気通信設備が前項第1号イに規定する電気通信の送信の送信元であることを合理的に特定できるものに限る

(11)　電気通信事業者がその業務上記録している通信履歴の電磁的記録により送信元の電気通信設備が前項第1号ロの総務省令で定める電気通信の送信の送信元であることを合理的に特定できるものに限る

送信型対電気通信設備サイバー攻撃においては、①電気通信事業者の通信履歴の電磁的記録から送信元を合理的に特定できるもの（ＤＤｏＳ攻撃やこれに先立つポートスキャンなどが該当。複数の電気通信事業者の通信履歴の電磁的記録を突合することにより特定できるものも含む。）と、②電気通信事業者の通信履歴の電磁的記録からは送信元を合理的に特定できないもの（送信先の電気通信設備の機能に障害を与える電気通信の送信を行う指令を与える電気通信であって、頻繁に送信元が変更され通信量の少ないものや国外の通信事業者を経由した攻撃が該当。）がある。

②については、通知を行うべき送信型対電気通信設備サイバー攻撃の送信元の電気通信設備に係る電気通信事業者を特定できず、通知を行うことができない。また、電気通信事業者が電気通信役務の提供を行う中で、送信型対電気通信設備サイバー攻撃の送信元の電気通信設備の特定のために費やすことのできる費用や労力には限界がある。

このため、本号ロの通知（送信型対電気通信設備サイバー攻撃又はそのおそれへの対処を求める通知）の対象とするのは、送信型対電気通信設備サイバー攻撃のうち、①電気通信事業者の通信履歴の電磁的記録から送信元を合理的に特定できるものに限っている。

⑿　電気通信役務の提供条件において、・・・当該電気通信設備を送信元とする
　　送信型対電気通信設備サイバー攻撃又はそのおそれへの対処を求める通知を行
　　う旨を定めていること

　　　認定送信型対電気通信設備サイバー攻撃対処協会が送信型対電気通信設備サ
　　イバー攻撃対処業務を適正に行うためには、本号の業務で取得する通信履歴の
　　電磁的記録が適正に取得されたものであることを確保する必要がある。

　　　電気通信事業者が業務上記録する通信履歴の電磁的記録を送信型対電気通信
　　設備サイバー攻撃の送信元の電気通信設備に係る電気通信事業者に提供するこ
　　とは、通信の秘密の漏えい及び窃用に該当することから、当該提供を行う電気
　　通信事業者は、違法性阻却事由に該当しない限り、当該提供について利用者の
　　同意を取得することが必要となる。

　　　このため、本号の委託を行う会員は、当該提供について、電気通信役務の提
　　供条件に定めているものとしている。

　　　具体的には、本号の委託を行う会員は、その電気通信設備又はその利用者の
　　電気通信設備が送信型対電気通信設備サイバー攻撃の送信先であることが特定
　　された場合において、当該送信型対電気通信設備サイバー攻撃の送信元の電気
　　通信設備に係る電気通信事業者に通信履歴の電磁的記録を証拠として当該電気
　　通信設備を送信元とする送信型対電気通信設備サイバー攻撃又はそのおそれへ
　　の対処を求める通知を行うことを、電気通信役務の提供条件に定めているもの
　　としている。

⒀　当該通信履歴の電磁的記録

　　　送信型対電気通信設備サイバー攻撃又はそのおそれへの対処を求める通知を
　　行う場合において、電気通信設備が送信元であることの証拠とする通信履歴の
　　電磁的記録は、送信元のＩＰアドレス及びポート番号（ＩＰアドレスが割り振
　　られたルータが複数の電気通信設備を収容する場合には、ＩＰアドレスに加え
　　てポート番号が電気通信設備を識別するために割り振られる。）並びに通信日
　　時（ＩＰアドレス及びポート番号は、時間帯により異なる電気通信設備に割り
　　振りされることがある。）が記録されているものが想定される。

　　　この通信履歴の電磁的記録は、第164条第５項の規定により、電気通信事業
　　者の取扱中の通信の秘密とみなされる。利用者の同意に基づき通知を行う場合
　　であっても、その提供は、目的に照らして、必要最小限とすることが必要である。

　　　同項において、この通信履歴の電磁的記録は、電気通信事業者の取扱中に係

る通信とみなして第3条及び第4条の規定を適用し、当該業務に従事する者は、電気通信事業に従事する者とみなして第4条第2項の規定（電気通信事業者の取扱中に係る通信に関して知り得た他人の秘密の保護）を適用している。

この通信履歴の電磁的記録の秘密を侵した者は、2年以下の拘禁刑（令和4年法律第68号の施行後。）又は100万円以下の罰金に処せられる（第179条第1項）。当該通知を行う業務に従事する者の場合には、3年以下の拘禁刑（令和4年法律第68号の施行後。）又は200万円以下の罰金に処せられる（同条第2項）。両罰規定（第190条）の適用もある。

(14) 当該他の電気通信事業者

通信履歴の電磁的記録は、電気通信事業者の取扱中の通信の秘密に該当するものであることから、利用者の同意に基づき通知を行う場合であっても、その提供先は目的に照らして、必要最小限とする必要がある。

このため、送信型対電気通信設備サイバー攻撃の送信元の電気通信設備に対処するために必要な通信履歴の電磁的記録は、送信型対電気通信設備サイバー攻撃への対処を講ずるインセンティブを有する者に限定して提供することが適当であることから、本号ロ(2)の通知先は、送信型対電気通信設備サイバー攻撃に対処することとなる電気通信事業者に限定される。

(15) ロの調査及び研究を行うこと並びにその成果の普及を行うこと

送信型対電気通信設備サイバー攻撃へ対処するためには送信型対電気通信設備サイバー攻撃の送信元の電気通信設備を特定することが必要である。他方、送信型対電気通信設備サイバー攻撃の送信元では、送信元が特定されることを防止するため、多数の送信元が利用され、また、サイバー攻撃の指令を与える電気通信の送信元が短時間で多数用いられるなどしており、送信先の電気通信事業者が送信元を合理的に特定することが困難となる場合がある。

このため、認定送信型対電気通信設備サイバー攻撃対処協会が、通信履歴の電磁的記録を調査して送信型対電気通信設備サイバー攻撃の特徴を明らかにする等により、その送信元の合理的な特定の方法を研究するなどの調査及び研究を行い、それらの成果として得た送信型対電気通信設備サイバー攻撃の送信元からの通信の特徴や送信元を合理的に特定するための具体的な方法等の電気通信事業者への普及を行うことを認定送信型対電気通信設備サイバー攻撃対処協会の業務としている。

なお、これらの調査及び研究においては、送信型対電気通信設備サイバー攻

撃の送信元の電気通信設備に係る通信履歴の電磁的記録の分析が必要となる
ことから、第164条第5項において、本条第2項第1号に掲げる業務と同様に、
本号の業務に従事する者を電気通信事業に従事する者とみなして第4条第2項
の規定（電気通信事業者の取扱中に係る通信に関して知り得た他人の秘密の保
護）を適用している。

⒃　前号イに該当すること

　　電気通信事業者がその業務上記録している通信履歴の電磁的記録は通信の秘
密に該当することから、その利用は必要最小限であることが必要である。

　　本号ロの調査及び研究（送信型対電気通信設備サイバー攻撃の送信元の電気
通信設備を合理的に特定するための調査及び研究）は、電気通信事業者の送信
型対電気通信設備サイバー攻撃への対処を促進することを目的としていること
に鑑み、通信履歴の電磁的記録の提供を行う会員は、その対処を講ずるために
送信型対電気通信設備サイバー攻撃の送信元の特定を必要とする電気通信事業
者に限定する必要がある。

　　このため、本号の通信履歴の電磁的記録の提供を行う会員は、技術的条件に
おいて、利用者の電気通信設備が送信型対電気通信設備サイバー攻撃を行うこ
とを禁止する旨を定めている電気通信事業者であることとしている。

⒄　電気通信役務の提供条件において、・・・送信型対電気通信設備サイバー攻
　撃の送信元の電気通信設備を合理的に特定するための調査及び研究の用に供す
　るため、当該通信履歴の電磁的記録の提供を行う旨を定めていること

　　電気通信事業者がその業務上記録する通信履歴の電磁的記録を認定送信型対
電気通信設備サイバー攻撃対処協会に提供することは、通信の秘密の漏えい及
び窃用に該当することから、当該提供を行う電気通信事業者は、違法性阻却事
由に該当しない限り、当該提供について利用者の同意を取得することが必要と
なる。

　　このため、本号において、認定送信型対電気通信設備サイバー攻撃対処協会
に通信履歴の電磁的記録を提供する会員は、その電気通信設備又は利用者の電
気通信設備が送信型対電気通信設備サイバー攻撃の送信先であることが特定さ
れた場合において、認定送信型対電気通信設備サイバー攻撃対処協会に対し、
送信型対電気通信設備サイバー攻撃の送信元の電気通信設備を合理的に特定す
るための調査及び研究の用に供するため、当該通信履歴の電磁的記録の提供を
行う旨を電気通信役務の提供条件に定めている電気通信事業者であることとし

第116条の2

ている。

⒅　前2号に掲げるもののほか、送信型対電気通信設備サイバー攻撃に対処する電気通信事業者を支援すること

　　電気通信事業者が積極的に送信型対電気通信設備サイバー攻撃に対処することが期待されることから、送信型対電気通信設備サイバー攻撃に対処する電気通信事業者を支援することを認定送信型対電気通信設備サイバー攻撃対処協会の業務としている。

　　支援の内容としては、最新の送信型対電気通信設備サイバー攻撃の傾向の周知やその防御方策の普及啓発等が想定される。

〔第3・4項〕

　　認定送信型対電気通信設備サイバー攻撃対処協会の認定に係る申請書等を規定している。

⒆　送信型対電気通信設備サイバー攻撃対処業務の範囲及びその実施の方法

　　認定送信型対電気通信設備サイバー攻撃対処協会において、送信型対電気通信設備サイバー攻撃対処業務が適正に行われることを審査するため、送信型対電気通信設備サイバー攻撃対処業務の業務範囲とその実施方法を申請書に記載すべきこととしている。

　　送信型対電気通信設備サイバー攻撃対処業務の範囲としては、対処の支援を行う送信型対電気通信設備サイバー攻撃の類型（ＤＤｏＳ攻撃、ＤｏＳ攻撃又はネットワークを通じて受信者の行為を介在せずに電気通信設備をマルウェアに感染させる攻撃等）等を記載すべきこととしている。

　　実施の方法としては、通信の秘密の取扱方法を含めた第2項第1号の委託の方法や同項第2号の調査及び研究並びにその成果の普及の方法、同項第3号の支援の方法等が想定される。

⒇　前3号に掲げるもののほか、総務省令で定める事項

　　認定送信型対電気通信設備サイバー攻撃対処協会の運用や状況の変化等を踏まえて柔軟に対応する必要があるため、総務省令で定めることとしている。

㉑　定款

　　第1項第2号の認定の要件を満たすことを確認するため、申請書の添付書類として申請する者の定款の提出を求めている。

㉒　その他の総務省令で定める書類

　　認定送信型対電気通信設備サイバー攻撃対処協会の運用や状況の変化等を踏

まえて柔軟に対応する必要があるため、総務省令で定めることとしている。

　総務省令では、次の書類を定めている（施行規則第40条の8の7第2項）。

① 送信型対電気通信設備サイバー攻撃対処業務の実施の方法を記載した書類

② 送信型対電気通信設備サイバー攻撃対処業務を適正かつ確実に行うに足りる知識及び能力を有することを明らかにする書類

③ 最近の事業年度（申請の日の属する事業年度に設立された法人にあっては、その設立時）における財産目録その他の財産的基礎を有することを明らかにする書類

④ 定款の謄本及び登記事項証明書

⑤ 役員の名簿及び履歴書

⑥ その他参考となる事項を記載した書類

〔第5項〕

　認定送信型対電気通信設備サイバー攻撃対処協会の変更の認定に係る手続等を規定している。

⑳ **第3項第3号に掲げる事項を変更しようとするときは、総務大臣の認定を受けなければならない**

　送信型対電気通信設備サイバー攻撃対処業務の範囲及び実施の方法は、認定送信型対電気通信設備サイバー攻撃対処協会の認定の可否の判断において主要な項目であることから、これらを変更した場合は、変更の認定を行うことにより、変更後も第1項の認定の基準を満たすことを担保することとしている。

　なお、変更の認定の基準について、総務省令では、総務大臣は、変更の認定に係る申請をした認定送信型対電気通信設備サイバー攻撃対処協会が、送信型対電気通信設備サイバー攻撃対処業務を適正かつ確実に行うに必要な業務の実施の方法を定めているものであると認めるときは、変更の認定をするものとすると定めている（施行規則第40条の8の8第2項）。

㉔ **総務省令で定める軽微な変更**

　認定送信型対電気通信設備サイバー攻撃対処協会の運用や状況の変化等を踏まえて柔軟に対応する必要があるため、総務省令で定めることとしている。総務省令では、業務の範囲を縮小するものと定めている（施行規則第40条の8の9）。

第116条の3（特定会員名簿の縦覧等）

（特定会員名簿の縦覧等）

第116条の3　認定送信型対電気通信設備サイバー攻撃対処協会は、総務省
　　令で定めるところにより、特定会員名簿を公衆の縦覧に供しなければなら
　　ない。

2　認定送信型対電気通信設備サイバー攻撃対処協会でない者は、その名称
　　中に、認定送信型対電気通信設備サイバー攻撃対処協会と誤認されるおそ
　　れのある文字を用いてはならない。

3　認定送信型対電気通信設備サイバー攻撃対処協会の特定会員でない者は、
　　その名称中に、認定送信型対電気通信設備サイバー攻撃対処協会の特定会
　　員と誤認されるおそれのある文字を用いてはならない。

追加　平成30年法律第24号

概　要

　認定送信型対電気通信設備サイバー攻撃対処協会の特定会員（会員である電気
通信事業者であって、第116条の2第2項第1号イ及びロ又は第2号イ及びロに
該当するものをいう。）は、その利用者に対し安全性・信頼性の高い電気通信役
務の提供を確保することが期待されることから、利用者が、認定送信型対電気通
信設備サイバー攻撃対処協会の特定会員であって安全性・信頼性の高いサービス
を提供することが期待される電気通信事業者を把握できるよう、認定送信型対電
気通信設備サイバー攻撃対処協会に、特定会員名簿を公衆の縦覧に供することを
義務付けている（第1項）。

　認定送信型対電気通信設備サイバー攻撃対処協会でない者が認定送信型対電気
通信設備サイバー攻撃対処協会であると誤認された場合、電気通信事業者におい
て当該者に対する誤った信頼が生じるおそれがあることから、認定送信型対電気
通信設備サイバー攻撃対処協会でない者が、その名称中に、認定送信型対電気通
信設備サイバー攻撃対処協会と誤解されるおそれのある文字を用いることを禁じ
ている（第2項）。

　認定送信型対電気通信設備サイバー攻撃対処協会の特定会員でない者が特定会
員であるかのように利用者を誤認させることで、利用者において、当該者に対す
る誤った信頼が生じるおそれがあることから、特定会員でない者が、その名称中

第116条の3・第116条の4

に、特定会員と誤認されるおそれのある文字を用いることを禁じている（第3項）。

第116条の4 （秘密保持義務）

（秘密保持義務）
第116条の4　認定送信型対電気通信設備サイバー攻撃対処協会の役員若しくは職員又はこれらの職にあつた者は、(1) 送信型対電気通信設備サイバー攻撃対処業務に関して知り得た秘密を漏らしてはならない。

追加　平成30年法律第24号

1　概　要

　認定送信型対電気通信設備サイバー攻撃対処協会は、送信型対電気通信設備サイバー攻撃対処業務を行うに際し、電気通信事業者の取扱中に係る通信の秘密のほか、個別の電気通信事業者における送信型対電気通信設備サイバー攻撃の被害件数やその利用者の電気通信設備又は自らの電気通信設備におけるマルウェア感染状況等の電気通信事業者に関する機微な情報を有することとなる。このため、認定送信型対電気通信設備サイバー攻撃対処協会の役員、職員又はこれらの職にあった者は、送信型対電気通信設備サイバー攻撃対処業務に関して知り得た秘密を漏らしてはならないことを規定している。

　この規定に違反して送信型対電気通信設備サイバー攻撃対処業務に関して知り得た秘密を漏らした者は、1年以下の拘禁刑（令和4年法律第68号の施行後。）又は50万円以下の罰金に処する（第182条第1項）。

2　条文内容

(1)　送信型対電気通信設備サイバー攻撃対処業務に関して知り得た秘密

　認定送信型対電気通信設備サイバー攻撃対処協会に対しては、送信型対電気通信設備サイバー攻撃対処業務以外の業務を行う場合に、当該業務についてまで秘密保持義務を課す必要はない。このため、認定送信型対電気通信設備サイバー攻撃対処協会の秘密保持義務は送信型対電気通信設備サイバー攻撃対処業務に関して知り得た秘密に限定することとしている。

605

第116条の5

第116条の5 （帳簿の備付け等）

（帳簿の備付け等）

第116条の5　認定送信型対電気通信設備サイバー攻撃対処協会は、(1) 総務省令で定めるところにより、(2) 帳簿を備え付け、これに送信型対電気通信設備サイバー攻撃対処業務に関する事項で (3) 総務省令で定めるものを記載し、又は記録し、及びこれを保存しなければならない。

追加　平成30年法律第24号

1　概　要

　認定送信型対電気通信設備サイバー攻撃対処協会に対し、帳簿を備え付け、送信型対電気通信設備サイバー攻撃対処業務に関する事項を当該帳簿に記載し、又は記録し、及び当該帳簿を保存することを義務付けている。

2　条文内容

(1)　総務省令で定めるところにより

　　認定送信型対電気通信設備サイバー攻撃対処協会の運用や状況の変化等を踏まえて柔軟に対応する必要があるため、総務省令で定めることとしている。

　　総務省令では、帳簿は、送信型対電気通信設備サイバー攻撃対処業務を行う事務所ごとに作成して備え付け、記載又は記録の日から5年間保存しなければならないこと等を定めている（施行規則第40条の8の13第2項及び第3項）。

(2)　帳簿

　　第81条において、同条以降の条文中の「帳簿」の用語については電磁的記録を含むものである旨が明示されることとなることから、本条における「帳簿」についても、電磁的記録を含むものである。

(3)　総務省令で定めるもの

　　認定送信型対電気通信設備サイバー攻撃対処協会の運用や状況の変化等を踏まえて柔軟に対応する必要があるため、総務省令で定めることとしている。

　　総務省令では、第116条の2第2項第1号及び第2号の業務にあっては、送信型対電気通信設備サイバー攻撃対処業務において提供を受けた通信履歴の電磁的記録の提供元電気通信事業者の氏名又は名称、その電磁的記録の提供を受けた日時、その電磁的記録の項目を定めるほか、これに加えて、第116条の2

606

第2項第1号の業務については、その電磁的記録を証拠として行う通知の通知先電気通信事業者の氏名又は名称、その通知を行った日時を、同項第2号の業務については、その電磁的記録を用いた調査及び研究の概要並びに成果の普及の概要を定めている。また、国立研究開発法人情報通信研究機構法（平成11年法律第162号）第18条第8項の規定により読み替えて適用する本法第116条の2第2項第3号の業務（国立研究開発法人情報通信研究機構法の規定により国立研究開発法人情報通信研究機構（ＮＩＣＴ）の委託を受けて同法第18条第1項第3号の通知を行うこと）については、通信履歴等の電磁的記録の提供を受けた日時、その電磁的記録の項目、その電磁的記録を証拠として行う通知の通知先電気通信事業者の氏名又は名称、その通知を行った日を定めている（施行規則第40条の8の13第1項）。

第116条の6　（認定送信型対電気通信設備サイバー攻撃対処協会に対する監督命令等）

（認定送信型対電気通信設備サイバー攻撃対処協会に対する監督命令等）

第116条の6　総務大臣は、送信型対電気通信設備サイバー攻撃対処業務の運営に関し改善が必要であると認めるときは、この法律の施行に必要な限度において、認定送信型対電気通信設備サイバー攻撃対処協会に対し、その改善に必要な措置をとるべきことを命ずることができる。

2　総務大臣は、認定送信型対電気通信設備サイバー攻撃対処協会の業務の運営がこの法律若しくはこの法律に基づく命令又はこれらに基づく処分に違反したときは、その認定を取り消し、又は6月以内の期間を定めてその業務の全部若しくは一部の停止を命ずることができる。

追加　平成30年法律第24号

概　要

送信型対電気通信設備サイバー攻撃対処業務の運営に不適切な状況が生じた場合等に、総務大臣が認定送信型対電気通信設備サイバー攻撃対処協会に対し、その改善に必要な措置をとるよう命ずることを可能としている（第1項）。

また、認定送信型対電気通信設備サイバー攻撃対処協会がその業務の運営（送信型対電気通信設備サイバー攻撃対処業務以外の業務の運営を含む。）において、

第116条の6・第116条の7

この法律やこの法律に基づく命令又は処分に違反したときに、総務大臣がその認定を取り消し、又は6月以内の期間を定めてその業務の全部又は一部の停止を命ずることを可能としている（第2項）。

認定送信型対電気通信設備サイバー攻撃対処協会が第2項の業務の停止命令に違反したときは、その違反行為をした認定送信型対電気通信設備サイバー攻撃対処協会の役員又は職員は、1年以下の拘禁刑（令和4年法律第68号の施行後。）又は50万円以下の罰金に処する（第182条第2項）。両罰規定（第190条）の適用もある。

第116条の7 （認定送信型対電気通信設備サイバー攻撃対処協会への情報提供）

> （認定送信型対電気通信設備サイバー攻撃対処協会への情報提供）
>
> 第116条の7　総務大臣は、認定送信型対電気通信設備サイバー攻撃対処協会の求めに応じ、認定送信型対電気通信設備サイバー攻撃対処協会が送信型対電気通信設備サイバー攻撃対処業務を適正に行うために必要な限度において、電気通信事業者に関する情報であつて送信型対電気通信設備サイバー攻撃対処業務に資するものとして　(1)総務省令で定める情報を提供することができる。

追加　平成30年法律第24号

1 概 要

総務大臣が、認定送信型対電気通信設備サイバー攻撃対処協会の求めに応じ、その保有する電気通信事業者に関する送信型対電気通信設備サイバー攻撃対処業務に資する情報について、認定送信型対電気通信設備サイバー攻撃対処協会に対し提供することができることを定めている。

2 条文内容

(1) 総務省令で定める情報

認定送信型対電気通信設備サイバー攻撃対処協会の運用や状況の変化等を踏まえて柔軟に規定する必要があるため、総務省令で定めることとしている。

第116条の7・第116条の8

　総務省令では、第116条の２第２項第１号イに該当する（認可を受けた技術的条件において、その利用者の電気通信設備が送信型対電気通信設備サイバー攻撃を行うことを禁止する旨を定めている）電気通信事業者の氏名又は名称、住所及び連絡先等を定めている（施行規則第40条の８の14）。

第116条の８ （公示）

（公示）
第116条の８　総務大臣は、第116条の２第１項の規定による認定をしたとき、同条第７項の変更の届出（同条第３項第１号に掲げる事項の変更に係るものに限る。）があつたとき、又は第116条の６第２項の規定により認定を取り消したとき、若しくは業務の全部若しくは一部の停止を命じたときは、(1) 総務省令で定めるところにより、(2) その旨を公示しなければならない。

追加　平成30年法律第24号

1　概　要

　電気通信事業者が、その必要に応じて、認定送信型対電気通信設備サイバー攻撃対処協会制度を活用するためには、認定送信型対電気通信設備サイバー攻撃対処協会として認定を受けて業務を行っている者が明らかにされている必要がある。

　このため、総務大臣において、認定送信型対電気通信設備サイバー攻撃対処協会の認定をしたとき、名称等の変更の届出があったとき、認定を取り消したとき又は業務の全部若しくは一部の停止を命じたときに、その旨を公示することとしている。

2　条文内容

(1)　総務省令で定めるところにより

　総務省令では、官報で告示をすることによって公示をすることを定めている（施行規則第40条の８の15）。

(2)　その旨を公示しなければならない

　本条のそれぞれの場合において、公示する内容は、次のとおり。

609

第116条の8

① 総務大臣が第116条の2第1項の規定により認定をしたとき　同条第3項第1号の記載事項（名称及び住所並びに代表者氏名）

② 同条第7項の変更の届出があったとき　同条第3項第1号の記載事項

③ 第116条の6第2項の規定により認定を取り消し、又は業務の全部若しくは一部停止を命じたとき　認定を取り消した旨又は全部若しくは一部停止を命じた旨

第3章　土地の使用等
第1節　事業の認定

総　説

　本節は、土地の使用などいわゆる公益事業特権を必要とする電気通信事業についての総務大臣の認定制度を規定しているものである。

　認定は、電気通信回線設備を設置する電気通信事業を営む者又は営もうとする者が、申請により、その電気通信事業の一部又は全部について受けることができる（第117条）。認定の基準としては、経理的基礎、技術的能力及び事業計画の確実・合理性とともに、電気通信事業の開始に必要な登録、届出を済ませた者であることとしている（第119条）。

　公益事業特権の付与に伴い、認定に係る事業の開始義務及び役務提供義務を課している（第120条及び第121条）。

　本法における公益事業特権は第2節の土地の使用のみであるが、認定を受けた電気通信事業については、他の法令により公益事業特権が得られる地位が与えられている（土地収用法（昭和26年法律第219号）第3条及び道路法（昭和27年法律第180号）第36条等）。

第117条

第117条（事業の認定）

（事業の認定）

第117条　(1) 電気通信回線設備を設置して電気通信役務を提供する電気通信事業を営む電気通信事業者又は当該電気通信事業を営もうとする者は、次節の規定の適用を受けようとする場合には、申請により、(2) その電気通信事業の全部又は一部について、総務大臣の認定を受けることができる。

2　前項の認定を受けようとする者は、(3) 総務省令で定めるところにより、次の事項を記載した申請書を総務大臣に提出しなければならない。

一　(4) 氏名又は名称及び住所並びに法人にあつては、その代表者の氏名

二　(5) 申請に係る電気通信事業の業務区域

三　(6) 申請に係る電気通信事業の用に供する電気通信設備の概要

3　前項の申請書には、(7) 事業計画書その他総務省令で定める書類を添付しなければならない。

追加　平成15年法律第125号

1　概　要

　電気通信回線設備を設置して電気通信役務を提供する電気通信事業を営む電気通信事業者又は当該事業を営もうとする者は、線路敷設を行うための土地等の使用権等いわゆる公益事業特権の利用を希望する場合には、当該特権が認められる対象としての特権的地位の付与を受けるため、申請により、その電気通信事業の全部又は一部について、総務大臣の認定を受けることができることを規定している。

　本条の認定を受けた電気通信事業者は、土地の使用等に係る特権を定めた第3章第2節の規定が適用されるほか、土地収用法、道路法、下水道法（昭和33年法律第79号）、共同溝の整備等に関する特別措置法（昭和38年法律第81号）、電線共同溝の整備等に関する特別措置法（平成7年法律第39号）等の規定による公益事業特権が利用できることとなる。

2 条文内容

〔第1項〕

(1) **電気通信回線設備を設置して電気通信役務を提供する電気通信事業を営む電気通信事業者又は当該電気通信事業を営もうとする者**

　　本条の認定を申請することができる者が、

　① 第9条の登録を受け、又は第16条第1項の規定による届出を行い、現に電気通信回線設備を設置して電気通信役務を提供する電気通信事業を営んでいる電気通信事業者と

　② 電気通信回線設備を設置して電気通信役務を提供する電気通信事業を営もうとする者

である旨を規定している。

　　このうち、①については、まず、電気通信回線設備を設置して電気通信役務を提供する電気通信事業を営む者において現に当該事業を営んでいるにもかかわらず事業参入等に係る登録を受け、又は届出をしていないのは、違法に電気通信事業を営んでいる者であり、このような者に特権的地位を付与することは適当でないことから、こうした者を認定を申請することができる者の範囲から除外するため、「電気通信事業者」と規定しているものである。

　　②については、事業参入等に係る登録を受け、又は届出をした後でなければ、認定の申請を行うことができないとすると、登録に係る審査手続又は届出の受理手続が完了してはじめて認定の審査手続に入ることが認められることとなり、審査に時間を要し、機動的な事業展開が妨げられるおそれがあることから、特権的地位の付与を受けて事業を営もうとする者が、事業参入等に係る登録又は届出に先立ち、あらかじめ認定の申請を行い、各々の審査を同時並行的に受けることを可能とするため、「当該事業を営もうとする者」についても申請適格者として規定しているものである。このように、認定の申請については事業参入等に係る登録や届出の有無にかかわらず行うことができるとしているが、認定の付与においては、認定の申請に係る電気通信事業を適法に営むために必要とされる登録や届出を行っていることをその要件としている(第119条第3号)。

(2) **その電気通信事業の全部又は一部**

　　認定は、各事業者の経営判断により、公益事業特権が認められる対象としての特権的地位の付与を必要とする範囲について、これを受けることができることとしている。

電気通信事業者は、その電気通信事業の一部について認定を受けることも可能である。この場合、認定電気通信事業については、公益事業特権が付与される一方、役務提供義務が課されている。これに対して、認定電気通信事業以外の電気通信事業については、公益事業特権が認められない一方で、役務提供義務が課されることもない。したがって、電気通信事業の一部について認定を受ける場合は、認定電気通信事業とそれ以外の事業が明確に区分されている必要がある。

〔第2項〕

本項は、認定の申請を行う場合の記載事項として、①氏名又は名称及び住所並びに法人にあっては、その代表者の氏名、②業務区域、③電気通信設備の概要を定め、申請を行うに際しての詳細を総務省令に委ねている。

これら記載事項のうち、①の事項に変更があったときは、遅滞なく、その旨を総務大臣に届け出ることを要し（第122条第5項）、②又は③の事項を変更しようとするときは、総務省令で定める軽微な変更の場合は、遅滞なく、その旨を総務大臣に届け出ることを要し（同条第2項）、それ以外の場合は、総務大臣の変更認定を受けることを要する（同条第1項）。

(3) 総務省令で定めるところにより

総務省令において、電気通信事業の全部について認定を受ける場合と一部について認定を受ける場合の各々につき、提出を要する書類について規定している（施行規則第40条の9第1項、第40条の10第1項、様式第38の4、様式第38の5、様式第38の8及び様式第38の9）。

(4) 氏名又は名称及び住所並びに法人にあつては、その代表者の氏名

「氏名又は名称」とは、申請者が自然人である場合には「氏名」、法人である場合には「名称」を意味し、「住所」とは、本社、本店等事業遂行の中心となる場所をいう。

(5) 申請に係る電気通信事業の業務区域

業務区域とは、電気通信事業者がその電気通信役務を提供する場所である。

電気通信事業の認定申請書の記載事項として、総務省令においては、具体的に、その電気通信事業の全部について認定を受ける場合には、第9条の登録又は第16条第1項の届出に係る業務区域を記載すべきことを、その電気通信事業の一部について認定を受ける場合には、当該一部の提供区域（一般的な利用形態において電気通信役務の提供を受けることが可能となる区域）、利用者や

きことを定めている（施行規則第40条の9第1項、第40条の10第1項、様式
第38の4、様式第38の5、様式第38の8及び様式第38の9）。

(6) **申請に係る電気通信事業の用に供する電気通信設備の概要**

電気通信設備とは、「電気通信を行うための機械、器具、線路その他の電気
的設備」（第2条第2号）である。電気通信役務の定義が「電気通信設備を用い
て他人の通信を媒介し、その他電気通信設備を他人の通信の用に供すること」
であるところ、電気通信設備が電気通信事業の重要な要素となっているため、
電気通信設備の概要を認定申請書の記載事項としている。

電気通信事業の認定申請書の記載事項として、総務省令においては、具体的
に、その電気通信事業の全部について認定を受ける場合には、第9条の登録又
は第16条第1項の届出に係る電気通信設備の概要を記載すべきことを、その
電気通信事業の一部について認定を受ける場合には、当該一部の用に供する端
末系伝送路設備の設置の区域や中継系伝送路設備の設置の区間等について記
載すべきことを定めている（施行規則第40条の9第1項、第40条の10第1項、
様式第38の4、様式第38の5、様式第38の8及び様式第38の9）。

〔第3項〕

(7) **事業計画書その他総務省令で定める書類**

本条の認定においては事業者の経理的基礎や技術的能力、事業計画の確実・
合理性を審査する必要があるため、事業計画書（事業の運営全般についての計
画であり、事業の内容を全体として把握するもの。）や事業収支見積書、主た
る技術者に関する書類等を認定申請書の添付書類として求めている（施行規則
第40条の9第2項及び第3項、第40条の10第2項及び第3項、並びに様式第
2、様式第38の6、様式第38の7、様式第38の10及び様式第38の11）。

第118条（欠格事由）

（欠格事由）

第118条　次の各号のいずれかに該当する者は、前条第1項の認定を受ける
ことができない。

615

第118条

　　一　⑴この法律、有線電気通信法若しくは電波法又はこれらに相当する
　　　外国の法令の規定により罰金以上の刑（これに相当する外国の法令によ
　　　る刑を含む。）に処せられ、その執行を終わり、又はその執行を受ける
　　　ことがなくなつた日から２年を経過しない者
　　二　⑵第125条第２号に該当することにより認定がその効力を失い、その
　　　効力を失つた日から２年を経過しない者又は　⑶第126条第１項の規定
　　　により認定の取消しを受け、その取消しの日から２年を経過しない者
　　三　⑷法人又は団体であつて、その役員のうちに前２号のいずれかに該当
　　　する者があるもの
　　四　⑸外国法人等であつて国内における代表者又は国内における代理人を
　　　定めていない者

追加　平成15年法律第125号
改正　平成27年法律第　26号
　　　令和２年法律第　30号

1　概　要

第117条第１項の認定の欠格事由について規定している。

事業の認定制度は、私有地の使用等といった私権の制約や公共的な空間の利用
を可能とする強力な公益事業特権が認められる特権的地位を付与するものである
ことから、認定に当たっては、「事業の公共性」及び「特権の必要性」と「公共
財の効率的利用の確保や財産権の保護」との間の均衡を図る観点から、当該事業
が確実かつ安定的に遂行されることに加え、公共の利益の増進に資すると認めら
れる場合に限り、当該特権を認めることが適当である。

そのため、通信関係法令に違反した者や認定の取消しを受けた者等について、
一定の年月認定を受けることができないこととし、電気通信の秩序を乱すおそれ
のあるものをあらかじめ排除することとしている。

2　条文内容

⑴　この法律、有線電気通信法若しくは電波法又はこれらに相当する外国の法令
　の規定により罰金以上の刑（これに相当する外国の法令による刑を含む。）に
　処せられ、その執行を終わり、又はその執行を受けることがなくなつた日から
　２年を経過しない者

第118条

　本法のほか、電気通信事業に特に関係の深い有線電気通信法若しくは電波法の規定又はこれらに相当する外国の法令に違反した者について、認定の適格性を欠くものとしている。

　「その執行を終わり」とは、拘禁刑（令和4年法律第68号の施行後。）等にあっては刑期の終了を、罰金刑にあっては罰金の完納をいう。「執行を受けることがなくなつた」とは、刑の執行の免除を指し、これには、恩赦法第8条の「刑の執行の免除」、刑法第5条に規定する外国で言い渡された刑の執行を受けたときの刑の「免除」、同法第31条の時効による「執行の免除」がある。なお、執行猶予の判決を受けた者が、これを取り消されることなく猶予期間を満了したときは、刑の言渡しは効力を失うから（同法第27条）、そのときに本号そのものに該当しないことになり、欠格者ではなくなる。

(2)　**第125条第2号に該当することにより認定がその効力を失い、その効力を失つた日から2年を経過しない者**

　第125条においては、認定電気通信事業者が第14条第1項の規定により登録を取り消されたときには、その認定はその効力を失うとされている（第125条第2号）。

　第14条第1項の規定により登録を取り消された場合には、その取消し後2年を経過しない間は第12条第1項第2号の登録の拒否事由に該当するため、再び登録を受けて事業参入することは不可能である。しかし、一定の規模及び区域の範囲を超える電気通信回線設備を設置することなく電気通信役務を提供する電気通信事業を営むとして第16条第1項の届出を行い、再び事業参入することは可能である。

　事業の認定は、第9条の登録を受けた電気通信事業者のみならず第16条第1項の届出をした電気通信事業者でも受けることが可能であるが、このように登録の取消しを受けた者がすぐに同項の届出をして再び事業参入して第117条第1項の認定を受けることができるとなると、例えば、罰金以上の刑には処せられていないが公共の利益を阻害する違反行為を行ったため第9条の登録を取り消された者という電気通信の秩序を乱すおそれがある者であっても強力な特権が認められる特権的地位が与えられることとなり、電気通信の秩序の維持の観点から適当でない。

　そのため、認定電気通信事業者が第14条第1項の規定による登録の取消しを受けたことにより、その認定の効力を失った場合には、2年を経過するまで

第118条・第119条

の間は認定を受けることができないこととしている。

(3) 第126条第1項の規定により認定の取消しを受け、その取消しの日から2年を経過しない者

認定電気通信事業者が、第126条第1項の規定による認定取消処分を受けた場合には、2年を経過しないと認定の適格性を欠く旨を規定している。

(4) 法人又は団体であつて、その役員のうちに前2号のいずれかに該当する者があるもの

申請者が法人又は団体である場合には、その役員中に前2号の欠格事由に該当する者がいるときにも、欠格事由該当としている。

(5) 外国法人等であつて国内における代表者又は国内における代理人を定めていない者

認定の欠格事由は、(2)で述べているように、第16条第1項の届出をした電気通信事業者を念頭に第12条第1項の電気通信事業の登録の拒否事由相当の要件に該当する者を当該認定の適格性を欠く者として排除するものであるところ、外国法人等であって国内における代表者又は国内における代理人の指定をしていない者（第12条第1項第4号）についても、認定の適格性を欠くものとして欠格事由としている。

なお、国内における代表者又は国内における代理人は第9条の登録に係る申請書又は第16条第1項の届出に係る添付書類の記載事項であり（第10条第1項第2号及び第16条第1項第2号）、総務大臣は第117条第1項の認定に当たってその指定の有無を確認可能であることから、事業者の負担軽減の観点により、同条第2項の認定申請書の記載事項とはしていない。

第119条（認定の基準）

（認定の基準）

第119条　総務大臣は、第117条第1項の認定の申請が次の各号のいずれにも適合していると認めるときでなければ、同項の認定をしてはならない。

一　申請に係る電気通信事業を適確に遂行するに足りる (1) 経理的基礎及び技術的能力があること。

二　(2)申請に係る電気通信事業の計画が確実かつ合理的であること。

618

三　申請に係る電気通信事業を営むために必要とされる　(3)第９条の登録若
　　しくは第13条第１項の変更登録を受け、又は第16条第１項、第４項（同
　　条第６項の規定により読み替えて適用する場合を含む。）若しくは第５項
　　の届出をしていること。

追加　平成15年法律第125号
改正　令和４年法律第　70号

1　概　　要

　第117条第１項の認定の基準について規定している。

　事業の認定制度は、私有地の使用等といった私権の制約や公共的な空間の利用
を可能とする強力な公益事業特権が認められる対象となる特権的地位を付与する
ものであることから、認定に当たっては、「事業の公共性」及び「特権の必要性」
と「公共財の効率的利用の確保や財産権の保護」との間の均衡を図る観点から、
当該事業の確実かつ安定的な遂行を確保することが必要となる。

　そのため、申請者の経理的基礎及び技術的能力並びに事業計画の確実・合理性
について審査することとしている（第１号及び第２号）。

　また、認定の申請については、事業参入等に係る登録や届出の有無にかかわら
ず行うことができることとしているが、認定の付与においては、認定の申請に係
る電気通信事業を適法に営むために必要とされる登録や届出を行っていることを
その要件としている（第３号）。

2　条文内容

(1)　経理的基礎及び技術的能力があること

　相当程度の投資を要する事業を確実に遂行し、安定的に役務提供を行うため
に必要な財務の確実性、技術の確実性を有することが審査される。

　「経理的基礎」としては、その事業遂行のための経理面すなわち設備資金、
運転資金等の調達方法、借入金の返済計画等の確実性が求められる。

　「技術的能力」は、技術的スタッフの組織、有資格技術者の数、個々の技術
者の実務経験、経歴等によって判断されることになる。

　これらは、申請の際に現に有しているのではなくても、事業を遂行するに至
るまでに確保し得る確実性を有していれば、基準に適合していると認められる。

(2) 申請に係る電気通信事業の計画が確実かつ合理的であること

安定的・継続的に役務が提供できる見通しが立っていることを確保するため、将来の収支見積り等が合理的であり、電気通信設備の設置に必要となる行政庁の処分等の見込みがあること等、審査時点においてその計画の実施が確実かつ可能であることが審査される。

(3) 第9条の登録若しくは第13条第1項の変更登録を受け、又は第16条第1項、第4項（同条第6項の規定により読み替えて適用する場合を含む。）若しくは第5項の届出をしていること

事業参入等に係る登録を受け又は届出をしていない者に対し、認定を付与することを認めた場合に、その後当該認定を受けた事業に係る登録が拒否され、事業遂行そのものが認められないこととなった場合等には、私権の制約や公共的な空間の利用を可能とする強力な特権を用いて他人の土地等を使用したにもかかわらず、広く公共の利益に資する利用がなされないこととなる。そのため、認定の付与においては、認定の申請に係る電気通信事業を営むために必要とされる規律を適切に遵守していることを要件としている。

なお、第9条の登録においては、電気通信の健全な発達のために適切でないと認められる者は登録の拒否事由に該当するとしているが、本条に規定する認定の基準においては、このような要件を規定していない。これは、第9条の登録の対象となる電気通信事業については、同条の登録に際して審査した事項を認定に際して重ねて審査することは不要であり、同条の登録の対象とはならない電気通信事業については、一定の規模及び区域の範囲を超える電気通信回線設備を設置することなく電気通信役務を提供するのであるから、その電気通信事業について、電気通信事業者が利用者や電気通信市場における公正な競争に及ぼす影響は小さいと考えられるためである。

第120条（事業の開始の義務）

（事業の開始の義務）

第120条　第117条第1項の認定を受けた者（以下「認定電気通信事業者」という。）は、総務大臣が指定する期間内に、その認定に係る電気通信事業（以下「認定電気通信事業」という。）を (1)開始しなければならない。

第120条

2 総務大臣は、(2) <u>特に必要があると認めるとき</u>は、第117条第2項第2号の業務区域を区分して前項の期間の指定をすることができる。

3 総務大臣は、認定電気通信事業者から申請があつた場合において、(3) <u>正当な理由がある</u>と認めるときは、第1項の期間を延長することができる。

4 認定電気通信事業者は、認定電気通信事業（第2項の規定により業務区域を区分して期間の指定があつたときは、その区分に係る認定電気通信事業）を開始したときは、遅滞なく、その旨を総務大臣に届け出なければならない。

追加　平成15年法律第125号

1　概　要

電気通信事業の認定制度は、電気通信事業の公共性や線路の敷設等に係る公益事業特権の必要性に鑑み、一定の要件に合致する場合に限り、私権の制約や公共的空間の利用を可能とする強力な権限が認められる特権的地位が付与されるものである。

しかるに、このような強力な特権を用いて電気通信回線設備を設置したにもかかわらず、当該電気通信回線設備の適切な利用が確保されない場合には、広く公共の利益に資することとならず、このような特権が認められる特権的地位を付与した趣旨が没却されることにもなりかねない。

そこで、認定を受けた電気通信事業者は、総務大臣が指定する期間内にその認定に係る電気通信事業を開始しなければならないこととし、特権を用いて設置した電気通信回線設備の適切な利用を確保することとしている。

2　条文内容

〔第1項〕

本項は、認定電気通信事業者は、総務大臣が指定する一定期間内に事業を開始すべきである旨を規定している。

(1) <u>開始しなければならない</u>

電気通信事業を開始するとは、認定を受けた部分に係る電気通信回線設備の設置の工事が完了したことをもって履行されたとするものではなく、認定電気通信事業者は、電気通信事業の認定を受けた業務区域において、利用者から当

第120条

該認定に係る電気通信役務の提供の申込みがあったときに、これを提供し得る状態にあるようにすることが求められる。

したがって、認定を受けた部分に係る電気通信回線設備と一体として構築するネットワークの他の部分が完成していないことにより、当該電気通信回線設備が全く活用されず、これを用いたサービス提供が全くなされないという場合には、利用者から認定を受けた部分に係る電気通信役務の提供の申込みがあった場合にこれを提供し得る状態にあるとは認めがたく、事業開始義務違反に該当する。

〔第2項〕

認定電気通信事業者が事業を開始すべき期間の区分指定について規定している。

(2) 特に必要があると認めるとき

事業開始期間を区分して指定することが必要であり、それが合理的であるときを意味する。業務区域が広大である場合や地縁的に連続していない場合などでは、事業開始期間を区分する方が合理的な場合があると考えられる。

第126条の認定の取消しは、本項の規定により区分された部分について行われるわけではなく、全体について認定が取り消されることになる。

〔第3項〕

認定電気通信事業者が事業を開始すべき期間の延長について規定している。

(3) 正当な理由がある

認定電気通信事業が開始されるべき期間を延長することができる「正当な理由がある」とは、天災等による事故の場合や、認定付与の際には想定が困難であった景気変動などの社会経済情勢の急激な変化がある場合等について想定されている。

〔第4項〕

本項は、認定電気通信事業者が事業を開始したときの総務大臣への届出について規定している。この届出により、期間内における事業開始の有無を総務大臣が把握することができるようになっている。

622

第121条（提供義務）

（提供義務）

第121条　認定電気通信事業者は、(1) 正当な理由がなければ、認定電気通信事業に係る電気通信役務の提供を拒んではならない。

2　総務大臣は、認定電気通信事業者が前項の規定に違反したときは、当該認定電気通信事業者に対し、利用者の利益又は公共の利益を確保するために必要な限度において、業務の方法の改善その他の措置をとるべきことを命ずることができる。

追加　平成15年法律第125号

1　概　要

電気通信事業の認定制度は、電気通信事業の公共性や線路の敷設等に係る公益事業特権の必要性に鑑み、一定の要件に合致する場合に限り、私権の制約や公共的空間の利用を可能とする強力な権限が認められる特権的地位が付与されることとするものである。

しかるに、このような強力な特権を用いて電気通信回線設備を設置したにもかかわらず、当該電気通信回線設備の適切な利用が確保されない場合には、広く公共の利益に資することとならず、このような特権が認められる特権的地位を付与した趣旨が没却されることにもなりかねない。

そこで、認定を受けた電気通信事業者については、前条に規定する事業開始義務を課すとともに、正当な理由がなければ、当該事業に係る電気通信役務の提供を拒んではならないこととしている。

2　条文内容

〔第1項〕

認定電気通信事業者の電気通信役務提供の義務を規定する。ここでは、認定電気通信事業者がその経営戦略に基づき自ら定める適正な提供条件により役務提供に応ずることが求められている。ここで規定する提供義務には、役務の提供の申込みを承諾する義務と、既に役務の提供を開始した利用者に対してその提供を継続する義務とが含まれる。

ここで禁じられている電気通信役務の提供の拒否には、電気通信役務の提供の

623

第121条・第122条

申込みを直接的に拒否する場合のみならず、料金その他の提供条件に関する交渉自体を拒否する場合や実質的に役務の提供を拒否するものと同視できるような非常識な高額の対価等を要求する場合等も含まれる。

(1) 正当な理由

電気通信役務の提供を拒否することができる「正当な理由」がある場合とは、

① 天災、事故等により電気通信設備に故障が生じ役務提供が不能となる場合

② 申込者が料金の支払いを過去に怠り、又は怠るおそれがある場合

③ その申込みを承諾することにより当該電気通信事業者の利益を不当に害し、又は他の利用者に著しい不便をもたらすおそれがある場合

④ 正常な企業努力にもかかわらず、速やかに需要に応ずることができない場合

等が想定されている。

〔第2項〕

認定電気通信事業者については、基礎的電気通信役務等を提供する場合を除き契約約款作成・遵守義務が課されておらず、相対契約が認められているため、どのような場合が正当な理由なく役務の提供を拒否した場合に該当するか、個別の事案ごとにその提供条件等を踏まえて判断することが必要となることから、役務提供義務違反について、業務改善命令により対処することとしている。

第122条（変更の認定等）

（変更の認定等）

第122条　認定電気通信事業者は、第117条第2項第2号又は第3号の事項を変更しようとするときは、総務大臣の認定を受けなければならない。ただし、(1)総務省令で定める軽微な変更については、この限りでない。

2　認定電気通信事業者は、前項ただし書の総務省令で定める軽微な変更をしたときは、遅滞なく、その旨を総務大臣に届け出なければならない。

3　第117条第3項、第118条（第2号を除く。）及び第119条の規定は、第1項の認定について準用する。

4　第120条の規定は、第1項の場合（業務区域の減少の場合を除く。）に準用する。この場合において、同条第1項中「第117条第1項」とあるの

624

は、「第122条第1項」と読み替えるものとする。

5　認定電気通信事業者は、(2)第117条第2項第1号の事項に変更があつた
　ときは、遅滞なく、その旨を総務大臣に届け出なければならない。

追加　平成15年法律第125号

1　概　要

　第117条第1項の認定を受けた電気通信事業者は、その後に当該認定に係る業
務区域又は電気通信設備の概要を変更しようとする場合には、総務大臣の認定を
受けなければならないことを規定している。

2　条文内容

〔第1項〕

　第117条第1項の認定後に認定電気通信事業者が当該認定に係る業務区域や電
気通信設備の概要を変更し、変更後の事業についてもそれまでと同様に公益事業
特権の利用を希望する場合に、そのままでは、当該変更後の事業内容については、
適切な事業遂行能力を有し、かつ、関係法令違反者等の欠格事由に該当しない者
であることの審査を経ていないことになるため、変更認定を要することとしてい
る。

(1)　総務省令で定める軽微な変更

　軽微な変更については、第2項の規定により、遅滞なくその旨を届け出るの
みで足りることとしている。

　「軽微な変更」としては、具体的には、総務省令において、提供区域の増加（端
末系伝送路設備の設置の区域の増加を伴わないもの）、業務区域の減少や、既
に認定を受けた端末系伝送路設備の設置の区域が存する都道府県内における端
末系伝送路設備の設置の区域の増加等を規定している（施行規則第40条の15）。

〔第5項〕

(2)　第117条第2項第1号の事項に変更があつたときは、遅滞なく、その旨を
総務大臣に届け出なければならない

　認定を受けた電気通信事業に係る変更のうち、氏名、名称及び住所等に関し
ては、事業の内容及び認定電気通信事業者の内実には変更がないため、遅滞な
く、その旨を届け出ることで足りることとしている。

第123条（承継）

（承継）

第123条　認定電気通信事業者が死亡した場合においては、その相続人（相続人が二人以上ある場合においてその協議により当該認定電気通信事業を承継すべき相続人を定めたときは、その者）が被相続人たる認定電気通信事業者の地位を承継する。

2　前項の相続人が被相続人の死亡後60日以内にその相続について総務大臣の認可を申請しない場合又は同項の相続人がしたその申請に対し認可をしない旨の処分があつた場合には、その期間の経過した時又はその処分があつた時に、当該認定電気通信事業の認定は、その効力を失う。

3　認定電気通信事業者たる法人が合併又は分割（認定電気通信事業の全部を承継させるものに限る。）をしたときは、合併後存続する法人若しくは合併により設立された法人又は分割により当該認定電気通信事業の全部を承継した法人は、総務大臣の認可を受けて認定電気通信事業者の地位を承継することができる。

4　認定電気通信事業者が認定電気通信事業の全部の譲渡しをしたときは、当該認定電気通信事業の全部を譲り受けた者は、総務大臣の認可を受けて認定電気通信事業者の地位を承継することができる。

5　第118条及び第119条の規定は、前3項の認可について準用する。

追加　平成15年法律第125号
改正　平成30年法律第 24号

概　要

　認定電気通信事業者に関し相続、合併、分割があった場合又は認定電気通信事業の全部の譲渡しがあった場合における認定電気通信事業者の地位の承継について規定している。

　電気通信事業の認定制度は、電気通信事業の公共性や線路の敷設等に係る公益事業特権の必要性に鑑み、一定の要件に合致する場合に限り、私権の制約や公共的な空間の利用を可能とする強力な権限が認められる特権的地位を付与するものであることから、認定電気通信事業の主体の移転、変更を自由に放任しておいては、譲受者や合併・分割後の法人が認定の対象たる電気通信事業者として適格かどうかを判断することができず、元来認定に係らしめた趣旨が没却されることと

なる。

　このため、認定電気通信事業者について、相続があったとき、合併若しくは分割（認定電気通信事業の全部を承継させるものに限る。）があったとき、又は認定電気通信事業の全部の譲渡しがあったときにおいて、相続人、合併に係る存続法人、合併により設立された法人、分割により認定電気通信事業を承継した法人又は事業譲受人（以下「承継人」という。）が認定電気通信事業者の地位を承継しようとする場合には、第117条第1項の認定と同様、当該承継人について、経理的基礎・技術的能力や事業計画の確実・合理性、欠格事由に該当しないこと等を審査する必要があることから、総務大臣の認可に係らしめることとしている。

　本条は、認定電気通信事業者の相続、合併、分割、認定電気通信事業の譲渡しに際して、第117条の認定や第124条の届出等で個別に処理することで手続が複雑になることを避け、一括して処理する便法を講じているのであるが、事業の一部のみを譲り受けられた者等については、その承継することとなる地位が必ずしも明らかではないため、本法では、承継の形態が単純で明快な事業の全部の譲渡し等についてのみ承継の規定を明定している。

　相続の場合、相続人は一人に限らず、二人以上であってもよいが、二人以上の相続人によって相続されても、認定電気通信事業者としては、一事業者である。

　認定電気通信事業について承継があった場合でも、承継人が認定電気通信事業者の地位を承継することを希望しない場合には、総務大臣の認可を受けることは不要であり、この場合には電気通信事業の承継に係る事後届出（第17条第2項）をするのみで足りることとなる。この場合、被承継人においては、認定電気通信事業の廃止の届出を要することになる（第124条第1項）。

第124条（事業の休止及び廃止）

（事業の休止及び廃止）

第124条　認定電気通信事業者は、(1) 認定電気通信事業の全部又は一部を休止し、又は廃止したときは、遅滞なく、その旨を総務大臣に届け出なければならない。

2　(2) 前項の休止の期間は、1年を超えてはならない。

追加　平成15年法律第125号

第124条

1 概　要

　認定電気通信事業者が認定電気通信事業の全部又は一部について休止又は廃止した場合には、遅滞なく、その旨を届け出なければならないことを規定している。

　認定電気通信事業の全部又は一部を休止又は廃止する場合には、認定電気通信事業の変更に当たるとして、変更の認定に係らしめることも考えられるが、あらためてその事業遂行能力や欠格事由への該当性について審査する必要がないことから、当該事実を行政として把握するため、休止又は廃止した旨を遅滞なく届け出るのみで足りることとしている。

2　条文内容

〔第1項〕

(1)　認定電気通信事業の全部又は一部を休止し、又は廃止したとき

　　「認定電気通信事業の一部」とは、認定電気通信事業の部分（全部にまで達しない範囲）であって、社会経済的に一つの単位となり得るものをいう。何が「認定電気通信事業の一部」に該当するかについては個別具体的なケースごとに判断する必要があるところ、認定電気通信事業のうち、利用者から見て独立した電気通信サービスと認知されると考えられるものを提供する事業の部分がこれに該当する。

　　「休止」とは、営業を停止させることをいう。個々の利用者に対する役務の提供の停止や事故等による停止は、事業の休止には当たらない。

　　「廃止」とは、その営業を消滅させることである。

　　したがって、「休止」には期間があるが、「廃止」には期間がない。

　　認定電気通信事業の全部又は一部の廃止に該当する場合としては、

① 　電気通信役務の提供は引き続き行う（電気通信事業自体は廃止しない）が、今後は特権的地位を利用する必要はないとして認定を返上する場合

② 　電気通信役務の提供を止める（電気通信事業自体を廃止する）場合

の二つの場合があり得る。後者の場合には、認定電気通信事業の廃止のみならず、電気通信事業、電気通信業務自体の廃止にも該当し、第18条第1項の規定に基づく電気通信事業の休廃止の届出、第26条の4第1項の規定に基づく電気通信業務に係る利用者への周知等が必要となる。

　　なお、認定電気通信事業者たる法人の解散については、電気通信事業者たる法人の解散としてその清算人から届出がなされる（第18条第2項）とともに、

認定電気通信事業を含むその電気通信事業の全部の廃止に該当するものとして認定は失効することから、特段の規定は設けられていない。

〔第2項〕

(2) 前項の休止の期間は、1年を超えてはならない

認定電気通信事業は、他人の土地の使用等の私権の制約や公共的な空間の使用を可能とする強力な特権が認められる特権的地位を付与されて営まれるものであることから、休止期間を無制限に認めることは適当でなく、一定期間以上認定に係る事業を行う予定がない場合には、認定電気通信事業の廃止として、特権的地位を返上させることが適当であるため、休止期間は1年を超えてはならないとしている。

第125条（認定の失効）

（認定の失効）

第125条　認定電気通信事業者が次の各号のいずれかに該当するに至つたときは、その認定は、その効力を失う。

　一　(1)第12条の2第1項の規定により登録がその効力を失つたとき。

　二　(2)第14条第1項の規定により登録を取り消されたとき。

　三　(3)認定電気通信事業の全部を廃止したとき。

追加　平成15年法律第125号
改正　平成27年法律第　26号

1　概　要

第117条第1項の認定の失効事由について規定している。

2　条文内容

(1) 第12条の2第1項の規定により登録がその効力を失つたとき

電気通信事業の登録の更新を受けず、その効力を失った場合、その者は、電気通信事業の認定を引き続き維持する公益性が認められず、これを維持する必要性がなくなったものと認められることから、その効力を失うこととしている。

第125条・第126条

(2) **第14条第1項の規定により登録を取り消されたとき**

　　第9条の登録を受けた電気通信事業者が、事業開始後に第14条第1項の規定により登録を取り消された場合には、認定電気通信事業を含め、その電気通信事業を継続することは不可能となる。

　　そのため、この場合には、認定はその効力を失うこととし、その特権的地位は剥奪されることとしている。

(3) **認定電気通信事業の全部を廃止したとき**

　　認定電気通信事業の全部を廃止した場合には、当該事業者はもはや他人の土地の使用等において公益事業特権を用いる必要はなく、特権的地位を引き続き付与する必要は認められないことから、認定はその効力を失うこととし、その特権的地位は剥奪されることとしている。

第126条（認定の取消し）

（認定の取消し）

第126条　総務大臣は、認定電気通信事業者が次の各号のいずれかに該当するときは、その認定を取り消すことができる。

　一　⑴第118条第1号、第3号又は第4号に該当するに至つたとき。

　二　⑵第120条第1項の規定により指定した期間（同条第3項の規定による延長があつたときは、延長後の期間）内に認定電気通信事業を開始しないとき。

　三　前2号に規定する場合のほか、⑶認定電気通信事業者がこの法律又はこの法律に基づく命令若しくは処分に違反した場合において、公共の利益を阻害すると認めるとき。

2　総務大臣は、前項の規定により認定を取り消したときは、文書によりその理由を付して通知しなければならない。

追加　平成15年法律第125号

1　概　要

　認定電気通信事業者が、認定の欠格事由に該当するに至った場合、指定期間内に事業を開始しない場合又は本法等に違反して公共の利益を阻害すると認める場

合には、総務大臣において、その認定を取り消すことができることを規定している。

2　条文内容
〔第1項〕

　認定電気通信事業者が、公益事業特権を用いて電気通信回線設備を設置して、実際に事業展開を行っている場合に、事後に当該特権が認められる特権的地位が剥奪された場合には、当該電気通信事業者には原状回復義務が課されるため、設置した電気通信回線の撤収を余儀なくされ、その事業を継続して遂行することが困難となり、結果として当該電気通信事業者からサービスの提供を受けている利用者に不利益が及ぶおそれがある。

　しかし、認定電気通信事業者が、通信関係法令に関して重大な違反をした場合や、例えば再三の業務改善命令にもかかわらず役務提供義務に違反するなど本法及び本法に基づく命令等に違反して公共の利益を阻害した場合等においてまで、特権的地位を引き続き認めることは適当でなく、結果として当該電気通信事業者の利用者に不利益を及ぼすこととなるとしても、当該特権的地位を剥奪することが必要と考えられる。

　そのため、認定の取消事由に該当する場合であっても、認定を取り消すことにより失われる利用者利益と認定を取り消すことにより回復される公共の利益等について比較衡量して総合的に判断を下すことができるよう、総務大臣の裁量の余地を認め、「認定を取り消すことができる」としている。

(1)　第118条第1号、第3号又は第4号に該当するに至つたとき

　電気通信事業の認定制度は、私権の制約や公共的な空間の利用を可能とする強力な公益事業特権が認められる特権的地位を付与するものであることから、そもそも認定を受けることが認められないものである欠格事由に該当するに至った場合においてまで、特権的地位を引き続き認めることは、電気通信の秩序を乱すこととなりかねず、適当でない。

　そのため、認定電気通信事業者が、これらに該当するに至った場合には、総務大臣において、その認定を取り消すことができることとしている。

　ここで、第118条第1号、第3号又は第4号に該当するに至った場合を本号の取消事由とする一方、同条第2号に該当するに至った場合について本号の取消事由としていないのは、第125条第2号に該当することにより認定の効力を失い、その効力を失った日から2年を経過しない者又は本項の認定の取消しを

第126条

受け、その取消しの日から2年を経過しない者は、第118条第2号に該当し認定を受けることができないため、現に認定を受けている電気通信事業者が同号に該当することは想定されないためである。

(2)　**第120条第1項の規定により指定した期間（同条第3項の規定による延長があつたときは、延長後の期間）内に認定電気通信事業を開始しないとき**

　　電気通信事業の認定制度は、電気通信事業の公共性や線路の敷設等に係る公益事業特権の必要性に鑑み、一定の要件に合致する場合に限り、私権の制約や公共的な空間の利用を可能とする強力な権限が認められる特権的地位を付与するものである。

　　したがって、認定電気通信事業者がその特権的地位の上に眠り、いつまでも事業を開始しないのであれば、当該電気通信事業者に対してこのような特権的地位を引き続き認める必要性はなく、当該特権的地位を剥奪することが適当である。

　　そのため、認定電気通信事業者は、総務大臣が指定する期間内に認定電気通信事業を開始しなければならないこととし、これに違反した場合には、総務大臣において、その認定を取り消すことができることとしている。

(3)　**認定電気通信事業者がこの法律又はこの法律に基づく命令若しくは処分に違反した場合において、公共の利益を阻害すると認めるとき**

　　電気通信事業の認定制度は、私権の制約や公共的な空間の利用を可能とする強力な公益事業特権が認められる特権的地位を付与するものであることから、公共の利益を阻害する悪質な法令違反行為をした場合においてまで、特権的地位を引き続き認めることは、電気通信の秩序を乱すこととなりかねず、適当でない。

　　そのため、認定電気通信事業者が、これらに該当するに至った場合には、総務大臣において、その認定を取り消すことができることとしている。

〔第2項〕

　　総務大臣は認定の取消しという不利益処分をした場合には、いかなる場合においても文書によりその理由を付して通知しなければならないとしている。

　　本項は、申請者に対する手続的保障を十分に確保する観点から、第14条と同様に行政手続法の定める不利益処分の手続の特例を定めるものである。

632

第127条

第127条（変更の認定の取消し）

（変更の認定の取消し）

第127条　総務大臣は、第122条第1項の規定により第117条第2項第2号又は第3号の事項の変更の認定を受けた認定電気通信事業者が、第122条第4項において準用する第120条第1項の規定により指定した期間（第122条第4項において準用する第120条第3項の規定による延長があつたときは、延長後の期間）内にその事項を変更しないときは、(1)その認定を取り消すことができる。

2　前条第2項の規定は、前項の場合に準用する。

追加　平成15年法律第125号

1　概　要

　認定電気通信事業者は、認定に係る電気通信事業を変更することについて、変更の認定を受けた場合には、総務大臣が指定する期間内に、当該変更を行わなければならない（第122条第4項において準用する第120条第1項）ことから、これに違反した場合、総務大臣はその認定を取り消すことができることとしている。

2　条文内容

〔第1項〕

(1)　その認定を取り消すことができる

　本条に基づく事業開始義務違反として認定の取消しの対象となるのは、認定電気通信事業に係る業務区域や電気通信設備の概要の変更についての認定のみである。

〔第2項〕

　総務大臣は、変更部分に関する認定の取消しという不利益処分をした場合には、いかなる場合においても文書によりその理由を付して通知しなければならないとしている。

　本項は、申請者に対する手続的保障を十分に確保する観点から、第14条と同様に行政手続法の定める不利益処分の手続の特例を定めるものである。

633

第2節　土地の使用

総　説

　本節は、認定電気通信事業者がその認定電気通信事業の用に供する線路の設置等のために土地等の使用等を行う公益事業特権に係る手続等を規定している。

　認定電気通信事業者は、その認定電気通信事業の用に供する線路等を設置するための他人の土地等を使用する使用権を簡易な手続により設定できる（第128条）。認定電気通信事業者と土地等の所有者等との協議が不調又は不能の場合には、総務大臣に対して裁定を求めることができる（第129条から第132条まで）。

　認定電気通信事業者は、また、線路に関する工事等一定の目的のために他人の土地等を一時的に使用する権利（第133条）、線路に関する測量、実地調査及び工事のために他人の土地に立ち入る権利（第134条）、線路に関する工事又は線路の維持のために他人の土地を通行する権利（第135条）、植物が線路に障害を及ぼし、又は及ぼすおそれがある場合等に植物を伐採、移植する権利（第136条）が認められており、これらの権利行使に当たって必要な損失の補償の手続を定めている（第137条）。

　この他、認定電気通信事業者が公有水面に水底線路を敷設しようとするときの手続（第140条）及び水底線路の保護について規定している（第141条及び第143条）。

634

第128条

第128条（土地等の使用権）

（土地等の使用権）

第128条　認定電気通信事業者は、(1) 認定電気通信事業の用に供する　(2) 線路及び　(3) 空中線 (4) 主として一の構内（これに準ずる区域内を含む。）又は建物内（以下この項において「構内等」という。）にいる者の通信の用に供するため当該構内等に設置する線路及び空中線については、(5) 公衆の通行し、又は集合する構内等に設置するものに限る。）並びにこれらの(6) 附属設備（以下この節において「線路」と総称する。）を設置するため(7) 他人の土地及びこれに定着する建物その他の工作物（国有財産法（昭和23年法律第73号）第3条第2項に規定する行政財産、地方自治法（昭和22年法律第67号）第238条第3項に規定する行政財産その他政令で定めるもの（第4項において「行政財産等」という。）を除く。以下「土地等」という。）を利用することが必要かつ適当であるときは、(8) 総務大臣の認可を受けて、その土地等の所有者（(9) 所有権以外の権原に基づきその土地等を使用する者があるときは、その者及び所有者。以下同じ。）に対し、その (10) 土地等を使用する権利（以下「使用権」という。）の (11) 設定に関する協議を求めることができる。第3項の存続期間が満了した後において、(12) その期間を延長して使用しようとするときも、同様とする。

2　前項の認可は、認定電気通信事業者がその (13) 土地等の利用を著しく妨げない限度において使用する場合にすることができる。ただし、(14) 他の法律によつて土地等を収用し、又は使用することができる事業の用に供されている土地等にあつてはその事業のための土地等の利用を妨げない限度において利用する場合に限り、建物その他の工作物にあつては線路を支持するために利用する場合に限る。

3　第1項の使用権の存続期間は、15年（(15) 地下ケーブルその他の地下工作物又は (16) 鉄鋼若しくはコンクリート造の地上工作物の設置を目的とするものにあつては、50年）とする。ただし、同項の協議又は第132条第2項若しくは第3項の裁定においてこれより短い期間を定めたときは、この限りでない。

4　総務大臣は、第1項の認可の申請があつた場合において、(17) 必要がある

第128条

> と認めるときは、その土地等の所有者（⒅ その土地等が行政財産等に定着する建物その他の工作物であるときは、当該行政財産等を管理する者その他の政令で定める者を含む。次項並びに第130条第１項及び第131条において同じ。）の意見を聴くものとする。
>
> 5　総務大臣は、第１項の認可をしたときは、その旨をその土地等の所有者に通知するとともに、これを公告しなければならない。
>
> 6　第１項の　⒆ 協議が調つた場合には、認定電気通信事業者及び土地等の所有者は、⒇ 総務省令で定めるところにより、その協議において定めた事項を総務大臣に届け出るものとする。
>
> 7　前項の届出があつたときは、㉑ その届け出たところに従い、認定電気通信事業者がその土地等の使用権を取得し、又は当該使用権の存続期間が延長されるものとする。
>
> 8　認定電気通信事業者及び土地等の所有者は、その合意により、使用権を消滅させることができる。この場合においては、遅滞なく、その旨を総務大臣に届け出なければならない。

改正　平成11年法律第　87号
平成11年法律第160号
平成13年法律第　62号
第73条繰下げ改正　平成15年法律第125号

1　概　要

　認定電気通信事業者がその認定電気通信事業の用に供する線路、空中線及びこれらの附属設備（「線路」と総称。）を他人の土地等に設置するために他人の土地等を使用する使用権及びその設定に関する手続について規定している。

　認定電気通信事業においては、長大な線路が必要不可欠な要素となっており、この線路は、所有者の異なる膨大な数の土地を点々と繋いでいく性格を有している。たとえ１本でも電柱等の設置ができないことになると、迅速性が重要な通信線路建設全体の工事が遅延し、又は計画変更を余儀なくされ、結局は公共の福祉の増進が阻害されることとなる。土地の使用については、土地収用法の定める手続があるが、広範囲にわたる多数の電柱等の設置のための土地等の使用について、個々の権利者と土地収用法の手続によって処理することは、いたずらに事務を増大させ、その煩雑さを増すのみである。他方、認定電気通信業務の用に供する電

柱建設等のための土地の使用によって生じる損失は、その個々においては、電柱等の占有面積も小さく、土地収用法が対象としているものによって生じる損失と比べて極めて軽微である。本条では、これらに鑑み、認定電気通信事業の用に供する線路建設のための土地の使用について、土地収用法の特例として、使用権を設定する簡易な手続を設けている。

　線路については、上記のような所有者の異なる膨大な数の土地を点々と繋いでいくものに加え、鉄道駅、空港といった、公衆が通行し、又は集合する公共的な空間における多様なニーズに応じた通信の疎通を可能とするために要するものについても、利用者利便の向上を図る公益上の必要性が極めて高いと考えられるため、本制度の対象としている。

2　条文内容

〔第1項〕

　認定電気通信事業者が、その認定電気通信事業の用に供する線路を設置するために他人の土地等を利用することが必要かつ適当である場合には、総務大臣の認可を受けて、その土地等の所有者等に対し、使用権の設定について協議を求めることができる旨を定めている。この協議は、公用使用たる使用権を設定するための公法上の手続であり、私法上の土地等の賃貸借契約等を締結するために行われる協議ないし交渉とは異なる。協議不調又は不能の場合には、次条の裁定を申請することができることとしている。

　認可に当たっては、第160条の規定により、総務大臣は、協議認可について、電気通信紛争処理委員会に諮問する。委員会は、審議（必要と認めるときは、利害関係者その他の参考人から意見の聴取を行う（運営規程第11条)。）の上、総務大臣に答申を行う。

(1)　認定電気通信事業の用に供する

　本項の使用権を設定することができるのは、認定電気通信事業の用に供する線路を設置する場合に限られている。認定電気通信事業者の設置する線路等であっても、認定電気通信事業の用に供するものでなければその設置のために使用権を設定することはできない。

(2)　線路

　電柱、管路等の工作物及びこれに支持され又は保蔵されている電気的導体の総体をいう。

なお、有線電気通信設備令（昭和28年政令第131号）では、第1条第5号において、「線路」を「送信の場所と受信の場所との間に設置されている電線及びこれに係る中継器その他の機器（これらを支持し、又は保蔵するための工作物を含む。）」と定義している。

(3) 空中線

アンテナを指し、送受信装置は含まない。

(4) 主として一の構内（これに準ずる区域内を含む。）又は建物内（以下この項において「構内等」という。）にいる者の通信の用に供するため当該構内等に設置する線路及び空中線

例えば、一の構内等にいる利用者を対象として無線ＬＡＮサービスを提供しようとする場合、当該構内等に空中線（アンテナ）を設置することとなるところ、このような場合、周辺の土地にもわずかに電波が届き、サービス提供が可能となるケースが多い。

この点、仮に、「専ら」一の構内等にいる利用者の通信の用に供するため設置するもののみを「線路」からの除外対象とする場合、上記のような、周辺の土地にもわずかに電波が届き、サービス提供が可能となるケースは「線路」からの除外対象とならないこととなる。

仮にそのようにする場合、一般家屋、マンションなど、私的な空間の構内等に空中線（アンテナ）を設置するケースであっても、わずかでも周辺の土地に電波が届くのであれば、「線路」に該当してしまうこととなり、私権の過度の制約につながり、適切ではないと考えられるため、「主として」を要件とすることで、このようなケースも「線路」からの除外対象としている。

(5) 公衆の通行し、又は集合する構内等に設置するものに限る

本項の「線路及び空中線」については、本制度の私権制限的な性格に鑑み、単に電気通信関係法令一般における「線路及び空中線」であることのみならず、基本的には、所有者の異なる膨大な数の土地を点々と繋いでいくことを円滑化する制度趣旨に合致する態様のものであることをも要するものと解される。

他方、電気通信サービスは、国民生活及び社会・経済活動に不可欠な国民必需のサービスであり、鉄道駅、空港といった、公衆が通行し、又は集合する公共的な空間における多様なニーズに応じた通信の疎通を可能とし、利用者利便の向上を図る公益上の必要性が極めて高いと考えられるところで、そのようなケースについても、政策的必要性に鑑み、本制度の対象としている。

「公衆の通行し、又は集合する構内等」とは、様々な最終目的地へ向かう不特定かつ多数の者が通行し、又は集合している公共的な空間の意味であり、具体的には、鉄道駅、空港及び公衆地下街等を想定している。

デパート等の施設についても、当該デパートの買物客等だけでなく、一般人の通行又は集合の用に供されているものであれば、その範囲で、これらも「公衆の通行し、又は集合する構内等」として認められる。

(6) 附属設備

ハンドホール、マンホール、標柱、標石、水底線標示柱等のように線路等を保護し、その機能を維持するために必要不可欠な要素をなす設備をいう。

(7) 他人の土地及びこれに定着する建物その他の工作物（国有財産法（昭和23年法律第73号）第3条第2項に規定する行政財産、地方自治法（昭和22年法律第67号）第238条第3項に規定する行政財産その他政令で定めるもの（第4項において「行政財産等」という。）を除く。以下「土地等」という。）

「他人の土地」とは、土地等の使用を求める認定電気通信事業者が所有し、又は何らかの権利に基づいて認定電気通信事業者が占有している土地以外の土地をいう。

したがって、本条の協議認可の対象である「他人の土地及びこれに定着する建物その他の工作物」には、私有地・私有財産の他に国公有地・国公有財産も文理上含まれると解される。

ただし、国公有地・国公有財産のうち国有財産法（昭和23年法律第73号）及び地方自治法に規定する行政財産等に属するもの（例えば、道路や河川区域内の土地等）については、その使用に際し、各々の公物管理法に基づく使用（占用）許可等が必要とされるものであり、これらの公物管理法の規定は、本条との関係では、特別法と一般法の関係に立っていると解される。このため、行政財産等の使用に関しては、本条の規定は適用されないこととなるのであり、本規定において行政財産等を「他人の土地及びこれに定着する建物その他の工作物」から除くことにより、上記の解釈によることを明確にしている。

ここで除かれている行政財産等は、行政財産（国有財産法第3条第2項及び地方自治法第238条第4項）のほか、「その他政令で定めるもの」として、次が定められている（施行令第6条）。

① 公共空地

② 道路及び道路予定区域

③ 都市公園、公園予定区域及び予定公園施設

④ 河川区域及び河川予定地内の河川管理者が管理する土地

⑤ 日本国とアメリカ合衆国との間の相互協力及び安全保障条約第6条に基づく施設及び区域並びに日本国における合衆国軍隊の地位に関する協定（昭和35年条約第7号）第2条第1項の施設及び区域

⑥ 国有財産法第3条第3項に規定する普通財産であって、公用又は公共用に供するため地方公共団体に使用させているもの（①から⑤までに該当するものを除く。）

⑦ 地方自治法第238条第4項に規定する普通財産であって、公用又は公共用に供するため国又は地方公共団体に使用させているもの（①から⑤までに該当するものを除く。）

　他方、線路を直接行政財産等に設置するのではなく、当該行政財産等に設置された工作物であって行政財産等でないものに設置する場合には、当該工作物の使用に関し、本条の規定が適用される。

　例えば、道路法上の「道路」を継続的に使用（占用）して電柱・管路等を設置する場合、道路管理者と当該電柱・管路等を設置しようとする認定電気通信事業者との間において、道路の使用について本条の協議認可に関する規定は適用されないが、道路に行政財産等でない工作物を設置している者（一次占用者）と当該工作物に線路を設置しようとする認定電気通信事業者（二次占用者）との間には、当該工作物の使用に関して本条の協議認可に関する規定が適用される。

　この事例では、当該工作物の公用使用権の設定とは別に、道路法に基づく道路占用許可（二次占用許可）を取得するという手続を経ることが必要となる。この場合、本条の協議認可による公用使用権の設定については、道路法における占用許可とは別の観点、すなわち、当該工作物の使用が実現しなければ線路設置の迂回を余儀なくされ、公益性の強い認定電気通信事業の遂行に著しい支障を来たし、利用者利益の確保が図られないとの観点から、必要かつ適当であると総務大臣が判断した場合において行うものである。

第128条

電気通信事業法施行令（昭和60年政令第75号）（抄）

（使用権の設定できない土地等）

第6条　法第128条第1項の政令で定めるものは、次に掲げるものとする。

　一　公共空地（港湾法（昭和25年法律第218号）第37条第1項第1号に
　　　規定する公共空地をいう。次条第3号において同じ。）

　二　道路及び道路予定区域（それぞれ道路法（昭和27年法律第180号）
　　　第2条第1項に規定する道路及び同法第91条第2項に規定する道路予
　　　定区域をいう。次条第4号において同じ。）

　三　都市公園、公園予定区域及び予定公園施設（それぞれ都市公園法（昭
　　　和31年法律第79号）第2条第1項に規定する都市公園、同法第33条第
　　　4項に規定する公園予定区域及び同項に規定する予定公園施設をいう。
　　　次条第5号において同じ。）

　四　河川区域及び河川予定地（それぞれ河川法（昭和39年法律第167号）
　　　第6条第1項（同法第100条第1項において準用する場合を含む。）に
　　　規定する河川区域及び同法第56条第1項（同法第100条第1項におい
　　　て準用する場合を含む。）に規定する河川予定地をいう。次条第6号に
　　　おいて同じ。）内の土地（同法第7条に規定する河川管理者以外の者が
　　　その権原に基づき管理する土地を除く。次条第6号において同じ。）

　五　日本国とアメリカ合衆国との間の相互協力及び安全保障条約第6条に
　　　基づく施設及び区域並びに日本国における合衆国軍隊の地位に関する協
　　　定第2条第1項の施設及び区域

　六　国有財産法（昭和23年法律第73号）第3条第3項に規定する普通財
　　　産であつて、地方公共団体において公用又は公共用に供するため当該地
　　　方公共団体に貸し付け、又は貸付け以外の方法により使用させているも
　　　の（前各号に該当するものを除く。）

　七　地方自治法（昭和22年法律第67号）第238条第4項に規定する普通
　　　財産であつて、国又は他の地方公共団体において公用又は公共用に供す
　　　るため国又は当該他の地方公共団体に貸し付け、又は貸付け以外の方法
　　　により使用させているもの（第1号から第5号までに該当するものを除
　　　く。）

(8) 総務大臣の認可を受けて

　公用使用権は、直接に法律により与えられる場合のほかは、法律の規定に基づく行政行為により与えられる場合があり、本条の使用権については、この後者の場合に属する。この総務大臣の認可は、土地収用における事業認定と同様、それ以後の手続によりその内容が確定する条件付きの使用権を設定する設権行為であり、講学上の特許に属するものである。

(9) 所有権以外の権原に基づきその土地等を使用する者

　地上権者、永小作権者、地役権者、不動産質権者及び賃借権者その他法律上何らかの権原に基づいてその土地等を使用している者をいう。

(10) 土地等を使用する権利

　本条の認可による使用権は、公益上の必要性から他人の土地等を強制的に使用する公用使用権であり、その法的性格は、設定された所有権等の権利の上に固着し、権利とともに移転するという物的公用負担である。対抗要件として、登記の制度はなく、登記は、不要となっている。

　この公用使用権は、存続期間が「15年（地下ケーブルその他の地下工作物又は鉄鋼若しくはコンクリート造の地上工作物の設置を目的とするものにあつては、50年）」とされており、土地等への定着度合いが高く、その耐用年数も長期にわたる工作物（電柱・鉄塔等の地上工作物や管路・とう道等の地下工作物）を設置する場合には、「地上権」類似の法的効果を与えており、そうでない場合には「賃借権」類似の法的効果を与えているものと解される。

　土地に設置された電柱・管路等の工作物に更に線路を添架・増設する二次使用の場合には、当該線路は、直接的には工作物に定着しているものであり、工作物の所有者に対しては、物に対する使用収益権である「賃借権」類似の権利として公用使用権が設定されると考えられる。

　したがって、公用使用権は、概念的には、土地に対する権利としての地上権、工作物に対する権利としての賃借権を与えるものであると解される。

(11) 設定に関する協議

　認定電気通信事業者は、総務大臣の認可を受けたときは、その土地等について使用権の内容を確定するために土地等の所有者等と協議をすることとなる。協議が調った場合には、その合意内容に基づいて使用権の内容が確定する。この協議の対象となるのは、負担の条件であって、負担を成立させるか否かではない。

第128条

⑿　その期間を延長して使用しようとするときも、同様とする

　　第3項に定める使用権の存続期間が満了した場合には、認定電気通信事業者
は、期間の延長につき協議を求めることができるとしている。「延長」の語を
使っているが、使用権は、存続期間の満了の都度新たに設定するという考え方
が採られている。

〔第2項〕

⒀　土地等の利用を著しく妨げない限度

　　どのような場合に土地等の利用が著しく妨げられるかは、個々の場合につい
て判断されることとなるが、このような場合には、本条の規定による使用権は
設定されないのであって、公用使用権を設定するのであれば、土地収用法の規
定によることとなる。

　　土地収用法では、その規定の適用を受けて土地を収用し、使用することがで
きる公共の利益となる事業として「認定電気通信事業の用に供する施設」に関
する事業を規定しているところ、この施設に相当するものとして、電報電話局
庁舎、電信電話料金局、日本通信衛星株式会社群馬衛星管制所がこれまでに例
規で示されている（昭和28年7月4日建設計総第81号（和歌山県土木部長あ
て計画局総務課長回答）、昭和38年11月27日建設計他第66号（日本電信電話
公社建築局長あて計画局長回答）、昭和61年9月2日建設省東経収発第41号
（日本通信衛星株式会社社長あて建設経済局総務課長回答））。

土地収用法（昭和26年法律第219号）（抄）

　（土地を収用し、又は使用することができる事業）

第3条　土地を収用し、又は使用することができる公共の利益となる事業は、
　次の各号のいずれかに該当するものに関する事業でなければならない。

　一～十五　（略）

　十五の二　電気通信事業法（昭和59年法律第86号）第120条第1項に規
　　定する認定電気通信事業者が同項に規定する認定電気通信事業の用に供
　　する施設（同法の規定により土地等を使用することができるものを除
　　く。）

　十六～三十五　（略）

⒁　他の法律によつて土地等を収用し、又は使用することができる事業

　　土地収用法第3条各号に該当するものに関する事業、森林法（昭和26年法律第249号）の規定による森林施業、鉱業法（昭和25年法律第289号）の規定による鉱業、採石法（昭和25年法律第291号）の規定による採石業、漁業法（昭和24年法律第267号）の漁業、都市計画法（昭和43年法律第100号）の規定による都市計画事業、土地区画整理法（昭和29年法律第119号）の規定による土地区画整理事業等がある。

〔第3項〕

　　土地等の使用権の存続期間を定めている。

　　土地等の使用権の存続期間は、その土地等の所有者等との協議又は総務大臣の裁定によって期間の定めがある場合を除いて15年であるが、地下ケーブル、地下管路などの地下工作物又は鉄柱、コンクリート柱などの鉄鋼若しくはコンクリート製の地上工作物にあっては、その耐用年数の長さに鑑み50年としている。

⒂　地下ケーブルその他の地下工作物

　　地下工作物には、地下ケーブル（直埋ケーブルをいう。）のほか、管路、とう道、マンホール、ハンドホール等がある。

⒃　鉄鋼若しくはコンクリート造の地上工作物

　　「鉄鋼若しくはコンクリート造の地上工作物」には、鉄柱、コンクリート柱、空中線鉄塔等がある。

〔第4項〕

　　本条の協議認可の処分については、申請者は土地等を使用しようとする認定電気通信事業者であるものの、土地等の所有者等は認可処分があれば現実に当該土地等に有する権利を制限されることとなる者であり、他の利害関係者に比べ、処分に対して特に密接な関連を有する。

　　行政手続法第10条では、「申請に対する処分であって、申請者以外の者の利害を考慮すべきことが当該法令において許認可等の要件とされているものを行う場合には、必要に応じ、公聴会の開催その他の適当な方法により当該申請者以外の者の意見を聴く機会を設けるよう努めなければならない」旨規定されているが、本項では、この規定の特例を設け、努力義務より強い義務として、土地等の所有者等に対する意見聴取の義務を総務大臣に課すこととするものである。

　　ここで聴取された意見は、第2項の「土地等の利用を著しく妨げない限度」かどうか等を判断するために活用されることとなる。

また、同様の趣旨から、土地に定着する工作物の使用に関して本条の協議認可を行おうとする場合には、申請者以外であって特に利害を考慮すべき者として、当該工作物の所有者等に加え、工作物が設置されている底地やその周囲の土地の所有者等に、必要に応じて意見を聴くこととなる。

⒄　必要があると認めるとき

　　意見聴取を行う「必要があると認めるとき」とは、協議認可の対象となる土地等の利用に関して、総務大臣が十分な情報を有していない場合であり、例えば、申請書の内容だけでは土地等の利用状況が明らかでない場合、土地等の所有者等について総務大臣が十分な情報を有していない場合等がこれに該当する。

　　特に、工作物に線路を設置する場合には、当該工作物の形状や設置の態様等が、工作物の底地等の所有者等に対して意見を聴取する必要性があるかどうかを判断する一つの要因となる。例えば、電柱に電線を添架する場合のように、線路の敷設が当該工作物の底地や周囲の土地の使用権を必要とするものであれば意見を聴く必要があり、また、建物に空中線を設置する場合のように、線路の敷設が工作物を設置する権利の範囲内であれば意見を聴く必要がないものと考えられる。

⒅　その土地等が行政財産等に定着する建物その他の工作物であるときは、当該行政財産等を管理する者その他の政令で定める者を含む

　　工作物の底地や周囲の土地が行政財産等である場合には、本項の意見聴取の趣旨からは、その管理者等に意見を聴く必要があるが、第１項において、文言上「土地等」から「行政財産等」を除いているため、本項における意見聴取の対象者として「行政財産等を管理する者として政令で定める者」を含める規定を置き、行政財産等を管理する者からの意見聴取を義務付けるものである。なお、「政令で定める者」とは、行政財産を管理する各省庁の長や第１項に規定する政令で定められた土地等の管理者等が該当することとなる（施行令第７条）。

　　行政財産等に設置された工作物については、例えば工作物が設置された道路について既に路線変更が決定されている等の場合のように、本条の協議認可を行うことが不適当であったり、一定の条件を付さなければならなかったりする等の可能性があり、このような場合への対処のため意見を聴くことが想定される。

電気通信事業法施行令（昭和60年政令第75号）(抄)

（行政財産等を管理する者等）

第７条　法第128条第４項の政令で定める者は、次の各号に掲げる行政財産等（同条第１項に規定する行政財産等をいう。）の区分に応じ、それぞれ当該各号に定める者とする。

　一　国有財産法第３条第２項に規定する行政財産（第４号から第６号までに掲げるものを除く。）　当該行政財産を所管する各省各庁の長（同法第４条第２項に規定する各省各庁の長をいう。第８号において同じ。）

　二　地方自治法第238条第４項に規定する行政財産（第４号から第６号までに掲げるものを除く。）　当該行政財産を所有する地方公共団体の長

　三　公共空地　港湾管理者（港湾法第２条第１項に規定する港湾管理者をいう。）

　四　道路及び道路予定区域　道路管理者（高速自動車国道（高速自動車国道法（昭和32年法律第79号）第４条第１項に規定する道路をいう。以下この号において同じ。）及びその道路予定区域にあつては国土交通大臣（道路整備特別措置法（昭和31年法律第７号）第23条第１項第１号に規定する会社管理高速道路及びその道路予定区域にあつては、独立行政法人日本高速道路保有・債務返済機構）をいい、高速自動車国道以外の道路及びその道路予定区域にあつては道路法第18条第１項に規定する道路管理者（同法第12条本文の規定により国土交通大臣が新設又は改築を行う同法第13条第１項に規定する指定区間外の一般国道にあつては国土交通大臣、道路整備特別措置法第23条第１項第１号に規定する会社管理高速道路にあつては独立行政法人日本高速道路保有・債務返済機構、同法第31条第１項に規定する公社管理道路にあつては地方道路公社）をいう。）

　五　都市公園、公園予定区域及び予定公園施設　公園管理者（都市公園法第５条第１項に規定する公園管理者をいう。）

　六　河川区域及び河川予定地内の土地　河川管理者（河川法第７条（同法第100条第１項において準用する場合を含む。）に規定する河川管理者（同法第９条第２項若しくは第５項又は第11条第３項の規定により、同法第24条の規定に基づく権限に属する事務を行い、又はその権限を代

わつて行う者があるときは、その者）をいう。）

七　日本国とアメリカ合衆国との間の相互協力及び安全保障条約第６条に基づく施設及び区域並びに日本国における合衆国軍隊の地位に関する協定第２条第１項の施設及び区域　防衛大臣

八　前条第６号に掲げる普通財産　当該普通財産を所管する各省各庁の長

九　前条第７号に掲げる普通財産　当該普通財産を所有する地方公共団体の長

〔第５項〕

　総務大臣による土地等の所有者等に対する土地等の使用の認可の通知は、認定電気通信事業者と土地等の所有者等とが協議をする前段階の手続となるものであり、土地等の所有者等は、この通知により、その土地等の使用について認可があったことを承知するものであるから、その通知には、認可の主な内容即ち、①土地等の所在地、②線路の位置・種類・数等、③使用開始予定の時期について記載があることを要すると解される。公告は、土地等の所有者等以外の利害関係人に周知させるために行うものであり、総務大臣の定める適当な方法をもってすればよい。

〔第６項〕

　第１項の協議が調った場合には、総務大臣が協議が調ったことを確認できるように、協議で定めた事項を総務大臣に届け出るものとしている。

⒆　協議が調つた場合

　認定電気通信事業者と土地等の所有者等全員との間で、第132条第２項各号の事項全てについて合意が成立した場合をいう。

⒇　総務省令で定めるところにより

　総務大臣への届出の方法を総務省令で定めることとしている。

　認定電気通信事業者と土地等の所有者等全員の連名で、第132条第２項各号の事項全てについて記載して届出がなされる必要があり、総務省令では、協議が調った日から10日以内に総務大臣に届け出るべきことと、届出書の様式を定めている（施行規則第42条及び様式第40）。

〔第７項〕

　前項の届出により、使用権の設定又は延長の効果が発生する旨を規定している。

第128条

(21) その届け出たところに従い

　本条の使用権は、協議による場合であっても公法上の権利であり、使用権の内容を総務大臣に届け出た内容で確定させることとしている。

〔第8項〕

　本条の規定による協議認可は、土地等の使用について当事者間の合意が得られないときに、電気通信事業の円滑な遂行という公益上の必要性と使用権の設定を求められる者の受忍限度とを比較衡量し、使用権の設定を予定した上で具体的な使用条件についての当事者間の協議を開始せしめるものである。

　こうして設定された使用権は、本来的には当事者間の契約等によるべき土地等の使用関係を、電気通信事業の公益性（電気通信役務の円滑な提供の確保）の観点から、一定の受忍限度内において強制的に実現するものであり、いったん成立した後は、その存続期間中当初の設定のまま継続することとなる。

　しかし、使用権は、上に述べた公用使用権たる性質上、当事者間に紛争状態がある場合の一時的な措置としての権利であり、本質的には当事者間の合意を優先させるべきものであるため、ひとたび使用権の設定が行われた後であっても、両当事者間に合意が成立すれば、当該使用権を維持する必要がなくなることとなる。この場合には、土地等の使用に関しては、合意した内容により当事者間の契約等が発効することとなり、強制的な受忍の必要性が喪失し、使用権は将来に向かってその効力を失うこととなる。

　例えば、何らかの事情変更により裁定時に設定された使用条件が実状とそぐわなくなった場合には、裁定で定められた事項は存続期間中変更できないため、両当事者の合意によって使用権を消滅させ、新たな条件で契約等を締結することが必要となる。

　使用権がその存続期間中有効に継続しているかどうかは、当該権利を強制的に設定した行政庁として把握する必要があり、特に第138条の線路の移転等の規定の適用については、使用権が土台にあることが要件となるため、本項前段の規定により使用権が消滅した場合には総務大臣に届け出なければならないこととしている。

　ただし、この届出は要式行為としての届出ではなく、当事者の合意により使用権は消滅する。届出の受理による法的効果は、第138条その他の規定が適用されなくなることの他に、第三者への対抗が可能となることにある。

648

第129条

第129条（裁定の申請）

（裁定の申請）

第129条　前条第１項の規定による ⑴協議が調わないとき、又は ⑵協議を することができないときは、認定電気通信事業者は、⑶総務省令で定める 手続に従い、その土地等の使用について、総務大臣の裁定を申請するこ とができる。ただし、⑷同項の認可があつた日から３月を経過したときは、 この限りでない。

2　認定電気通信事業者は、使用権の存続期間の延長について前項の規定に より裁定を申請したときは、⑸その裁定があるまでは、引き続きその土地 等を使用することができる。

改正　平成11年法律第　87号

平成11年法律第160号

第74条繰下げ改正　平成15年法律第125号

1　概　要

　認定電気通信事業者と土地等の所有者等との協議が不調又は不能の場合の総務 大臣に対する裁定の申請について規定している。土地等の使用の手続は、協議に よることが原則であるが、これによることができない場合にも、認定電気通信事 業の公益性に鑑み、その使用の実効性を担保しようとしている。

　裁定に当たっては、第160条の規定により、総務大臣は、裁定について、電気 通信紛争処理委員会に諮問する。委員会は、審議（必要と認めるときは、利害関 係者その他の参考人から意見の聴取を行う（運営規程第11条）。）の上、総務大 臣に答申を行う。

2　条文内容

〔第１項〕

⑴　協議が調わないとき

　　認定電気通信事業者と土地等の所有者等全員との間で、第132条第２項各号 の事項全てについて合意が成立するという要件を欠く状態をいう。

⑵　協議をすることができないとき

　　土地等の所有者等が所在不明であったり、協議することを拒否していたりし

649

第129条・第130条

て協議ができない状態をいう。

(3) 総務省令で定める手続

裁定の申請の手続を総務省令で定めることとしている。

総務省令では、裁定を申請しようとする者は、申請書の正本1通、副本1通（使用しようとする土地等が所在する市町村（特別区を含む。）が二以上であるときは、その数と同数通）に必要事項を記入すべきこと等を定めている（施行規則第43条、第47条の2及び様式第41）。

(4) 同項の認可があつた日から3月を経過したときは、この限りでない

裁定の申請は、前条第1項の認可があった日から3か月を経過したときは、することができないこととしている。これは、認定電気通信事業の迅速な遂行を確保するとともに、土地等の所有者等をあまりに長期にわたって不安定の状態にすることを許さない趣旨である。

〔第2項〕

(5) その裁定があるまでは、引き続きその土地等を使用することができる

裁定の申請後、裁定があるまでは使用権が存続することとし、使用権が途切れたり遡及して消滅したりすることで法律関係が複雑となることを回避している。

第130条（裁定）

（裁定）

第130条　総務大臣は、前条第1項の規定による裁定の申請を受理したときは、(1) 3日以内に、その申請書の写しを (2) 当該市町村長に送付するとともに、土地等の所有者に裁定の申請があつた旨を通知しなければならない。

2　市町村長は、前項の書類を受け取つたときは、(3) 3日以内に、その旨を公告し、公告の日から1週間、これを公衆の縦覧に供しなければならない。

3　市町村長は、前項の規定による公告をしたときは、(4) 公告の日を総務大臣に報告しなければならない。

4　前3項の規定の適用については、これらの規定中「市町村長」とあるのは、特別区のある地にあつては「特別区の区長」と、地方自治法第252条の19第1項の指定都市にあつては「区長又は総合区長」とする。

650

第130条

改正	平成11年法律第 87号
	平成11年法律第160号
	平成13年法律第 62号
第75条繰下げ	平成15年法律第125号
改正	平成23年法律第 35号
	平成26年法律第 42号

1 概　要

　総務大臣が前条の裁定の申請を受理した後に、市町村長等がその旨を公告し、公衆の縦覧に供する等の手続を定めている。

2 条文内容

〔第1項〕

(1)　3日以内に

　　土地等の使用の可否に関する争いについて未確定のまま放置されることは、土地等の所有者等にとっては、その性質上、耐え難いものであり、認定電気通信事業者にとっても工事の遅延に結果するため、「3日以内」という比較的短期間に処理すべきものとしている。

(2)　当該市町村長

　　裁定が申請された事案に係る土地等を管轄する市町村長をいう。その土地等が二以上の市町村にまたがる場合には、その全ての市町村長を指す。

〔第2項〕

(3)　3日以内に、その旨を公告し、公告の日から1週間、これを公衆の縦覧に供しなければならない

　　次条に規定する土地等の所有者等からの意見書の提出を可能とするために、市町村長が公告し、公衆の縦覧に供することを規定している。

〔第3項〕

(4)　公告の日を総務大臣に報告しなければならない

　　第132条第1項の規定により、総務大臣は、公告の日から10日を経過した後、速やかに裁定をしなければならないため、総務大臣において公告の行われた日を承知できるよう、公告をした市町村長が公告の日を総務大臣に報告するよう規定している。

第131条・第132条

第131条

第131条　前条第2項の規定による公告があつたときは、土地等の所有者
(1) その他利害関係人は、公告の日から10日以内に、総務大臣に意見書を
提出することができる。

改正　平成11年法律第　87号
平成11年法律第160号
第76条繰下げ　平成15年法律第125号

1　概　要

　市町村長が前条の公告をした後に、土地等の所有者等その他利害関係人が意見
書を提出する手続を定めている。

2　条文内容

(1)　その他利害関係人

　　「土地等の所有者」は、第128条第1項で「所有権以外の権原に基づきその
土地等を使用する者があるときは、その者及び所有者」としているところ、本
条で意見書提出をできることとしているのは、更に広く、「その他利害関係人」
を含むこととしている。土地を現に使用はしていない者であっても、例えば、
賃借地の賃貸借人、抵当権者等が「その他利害関係人」に含まれる。

第132条

第132条　総務大臣は、(1) 前条の期間が経過した後、(2) 速やかに、(3) 裁定を
しなければならない。
2　使用権を設定すべき旨を定める裁定においては、次の事項を定めなけ
ればならない。
一　使用権を設定すべき土地等の所在地及びその範囲
二　(4) 線路の種類及び数
三　使用開始の時期
四　(5) 使用権の存続期間を定めたときは、その期間
五　(6) 対価の額並びにその支払の時期及び方法

3 使用権の存続期間を延長すべき旨を定める裁定においては、(7) 延長する期間（延長に際し前項第５号に掲げる事項を変更するときは、延長する期間及び当該変更後の同号に掲げる事項）を定めなければならない。

4 総務大臣は、第２項第５号に掲げる事項（前項に規定する変更後のものを含む。）については、(8) あらかじめその土地等の所在する都道府県の収用委員会の意見を聴き、これに基づいて裁定しなければならない。この場合において、同号の (9) 対価の額の基準は、その使用により通常生ずる損失を償うように、線路及び (10) 土地等の種類ごとに政令で定める。

5 総務大臣は、第129条第１項の裁定をしたときは、遅滞なく、その旨を認定電気通信事業者及び土地等の所有者に通知するとともに、これを (11) 公告しなければならない。

6 使用権を設定すべき旨を定める裁定があつたときは、その裁定において定められた使用開始の時期に、認定電気通信事業者は、その土地等の使用権を取得するものとする。

7 使用権の存続期間を延長すべき旨を定める裁定があつたときは、当該使用権の存続期間は、その裁定において定められた期間延長されるものとする。

8 第35条第８項から第10項までの規定は、第129条第１項の裁定について準用する。この場合において、第35条第８項及び第10項中「当事者が取得し、又は負担すべき金額」とあるのは、「対価の額」と読み替えるものとする。

改正	平成９年法律第 97号
	平成11年法律第 87号
	平成11年法律第160号
第77条繰下げ改正	平成15年法律第125号

1 概　要

総務大臣が前２条の手続の後に行う裁定について規定している。

2 条文内容

〔第１項〕

(1) 前条の期間

市町村長の公告があった日から10日間の期間である。

第132条

(2) 速やかに

　　総務大臣の裁定がいつまでも行われない場合には、認定電気通信事業者とし
ても線路敷設の円滑な遂行に支障を来すであろうし、土地等の所有者等にとっ
ても権利関係において不安定な地位に置かれることとなるので、「速やかに」
裁定を行うべきものとしている。

(3) 裁定をしなければならない

　　総務大臣は、裁定申請書と意見書とを検討して裁定を行う。この場合におい
て、使用権の設定が適法な要件を備えている限り、使用を認めないという裁定
はなされないものと解される。

　　裁定に当たっては、第160条の規定により、総務大臣は、裁定について、電
気通信紛争処理委員会に諮問する。委員会は、審議（必要と認めるときは、利
害関係者その他の参考人から意見の聴取を行う（運営規程第11条）。）の上、
総務大臣に答申を行う。

〔第2項〕

(4) 線路の種類

　　施行令別表第1において、線路の種類について、「裸線又は被覆線」、「ケー
ブル」、「本柱」、「支線又は支柱」、「附属設備」、「その他の設備」といった分類
がなされている。

(5) 使用権の存続期間を定めたときは

　　第128条第3項ただし書に規定する場合をいう。

(6) 対価の額

　　土地等の使用に関する裁定は、その公益上の必要性と土地等の所有者等の受
忍の程度とを比較衡量して、使用すべき内容とその正当な補償を決定するもの
であり、これらは一体として裁定することとしている。

〔第3項〕

(7) 延長する期間

　　期間延長の裁定において、使用権設定の裁定の場合と異なり、期間を必要的
対象事項としている。これは、期間延長の考え方が実態的には更新に近いもの
とはいえ、裁定が行われない場合には、延長期間が15年又は50年となるので、
最初の期間と延長期間とを通算すると極めて長期となるため、土地等の所有者
等の権利保護を図っているものである。

第132条

〔第4項〕

(8) あらかじめその土地等の所在する都道府県の収用委員会の意見を聴き

　　使用の対価については、当事者間で最も争いが起きがちと考えられるため、可能な限り公正な判断を可能とすべく、土地の収用・使用に関する専門性を有する都道府県の収用委員会の意見を参考とすることとしている。

　　なお、収用委員会の意見を聴くにとどめているのは、本条の対象が定型的かつ軽微なものであることから、収用委員会が各地域の事情を踏まえて対価の額の基準に基づき調整することで十分であると考えられるからである。

(9) 対価の額の基準

　　本法における土地の使用は、比較的同様の態様のものが多く現れると考えられる。他方で、可能な限り地域の実情を踏まえて判断することが望ましい。このため、対価について基準額を定めておくことが便宜であり、何の基準もなく個別に算定することは事務の煩瑣化・複雑化を招くものと考えられるため、対価を決めるに当たっての基準となる額を政令で定めることとしている。そうして、収用委員会が各地域の事情を踏まえて、この基準に基づき調整することとしている。

　　政令では、「裸線又は被覆線」、「ケーブル」、「本柱」、「支線又は支柱」、「附属設備」、「その他の設備」という線路の種類ごとに、これを設置するため山林、山林以外の土地（田、畑、塩田、宅地、その他）、土地に定着する建物その他の工作物の各々を使用する場合の対価の額の基準を定めている（施行令第8条及び別表第1）。

電気通信事業法施行令（昭和60年政令第75号）（抄）

（土地等の使用の対価の額の基準）

第8条　法第132条第2項第5号の対価の額の基準は、別表第1のとおりとする。

別表第1　（第8条関係）

　一　山林

種　類	単　位	金額（年額）
裸線又は被覆線	本柱1本ごとに	1,210円
ケーブル	本柱1本ごとに	870円

655

第132条

　二　山林以外の土地

種類	単　位	金額（年額）				
		田	畑	塩田	宅地	その他
本柱	木柱（H柱又は人形柱を除く。）、コンクリート柱若しくは鉄柱1本又は鉄塔の使用面積1.7 平方メートルまでごとに	1,870円	1,730円	360円	1,500円	180円
	H柱又は人形柱1本ごとに	3,740円	3,460円	720円	3,000円	360円
支線又は支柱	1本ごとに	1,870円	1,730円	360円	1,500円	180円
附属設備	線路保護用柱、水底線標示柱、支線柱、標柱又は標石1本ごとに	1,870円	1,730円	360円	1,500円	180円
	ハンドホール又はマンホール1個ごとに	3,740円	3,460円	720円	3,000円	360円
その他の設備	使用面積1.7平方メートルまでごとに	1,870円	1,730円	360円	1,500円	180円

　三　土地に定着する建物その他の工作物
　　　線路を支持する場所１箇所ごとに　　　年額1,500円

⑽　土地等の種類
　　現実の使用方法による土地の種類であり、田、畑、塩田、宅地、山林等の別
　である。

〔第５項〕

⑾　公告しなければならない
　　土地等の利害関係人に対して裁定のあったことを周知させるため、公告しな
　ければならないこととしている。

〔第8項〕

第35条第8項から第10項までの規定を、第129条第1項の裁定について準用することとしている。

一般的に行政庁の処分に対して不服がある者は、訴えをする場合、本来は行政事件訴訟法第3条に規定する抗告訴訟を提起することになるところ、裁定のうち対価の額については、当事者間の利害にとどまり、その判断には公益の考慮を必要とすることが少なく、公益の代表者としての行政機関は必ずしも訴訟に参加させる必要がないため、同法第4条に規定する当事者訴訟が提起されるべきこととしている。

また、一般的に行政庁の処分に対して不服がある者は、行政不服審査法第2条の規定により、審査請求をすることができるが、「当事者間の法律関係を確認し、又は形成する処分で、法令の規定により当該処分に関する訴えにおいてその法律関係の当事者の一方を被告とすべきものと定められているもの」（同法第7条第1項第5号）については、同法第2条の規定は、適用しないとされている（同法第7条）。

本項では、これに対応して、裁定のうち対価の額については、当事者間の利害にとどまり、その判断には公益の考慮を必要とすることが少ないため、抗告訴訟も認められないこととしており、審査請求についてもこれを許さないこととしている。

第133条（土地等の一時使用）

（土地等の一時使用）

第133条　認定電気通信事業者は、認定電気通信事業の実施に関し、次に掲げる目的のため他人の土地等を利用することが必要であつて、(1) やむを得ないときは、その土地等の利用を著しく妨げない限度において、一時これを使用することができる。ただし、建物その他の工作物にあつては、線路を支持するために利用する場合に限る。

一　(2)線路に関する工事の施行のため必要な資材及び車両の置場並びに土石の捨場の設置

二　(3)天災、事変その他の非常事態が発生した場合その他特にやむを得な

い事由がある場合における重要な通信を確保するための ⑷ 線路その他の電気通信設備の設置

三　測標の設置

2　認定電気通信事業者は、前項の規定により他人の土地等を一時使用しようとするときは、⑸ 総務大臣の許可を受けなければならない。ただし、⑹ 天災、事変その他の非常事態が発生した場合において15日以内の期間一時使用するときは、この限りでない。

3　認定電気通信事業者は、第1項の規定により他人の土地等を一時使用しようとするときは、あらかじめ、土地等の占有者に通知しなければならない。ただし、⑺ あらかじめ通知することが困難なときは、使用開始の後、遅滞なく、通知することをもつて足りる。

4　第1項の規定により一時使用しようとする土地等が居住の用に供されているときは、その居住者の承諾を得なければならない。

5　第1項の規定による一時使用の期間は、6月（同項第2号に規定する場合において ⑻ 仮線路又は測標を設置したときは、1年）を超えることができない。

6　第1項の規定による一時使用のため他人の土地等に立ち入る者は、第2項の許可を受けたことを証する書面（同項ただし書の場合にあつては、その身分を示す証明書）を携帯し、⑼ 関係人に提示しなければならない。

改正　平成11年法律第 87号

平成11年法律第160号

第78条繰下げ改正　平成15年法律第125号

1　概　要

　認定電気通信事業者が線路に関する工事の施行等一定の目的のために他人の土地等を一時的に使用する権利を認め、これを行使するための手続を定めている。

　本条の規定による一時使用も、第128条の規定に基づく土地等の使用と同様に公用使用の一形態であるが、6か月ないし1年といった短期間のものであって、土地等の所有者等の受ける損失の程度が比較的少ないため、要件は緩和されている。

　次条から第136条までに規定する立入り、通行及び植物の伐採の権利も本条に規定する一時使用の権利と同様の理由に基づくものである。

2 条文内容

〔第1項〕

(1) やむを得ないとき

　他の土地等を利用することが不適当であるか困難である場合をいう。

(2) **線路に関する工事の施行のため必要な資材及び車両の置場並びに土石の捨場の設置**

　線路に関する工事とは、電柱の設置、管路の埋設等をいうが、ここでいうのは、その工事を行う場所の使用ではなく、電柱、ケーブル等の資材やトラック等の車両の置場として土地を使用する場合、すなわち現地設営事務所を建てるような場合や、ケーブルや電柱の敷地に穴を掘った場合の土砂の捨場として土地を使用する場合である。電柱設置場所付近への立入りは、次条で扱っている。

(3) **天災、事変その他の非常事態**

　地震、台風、洪水、津波、雪害、火災、暴動など自然的であると人為的であるとを問わず、一切の非常事態をいう。

(4) **線路その他の電気通信設備**

　非常災害対策用に移動無線車（線路に当たらない。）等を設置する必要があることに鑑み、線路に限らず、電気通信設備の設置のための一時使用を認めている。迅速な災害復旧の要請に応えるためである。

〔第2項〕

(5) **総務大臣の許可**

　この許可は、禁止の解除ではなく、使用権を設定する行為である。したがって、この手続を欠いて土地等を一時使用することは、民法上の不法行為を構成する場合がある。

(6) **天災、事変その他の非常事態が発生した場合において15日以内の期間一時使用するときは、この限りでない**

　非常時の15日以内の期間の一時使用については、非常事態が発生した場合の一時使用についても許可を必要とすれば、その手続のため復旧工事などが遅延するおそれがあり、また、比較的短期間の使用であるため、土地等の所有者等の受ける損失も軽微であると考えられることから、総務大臣の許可を要しないこととしている。

第133条

〔第3項〕

(7) あらかじめ通知することが困難なとき

　　非常災害が発生したため早急に対策しなければならないとき、山林等を使用
する場合のように占有者が不明でその調査に相当な期間を要するようなとき等
が考えられる。

〔第4項〕

　第1項の規定により一時使用しようとする土地等が居住の用に供されているも
のであるときは、憲法第35条の趣旨からその居住者の承諾を得るべきものとし
ている。

〔第5項〕

　一時使用の期間は、原則として6か月であり、非常事態の場合に仮線路又は測
標を設置したときは1年以内としている。この期間は絶対的であって更新するこ
とはできない。認定電気通信事業者は、この期間内に使用の必要をなくするか正
当な使用権の設定を行う必要があり、この期間が経過したのにもかかわらず、そ
れを行わずになお使用を継続しているときは、民法上の不法行為に該当する場合
がある。

(8) 仮線路

　　非常災害時等に応急的に設置する仮の線路である。

〔第6項〕

　一時使用のために他人の土地等に立ち入る者は、総務大臣からその土地等を一
時使用する許可を受けたことを証する書面（非常事態が発生した場合に15日以
内の期間一時使用するときにはその身分を示す証明書）を携帯し、関係人に提示
することを要することとしている。この提示は、関係人の請求がなくても行うべ
きものであるが、関係人の所在する場所に行って提示するまでの必要はなく、そ
の土地等に現在する関係人に提示すればよい。

(9) 関係人

　　占有者、その家族、使用人等をいう。

660

第134条

第134条（土地の立入り）

（土地の立入り）

第134条　認定電気通信事業者は、線路に関する測量、実地調査又は (1) 工事のため必要があるときは、(2) 他人の土地に立ち入ることができる。

2　(3) 前条第２項から第４項まで及び第６項の規定は、認定電気通信事業者が前項の規定により他人の土地に立ち入る場合について準用する。

第79条繰下げ改正　平成15年法律第125号

1　概　要

認定電気通信事業者が線路に関する測量、実地調査又は工事のために他人の土地に立ち入る権利を認め、また、そのための手続を定めている。

2　条文内容

〔第１項〕

(1)　工事

電柱の設置やケーブルの電柱添架等の工事をいう。電柱等の敷地自体の使用については第128条が適用され、本条は、敷地の周辺の土地の使用について適用される。

(2)　他人の土地に立ち入る

本条では、線路に関する測量、実地調査、工事のために必要な立入りについて規定している。線路の維持のための立入りは、次条の「通行」に該当する。

〔第２項〕

(3)　前条第２項から第４項まで及び第６項の規定は、認定電気通信事業者が前項の規定により他人の土地に立ち入る場合について準用する

第１項に規定する他人の土地の立入りの権利を行使するための手続について、前条第２項（総務大臣の許可）、第３項（占有者への通知）、第４項（居住者の承諾）及び第６項（許可証等の携帯等）の規定を準用している。

第135条

第135条（通行）

（通行）

第135条　認定電気通信事業者は、(1) 線路に関する工事又は線路の維持のため必要があるときは、(2) 他人の土地を通行することができる。

2　第69条第4項並びに第133条第3項及び第4項の規定は、認定電気通信事業者が前項の規定により他人の土地を通行する場合について準用する。

第80条繰下げ改正　平成15年法律第125号
改正　平成30年法律第 24号

1　概　要

認定電気通信事業者が線路に関する工事又は線路の維持のために他人の土地を通行する権利を認め、また、そのための手続を定めている。

2　条文内容

〔第1項〕

(1)　線路に関する工事

具体的に電柱等を建てるなどの工事をいう。

(2)　他人の土地を通行する

他人の土地を通行する権利が認められるのは、線路に関する工事又は線路の維持のため必要があるときである。

線路に関する工事のための通行については、当該線路の敷設場所に赴くまでに第三者の土地を通行することをいっており、その土地は、敷設場所と同じ土地である必要はなく、近隣の土地である場合もある。

線路の維持のための通行については、線路に破損等の障害が発生していないかを見て回る巡視や、現に障害が発生している場合に現地に赴くまで、また現地に立ち入ることまでを含む。

通行は、土地の立入りに比べ、土地の所有者等にとって、土地に対する侵害は殆ど考えられないことから、より簡易な手続とするために別個に規定している。

662

〔第2項〕

第1項に規定する他人の土地の通行の権利を行使するための手続について、第69条第4項（身分証明書の携帯等）並びに第133条第3項（占有者への通知）及び第4項（居住者の承諾）の規定を準用している。

この通行の権利は、総務大臣の許可を介することなく、直接法律によって与えられている。これは、土地の所有者等に与える影響が軽微であると考えられるからである。

第136条（植物の伐採）

（植物の伐採）

第136条　認定電気通信事業者は、(1) 植物が線路に障害を及ぼし、若しくは (2) 及ぼすおそれがある場合又は (3) 植物が線路に関する測量、実地調査若しくは工事に支障を及ぼす場合において、(4) やむを得ないときは、総務大臣の許可を受けて、その (5) 植物を伐採し、又は移植することができる。

2　認定電気通信事業者は、前項の規定により植物を伐採し、又は移植するときは、あらかじめ、植物の所有者に通知しなければならない。ただし、(6) あらかじめ通知することが困難なときは、伐採又は移植の後、遅滞なく、通知することをもつて足りる。

3　認定電気通信事業者は、植物が線路に障害を及ぼしている場合において、その障害を放置するときは、線路を著しく損壊し、通信の確保に重大な支障を生ずると認められるときは、第1項の規定にかかわらず、総務大臣の許可を受けないで、その植物を伐採し、又は移植することができる。この場合においては、伐採又は移植の後、遅滞なく、その旨を総務大臣に届け出るとともに、植物の所有者に通知しなければならない。

改正　平成11年法律第 87号
平成11年法律第160号
第81条繰下げ改正　平成15年法律第125号

1　概　要

植物が線路に障害を及ぼし、又は及ぼすおそれがある場合等に認定電気通信事

第136条・第137条

業者が植物を伐採、移植する権利を認め、またそのための手続を定めている。

2　条文内容

〔第1項〕

(1)　**植物が線路に障害を及ぼし**
客観的に植物が障害を及ぼしている事実をいう。

(2)　**及ぼすおそれがある場合**
放置しておけばやがて障害を及ぼすようになるであろうと認められるような場合をいう。

(3)　**植物が線路に関する測量、実地調査若しくは工事に支障を及ぼす**
客観的に植物が測量、実地調査又は工事に支障を及ぼしている事実をいう。

(4)　**やむを得ないとき**
障害を除去するのに他に適当な方法がないときに限って植物を処分する権利が認められることとしている。

(5)　**植物を伐採し、又は移植することができる**
植物を伐採し、又は移植する権利が設定されることで、植物の所有者等は、植物が処分されることを受忍することになる。

〔第2項〕

(6)　**あらかじめ通知することが困難なとき**
山林原野の場合のように、事前に通知することが困難であるときをいう。

第137条（損失補償）

（損失補償）

第137条　認定電気通信事業者は、第133条第1項の規定により他人の土地等を一時使用し、第134条第1項の規定により他人の土地に立ち入り、第135条第1項の規定により他人の土地を通行し、又は前条第1項若しくは第3項の規定により植物を伐採し、若しくは移植したことによつて (1) 損失を生じたときは、損失を受けた者に対し、これを補償しなければならない。

2　前項の規定による損失の補償について、認定電気通信事業者と損失を受けた者との間に協議が調わないとき、又は協議をすることができないとき

は、認定電気通信事業者又は損失を受けた者は、(2) 総務省令で定める手続に従い、(3) 都道府県知事の裁定を申請することができる。

3　第35条第5項から第10項までの規定は、前項の裁定について　(4) 準用する。この場合において、同条第5項中「総務大臣」とあるのは「都道府県知事」と、「答弁書」とあるのは「答弁書（損失を受けた者に通知する場合にあつては、意見書）」と、同条第6項中「総務大臣」とあるのは「都道府県知事」と、同条第8項及び第10項中「当事者が取得し、又は負担すべき金額」とあるのは「補償金の額」と読み替えるものとする。

4　損失の補償をすべき旨を定める裁定においては、補償金の額並びにその支払の時期及び方法を定めなければならない。

```
改正　　　　　　　　平成 9 年法律第 　97号
　　　　　　　　　　平成11年法律第 　87号
　　　　　　　　　　平成11年法律第160号
第82条繰下げ改正　平成15年法律第125号
```

1　概　要

　土地等の一時使用、立入り、通行又は植物の処分によって生じた損失の補償について規定している。すなわち、本法は、認定電気通信事業者の公益性に鑑み、第133条から第136条までに規定する権限を与えているが、他方で所有者等の私権も尊重されねばならず、認定電気通信事業者と損失を受けた所有者等との利害の調整を図るため、損失補償の手続を定めている。

2　条文内容

〔第1項〕

(1)　損失を生じたときは、損失を受けた者に対し、これを補償しなければならない

　　認定電気通信事業者に与えられた土地の一時使用等の権利は、損失の全部を補う額で完全な補償を行うものでなければならない旨を規定している。

〔第2項〕

(2)　総務省令で定める手続

　　損失補償に係る都道府県知事への裁定の申請について、手続を総務省令で定めることとしている。

　　総務省令でこのような手続を定めるのは、都道府県知事が裁定を行うに当た

り、必要な事項を裁定申請書の記載事項としてあらかじめ定めておくことが適切であるとともに、電気通信事業は、長大な線路が必要であり、その設置工事は必ずしも同一都道府県内に限定されないことから、申請手続を統一しておくことが、申請手続の安定性と迅速性を確保する観点から適当であるからである。

総務省令では、認定電気通信事業者又は損失を受けた者は、裁定申請には、損失が発生した日から6月以内に、申請書を都道府県知事に提出することを規定している（施行規則第46条及び様式第44）。総務省令で除斥期間（6月）を定めているのは、土地の一時使用等により発生する損失が、一般に軽微であり、また、多数の利害関係人に跨ることから、法律関係を早期に確定しないとその原因関係が不明確となるおそれがあること及び多数の軽微な補償関係を長期間にわたり存続させることについての認定電気通信事業者の便宜を考慮して、早期に確定することが適切と考えられるからである。

(3) 都道府県知事の裁定

他人の土地等の一時使用、立入り、通行、植物の伐採等の損失補償の裁定については、自治事務（地方公共団体が処理する事務のうち、法定受託事務以外のもの。地方自治法第2条第8項に規定。）として都道府県知事が行うものとしている。

他人の土地等の一時使用、立入り、通行、植物の伐採等の損失補償の裁定については、これらによる土地等の所有者等の受忍の程度は極めて軽微であり、実際にこれらの行為がなされなければ損失の程度が明らかとはならないことから、事後的に行わざるを得ない。この場合、裁定事項としては、認定電気通信事業の公益上の必要性と土地等の所有者等の受忍の程度を比較衡量して調整すべき事項はなく、専ら当事者間の金銭的な利害の問題にとどまる損失補償のみであり、必ずしも国が処理する必要性はないことから、地方分権の推進の観点から自治事務としているものである。

〔第3項〕

(4) 準用する

都道府県知事の行う裁定の手続について、第35条第5項から第10項までの電気通信設備の接続に係る総務大臣の裁定の手続を準用したものである。概略は、次のとおり。

① 都道府県知事は、裁定申請が当事者の一方からあった場合には、他の当事者に通知して答弁書又は意見書を提出する機会を与える。

② 都道府県知事は、裁定をしたときは、遅滞なく、その旨を当事者に通知しなければならない。この裁定の定めるところに従い、当事者間の協議が調ったものとみなされる。

③ 裁定のうち補償金の額について不服のある者は、6か月以内に当事者訴訟を提起することができる。

④ ③との関係において、裁定に関する審査請求においては、補償金の額についての不服を裁定の不服の理由とすることができない。

　他人の土地等の一時使用、立入り、通行、植物の伐採等の損失補償の裁定においては、土地等の長期使用に比べ、通常、土地等所有者等の受忍の程度は軽微であり、しかも一時的なものにとどまることから、収用委員会の意見を聴くというほどの慎重な手続を必要とするものではないと考えられる。本条において「損失を生じたとき」と明示し、補償対象を現実に具体的に生じた損失に限定しているのも、通常、土地等所有者等の受忍の程度が極めて軽微であるためである。

第138条（線路の移転等）

（線路の移転等）

第138条　(1) 使用権に基づいて線路が設置されている土地等又はこれに近接する土地等の　(2) 利用の目的又は方法が変更されたため、その線路が土地等の利用に著しく支障を及ぼすようになつたときは、その土地等の所有者は、認定電気通信事業者に、(3) 線路の移転その他支障の除去に必要な措置をすべきことを請求することができる。

2　認定電気通信事業者は、前項の措置が　(4) 業務の遂行上又は技術上著しく困難な場合を除き、同項の措置をしなければならない。

3　第1項の措置について、認定電気通信事業者と土地等の所有者との間に協議が調わないとき、又は協議をすることができないときは、認定電気通信事業者又は土地等の所有者は、(5) 総務省令で定める手続に従い、総務大臣の裁定を申請することができる。

4　第130条、第131条並びに第132条第1項及び第5項の規定は、前項の裁定について　(6) 準用する。

第138条

5 第1項の措置をすべき旨を定める裁定においては、その措置に要する費用の全部又は一部を土地等の所有者が負担すべき旨を定めることができる。

6 第1項の措置をすべき旨を定める裁定においては、その措置をすべき時期（前項の場合にあつては、その時期並びに土地等の使用者が負担すべき費用の額、支払の時期及び支払の方法）を定めなければならない。

7 第4項において準用する第132条第5項の規定による公告があつたときは、裁定の定めるところに従い、認定電気通信事業者と土地等の所有者との間に協議が調つたものとみなす。

8 第35条第8項から第10項までの規定は、第3項の裁定について (7) 準用する。この場合において、同条第8項及び第10項中「当事者が取得し、又は負担すべき金額」とあるのは、「費用の負担の額」と読み替えるものとする。

改正　平成9年法律第 97号
平成11年法律第 87号
平成11年法律第160号
第83条繰下げ改正　平成15年法律第125号

1　概　要

使用権に基づいて線路が設置されている土地等又はこれに近接する土地等の利用の目的又は方法が変更されたため、その線路が土地等の利用に著しい支障を及ぼすようになった場合に、土地等の所有者等が当該線路を設置している認定電気通信事業者に対し、線路の移転その他支障の除去を請求できること及びその手続を規定し、第3項以下の規定では、土地等の所有者等と認定電気通信事業者との協議が調わない場合の裁定について規定している。

2　条文内容

〔第1項〕

(1)　使用権に基づいて線路が設置されている

本条の規定が、第128条の協議認可により使用権が設定されたものを適用対象としていることを規定上、「使用権に基づいて」と付することにより明確にしている。

(2) **利用の目的又は方法が変更された**

　　線路が設置されている土地等に係る変更の例としては、従来電柱が設置されている畑地を宅地に変更し、そこに家屋を新築しようとする場合、上空を線条が通過している平屋建てを二階建てに改築しようとする場合等がある。

　　近接する土地等に係る変更の例としては、門の位置を変更したために、電柱の位置が門の直前となるような場合がある。

(3) **線路の移転その他支障の除去に必要な措置をすべきことを請求することができる**

　　使用権が設定されたことを理由に、その存続期間中はどのような場合にも線路を移転するなど支障の除去をしないということは、権利の濫用というべきであり、公共の利益の確保と私権の尊重との調和を図ろうという制度の趣旨にも沿わないので、使用権の設定された土地等の所有者等が、認定電気通信事業者に対して線路の移転その他支障の除去に必要な措置をすべきことを請求することができることとしている。

〔第2項〕

(4) **業務の遂行上又は技術上著しく困難な場合を除き**

　　土地等の所有者等から線路の移転等の請求があった全ての場合において、これに応じて措置することとすることは、そもそも認定電気通信事業者に土地等の使用に関する権利を認めた制度の趣旨を没却することになるので、業務の遂行上又は技術上著しく困難な場合を措置すべき場合から除いている。

〔第3項〕

　　支障の除去に関する総務大臣への裁定の申請について規定している。

　　裁定に当たっては、第160条の規定により、総務大臣は、裁定について、電気通信紛争処理委員会に諮問する。委員会は、審議（必要と認めるときは、利害関係者その他の参考人から意見の聴取を行う（運営規程第11条）。）の上、総務大臣に答申を行う。

(5) **総務省令で定める手続**

　　支障の除去に関する総務大臣への裁定の申請について、手続を総務省令で定めることとしている。

　　総務省令では、支障の除去を必要とする理由、支障の除去に要する費用の分担区分に関する意見等を記載した申請書の正本1通及び副本1通（線路の設置されている土地等が所在する市町村が二以上であるときは、その数と同数）を

第138条・第139条

総務大臣に提出すべきこと等を規定している（施行規則第47条、第47条の2及び様式第45）。

〔第4項〕

(6) **準用する**

　土地の使用権の設定に関する裁定の手続を準用することとしている。概略は次のとおりである。

①　総務大臣は、裁定の申請を受理したときは市町村長にその申請書の写しを送付する。

②　市町村長は、公告するとともに、1週間公衆の縦覧に供する。

③　土地等の所有者等その他利害関係人は、公告の日から10日以内に総務大臣に意見書を提出することができる。

④　公告の日から10日の期間が経過した後、総務大臣は速やかに裁定し、これを認定電気通信事業者及び土地等の所有者等に通知するとともに、公告する。

〔第8項〕

(7) **準用する**

　第7項の規定による公告があった場合は、認定電気通信事業者と土地等の所有者等との間に協議が調ったものとみなされることになるところ、当事者がその裁定に定められた費用負担の額について不服がある場合に、これについて、当事者訴訟による行政訴訟を提起することができる旨を定めている。

第139条（原状回復の義務）

（原状回復の義務）

第139条　認定電気通信事業者は、(1) <u>土地等の使用を終わつたとき</u>、又はその使用する土地等を (2) <u>認定電気通信事業の用に供する必要がなくなつたとき</u>は、その (3) <u>土地等を原状に回復し</u>、又は (4) <u>原状に回復しないことによつて生ずる損失を補償して</u>、これを返還しなければならない。

第84条繰下げ改正　平成15年法律第125号

1 概　要

　認定電気通信事業者が使用する必要がなくなった土地等を返還する場合の原状回復の義務について規定している。

2 条文内容

(1)　土地等の使用を終わつたとき

　　第128条の規定に基づき使用している土地等に関する使用権の存続期間又は第133条の規定に基づき一時使用している土地等の使用の期間が満了したときをいう。

(2)　認定電気通信事業の用に供する必要がなくなつたとき

　　認定電気通信事業者に与えられる土地等の使用の権利は、認定電気通信事業の用に供する目的に必要な限度で認められるものであるため、使用権の存続する期間中であっても認定電気通信事業に必要がなくなった時点で原状に復するなどしてその土地等を返還しなければならないこととしている。

(3)　土地等を原状に回復し

　　線路などを撤去して、土地等の使用を開始した当時の形状に回復することをいう。

(4)　原状に回復しないことによつて生ずる損失を補償して

　　土地等の形状や利用形態が変更されるなどにより原状回復することが不適切な場合や、土地等の所有者等に原状回復を任せることが適当な場合が考えられるところ、これらのような場合にあっては、原状回復の方法によらずに土地等を返還する方法を規定している。

第140条（公用水面の使用）

（公用水面の使用）

第140条　認定電気通信事業者は、(1) 公共の用に供する水面（以下「水面」という。）に認定電気通信事業の用に供する水底線路（以下「水底線路」という。）を敷設しようとするときは、あらかじめ、次の事項を (2) 総務大臣及び関係都道府県知事（漁業法（昭和24年法律第267号）第183条の規定により農林水産大臣が自ら都道府県知事の権限を行う漁場たる水面につ

第140条

いては、農林水産大臣を含む。次項において同じ。）に届け出なければならない。

一　水底線路の位置及び次条第1項の申請をしようとする区域

二　工事の開始及び完了の時期

三　工事の概要

2　関係都道府県知事は、前項の規定による届出があつた場合において、漁業権（漁業法による漁業権をいう。以下同じ。）に関する利害関係人若しくは同項第1号の区域において次条第4項の政令で定める漁業を現に適法に行つている者の意見により、又は漁業に対する影響を勘案して、前項の届出に係る事項を変更する必要があると認めるときは、他の関係都道府県知事がある場合にあつては必要な協議を行つた上、届出があつた日から30日以内に、その旨を総務大臣及び当該認定電気通信事業者に通知することができる。

3　漁業法第66条の規定は、前項の規定による通知について準用する。この場合において、同条中「次の各号のいずれか」とあるのは「第2号」と、「都道府県知事」とあるのは、「電気通信事業法第140条第1項の規定による届出を受けた関係都道府県知事」と読み替えるものとする。

4　認定電気通信事業者は、第2項の規定による通知を受けた場合には、当該事項を変更しなければならない。ただし、当該事項の変更がその業務の遂行上著しい支障がある場合において、その変更を要しない旨の総務大臣の認可を受けたときは、その事項については、この限りでない。

改正　平成11年法律第　87号
平成11年法律第160号
第85条繰下げ改正　平成15年法律第125号
改正　平成30年法律第　95号

1　概　要

　認定電気通信事業者が公有水面に水底線路を敷設しようとするときの手続及び漁業権が設定されている公有水面の使用の際の漁業権の保護等との調整について規定している。

第140条

2 条文内容

〔第1項〕

　公有水面である河、海、湖、沼等は、自然の状態のままで一般公衆の自由な使用に供されており、何人でも他人の同様な使用を妨げない限りにおいて、自由に使用することができるが、本項では、こういった自由な使用の範囲外において、認定電気通信事業の用に供する水底線路の敷設のための使用権を、認定電気通信事業者が総務大臣及び都道府県知事（農林水産大臣が自ら都道府県知事の権限を行う漁場たる水面については、農林水産大臣を含む。）に届け出ることにより設定することができることとしている。

⑴　公共の用に供する水面

　　公共用物（直接に一般公衆の共同使用に供されるもの。）たる水面（公有水面）をいう。公有水面埋立法（大正10年法律第57号）第1条第1項では、「公有水面ト称スルハ河、海、湖、沼其ノ他ノ公共ノ用ニ供スル水流又ハ水面ニシテ国ノ所有ニ属スルモノヲ謂[フ]」としている。

⑵　総務大臣及び関係都道府県知事（漁業法（昭和24年法律第267号）第183条の規定により農林水産大臣が自ら都道府県知事の権限を行う漁場たる水面については、農林水産大臣を含む。・・・）に届け出なければならない

　　認定電気通信事業者が公有水面に水底線路を敷設しようとする手続として、次条に規定する保護区域の指定に関して総務大臣に届出を行い、河川等の管理や漁業権との調整等に関して関係都道府県知事等に届出を行うこととしている。

　　漁業法第183条では、第1項で、「漁場が二以上の都道府県知事の管轄に属し、又は漁場の管轄が明確でないときは、政令で定めるところにより、農林水産大臣は、これを管轄する都道府県知事を指定し、又は自ら都道府県知事の権限を行うことができる」と規定され、第2項で、「都道府県知事の管轄に属する漁場（政令で定める要件に該当するものに限る。）において新たに漁業権を設定するため特に必要があると認める場合であつて、農林水産大臣が都道府県知事の権限を行うことにつき当該都道府県知事が同意したときは、政令で定めるところにより、農林水産大臣は、自ら当該都道府県知事の権限を行うことができる」と規定されている。この場合、農林水産大臣は、必ずしも当該漁場（大臣直轄漁場）の全ての漁業について、自ら都道府県知事の権限を行う必要はなく、その必要性に応じて特定の漁業についてのみ行使することができるものである。よって、大臣直轄漁場であっても、当該水面においては、農林水産大臣が権限

673

第140条

を行使して管理している漁業だけでなく、都道府県知事が管理する漁業や行政庁の免許や許可が不要な自由漁業等が行われている場合があることから、大臣直轄漁場であることのみによって、都道府県知事に対する届出を不要とすることは適当ではない。したがって、大臣直轄漁場であっても、地域漁業者に対して影響を与える可能性のある水底線路の敷設の届出については、地域漁業者の操業状況を熟知している都道府県知事への届出が必要であるとしている。

〔第2項〕

前項の規定により、認定電気通信事業者は、届出を行うことのみによって水底線路を敷設するための使用権を設定することができるが、この水面において漁業権が設定されている場合には、これとの調整が必要となる。

関係都道府県知事は、漁業権について利害関係を有する者の意見や漁業に対する影響を勘案して、認定電気通信事業者が届け出た事項について変更する必要があると認めるときは、他の関係都道府県知事がある場合にはこれと協議を行った上で、届出があった日から30日以内に変更すべき内容とその理由とを総務大臣及び当該認定電気通信事業者に通知することができることとしている。

本項に規定する漁業権との調整事務については、自治事務（地方公共団体が処理する事務のうち、法定受託事務以外のもの。地方自治法第2条第8項に規定。）として都道府県知事が行うものとしている。漁業権漁業（都道府県知事が免許する沿岸の特定水面の漁業）に関する事務については、対象資源の定着性が比較的強く、地先中心に行われるため、漁業調整は比較的狭い範囲にとどまることから、地方分権の推進の観点から自治事務とされており、これに鑑みて、水底線路の保護のための漁業権の制限等に係る事務についても自治事務としているものである。

〔第3項〕

前項の規定により、水底線路敷設の届出変更事項の通知を行うか否かは、都道府県知事の裁量に委ねられている。しかしながら、当該水域において大臣管理漁業が営まれている場合や、県境付近の管轄が不明確な水域に水底線路が敷設されるような場合については、都道府県知事は、水底線路の敷設が当該水面における漁業に与える影響について必ずしも適切な判断を行うことができないことも考えられる。そこで、漁業法第66条の規定を準用し、農林水産大臣は、第1項の届出があった場合に、都道府県の区域を越えた広域的な見地から、漁業調整のために特に必要があると認めるときは、第1項の届出を受けた関係都道府県知事に対し、第2項の通知に関し、必要な指示を行うことができるようにしている。

漁業法（昭和24年法律第267号）（抄）

（農林水産大臣の指示）

第66条　農林水産大臣は、次の各号のいずれかに該当するときは、都道府県知事に対し、海区漁場計画を変更すべき旨の指示その他海区漁場計画に関して必要な指示をすることができる。

一　（略）

二　都道府県の区域を超えた広域的な見地から、漁業調整のため特に必要があると認めるとき。

〔第4項〕

　第2項の通知を受けた場合、認定電気通信事業者は、当該事項を変更しなければならない。ただし、その変更が業務の遂行上著しい支障がある場合で、その変更を要しない旨の総務大臣の認可を受けた場合には、変更をする必要はないとしている。

第141条（水底線路の保護）

（水底線路の保護）

第141条　総務大臣は、認定電気通信事業者の ⑴ 申請があつた場合において、前条に定める敷設の手続を経た水底線路を保護するため必要があるときは、その ⑵ 水底線路から1000メートル（河川法（昭和39年法律第167号）が適用され、又は準用される河川（以下「河川」という。）については、50メートル）以内の区域を保護区域として ⑶ 指定することができる。

2　前項の規定による指定は、告示によつて行う。

3　認定電気通信事業者は、第1項の規定による保護区域の指定があつたときは、⑷ 総務省令で定めるところにより、これを示す陸標を設置し、かつ、その陸標の位置を公告しなければならない。

4　何人も、第1項の保護区域内において、船舶をびよう泊させ、⑸ 底びき網を用いる漁業その他の政令で定める漁業を行い、若しくは土砂を掘採し、又は前項の陸標に舟若しくはいかだをつないではならない。⑹ ただし、

675

第141条

河川管理者が河川工事を行う場合、海岸法（昭和31年法律第101号）第2条第3項に規定する海岸管理者（以下この条において「海岸管理者」という。）が同法第2条第1項に規定する海岸保全施設（以下この項において「海岸保全施設」という。）に関する工事を施行する場合又は同法第6条第1項の規定により主務大臣が海岸保全施設に関する工事を施行する場合においてやむを得ない事情があるとき、その他政令で定める場合は、この限りでない。

5 都道府県知事（漁業法第183条の規定により農林水産大臣が自ら都道府県知事の権限を行う場合は、農林水産大臣。第7項において同じ。）は、認定電気通信事業者の申請があつた場合において、水底線路を保護する必要があると認めるときは、第1項の保護区域内の水面に設定されている漁業権を取り消し、(7)変更し、又はその行使の停止を命ずることができる。

6 漁業法第93条第4項の規定は、前項の規定による漁業権の取消し若しくは変更又はその行使の停止について準用する。この場合において、同条第4項中「都道府県知事」とあるのは、「電気通信事業法第141条第5項の規定による申請を受けた都道府県知事」と読み替えるものとする。

7 都道府県知事は、第1項の保護区域内の水面における漁業権の設定については、水底線路の保護に必要な配慮をしなければならない。

8 海岸管理者は、第1項の保護区域の水面における施設若しくは工作物の設置又は行為の許可については、水底線路の保護に必要な配慮をしなければならない。

改正　平成11年法律第 54号
平成11年法律第 87号
平成11年法律第160号
第86条繰下げ改正　平成15年法律第125号
改正　平成30年法律第 95号

1　概　要

水底線路の保護について規定している。すなわち、総務大臣は、水底線路から一定範囲の区域を保護区域として指定できるものとし、その区域内で水底線路に障害を与えるおそれのある行為は禁止され、また、必要があるときは、その区域内の水面に設定されている漁業権について取消し、変更、行使の停止の処分が行われることとするなど、水底線路の保護について規定している。

676

2 条文内容

〔第1項〕

(1) 申請

　認定電気通信事業者は、公用水面に敷設する水底線路の保護のため、保護区域の指定を受けようとするときは、総務大臣にその旨を申請することが必要である。したがって、水底線路を保護する必要があるときは、前条の規定による公用水面使用届出書とは別に、水底線路保護区域指定申請書を提出する必要がある。公用水面使用届出の手続を経ていない者は、指定の対象とはならないので、敷設工事の前に公用水面使用届出書を提出しておかなければならない。

(2) 水底線路から1000メートル（河川法（昭和39年法律第167号）が適用され、又は準用される河川（以下「河川」という。）については、50メートル）以内の区域

　総務大臣は、認定電気通信事業者から保護区域の指定の申請があった場合において、水底線路を保護するため必要があるときは、その敷設されている公有水面について保護区域を指定することができる。即ち、水底線路は水中に敷設するものであるため、水流又は潮流によってある範囲の移動は避け得られないものであり、かつ、水面は陸上と異なり的確な目標物もないので、水底線路を保護するために、水底線路が敷設されている場所の周囲に相当の余裕ある区域を指定することができることとしており、その区域内では水底線路に障害を与えるおそれのある一定の行為が禁止される。ただ、その範囲は、水底線路の両側1000メートル（河川については50メートル）以内に限られる。

　ここで、「河川」とは、流水、敷地、堤からなる公共用物をいい、「河川法が適用され」る河川とは、河川法（昭和39年法律第167号）第4条第1項に規定される一級河川及び同法第5条第1項に規定される二級河川を、また、河川法が「準用される河川」とは、一級河川及び二級河川以外の河川で市町村長が指定したもの（準用河川）（河川法第100条第1項）をいう。

(3) 指定

　この保護区域を指定する行為は、総務大臣の行う公用制限の一である。一般に「公用制限」とは、特定の公益事業の実施のために他人の財産の上に加えられる公法上の制限をいう。本条の場合は、制限を加えられるのは財産権ではなく、全ての人に開放されている公用水面の自由使用という利益である点において若干その趣を異にしているが、なお水底線路の保護のためその区域内におい

第141条

て一定の行為が禁止されることにおいて公用制限であると解される。この保護区域の指定権は、電気通信主管庁としての総務大臣に専属する。

〔第2項〕

保護区域の指定は、告示によって行うこととしている。

〔第3項〕

認定電気通信事業者は、第1項の規定による保護区域の指定があったときは、これを示す陸標を設置し、かつ、その陸標の位置を公告しなければならないとし、その方法を総務省令で定めることとしている。

認定電気通信事業者が、この規定に違反し、総務省令で定める期間内に陸標を設置せず、又はその位置を公告しなかった場合は、罰則の適用がある（第193条）。このように罰則の規定を設けてまで陸標の設置、公告を強制するのは、保護区域内においては一定の行為が禁止され、かつ、その違反者に対しては罰金刑が科される（第188条）など、保護区域の存在及びその範囲は一般公衆にとって極めて重大な関係があるからである。

(4) 総務省令で定めるところにより、これを示す陸標を設置し、かつ、その陸標の位置を公告

総務省令では、認定電気通信事業者は、保護区域の指定の日から2週間以内に、その保護区域を示す陸標を水底線路の陸揚地点の付近に設置すること、陸標は次のような形式とすること、保護区域の指定の日から3週間以内に、その陸標の位置を日刊新聞紙への掲載その他関係漁業者等に周知されるような方法で公告しなければならないことを定めており（施行規則第50条、第51条及び様式第48）、保護区域の廃止があったときは、認定電気通信事業者は、速やかに陸標を撤去し、廃止日から3週間以内にその旨を公告しなければならないとしている（施行規則第52条）。

陸標の形式

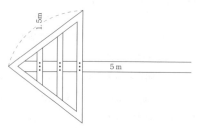

備考1 三角形は白ペンキ塗とすること。
　　2 柱の部分に電気通信事業者の氏名（法人にあっては、その法人の名称）を記載すること。
　　3 山又は谷等においては、高さを5メートルとしないことができる。

〔第4項〕

　総務大臣の指定を受けた保護区域内においては、例外の場合を除き、何人も次の行為をしてはならないこととしている。

① 　船舶をびょう泊（錨泊）させる行為

② 　底びき網を用いる漁業その他の政令で定める漁業を行う行為

③ 　土砂を掘採する行為

④ 　陸標に舟又はいかだをつなぐ行為

　保護区域内において上記禁止行為を行った者に対しては、30万円以下の罰金が科される（第188条）。なお、その結果として、水底線路を損壊するなど実際に水底線路の機能に障害を与えて有線電気通信を妨害したときは、有線電気通信法第13条の規定にも該当し、いわゆる牽連犯として、最も重い刑をもって処断されることになるから（刑法第54条第1項）、同条の5年以下の拘禁刑（令和4年法律第68号の施行後。）又は100万円以下の罰金に処せられることになる。

　我が国の刑法は、属地主義を原則とするので（刑法第1条第1項）、我が国の領土及び領海において本条の違反行為があったときは、その行為者の国籍を問わず本法の罰則の適用がある。したがって、例えば、日本船舶に限らず外国船舶をびょう泊させたときも、罰則の担保がある。

　一方、領海外の水底線路の保護については、①「海底電信線保護万国連合条約」（明治18年太政官布告第17号）及び同条約に基づく「海底電信線保護万国連合条約罰則」（大正5年法律第20号）並びに②「公海に関する条約」（昭和43年条約第10号）及び同条約に基づく「公海に関する条約の実施に伴う海底電線等の損壊行為の処罰に関する法律」（昭和43年法律第102号）があって、条約加盟国が相互にその水底線路の保護を図っている。

　①は、全て法律により布設し、加盟国に陸揚げされている海底電信線の保護を対象としている（海底電信線保護万国連合条約第1条）。故意と過失とを問わず、海底電信線を切断又は破損して電気通信を妨害し、又は不通としたときは、罰せられる（同条約第2条）。海底電信線の修繕に従事する船舶がその旨を示す信号を掲げるときは、これを認め、又は認めることのできる他の船舶は、その修繕の工事を妨げないため、船舶から1海里の距離に退き、若しくは遠ざからなければならず、漁夫が網又は漁具を投ずるのも同一の距離以遠でなければならない（同条約第5条）。海底電信線を布設するとき、若しくは切断破損したときは、海底電信線の位置を示すために設けた浮標を望見し、又は望見できる船舶は、その浮

標から４分の１海里の距離に遠ざからなければならず、漁夫が網又は漁具を投ずるのも同一の距離以遠でなければならない（同条約第６条）。この条約の施行を確実とするため、上記（同条約第２条、第５条及び第６条）について加盟国は罰則を定めるか立法機関に提出することを約しており（同条約第12条）、我が国は海底電信線保護万国連合条約罰則を制定している。

　②は、自国の旗を掲げる船舶又は自国の管轄権に服する者が、故意と過失とを問わず、電気通信を中断し、又は妨害することとなるような方法で、公海にある海底電線を損壊することを処罰の対象とし、各国で必要な立法措置を執るものとしている。ここでは、加盟国に陸揚げされていない水底線路についても保護の対象としている。これを受けて、我が国では、公海に関する条約の実施に伴う海底電線等の損壊行為の処罰に関する法律で罰則を整備している。

　したがって、我が国の水底線路は、我が国の領海内においては本法により、公海においては、日本国の船舶に対しては条約に基づく罰則により、条約の加盟国に所属する船舶に対しては条約及び条約に基づいて加盟国が制定した国内法の罰則により、非加盟国に属する船舶に対しては外交交渉などによる損害賠償により保護されていることになる。

海底電信線保護万国連合条約（明治18年太政官布告第17号）（抄）

第１条　此条約ハ諸政府ノ管領海中ニアルモノヲ除クノ外都テ法律ニ依テ布設シ且条約国ノ内１国若クハ数国ノ領地殖民地又ハ属地ニ陸揚シタル海底電信線ニ適施スルモノトス

第２条　故意ト疎虞懈怠トヲ問ハス海底電信線ヲ切断又ハ破損シ因テ電気通信ノ全部又ハ一部ヲ妨害シ若クハ不通ニ致シタルトキハ之ヲ罰スヘキモノトス但害要償ノ為メ私訴ヲ起スモ妨ケナカルヘシ

　　海底電信線ノ切断又ハ破損ヲ避クル為メ精々注意ヲ加フルモ自己ノ生命或ハ船体ノ安寧ヲ保護スル正当ノ目的ニテ已ムヲ得ス其切断又ハ破損ヲ為シタルトキハ此条款ヲ適施セサルモノトス

第３条　条約国政府其領地ニ海底電信線ノ陸揚ヲ許可スルトキハ成ルヘクタケ電信線布設ノ位置及該線ノ大小長短ニ関シ電信線ノ安全ヲ保ツカ為メニ適当ナル条件ヲ定ムルコトヲ約ス

第４条　一ノ海底電信線ノ所有者其線ヲ布設シ或ハ之ヲ修繕スル際他ノ海底電信線ヲ破損又ハ切断スルトキハ其切断又ハ破損ノ修繕ニ必要ナル費

第141条

用ヲ負擔スヘシ但塲合ニヨリ此条約第２条ヲ適施スルモ妨ケナカルヘシ

第５条　海底電信線ノ布設又ハ修繕ニ従事スル船舶ハ他ノ船舶トノ衝突ヲ
　　予防スル為メ条約国政府協議ノ上已ニ制定シ或ハ向後制定スヘキ信号規
　　則ヲ遵奉スヘシ

　　　海底電信線ノ修繕ニ従事スル船舶右信号ヲ掲クルトキハ之ヲ認メ又ハ
　　認メ得ヘキ地位ニアル他ノ船舶ハ其修繕ノ工事ヲ妨ケサル為メ少クモ右
　　船舶ヨリ１海里ノ距離ニ退キ若クハ遠サカルヘシ

　　　漁人網又ハ漁具ヲ投スルモ亦同一ノ距離ニ於テスヘシ

　　　然レトモ右信号ヲ掲ケタル電信船ヲ認メ又ハ認得ヘキ地位ニアル漁船
　　ハ其信号ノ命ニ従フニ付24時以内ノ猶予ヲ有スヘシ右時間中ハ其漁船ノ
　　運転ニ妨害ヲ加フヘカラス

　　　電信船ハ成ルヘク速ニ其工事ヲ終ルヘシ

第６条　海底電信線ヲ布設スルトキ若クハ切断破損セシトキ海底電信線ノ
　　位置ヲ示ス為メニ設ケタル浮標ヲ望見シ又ハ望見シ得ヘキ地位ニ居ル船
　　舶ハ少クモ其浮標ヨリ海里４分１ノ距離ニ遠サカルヘシ

　　　漁人網又ハ漁具ヲ投スルモ亦同一ノ距離ニ於テスヘシ

（略）

第12条　条約国政府ハ此条約ノ施行ヲ確実ナラシメン為メ就中此条約第２
　　条第５条及第６条ノ条款ヲ犯シタル者ヲ禁錮若クハ罰金或ハ此二刑ヲ以テ
　　罰スル為メ必要ノ条規ヲ定メ又ハ其議案ヲ立法官ニ提出スルコトヲ約ス

海底電信線保護万国連合条約罰則（大正５年法律第20号）（抄）（令和４年法
　　律第68号施行後。）

第１条　海底電信線保護万国連合条約ニ依ル海底電信線ヲ損壊シテ通信ヲ障
　　碍シ又ハ障碍スヘキ危険ヲ生セシメタル者ハ５年以下ノ拘禁刑又ハ50万
　　円以下ノ罰金ニ処ス但シ海底電信線ヲ布設又ハ修繕スルニ付已ムコトヲ得
　　サルニ出テタル者ハ此ノ限ニ在ラス

　　　前項ノ未遂罪ハ之ヲ罰ス

　　　過失ニ因リ第１項ノ行為ヲ為シタル者ハ50万円以下ノ罰金ニ処ス

第２条　自己ノ生命若ハ船舶ヲ保護スル為又ハ海底電信線ヲ布設若ハ修繕ス
　　ルニ付已ムコトヲ得スシテ海底電信線ヲ損壊シタル者ハ直ニ無線電信ニ依

リ電信官署又ハ帝国領事館ニ届出ツヘシ無線電信ニ依ルコトヲ得サルトキ
ハ最初ニ著船シタル時ヨリ24時間内ニ其ノ地ノ電信官署又ハ帝国領事館
ニ届出ツヘシ

　前項ノ規定ニ違反シタル者ハ2万円以下ノ罰金ニ処ス
第3条　海底電信線保護万国連合条約第5条第1項乃至第3項又ハ第6条ノ
　規定ニ違反シタル者ハ2万円以下ノ罰金ニ処ス

公海に関する条約（昭和43年条約第10号）（抄）
第26条
1　すべての国は、公海の海底に海底電線及び海底パイプラインを敷設する
　権利を有する。
2　沿岸国は、海底電線又は海底パイプラインの敷設又は維持を妨げること
　ができない。もつとも、沿岸国は、大陸棚の探査及びその天然資源の開発
　のために適当な措置を執る権利を有する。
3　海底電線又は海底パイプラインを敷設する国は、すでに海底に敷設され
　ている電線又はパイプラインに妥当な考慮を払わなければならない。特に、
　既設の電線又はパイプラインを修理する可能性は、害してはならない。
第27条　すべての国は、自国の旗を掲げる船舶又は自国の管轄権に服する者
　が、故意又は過失により、電気通信を中断し、又は妨害することとなるよ
　うな方法で、公海にある海底電線を損壊し、及び海底パイプライン又は海
　底高圧電線を同様に損壊することが処罰すべき犯罪であることを定めるた
　めに必要な立法措置を執るものとする。この規定は、そのような損壊を避
　けるために必要なすべての予防措置を執つた後に自己の生命又は船舶を守
　るという正当な目的のみで行動した者による損壊については、適用しない。
第28条　すべての国は、自国の管轄権に服する者で公海にある海底電線又
　は海底パイプラインの所有者であるものが、その電線又はパイプラインを
　敷設し又は修理するに際して他の電線又はパイプラインを損壊した場合に、
　修理の費用を負担すべきであることを定めるために必要な立法措置を執る
　ものとする。

第141条

公海に関する条約の実施に伴う海底電線等の損壊行為の処罰に関する法律
（昭和43年法律第102号）（抄）（令和4年法律第68号施行後。）

第1条　公海に関する条約第27条に規定する海底電線（海底電信線保護万
　　国連合条約第1条に規定する海底電信線を除く。）を損壊して電気通信を
　　妨害した者は、5年以下の拘禁刑又は50万円以下の罰金に処する。

2　過失により前項の罪を犯した者は、50万円以下の罰金に処する。

第3条　第1条第1項及び前条第1項の未遂罪は、罰する。

---

(5)　<u>底びき網を用いる漁業その他の政令で定める漁業</u>

　　水底線路保護と漁業権の比較衡量により、水底線路に障害を与えるおそれが
あるため保護区域内で原則として禁止される五つの漁業が施行令第9条第1項
に列挙されている。

電気通信事業法施行令（昭和60年政令第75号）（抄）

（保護区域内の禁止漁業等）

第9条　法第141条第4項の政令で定める漁業は、次に掲げる漁業とする。
　　ただし、第1号から第4号までに掲げる漁業にあつては、動力船により
　　漁具をえい航するものに限る。

　　一　底びき網漁業

　　二　空釣り漁業

　　三　鉤引漁業

　　四　掻剥漁業

　　五　まて突き漁業

2　（略）

---

(6)　ただし、河川管理者が河川工事を行う場合、海岸法（昭和31年法律第101号）
第2条第3項に規定する海岸管理者（以下この条において「海岸管理者」とい
う。）が同法第2条第1項に規定する海岸保全施設（以下この項において「海
岸保全施設」という。）に関する工事を施行する場合又は同法第6条第1項の
規定により主務大臣が海岸保全施設に関する工事を施行する場合においてやむ

第141条

を得ない事情があるとき、その他政令で定める場合は、この限りでない

　保護区域内においては、水底線路を保護するため、船舶のびょう泊等の4行為を禁止している。しかし、これが他の特別な法益と衝突する場合に、全く認容しないことは適当でないので、水底線路の保護法益と他の法益との調整を図り、水底線路の保護の実効が確保される範囲内であればこれらの行為を禁止する必要もないので、本項ただし書で、

①　河川管理者が河川工事を行う場合、

②　海岸管理者が海岸保全施設に関する工事を行う場合、

③　主務大臣（海岸法（昭和31年法律第101号）第40条の規定によるもの）が海岸保全施設に関する工事を施行する場合

においてやむを得ない事情があるときと、その他政令で定める場合は、この限りでないとしている。（①②③の場合について「水底線路の保護に支障がなく」ということを要求していないのは、電気通信事業者が水底線路を陸揚げする際に「河川」又は「海岸保全区域」を通過せざるを得ず、他の公益を害する度合いが大きいこと、他方これらの管理者は当該水面の一般的管理者として、水底線路を含む占用物件間の調整を図るであろうことによる。ただし、このような場合であっても、可能な限り水底線路に障害を与えないように努めるべきことはいうまでもない。）

　この政令で定める場合については、土地改良法（昭和24年法律第195号）第2条第2項に規定する土地改良事業を行う者が当該事業に係る工事を施行する場合等、施行令第9条第2号各号に列記する場合（これらの場合における行為が河川等の水面を占有して船舶をびょう泊させ、又は土砂を掘採するものである場合に限る。）において、水底線路の保護に支障がなく、かつ、やむを得ない事情があるときとされている（施行令第9条第2項）。

電気通信事業法施行令（昭和60年政令第75号）（抄）

（保護区域内の禁止漁業等）

第9条　（略）

2　法第141条第4項ただし書の政令で定める場合は、次に掲げる場合（これらの場合における行為が河川等の水面を占用して船舶をびよう泊させ、又は土砂を掘採するものである場合に限る。）において、水底線路の保護に支障がなく、かつ、やむを得ない事情があるときとする。

一　土地改良法（昭和24年法律第195号）第2条第2項に規定する土地

改良事業を行う者が当該事業に係る工事を施行する場合

二　国、漁港の所在地の地方公共団体若しくは漁港を地区内に有する水産業協同組合が漁港漁場整備法（昭和25年法律第137号）第17条第１項に規定する特定漁港漁場整備事業を施行する場合、同法第34条第１項の規定による漁港管理規程に基づく行為を行う場合又は同法第39条第１項若しくは第39条の２第１項若しくは第２項の規定による許可その他の処分を受けた者若しくは同法第39条第４項の規定による協議をした者が当該許可等に基づく行為を行う場合

三　海岸法（昭和31年法律第101号）第７条第１項、第８条第１項、第12条第１項から第３項まで、第13条第１項若しくは第21条第１項若しくは第２項の規定による許可その他の処分を受けた者又は同法第10条第２項若しくは第13条第２項の規定による協議をした者が当該許可等に基づく行為を行う場合

四　海上保安庁が航路標識法（昭和24年法律第99号）第１条第２項に規定する航路標識を設置し、若しくは管理し、若しくはその位置の変更、供用の休止、再開若しくは廃止その他その現状の変更を行う場合又は同法第11条第１項若しくは第13条第１項の規定による許可若しくは同法第17条、第18条第１項若しくは第21条第５項若しくは第６項の規定による命令を受けた者若しくは同法第14条（同法第21条第10項において準用する場合を含む。）若しくは第21条第１項若しくは第２項の規定による届出をした者が当該許可若しくは命令に基づく行為若しくは当該届出に係る行為を行う場合

五　海上保安庁が水路業務法（昭和25年法律第102号）第２条第１項に規定する水路測量若しくは同法第３条に規定する海象観測を実施する場合又は同法第６条の許可を受けた者が当該許可に基づく行為を行う場合

六　国土交通大臣若しくは港湾法第２条第１項に規定する港湾管理者が同条第７項に規定する港湾工事を施行する場合、国土交通大臣が同条第８項に規定する開発保全航路の開発若しくは保全に関する工事を施行する場合又は同法第37条第１項、第43条の８第２項、第55条の３の５第２項若しくは第56条第１項の規定による許可を受けた者（同法第37条第３項（同法第43条の８第４項、第55条の３の５第４項及び第56条第３項において準用する場合を含む。）の規定により読み替えられたこれ

らの規定による協議をした者を含む。）若しくは同法第56条の４第１項の規定による命令を受けた者が当該許可等に基づく行為を行う場合

七　国土交通大臣が飛行場、航空法（昭和27年法律第231号）第２条第５項に規定する航空保安施設若しくは同法第96条第１項の規定による指示を与えるための管制施設を設置し、若しくはその施設に変更を加える場合又は同法第38条第１項若しくは第43条第１項の規定による許可を受けた者が当該許可に基づく行為を行う場合

八　道路法第２条第１項に規定する道路の管理者が道路の管理を行う場合又は同法第21条 、第22条第１項、第24条若しくは第71条第１項若しくは第２項の規定による命令その他の処分を受けた者が当該命令等に基づく行為を行う場合

九　河川法第24条から第27条まで又は第75条の規定による許可その他の処分を受けた者が当該許可等に基づく行為を行う場合

十　都市計画法（昭和43年法律第100号）第４条第15項に規定する都市計画事業の施行者が当該事業に係る工事を施行する場合

　禁止行為が解除される場合としては、次の３類型に分類できる。

①　当該水面に関する法律上の管理者が管理行為を行う場合

②　当該水面に関して法律の規定に基づき許可等の処分を受けた者が当該処分に基づく行為を行う場合

③　当該水面に関して法律上の根拠はないが、行為に極めて強い公共性があり、また、水底線路の保護に支障を与えるおそれが極めて軽微であることから、例外的に認められている行為

〔第５項〕

　保護区域内においては、水底線路を保護し、業務の遂行を確保するため種々の措置が講じられており、その一つとして、都道府県知事は、認定電気通信事業者の申請があった場合において、水底線路を保護する必要があるときは、その区域内に設定されている漁業権を取り消し、変更し、又はその行使の停止を命ずることができることとしている。すなわち、認定電気通信事業者が保護区域内の水面を占用しようとする場合において、その上に他人の漁業権が存在することは、場合によっては保護区域内の水面を業務の用に供するに当たって妨害となることが予想されるからである。

この都道府県知事による漁業権の処分は、単にその権利を消滅させ、又はその権利に制限を加えるだけで、認定電気通信事業者は漁業権を取得したり、又は使用したりする権利を得るものではないから、その性質は公用収用又は公用使用ではなく、漁業権に対する処分の受忍を内容とする公用制限に属するものである。

なお、漁業法第183条の定めるところにより、「漁場が二以上の都道府県知事の管轄に属し、又は漁場の管轄が明確でないとき」等は、農林水産大臣が「自ら都道府県知事の権限を行う」場合があり、この場合には処分権者は農林水産大臣である。

本項に規定する漁業権との調整事務については、自治事務（地方公共団体が処理する事務のうち、法定受託事務以外のもの。地方自治法第2条第8項に規定。）として都道府県知事が行うものとしている。漁業権漁業（都道府県知事が免許する沿岸の特定水面の漁業）に関する事務については、対象資源の定着性が比較的強く、地先中心に行われるため、漁業調整は比較的狭い範囲にとどまることから、地方分権の推進の観点から自治事務とされており、水底線路の保護のための漁業権の制限等に係る事務についても、認定電気通信事業者の水底線路の敷設が是認された上で、当該水底線路が敷設される水面を漁業上どのように利用しているかという属地的な観点から漁業との調整を行う事務であることから、自治事務としているものである。

公益上の必要による漁業権の変更、取消し又は行使の停止については、漁業法第93条に規定があり、本項は、これの特別規定となっている。同条の規定に基づく漁業権の変更、取消し又は行使の停止については、一般に海区漁業調整委員会の意見を聴く（漁業法同条第3項において準用する同法第89条第3項）とともに、公開による意見の聴取を行わなければならない（漁業法第93条第3項において準用する同法第89条第4項から第7項まで）とされている。本条に基づく取消し、変更又は行使の停止については、その場合の理由を「水底線路を保護する必要があると認めるとき」と特に限定しているため、これらの手続を不要としている。

(7) 変更

漁業権の「変更」とは、漁業権の範囲又は種類の変更をいう。

〔第6項〕

前項の規定により、漁業権の取消し等を行うか否かは、都道府県知事の裁量に委ねられており、前項の規定に基づく認定電気通信事業者の申請があった場合に

第141条

は、都道府県知事は、水底線路の保護の必要性と当該水域における漁業への影響を勘案して漁業権の取消し等を行うかどうかを決定することとなる。この場合において、例えば、漁業権の取消しがなされたことにより、当該水面において他県漁業者をも含む無秩序な操業が行われ、全国的・広域的な資源の枯渇や操業をめぐる県間紛争を招くおそれがある。このため、漁業法第93条第4項の規定を準用し、前項の申請があった場合に、都道府県の区域を超えた広域的な見地から、漁業調整のために特に必要があると認めるときは、前項の申請を受けた都道府県知事に対し、当該申請に関し、農林水産大臣が必要な指示を行うことができるようにしている。

漁業法（昭和24年法律第267号）（抄）

（公益上の必要による漁業権の取消し等）

第93条　漁業調整、船舶の航行、停泊又は係留、水底電線の敷設その他公益上必要があると認めるときは、都道府県知事は、漁業権を変更し、取り消し、又はその行使の停止を命ずることができる。

2・3　（略）

4　農林水産大臣は、都道府県の区域を超えた広域的な見地から、漁業調整、船舶の航行、停泊又は係留、水底電線の敷設その他公益上特に必要があると認めるときは、都道府県知事に対し、第1項の規定により漁業権を変更し、取り消し、又はその行使の停止を命ずべきことを指示することができる。

〔第7項〕

都道府県知事は、漁業の免許の申請があった場合において、免許を受けようとする漁場の水面が他人の占用に係る場合には、その占用者の同意がない限り漁業の免許をしてはならないとされている（漁業法第71条第1項第4号）が、本項の規定により漁業の免許を受けようとする漁場の水面が保護区域内のものであるときは、なお慎重な配慮が必要とされている。これは、保護区域においては、本条第4項の規定により一定の漁業は禁止されていること、必要があるときは前項の規定により漁業権の取消し等の処分ができること等からして当然のことである。

〔第8項〕

前項の規定と同様に、海岸管理者についても、水底線路に対する保護配慮義務

を課している。海岸管理者は、海岸保全区域内において海岸保全施設以外の施設又は工作物を新設・改築する許可の申請又は土石・砂を採取し、若しくは土地の掘削、盛土、切土その他の行為をする許可の申請があった場合において、「その申請に係る事項が海岸の防護に著しい支障を及ぼすおそれがあると認めるときは、これを許可してはならない」とされている（海岸法第７条第２項及び第８条第２項において準用する同法第７条第２項）が、本項の規定により、海岸保全区域内に水底線路の保護区域があるときは、その保護区域内の水面における施設等の設置又は土砂の採取等の行為の許可について、海岸管理者は水底線路を保護すべく、なお慎重な配慮が求められる。

<h2 style="text-align:center">第142条</h2>

> 第142条　認定電気通信事業者は、前条第５項の規定による漁業権の取消し、変更又はその行使の停止によつて生じた損失を当該漁業権者に対し補償しなければならない。
> 2　漁業法第177条第２項、第３項前段、第４項、第５項、第11項及び第12項の規定は、前項の規定による損失の補償について準用する。この場合において、同条第２項中「同項各号」とあるのは「同項」と、同条第３項前段中「農林水産大臣が」とあるのは「都道府県知事が海区漁業調整委員会の意見を聴いて」と、同条第５項中「国」とあるのは「認定電気通信事業者」と、同条第11項中「第１項第２号又は第３号の土地」とあるのは「電気通信事業法第141条第５項に規定する漁業権（同項の規定により取り消されたものに限る。）」と、「国」とあるのは「認定電気通信事業者」と、同項及び同条第12項中「有する者」とあるのは「有する者（登録先取特権者等に限る。）」と読み替えるものとする。

改正　平成11年法律第 87号
第87条繰下げ改正　平成15年法律第125号
改正　平成30年法律第 95号

1　概　要

　前条第５項の規定に基づく漁業権の取消し、変更又は行使の停止によって生じた損失の補償について規定している。

第142条

2 条文内容

〔第1項〕

　保護区域内における漁業権の取消し、変更又は行使の停止は、公用制限の一つであり、そのために漁業権者が受けた損失の補償は、公法上の損失補償として行われる。

〔第2項〕

　公益上の必要による漁業権の変更、取消し又は行使の停止については、漁業法第93条に規定があり、その場合の損失補償については、同法第177条第13項及び第14項に規定があるところ、前条第5項及び本条は、これらの特別規定となっている。本項では、漁業法第177条第2項、第3項前段、第4項、第5項、第11項及び第12項の規定を準用することとしている。

　準用される漁業法第177条第2項、第3項前段、第4項、第5項、第11項及び第12項の規定（読替え後）の概要は、次のとおり。

　補償すべき損失の範囲は、漁業権の処分によって通常生ずる損失であり（同法同条第2項）、その補償金額は、都道府県知事が海区漁業調整委員会の意見を聴いて決定する（同法同条第3項前段）。この補償金額に不服のある者は、その決定の通知を受けた日から6月以内に、認定電気通信事業者を被告とする訴えをもってその増額を請求することができる（同法同条第4項及び第5項）。認定電気通信事業者からは、この補償金額に不服のある者として訴えを提起することはできないので、補償金額の減額を請求する場合には、処分自体の違法性を争うことを検討することになる。

　また、漁業権は物権とみなされ、民法の土地に関する規定が準用される（漁業法第77条第1項）ので、先取特権又は抵当権の目的となる。取り消された漁業権の上に先取特権又は抵当権があるときは、原則として認定電気通信事業者は、その補償金を供託しなければならない（同法第177条第11項）。先取特権者又は抵当権者は、その供託された補償金に対して権利を行使し得る（同法同条第12項）。なお、漁業権を取り消したときは、都道府県知事は、直ちに、登録先取特権者等（同法第117条第1項の規定により登録された先取特権又は抵当権を有する者）にその旨を通知しなければならない（同法第95条第1項）。

漁業法（昭和24年法律第267号）（抄）

（損失の補償）

第177条　（略）

2　前項の規定により補償すべき損失は、同項各号に規定する処分又は行為によつて通常生ずべき損失とする。

3　第１項の規定により補償すべき金額は、農林水産大臣が決定する。（略）

4　前項の金額に不服がある者は、その決定の通知を受けた日から６月以内に、訴えをもつてその増額を請求することができる。

5　前項の訴えにおいては、国を被告とする。

6〜10　（略）

11　第１項第２号又は第３号の土地について先取特権又は抵当権があるときは、国は、当該先取特権又は抵当権を有する者から供託をしなくてもよい旨の申出がある場合を除き、その補償金を供託しなければならない。

12　前項の先取特権又は抵当権を有する者は、同項の規定により供託した補償金に対してその権利を行うことができる。

13・14　（略）

　本項に規定する漁業権との調整事務については、自治事務（地方公共団体が処理する事務のうち、法定受託事務以外のもの。地方自治法第２条第８項に規定。）として都道府県知事が行うものとしている。漁業権漁業（都道府県知事が免許する沿岸の特定水面の漁業）に関する事務については、対象資源の定着性が比較的強く、地先中心に行われるため、漁業調整は比較的狭い範囲にとどまることから、地方分権の推進の観点から自治事務とされており、水底線路の保護のための漁業権の制限等に係る事務についても、認定電気通信事業者の水底線路の敷設が是認された上で、当該水底線路が敷設される水面を漁業上どのように利用しているかという属地的な観点から漁業との調整を行う事務であることから、自治事務としているものである。

第143条

第143条

第143条　(1) 船舶は、認定電気通信事業者の水底線路の敷設若しくは修理
に従事している船舶であつて、その旨を示す　(2) 標識を掲げているもの
から1000メートル以内で　(3) 総務省令で定める範囲内（河川については、
50メートル以内）又は施設若しくは修理中の水底線路の位置を示す浮標で
あつて、その旨の　(4) 標識を掲げてあるものから400メートル以内で　(5) 総
務省令で定める範囲内（河川については、30メートル以内）の　(6) 水面を
航行してはならない。

改正　平成10年法律第 58号
平成11年法律第160号
第88条繰下げ改正　平成15年法律第125号

1　概　要

　水底線路の保護のために、水底線路の敷設又は修理中のときは、他の船舶は一
定の距離以内を航行することが禁止される旨規定している。

2　条文内容

(1)　船舶

　　領海内においては、日本船に限らず外国船舶をも含むことは、第141条の場
　合と同様である。

(2)　標識

　　水底線路の敷設又は修理に従事している船舶は、本条の規定による保護を受
　けようとするときは、その旨を示す標識の掲揚が必要である。

　　このための標識としては、海上交通安全法（昭和47年法律第115号）の適用
　がある海域（東京湾、伊勢湾及び瀬戸内海のうち一部を除く海域）においては、
　海上交通安全法施行規則（昭和48年運輸省令第9号）第2条第2項に規定す
　る灯火（少なくとも2海里の視認距離を有する緑色の全周灯2個）（夜間）又は
　形象物（上の1個が白色のひし形、下の2個が紅色の球形である3個の形象物）
　（昼間）を用い、また、同法の適用のない海域においては、海上衝突予防法（昭
　和52年法律第62号）第27条第2項に規定する灯火（最も見えやすい場所に白
　色の全周灯1個、その垂直線上の上方及び下方にそれぞれ紅色の全周灯1個等）
　又は形象物（ひし形の形象物1個、その垂直線上の上方及び下方にそれぞれ球

形の形象物1個)等を用いることになっている。

(3) **総務省令で定める範囲内**

　水底線路の敷設又は修理中のとき、当該作業の特殊性から他の船舶の航行が禁止される範囲を、敷設修理従事船からの距離により総務省令で定めることとしている。

　総務省令では、海域及び航行する船舶の総トン数（10,000トン以上であるかそれ未満であるか）に応じて、敷設修理従事船からの航行禁止範囲を距離で定めている（施行規則第54条第1項第1号）。ただし、水底線路の敷設又は修理に支障がないと認められる場合であって、敷設修理従事船の船長が上記の範囲内で航行を承諾したときは、その承諾した部分を除く範囲とするとされている（同条第2項）。

(4) **標識**

　敷設又は修理中の水底線路の位置を示す浮標には、施行規則第53条及び様式第49に規定する形式の標識（旗）を掲げることが必要とされている。

　浮標に掲げる標識
1　旗の模様は、下記の3種とする。

2　旗の規格は、下記の2種とする。
　　イ　縦　137センチメートル　　横　168センチメートル
　　ロ　縦　76センチメートル　　横　91センチメートル

(5) **総務省令で定める範囲内**

　水底線路の敷設又は修理中のとき、当該作業の特殊性から他の船舶の航行が禁止される範囲を、敷設又は修理中の水底線路の位置を示す浮標からの距離により総務省令で定めることとしている。

　総務省令では、この距離を100メートルと定め（施行規則第54条第1項第2

第143条

号）、水底線路の敷設又は修理に支障がないと認められる場合であって、敷設修理従事船の船長が上記の範囲内で航行を承諾したときは、その承諾した部分を除く範囲としている（同条第2項）。

(6) 水面を航行してはならない

　第141条第4項の規定は、何人も水底線路の保護区域内においては船舶をびょう泊させてはならないとしているが、船舶の単純航行の自由は認められている。しかし、本条の規定により水底線路の敷設又は修理中のときは、一定範囲内の水面においてはその航行も禁止される。この航行禁止も公用制限の一つであるが、ただその性質は一時的なものであるので、その点において保護区域と区別される。本条において禁止されるのは、船舶の航行に限定されているので、船舶繋留、漁業採藻又は土砂掘採等は可能である。ただし、保護区域が指定されているときは、これらの行為のうち、一定のものが禁止されるのは第141条の規定から当然である。

第4章　電気通信紛争処理委員会

総　説

　本章は、電気通信紛争処理委員会の設置について規定し、その組織や同委員会の行うあっせん、仲裁等の手続等について規定する。

　電気通信事業者間の接続等に関する紛争、無線局の開設に関する紛争及び地上基幹放送の再放送に関する紛争の事案の迅速かつ効率的な処理を図る観点から、高度化・複雑化する紛争関係の事務を専門的に取り扱う組織として、電気通信紛争処理委員会を設置している（第144条）。

　そして、電気通信事業分野については、その紛争処理について、その解決が円滑に図られるよう、当事者間の協議がまとまらない場合に電気通信紛争処理委員会が当事者双方に歩み寄りを促すあっせん手続や、仲裁判断が当事者間において確定判決と同一の効力が発生し、その命ずる給付について執行決定により強制執行の対象となる仲裁手続を設けている（第154条から第157条まで）。（無線局の開設に関する紛争については電波法に、地上基幹放送の再放送に関する紛争については放送法に、各々、あっせん、仲裁の手続が設けられている。）

　また、総務大臣は、接続、共用及び卸電気通信役務の協議命令及び裁定、土地等の使用に関する認可及び裁定や、電気通信事業者による電気通信役務の提供についての事後的な処分等を行う場合には、電気通信紛争処理委員会に諮問することとしている（第160条）。（放送に関する裁定を行う場合の電気通信紛争処理委員会への諮問については、放送法に規定されている。）

　その他、電気通信紛争処理委員会は、その権限に属させられた事項に関して、総務大臣に必要な勧告ができることとしている（第162条）。

695

第144条

第1節　設置及び組織
第144条（設置及び権限）

> （設置及び権限）
>
> 第144条　総務省に、(1) 電気通信紛争処理委員会（以下「委員会」という。）を置く。
>
> 2　委員会は、(2) この法律、電波法及び放送法の規定によりその権限に属させられた事項を処理する。

追加　平成13年法律第 62号
第88条の2繰下げ　平成15年法律第125号
改正　平成19年法律第136号
平成22年法律第 65号

1　概　要

　電気通信分野においては、急速な技術革新と激変する競争環境を背景としてサービスの高度化・多様化が著しい速度で進展する中、関係者間の紛争事案が高度化・複雑化している。

　これに鑑み、電気通信分野における紛争処理機能の強化を図り、紛争事案の迅速かつ効率的な処理を図る観点から、高度化・複雑化する紛争関係の事務を専門的に取り扱う組織として、電気通信紛争処理委員会を設置し、その所掌事務を規定する。

2　条文内容

〔第1項〕

(1)　電気通信紛争処理委員会

　電気通信紛争処理委員会は、電気通信事業者間の接続等に関する紛争、無線局の開設に関する紛争及び地上基幹放送の再放送に関する紛争の処理を専門的に扱うものであり、許認可部門から組織的に独立したものとすることにより、紛争処理における判断について中立性を確保すると共に、委員会の機能を紛争処理に特化させることにより、専門的知見の蓄積及び活用を図っている。

　電気通信事業分野については、電気通信市場が技術革新や競争進展の中で急速に変化しており、行政として激変する競争環境に対応するためには競争ルールについても不断の見直しを迅速に行っていくことが求められている。こうし

た中、例えば、紛争処理を通じて認識された競争ルールに係る問題点等の改善に関する勧告を委員会から総務大臣に対して行い、総務大臣はこれに迅速に対応して競争ルールの整備を図ることや、紛争処理と業務改善命令等の行政処分との連携を図ることが求められるところであり、独任制の大臣の下で競争環境の整備と紛争処理の有機的かつ一体的な連携を図る必要があることから、国家行政組織法（昭和23年法律第120号）第8条に規定する合議制の機関として電気通信紛争処理委員会を設置している。

〔第2項〕

(2) この法律、電波法及び放送法の規定によりその権限に属させられた事項

電気通信紛争処理委員会は、法律に規定された事項のみを所掌事務として処理するものであり、「審議会等の整理合理化に関する基本的計画」（平成11年4月27日閣議決定）にいう「法施行型審議会」に該当する。

本法の規定によりその権限に属させられた事項とは、具体的には、第2節（第154条から第159条まで）で規定するあっせん及び仲裁並びに第3節で規定する総務大臣から受ける諮問に対する答申（第160条）及び総務大臣に対する勧告（第162条）を指す。

電波法の規定によりその権限に属させられた事項とは、具体的には、電波法第2章第3節（第27条の38及び第27条の39）で規定するあっせん及び仲裁を指す。これは、新たに無線局を開設しようとする場合等において、他の無線局に混信等の妨害を与える可能性が高いと認められるときには、あらかじめそのような他の無線局と調整を行うことにより、無線局の免許等を受けられる可能性を高めたり、割当可能な周波数を増やしたりすることが電波の効率的な利用の観点からは望ましいと考えられるため、これらの場合を、あっせん・仲裁制度の適用対象としたものである。

放送法の規定によりその権限に属させられた事項とは、具体的には、有線電気通信設備を用いてテレビジョン放送の業務を行う一般放送事業者（登録一般放送事業者については、指定再放送事業者に限る。）による地上基幹放送の再放送の同意について、放送法第142条及び第143条で規定するあっせん及び仲裁並びに第144条で規定する総務大臣が裁定をしようとするときに総務大臣から受ける諮問に対する答申を指す。

第145条

第145条（組織）

> （組織）
> 第145条　委員会は、(1)委員５人をもつて組織する。
> 2　(2)委員は、非常勤とする。ただし、そのうち２人以内は、常勤とする
> ことができる。

追加　平成13年法律第 62号
第88条の３繰下げ　平成15年法律第125号

1　概　要

　電気通信紛争処理委員会の組織に関する事項として、委員会を構成する委員数
及び委員の常勤・非常勤を規定する。

2　条文内容

〔第１項〕

(1)　**委員５人をもつて組織**

　　電気通信紛争処理委員会の構成委員数は、電気通信分野における紛争処理に
ついて技術、会計、法律等の多様な専門的知見を活用して行う必要があること
及び合議制機関として円滑かつ迅速な意思決定を行う必要があることを勘案し、
必要最小限の数として、５名としている。

〔第２項〕

(2)　**委員は、非常勤とする。ただし、そのうち２人以内は、常勤とすることがで
きる**

　　「審議会等の整理合理化に関する基本的計画」（平成11年４月27日閣議決定）
に定める「委員は原則として非常勤とする」との方針に沿った規定である。同
計画では、「審議会等の性格、機能、所掌事務の経常性、事務量等からみて、
ほぼ常時活動を要請されるものであり、かつ、委員としての勤務態様上の特段
の必要がある場合には、常勤とすることができることとする」とされており、
電気通信分野の紛争事案が量的に増加するとともに、各事案が更に高度化・複
雑化することが想定されることから、ほぼ常時活動することが要請される状況
に至る可能性があることを考慮し、かかる状況に迅速に対応できるよう、常勤
委員を２名まで置くことができることとしている。

第146条

第146条（委員長）

（委員長）

第146条　委員会に、(1)委員長を置き、委員の互選により選任する。

2　委員長は、会務を総理し、委員会を代表する。

3　(2)委員会は、あらかじめ、委員長に事故があるときにその職務を代理する委員を定めておかなければならない。

追加　平成13年法律第 62号
第88条の４繰下げ　平成15年法律第125号

1　概　要

電気通信紛争処理委員会に委員長を置き、その選任方法や職務等について規定している。

2　条文内容

〔第１項〕

(1)　委員長を置き、委員の互選により選任する

　　「審議会等の整理合理化に関する基本的計画」（平成11年４月27日閣議決定）において「会長等は合議体の自立性を重視し、委員の互選により定めることを原則とする」と定められていることを踏まえ、委員長を委員の互選により選任することとしている。

　　総務大臣による委員の任命の時点において当該委員の常勤・非常勤の別が確定し、その後に委員長が互選される手続のため、常勤の委員がいる一方で非常勤委員が委員長となる場合もあり得る。

　　委員及び委員長の選任の手続としては、①委員候補者の選定（常勤・非常勤の別を含む。）、②両議院の同意手続（常勤・非常勤の条件も同意事項）、③総務大臣による委員の任命、④委員長互選（委員長の選任）の順を経ることになる。

〔第２項〕

　　委員長が委員会の会務を総理し、委員会を代表する旨を規定している。

　　政令及び委員会決定では、具体的に、委員長は、委員会を招集すること（委員会令第２条第１項）、政令で定めるもののほか、議事の手続その他委員会の運営に関し必要な事項を委員会に諮って定めること（委員会令第16条）、委員及び議

事に関係のある特別委員（第154条の解説（2(5)）を参照のこと。）に対してあらかじめ議題、日時、場所を通知して委員会の会議を招集すること、特に緊急の必要があるときは、委員及び議事に関係のある特別委員にあらかじめ通知した上で、文書その他の方法により、会議の議事を行うことができること、委員会の議長となり、議事を整理すること等（運営規程第2条）を定めている。

〔第3項〕

(2) **委員会は、あらかじめ、委員長に事故があるときにその職務を代理する委員を定めておかなければならない**

委員長が事故により職務遂行が不可能になった場合においても委員会の運営に支障がないようにするため、あらかじめその職務の代理者を委員の中から選任しておく規定である。代理は、1名のみ定めておくことも、複数の代理（及びその代理順位）を定めておくことも可能である。

本規定は、委員長の法律上の権限を代行する職務代理者の定めに関する一般規定であることから、他の条項で用いる「委員長」には、当該委員長が事故の場合の本職務代理者も含まれる。

第147条（委員の任命）

（委員の任命）

第147条　委員は、(1) 電気通信事業、電波の利用又は放送の業務に関して優れた識見を有する者のうちから、(2) 両議院の同意を得て、総務大臣が任命する。

2　委員の任期が満了し、又は欠員が生じた場合において、国会の閉会又は衆議院の解散のために両議院の同意を得ることができないときは、総務大臣は、前項の規定にかかわらず、同項に定める資格を有する者のうちから、委員を任命することができる。

3　前項の場合においては、任命後最初の国会で両議院の事後の承認を得なければならない。この場合において、両議院の事後の承認を得られないときは、総務大臣は、直ちにその委員を罷免しなければならない。

第147条・第148条

追加　平成13年法律第 62号
第88条の5繰下げ　平成15年法律第125号
改正　平成19年法律第136号
平成22年法律第 65号

1　概　要

電気通信紛争処理委員会の委員の任命方法を定めたものである。委員たるにふ
さわしい人格等の要件や任命に国会の衆参両議院の同意が必要であることを規定
し、さらに、国会閉会中等において任命された委員が両議院の事後の承認が得ら
れない場合は直ちに罷免しなければならない規定を設けている。

2　条文内容

〔第1項〕

(1)　**電気通信事業、電波の利用又は放送の業務に関して優れた識見を有する者**

委員の任命に当たって委員たるにふさわしい要件を定めたものである。委員
の要件には、電気通信紛争処理委員会の設置の趣旨・目的に照らし、電気通信
事業に関する紛争、無線局の開設に関する紛争及び一般放送事業者による地上
基幹放送の再放送に関する紛争について複雑かつ高度な事件を扱い、適切な判
断を行うことが可能な相当の判断力・専門性が求められていることから、「電
気通信事業、電波の利用又は放送の業務に関して優れた識見を有する者」とし
ている。

(2)　**両議院の同意を得て、総務大臣が任命**

電気通信紛争処理委員会には、中立的な立場で紛争処理を行い、公正で適切
な判断を行うことが強く求められる。そのため、総務大臣（許認可部門）から
の独立性・中立性を確保する必要性が特に高いことから、両議院の同意を経る
ことによって、委員会の構成員の任命についての総務大臣の裁量権を制約し、
委員会の独立性・中立性を人的構成の面から担保することとしている。

第148条（任期）

（任期）
第148条　委員の任期は、3年とする。ただし、補欠の委員の任期は、前任
者の残任期間とする。

第148条・第149条

2　委員は、再任されることができる。

3　委員の任期が満了したときは、当該委員は、後任者が任命されるまで引き続きその職務を行うものとする。

追加　平成13年法律第 62号
第88条の6繰下げ　平成15年法律第125号

概　要

　電気通信紛争処理委員会の委員の任期は3年として、補欠により選任された委員の任期は、前任者の残任期間とすることを定めている。また、委員は、再任されることができることとし、任期が満了したときは、当該委員は、後任者が任命されるまで引き続きその職務を行うこととしている。

第149条（委員の罷免）

（委員の罷免）

第149条　総務大臣は、委員が心身の故障のため職務の遂行ができないと認める場合又は (1) 委員に職務上の義務違反その他委員たるに適しない非行があると認める場合においては、(2) 両議院の同意を得て、これを罷免することができる。

追加　平成13年法律第 62号
第88条の7繰下げ　平成15年法律第125号

1　概　要

　総務大臣は、委員が心身の故障のため職務の遂行ができないと認める場合又は委員に委員たるに適しない非行があると認める場合においては、両議院の同意を得て、これを罷免することができることを定めている。

2　条文内容

(1)　委員に職務上の義務違反その他委員たるに適しない非行があると認める場合

　委員の罷免事由となる委員たるに適しない要件について定めている。この要

702

件に当たる場合としては、第150条に規定する服務規定（①秘密漏えいの禁止、②政治活動の禁止、③金銭上の利益を目的とする業務の禁止（常勤委員に限る。））に違反した場合のほか、紛争事案について不当に一方当事者に有利な判断を行う等の行為があった場合、破産宣告を受けた場合、拘禁刑（令和4年法律第67号の施行後。）等に処せられた場合等が考えられる。

(2) 両議院の同意を得て、これを罷免することができる

委員の罷免は、総務大臣が行うことができるが、総務大臣が恣意的に委員を罷免することがないよう、任命時と同様に、衆参両議院の同意を得た上で罷免することとしている。

第150条（委員の服務）

（委員の服務）

第150条　委員は、職務上知ることのできた秘密を漏らしてはならない。その職を退いた後も同様とする。

2　委員は、在任中、政党その他の政治的団体の役員となり、又は積極的に政治運動をしてはならない。

3　常勤の委員は、在任中、総務大臣の許可のある場合を除くほか、報酬を得て他の職務に従事し、又は営利事業を営み、その他金銭上の利益を目的とする業務を行つてはならない。

追加　平成13年法律第 62号
第88条の8線下げ　平成15年法律第125号

概　要

就任について両議院の同意によることを必要とする職員である委員は、特別職の国家公務員である（国家公務員法（昭和22年法律第120号）第2条第3項）ことから、一般の国家公務員に適用される国家公務員法の服務規定（同法第96条から第106条まで）は適用されないため、同法に準じた服務規定として、①秘密漏えいの禁止、②政治活動の禁止、③金銭上の利益を目的とする業務の禁止（常勤委員に限る。）を定めるものである。

第151条・第152条

第151条（委員の給与）

（委員の給与）
第151条　委員の給与は、別に法律で定める。

追加　平成13年法律第 62号
第88条の9繰下げ　平成15年法律第125号

概　要

　就任について国会の両議院の同意によることを必要とする職員である委員は、特別職の国家公務員である（国家公務員法第2条第3項）ことから、別の法律（特別職の職員の給与に関する法律（昭和24年法律第252号））において、給与を定める旨を規定したものである。

第152条（事務局）

（事務局）
第152条　(1)委員会の事務を処理させるため、委員会に事務局を置く。
2　事務局に、(2)事務局長のほか、所要の職員を置く。
3　事務局長は、委員長の命を受けて、局務を掌理する。

追加　平成13年法律第 62号
第88条の10繰下げ　平成15年法律第125号

1　概　要

　電気通信紛争処理委員会がその事務を行うに際しては、調査等相当量の補助的な事務が発生する。また、委員会の委員は、許認可部門から独立して、公正・中立な立場で職権を行使する必要がある。これらに鑑み、委員会の直接の指揮監督に服する職員により構成される事務局を設置するものである。

704

2 条文内容

〔第1項〕

(1) 委員会の事務

　電気通信紛争処理委員会の事務局が担うべき事務の具体例としては、委員会運営事務（委員会の開催の庶務、委員手当の精算等）、紛争処理手続の補助（あっせん等に係る申請書類の受理、書類の形式審査や調書作成等における委員の補助）、委員会が行う調査事務の補助が想定される。

〔第2項〕

(2) 事務局長のほか、所要の職員を置く

　事務局には、職員として、事務局長（関係のある他の職を占める者の充て職）、参事官等が置かれている（委員会令第4条、第4条の2及び第4条の3）。

第153条（政令への委任）

> （政令への委任）
> 第153条　この節に規定するもののほか、(1) 委員会に関し必要な事項は、政令で定める。

　　　　　　　　　　　　　　　　　追加　平成13年法律第 62号
　　　　　　　　　　　第88条の11繰下げ　平成15年法律第125号

1 概　要

　本条は、電気通信紛争処理委員会に関する事項の政令委任規定である。

2 条文内容

(1) 委員会に関し必要な事項

　政令に委任して規定される電気通信紛争処理委員会に関する事項として、具体的には、あっせん・仲裁に参与し特別の事項を調査審議する特別委員の設置・任命・任期等に関する事項、会議や資料提出等の要求に関する事項、事務局長や参事官など事務局の内部組織に関する事項、委員会の運営に関し必要な事項の決定に関する事項があり、これらについては、委員会令の規定において定められている。

第153条

　委員会令第16条の規定は、委員会の運営に関し必要な事項は、同令に定めるもののほか、委員長が委員会に諮って定めることとしており、これに基づいて、委員会決定として、運営規程における委員会関係規定が定められている。

電気通信紛争処理委員会令（平成13年政令第362号）（抄）
　（特別委員）
第1条　電気通信紛争処理委員会（以下「委員会」という。）に、あっせん若しくは仲裁に参与させ、又は特別の事項を調査審議させるため、特別委員を置くことができる。
2　特別委員は、電気通信事業、電波の利用又は放送の業務に関して優れた識見を有する者のうちから、総務大臣が任命する。
3　特別委員の任期は、2年とする。
4　特別委員は、再任されることができる。
5　特別委員は、非常勤とする。
　（会議）
第2条　委員会は、委員長が招集する。
2　委員会は、委員の過半数が出席しなければ、会議を開き、議決することができない。
3　委員会の議事は、出席した委員の過半数でこれを決し、可否同数のときは、委員長の決するところによる。
　（資料の提出等の要求）
第3条　委員会は、その所掌事務を遂行するため必要があると認めるときは、関係行政機関の長又は関係都道府県知事に対し、資料の提出、意見の開陳、説明その他必要な協力を求めることができる。
　（事務局長）
第4条　委員会の事務局長は、関係のある他の職を占める者をもって充てられるものとする。
　（参事官）
第4条の2　委員会の事務局に、参事官1人を置く。
2　参事官は、命を受けて局務に関する重要事項の調査審議に参画する。
　（事務局の内部組織の細目）
第4条の3　前2条に定めるもののほか、委員会の事務局の内部組織の細目

第153条

は、総務省令で定める。
（委員会の運営）
第16条　この政令に定めるもののほか、議事の手続その他委員会の運営に
　　関し必要な事項は、委員長が委員会に諮って定める。

第154条

第2節　あっせん及び仲裁
第154条（電気通信設備の接続に関するあっせん）

（電気通信設備の接続に関するあっせん）

第154条　(1) 電気通信事業者間において、その一方が電気通信設備の接続に関する協定の締結を申し入れたにもかかわらず他の一方がその協議に応じず、若しくは当該協議が調わないとき、又は電気通信設備の接続に関する協定の締結に関し、当事者が取得し、若しくは負担すべき金額若しくは接続条件その他協定の細目について当事者間の協議が調わないときは、当事者は、委員会に対し、あっせんを申請することができる。(2) ただし、当事者が第35条第1項若しくは第2項の申立て、同条第3項の規定による裁定の申請又は次条第1項の規定による仲裁の申請をした後は、この限りでない。

2　委員会は、(3) 事件がその性質上あっせんをするのに適当でないと認めるとき、又は (4) 当事者が不当な目的でみだりにあっせんの申請をしたと認めるときを除き、あっせんを行うものとする。

3　委員会によるあっせんは、(5) 委員会の委員その他の職員（委員会があらかじめ指定する者に限る。次条第3項において同じ。）　のうちから委員会が事件ごとに指名するあっせん委員が行う。

4　あっせん委員は、当事者間をあっせんし、双方の主張の要点を確かめ、事件が解決されるように努めなければならない。

5　あっせん委員は、(6) 当事者から意見を聴取し、又は当事者に対し報告を求め、事件の解決に必要なあっせん案を作成し、これを当事者に提示することができる。

6　あっせん委員は、あっせん中の事件について、当事者が第35条第1項若しくは第2項の申立て、同条第3項の規定による裁定の申請又は次条第1項の規定による仲裁の申請をしたときは、当該あっせんを打ち切るものとする。

追加　平成13年法律第 62号
第88条の12繰下げ改正　平成15年法律第125号

1 概　要

　電気通信事業者間の電気通信設備の接続に関する紛争において、一方の当事者が協議自体を拒否していることにより当事者間の話し合いを行うことができない場合、協議は開始したものの協議が調わない場合や協議をしたが協定の細目について協議が調わない場合において、電気通信紛争処理委員会が両者間を仲介して当事者相互の歩み寄りができるよう、あっせんをすることにより、紛争の迅速な解決を図ろうとするものである。

2 条文内容

〔第1項〕

　当事者相互の歩み寄りが期待できる軽度な紛争において、公正・中立的な第三者である電気通信紛争処理委員会があっせんを行うことにより自主的な解決に導くことを企図した手続を設けている。

　委員会の電気通信設備の接続に関するあっせんは、①電気通信設備の接続に関する協定の締結を申し入れたにもかかわらず相手方がその協議に応じない場合、②協議は開始したものの協議が調わない場合及び③協定の細目について当事者間の協議が調わない場合のいずれにおいても、申請することができることとしている。①及び②は、第35条第1項及び第2項の協議命令申立ての要件と同じであり、③は、第35条第3項の裁定申請の要件と同じである。

　このあっせんは、当事者間の紛争について新たな合意点が見つかるようあっせん委員が協力し、合意点が見つかった場合には、その条件で事件の解決を図るというものであり、強制的な効果は有していない。

　あっせんの申請に関する手続については、あっせんの申請があった場合には委員会が相手方に対して遅滞なく通知すること等が政令で定められている（委員会令第5条及び第15条）。

電気通信紛争処理委員会令（平成13年政令第362号）（抄）

（あっせんの通知）

第5条　委員会は、当事者の一方からあっせんの申請がなされたときは、その写しを添えて、その相手方に対し、遅滞なく、総務省令で定めるところにより、その旨を通知しなければならない。

第154条

> （あっせん及び仲裁の申請手続）
> 第15条 事業法第154条第1項（事業法第156条第1項及び第2項におい
> て準用する場合を含む。）、第157条第1項及び第157条の2第1項、電波
> 法第27条の38第1項及び第2項並びに放送法第142条第1項の規定によ
> るあっせん並びに事業法第155条第1項（事業法第156条第1項及び第2
> 項において準用する場合を含む。）、第157条第3項及び第157条の2第3
> 項、電波法第27条の38第4項並びに放送法第142条第3項の規定による
> 仲裁の申請書の様式その他申請手続について必要な事項は、総務省令で定
> める。

(1) 電気通信事業者間において

　　電気通信紛争処理委員会による電気通信設備の接続に関するあっせんは、全
ての電気通信事業者間における紛争を扱うこととする。

　　これは、電気通信事業者間における接続協定は、事業者の業態の別にかかわ
らず、いかなる電気通信事業者間においても締結される場合があり、また、協
定を締結する場合に紛争が生じることがあり得ることから、これを解決するた
めのあっせんについても、全ての電気通信事業者間について需要があることに
よるものである。

(2) ただし、当事者が第35条第1項若しくは第2項の申立て、同条第3項の規
定による裁定の申請又は次条第1項の規定による仲裁の申請をした後は、この
限りでない

　　当事者が第35条第1項又は第2項の協議命令の申立て、同条第3項の細目
の裁定の申請、第155条第1項の仲裁の申請をしているときには、あっせんの
申請をすることができないこととしている。

　　総務大臣の協議命令、細目の裁定、委員会の仲裁判断は両当事者を拘束する
ため、上記申立て、申請がなされたことによりその紛争は解決されることが予
定されるところであり、委員会によるあっせんは要しないからである。

〔第2項〕

　　電気通信紛争処理委員会は、あっせんの申請が、その性質上適当でないと認め
るとき、又は不当な目的でみだりになされたと認めるときを除き、あっせんを行
うものとしている。委員会は、あっせんをしないときや、打ち切ったときは、当
事者に対して遅滞なく通知を行うこととされている（委員会令第6条）。

710

第154条

電気通信紛争処理委員会令（平成13年政令第362号）(抄)

（あっせんをしない場合等の通知）

第6条 委員会は、電気通信事業法（以下「事業法」という。）第154条第
2項（事業法第156条第1項及び第2項、第157条第2項並びに第157条
の2第2項、電波法（昭和25年法律第131号）第27条の38第3項並びに
放送法（昭和25年法律第132号）第142条第2項において準用する場合
を含む。）の規定によりあっせんをしないものとしたときは、当事者に対
し、遅滞なく、総務省令で定めるところにより、その旨を通知しなければ
ならない。当事者間に合意が成立する見込みがない場合においてあっせん
を打ち切ったときも、同様とする。

---

(3) 事件がその性質上あつせんをするのに適当でないと認めるとき

当事者の相手方があっせんを拒否するなど、当事者の互譲による妥協の余地
が全くない場合を含め、両当事者の対立が激しいために手続が進められないこ
とが明らかな場合等をいう。

(4) 当事者が不当な目的でみだりにあつせんの申請をしたと認めるとき

あっせんの申請が形式的には紛争の解決を求める形を採っているが、実質的
には別の不当な目的を狙いとしていることが明確な場合、つまりあっせん制度
の濫用にわたる場合をいう。例えば、申請の目的が紛争の解決を求めるのでは
なく、感情的なもつれに起因する単なる嫌がらせである場合、申請により相手
方の社会的信用を低下させることを目的としている場合、事件の解決について
その引き延ばしを図る目的で申請をした場合等がこれに該当する。

〔第3項〕

電気通信紛争処理委員会によるあっせんは、5人の合議体としての委員会が行
うのではなく、事件ごとにあっせん委員として指名された者が、委員会の名で行
うこととしている。事件の内容・性質に応じて、1名から複数名まで、委員会が
適当と考えた人数のあっせん委員を指名することとなる。

あっせん委員は、事件ごとに委員会の指名を受けてあっせんを実施することと
なるのであり、委員会が当該事件に関与すること（例えば、当該事件の当事者に
報告を求めたり、あっせん委員に対してあっせん案の提示を指示したりするこ
と）は予定されない。

711

第154条

　あっせん委員の行うあっせん手続は、原則として非公開とされている。ただし、あっせん委員は、相当と認める者に傍聴を許すことができる（委員会令第13条）。

電気通信紛争処理委員会令（平成13年政令第362号）（抄）
（あっせん及び仲裁の手続の非公開）
第13条　あっせん委員の行うあっせん及び仲裁委員の行う仲裁の手続は、公開しない。ただし、あっせん委員又は仲裁委員は、相当と認める者に傍聴を許すことができる。

---

(5)　**委員会の委員その他の職員（委員会があらかじめ指定する者に限る。・・・）**
　電気通信紛争処理委員会のあっせんは、委員会の委員が行うことを基本とするが、事件によっては極めて専門的であったり、また、逆に軽微なものであったりすること等が想定され、更に委員会が同時に数多くの事件を処理することも想定される。そのため、あっせん委員として指名できる者を委員に限定せず、委員会の職員の中から委員会があらかじめ指定する職員をあっせん委員として指名できるように規定している。

　委員及び委員会令第1条の規定により置かれている特別委員は、あらかじめこの指定を受けることで、あっせん委員として指名される対象となる。

〔第5項〕
(6)　**当事者から意見を聴取し、又は当事者に対し報告を求め、事件の解決に必要なあつせん案を作成**
　一般的に、両当事者の互譲によって紛争を解決する手続として、あっせん及び調停があり、あっせんは当事者の話し合いの促進による紛争解決、調停は解決案（調停案）の受諾による紛争解決に重きをおいた制度であるが、あっせんにおいても当事者の話し合いの状況次第では、追加的に解決案の提示を希望する場合が想定される。このため、申請及び手続を別として、あっせんと調停を別個に並置する必要性は低いことから、あっせんにおいて委員会からあっせん案の提示ができるよう規定したものであり、実質的にあっせん制度として、あっせん及び調停が行い得るものとなっている。

　あっせん案を提示する場合には、その内容が事実関係を正確に踏まえたものとなるよう、あっせん案を提示する前に、当事者からの意見及び報告の聴取を行うものとしている。

第154条・第155条

〔第6項〕

　あっせん中の事件について、当事者が第35条第1項・第2項の協議命令の申立て、同条第3項の細目の裁定の申請、第155条第1項の仲裁の申請をしたときには、あっせんを打ち切るものとしている。

　総務大臣の協議命令、細目の裁定、委員会の仲裁判断は両当事者を拘束するため、上記申立て、申請がなされたことによりその紛争は解決されることが予定されるところであり、委員会によるあっせんは要しないからである。

第155条（電気通信設備の接続に関する仲裁）

（電気通信設備の接続に関する仲裁）

第155条　(1)電気通信事業者間において、電気通信設備の接続に関する協定の締結に関し、当事者が取得し、若しくは負担すべき金額又は接続条件その他協定の細目について当事者間の協議が調わないときは、当事者の双方は、委員会に対し、仲裁を申請することができる。ただし、当事者が第35条第1項若しくは第2項の申立て又は同条第3項の規定による裁定の申請をした後は、この限りでない。

2　委員会による仲裁は、3人の仲裁委員が行う。

3　仲裁委員は、(2)委員会の委員その他の職員のうちから　(3)当事者が合意によつて選定した者につき、委員会が指名する。ただし、(4)当事者の合意による選定がなされなかつたときは、委員会の委員その他の職員のうちから委員会が指名する。

4　仲裁については、この条に別段の定めがある場合を除いて、仲裁委員を仲裁人とみなして、仲裁法（平成15年法律第138号）の規定を準用する。

追加　平成13年法律第 62号
第88条の13繰下げ改正　平成15年法律第125号
改正　平成15年法律第138号

1　概　要

　電気通信事業者間の電気通信設備の接続に関する紛争の解決が円滑に図られるよう、あっせん手続に加え、仲裁手続を設けるものである。当事者間の協議がまとまらない場合に電気通信紛争処理委員会が当事者双方に歩み寄りを促すあっせ

第155条

んに加え、仲裁判断で当事者間において確定判決と同一の効力が発生し、その命ずる給付については、執行決定により強制執行の対象となる仲裁手続を設けることにより、紛争事案の程度に応じた多様な処理手続を選択することが可能となっている。

仲裁については、本条に別段の定めがある場合を除いて、仲裁法（平成15年法律第138号）の規定を準用することとしている。電気通信紛争処理委員会では、同法が当事者間の合意によることができるとしている事項について、当事者間に別段の合意がない場合に適用される手続等を定めた仲裁準則を制定している。

2 条文内容

〔第1項〕

仲裁手続は、当事者間の紛争を第三者の判断により解決するものであって、当事者間において第三者の仲裁判断に服することが事前に合意されていることを要件とするものである。

あっせんと異なり、仲裁は仲裁判断によって解決が図られた場合、当事者はこの判断に不服があってもこれに服する義務がある（裁判所による確定判決と同一の効力を有し、仲裁判断に不満があっても、手続上の瑕疵がある場合を除いては訴訟提起することはできない。）ことから、当事者の意思に基づかないで強制的に開始されることはなく、当事者双方の合意（仲裁契約）に基づき仲裁の申請が行われた場合にのみ開始されるため、当事者の双方から申請を行うこととしている。

また、仲裁の申請ができるのは、協定の細目について当事者間の協議が調わない場合に限るものであり、当事者の一方が協議に応じない場合には当事者の合意があるとは認められないことから、仲裁の対象とはしないものである。

> 電気通信紛争処理委員会令（平成13年政令第362号）（抄）
>
> 　（あっせん及び仲裁の申請手続）
>
> 　第15条　〔第154条の解説を参照のこと〕

(1) 電気通信事業者間において

電気通信紛争処理委員会による電気通信設備の接続に関する仲裁は、あっせんと同様、全ての電気通信事業者間における紛争を扱うこととしている。

714

第155条

　これは、電気通信事業者間における接続協定は、事業者の業態の別にかかわらず、いかなる電気通信事業者間においても締結される場合があり、また、協定を締結する場合に紛争が生じることがあり得ることから、これを解決するための仲裁についても、全ての電気通信事業者間について需要があることによるものである。

〔第２項〕
　電気通信紛争処理委員会の仲裁は、第３項の規定により指名される３名の仲裁委員が行う。仲裁委員を３名とするのは、仲裁はその判断に確定判決と同一の効力が与えられるため慎重に判断をすることが求められること、仲裁法第37条第２項の規定により、原則として、合議体である仲裁廷の議事は、仲裁廷を構成する仲裁人の過半数をもって決するとされている（仲裁準則においても、第17条第３項に同様の規定が設けられている。）ことによる。

　あっせんの場合と同様に、委員会による仲裁は、３名の仲裁委員に委ねられることから、これとは別に合議体としての委員会が当該仲裁に係る事件に関与することは予定されない。

　仲裁委員が死亡、罷免、辞任等の理由により欠けた場合には、委員会は、当事者に対し、遅滞なくその旨を通知し、後任の仲裁委員を通常の仲裁委員の選定・指名と同様の手続で選定・指名する（委員会令第10条）。

　仲裁委員は、必要があると認めるときは、当事者の申出により、相手方の所持する事件に関係のある文書又は物件を提出させることができる（委員会令第11条）。

　仲裁委員の行う仲裁手続は、原則として非公開としている。ただし、仲裁委員は、相当と認める者に傍聴を許すことができる（委員会令第13条）。

　仲裁廷（本法による仲裁の場合、３名の仲裁委員の合議体をいう。）は、適当と認めるときは、当事者全員の合意を得て、仲裁の手続を分離し、又は併合することができる（運営規程第３条の４）。

　仲裁廷は、仲裁判断をするための審尋その他必要な調査を終了したときは、速やかに、仲裁判断をする（委員会令第12条）。仲裁判断には次の事項が記載される（運営規程第８条本文）。ただし、④及び⑤については、当事者がこの記載を要しない旨を特に合意している場合及び当事者間で仲裁を求める事項の全部又は一部について和解が成立した場合には、記載されない（運営規程第８条第１項ただし書及び第２項）。

715

第155条

① 当事者の氏名（当事者が法人であるときは、その名称及び代表者の氏名）及び住所
② 代理人があるときは、その氏名及び住所
③ 主文
④ 事実
⑤ 理由
⑥ 仲裁判断の年月日及び仲裁地

電気通信紛争処理委員会令（平成13年政令第362号）（抄）

（仲裁委員が欠けた場合の措置）

第10条　委員会は、仲裁委員が死亡、罷免、辞任その他の理由により欠けた場合においては、当事者に対し、遅滞なく、総務省令で定めるところにより、その旨を通知しなければならない。

2　前2条の規定は、仲裁委員が欠けた場合における後任の仲裁委員となるべき者の選定及び後任の仲裁委員の指名について準用する。

（文書及び物件の提出）

第11条　仲裁委員は、仲裁を行う場合において必要があると認めるときは、当事者の申出により、相手方の所持する当該仲裁に係る事件に関係のある文書又は物件を提出させることができる。

（仲裁判断の作成）

第12条　仲裁委員は、仲裁判断をするための審尋その他必要な調査を終了したときは、速やかに、仲裁判断をしなければならない。

（あっせん及び仲裁の手続の非公開）

第13条　［第154条の解説を参照のこと］

〔第3項〕

本項は、仲裁委員の指名について規定する。

(2) 委員会の委員その他の職員

この「委員会の委員その他の職員」は、前条の規定により、委員会があらかじめ指定する者に限られている。

電気通信紛争処理委員会の仲裁は、委員会の委員が行うことを基本とするが、事件によっては極めて専門的であったり、また、逆に軽微なものであったりす

ること等が想定され、更に委員会が同時に数多くの事件を処理することも想定
される。そのため、仲裁委員として指名できる者を委員に限定せず、委員会の
職員の中から委員会があらかじめ指定する職員を仲裁委員として指名できるよ
うに規定している。

　委員及び委員会令第1条の規定により置かれている特別委員は、あらかじめ
この指定を受けることで、仲裁委員として指名される対象となる。

(3)　**当事者が合意によって選定した者につき、委員会が指名する**

　仲裁委員の指名については、まず、当事者がお互いの合意によって選定した
者につき委員会が指名する手続が執られる。

　この選定のために、両当事者の仲裁の申請を受け、電気通信紛争処理委員会
は、あらかじめ指定された委員その他の職員の「氏名及び職業」、「経歴」、「任
命及び任期満了の年月日」が記載された名簿の写しを両当事者に送付する（委
員会令第7条及び第8条第1項並びに委員会手続規則第2条）。

　両当事者は、送付された名簿に記載された委員その他の職員のうちから仲裁
委員となるべき者を選定する。両当事者が共同で選定する場合は共同で選定し
た者について、別々に選定する場合は各々が選定した者のうち一致した者につ
いて、それぞれ合意があったと解される。ただし、3名を超える者について合
意があった場合については、全体として無効となる。

　両当事者は、仲裁委員となるべき者の選定をしたときは、その氏名を名簿の
写しの送付を受けた日から2週間以内に委員会に対し通知する（委員会令第8
条第2項）。

電気通信紛争処理委員会令（平成13年政令第362号）（抄）
　（名簿の作成）
第7条　委員会は、事業法第155条第3項（事業法第156条第1項及び第2
　　項、第157条第4項並びに第157条の2第4項、電波法第27条の38第5
　　項並びに放送法第142条第4項において準用する場合を含む。第9条にお
　　いて同じ。）の規定による委員会の委員その他の職員の名簿を作成しなけ
　　ればならない。
2　　前項の名簿の記載事項は、総務省令で定める。
　（仲裁委員の選定等）
第8条　委員会は、仲裁の申請があったときは、当事者に対して前条第1項

第155条

　の名簿の写しを送付しなければならない。
2　当事者が合意により仲裁委員となるべき者を選定したときは、総務省令
　で定めるところにより、その者の氏名を前項の名簿の写しの送付を受けた
　日から2週間以内に委員会に対し通知しなければならない。
3　前項の期間内に同項の規定による通知がなかったときは、当事者の合意
　による選定がなされなかったものとみなす。

(4)　当事者の合意による選定がなされなかつたときは、委員会の委員その他の職
　員のうちから委員会が指名する
　　両当事者からの仲裁委員の選定についての通知が期間内になかったときは、
　当事者の合意による選定がなされなかったものとみなされる（委員会令第8条
　第3項）。仲裁委員の選定がなされなかった場合、これが行われないことをもっ
　て仲裁手続が行われないこととするのは適当でないため、仲裁委員を委員その
　他のあらかじめ指定された職員のうちから委員会が指名することにより仲裁手
　続を始めるものである。
　　その場合、指名に当たっては、委員会は、事件の性質、当事者の意思等を勘
　案するものとされている（委員会令第9条第2項）。各当事者は、仲裁委員に
　指名されることが適当でないと認める委員その他のあらかじめ指定された職員
　があるときは、あらかじめ、その氏名を名簿の写しの送付を受けた日から2週
　間以内に理由を付して委員会に通知することができる（委員会令第9条第1項
　及び委員会手続規則第1条第2項）。委員会による仲裁委員の指名に当たって
　は、これが勘案されることとなるが、これに拘束されるわけではない。
　　当事者たる法人の役員である等、当事者と特別の利害関係がある委員・特別
　委員に対しては、指名はなされない（運営規程第3条第1項）。委員・特別委
　員は、自己の公平性又は独立性に疑いを生じさせるおそれのある事情がある場
　合には、事件の担当を回避すべき旨を委員会に申し出なければならない（運営
　規程第3条の2）。
　　委員会は、仲裁委員を指名したときは、当事者に対し、その氏名を通知する
　（委員会令第9条第2項）。

電気通信紛争処理委員会令（平成13年政令第362号）（抄）
第9条　当事者の合意による仲裁委員となるべき者の選定がなされない場合

第155条

において、各当事者は、仲裁委員に指名されることが適当でないと認める事業法第155条第3項に規定する委員会の委員その他の職員があるときは、総務省令で定めるところにより、その者の氏名を前条第2項に規定する期間内に委員会に対し通知することができる。

2　委員会は、事業法第155条第3項ただし書の規定により仲裁委員を指名するに当たっては、当該事件の性質、当事者の意思等を勘案してするものとし、仲裁委員を指名したときは、当事者に対し、遅滞なく、総務省令で定めるところにより、その者の氏名を通知しなければならない。

〔第4項〕

電気通信紛争処理委員会による仲裁について、本条に定めがある場合を除いて、仲裁法を準用することとしている。具体的には、仲裁法第1条から第15条まで、第18条から第21条まで、第23条から第46条まで、第48条及び第49条の規定が準用されることとなる。ここで、仲裁準則に規定される事項は、当事者間で別段の合意がない場合には、その規定が適用される。

準用される仲裁法の規定による手続等の主な内容（仲裁準則の規定が適用される場合）は、次のとおり。

【仲裁委員・仲裁廷に関する事項】

①　仲裁委員の忌避

当事者は、仲裁人が1）当事者の合意により定められた仲裁委員の要件を具備しないとき、2）仲裁委員の公正性又は独立性を疑うに足りる相当な理由があると認めるときは、当該仲裁人を忌避することができる（仲裁法第18条第1項）。ただし、仲裁委員を選定し、又は当該仲裁委員の指名について推薦その他これに類する関与をした当事者は、当該仲裁委員の指名の後に知った事由を忌避の原因とする場合でなければ、当該仲裁委員を忌避することができない（同法同条第2項）。

仲裁委員の忌避についての決定は、当事者の申立てにより、仲裁廷が行う（仲裁準則第3条第1項）。仲裁委員の忌避の申立ては、仲裁委員の指名があったことを知った日から15日以内に、忌避の原因を記載した申立書を仲裁廷に提出することにより行わなければならない。仲裁廷は、仲裁委員に忌避の原因があると認めるときは、当該仲裁委員を忌避することに理由があるとする決定をしなければならない（同準則同条第2項）。

719

第155条

② 仲裁委員解任の申立て

当事者は、仲裁委員が、1）法律上又は事実上その任務を遂行することができなくなったとき、2）その任務の遂行を不当に遅滞させたときは、裁判所に対し、仲裁委員の解任の申立てをすることができる。裁判所は、当該仲裁人にその申立てに係る事由があると認めるときは、当該仲裁人を解任する決定をしなければならない（仲裁法第20条）。

③ 仲裁廷の仲裁権限についての判断

仲裁廷は、自己の仲裁権限の有無についての判断を示すことができる（仲裁法第23条第1項）。

当事者は、仲裁廷が仲裁権限を有しない旨の主張をする場合、その原因となる事由が生じた後速やかにしなければならない（当該事由が仲裁手続の進行前に生じた場合には、最初の主張書面の提出の時（口頭審理において口頭で最初に本案についての主張をする時を含む。）までにこれをしなければならない）。ただし、その遅延について正当な理由があると仲裁廷が認めるときは、この限りでない（同法同条第2項及び第3項）。

仲裁廷は、上記の主張があったときは、仲裁廷に仲裁権限があると判断する場合には、仲裁判断前の独立の決定又は仲裁判断により、仲裁権限がないと判断する場合には、仲裁手続の終了決定により、その判断を示さなければならない（同法同条第4項）。

仲裁廷が仲裁判断前の独立の決定により仲裁権限がある旨の判断を示したときは、当事者は、当該決定の通知を受けた日から30日以内に、裁判所に対し、当該仲裁廷が仲裁権限を有するかどうかについての判断を求める申立てをすることができる（同法同条第5項）。

【仲裁手続の開始及び審理に関する事項】

① 暫定措置又は保全措置

仲裁廷は、当事者の一方の申立てにより、いずれの当事者に対しても、紛争の対象について仲裁廷が必要と認める暫定措置又は保全措置を講ずることを命ずることができる。その場合、仲裁廷は、相当な担保を提供することを命ずることができる（仲裁準則第4条）。

② 平等待遇

仲裁手続においては、当事者は、平等に取り扱われ、事案について説明する十分な機会が与えられる（仲裁法第25条）。

③　仲裁手続の方法

　　仲裁廷は、仲裁準則の規定に反しない限り、適当と認める方法によって仲裁手続を実施することができる。仲裁廷は、証拠に関し、証拠としての許容性、取調べの必要性、その証明力について判断することができる（仲裁準則第5条）。

④　異議権の放棄

　　当事者は、委員会の行う仲裁手続に適用される法令、委員会による決定又は当事者間の合意により定められた仲裁手続の準則（いずれも公の秩序に関しないものに限る。）が遵守されないことを知りながら、遅滞なく異議を述べないときは、異議を述べる権利を放棄したものとみなされる（仲裁準則第6条）。

⑤　仲裁地

　　仲裁地は、東京都とするが、1）仲裁廷の評議、2）当事者、鑑定人又は第三者の陳述の聴取、3）物又は文書の見分、4）これらのほか事実関係につき行う調査は、仲裁廷が適当と認めるいかなる場所においても行うことができる（仲裁準則第7条）。

⑥　仲裁手続の開始及び時効の中断

　　仲裁手続は、一方の当事者が他方の当事者に対し書面をもって仲裁手続に付する旨の通知をした日又は一方の当事者の申請を受けて委員会が他方の当事者に仲裁の申請があった旨の通知をした日のうち最も早い日に開始される（仲裁準則第8条）。後者の場合において、委員会が他方の当事者に仲裁の申請があった旨の通知をするときは、相当の期間を指定して、当該申請に係る事件を仲裁に付することに同意するかどうかを書面で回答すべきことを求めることができる（同準則第8条の2）。仲裁手続における請求は、当該仲裁手続が仲裁判断によらずに終了したときを除き時効の完成猶予及び更新の効力を生ずる（仲裁法第29条第2項）。

⑦　言語

　　1）口頭による手続、2）当事者が行う書面による陳述又は通知、3）仲裁廷が行う書面による決定（仲裁判断を含む。）又は通知は、日本語を使用して行う（仲裁準則第9条）。仲裁廷は、全ての証拠書類について、日本語による翻訳文を添付することを命ずることができる（仲裁法第30条第4項）。

⑧　当事者の陳述

　　仲裁廷は、全ての当事者に対し、仲裁申請書に記載した事項に加えて、自己

第155条

の主張、主張の根拠となる事実及び紛争の要点を、仲裁廷が定めた期間内に陳述することを命ずることができる。この場合、当事者は、取り調べる必要があると思料する全ての証拠書類を提出し、又は提出予定の証拠書類その他の証拠を引用することができる（仲裁準則第10条第1項）。

全ての当事者は、仲裁手続の進行中において、陳述の変更又は追加をすることができる。ただし、これが時機に後れてされたものであるときは、仲裁廷は、これを許さないことができる（同準則同条第2項）。

⑨　審理の方法

仲裁廷は、当事者に証拠の提出又は意見の陳述をさせるため、口頭審理を実施することができる。ただし、一方の当事者が口頭審理の実施の申立てをしたときは、仲裁廷は、仲裁手続における適切な時期に、口頭審理を実施しなければならない（仲裁準則第11条）。意見の聴取又は物若しくは文書の見分を行うために口頭審理を行うときは、仲裁廷は、当該口頭審理の期日までに相当な期間をおいて、当事者に対し、当該口頭審理の日時及び場所を通知しなければならない（仲裁法第32条第3項）。

当事者は、主張書面、証拠書類その他の記録を仲裁廷に提供したときは、他の当事者がその内容を知ることができるように措置しなければならない（同法同条第4項）。仲裁廷は、仲裁廷の決定の基礎となるべき鑑定人の報告その他の証拠資料の内容を、全ての当事者が知ることができるように措置しなければならない（同法同条第5項）。

⑩　証拠資料の閲覧

仲裁廷は、仲裁判断その他の仲裁廷の決定の基礎となるべき証拠資料の内容を、当事者が委員会の事務局において閲覧できるようにする（運営規程第8条の2）。当事者は、この閲覧により知り得た相手方当事者の秘密を漏らしてはならない（仲裁準則第12条）。

⑪　不熱心な当事者がいる場合の取扱い

仲裁廷は、一方の当事者が、正当な理由なく口頭審理の期日に出頭せず、又は証拠書類を提出しないときは、その時までに収集された証拠に基づいて、仲裁判断をすることができる（仲裁準則第13条第1項）。

仲裁廷は、文書又は物件の提出の申出を行った当事者の相手方の当事者が、正当な理由なく上記文書又は物件を提出しないときは、当該文書又は物件に関する当該申出を行った当事者の主張を真実と認めることができる（同準則同条

第155条

第2項）。

⑫　仲裁廷による鑑定人の選任等

　　仲裁廷は、鑑定人を選任し、必要な事項について鑑定をさせ、文書又は口頭によりその結果を報告させることができる（仲裁準則第14条第1項）。この場合、仲裁廷は、当事者に対し、鑑定人への必要な情報の提供や文書その他の物の提出等を求めることができる（同準則同条第2項）。

　　当事者の求めがあるとき、又は仲裁廷が必要と認めるときは、鑑定人は、上記報告をした後、口頭審理の期日に出頭しなければならない。当事者は、この口頭審理の期日において、鑑定人に質問をしたり、専門的知識を有する者に鑑定に係る事項について陳述をさせたりすることができる（同準則同条第3項及び第4項）。

⑬　裁判所により実施する証拠調べ

　　仲裁廷又は当事者は、裁判所に対し、調査の嘱託、証人尋問、鑑定等の実施を求める申立てをすることができる（仲裁準則第15条）。当事者がこの申立てをするには、仲裁廷の同意を要する（仲裁法第35条第2項）。この申立てについての決定に対しては、即時抗告をすることができる（同法同条第4項）。申立てにより裁判所が証拠調べを実施するに当たり、仲裁委員は、文書を閲読し、検証の目的を検証し、又は裁判長の許可を得て証人若しくは鑑定人に対して質問をすることができる（同法同条第5項）。

【仲裁判断及び仲裁手続の終了に関する事項】

①　仲裁判断において準拠すべき法

　　仲裁廷は、仲裁手続に付された紛争に最も密接な関係がある法令であって事案に直接適用されるべきものを適用する（仲裁準則第16条）。仲裁廷は、当事者双方の明示された求めがあるときは、衡平と善により、判断する（仲裁法第36条第3項）。仲裁手続に付された民事上の紛争に係る契約があるときは、これに定められたところにしたがって判断し、当該民事上の紛争に適用することができる慣習があるときはこれを考慮する（同法同条第4項）。

②　仲裁廷の議事

　　仲裁の審理の指揮を行い、仲裁手続における手続上の事項を決する仲裁廷の長は、委員会が、仲裁委員のうちから指名する（仲裁準則第17条第1項、第2項及び第4項）。手続上の事項以外の仲裁廷の議事は、過半数で決する（同準則同条第3項）。

723

③　和解案の提示

　　仲裁廷（又は仲裁廷が選任した1人又は2人の仲裁委員）は、当事者双方の書面による承諾がある場合には、仲裁を求める事項の全部又は一部について、両当事者に和解案を提示することができる（運営規程第7条及び仲裁準則第18条）。仲裁を求める事項の全部又は一部について和解が成立し、かつ、当事者双方の申立てがあったときは、仲裁廷はその和解の内容を仲裁判断とすることができる（運営規程第8条第2項）。

④　仲裁判断

　　仲裁判断の通知は、仲裁人の署名のある仲裁判断書の写しの送付によってなされ（仲裁法第39条第5項）、その成立後は、当該仲裁手続内では取り消されることはなくなる（不服申立て等の手続はない）。

　　仲裁判断には、公の秩序又は善良の風俗に反する等の場合でない限り、確定判決と同一の効力が発生し、後の訴訟においても判断の基準となる（同法第45条第1項及び第2項）。

　　仲裁判断が命ずる給付については、執行決定を得ることにより強制執行の対象となる（同法第46条第1項及び民事執行法（昭和54年法律第4号）第22条第6号の2）。

⑤　仲裁手続の終了

　　仲裁廷が仲裁判断又は仲裁手続の終了決定を行ったときに、仲裁手続は終了する（仲裁法第40条第1項）。

　　仲裁廷は、次の事由がある場合には、仲裁判断を行うことなく仲裁手続の終了決定をする（同法第23条第4項、第33条第1項及び第40条第2項）。

ア　仲裁廷が仲裁権限を有しない旨の判断を示すとき。

イ　当事者のうち先に仲裁申請を行った者が、仲裁廷に、仲裁申請書に記載した事項に加えて、自己の主張、主張の根拠となる事実及び紛争の要点を、仲裁廷が定めた期間内に陳述することを命じられたのにもかかわらず、正当な理由なくこれにしたがわなかったとき。

ウ　当事者のうち先に仲裁申請を行った者が申請を取り下げたとき（相手方当事者が取下げに異議を述べ、かつ、仲裁手続に付された民事上の紛争の解決について相手方当事者が正当な利益を有すると仲裁廷が認めるときを除く）。

エ　当事者の双方が申請を取り下げたとき。

オ　当事者間に和解が成立したとき（和解の内容を仲裁判断とするときを除

く）。

カ　その他、仲裁廷が、仲裁手続を続行する必要がなく、又は仲裁手続を続行することが不可能であると認めたとき。

⑥　仲裁手続終了後の手続

仲裁手続の終了後も、仲裁廷は、仲裁判断の訂正、仲裁判断の解釈、追加仲裁判断をすることができる（仲裁法第40条第3項）。

⑦　仲裁判断の訂正

仲裁廷は、当事者が仲裁判断の通知を受けた日から30日以内に行う申立てにより又は職権で、仲裁判断における計算違い、誤記その他これらに類する誤りを訂正することができる（仲裁法第41条第1項及び仲裁準則第19条）。

当事者は、仲裁判断の訂正の申立てをするときは、あらかじめ、又は同時に、他の当事者に対して、申立て内容の通知を発しなければならない（仲裁法第41条第3項）。

当事者からの申立てがあった場合には、仲裁廷は、30日以内（必要に応じて延長する。）に、仲裁判断の訂正の決定又は申立てを却下する決定をする（同法同条第4項及び第5項）。

⑧　仲裁判断の解釈

仲裁廷は、当事者が仲裁判断の通知を受けた日から30日以内に行う申立てにより、仲裁判断の特定部分の解釈をする（仲裁法第42条第1項並びに仲裁準則第20条第1項及び第2項）。

当事者は、仲裁判断の解釈の申立てをするときは、あらかじめ、又は同時に、他の当事者に対して、申立て内容の通知を発信しなければならない（仲裁法第42条第3項で準用する同法第41条第3項）。

当事者からの申立てがあった場合には、仲裁廷は、30日以内（必要に応じて延長する。）に、仲裁判断の解釈の決定又は申立てを却下する決定をする（同法第42条第3項で準用する同法第41条第4項及び第5項）。

⑨　追加仲裁判断

仲裁廷は、仲裁手続における申立てのうちに仲裁判断において判断が示されなかったものがあるときは、当事者が仲裁判断の通知を受けた日から30日以内に行う申立てにより、追加仲裁判断をする（仲裁法第43条第1項及び仲裁準則第21条）。

当事者は、追加仲裁判断の申立てをするときは、あらかじめ、又は同時に、

他の当事者に対して、申立て内容の通知を発信しなければならない（仲裁法第43条第1項で準用する同法第41条第3項）。

当事者からの申立てがあった場合には、仲裁廷は、60日以内（必要に応じて延長する。）に、追加仲裁判断の決定又は申立てを却下する決定をする（同法第43条第2項及び同法同条同項で準用する同法第41条第5項）。

第156条（準用）

（準用）

第156条　前2条の規定は、電気通信設備又は電気通信設備設置用工作物の共用に関する協定について準用する。この場合において、第154条第1項及び前条第1項中「接続条件」とあるのは「共用の条件」と、第154条第1項ただし書及び第6項並びに前条第1項ただし書中「第35条第1項若しくは第2項」とあるのは「第38条第1項」と、「同条第3項」とあるのは「同条第2項において準用する第35条第3項」と読み替えるものとする。

2　前2条の規定は、卸電気通信役務の提供に関する契約について準用する。この場合において、第154条第1項及び前条第1項中「接続条件」とあるのは「提供の条件」と、「協定の細目」とあるのは「契約の細目」と、第154条第1項ただし書及び第6項並びに前条第1項ただし書中「第35条第1項若しくは第2項」とあるのは「第39条において準用する第35条第1項若しくは第38条第1項」と、「同条第3項」とあるのは「第39条において準用する第35条第3項」と読み替えるものとする。

追加　平成13年法律第 62号
第88条の14繰下げ改正　平成15年法律第125号
改正　平成22年法律第 65号
令和4年法律第 70号

概　要

電気通信設備又は電気通信設備設置用工作物の共用に関する協定及び卸電気通信役務の提供に関する契約に係るあっせん及び仲裁について、電気通信設備の接続に関するあっせん及び仲裁の規定を準用することを規定している。

第157条

第157条（その他の協定等に関するあつせん等）

（その他の協定等に関するあつせん等）

第157条　電気通信事業者間において、(1) 電気通信役務の円滑な提供の確保のためにその締結が必要なものとして政令で定める協定又は契約（第3項において「協定等」という。）の締結に関し、当事者が取得し、若しくは負担すべき金額又は条件その他その細目について当事者間の協議が調わないときは、当事者は、委員会に対し、あつせんを申請することができる。(2) ただし、当事者が同項の規定による仲裁の申請をした後は、この限りでない。

2　第154条第2項から第6項までの規定は、前項のあつせんについて準用する。この場合において、同条第6項中「第35条第1項若しくは第2項の申立て、同条第3項の規定による裁定の申請又は次条第1項」とあるのは、「第157条第3項」と読み替えるものとする。

3　電気通信事業者間において、協定等の締結に関し、当事者が取得し、若しくは負担すべき金額又は条件その他その細目について当事者間の協議が調わないときは、当事者の双方は、委員会に対し、仲裁を申請することができる。

4　第155条第2項から第4項までの規定は、前項の仲裁について準用する。

追加　平成13年法律第 62号
第88条の15繰下げ改正　平成15年法律第125号
改正　平成22年法律第 65号

1　概　要

　接続及び共用に関する協定並びに卸電気通信役務の提供に関する契約の他にも、電気通信事業者による電気通信役務の円滑な提供を確保するためにその締結が必要な協定又は契約について、必要最低限の手段により行政が仲介してその円滑かつ適切な解決を図ることが望ましいことから、当事者間において協定又は契約を締結すること自体については合意したものの、協定又は契約の細目について協議が調わない場合において、電気通信紛争処理委員会のあっせん及び仲裁の手続により解決を図ることを規定したものである。

727

第157条

2 条文内容

〔第1項〕

(1) 電気通信役務の円滑な提供の確保のためにその締結が必要なものとして政令で定める協定又は契約

電気通信事業者間の紛争事案について、その全てを電気通信紛争処理委員会の紛争処理の対象とするものではなく、あくまで電気通信事業者として電気通信役務の円滑な提供を確保するために委員会が関与することが適当であるという規範性があるものについて、委員会の紛争処理の対象とすることとしている。

政令及びこれを受けた総務省令では、このあっせん又は仲裁の対象として、次に掲げる事項に関する協定及び契約を規定している（施行令第10条及び施行規則第54条の2）。

① 接続に必要な電気通信設備（接続のための伝送路やコロケーション設備、その他）の設置・保守（施行令第10条第1号）

② 接続に必要な土地及びこれに定着する建物その他の工作物（局舎、管路、とう道、リモートターミナル、その他）の利用（施行令第10条第1号）

③ 接続に必要な情報（伝送路設備等の設置場所や仕様・状況、局舎の設置場所・状況、電気通信設備との接続に関し負担すべき金額・関連の調査費用・関連の工事費等の負担額やその算定根拠、その他）の提供（施行令第10条第1号）

④ 電気通信役務の提供に関する業務（利用者への料金の請求や回収、各種販売や注文取次、その他）の委託（施行令第10条第2号）

⑤ 役務提供のための設備（利用者に関するデータベース、コロケーション設備のための電源・空調設備、クロージャ、ダークファイバ、専用線等）の利用（一方が他方の設備を利用）（施行令第10条第3号及び施行規則第54条の2）

⑥ 役務提供のための設備（利用者に関するデータベース等）の運用（一方が自らの設備を運用し、他方の利害に影響）（施行令第10条第3号及び施行規則第54条の2）

⑦ 無線局の免許人等が他の者に運用させる無線局（フェムトセル基地局等）の無線設備の運用（施行令第10条第3号及び施行規則第54条の2）

(2) ただし、当事者が同項の規定による仲裁の申請をした後は、この限りでない

当事者が委員会に対し仲裁の申請をしているときには、あっせんの申請をす

ることができないこととしている。

　委員会の仲裁判断は両当事者を拘束するため、仲裁の申請をしたことにより
その紛争は解決されることが予定されるところであり、委員会によるあっせん
は要しないためである。

電気通信事業法施行令（昭和60年政令第75号）（抄）

（あつせん等の対象となる協定等）

第10条　法第157条第１項の政令で定める協定又は契約は、次に掲げるも
　のとする。

　一　電気通信回線設備との接続に必要な電気通信設備の設置若しくは保守、
　　土地及びこれに定着する建物その他の工作物の利用又は情報の提供に関
　　する協定又は契約

　二　電気通信役務の提供に関する契約の締結の媒介、取次ぎ又は代理の業
　　務及びこれに付随する業務その他業務の委託に関する協定又は契約

　三　前２号に掲げるもののほか、電気通信役務の円滑な提供の確保のため
　　のデータベース（法第２条第７号に規定する利用者に係る情報の集合物
　　であつて、それらの情報を電子計算機を用いて検索することができるよ
　　うに体系的に構成したものをいう。）、自家発電設備その他の総務省令で
　　定める設備の利用又は運用に関する協定又は契約

第157条の2

第157条の２　(1) 電気通信事業者と第３号事業を営む者との間において、当
　該第３号事業を営む者が申し入れた　(2) 当該第３号事業を営むに当たつて
　利用すべき電気通信役務の提供に関する契約（第３項において単に「契
　約」という。）の締結に関し、当事者が取得し、若しくは負担すべき金額
　又は条件その他その細目について当事者間の協議が調わないときは、当事
　者は、委員会に対し、あつせんを申請することができる。　(3) ただし、当
　事者が同項の規定による仲裁の申請をした後は、この限りでない。

２　第154条第２項から第６項までの規定は、前項のあつせんについて準用
　する。この場合において、同条第６項中「第35条第１項若しくは第２項

第157条の2

の申立て、同条第3項の規定による裁定の申請又は次条第1項」とあるのは、「第157条の2第3項」と読み替えるものとする。

3　電気通信事業者と第3号事業を営む者との間において、当該第3号事業を営む者が申し入れた契約の締結に関し、当事者が取得し、若しくは負担すべき金額又は条件その他その細目について当事者間の協議が調わないときは、当事者の双方は、委員会に対し、仲裁を申請することができる。

4　第155条第2項から第4項までの規定は、前項の仲裁について準用する。

追加　平成22年法律第65号
改正　令和4年法律第70号

1　概　要

電気通信事業者と第164条第1項第3号に掲げる電気通信事業（第3号事業）を営む者との間において、当該第3号事業を営む者が申し入れた当該第3号事業を営むに当たって利用すべき電気通信役務の提供に関する契約の締結に関し、当事者間において契約を締結すること自体は合意したものの、契約の細目について協議が調わない場合には、電気通信紛争処理委員会のあっせん及び仲裁の手続により解決を図ることができることを規定している。

2　条文内容

〔第1項〕

(1)　電気通信事業者と第3号事業を営む者との間において

「第3号事業」とは、「電気通信設備を用いて他人の通信を媒介する電気通信役務以外の電気通信役務（ドメイン名電気通信役務及び総務大臣が指定する者の提供する検索情報電気通信役務・媒介相当電気通信役務を除く。）を電気通信回線設備を設置することなく提供する電気通信事業」をいう。このような事業を営む者としては、例えば、電気通信回線設備を設置せずに、配信サーバのみを設置して、動画、音楽、ゲーム等の多彩なコンテンツを提供する、いわゆるコンテンツ配信事業者が該当する。

（参考）第3号事業を営む者が提供するサービス例

・　各種情報のオンライン提供

・　ソフトウェアのオンライン提供

・　電子ショッピングモール

- ネットオークション
- ウェブサイト開設のためのホスティング
- ウェブサイトのオンライン検索であって総務大臣が指定する者の提供する検索情報電気通信役務に該当しないもの
- ＳＮＳ、電子掲示板であって総務大臣が指定する者の提供する媒介相当電気通信役務に該当しないもの

第３号事業を営む者は、電気通信事業者から電気通信役務の提供を受けた上で利用者に対してサービス提供を行っており、電気通信事業者と第３号事業を営む者との間の紛争の迅速かつ適切な解決を図るため、委員会によるあっせん及び仲裁手続を利用することを可能としている。

(2) **当該第３号事業を営むに当たつて利用すべき電気通信役務の提供に関する契約**

　電気通信役務の提供に関する契約のうち、第３号事業を営むに当たって利用すべき電気通信役務の提供に関するもののみが紛争処理の対象となる。これは、第３号事業を営む者に係る紛争を電気通信紛争処理委員会のあっせん等の対象とする趣旨が、当該者が電気通信事業を営む点に着目し、その公正競争環境を確保し、もって利用者利便の向上を図る点にあることに鑑みれば、第３号事業と無関係な電気通信役務の提供に関する契約についてまで紛争処理の対象とする必要がないからである。

　第３号事業を営むに当たって利用すべき電気通信役務の提供に関する契約により提供される機能としては、ポータル機能、ＧＰＳ位置情報機能、課金機能、料金回収代行機能等が該当し得ると考えられる。

(3) **ただし、当事者が同項の規定による仲裁の申請をした後は、この限りでない**

　当事者が委員会に対し仲裁の申請をしているときには、あっせんの申請をすることができないこととしている。

　委員会の仲裁判断は両当事者を拘束するため、仲裁の申請をしたことによりその紛争は解決されることが予定されるところであり、委員会によるあっせんは要しないためである。

第158条・第159条

第158条（申請の経由）

（申請の経由）

第158条　この節の規定により委員会に対してするあつせん又は仲裁の申請
は、総務大臣を経由してしなければならない。

追加　平成13年法律第 62号
第88条の16繰下げ　平成15年法律第125号

概　要

　電気通信紛争処理委員会が行うあっせん及び仲裁の手続は、委員会において全
ての手続が完結するものであるが、これらの申請については、総務大臣を経由し
て行うこととする規定である。

　申請は、本来、処分等を行う者に対して行うのが原則であることから、協議命
令や裁定の申請は総務大臣に対して行い、あっせん及び仲裁の申請は委員会に対
して行うのが基本とも考えられるが、各々の紛争処理手続の申請先が総務大臣と
委員会とで分かれてしまうと、当該手続を活用しようとする電気通信事業者の混
乱を招くこととなることから、紛争処理に係る受付窓口を一元化することにより、
それを防止することとしている。

　さらに、総務大臣を経由することを規定する（総務省本省においては、総合通
信基盤局総務課）ことにより、これらの申請を総合通信局又は沖縄総合通信事務
所を経由して行うことができることとなり、地方の電気通信事業者の利便性を確
保することも可能としている。

第159条（政令への委任）

（政令への委任）

第159条　この節に規定するもののほか、(1) あつせん及び仲裁の手続に関し
必要な事項は、政令で定める。

追加　平成13年法律第 62号
第88条の17繰下げ　平成15年法律第125号

第159条

1 概　要

委員会が行うあっせん及び仲裁の手続に関して、その細則を政令で定めることを規定している。

2 条文内容

(1) あっせん及び仲裁の手続に関し必要な事項

政令に委任して規定されるあっせん・仲裁手続に関する事項として、具体的には、あっせんの申請がなされたときやあっせんをしないものとしたとき等の通知に関する事項、仲裁委員の選定・指名に関する事項、仲裁委員が欠けた場合の措置に関する事項、仲裁判断の作成に関する事項、あっせん・仲裁の状況についての総務大臣への報告に関する事項、あっせん・仲裁の申請手続に関する事項等があり、委員会令の規定においてこれらについて定めている。

委員会令第16条の規定は、委員会の運営に関し必要な事項は、同令に定めるもののほか、委員長が委員会に諮って定めることとしており、これに基づいて、委員会決定として、運営規程におけるあっせん・仲裁手続関係規定や仲裁準則が定められている。

> 電気通信紛争処理委員会令（平成13年政令第362号）（抄）
> 　（あっせんの通知）
> 第5条　［第154条の解説を参照のこと］
> 　（あっせんをしない場合等の通知）
> 第6条　［第154条の解説を参照のこと］
> 　（名簿の作成）
> 第7条　［第155条の解説を参照のこと］
> 　（仲裁委員の選定等）
> 第8条　［第155条の解説を参照のこと］
> 第9条　［第155条の解説を参照のこと］
> 　（仲裁委員が欠けた場合の措置）
> 第10条　［第155条の解説を参照のこと］
> 　（文書及び物件の提出）
> 第11条　［第155条の解説を参照のこと］

第159条

　　（仲裁判断の作成）
第12条　［第155条の解説を参照のこと］
　　（あっせん及び仲裁の手続の非公開）
第13条　［第154条の解説を参照のこと］
　　（あっせん及び仲裁の状況の報告）
第14条　委員会は、総務大臣に対し、総務省令で定めるところにより、あっ
　　せん及び仲裁の状況について報告しなければならない。
　　（あっせん及び仲裁の申請手続）
第15条　［第154条の解説を参照のこと］
　　（委員会の運営）
第16条　［第153条の解説を参照のこと］

第3節　諮問等
第160条（委員会への諮問）

（委員会への諮問）

第160条　総務大臣は、次に掲げる事項については、委員会に諮問しなければならない。ただし、委員会が軽微な事項と認めたものについては、この限りでない。

一　第35条第1項若しくは第2項の規定による電気通信設備の接続に関する命令、同条第3項若しくは第4項の規定による電気通信設備の接続に関する裁定、第38条第1項の規定による電気通信設備若しくは電気通信設備設置用工作物の共用に関する命令、同条第2項において準用する第35条第3項若しくは第4項の規定による電気通信設備若しくは電気通信設備設置用工作物の共用に関する裁定、第39条において準用する第35条第1項の規定による特定卸電気通信役務の提供に関する命令、第39条において準用する第35条第3項若しくは第4項の規定による卸電気通信役務の提供に関する裁定、第39条において準用する第38条第1項の規定による特定卸電気通信役務以外の卸電気通信役務の提供に関する命令、第128条第1項の規定による土地等の使用に関する認可、第129条第1項の規定による土地等の使用に関する裁定又は第138条第3項の規定による支障の除去に必要な措置に関する裁定

二　第19条第2項の規定による届出契約約款の変更の命令、第20条第3項の規定による保障契約約款の変更の命令、第21条第4項の規定による特定電気通信役務の料金の変更の命令、第29条第1項の規定による業務の改善命令、第30条第5項の規定による同条第3項若しくは第4項の規定に違反する行為の停止若しくは変更の命令、第31条第4項の規定による同条第2項各号に掲げる行為の停止若しくは変更の命令若しくは第30条第4項各号若しくは第31条第2項各号に掲げる行為を停止させ若しくは変更させるために必要な措置をとるべきことの命令、第33条第6項の規定による接続約款の変更の認可の申請の命令、同条第8項の規定による接続約款の変更の命令、第34条第3項の規定による接続約款の変更の命令、第36条第3項の規定による計画の変更の勧告、第38条の2第4項の規定による業務の改善命令、第39条の3第2項の規定による業務の改善命令、第44条の5の規定による電気通信設備統括管理者の解任命令又は第121条第2項の規定による業務の改善命令

第160条

追加	平成13年法律第	62号
第88条の18繰下げ改正	平成15年法律第125号	
改正	平成22年法律第	65号
	平成23年法律第	58号
	平成26年法律第	63号
	平成27年法律第	26号
	令和 4 年法律第	70号

概　要

　接続、共用及び卸電気通信役務の提供に関する協議命令及び裁定について、電気通信紛争処理委員会が当該事案に係るあっせん及び仲裁と整合的に紛争処理を行うため、委員会をその諮問機関としている。

　また、第128条第１項の規定による土地等の使用に関する認可、第129条第１項の規定による土地等の使用に関する裁定及び第138条第３項の規定による支障の除去に必要な措置に関する裁定についても、電気通信事業者と土地等の所有者等（電気通信事業者を含む。）との間の紛争事案であり、公正・中立な手続により処分することが適当であることから、委員会に諮問することとしている。

　届出契約約款変更命令、保障契約約款変更命令、料金変更命令、業務改善命令、第30条第１項の規定により指定された電気通信事業者及び第33条第２項に規定する第一種指定電気通信設備を設置する電気通信事業者に対する禁止行為に係る停止・変更命令等については、これらの命令等を発動する場面は、その多くが電気通信事業者間紛争に端を発するもの（例えば、ある事業者の利用者向け料金・サービスが他の電気通信事業者との間に不当な競争を引き起こすおそれが高いものとして、総務大臣に意見申出がなされたことで調査が始まる等）であるため、委員会が接続等の紛争と併せて処理することが効率的であるとともに、電気通信役務を提供する上での支障を事後的に排除し、電気通信役務の円滑な提供を確保することを目的とする点において、あっせん及び仲裁並びに裁定等に係る調査審議と共通しており、これらの事後的処分に係る諮問事項を委員会に集約することで、委員会が専門知識等を蓄積することが可能となり、結果として、公正で適切かつ整合性のとれた判断がなされ、紛争処理機能の強化という目的を十分に果たすことが可能となることから、これらを併せて委員会の諮問事項としている。

　これらにより、電気通信事業者による電気通信役務の提供について事後的に処分等を行う場合の諮問機関は、電気通信紛争処理委員会に一元化されている。

　委員会の諮問事項の概要は、次のとおりである。

第160条

電気通信紛争処理委員会諮問事項一覧

号	電気通信事業法の規定	規　定　の　内　容
第1号	第35条第1項	電気通信設備との接続に関する協議命令
	第35条第2項	
	第35条第3項	電気通信設備との接続に関する裁定
	第35条第4項	
	第38条第1項	電気通信設備・電気通信設備設置用工作物の共用に関する協議命令
	第38条第2項において準用する第35条第3項	電気通信設備・電気通信設備設置用工作物の共用に関する裁定
	第38条第2項において準用する第35条第4項	
	第39条において準用する第35条第1項	特定卸電気通信役務の提供に関する協議命令
	第39条において準用する第35条第3項	卸電気通信役務の提供に関する裁定
	第39条において準用する第35条第4項	
	第39条において準用する第38条第1項	特定卸電気通信役務以外の卸電気通信役務の提供に関する協議命令
	第128条第1項	土地等の使用権に関する協議の認可
	第129条第1項	土地等の使用に関する裁定
	第138条第3項	線路の移転その他支障の除去に必要な措置に関する裁定
第2号	第19条第2項	基礎的電気通信役務の届出契約約款の変更命令
	第20条第3項	指定電気通信役務の保障契約約款の変更命令
	第21条第4項	基準料金指数超の特定電気通信役務の料金の変更命令
	第29条第1項	電気通信事業者に対する業務改善命令
	第30条第5項	禁止行為規定に違反する行為の停止又は変更命令
	第31条第4項	ファイアウォール規定等に違反する行為の停止若しくは変更命令又は子会社に関する措置命令
	第33条第6項	第一種指定電気通信設備の認可接続約款の変更の認可の申請命令
	第33条第8項	第一種指定電気通信設備の届出接続約款の変更命令
	第34条第3項	第二種指定電気通信設備の接続約款の変更命令

737

第160条・第161条

	第36条第3項	第一種指定電気通信設備の網機能計画の変更の勧告
第2号	第38条の2第4項	特定卸電気通信役務を提供する電気通信事業者に対する業務改善命令
	第39条の3第2項	特定ドメイン名電気通信役務を提供する電気通信事業者に対する業務改善命令
	第44条の5	電気通信設備統括管理者の解任命令
	第121条第2項	認定電気通信事業者に対する業務改善命令

第161条（聴聞の特例）

（聴聞の特例）

第161条　総務大臣は、第19条第2項、第20条第3項、第21条第4項、第27条の7、第29条、第30条第5項、第31条第4項、第33条第6項若しくは第8項、第34条第3項、第35条第1項（第39条において準用する場合を含む。）若しくは第2項、第38条第1項（第39条において準用する場合を含む。）、第38条の2第4項、第39条の3第2項、第44条の2、第51条、第73条の4又は第121条第2項の規定による処分をしようとするときは、行政手続法（平成5年法律第88号）第13条第1項の規定による意見の陳述のための手続の区分にかかわらず、聴聞を行わなければならない。

2　前項に規定する処分又は第44条の5の規定による処分に係る聴聞を行う場合において、当該処分が前条の規定により委員会に諮問すべきこととされている処分であるときは、当該処分に係る聴聞の主宰者は、委員会の委員のうちから、委員会の推薦により指名するものとする。

3　第1項に規定する処分又は第44条の5の規定による処分に係る聴聞の主宰者は、行政手続法第17条第1項の規定により当該処分に係る利害関係人が当該聴聞に関する手続に参加することを求めたときは、これを許可しなければならない。

追加　平成13年法律第 62号
第88条の19繰下げ改正　平成15年法律第125号
改正　平成23年法律第 58号
平成26年法律第 63号
平成27年法律第 26号

第161条

平成30年法律第 24号
令和元年法律第 　5 号
令和 4 年法律第 70号

1 概　要

　行政庁が不利益処分をしようとする場合には、行政手続法により聴聞又は弁明
の機会の付与を行なう必要があるが、本条は、総務大臣が電気通信事業者に対し
て届出契約約款変更命令、保障契約約款変更命令、料金変更命令、業務改善命令、
接続に関する協議命令等の重要な処分をする場合には、行政手続法の特例として、
① 　行政手続法第13条第 1 項の区分に関わらず聴聞を行わなければならないこ
　と（第 1 項）
② 　電気通信紛争処理委員会の諮問事項については、同委員会の推薦により、同
　委員会の委員を聴聞の主宰者としなければならないこと（第 2 項）
③ 　利害関係人の聴聞手続参加を許可しなければならないこと（第 3 項）
を定めるものである。
　本条で規定する聴聞に関する特例に係る規定の概要は、次のとおりである。

聴聞関係特例が適用される規定の一覧（第161条関係）

電気通信事業法の規定	規　定　の　内　容
第19条第 2 項	基礎的電気通信役務の届出契約約款の変更命令
第20条第 3 項	指定電気通信役務の保障契約約款の変更命令
第21条第 4 項	基準料金指数超の特定電気通信役務の料金の変更命令
第27条の 7	情報取扱規程の変更又は遵守命令
第29条第 1 項	電気通信事業者に対する業務改善命令
第29条第 2 項	電気通信事業者又は第 3 号事業を営む者の義務違反に対する業務改善命令
第30条第 5 項	禁止行為規定に違反する行為の停止又は変更命令
第31条第 4 項	ファイアウォール規定等に違反する行為の停止若しくは変更命令又は子会社に関する措置命令
第33条第 6 項	第一種指定電気通信設備の認可接続約款の変更の認可の申請命令
第33条第 8 項	第一種指定電気通信設備の届出接続約款の変更命令
第34条第 3 項	第二種指定電気通信設備の接続約款の変更命令

739

第35条第1項	電気通信設備との接続に関する協議命令
第35条第2項	
第38条第1項	電気通信設備・電気通信設備設置用工作物の共用に関する協議命令
第38条の2第4項	特定卸電気通信役務を提供する電気通信事業者に対する業務改善命令
第39条において準用する第35条第1項	特定卸電気通信役務の提供に関する協議命令
第39条において準用する第38条第1項	特定卸電気通信役務以外の卸電気通信役務の提供に関する協議命令
第39条の3第2項	特定ドメイン名電気通信役務を提供する電気通信事業者に対する業務改善命令
第44条の2	事業用電気通信設備の管理規程の変更又は遵守命令
第44条の5	電気通信設備統括管理者の解任命令（第1項の特例は、対象外。）
第51条	電気通信番号使用計画への適合命令
第73条の4	届出媒介等業務受託者に対する業務改善命令
第121条第2項	認定電気通信事業者に対する業務改善命令

2　条文内容

〔第1項〕

　行政手続法第13条第1項の規定によれば、不利益処分を行う場合には、聴聞又は弁明の機会の付与のいずれかを行う必要があるが、本法に基づく不利益処分については、当該処分を慎重かつ公正に行う趣旨から、例外なく聴聞を行うこととするものである。つまり、行政手続法第13条第1項の区分によれば弁明の機会の付与の手続を執ることになるものについて、より厚い聴聞手続を執ることとしている。

　なお、第44条の5の規定に基づく電気通信設備統括管理者の解任命令については、同法第13条第1項第1号ハに規定する名あて人の業務に従事する者の解任を命ずる不利益処分に該当するため、同法上当然に聴聞の対象となる処分であるため、本項（同法の特例として、同法第13条第1項の区分によらず聴聞の対象とする）の対象には含まれない。（第2項及び第3項の特例の対象にはなるため、これら条項で特例の対象となることとしている。）

第161条・第162条

〔第2項〕

　行政手続法第19条第1項の規定では、聴聞は、行政庁が指名する職員その他政令で定める者（法令に基づき審議会その他の合議制の機関の答申を受けて行うこととされている処分に係る聴聞にあっては、当該合議制の機関の構成員（行政手続法施行令（平成6年政令第265号）第3条第1号））が主宰することとされており、主宰者の指名について行政庁の職員と政令で定める者とで選択的なものとされているが、本法において総務大臣がしようとする不利益処分が電気通信紛争処理委員会に諮問すべき事項であるときは、委員会における当該処分の適否の審議との整合性が図られるべきであること及び当該事案についての十分な知識を有する者が行うことが効率的であることから、例外なく委員会の委員のうちから、委員会の推薦により聴聞の主宰者を指名することとするものである。

〔第3項〕

　行政手続法第17条第1項の規定では、主宰者は、必要があると認めるときは、利害関係人に対し、聴聞手続に参加することを求め、又は参加することを許可することができる旨が定められているが、本法において総務大臣がしようとする不利益処分については、主宰者の裁量を許さず、当該処分を慎重かつ公正に行う趣旨から、利害関係人から求めがあったときは、例外なく聴聞手続に参加することを許可しなければならないこととし、利害関係人の参加を保障している。

第162条（勧告）

（勧告）

第162条　委員会は、この法律の規定によりその権限に属させられた事項に関し、総務大臣に対し、必要な (1) 勧告をすることができる。

2　総務大臣は、前項の勧告を受けたときは、その内容を公表しなければならない。

追加　平成13年法律第 62号
第88条の20繰下げ　平成15年法律第125号

1　概　要

電気通信紛争処理委員会の権限に属させられた事項に関して、委員会は総務大

741

第162条

臣に必要な勧告ができることとその公表について定めている。

2 条文内容

〔第1項〕

(1) <u>勧告</u>

ある事柄を申し出て、その申出に沿う行動をとるよう勧め又は促す行為をいう。本項の「勧告」は、勧告違反に対して法律上の効果があるものではない。

あっせん及び仲裁、第160条の規定に基づく諮問事項等の電気通信紛争処理委員会の権限に属させられた事項に関連して、例えば、紛争が生じた原因がルールの不備にあると認められる場合に当該ルールを整備すべき旨を総務大臣に求めたり、行政庁の処理の遅延等が存在したと判断される場合に当該処理の改善を総務大臣に求めたりすることが、勧告として想定される。

〔第2項〕

総務大臣が勧告を尊重して必要な措置を早期に行うことを促す趣旨から、総務大臣は、第1項の規定による勧告を受けたときは、その内容を公表しなければならないこととしている。

【電気通信紛争処理委員会の勧告の運用】

第1項の規定による電気通信紛争処理委員会の勧告は、平成14年に2件、平成19年に1件事例がある。

平成14年2月26日、電気通信事業紛争処理委員会（現在の電気通信紛争処理委員会）は、あっせん事件（平成14年（争）第1号）の解決に関連して、第一種指定電気通信設備との円滑な接続のために必要な通信用建物の利用（いわゆるコロケーション）のためのルールを改善し、接続事業者からの利用請求の先後のみではなく、サービス利用申込者への対応の必要等からみた利用の緊急性も優先度として考慮される等の工夫を加える措置が講じられるよう、総務省において配慮されることを勧告した（平成14年電委第32号）。同年5月23日、総務大臣は、所要の措置を講じたNTT東日本及びNTT西日本の接続約款の変更を認可した。

同年11月5日、電気通信事業紛争処理委員会は、携帯電話事業者の設備に着信することとなる通話に関する利用者料金設定権の帰属に係る裁定についての総務大臣からの諮問への答申（平成14年電委第115号）において、総務大臣は接続において適正な料金設定が行われるような仕組みを検討し、整備すべきであると

第162条

して、勧告を行った。これを受けて、平成15年6月25日、総務省は、本法上の裁定の方針として、「固定電話発携帯電話着の料金設定に関する方針」を策定・公表した。

　平成19年11月22日、電気通信事業紛争処理委員会は、ＭＮＯ（移動通信サービスを提供する電気通信事業を営む者であって、当該移動通信サービスに係る無線局を自ら開設（開設された無線局に係る免許人等の地位の承継を含む。）・運用している者）の直収パケット交換機とＭＶＮＯ（ＭＮＯの提供する電気通信役務としての移動通信サービスを利用して、又はＭＮＯと接続して、移動通信サービスを提供する電気通信事業者であって、当該移動通信サービスに係る無線局を自ら開設・運用していない者。）の直収パケットサーバとを接続して行う通信に関する利用者料金設定権の帰属等に係る裁定に関し、総務大臣からの諮問に対して答申を行うのに合わせて総務大臣への勧告を行った。その中で同委員会は、総務大臣において、本件裁定内容を関連するガイドラインに盛り込むほか、ＭＶＮＯとＭＮＯとの間の円滑な協議に資する事項について、適時適切に検討を行い、所要の措置を講ずることを勧告した（平成19年電委第69号）。

743

第163条

第5章　雑則
第163条（登録等の条件）

> （登録等の条件）
>
> 第163条　⑴　登録（第9条の登録（第12条の2第1項の登録の更新及び第13条第1項の変更登録を含む。）に限る。次項において同じ。）、認可、許可又は認定（技術基準適合認定を除く。同項において同じ。）　には、⑵条件を付し、及びこれを⑶変更することができる。
>
> 2　前項の条件は、登録、認可、許可若しくは認定の趣旨に照らして、又は登録、認可、許可若しくは認定に係る事項の確実な実施を図るため必要最小限度のものに限り、かつ、当該登録、認可、許可又は認定を受ける者に不当な義務を課することとなるものであつてはならない。

第89条繰下げ改正　平成15年法律第125号
改正　平成26年法律第　63号
平成27年法律第　26号

1　概　要

　第9条の登録、認可、許可又は認定（技術基準適合認定を除く。）について条件を付すことができること及びその際の条件は、必要最小限のものでなければならず、不当な義務を課することとなるものであってはならないことを規定している。

2　条文内容

〔第1項〕

⑴　登録（第9条の登録（第12条の2第1項の登録の更新及び第13条第1項の変更登録を含む。）に限る。・・・）、認可、許可又は認定（技術基準適合認定を除く。・・・）

　　本項にいう登録、認可、許可又は認定には、登録にあっては第9条の登録に限り、認定にあっては技術基準適合認定を除くが、その他は本法に基づく認可又は許可の全てが含まれる。

⑵　条件を付し

　　本項にいう条件とは、個々の処分の際にそれぞれの実態に即して、当該処分

744

が確実に実施されるように、処分の名宛人に対して付されるものである。

電気通信事業の登録制度において、登録の申請をした者が、

① 法令違反者等の欠格事由に該当する者（第12条第1項第1号から第4号まで）

② その事業の開始が電気通信の健全な発達のために適切でないと認められる者（同項第5号）

に該当する場合には、登録を拒否しなければならないこととしているところ、このような場合に、その登録を拒否し、事業参入を禁止することのほか、その実施に先立ち一定の措置が講じられることにより、上記のようなおそれを排除することが可能な場合には、登録を拒否することとはせず、一定の措置を講ずることを条件として、事業参入を認めることが適当である場合があり得るため、第9条の登録に条件を付すことができることとしている。

第9条の登録に条件を付す場合として想定される事例としては、電力事業等他の公益事業分野における法律上の独占的地位に基づき、線路設備を設置するために不可欠又は重要な電柱・管路等の設備を独占的に保有している者が、電気通信事業に参入しようと登録を申請する場合がある。この場合、そのような者がこれら電柱・管路等の設備を排他的に利用した場合、業務改善命令等の事後的な措置では公正な競争条件を担保することが困難である。したがって、そのような者の登録に際して、

① 線路設備を設置するために不可欠又は重要な電柱・管路等の設備の利用に関する公平な取扱い

② その電柱・管路等の設備の提供を通じて知り得た他の電気通信事業者及びその利用者に関する情報の流用の禁止

③ その電柱・管路等の設備の貸与状況の事後公表

等の条件を付し、当該事業者と他の電気通信事業者との間におけるこれら電柱・管路等の設備の公平な利用を確保しつつ、参入を認めることが想定される。

また、電気通信事業の認定制度において、その申請が、

① その事業を適確に遂行するに足りる経理的基礎及び技術的能力があること

② その事業の計画が確実かつ合理的であること

に適合していると認めるときでなければ、認定を与えないこととしているところ、革新的な技術や経営手法を用いるため、②に関して認定申請時点では計画の確実性や合理性について判断が困難な場合があり得る。このような場合には、

第163条

当該事業の実施状況について定期的に報告することを条件として認定を付与することとし、特権の濫用がなされることを防止しつつ、新たな技術やサービスの提供を可能とすることが適当な場合があると考えられる。また、この他、認定に付す条件としては、認定電気通信事業であることにより特権が付与される他法令（道路法等）の遵守等も考えられる。

(3)　変更する

条件が必要とされた実態に変更が生じた場合に、変更した実態に即して条件の内容を変更することをいう。

〔第2項〕

処分の際の条件は、その名宛人に対して何らかの形で義務を課すこととなる場合が多いと考えられるので、過大な義務を課すことがないよう、条件は必要最小限度のものとし、不当な義務を課すこととならないようにするということが明定されている。

【線路設備の設置に不可欠又は重要な電柱・管路等に関する条件の運用】

他の公益事業分野における法律上の独占的地位に基づき、線路設備を設置するために不可欠又は重要な電柱・管路等の設備を独占的に保有している者が、電気通信事業に参入しようとする場合に公正競争条件確保に係る条件を付した事例は、電気事業者、一般送配電事業者による電気通信事業の参入においてある。

平成14年2月8日、東京電力株式会社に対して、同年9月25日、中部電力株式会社に対して、各々、第一種電気通信事業の許可に際して、次の事項が求められた。

①　保有する電柱等については、貴社の電気通信事業部門、貴社の関連会社たる電気通信事業者及びその他の電気通信事業者に対し、公平に利用させること

②　電柱等貸与部門を通じて知り得た他の電気通信事業者及びその利用者に関する情報を貴社の電気通信事業部門に提供しないこと

③　電気料金その他の供給条件、営業組織、顧客情報その他電気事業の営業基盤の電気通信事業への活用（電気通信事業の利用者に直接の影響を及ぼすものに限る。）において、貴社の電気通信事業部門に比して他の電気通信事業者に不利な取扱いをしないこと

④　電柱等の貸与の状況（貸与件数、拒否件数、未回答件数、貸与拒否事由内訳等）を、貴社の電気通信事業部門、貴社の関連会社たる電気通信事業者及びそ

の他の電気通信事業者の別に区分した上で、定期的に取りまとめ、公表すること

⑤　電気通信事業部門と電柱等貸与部門を含む電気事業部門との間において、組織、執務室の場所の分離、顧客データベースの管理等ファイアーウォールについて具体的措置を講じ、その内容を速やかに報告した上で、その概要を公表すること

⑥　財務諸表等の作成に当たっては、電気通信事業に係る会計情報の十分な開示、電気事業部門と電気通信事業部門の内部相互補助の防止等の観点から、会計を整理すること

電気事業法（昭和39年法律第170号）において一般送配電事業に係る制度が創設・整備された後は、令和2年2月10日の北海道電力送配電事業分割準備株式会社、同月14日の東北電力ネットワーク株式会社の登録以降、一般送配電事業者が登録を受ける際には、次の①から④までの事項が求められている。

①　貴社が保有する電柱等の利用については、「公益事業者の電柱・管路等使用に関するガイドライン」（平成27年総務省告示第363号）や「電気通信事業分野における競争の促進に関する指針」（公正取引委員会・総務省）を踏まえ、特定の電気通信事業者（貴社の関連会社たる電気通信事業者を含む。）に対し、不当に優先的な取扱いをし、又は不当に不利な取扱いをしないこと。また、他の電気通信事業者に対し、貴社の電気通信事業部門と比して不当に不利な取扱いをしないこと。

②　貴社が電柱等の貸与部門を通じて知り得た他の電気通信事業者及びその利用者に関する情報を、電柱等の貸与の業務の用に供する目的以外の目的のために利用し、又は提供しないこと。

③　貴社が保有する電柱等の貸与の状況（貸与件数、拒否件数、未回答件数、貸与拒否事由内訳等）について、貴社の電気通信事業部門、貴社の関連会社たる電気通信事業者及びその他の電気通信事業者の別に区分した上で、定期的に取りまとめ、公表すること。

④　財務諸表等の作成に当たっては、電気通信事業に係る会計情報の十分な開示、電柱等の貸与部門と電気通信事業部門の内部相互補助の防止等の観点から会計を整理すること。

第163条・第164条

【電波法の規定による特定基地局開設計画の認定を受けた者に対する条件の運用】

電波法第27条の14の規定により特定基地局の開設に関する計画の認定を受けた者の第9条の登録（第12条の2第1項の登録の更新及び第13条第1項の変更登録を含む。）に当たって、総務大臣は、条件を付すことがある。

これは、2.5GHz帯の広帯域移動無線アクセスシステムに係る特定基地局の開設に関する計画の認定（平成19年12月21日）を受けた者について、関係の周波数割当てを受けていない電気通信事業者（MVNO）による当該登録を受ける電気通信事業者のネットワークの円滑かつ適正な利用を促進すること及びその実施状況に関して報告すること等を求める条件を付したのが初例で、3.9世代移動通信システムの導入に係る特定基地局の開設に関する計画の認定（平成21年6月10日）を受けた者については、上記に併せて、電気通信事業を営むコンテンツ配信事業者等に対してもMVNOに対する取扱いに準じた取扱いを求めた。

第4世代移動通信システムの普及に係る特定基地局の開設に関する計画の認定（平成30年4月6日）を受けた者については、あらためて、他の電気通信事業者に対する卸電気通信役務の提供、電気通信設備の接続その他の方法による特定基地局の利用を促進すること（第3号事業を営む者に対しても、これに準じた取扱い等を行うよう努めること）を求める条件を付した。そして、第5世代移動通信システムの導入に係る特定基地局の開設に関する計画の認定（平成31年4月10日）を受けた者及び第5世代移動通信システムの普及に係る特定基地局の開設に関する計画の認定（令和3年4月14日）を受けた者についても、同趣旨の条件を付した。

第164条（適用除外等）

（適用除外等）

第164条　この法律の規定は、次に掲げる電気通信事業については、適用しない。

一　(1)専ら一の者に電気通信役務（当該一の者が電気通信事業者であるときは、当該一の者の電気通信事業の用に供する電気通信役務を除く。）を提供する電気通信事業

二　(2) その一の部分の設置の場所が他の部分の設置の場所と同一の構内（これに準ずる区域内を含む。）又は同一の建物内である電気通信設備その他総務省令で定める基準に満たない規模の電気通信設備により電気通信役務を提供する電気通信事業

三　(3) 電気通信設備を用いて他人の通信を媒介する電気通信役務以外の電気通信役務（(4) 次に掲げる電気通信役務（(5) ロ及びハに掲げる電気通信役務にあつては、当該電気通信役務を提供する者として総務大臣が総務省令で定めるところにより指定する者により提供されるものに限る。）(4) を除く。）(3) を電気通信回線設備を設置することなく提供する電気通信事業

イ　ドメイン名電気通信役務

ロ　検索情報電気通信役務

ハ　媒介相当電気通信役務

2　この条において、次の各号に掲げる用語の意義は、当該各号に定めるところによる。

一　(6) ドメイン名電気通信役務　入力されたドメイン名の一部又は全部に対応してアイ・ピー・アドレスを出力する機能を有する電気通信設備を電気通信事業者の通信の用に供する電気通信役務のうち、確実かつ安定的な提供を確保する必要があるものとして総務省令で定めるものをいう。

二　(7) ドメイン名　インターネットにおいて電気通信事業者が受信の場所にある電気通信設備を識別するために使用する番号、記号その他の符号のうち、アイ・ピー・アドレスに代わつて使用されるものとして総務省令で定めるものをいう。

三　(8) アイ・ピー・アドレス　インターネットにおいて電気通信事業者が受信の場所にある電気通信設備を識別するために使用する番号、記号その他の符号のうち、当該電気通信設備に固有のものとして総務省令で定めるものをいう。

四　(9) 検索情報電気通信役務　(10) 入力された検索情報（検索により求める情報をいう。以下この号において同じ。）に対応して当該検索情報が記録されたウェブページのドメイン名その他の所在に関する情報を出力する機能を有する電気通信設備を他人の通信の用に供する電気通信

第164条

役務のうち、⑾ その内容、利用者の範囲及び利用状況を勘案して利用者の利益に及ぼす影響が大きいものとして総務省令で定める電気通信役務

五　⑿ 媒介相当電気通信役務　⒀ その記録媒体（当該記録媒体に記録された情報が不特定の者に送信されるものに限る。）に情報を記録し、又はその送信装置（当該送信装置に入力された情報が不特定の者に送信されるものに限る。）に情報を入力する電気通信を　⒁ 不特定の者から受信し、⒂ これにより当該記録媒体に記録され、又は当該送信装置に入力された情報を不特定の者の求めに応じて送信する機能を有する　⒃ 電気通信設備を他人の通信の用に供する電気通信役務のうち、⒄ その内容、利用者の範囲及び利用状況を勘案して利用者の利益に及ぼす影響が大きいものとして総務省令で定める電気通信役務

3　第１項の規定にかかわらず、第３条及び第４条の規定は同項各号に掲げる電気通信事業を営む者の取扱中に係る通信について、第27条の12、第29条第２項（第４号に係る部分に限る。）、第157条の２、第166条第１項、第167条の２、第186条（第３号中第29条第２項に係る部分に限る。）及び第188条（第17号中第166条第１項に係る部分に限る。）の規定は第３号事業を営む者について、それぞれ適用する。

4　認定送信型対電気通信設備サイバー攻撃対処協会が行う第116条の２第２項第１号に掲げる業務が電気通信事業に該当しない場合においても、認定送信型対電気通信設備サイバー攻撃対処協会が行う同号ロの通知は、電気通信事業者の取扱中に係る通信とみなして第３条及び第４条の規定を適用し、認定送信型対電気通信設備サイバー攻撃対処協会が行う同号に掲げる業務に従事する者は、電気通信事業に従事する者とみなして同条第２項の規定を適用する。

5　認定送信型対電気通信設備サイバー攻撃対処協会が取り扱う第116条の２第２項第２号ロの通信履歴の電磁的記録は、電気通信事業者の取扱中に係る通信とみなして第３条及び第４条の規定を適用し、認定送信型対電気通信設備サイバー攻撃対処協会が行う同号に掲げる業務に従事する者は、電気通信事業に従事する者とみなして同条第２項の規定を適用する。

第164条

改正	平成11年法律第160号
第90条繰下げ改正	平成15年法律第125号
改正	平成22年法律第 65号
	平成27年法律第 26号
	平成30年法律第 24号
	令和 4 年法律第 70号

1 概　要

　電気通信事業のうち、小規模なもの、基本的な利用者と一対一の関係でサービスを提供するものであって、本法による規律をするまでの社会的必要性が乏しいものについて、本法の適用を除外することを定める。

　この中で、他人の通信を媒介する電気通信役務以外の電気通信役務を電気通信回線設備を設置することなく提供する電気通信事業について、本法の適用を除外することとしているが、このような事業であっても、ドメイン名電気通信役務を提供するもの並びに総務大臣が指定する者が提供する検索情報電気通信役務及び媒介相当電気通信役務を提供するものについては、本法の適用を受けることを明示している。

　これに加え、本法の適用除外となる電気通信事業についても、電気通信事業における基本原則である検閲の禁止（第3条）及び通信の秘密の保護（第4条）の規定を適用する旨を定めている。また、本法の適用除外となる電気通信事業のうち、他人の通信を媒介する電気通信役務以外の電気通信役務を電気通信回線設備を設置することなく提供する電気通信事業（第3号事業）については、情報送信指令通信の利用者への通知等の義務（第27条の12）等の規定を適用する旨を定めている。

　また、第3条及び第4条の適用について、認定送信型対電気通信設備サイバー攻撃対処協会が行う第116条の2第2項第1号及び第2号の業務に関して、当該業務において行われる通知や取り扱われる通信履歴の電磁的記録は、電気通信事業者の取扱中に係る通信とみなすこと、その業務に従事する者は電気通信事業に従事する者とみなすことを規定している。

2 条文内容

〔第1項〕

(1)　専ら一の者に電気通信役務（当該一の者が電気通信事業者であるときは、当該一の者の電気通信事業の用に供する電気通信役務を除く。）を提供する電気

第164条

通信事業

　専ら一の者に電気通信役務を提供する電気通信事業については、例えば、親会社にのみ電気通信役務を提供する場合等のように、いわば自家用通信の延長としての性格を有しており、また、電気通信役務の提供を行う者とその提供を受ける者との間の特殊な関係に基づいて行われることがほとんどであると考えられるため、本法の適用を除外し、当事者間の自律に委ねることとしている。

　ただし、この「電気通信役務」からは、「当該一の者が電気通信事業者であるときは、当該一の者の電気通信事業の用に供する電気通信役務」を除いている。これは、一定の規模及び区域の範囲を超える電気通信回線設備を設置して電気通信役務を提供する電気通信事業に対する本法の規律を免れるために、そのような電気通信回線設備を設置しない電気通信事業者たる子会社を設立し、その子会社だけに電気通信役務を提供する形態とし、実質的に一定の規模及び区域の範囲を超える電気通信回線設備を設置して電気通信役務を提供する電気通信事業を行う脱法的なものを、適用除外の対象から排除しているものである。

(2)　その一の部分の設置の場所が他の部分の設置の場所と同一の構内（これに準ずる区域内を含む。）又は同一の建物内である電気通信設備その他総務省令で定める基準に満たない規模の電気通信設備により電気通信役務を提供する電気通信事業

　同一の構内又は同一の建物内の電気通信設備その他総務省令で定める基準に満たない規模の電気通信設備によって電気通信役務を提供する事業である。このような小規模な設備による電気通信事業については、電気通信設備が物理的、地域的に限定されるとともに利用者の範囲も必然的に限られる。これらの限定された場所は、一般に私生活の行われる場として行政の関与になじまない場であり、また、そこで行われる電気通信事業も一般のものに比べ社会的、経済的影響が小さいことから、本法の適用を除外し、私的自治に委ねることとしている。

　「構内」とは、障壁、塀、道路、水路など明確な表示物によって他と区別された一定の区域内で地続きであるものをいう。「これに準ずる区域内」とは、水路、生垣等で隔てられていても、社会通念上一つの区域内とみなされるような場所をいう。

　「構内」又は「これに準ずる区域内」といい得るためには、必ずしも同一の者の占有に属していることが必要ではなく、また、船舶、航空機その他の移動体内でも構内と解されるが、公衆地下街や工業団地のように、多数の者が出入

りし、また、社会通念上一つの区域と考え難いものは除かれる。

「建物」とは、建築基準法（昭和25年法律第201号）第2条第1号に規定する「建築物」と同義であり、「土地に定着する工作物のうち、屋根及び柱若しくは壁を有するもの（これに類する構造のものを含む。）、これに附属する門若しくは塀、観覧のための工作物又は地下若しくは高架の工作物内に設ける事務所、店舗、興行場、倉庫その他これらに類する施設（鉄道及び軌道の線路敷地内の運転保安に関する施設並びに跨線橋、プラットホームの上家、貯蔵槽その他これらに類する施設を除く。）をいい、建築設備を含むもの」である。建物内には、それに付属する門、塀、バルコニーや建物の地下部分が含まれるが、地下街のアーケードのように、たとえ通路でつながっていても、建物の地下部分外とみられる場所は含まれない。

「総務省令で定める基準に満たない規模の電気通信設備」とは、同一の構内や建物内には該当しないが、その規模が極めて小さく地域的に限定されているものについては、これらと同じく本法の適用を除外しようとする趣旨であり、この基準は、総務省令では、当該電気通信事業を営む者の設置する線路のこう長の総延長が5キロメートルであることとしている（施行規則第59条）。

(3) **電気通信設備を用いて他人の通信を媒介する電気通信役務以外の電気通信役務・・・を電気通信回線設備を設置することなく提供する電気通信事業**

他人の通信を媒介する電気通信役務以外の、自己と他人の通信を行う電気通信役務（社会経済活動における重要性を有する一定の電気通信役務を除く。これについては、(4)で後述。）を、電気通信回線設備を設置することなく提供する電気通信事業である。

このような事業（第3号事業）を営む者としては、例えば、電気通信回線設備を設置せずに、配信サーバのみを設置して、動画、音楽、ゲーム等の多彩なコンテンツを提供する、いわゆるコンテンツ配信事業者が該当する。

（参考）第3号事業を営む者が提供するサービス例

- 各種情報のオンライン提供
- ソフトウェアのオンライン提供
- 電子ショッピングモール
- ネットオークション
- ウェブサイト開設のためのホスティング
- ウェブサイトのオンライン検索であって総務大臣が指定する者の提供す

第164条

る検索情報電気通信役務に該当しないもの

・　ＳＮＳ、電子掲示板であって総務大臣が指定する者の提供する媒介相当
電気通信役務に該当しないもの

第3号事業については、電気通信回線設備がその事業者により設置されない
上に、基本的に事業者と利用者との一対一の関係でサービスが行われるもので
あり、また、社会経済活動における重要性を有する一定の電気通信役務を提供
する電気通信事業はここから除いており、本法の適用を除外することとしてい
る。

(4)　次に掲げる電気通信役務・・・を除く

第2項第1号のドメイン名電気通信役務（(6)を参照のこと。）並びに総務大
臣が指定する者が提供する同項第4号の検索情報電気通信役務（(9)を参照のこ
と。）及び同項第5号の媒介相当電気通信役務（(12)を参照のこと。）を提供する
電気通信事業は、適用除外の電気通信事業から除かれており、本法の規律が適
用される。

このうち、ドメイン名電気通信役務を提供する電気通信事業について、本法
の規律が適用されることとしているのは、インターネットにおける民間の自由
なサービス提供を最大限に尊重しつつ、インターネットの利用に不可欠なＤＮ
Ｓ（Domain Name System)（サーバのドメイン名についての「問合せ」に対し、
当該サーバのＩＰアドレスの「回答」が行われる仕組み）の信頼性を確保する
ためである。

また、総務大臣が指定する者が提供する検索情報電気通信役務を提供する電
気通信事業について、本法の規律を適用することとしているのは、当該電気通
信役務が、次のように、社会経済活動における重要性を有するものであり、当
該電気通信役務の提供が停止し、又は当該電気通信役務において利用者情報の
不適正な取扱いが行われる場合等には、社会経済的影響が大きく、利用者の利
益に多大な影響を及ぼすおそれがあるからである。

①　当該電気通信役務は、インターネットにおいて他人間の通信における送信
先等の出力を行うものであり、適切に提供されなければ、利用者がアクセス
したいサイトのドメイン名等を把握できず、当該サイトにアクセスすること
が困難となるなど、インターネットを活用した様々な電気通信役務を利用す
るための基盤的な役割を担う社会経済的重要性が高い電気通信役務である。

②　当該電気通信役務を利用する者の増加に伴い、多くの利用者が希望する

754

ウェブサイトへの案内精度が向上し、これによりさらに利便性が向上して利用者が増加し、その増加が更なる案内精度の向上及び利用者の増加につながるといった効果（いわゆる「ネットワーク効果」）がみられ、利用者が寡占的に集中しやすい構造がある。

③　当該電気通信役務は、提供する電気通信事業者により、検索履歴、検索結果を踏まえた閲覧履歴等利用者に関する情報が広範囲に取得されるものである。

　そして、総務大臣が指定する者が提供する媒介相当電気通信役務（ＳＮＳ等）を提供する電気通信事業について、本法の規律が適用されることとしているのは、当該電気通信役務が、次のような社会経済活動における重要性を有するものであり、当該電気通信役務の提供が停止し、又は当該電気通信役務において利用者情報の不適正な取扱いが行われる場合等には、社会経済的影響が大きく、利用者の利益に多大な影響を及ぼすおそれがあるものだからである。

①　当該電気通信役務は、ＳＮＳ等に代表されるように、

　　㋐　閲覧者（受信者）に閲覧（受信）されることを目的として送信された投稿者（送信者）からの投稿情報を記録等し、

　　㋑　閲覧者（受信者）からの求めに応じて当該情報を送信するものであり、

㋐の投稿者（送信者）・電気通信事業者間通信及び㋑の電気通信事業者・閲覧者（受信者）間通信という二つの自己と他人との間の通信で構成される。これは、実質的には、投稿者（送信者）と閲覧者（受信者）との間の通信を取り次ぐものであり、㋐と㋑の二つの自己と他人との間の通信に係る電気通信役務は、一つの「他人と他人との間の通信」を実質的に媒介する媒介相当行為を行う電気通信役務と考えられるため、隔地者間の意思疎通を実現する形態の電気通信役務と捉えられる。

②　当該電気通信役務を利用して情報の投稿等を行おうとする者の増加に伴い、情報の提供等を受けようとする者の便益が増進され、これにより利用者数の増加、利用者の便益の増進につながることで、利用者の更なる増加につながるといった効果（いわゆる「ネットワーク効果」）がみられるとともに、多くの利用者が同じプラットフォームを利用しており自分だけが離脱すると不便になるといった特徴（いわゆる「ネットワークの拘束性」）を有しているものがあり、利用者が寡占的に集中しやすい構造がある。

③　当該電気通信役務は、提供する電気通信事業者により、投稿内容、閲覧履

第164条

歴等利用者に関する情報が広範囲に取得されるものである。

(5) ロ及びハに掲げる電気通信役務にあつては、当該電気通信役務を提供する者として総務大臣が総務省令で定めるところにより指定する者により提供されるものに限る

　検索情報電気通信役務及び媒介相当電気通信役務は、一般の利用者に対して提供される役務であり利用者数が日々変動し得るものであること、また、しばしば契約締結行為等を伴わないことから、法の適用対象となる閾値を定める第2項の総務省令で定める基準を超過する時点を事前に予見した上で、必要な電気通信事業の届出等の手続を行うことは困難であることに鑑み、法適用の安定性を確保するため、法の適用対象となる電気通信事業者について総務大臣の指定を必要とすることとしている。

　具体的には、検索情報電気通信役務については、マイクロソフト・コーポレーション、Google LLC及びLINEヤフー株式会社が、媒介相当電気通信役務については、Google LLC、LINEヤフー株式会社、Meta Platforms, Inc.、TikTok Pte. Ltd.及びX Corp.が、本法の適用を受ける電気通信事業者として指定されている（令和5年総務省告示第347号）。

〔第2項〕

(6) ドメイン名電気通信役務

　インターネットでは、その利用者が、ウェブサイトの閲覧等に当たり、ウェブサイトに用いられるウェブサーバ等の電気通信設備に接続する。この接続に際しては、ウェブサーバ等を識別するために割り当てられるIPアドレス（(8)で後述。）を用いることになる。ただ、IPアドレス自体は、基本的に数字及びドット又はコロンの記号の組合せであって、利用者が容易に認識できるものではなく、利用者に対しては、文字、数字、ハイフン（−）、ピリオド（.）からなり容易に認識しやすいドメイン名がIPアドレスに代わり用いられている。ドメイン名は、ウェブサイトのURL（Uniform Resource Locator）やメールアドレスに含まれている。

・　URLに含まれるドメイン名の例：www.example.jp

・　メールアドレスに含まれるドメイン名の例：abcde@example.jpの内の「example.jp」の部分

　ドメイン名に対応するIPアドレスを取得することを可能とするのがDNS（Domain Name System）の仕組みである。DNSは、ウェブサーバのドメイ

ン名についての「問合せ」に対し、当該サーバのIPアドレスの「回答」を行う（ドメイン名の名前解決が行われる）仕組みである。

ドメイン名を命名するための仮想的な階層構造の名前空間をドメインという。

※このうちの、ドメイン名を構成する最も右側のラベル（上記のドメイン名の例では、「.jp」）を「トップレベルドメイン」と呼んでいる。各国・地域に一つずつ割り当てられたものが国別コードトップレベルドメイン（ccTLD（country code Top Level Domain））と呼ばれ、「.com」等の分野別トップレベルドメインがgTLD（generic Top Level Domain）、その中で地理的名称をそのラベルに用いたものが地理的名称一般トップレベルドメイン（地理的名称gTLD）と呼ばれている。

ドメインの管理者は、当該ドメインの階層におけるドメイン名の問合せに対してIPアドレスの回答を行う責任を負っている。また、同管理者は、当該ドメインの名称（ラベル）を機器のドメイン名の一部として用いることができるほか、当該ドメインの下位階層に新たなドメインを原則として自由に設けることができる。

DNSの機能を担うDNSサーバには、上記管理者等が設置した権威DNSサーバと、利用者が契約するインターネットサービスプロバイダ（ISP）（インターネット接続サービスを提供する電気通信事業者）等が設置したキャッシュDNSサーバとがある。

権威DNSサーバは、キャッシュDNSサーバからの問合せにより受け取ったドメイン名でその記憶装置からIPアドレスを検索し、その下位階層のドメインの権威DNSサーバのIPアドレス又はドメイン名が付与されたウェブサーバ自体のIPアドレスの情報を送る電気通信設備である。権威DNSサーバは、一定の障害対策のため、インターネットの国際的な標準（RFC（Request for Comments）（インターネット技術の標準化を推進する任意団体のIETF（Internet Engineering Task Force）が作成する文書））において、人が直接その記録媒体に情報を記録する1次権威DNSサーバに加え、当該情報の複製がその記録媒体に記録される2次権威DNSサーバを併せて設置することとされている。

また、キャッシュDNSサーバは、利用者の電気通信設備からの問合せを受け、これに代わり、権威DNSサーバにドメイン名に係る問合せを行う電気通信設備である。

第164条

　上記の権威ＤＮＳサーバは、本項の「入力されたドメイン名の一部又は全部に対応してアイ・ピー・アドレスを出力する機能を有する電気通信設備」に該当する。権威ＤＮＳサーバにより、キャッシュＤＮＳサーバに対してIPアドレスを回答する行為は、権威ＤＮＳサーバを「電気通信事業者の通信の用に供する電気通信役務」に該当する。

　この電気通信役務のうち、ドメイン名電気通信役務に当たるのは、総務省令で、ドメインの管理者が提供するドメイン名の一部又は全部に対応してIPアドレスを出力する機能を提供するサービスであって次の①又は②であるもの及び契約数が30万以上のＤＮＳホスティングサービスと定めている（施行規則第59条の3第1項）。

①　国、地方公共団体その他これらに類するものの名称を表す文字及びドットの記号の組合せによるドメイン名の一部として総務大臣が別に告示するもの（平成28年総務省告示第109号により、ccTLDである「.jp」及び地理的名称gTLDである「.nagoya」、「.tokyo」、「.okinawa」、「.yokohama」、「.osaka」、「.kyoto」を告示。）に関して提供するもの

②　契約数が30万以上のサービス

　ここで①を規定しているのは、第一に、ccTLDである「.jp」は、我が国のドメインである旨を意味すること、第二に、ＩＣＡＮＮ（The Internet Corporation for Assigned Names and Numbers）（国際的にインターネット上の資源管理を行う非営利法人。ドメインやＩＰアドレスの管理方針の策定を行っている。）ではccTLD又は地理的名称gTLDの管理者となるための要件として、国又は地方公共団体の支持（エンドースメント）を受けることを求めており、ccTLDは国が支持を与え、「.tokyo」等の地理的名称gTLDは、地方公共団体がその地方公共団体を代表するドメインとして支持を与えたものであり、これらについてのドメイン名電気通信役務は、国又は地方公共団体の信用力を期待する利用者や支持を与えた国又は地方公共団体からの、差別なく安定的に提供されることへの要請が特に強いためである。

　利用者がインターネットを利用（ウェブサイトを閲覧）する際の手順は、次のとおりであり、この中で、ドメイン名電気通信役務は、6）及び8）の権威ＤＮＳサーバを用いてドメイン名の一部又は全部に対応してIPアドレスを出力する機能を提供するサービスに当たる。（なお、3）の行為は、属地性や事業性の観点から本法の適用対象外となる。）

758

1) 利用者がその利用する端末に閲覧先のドメイン名（例：www.example.jp）を入力し、当該端末はキャッシュＤＮＳサーバに対し、ドメイン名の情報を問い合わせる。

2) 問合せを受けたキャッシュＤＮＳサーバは、当該情報をルートＤＮＳサーバ（最上位の階層に位置する権威ＤＮＳサーバであり、世界中で13系統存在する。）に問い合わせる（既に記憶装置にキャッシュが存在し、そのキャッシュを利用できる場合は手順を省略する）。

3) 問合せを受けたルートＤＮＳサーバは、下位階層の権威ＤＮＳサーバ（例：「jp」の権威ＤＮＳサーバ）のＩＰアドレスの情報をキャッシュDNSサーバに返す。

4) キャッシュＤＮＳサーバは、受け取った情報を基に、当該下位階層の権威ＤＮＳサーバにドメイン名の情報を問い合わせる。

5) 問合せを受けた当該下位階層の権威ＤＮＳサーバは、受け取ったドメイン名についてのＩＰアドレスの情報の有無を、その記憶装置から検索する（該当する情報がない場合は6）、該当する情報がある場合は8）へ）。

6) 該当する情報を持たない場合、権威ＤＮＳサーバは下位階層の権威ＤＮＳサーバ（例：「example.jp」の権威ＤＮＳサーバ）のＩＰアドレスの情報を返す。

7) キャッシュＤＮＳサーバは、受け取った情報が問合せに対する回答でない場合、受け取った情報に従い、当該下位階層の権威ＤＮＳサーバにドメイン名の情報を問い合わせる。

8) 該当する情報（例：「www.example.jp」のウェブサーバのＩＰアドレス）があった場合は、権威ＤＮＳサーバは、当該情報をキャッシュＤＮＳサーバに返す。

9) キャッシュＤＮＳサーバは、受け取った情報が問合せに対する回答である場合は、利用者の端末にその情報を回答する（「ドメイン名の名前解決」）。

10) 利用者は、受け取ったIPアドレスにより、ウェブサーバへアクセスする。

⑺ ドメイン名

　「ドメイン名」は、インターネットの利用者がウェブサイトの閲覧等に当たりウェブサーバ等の電気通信設備に接続する際に、ウェブサーバ等を識別するために割り当てられるIPアドレスに代わりウェブサーバ等を識別するために用いられているもの（⑹を参照のこと。）であり、ＲＦＣにおいてdomain namesとされているもので、不正競争防止法（平成5年法律第47号）第2条第10項の「ドメイン名」と同じである。

「ドメイン名」は、RFCにおいては、多義的に、「ドメインを識別する名称」として、また「ドメインに存在する機器を識別する名称」としても用いられている。本号のドメイン名は、後者の「機器を識別し得る名称」としてのドメイン名であり、機器の識別に用いられるのは、本号における「ドメイン名の全部」に相当する。なお、ドメインを識別する場合に用いられるのは、本号における「ドメイン名の一部」に相当する。

総務省令では、「文字及びドットの記号の組合せを末尾とする文字、数字又は記号の組合せとする」と定めている（施行規則第59条の3第2項）。

(8) アイ・ピー・アドレス

「アイ・ピー・アドレス」（IPアドレス）は、インターネットの利用者がウェブサイトの閲覧等に当たりウェブサーバ等の電気通信設備に接続する際にウェブサーバ等を識別するために割り当てられるものである（(6)を参照のこと）。RFCにおいてInternet Protocol Address又はこれを略してIP addressとされている。

「IPアドレス」は、RFCでは、インターネットのデータを送信元の機器から宛先の機器に運ぶための機能を規定した階層（インターネットでは、それぞれのネットワークに接続された機器間での通信を成立させるため、その通信に関する機能が階層化され、その階層ごとに取決め（プロトコル）が体系化されている。）において、当該機能を担う「IPプロトコル」における固定長のアドレスとされている。また、RFCでは、IPアドレスによって識別される機器を送信元と宛先とするデータの伝達を行うことも併せて規定されている。

総務省令では、IPアドレスは、次のいずれかと定めている（施行規則第59条の3第3項）。

① 数字及びドットの記号の組合せであって、32ビットの値を表すもの（IPv4アドレス）

② 数字（数字に代わって用いられる文字を含む。）及びコロンの記号の組合せであって、128ビットの値を表すもの（IPv6アドレス）

(9) 検索情報電気通信役務

入力された検索情報に対応して、当該検索情報が記録されたウェブページのドメイン名等の当該ウェブページの所在に関する情報（URL等）を出力する

機能を有する電気通信設備を他人の通信の用に供する電気通信役務（いわゆる検索サービス）であって、一定の要件(利用者数等)を満たす大規模なものを指す。

⑽　入力された検索情報（検索により求める情報をいう。・・・）に対応して当該検索情報が記録されたウェブページのドメイン名その他の所在に関する情報を出力する機能を有する電気通信設備を他人の通信の用に供する電気通信役務

　　「入力された検索情報」は、利用者により検索ウェブページにおいて入力される検索ワードを指す。これ「に対応して当該検索情報が記録されたウェブページのドメイン名その他の所在に関する情報を出力する」ことから、検索情報電気通信役務が、インターネットにおいて他人間の通信における接続先等の出力を行うものであることに着目して定義づけを行っている。

　　出力する情報としてウェブページのドメイン名のみならず「その他の所在に関する情報」を含めている。これは、ウェブページのＵＲＬはドメイン名に加え、ホスト名等が含まれていること、リダイレクト型の検索サービスの場合、検索結果の画面上はドメイン名を含むＵＲＬを表示していても、実際のリンク先は検索サービス事業者のドメイン名となっていたり、また、ドメイン名の表示がなかったりする形態も多いことを踏まえたものである。

⑾　その内容、利用者の範囲及び利用状況を勘案して利用者の利益に及ぼす影響が大きいものとして総務省令で定める電気通信役務

　　検索サービスのうち「検索情報電気通信役務」に該当するものは、内容、利用者の範囲及び利用状況を勘案して利用者の利益に及ぼす影響が大きい電気通信役務に限定することとしている。これは、①検索サービスは、そのウェブサイト内の検索しかできないものからインターネット内のウェブサイトを分野横断的に検索できるものまで様々であり、その全てについて法の適用の対象とすべき社会経済活動における重要性があるとは考えられないこと、②インターネット等を活用した多様な事業の創造及び発展には一定の配慮が必要であり、新たに規律を導入する範囲は必要最小限とすべきであること、等を考慮したものである。

　　また、検索情報電気通信役務に該当する検索サービスの具体的な内容を総務省令で定めることとしており、総務省令では、次のいずれにも該当するものとしている（施行規則第59条の３第４項）。

①　入力された検索情報（検索により求める情報をいう。）に対応して、当該

検索情報が記録された全てのウェブページ（通常の方法により閲覧ができるものに限る。）のドメイン名その他の所在に関する情報を出力する機能を有する電気通信設備を他人の通信の用に供する電気通信役務であること。

② 前年度における1月当たりの利用者の数の平均が1000万以上であること。

⑿ 媒介相当電気通信役務

媒介相当電気通信役務とは、不特定の者から情報を受信し、電気通信設備に記録又は入力をされた当該情報を不特定の者の求めに応じて送信する電気通信役務（ＳＮＳ等）であって、一定の要件（利用者数等）を満たす大規模なものを指す。

⒀ その記録媒体（当該記録媒体に記録された情報が不特定の者に送信されるものに限る。）に情報を記録し、又はその送信装置（当該送信装置に入力された情報が不特定の者に送信されるものに限る。）に情報を入力する電気通信

利用者がＳＮＳ等において情報発信する電気通信を指している。

「その記録媒体（・・・）に情報を記録し」とは、電気通信設備（ウェブサーバ等）の記録媒体（ハードディスク等）に利用者が発信する情報を記録する蓄積を伴う形態を示している。

これに対して、「その送信装置（・・・）に情報を入力する電気通信」とは、非蓄積型のリアルタイムストリーミング送信等を想定しており、電気通信設備（ストリーミングサーバ等）の送信装置に利用者が発信する情報を入力する形態を示している。

両形態において、「情報が不特定の者に送信される」としているのは、ウェブページ等において不特定の者に情報が送信されることや、ＳＮＳ等において利用者として登録をした者に情報が送信されることを示している。（あるサービスについて画一的・形式的なフォームへの入力等をもって登録・利用するにとどまる場合等の利用者は、不特定の者に該当すると考えることができる。）

ここで、不特定の者に送信されるものに限定しているのは、受信者を限定する媒介相当行為に関しては、利用者に与える影響が大きいものは現時点であまり想定されず、規律の対象に含めないこととしているためである。

⒁ 不特定の者から受信し

「不特定の者から受信し」とは、ＳＮＳ等提供者が「電気通信設備の記録媒体（・・・）に情報を記録し、又はその送信装置（・・・）に情報を入力する電気通信」を不特定の者から受信することを示している。つまり、ウェブペー

ジやSNS等に記録され、又は入力される情報を不特定の者から受信する場合が想定されている。

これとは異なり送信できる者を限定する形としては、主として審査を経た者（出店者）等からの通信を取り扱うオンラインショッピングモールのような媒介相当行為を行う電気通信役務が想定される。こういった形態については、隔地者間の意思疎通を実質的に媒介する行為を行うものの、物品の販売に付随して行われるものは、意思の伝達自体を目的とした隔地者間の意思疎通を媒介する行為と同様とは限らず、規律を最低限にする見地から、規律の対象とはしていない。

(15)　**これにより当該記録媒体に記録され、又は当該送信装置に入力された情報を不特定の者の求めに応じて送信する**

SNS等提供者が不特定の者から受信した情報を不特定多数の求めに応じて送信することをいう。ここでは、SNS等上で利用者により発信された情報を他の利用者が閲覧等できるようにSNS等提供者が行う電気通信の送信を指しており、求めを行う不特定の者は、SNS等事業者に情報の送信を行った者以外の者を指している。

ここで、不特定の者の求めに応じた送信に限定しているのは、受信者を限定する媒介相当行為に関しては、利用者に与える影響が大きいものは現時点であまり想定されず、規律の対象に含めないこととしているためである。

(16)　**電気通信設備を他人の通信の用に供する**

電気通信設備を他人の通信のために運用することである。ここでは、SNS等提供者が電気通信設備を情報の発信者及び閲覧者である利用者の通信のために運用することを指す。

(17)　**その内容、利用者の範囲及び利用状況を勘案して利用者の利益に及ぼす影響が大きいものとして総務省令で定める電気通信役務**

媒介相当電気通信役務については、法の規律の対象とするが、不特定者間の媒介相当行為を行う電気通信役務のうち「媒介相当電気通信役務」に該当するものは、内容、利用者の範囲及び利用状況を勘案して利用者の利益に及ぼす影響が大きい電気通信役務に限定することとしている。これは、①不特定者間の媒介相当行為を行う電気通信役務は、インターネットを活用した非常に多種多様なサービスにみられるものであり、その全てが法の適用の対象とすべき社会経済活動における重要性があるとは考えられないこと、②規律の範囲は必要最

小限とすべきであること等を考慮したものである。

　また、媒介相当電気通信役務に該当する電気通信役務の具体的な内容は総務省令で定めることとしている。総務省令では、電気通信役務は、次のいずれにも該当するものとしている（施行規則第59条の３第５項）。

① 　その記録媒体（当該記録媒体に記録された情報が不特定の者に送信されるものに限る。）に情報（商品、役務又は権利に関する情報を除く。）を記録し、又はその送信装置（当該送信装置に入力された情報が不特定の者に送信されるものに限る。）に情報を入力する電気通信を不特定の者から受信し、これにより当該記録媒体に記録され、又は当該送信装置に入力された情報を不特定の者の求めに応じて送信する機能を有する電気通信設備を他人の通信の用に供する電気通信役務であって、主として不特定の利用者間の交流を目的としたもの（当該電気通信役務以外の電気通信役務に付随的に提供されるものを除く。）であること。

② 　前年度における１月当たりの利用者の数の平均が1000万以上であること。

〔第３項〕

　第１項の規定により本法の適用除外となる電気通信事業についても、他人の通信を取り扱う事業であることに変わりはなく、憲法上の要請でもある検閲の禁止及び通信の秘密の保護の規定については、これらの事業を営む者の取扱中に係る通信にも適用することとしている。

　第１項各号に掲げる電気通信事業を営む者の取扱中に係る通信の秘密を侵した者は、２年以下の拘禁刑（令和４年法律第68号の施行後。）又は100万円以下の罰金に処せられる（第179条第１項）。その電気通信事業に従事する者の場合には、３年以下の拘禁刑（令和４年法律第68号の施行後。）又は200万円以下の罰金に処せられる（同条第２項）。両罰規定（第190条）の適用もある。

　また、第１項第３号に掲げる事業（第３号事業）は、同項によって本法の適用除外とされているところであるが、第３号事業を営む者に対して、情報送信指令通信の利用者への通知等の義務（第27条の12等）等の規定を適用することとし、また、当該事業を営む者が申し入れた当該事業を営むに当たって利用すべき電気通信役務の提供に関する契約の締結に関し、電気通信紛争処理委員会によるあっせん及び仲裁の申請を行うことができる旨の規定（第157条の２）を適用することとしている。

〔第4項〕

　認定送信型対電気通信設備サイバー攻撃対処協会の第116条の2第2項第1号の業務が電気通信事業に該当しない場合でも、当該業務において行われる通知は第3条及び第4条第1項において電気通信事業者の取扱中に係る通信とみなし、また、当該業務に従事する者は電気通信事業に従事する者とみなすことを規定している。

　第116条の2第2項第1号ロの通知の内容は、送信型対電気通信設備サイバー攻撃の送信元である電気通信設備に係る通信の秘密を含むことから、同号の業務が電気通信事業に該当しない場合においても、その通知を電気通信事業者の取扱中に係る通信と確認的にみなして検閲及びその秘密の侵害を禁止することで、その通信の秘密を保護することとしている。

　また、同号の業務に従事する者は電気通信事業者の取扱中に係るものとみなされる通信の秘密を恒常的に扱うこととなることから、電気通信事業に従事するものとみなすことで、事業者の取扱中に係る通信の秘密を保護することとしている。

　本項の規定により電気通信事業者の取扱中に係る通信とみなされる通知の秘密を侵した者は、2年以下の拘禁刑（令和4年法律第68号の施行後。）又は100万円以下の罰金に処せられる（第179条第1項）。第116条の2第2項第1号の業務に従事する者の場合には、3年以下の拘禁刑（令和4年法律第68号の施行後。）又は200万円以下の罰金に処せられる（第179条第2項）。両罰規定（第190条）の適用もある。

〔第5項〕

　認定送信型対電気通信設備サイバー攻撃対処協会が取り扱う第116条の2第2項第2号ロの通信履歴の電磁的記録は電気通信事業者の取扱中に係る通信とみなし、また、同号の業務に従事する者は電気通信事業に従事する者とみなすことを規定している。

　同号の業務については、電気通信事業に該当しないが、その実施に当たり電気通信事業者から提供を受ける通信履歴の電磁的記録には送信型対電気通信設備サイバー攻撃の送信元である電気通信設備に係る通信の秘密を含むことから、同号ロの通信履歴の電磁的記録を電気通信事業者の取扱中に係る通信と確認的にみなして検閲及びその秘密の侵害を禁止することで、その通信の秘密を保護することとしている。

　また、同号の業務に従事する者は電気通信事業者の取扱中に係るものとみなさ

第164条・第165条

れる通信の秘密を恒常的に扱うこととなることから、電気通信事業に従事するものとみなすことで、その通信の秘密を保護することとしている。

　本項の規定により電気通信事業者の取扱中に係る通信とみなされる通信履歴の電磁的記録の秘密を侵した者は、2年以下の拘禁刑（令和4年法律第68号の施行後。）又は100万円以下の罰金に処せられる（第179条第1項）。第116条の2第2項第2号の業務に従事する者の場合には、3年以下の拘禁刑（令和4年法律第68号の施行後。）又は200万円以下の罰金に処せられる（第179条第2項）。両罰規定（第190条）の適用もある。

第165条（営利を目的としない電気通信事業を行う地方公共団体の取扱い）

> （営利を目的としない電気通信事業を行う地方公共団体の取扱い）
> 第165条　(1) 営利を目的としない電気通信事業（内容、利用者の範囲等からみて利用者の利益に及ぼす影響が比較的大きいものとして総務省令で定める電気通信役務を提供する電気通信事業に限る。）を行おうとする　(2) 地方公共団体は、総務省令で定めるところにより、第16条第1項各号に掲げる事項を記載した書類を添えて、その旨を総務大臣に　(3) 届け出なければならない。
>
> 2　前項の規定による届出をした地方公共団体は、第16条第1項の規定による届出をした電気通信事業者とみなす。ただし、第19条から第25条まで、第27条の5から第27条の12まで、第30条、第31条、第33条から第34条の2まで、第36条、第37条、第38条の2、第39条の3、第40条、第42条、第44条、第45条、第52条、第69条、第70条及び第2章第7節の規定の適用については、この限りでない。

追加	平成15年法律第125号
改正	平成27年法律第 26号
	平成30年法律第 24号
	令和元年法律第 5号
	令和4年法律第 70号

1　概　要

　地方公共団体が、地域活性化等の観点から、非営利の電気通信事業として、広範囲にわたり不特定多数の利用者に対しインターネット接続サービスや専用サー

第165条

ビス等を提供する形態は、国民生活や産業活動の基盤となる電気通信ネットワークの一角を担うものであり、本条は、このような非営利の電気通信事業についても、必要最小限の規律を適用することとしている。

2 条文内容

〔第1項〕

(1) 営利を目的としない電気通信事業（内容、利用者の範囲等からみて利用者の利益に及ぼす影響が比較的大きいものとして総務省令で定める電気通信役務を提供する電気通信事業に限る。）

　　地方公共団体の行う非営利の電気通信事業のうち、市町村が行っている地域住民向けのインターネット接続サービスや県が行っている県内中継網の専用サービス等、広範囲にわたり不特定多数の利用者に対し提供されるものであり、利用者の利益に及ぼす影響が比較的大きいものについては、利用者の利益を保護する必要があるという点において、民間の電気通信事業者の営んでいる営利を目的とする電気通信事業と懸隔がないことから、最小限の規律を適用することとしている。

　　他方、それ以外の非営利の電気通信事業（例えば、大学、企業の研究所等の学術研究機関の間を結ぶ学術用のネットワークを構築して、これらの学術研究機関に無償でサービス提供する電気通信事業等）は、特定の行政目的のために一定の利用者に対し提供されるものであり、その影響の及ぶ範囲や程度にも自ずと限界があると考えられることから、このような電気通信事業について、規律を適用する必要性は低いと考えられる。

　　したがって、地方公共団体の行う非営利の電気通信事業の全てを一律に電気通信事業法の対象とすることは適当でなく、広範囲にわたり不特定多数の利用者に対し提供されるものであり、利用者の利益に及ぼす影響が比較的大きいもののみを規律の対象とし、総務省令で定める次の電気通信役務を提供する電気通信事業に限定している（施行規則第60条）。

① 電気通信設備を不特定かつ多数の者の通信の用に供する電気通信役務

② 卸電気通信役務（①に該当するものを除く。）

(2) 地方公共団体

　　一般的に、非営利の電気通信事業（個人が趣味で反復継続して運営するウェブメール等）については、利益を上げることを目的とするものでない以上、そ

767

の事業の規模は小さく、その影響の及ぶ範囲や程度にも自ずと限界があると考えられることから、第2条第5号において、本法の規律の対象たる「電気通信事業者」の定義を、「電気通信事業を営む」者について定めており、「非営利」の電気通信事業を行う者は、これに該当しないと解されている。

しかしながら、地方公共団体が、地域活性化等の観点から、非営利の電気通信事業として、広範囲にわたり不特定多数の利用者に対しインターネット接続サービスや専用サービス等を提供する形態は、国民生活や産業活動の基盤となる電気通信ネットワークの一角を担うものであり、このような非営利の電気通信事業についても、必要最小限の規律を適用することとしている。

地方公共団体は、財政的措置を講ずることにより、比較的大きな規模の非営利の電気通信事業を、継続的に遂行する能力を有しているとともに、地域活性化等の観点から、地域住民の利便向上等のため、このような比較的大きな規模の非営利事業を継続的に遂行するインセンティブを有している。実際にも、このような比較的大きな規模の非営利事業を継続的に遂行する地方公共団体は多数存在している。

他方で、民間事業者は、一般的には、このような比較的大きな規模の非営利事業を、継続的に遂行することはできないと考えられることから、民間事業者による非営利の電気通信事業は、小規模なものか、一時的なものに止まることが想定されるところ、このような電気通信事業を本法の規律の対象とする必要性は低いと考えられる。

(3) 届け出なければならない

行政目的実現のため非営利の電気通信事業を行う地方公共団体については、その規模の如何を問わず、

① 電気通信の秩序を乱すことは想定されないこと

② 公正な競争を阻害し電気通信の健全な発達を阻害するおそれは低いこと

から、万が一、弊害が生じた場合には、事後に業務改善命令等を適用することにより、その弊害を排除することで足りるものであり、登録制を適用して事前審査を行う必要性は低いものと考えられるため、届出制を適用している。

〔第2項〕

営利を目的としない電気通信事業を行う地方公共団体における利用者に関する情報の適正な取扱いについては、各地方公共団体が行政機関としての主体的な判断の下で必要な措置を講ずることが適当であるため、特定利用者情報の適正取扱

いや情報送信指令通信に係る通知等の規定は、地方公共団体には適用しないこととしている。

　地方公共団体が営利を目的とせず行う電気通信事業であっても、実際に利用者の利益を阻害した場合等においては、業務の方法の改善等が措置される必要があることから、上記の利用者に関する情報の取扱いに関するものを除き、第29条の業務改善命令の規定及びその根拠となる義務規定は全て適用することとしているが、契約約款の届出等、事前の担保措置については、地域活性化等行政施策の実現を図ろうとする地方公共団体の行政機関としての主体的判断に委ね、これを適用しないこととしている。

　また、地方公共団体が営利を目的とせず行う電気通信事業であっても、実際に電気通信事業者間で紛争が生じた場合等においては、総務大臣による裁定等により簡易・迅速に解決される必要があることから、接続協議命令等の規定及びその根拠規定としての接続義務は適用することとしているが、接続約款の届出等、事前の担保措置については、地域活性化等行政施策の実現を図ろうとする地方公共団体の行政機関としての主体的判断に委ね、これを適用しないこととしている。

　電気通信ネットワークは全世界につながっており、システム障害の影響は全世界に及ぶため、ネットワークの安全・信頼性を確保することが必要であり、このような観点からの技術基準等は全て適用するが、主任技術者等、事前の担保措置については、地域活性化等行政施策の実現を図ろうとする地方公共団体の行政機関としての主体的判断に委ね、これを適用しないこととしている。

第166条（報告及び検査）

（報告及び検査）

第166条　総務大臣は、この法律の施行に必要な限度において、(1) 電気通信事業者、第3号事業を営む者若しくは媒介等業務受託者に対し、その事業に関し報告をさせ、又はその職員に、(1) 電気通信事業者、第3号事業を営む者若しくは媒介等業務受託者の営業所、事務所その他の事業場に立ち入り、電気通信設備（電気通信事業者又は第3号事業を営む者の事業場に立ち入る場合に限る。）、帳簿、書類その他の物件を検査させることができる。

2　総務大臣は、この法律の施行に必要な限度において、登録認定機関によ

第166条

る　(2) 技術基準適合認定を受けた者に対し、当該技術基準適合認定に係る
端末機器に関し報告をさせ、又はその職員に、当該技術基準適合認定を受
けた者の事業所に立ち入り、当該端末機器その他の物件を検査させること
ができる。

3　前項の規定は、認証取扱業者、届出業者又は登録修理業者について準
用する。この場合において、同項中「当該技術基準適合認定に」とある
のは、認証取扱業者については「当該認証取扱業者が受けた設計認証に」
と、届出業者については「その届出に」と、登録修理業者については「当
該登録修理業者が修理したその登録に」と読み替えるものとする。

4　総務大臣は、この法律の施行に必要な限度において、指定試験機関若し
くは支援機関に対し、その業務に関し報告をさせ、又はその職員に、指定
試験機関若しくは支援機関の事務所若しくは事業所に立ち入り、帳簿、書
類その他の物件を検査させることができる。

5　前項の規定は、登録講習機関、登録認定機関又は認定送信型対電気通信
設備サイバー攻撃対処協会について準用する。

6　第2項の規定は承認認定機関による技術基準適合認定を受けた者又は
承認認定機関による設計認証を受けた者について、第4項の規定は承認認
定機関について、それぞれ準用する。この場合において、第2項中「技術
基準適合認定」とあるのは、設計認証を受けた者については「設計認証」
と読み替えるものとする。

7　第1項の規定又は第2項(第3項及び前項において準用する場合を含む。
次項において同じ。)若しくは第4項（前2項において準用する場合を含
む。次項において同じ。）の規定により立入検査をする職員は、その身分
を示す証明書を携帯し、関係人に提示しなければならない。

8　第1項の規定又は第2項若しくは第4項の規定による立入検査の権限
は、犯罪捜査のために認められたものと解釈してはならない。

	改正	平成10年法律第 58号
		平成11年法律第160号
		平成13年法律第 62号
第92条繰下げ改正		平成15年法律第125号
	改正	平成26年法律第 63号
		平成27年法律第 26号
		平成30年法律第 24号
		令和4年法律第 70号

1 概　要

　総務大臣が、この法律の施行に必要な限度で、電気通信事業者等に対して報告を求めること若しくはその営業所等に職員が立入検査をすることができること等を定めている。

2 条文内容

〔第1項〕

(1)　電気通信事業者、第3号事業を営む者若しくは媒介等業務受託者

　　電気通信事業は、国民生活及び国民経済に欠かすことのできない極めて公共性の高い事業であるため、本法においては、電気通信事業者に種々の義務を設け、第3号事業を営む者には、情報送信指令通信に係る通知等の義務（第27条の12）を設け、これらについて遵守がなされていない場合には業務改善命令により是正を図ることとしている（第29条等）。また、媒介等業務受託者に対しては、提供条件の説明義務（第73条の3において準用する第26条第1項）、不実告知等・勧誘継続行為の禁止（第73条の3において準用する第27条の2）、移動電気通信役務に係る端末購入等の補助等及び過度な期間拘束契約の禁止（第73条の3において準用する第27条の3第2項）の規定を設け、これらについて遵守がなされていない場合には業務改善命令により是正を図ることとしている（第73条の4）。これを適切に執行するためには、こうした義務が履行されているかどうかをはじめ、業務の方法等について必要な調査を行う必要があるため、電気通信事業者、第3号事業を営む者又は媒介等業務受託者に対して、総務大臣がこの法律の施行のため必要な事項の報告を求めることができることとし、また、職員に立入検査させることができることとしている。

　　なお、電気通信事業者、第3号事業を営む者又は届出媒介等業務受託者に求める報告のうち、定期的・定型的に求めるものについては、電気通信事業報告規則（昭和63年郵政省令第46号）に基づいて行われている。

〔第2項〕

(2)　技術基準適合認定を受けた者

　　技術基準適合認定制度を適正に運営する観点から、技術基準適合認定を受けた端末機器の技術基準への適合性等を適確に把握するため、登録認定機関による技術基準適合認定を受けた者に対し、総務大臣は、報告徴収・立入検査を求めることができることとしている。

第166条

〔第3項〕

　認証取扱業者（登録認定機関による設計認証を受けた者）、届出業者（技術基準適合自己確認の届出をした製造業者又は輸入業者）又は登録修理業者に対し、総務大臣は、報告徴収又は立入検査を求めることができることを規定している。

　なお、外国取扱業者に対しては、

①　報告をさせようとした場合において、その報告がされず、又は虚偽の報告がされたときは、当該報告に係る端末機器の認証設計に基づく端末機器に

②　職員に当該外国取扱業者の事業所において検査をさせようとした場合において、その検査が拒まれ、妨げられ、又は忌避されたときは、当該検査に係る端末機器の認証設計に基づく端末機器に

第58条の表示を付することを禁止することができることとしている（第62条第3項第1号及び第2号）。

〔第4・5項〕

　指定試験機関、支援機関、登録講習機関、登録認定機関又は認定送信型対電気通信設備サイバー攻撃対処協会に対し、総務大臣は、報告徴収又は立入検査を求めることができることを規定している。

〔第6項〕

　承認認定機関による技術基準適合認定を受けた者、承認認定機関による設計認証を受けた者又は承認認定機関は、いずれも外国の者であり、わが国の執行管轄権が及ばない点において国内の者と相違がある。このため、わが国の執行管轄権が原則として及ばない外国の者に対し罰則を適用することが困難である場合もあることから、国内の者に対する規定と別項にして、国内の者に係る規定を準用することとしている。

〔第7項〕

　立入検査は、この法律の執行のための行政権の作用として行われるものであり、憲法第35条の適用はなく、令状は必要とされない。しかしながら、私権が制約されることになることには変わりがないことから、身分を示す証明書の携帯・提示を義務付けることにより、立入検査をする職員の権限について疑義の生ずることを防いでいるものである。

〔第8項〕

　本条により総務大臣に認められている立入検査権は、本法施行に必要な行政監督のためのものであり、司法警察員としての権限である犯罪捜査のために利用す

ることは許されないことを明確にしている。

3　参　考

　本条に基づく立入検査の事例としては、株式会社近未来通信に対して電気通信サービスの利用者保護の観点から第1項に基づき実施した事例がある（総務省報道発表（平成18年11月30日））。

第167条（端末機器等の提出）

（端末機器等の提出）

第167条　総務大臣は、前条第2項の規定によりその職員に検査をさせた場合において、その所在の場所において検査をさせることが著しく困難であると認められる端末機器又は当該端末機器の検査を行うために特に必要な物件があつたときは、登録認定機関による技術基準適合認定を受けた者に対し、期限を定めて、当該端末機器又は当該物件を提出すべきことを命ずることができる。

2　国は、前項の規定による命令によつて生じた損失を当該技術基準適合認定を受けた者に対し補償しなければならない。

3　前項の規定により補償すべき損失は、第1項の規定による命令により通常生ずべき損失とする。

4　前3項の規定は、認証取扱業者、届出業者又は登録修理業者について準用する。この場合において、第1項中「前条第2項」とあるのは、「前条第3項において準用する同条第2項」と読み替えるものとする。

5　技術基準適合認定を受けた者が外国取扱業者である場合における当該外国取扱業者に対する第1項から第3項までの規定の適用については、第1項中「命ずる」とあるのは「請求する」と、第2項及び第3項中「命令」とあるのは「請求」とする。

6　認証取扱業者が外国取扱業者である場合における当該外国取扱業者に対する第4項において準用する第1項から第3項までの規定の適用については、第1項中「命ずる」とあるのは「請求する」と、第2項及び第3項中「命令」とあるのは「請求」とする。

第167条

---

7 第1項から第3項までの規定は、承認認定機関による技術基準適合認定を受けた者又は承認認定機関による設計認証を受けた者について準用する。この場合において、第1項中「前条第2項」とあるのは「前条第6項において準用する同条第2項」と、「命ずる」とあるのは「請求する」と、第2項及び第3項中「命令」とあるのは「請求」と読み替えるものとする。

追加及び第92条の2繰下げ　平成15年法律第125号
改正　平成26年法律第 63号
平成30年法律第 24号

概　要

　立入検査時に検査が困難な端末機器又はその検査を行うために特に必要な物件の総務大臣による提出命令を規定している。

　一部の端末機器の検査については、大型で移動が困難な設備を使用する必要があることから、その場において適切な検査を行うことは困難である。このため、総務大臣による適正な監督の実施を確保すべく、期限を定めて、端末機器その他検査に必要な物件について提出を求めることができることとしている。また、総務大臣は提出を求めることにより通常生ずべき損失について補償するものとしている。

　第1項から第3項までの規定は登録認定機関による技術基準適合認定を受けた者に対する提出命令について規定しており、第4項で認証取扱業者、届出業者又は登録修理業者について、これを準用している。

　第5・6項では、外国取扱業者について、技術基準適合認定を受けた者又は認証取扱業者である場合の特例規定を設け、第1項から第3項までの規定で「命令」等とあるのを「請求」等とすることとしている。

　第7項では、承認認定機関により技術基準適合認定を受けた者又は設計認証を受けた者についても、準用規定を設けている。

　なお、外国取扱業者が端末機器又は物件の提出請求に応じなかったときは、当該請求に係る端末機器の認証設計に基づく端末機器について第58条の表示を付することを禁止することができる（第62条第3項第3号）。

第167条の2

第167条の2 （法令等違反行為を行つた者の氏名等の公表）

> （法令等違反行為を行つた者の氏名等の公表）
> 第167条の2　総務大臣は、(1) 電気通信役務の利用者の利益を保護し、又は
> その円滑な提供を確保するため必要かつ適当であると認めるときは、(2) 総
> 務省令で定めるところにより、(3) この法律又はこの法律に基づく命令若し
> くは処分に違反する行為（以下この条において「法令等違反行為」とい
> う。）を行つた者の氏名又は名称その他法令等違反行為による被害の発生
> 若しくは拡大を防止し、又は電気通信事業の運営を適正かつ合理的なもの
> とするために必要な事項を(4) 公表することができる。

追加　令和2年法律第30号

1　概　要

　本法の執行の実効性を確保して利用者利益の保護及び違反行為の抑止を図る趣
旨から、総務大臣は、法令等違反行為を行った者の氏名等を公表することができ
ることとしている。

2　条文内容

　法令等違反行為を行った者がその是正を行うことなく事業を継続することによ
り、その間利用者への被害が拡大する可能性や、電気通信の安全性及び信頼性等
が確保されない可能性がある。これらの状況の発生を防ぎ、利用者利益の保護を
図るとともに、電気通信役務の円滑な提供を確保するため、利用者が適切な情報
に基づき適切な事業者を選択できる環境を整える必要がある。そのため、総務大
臣は、法令等違反行為を行った者の氏名等を公表することができることとしてい
る。

　本公表制度は、電気通信事業者が本法や本法に基づく処分に違反した場合には
その旨を明らかにすることにより、当該者による違反行為の抑止を間接的に図る
ことが可能となるという制裁としての性質も持つ。

　また、法令違反行為（法律又は当該法律に基づく命令に違反する行為）は、電
気通信事業者ではない者により行われる場合があることから、公表の対象は電気
通信事業者に限定していない。

775

(1) 電気通信役務の利用者の利益を保護し、又はその円滑な提供を確保するため必要かつ適当であると認めるときは

　　本法第1条において、「利用者利益の保護を図るとともに、電気通信役務の円滑な提供を確保すること」を目的として規定していることに鑑み、法令等違反行為の発生により、本法の目的が確保されない事態となったと認めるときに限り、本規定が適用されることを規定している。

(2) 総務省令で定めるところにより

　　総務省令では、法令等違反行為を行った者の氏名又は名称その他法令等違反行為による被害の発生若しくは拡大を防止し、又は電気通信事業の運営を適切かつ合理的なものとするために必要な事項を公表するときは、インターネットの利用その他の適切な方法により行うものとしている（施行規則第61条の2）。

　　また、法令等違反行為を行った者の氏名又は名称を公表しようとするときは、次のいずれかに該当するときを除き、あらかじめ、当該法令等違反行為を行った者又は国内代表者等にその旨を通知して、当該法令等違反行為を行った者が自ら又は国内代表者等を通じて意見を述べる機会を与えるものとしている（施行規則第61条の3）。

　① 電気通信役務の利用者の利益の保護又はその円滑な提供の確保の観点から、緊急に公表する必要があるため、意見を述べる機会を与えるための手続を執るいとまがないとき。

　② 法令等違反行為を行った者の所在が判明しないときその他やむを得ない事情のため当該者と連絡することができないとき。

(3) この法律又はこの法律に基づく命令若しくは処分に違反する行為（以下この条において「法令等違反行為」という。）を行つた者の氏名又は名称その他法令等違反行為による被害の発生若しくは拡大を防止し、又は電気通信事業の運営を適正かつ合理的なものとするために必要な事項

　　電気通信事業者に限らず、法令違反行為を行った者の氏名又は名称等を公表することとしている。

(4) 公表することができる

　　法令等違反行為を行った者の氏名等を公表することについては、公表の必要性やその需要の有無等、諸般の事情を踏まえて決定するべきであることから、総務大臣が裁量により判断することとしている。

第167条の3

第167条の3 （民法の特例）

（民法の特例）

第167条の3　電気通信事業による電気通信役務の提供に係る取引に関して民法（明治29年法律第89号）第548条の2第1項の規定を適用する場合においては、同項第2号中「表示していた」とあるのは、「表示し、又は公表していた」とする。

追加　平成29年法律第45号
第167条の2繰下げ　令和2年法律第30号

1　概　要

　電気通信事業による電気通信役務の提供に係る定型取引（ある特定の者が不特定多数の者を相手方として行う取引であって、その内容の全部又は一部が画一的であることがその双方にとって合理的なもの）を行うことの合意（定型取引合意）をした者は、①定型約款を契約の内容とする旨の合意をしたとき、又は②定型約款を準備した者（定型約款準備者）があらかじめその定型約款を契約の内容とする旨を相手方に表示し、若しくは公表していたときには、定型約款（定型取引において、契約の内容とすることを目的としてその特定の者により準備された条項の総体）の個別の条項についても合意をしたものとみなすこととしている。

2　条文内容

　民法第548条の2第1項の規定は、定型約款が契約の内容となるための要件として、定型取引を行うことについて合意をした上で、①定型約款を契約の内容とする旨の合意をするか（同項第1号）、②定型約款準備者があらかじめその定型約款を契約の内容とする旨を相手方に表示していた（同項第2号）ことが必要であるとしている。

　他方で、電気通信事業者と利用者との間の契約約款に基づく取引の中には、定型約款準備者たる電気通信事業者が契約約款を相手方に表示する機会を設けること自体が困難なものがある。具体的には、利用者の利用の都度契約が成立するもの（例えば、公衆電話では、利用者は、公衆電話機に硬貨を投入し相手方の電話番号を入力し同相手が通話を受信した際、公衆電話設置事業者との間でその都度契約が成立する。）や加入契約締結においていわゆるみなし契約が成立するもの

777

第167条の3

（例えば、利用者は、携帯電話事業者との携帯電話契約の承諾を受けると、ローミング事業者とも契約したことになり、携帯電話契約の締結後いつでもローミング事業者の業務区域内で通話・通信を利用することができる。）等がこれに該当する。これらについて、常に適切に契約約款を表示しなければならないこととすれば、電気通信事業者にとって相当な手続的負担を伴うこととなる一方で、利用者にとっては、契約ごとに逐一その表示を受ける意味は薄く、かえってその円滑な利用を阻害する可能性がある。

　電気通信事業による電気通信役務の提供に係る取引では、このように、①あらかじめその定型約款によって契約の内容が補充される旨を相手方に表示することが困難な取引がある。これに加えて、電気通信事業による電気通信役務の提供に係る取引は、②当該取引に係る事業の公共性が高いこと（電気通信は、基幹的な社会インフラを形成しており、その契約は公共性が高く、当該契約に係る事業について、その規制等を行う本法が整備され、これに基づき利用者保護等の観点からする総務大臣による監督に服している。）、③定型約款による補充の必要性が高いこと（電気通信役務の提供に関する契約は、多様な選択料金や通信の発着信の場所によって料金が異なる等、当該契約の内容が複雑であり、かつ、電気通信事業者は、電気通信役務の提供に係る契約を画一的かつ迅速・正確に処理するため、あらかじめ約款を準備し、相手方が約款に従うことを条件に不特定多数の者と契約を成立させていることから、定型約款の利用が不可欠となっている。）から、民法第548条の2第1項の特例を本条で設け、定型取引合意をした者は、定型約款準備者があらかじめその定型約款を契約の内容とする旨を公表したときにも、定型約款の個別の条項についても合意をしたものとみなすこととしている。

民法（明治29年法律第89号）（抄）
　（定型約款の合意）
第548条の2　定型取引（ある特定の者が不特定多数の者を相手方として行う取引であって、その内容の全部又は一部が画一的であることがその双方にとって合理的なものをいう。以下同じ。）を行うことの合意（次条において「定型取引合意」という。）をした者は、次に掲げる場合には、定型約款（定型取引において、契約の内容とすることを目的としてその特定の者により準備された条項の総体をいう。以下同じ。）の個別の条項についても合意をしたものとみなす。

一　定型約款を契約の内容とする旨の合意をしたとき。

　　二　定型約款を準備した者（以下「定型約款準備者」という。）があらか
　　　じめその定型約款を契約の内容とする旨を相手方に表示していたとき。

2　前項の規定にかかわらず、同項の条項のうち、相手方の権利を制限し、
　又は相手方の義務を加重する条項であって、その定型取引の態様及びその
　実情並びに取引上の社会通念に照らして第1条第2項に規定する基本原
　則に反して相手方の利益を一方的に害すると認められるものについては、
　合意をしなかったものとみなす。

　（定型約款の内容の表示）

第548条の3　定型取引を行い、又は行おうとする定型約款準備者は、定
　型取引合意の前又は定型取引合意の後相当の期間内に相手方から請求が
　あった場合には、遅滞なく、相当な方法でその定型約款の内容を示さなけ
　ればならない。ただし、定型約款準備者が既に相手方に対して定型約款を
　記載した書面を交付し、又はこれを記録した電磁的記録を提供していたと
　きは、この限りでない。

2　定型約款準備者が定型取引合意の前において前項の請求を拒んだとき
　は、前条の規定は、適用しない。ただし、一時的な通信障害が発生した場
　合その他正当な事由がある場合は、この限りでない。

　（定型約款の変更）

第548条の4　定型約款準備者は、次に掲げる場合には、定型約款の変更を
　することにより、変更後の定型約款の条項について合意があったものとみ
　なし、個別に相手方と合意をすることなく契約の内容を変更することがで
　きる。

　　一　定型約款の変更が、相手方の一般の利益に適合するとき。

　　二　定型約款の変更が、契約をした目的に反せず、かつ、変更の必要性、
　　　変更後の内容の相当性、この条の規定により定型約款の変更をすること
　　　がある旨の定めの有無及びその内容その他の変更に係る事情に照らし
　　　て合理的なものであるとき。

2　定型約款準備者は、前項の規定による定型約款の変更をするときは、そ
　の効力発生時期を定め、かつ、定型約款を変更する旨及び変更後の定型約
　款の内容並びにその効力発生時期をインターネットの利用その他の適切
　な方法により周知しなければならない。

第167条の3・第168条

3　第1項第2号の規定による定型約款の変更は、前項の効力発生時期が到来するまでに同項の規定による周知をしなければ、その効力を生じない。
4　第548条の2第2項の規定は、第1項の規定による定型約款の変更については、適用しない。

第168条（協議等）

（協議等）

第168条　この法律の規定により、(1) 電気通信事業（電気通信回線設備を設置することなく電気通信役務を提供するものに限る。以下この条において同じ。）、(2) 媒介等業務受託者又は　(3) 端末機器に関し、総務大臣が総務省令（政令で定めるものに限る。）を定め、若しくは命令その他の処分（政令で定めるものに限る。）を行う場合又は総務大臣に対し電気通信事業に関する届出（政令で定めるものに限る。）があつた場合における必要な関係行政機関との協議、これに対する通知その他の手続については、(4) 政令で定める。

改正　　　　　　平成11年法律第160号
第93条繰下げ改正　平成15年法律第125号
改正　　　　　　平成27年法律第 26号

1　概　要

　電気通信回線設備を設置することなく電気通信役務を提供する電気通信事業、媒介等業務受託者又は端末機器に関して、総務省令を定め、処分を行い、又は届出受理があった場合（いずれも、政令で定めるものに限る。）に必要な関係行政機関との協議、関係行政機関への通知等の手続については、政令で定めることを規定している。

2　条文内容

(1)　電気通信事業（電気通信回線設備を設置することなく電気通信役務を提供するものに限る。・・・）

　電気通信回線設備を設置することなく電気通信役務を提供する電気通信事業

780

は、多種多様な通信需要に応じた電気通信役務の提供が想定される分野であり、また、我が国の社会、経済の各分野における発展に大きな役割を果たしていることから、総務大臣がその所掌事務である当該電気通信事業に関する行政を遂行するに当たり、これと密接な関連を有する行政事務との調和を図ろうとする趣旨から規定している。

(2) **媒介等業務受託者**

　媒介等業務受託者は、携帯電話やモデム等の端末機器の販売業を同時に営んでいることが通例であり、かつ、電気通信事業者の電気通信役務の提供に関する契約の媒介、取次ぎ又は代理も携帯電話やモデム等の端末機器の販売と同時に行われることが通例である。

　携帯電話やモデム等は、電気通信設備である端末機器であると同時に、機械器具でもある。このため、総務大臣がその所掌事務たる当該総務省令を定めるとき及び第73条の4の規定による業務改善命令を行うときは、それと密接な関連を有する行政事務との調和を図ることを趣旨として規定している。

(3) **端末機器**

　総務大臣は、技術基準適合認定等を受けた端末機器であって表示が付されているものが、技術基準に適合しておらず、かつ、当該端末機器の使用に電気通信回線設備を利用する他の利用者の通信に妨害を与えるおそれがあると認める場合において、当該妨害の拡大を防止するために特に必要があると認めるときは、当該技術基準適合認定等を受けた者等に対し、妨害の拡大を防止するために必要な措置を講ずるべきことを命ずることができることとしている（第54条（第61条及び第68条において準用する場合を含む。））。

　この場合の必要な措置とは、妨害の拡大を防止するために必要なあらゆる措置であり、例えば端末機器の修理や製品回収等の措置が想定されており、製造業者等に一定の社会的・経済的負担を負わせることとなる。このため、総務大臣がその所掌事務たる当該命令をしようとするに当たり、それと密接な関連を有する行政事務との調和を図ることを趣旨として規定している。

(4) **政令で定める**

　施行令により、関係行政機関との協議、通知等の対象となるのは、次のとおり（⑨⑯⑰を除き、それぞれ回線非設置電気通信事業に関するものに限る。）である（施行令第11条）。

①　第27条の5の総務省令

第168条

② 第27条の6第1項の総務省令

③ 第27条の8第1項の総務省令

④ 第27条の9第1項の総務省令

⑤ 第27条の10の総務省令

⑥ 第27条の12の総務省令

⑦ 第52条第1項の総務省令（技術基準を定めるものに限る。）

⑧ 第70条第1項第1号の総務省令（技術基準を定めるものに限る。）

⑨ 第73条の3において準用する第26条第1項の総務省令

⑩ 第91条第2項の総務省令（技術基準適合認定の方法を定めるものに限る。）

⑪ 第164条第2項第4号及び第5号の総務省令

⑫ 第27条の7の規定に基づく命令

⑬ 第29条第1項の規定に基づく命令

⑭ 第29条第2項（第1号及び第3号に係る部分に限る。）の規定に基づく命令

⑮ 第40条の規定に基づく認可

⑯ 第54条（第61条及び第68条において準用する場合を含む。）の規定に基づく命令

⑰ 第73条の4（第1号に係る部分に限る。）の規定に基づく命令

⑱ 第16条第1項（同条第2項の規定により読み替えて適用する場合を含む。）の規定に基づく届出

⑲ 第27条の6第1項の規定に基づく届出

⑳ 第27条の10第2項の規定に基づく届出

電気通信事業法施行令（昭和60年政令第75号）(抄)

（関係行政機関の長との協議等）

第11条 法第168条の政令で定める総務省令は、次に掲げる総務省令（第9号に掲げる総務省令を除き、それぞれ回線非設置電気通信事業（電気通信回線設備を設置することなく電気通信役務を提供する電気通信事業をいう。以下この条において同じ。）に関し定められるものに限る。）とする。

一 法第27条の5の総務省令

二 法第27条の6第1項の総務省令

三　法第27条の８第１項の総務省令

　　四　法第27条の９第１項の総務省令

　　五　法第27条の10の総務省令

　　六　法第27条の12の総務省令

　　七　法第52条第１項の総務省令（技術基準を定めるものに限る。）

　　八　法第70条第１項第１号の総務省令（技術基準を定めるものに限る。）

　　九　法第73条の３において準用する法第26条第１項の総務省令

　　十　法第91条第２項の総務省令（技術基準適合認定の方法を定めるものに限る。）

　　十一　法第164条第２項第４号及び第５号の総務省令

２　法第168条の政令で定める命令その他の処分は、次に掲げる命令その他の処分（第１号から第４号までに掲げる命令その他の処分にあつては、それぞれ回線非設置電気通信事業に関し行われるものに限る。）とする。

　　一　法第27条の７の規定に基づく命令

　　二　法第29条第１項の規定に基づく命令

　　三　法第29条第２項（第１号及び第３号に係る部分に限る。）の規定に基づく命令

　　四　法第40条の規定に基づく認可

　　五　法第54条（法第61条及び第68条において準用する場合を含む。）の規定に基づく命令

　　六　法第73条の４（第１号に係る部分に限る。）の規定に基づく命令

３　法第168条の政令で定める届出は、次に掲げる届出（それぞれ回線非設置電気通信事業に関するものに限る。）とする。

　　一　法第16条第１項（同条第２項の規定により読み替えて適用する場合を含む。）の規定に基づく届出

　　二　法第27条の６第１項の規定に基づく届出

　　三　法第27条の10第２項の規定に基づく届出

４　総務大臣は、第１項各号の総務省令を定め、又は第２項各号の命令その他の処分を行う場合には、経済産業大臣その他の関係行政機関の長と協議するものとする。

５　総務大臣は、第３項各号の届出があつた場合には、経済産業大臣その他の関係行政機関の長に通知するものとする。

第169条

第169条（審議会等への諮問）

（審議会等への諮問）

第169条　総務大臣は、次に掲げる事項については、(1) 審議会等（国家行政組織法（昭和23年法律第120号）第8条に規定する機関をいう。）で政令で定めるものに諮問しなければならない。ただし、当該審議会等が軽微な事項と認めたものについては、この限りでない。

一　第21条第2項の規定による特定電気通信役務に関する料金の認可、第33条第2項の規定による接続約款の認可、同条第10項の規定による第一種指定電気通信設備との接続に関する協定の認可、第108条第1項の規定による第一種適格電気通信事業者の指定、第109条第1項の規定による第一種交付金の額及び交付方法の認可、第110条第2項の規定による第一種負担金の額及び徴収方法の認可、第110条の3第1項の規定による第二種適格電気通信事業者の指定、第110条の4第1項の規定による第二種交付金の額及び交付方法の認可、第110条の5第2項において準用する第110条第2項の規定による第二種負担金の額及び徴収方法の認可又は第116条第1項において準用する第79条第1項の規定による支援業務規程の認可

二　第12条の2第4項第2号ロ若しくはニの規定による電気通信設備の指定、第21条第1項の規定による基準料金指数の設定、第26条第1項各号の規定による電気通信役務の指定、第27条の3第1項の規定による移動電気通信役務の指定若しくは電気通信事業者の指定、第27条の5、第30条第1項若しくは第3項第2号若しくは第41条第4項の規定による電気通信事業者の指定、第31条第1項の規定による特定関係事業者の指定、第33条第1項の規定による第一種指定電気通信設備の指定、第34条第1項の規定による第二種指定電気通信設備の指定、第50条第2項の規定による電気通信番号計画の作成、第50条の2第3項の規定による標準電気通信番号使用計画の制定又は第164条第1項第3号の規定による同号ロ若しくはハに掲げる電気通信役務を提供する者の指定

三　第110条第1項又は第110条の5第1項の規定による政令の制定又は改廃の立案

第169条

四　第２条第７号イ、第７条各号、第８条第３項、第９条第１号、第12
　　条の２第４項第２号ロ若しくはニ、第20条第１項、第21条第１項、第
　　24条第１号ロ、第26条第１項（第73条の３において準用する場合を
　　含む。）、第26条の２第１項、第26条の３第１項若しくは第３項ただし
　　書、第26条の４、第27条の２（第１号を除き、第73条の３において準
　　用する場合を含む。）、第27条の３第１項若しくは第２項（第73条の３
　　において準用する場合を含む。）、第27条の５、第30条第１項若しくは
　　第６項、第31条第２項ただし書、第６項若しくは第８項、第32条第３号、
　　第33条第１項、第３項、第４項第１号イ、ロ若しくはホ若しくは第２号、
　　第５項、第11項、第13項若しくは第14項、第34条第１項、第３項第１
　　号イ、ロ若しくはホ若しくは第２号、第５項若しくは第６項、第36条
　　第１項若しくは第２項、第38条の２第１項から第３項まで、第39条の
　　３第３項、第41条第１項から第５項まで、第45条第１項ただし書、第
　　50条の２第１項第４号、第50条の４第３項、第50条の10、第52条第１項、
　　第70条第１項第１号、第87条第１項第２号、第107条第２号、第108条
　　第１項各号若しくは第３項、第109条第１項から第３項まで、第110条
　　第１項ただし書若しくは第２項（第110条の５第２項において準用する
　　場合を含む。）、第110条の２第１項若しくは第２項、第110条の３第１
　　項第１号、第110条の４第１項、第３項若しくは第４項、第110条の５
　　第１項又は第164条第２項第１号、第４号若しくは第５号の規定による
　　総務省令の制定又は改廃

	改正	平成７年法律第　82号
		平成９年法律第　97号
		平成10年法律第　58号
		平成11年法律第160号
		平成12年法律第　79号
		平成13年法律第　62号
第94条繰下げ改正		平成15年法律第125号
	改正	平成22年法律第　65号
		平成23年法律第　58号
		平成26年法律第　63号
		平成27年法律第　26号
		平成29年法律第　27号
		平成30年法律第　24号
		令和元年法律第　５号
		令和２年法律第　30号
		令和４年法律第　70号

第169条

1　概　要

　電気通信事業が国民生活、国民経済に不可欠な通信サービスを提供する極めて公共性の高い事業であり、その在り方は、我が国の社会・経済全般に大きな影響を及ぼすことから、電気通信事業の公共性、電気通信事業分野における公正な競争の促進、利用者利益の保護等を図る観点から、電気通信事業に関し総務大臣が重要な処分をする場合には、あらかじめ審議会に諮ることによって、国民各層を代表する有識者の意見を行政運営に適切に反映させることとしている。

　本条で規定する審議会諮問事項の概要は、次のとおりである。

審議会等（情報通信行政・郵政行政審議会）諮問事項一覧

号	電気通信事業法の規定	規　定　の　内　容
第1号	第21条第2項	基準料金指数超の特定電気通信役務の料金の認可
	第33条第2項	第一種指定電気通信設備の接続約款の認可
	第33条第10項	接続約款で定める接続料及び接続の条件と異なる接続料及び接続の条件での第一種指定電気通信設備の接続協定の認可
	第108条第1項	第一種適格電気通信事業者の指定
	第109条第1項	支援機関が第一種適格電気通信事業者に交付する第一種交付金の額及び交付方法の認可
	第110条第2項	支援機関が接続電気通信事業者等から徴収する第一種負担金の額及び徴収方法の認可
	第110条の3第1項	第二種適格電気通信事業者の指定
	第110条の4第1項	支援機関が第二種適格電気通信事業者に交付する第二種交付金の額及び交付方法の認可
	第110条の5第2項において準用する第110条第2項	支援機関が高速度データ伝送役務提供事業者から徴収する第二種負担金の額及び徴収方法の認可
	第116条第1項において準用する第79条第1項	支援機関の支援業務規程の認可
第2号	第12条の2第4項第2号ロ、ニ	特定電気通信設備（第一種指定電気通信設備及び第二種指定電気通信設備を除く。）の指定
	第21条第1項	基準料金指数の設定
	第26条第1項各号	料金その他の提供条件の概要が説明義務の対象となる電気通信役務の指定
	第27条の3第1項	移動電気通信役務の指定 移動電気通信役務に係る端末購入等の補助等及び過度な期間拘束契約の禁止の適用を受ける電気通信事

786

		業者の指定
	第27条の5	特定利用者情報を適正に取り扱うべき電気通信事業者の指定
	第30条第1項	禁止行為規制の対象となる第二種指定電気通信設備設置電気通信事業者の指定
	第30条第3項第2号	禁止行為規制の対象となる第二種指定電気通信設備設置電気通信事業者が不当な優先的取扱い等が禁止される特定関係法人たる電気通信事業者の指定
第2号	第31条第1項	特定関係事業者の指定
	第33条第1項	第一種指定電気通信設備の指定
	第34条第1項	第二種指定電気通信設備の指定
	第41条第4項	電気通信事業の用に供する電気通信設備を適正に管理すべき電気通信事業者の指定
	第50条第2項	電気通信番号計画の作成
	第50条の2第3項	標準電気通信番号使用計画の制定
	第164条第1項第3号	検索情報電気通信役務又は媒介相当電気通信役務を提供する者の指定
第3号	第110条第1項	接続電気通信事業者等の事業の規模基準を定める政令の制定又は改廃の立案 接続電気通信事業者等の収益の額に占める第一種負担金の額の割合の上限を定める政令の制定又は改廃の立案
	第110条の5第1項	高速度データ伝送役務提供事業者の事業の規模基準を定める政令の制定又は改廃の立案 高速度データ伝送役務提供事業者の収益の額に占める第二種負担金の額の割合の上限を定める政令の制定又は改廃の立案
第4号	第2条第7号イ	電気通信役務の提供を受ける契約を締結する者に準ずる者を定める総務省令の制定又は改廃
	第7条各号	第1号基礎的電気通信役務を定める総務省令の制定又は改廃 第2号基礎的電気通信役務を定める総務省令の制定又は改廃
	第8条第3項	重要通信確保のために電気通信事業者が措置を講ずる方法を定める総務省令の制定又は改廃
	第9条第1号	届出電気通信事業者の基準に係る電気通信回線設備の規模及び設置区域の範囲に係る総務省令の制定又は改廃
	第12条の2第4項第2号ロ、ニ	特定電気通信設備（第一種指定電気通信設備及び第二種指定電気通信設備を除く。）の指定に係る基準を定める総務省令の制定又は改廃

第169条

第4号	第20条第1項	指定電気通信役務を定める総務省令の制定又は改廃
	第21条第1項	特定電気通信役務、特定電気通信役務の種別、基準料金指数の算定方法、基準料金指数の通知時期を定める総務省令の制定又は改廃
	第24条第1号ロ	特定ドメイン名電気通信役務のうち確実かつ安定的な提供を特に確保する必要があるものを定める総務省令の制定又は改廃
	第26条第1項	電気通信事業者による説明義務の対象となる電気通信役務の提供条件の説明の方法、説明義務の対象外となる場合を定める総務省令の制定又は改廃
	第26条の2第1項	書面交付義務の対象外となる場合を定める総務省令の制定又は改廃
	第26条の3第1項	初期契約解除制度の対象とならない場合を定める総務省令の制定又は改廃 電気通信事業者又は届出媒介等業務受託者の不実告知により利用者が初期契約解除を行わなかった場合に電気通信事業者が書面を交付する方法を定める総務省令の制定又は改廃
	第26条の3第3項ただし書	初期契約解除をした契約に関して利用者が支払うべき金額を定める総務省令の制定又は改廃
	第26条の4	電気通信業務の休止及び廃止の周知の方法、周知事項を定める総務省令の制定又は改廃
	第27条の2第2号	電気通信事業者による名称等・勧誘目的を明示しない勧誘の禁止の対象とならない行為を定める総務省令の制定又は改廃
	第27条の2第3号	電気通信事業者による勧誘継続行為の禁止の対象とならない行為を定める総務省令の制定又は改廃
	第27条の2第4号	その他利用者の利益の保護のため支障を生ずるおそれがある電気通信事業者の行為を定める総務省令の制定又は改廃
	第27条の3第1項	禁止行為規定の対象となる移動電気通信役務を提供する電気通信事業者の指定方法及びその指定の基準である割合を定める総務省令の制定又は改廃
	第27条の3第2項	電気通信事業者による電気通信事業者間の適正な競争関係を阻害するおそれがある利益の提供を定める総務省令の制定又は改廃 電気通信事業者による電気通信事業者間の適正な競争関係を阻害するおそれがある移動電気通信役務に関する提供条件を定める総務省令の制定又は改廃
	第27条の5	特定利用者情報を適正に取り扱うべき電気通信事業者の指定方法及び提供する電気通信役務を定める総務省令の制定又は改廃

		特定利用者情報（通信の秘密に該当する情報を除く。）を定める総務省令の制定又は改廃
第4号	第30条第1項	禁止行為規定の対象となる電気通信事業者の指定方法及びその指定の基準である割合を定める総務省令の制定又は改廃
	第30条第6項	禁止行為規定の対象となる電気通信事業者の会計の公表方法、公表事項を定める総務省令の制定又は改廃
	第31条第2項ただし書	ファイアウォール規定の除外事由を定める総務省令の制定又は改廃
	第31条第6項	ファイアウォール規定の遵守のための体制の整備その他必要な措置を講ずる方法を定める総務省令の制定又は改廃
	第31条第8項	ファイアウォール規定の遵守のために講じた措置及びその実施状況に関する報告方法及び報告事項を定める総務省令の制定又は改廃
	第32条第3号	接続の請求を拒む正当な理由を定める総務省令の制定又は改廃
	第33条第1項	第一種指定電気通信設備の指定方法、指定の判定に使う割合の算定方法、指定の基準となる割合、第一種指定電気通信設備として指定できる範囲を定める総務省令の制定又は改廃
	第33条第3項	第一種指定電気通信設備との接続に関する接続料及び接続の条件のうち届出接続約款の対象となるものを定める総務省令の制定又は改廃
	第33条第4項第1号イ	第一種指定電気通信設備における標準的な接続箇所を定める総務省令の制定又は改廃
	第33条第4項第1号ロ	第一種指定電気通信設備の接続料を設定する機能を定める総務省令の制定又は改廃
	第33条第4項第1号ホ	第一種指定電気通信設備との接続を円滑に行うために必要な事項を定める総務省令の制定又は改廃
	第33条第4項第2号	第一種指定電気通信設備の接続料の適正な原価に適正な利潤を加えた額の算定方法を定める総務省令の制定又は改廃
	第33条第5項	長期増分費用方式の対象となる機能を定める総務省令の制定又は改廃
	第33条第11項	第一種指定電気通信設備の認可接続約款等の公表の方法を定める総務省令の制定又は改廃
	第33条第13項	第一種指定電気通信設備の接続会計の整理及び公表の方法、公表事項を定める総務省令の制定又は改廃

第169条

	第33条第14項	第一種指定電気通信設備の接続料の再計算の期間を定める総務省令の制定又は改廃
第4号	第34条第1項	第二種指定電気通信設備の指定方法、指定の基準となる割合、第二種指定電気通信設備として指定できる範囲を定める総務省令の制定又は改廃
	第34条第3項第1号イ	第二種指定電気通信設備における標準的な接続箇所を定める総務省令の制定又は改廃
	第34条第3項第1号ロ	第二種指定電気通信設備との接続に関し第二種指定電気通信設備を設置する電気通信事業者が取得すべき金額を設定する機能を定める総務省令の制定又は改廃
	第34条第3項第1号ホ	第二種指定電気通信設備との接続を円滑に行うために必要な事項を定める総務省令の制定又は改廃
	第34条第3項第2号	第二種指定電気通信設備との接続に関し第二種指定電気通信設備を設置する電気通信事業者が取得すべき金額の上限値となる適正な原価に適正な利潤を加えた額の算定方法を定める総務省令の制定又は改廃
	第34条第5項	第二種指定電気通信設備の届出接続約款の公表の方法を定める総務省令の制定又は改廃
	第34条第6項	第二種指定電気通信設備の接続会計の整理及び公表の方法、公表事項を定める総務省令の制定又は改廃
	第36条第1項	網機能計画の届出を要しない機能、届出方法、届出時期を定める総務省令の制定又は改廃
	第36条第2項	網機能計画の公表の方法を定める総務省令の制定又は改廃
	第38条の2第1項	卸電気通信役務の提供に関する届出の方法、届出をする卸電気通信役務の種類の区分、届出をする事項を定める総務省令の制定又は改廃
	第38条の2第2項	特定卸電気通信役務に含まれない電気通信役務を定める総務省令の制定又は改廃
	第38条の2第3項	特定卸電気通信役務の提供に関する契約の締結に関する協議の円滑化に資する事項を定める総務省令の制定又は改廃
	第39条の3第3項	特定ドメイン名電気通信役務を提供する電気通信事業者の会計の公表の方法、公表事項を定める総務省令の制定又は改廃
	第41条第1項	事業用電気通信設備の技術基準適合義務の対象とならない電気通信設備、技術基準を定める総務省令の制定又は改廃

790

	第41条第2項	基礎的電気通信役務を提供する電気通信事業の用に供する電気通信設備の技術基準を定める総務省令の制定又は改廃
	第41条第3項	第一種適格電気通信事業者が適合させるべき技術基準を定める総務省令の制定又は改廃
	第41条第4項	電気通信事業の用に供する電気通信設備を適正に管理すべき電気通信事業者（内容、利用者の範囲等からみて利用者の利益に及ぼす影響が大きい電気通信役務を提供する電気通信事業者）の指定の方法、その電気通信事業者が提供する電気通信役務を定める総務省令の制定又は改廃
	第41条第5項	電気通信事業の用に供する電気通信設備を適正に管理すべき電気通信事業者が適合させるべき技術基準を定める総務省令の制定又は改廃
	第45条第1項ただし書	電気通信主任技術者の選任義務の適用除外となる場合を定める総務省令の制定又は改廃
	第50条の2第1項第4号	電気通信番号使用計画の記載事項を定める総務省令の制定又は改廃
第4号	第50条の4第3号	電気通信番号使用計画の認定の基準を定める総務省令の制定又は改廃
	第50条の10	利用者設備識別番号の指定が失効又は取り消されたときに必要な事項を定める総務省令の制定又は改廃
	第52条第1項	端末の接続の請求を拒むことができる電気通信回線設備、端末設備の接続の技術基準、技術的条件を定めることができる電気通信事業者、端末の接続の請求を拒むことができる場合を定める総務省令の制定又は改廃
	第70条第1項第1号	自営電気通信設備の接続の技術基準、技術的条件を定めることができる電気通信事業者を定める総務省令の制定又は改廃
	第73条の3において準用する第26条第1項	届出媒介等業務受託者による説明義務の対象となる電気通信役務の提供条件の説明の方法、説明義務の対象外となる場合を定める総務省令の制定又は改廃
	第73条の3において準用する第27条の2第2号	届出媒介等業務受託者による名称等・勧誘目的を明示しない勧誘の禁止の対象とならない行為を定める総務省令の制定又は改廃
	第73条の3において準用する第27条の2第3号	届出媒介等業務受託者による勧誘継続行為の禁止の対象とならない行為を定める総務省令の制定又は改廃

第169条

第4号	第73条の3において準用する第27条の2第4号	その他利用者の利益の保護のため支障を生ずるおそれがある届出媒介等業務受託者の行為を定める総務省令の制定又は改廃
	第73条の3において準用する第27条の3第2項	届出媒介等業務受託者による電気通信事業者間の適正な競争関係を阻害するおそれがある利益の提供を定める総務省令の制定又は改廃 届出媒介等業務受託者による電気通信事業者間の適正な競争関係を阻害するおそれがある移動電気通信役務に関する提供条件を定める総務省令の制定又は改廃
	第87条第1項第2号	技術基準適合認定に当たって使用すべき測定器その他の設備であって、較正等からの期間が1年を超え3年を超えない範囲で可能なもの等を定める総務省令の制定又は改廃
	第107条第2号	第二種交付金の交付対象となる担当支援区域の要件である第2号基礎的電気通信役務の回線設備の規模、継続提供期間を定める総務省令の制定又は改廃
	第108条第1項第1号	第一種適格電気通信事業者の第1号基礎的電気通信役務に関する会計の公表の方法、公表事項を定める総務省令の制定又は改廃
	第108条第1項第2号	第一種適格電気通信事業者の指定の要件である第一種指定電気通信設備又は第二種指定電気通信設備以外の電気通信設備に関する接続約款の公表の方法を定める総務省令の制定又は改廃
	第108条第1項第3号	第一種適格電気通信事業者の申請に係る第1号基礎的電気通信役務の業務区域の範囲が適合すべき基準を定める総務省令の制定又は改廃
	第108条第3項	第一種適格電気通信事業者（第一種指定電気通信設備又は第二種指定電気通信設備を設置する電気通信事業者以外の電気通信事業者）が接続約款を変更する場合の届出・公表の方法を定める総務省令の制定又は改廃
	第109条第1項	支援機関が第一種適格電気通信事業者に交付する第一種交付金の額の算定方法を定める総務省令の制定又は改廃
	第109条第2項	支援機関が第一種適格電気通信事業者に交付する第一種交付金の額を算定するための資料の支援機関への届出の方法、届け出る事項を定める総務省令の制定又は改廃
	第109条第3項	第1号基礎的電気通信役務の原価の算定方法を定める総務省令の制定又は改廃
	第110条第1項ただし書	接続電気通信事業者等の収益の額の算定方法を定める総務省令の制定又は改廃

	第110条第2項	支援機関が接続電気通信事業者等から徴収する第一種負担金の額の算定方法を定める総務省令の制定又は改廃
第4号	第110条の2第1項	一般支援区域の指定方法、単位区域における第2号基礎的電気通信役務の赤字額の算定方法、単位区域の指定に当たって考慮する第2号基礎的電気通信役務の回線設備の規模、継続提供期間を定める総務省令の制定又は改廃
	第110条の2第2項	特別支援区域の指定方法、特別支援区域における第2号基礎的電気通信役務の赤字額、単位区域の事項、第2号基礎的電気通信役務の提供確保が著しく困難と見込まれる場合を定める総務省令の制定又は改廃
	第110条の3第1項第1号	第2号基礎的電気通信役務の提供の業務に関して公表すべき事項及び公表方法を定める総務省令の制定又は改廃
	第110条の4第1項	第二種交付金の算定方法を定める総務省令の制定又は改廃
	第110条の4第3項	第二種適格電気通信事業者が支援機関に届け出る事項及び届出方法を定める総務省令の制定又は改廃
	第110条の4第4項	第2号基礎的電気通信役務の提供に要した原価の算定方法及び第2号基礎的電気通信役務の提供により通常生ずる収益の算定方法を定める総務省令の制定又は改廃
	第110条の5第1項	第二種負担金の徴収対象となる電気通信事業者が提供する高速度データ伝送役務提供に含まれない高速度データ伝送電気通信役務を定める総務省令の制定又は改廃 高速度データ伝送役務提供事業者の収益の算定方法を定める総務省令の制定又は改廃
	第110条の5第2項において準用する第110条第2項	支援機関が高速度データ伝送役務提供事業者から徴収する第二種負担金の額の算定方法を定める総務省令の制定又は改廃
	第164条第2項第1号	ドメイン名電気通信役務を定める総務省令の制定又は改廃
	第164条第2項第4号	検索情報電気通信役務を定める総務省令の制定又は改廃
	第164条第2項第5号	媒介相当電気通信役務を定める総務省令の制定又は改廃

第169条・第170条

2 条文内容

(1) 審議会等（国家行政組織法（昭和23年法律第120号）第8条に規定する機関をいう。）で政令で定めるもの

政令により、情報通信行政・郵政行政審議会とされている（施行令第12条）。

電気通信事業法施行令（昭和60年政令第75号）（抄）

（審議会等で政令で定めるもの）

第12条　法第169条の審議会等で政令で定めるものは、情報通信行政・郵政行政審議会とする。

第170条（聴聞の特例）

（聴聞の特例）

第170条　第14条第1項、第47条（第72条第2項において準用する場合を含む。）、第50条の9、第77条第3項（第116条第1項において準用する場合を含む。）、第126条第1項又は第127条第1項の規定による処分に係る聴聞の主宰者は、行政手続法第17条第1項の規定により当該処分に係る利害関係人が当該聴聞に関する手続に参加することを求めたときは、(1)これを許可しなければならない。

	改正	平成5年法律第89号
		平成7年法律第82号
		平成9年法律第97号
		平成10年法律第58号
		平成11年法律第160号
		平成13年法律第62号
第95条繰下げ改正		平成15年法律第125号
改正		平成30年法律第24号

1 概　要

第9条の登録を受けた電気通信事業者の同条の登録の取消し等、被処分者の不利益となる処分に係る聴聞の主宰者は、当該処分に係る利害関係人が行政手続法第17条第1項の規定に基づき、当該聴聞に関する手続に参加することを求めたときは、これを許可しなければならない旨の行政手続法の特例を定めている。

794

本条で規定する聴聞に関する特例が適用される規定の概要は、次のとおりである。

聴聞関係特例が適用される規定の一覧（第170条関係）

電気通信事業法の規定	規 定 の 内 容
第14条第1項	電気通信事業者の第9条の登録の取消し
第47条	電気通信主任技術者資格者証の返納命令
第50条の9	電気通信番号使用計画の認定の取消し
第72条第2項において準用する第47条	工事担任者資格者証の返納命令
第77条第3項	指定試験機関の役員又は試験員の解任命令
第116条第1項において準用する第77条第3項	支援機関の役員の解任命令
第126条第1項	認定電気通信事業者の認定の取消し
第127条第1項	認定電気通信事業者の変更の認定の取消し

2 条文内容

(1) これを許可しなければならない

　行政手続法第17条第1項の規定では、主宰者は、必要があると認めるときは利害関係人に対し、聴聞手続に参加することを求め、又は参加することを許可することができる旨が定められているが、本法において総務大臣が行おうとする不利益処分については、主宰者の裁量を許さず、当該処分を慎重かつ公正に行う趣旨から、利害関係人から求めがあったときは、例外なく聴聞手続に参加することを許可しなければならないこととし、利害関係人の参加を保障している。

第171条（審査請求の手続における意見の聴取）

（審査請求の手続における意見の聴取）
第171条　この法律の規定による処分又はその不作為についての審査請求に対する裁決は、行政不服審査法（平成26年法律第68号）第24条の規定に

第171条

より当該審査請求を却下する場合を除き、審査請求人に対し、相当な期間を置いて予告をした上、同法第11条第2項に規定する審理員が (1) 意見の聴取をした後にしなければならない。

2　前項の意見の聴取に際しては、審査請求人及び利害関係人に対し、当該事案について証拠を提示し、意見を述べる機会を与えなければならない。

3　第1項に規定する審査請求については、行政不服審査法第31条の規定は適用せず、同項の意見の聴取については、同条第2項から第5項までの規定を準用する。

改正　平成 5 年法律第 89号
第96条繰下げ　平成15年法律第125号
改正　平成26年法律第 69号

1　概　要

本法の規定による処分又はその不作為についての審査請求に対する裁決は、請求が不適正であり、補正されないため却下される場合を除き、当該裁決の慎重、公正を期するため、審査請求人から審理員が事前に意見の聴取をした後にしなければならないこと及びその際には審査請求人及び利害関係人に意見を述べる機会を与えなければならない旨を定めている。

2　条文内容

〔第1項〕

(1)　意見の聴取

行政手続法で規定する「聴聞」とは異なり、事後手続の中で用いられるものは、用語を「意見の聴取」としている。

〔第3項〕

本法の規定による処分又はその不作為についての審査請求において、行政不服審査法第31条の口頭意見陳述についての規定は適用しないこととし、第1項の意見の聴取について、同法同条第2項から第5項までの規定（審理員による期日・場所の指定、申立人の補佐人との出頭、申立人の主張の制限、申立人の処分庁への質問）を準用することとしている。

第172条

第172条（意見の申出）

（意見の申出）
第172条　電気通信事業者の電気通信役務に関する料金その他の提供条件又
　　は (1) 電気通信事業者若しくは媒介等業務受託者の (2) 業務の方法に関し
　　(3) 苦情その他の意見のある者は、総務大臣に対し、理由を記載した文書を
　　提出して意見の申出をすることができる。
　2　　総務大臣は、前項の申出があつたときは、これを (4) 誠実に処理し、(5)
　　処理の結果を申出者に通知しなければならない。

追加　　平成10年法律第　58号
改正　　平成11年法律第160号
第96条の2繰下げ改正　　平成15年法律第125号
改正　　平成27年法律第　26号

1　概　　要

　電気通信事業者の電気通信サービスの料金その他の提供条件や電気通信事業者
又は媒介等業務受託者の業務の方法に対する意見の申出について規定している。
　電気通信分野における利用者利益の保護及び公共の利益の確保を図る観点から、
電気通信サービスの提供によって不利益を受けた個々の利用者からの苦情や当該
サービスの利用者以外の者からの意見の申出を幅広く受け付けて、行政に反映さ
せる仕組みを設けている。行政が事後的是正措置を適切に講ずることが電気通信
サービス提供の適正化のために重要となっており、こうした措置を実効性のある
ものとするために、利用者や競争事業者等からの苦情その他の意見の申出を受け
付けて、調査の端緒としたり、判断の材料とすることができるようにしている。
　申出の対象は、電気通信事業者の業務に起因する事項とし、利用者の利用方法
に起因するトラブル（いたずら電話や利用マナー等）に関しては、行政による解
決になじまないためこれから除外している。

2　条文内容

〔第1項〕

(1)　電気通信事業者若しくは媒介等業務受託者

　　電気通信事業者又は媒介等業務受託者が利用者の利益を阻害するような業務
　を行っている場合に、業務改善命令等の是正措置を適切に講ずるためには、行

797

第172条

政がその問題を適正に把握する必要があるため、電気通信事業者又は媒介等業務受託者の業務の方法について意見申出制度の対象とし、総務大臣は苦情その他の意見の申出を受け付け、これを誠実に処理し、処理の結果を申出者に通知しなければならないこととしている。

(2) 業務の方法

「業務の方法」には、一般利用者に対する関係における業務の管理運営方法、窓口業務などの日常業務の取扱方法のほか、他の電気通信事業者に対する関係における電気通信設備の接続、共用又は卸電気通信役務の提供等の取扱いを含む。

(3) 苦情その他の意見

「苦情」とは、不平、不満のことであり、「意見」は、「苦情」のみならず、アドバイスや要望等広く他の者の言い分全般を意味する。

総務大臣への申出制度は、利用者利益の保護及び公共の利益の確保を図る観点から、利用者等の声を幅広く受け付けて行政に反映させる仕組みを設けたものであり、個々の電気通信サービスを受ける利用者からの苦情のみならず、必ずしも直接の不利益を受けていない者が、利用者一般の利益ないし公共の利益保護の見地から申し出る意見も受け付けられる。

〔第2項〕

(4) 誠実に処理

苦情その他の意見の申出を受けた総務大臣は、これを「誠実に処理」しなければならない。具体的には、必要な調査を行った上で、申出内容が事実であると判断した場合には、電気通信事業者又は媒介等業務受託者に対して業務改善命令を発動したり、行政指導等の必要な措置を行ったりすることのほか、新たな立法措置の検討や利用者への情報提供の充実を図ったりすること等が考えられる。

(5) 処理の結果を申出者に通知しなければならない

利用者保護の趣旨を徹底し行政処理の透明性を確保する観点から、総務大臣は、これらの処理の結果を申出者に通知するものとしている。

第173条・第174条

第173条（指定試験機関の処分等についての審査請求）

（指定試験機関の処分等についての審査請求）

第173条　この法律の規定による指定試験機関の処分又はその不作為に不服がある者は、総務大臣に対し、審査請求をすることができる。この場合において、総務大臣は、行政不服審査法第25条第2項及び第3項、第46条第1項及び第2項、第47条並びに第49条第3項の規定の適用については、指定試験機関の上級行政庁とみなす。

改正　平成11年法律第160号
第97条繰下げ改正　平成15年法律第125号
改正　平成26年法律第 69号

概　要

　指定試験機関の処分の公正を期する趣旨から、指定試験機関の処分又はその不作為に関する審査請求について、総務大臣を審査庁である上級行政庁とみなし、行政不服審査法の規定による執行停止、審査請求の認容、事実上の行為の撤廃・変更の命令、不作為についての裁決を行うこととしている。

第174条（手数料）

（手数料）

第174条　次に掲げる者は、実費を勘案して政令で定める額の手数料を納めなければならない。

一　第12条の2第1項の規定による登録の更新を受けようとする者

二　電気通信主任技術者試験又は工事担任者試験を受けようとする者

三　第68条の3第1項の規定による登録又は第68条の6第1項の規定による変更登録を受けようとする者

四　第85条の15第1項の規定により総務大臣が行う講習を受けようとする者

五　第88条第1項の規定による登録の更新を受けようとする者

六　第102条第1項（第103条において準用する場合を含む。）の規定に

799

第174条

　　よる技術基準適合認定又は設計認証を求める者
　　七　電気通信主任技術者資格者証又は工事担任者資格者証の交付又は再
　　　交付を受けようとする者
　2　前項の手数料は、指定試験機関がその試験事務を行う試験を受けよう
　　とする者の納めるものについては当該指定試験機関の、その他のものに
　　ついては国庫の収入とする。

改正　平成10年法律第　58号
平成13年法律第　62号
第98条繰下げ改正　平成15年法律第125号
改正　平成17年法律第　21号
平成26年法律第　63号
平成27年法律第　26号

1　概　要

　電気通信事業の登録の更新、電気通信主任技術者試験、工事担任者試験、登録
修理業者の登録又は変更登録を受けようとする者、登録講習機関の登録を受けた
者がいないとき等において総務大臣が講習を実施する場合に講習を受講しようと
する者及び登録認定機関の登録の更新を受けようとする者等の手数料の納付義務
と当該手数料収入の帰属を規定している。

2　条文内容

〔第1項〕

　手数料を納めなければならないのは、次のとおりである。

① 　電気通信事業の登録の更新を受けようとする者
② 　電気通信主任技術者試験を受けようとする者
③ 　工事担任者試験を受けようとする者
④ 　登録修理業者の登録を受けようとする者
⑤ 　登録修理業者の変更登録を受けようとする者
⑥ 　登録講習機関の登録を受けた者がいないとき等において総務大臣が講習を実
　施する場合に講習を受講しようとする者
⑦ 　登録認定機関の登録の更新を受けようとする者
⑧ 　総務大臣による技術基準適合認定を求める者
⑨ 　総務大臣による設計認証を求める者

800

⑩　電気通信主任技術者資格者証の交付又は再交付を求める者

⑪　工事担任者資格者証の交付又は再交付を求める者

　これらの手数料の額は実費を勘案して政令で定めることとしている（施行令第13条及び別表第2。ただし、上記⑧及び⑨の額は未制定）。

電気通信事業法施行令（昭和60年政令第75号）(抄)

（手数料）

第13条　法第174条第1項の規定により納めなければならない手数料の額は、別表第2のとおりとする。

別表第2（第13条関係）

手数料を納めなければならない者	金額
一　法第12条の2第1項の規定による登録の更新を受けようとする者	55,000円
二　電気通信主任技術者試験を受けようとする者	18,700円（法第48条第3項の規定に基づく総務省令の規定により電気通信主任技術者試験の試験科目について試験を免除する場合にあつては、18,700円を超えない範囲内において実費を勘案して総務省令で定める額）
三　工事担任者試験を受けようとする者	8,700円（法第73条第2項において準用する法第48条第3項の規定に基づく総務省令の規定により工事担任者試験の試験科目について試験を免除する場合にあつては、8,700円を超えない範囲内において実費を勘案して総務省令で定める額）
四　法第68条の3第1項の規定による登録を受けようとする者	50,700円
五　法第68条の6第1項の規定による変更登録を受けようとする者	19,000円
六　法第85条の15第1項の規定により総務大臣が行う講習を受けようとする者	28,800円

第174条・第175条

七　法第88条第1項の規定による 　登録の更新を受けようとする者	16,900円
八　電気通信主任技術者資格者証 　又は工事担任者資格者証の交付 　を受けようとする者	1,700円
九　電気通信主任技術者資格者証 　又は工事担任者資格者証の再交 　付を受けようとする者	1,350円
備考　情報通信技術を活用した行政の推進等に関する法律（平成14年法 　律第151号）第6条第1項の規定により同項に規定する電子情報処理 　組織を使用して登録の更新の申請を行う場合におけるこの表の適用に 　ついては、7の項中「16,900円」とあるのは、「16,800円」とする。	

〔第2項〕

　手数料については、指定試験機関の行う電気通信主任技術者試験又は工事担任者試験を受けようとする者の納めるものは当該機関の収入とし、その他のもの（第1項の解説の①、総務大臣の行う電気通信主任技術者試験を受けようとする者、総務大臣の行う工事担任者試験を受けようとする者、④から⑪までの何れかが納めるもの）は国庫の収入とすることとしている。

第175条（経過措置）

（経過措置）
第175条　この法律の規定に基づき命令を制定し、又は改廃するときは、その命令で、その制定又は改廃に伴い合理的に必要と判断される範囲内において、所要の経過措置（罰則に関する経過措置を含む。）を定めることができる。

第99条繰下げ　平成15年法律第125号

概　要

　本法に基づく政令及び省令の制定、改正又は廃止をする場合において、当該政

第175条・第176条

令及び省令で合理的に必要と判断される範囲内で所要の経過措置を定めることが
できることを規定している。

第176条（事務の区分）

（事務の区分）

第176条　第130条第2項及び第3項（これらの規定を第138条第4項にお
いて準用する場合を含む。）の規定により市町村が処理することとされて
いる事務は、地方自治法第2条第9項第1号に規定する　(1) 第1号法定受託
事務とする。

追加　平成11年法律第 87号
第99条の2繰下げ改正　平成15年法律第125号

1　概　要

　土地等の使用権に関する総務大臣の裁定及び線路の移転その他支障の除去に関
する総務大臣の裁定に関して第130条第2項及び第3項（これらの規定を第138
条第4項において準用する場合を含む。）に規定する市町村長等が行う公告等の
事務について、国が本来果たすべき役割に係るものであって、地方自治法に定め
る第1号法定受託事務であることとする旨を規定している。

2　条文内容

(1)　第1号法定受託事務

　地方自治法第2条第9項第1号に、その定義が「法律又はこれに基づく政令
により都道府県、市町村又は特別区が処理することとされる事務のうち、国が
本来果たすべき役割に係るものであつて、国においてその適正な処理を特に確
保する必要があるものとして法律又はこれに基づく政令に特に定めるもの」と
規定されている。

　他人の土地等の使用に関する裁定に係る事務は、本来は国が果たすべき事務
であるが、他人の土地等の使用等に関する裁定の申請があった旨の公告及びそ
の申請書の写しの公衆への縦覧については、その土地等の所在地を管轄する市
町村長が処理することにより国民の利便に資する観点から、第1号法定受託事

803

第176条・第176条の2

務としている。

第176条の2 （総務省令への委任）

（総務省令への委任）
第176条の2　この法律に定めるもののほか、この法律を実施するため必要
な事項は、総務省令で定める。

追加　平成30年法律第24号

概　要

本法の規定により委任された総務省令のほか、本法を実施するために必要な事
項を総務省令で定めること（いわゆる実施省令）を規定している。

第6章　罰則

総　説

　本章は、前5章の規定やそれによる命令に対する違反が、電気通信事業の適正かつ合理的な運営及び公正な競争の促進を阻害し、利用者の利益を害し、電気通信の健全な発達の障害となることに鑑み、その反公共性の軽重に応じて、刑事罰及び行政罰を規定している。

　なお、本章においては、令和6年5月1日現在において未施行（令和7年6月1日施行）の刑法等の一部を改正する法律の施行に伴う関係法律の整理等に関する法律（令和4年法律第68号）の改正規定を反映した形での本法の条文により記述を行っている。

第177条・第178条

第177条

第177条　第9条の規定に違反して電気通信事業を営んだときは、当該違反
　　行為をした者は、3年以下の拘禁刑若しくは200万円以下の罰金に処し、
　　又はこれを併科する。

改正　平成13年法律第 62号
第100条繰下げ改正　平成15年法律第125号
改正　令和4年法律第 68号（令和7年6月1日施行）

概　要

　電気通信事業について、公共の利益を確保するためにその営業につき登録制が
採られ、第12条第1項に欠格事由を設けているのであり、本条では、登録制が
採られている電気通信事業を登録を受けずに営んだときには、本法の最高刑とし
て3年以下の拘禁刑（令和4年法律第68号の施行後。）若しくは200万円以下の
罰金に処し、又はこれを併科することとしている。（刑法等の一部を改正する法
律（令和4年法律第68号）による改正後の刑法第12条第2項及び第3項におい
て、「拘禁刑は、刑事施設に拘置する」、「拘禁刑に処せられた者には、改善更生
を図るため、必要な作業を行わせ、又は必要な指導を行うことができる」と規定
されている。）

　本罪は、第9条の登録を受けずに電気通信事業を営むことにより成立する。

　本条で規定する罰則の概要は、次のとおりである。

　3年以下の拘禁刑若しくは200万円以下の罰金又はこの併科（両罰規定の適用
あり）

義務規定	違反行為の内容
第9条	無登録の電気通信事業

第178条

第178条　第25条第1項から第3項までの規定に違反して電気通信役務の
　　提供を拒んだときは、その違反行為をした者は、2年以下の拘禁刑若しく

第178条

> は100万円以下の罰金に処し、又はこれを併科する。

全部改正　令和4年法律第68号（令和7年6月1日施行）

概　要

　公共の利益を確保するために、電気通信役務の提供義務の違反に関し、2年以下の拘禁刑（令和4年法律第68号の施行後。）若しくは100万円以下の罰金に処し、又はこれを併科することとしている。

　本条の罪は、第25条第1項から第3項までの規定に違反して電気通信事業者が正当な理由なく電気通信役務の提供を拒むことにより成立する。

　第180条第1項との関係について、本条の「拒んだ」とは、法人にあっては、法人を代表できる者の行為としてとらえ得るものをいう。したがって、行為者は、第1号基礎的電気通信役務、第2号基礎的電気通信役務又は指定電気通信役務について、第25条第1項から第3項に規定する電気通信役務の提供に関する契約締結の代理権を持つ者あるいはその直接の授受を受けた者であり、単に業務の一部を処理する者は、これに含まれない。

　また、本条については、第190条の両罰規定の適用があるところ、これと争議行為との関係については、両罰規定が本来、法人の義務違反を、実際の行為者を通じてそれと一体として処罰するものであり、他方、従事者の争議行為では、従事者と法人とは対立関係にあることから、両罰規定による処罰の対象とすることはできない。この場合、法人側についても、同様に、処罰の対象とはならない。

　本条で規定する罰則の概要は、次のとおりである。

　2年以下の拘禁刑若しくは100万円以下の罰金又はこの併科（両罰規定の適用あり）

義務規定	違反行為の内容
第25条第1項	第1号基礎的電気通信役務の提供義務への違反
第25条第2項	第2号基礎的電気通信役務の提供義務への違反
第25条第3項	指定電気通信役務の提供義務への違反

807

第179条

第179条　電気通信事業者の取扱中に係る通信（第164条第３項に規定する
　　通信並びに同条第４項及び第５項の規定により電気通信事業者の取扱中に
　　係る通信とみなされる認定送信型対電気通信設備サイバー攻撃対処協会が
　　行う第116条の２第２項第１号ロの通知及び認定送信型対電気通信設備サ
　　イバー攻撃対処協会が取り扱う同項第２号ロの通信履歴の電磁的記録を含
　　む。）の秘密を侵した者は、２年以下の拘禁刑又は100万円以下の罰金に
　　処する。
２　電気通信事業に従事する者（第164条第４項及び第５項の規定により電
　　気通信事業に従事する者とみなされる認定送信型対電気通信設備サイバー
　　攻撃対処協会が行う第116条の２第２項第１号又は第２号に掲げる業務に
　　従事する者を含む。）が前項の行為をしたときは、３年以下の拘禁刑又は
　　200万円以下の罰金に処する。
３　前２項の未遂罪は、罰する。

改正　平成11年法律第137号
平成13年法律第 62号
第104条繰下げ改正　平成15年法律第125号
改正　平成27年法律第 26号
平成30年法律第 24号
令和４年法律第 68号（令和７年６月１日施行）

1　概　要

　憲法に保障する基本的人権の一つである通信の秘密を保護し、ひいては電気通
信事業の信頼性を保障する規定である。

　第４条において通信の秘密の保護を規定し、本条第１項は、その規定の実効性
を確保するため、電気通信事業者の取扱中に係る通信（第164条第３項に規定す
る通信並びに同条第４項及び第５項の規定により電気通信事業者の取扱中に係る
通信とみなされるものを含む。）の秘密を侵した者は、２年以下の拘禁刑（令和
４年法律第68号の施行後。）又は100万円以下の罰金に処すべき旨を規定している。

　本条第２項は、電気通信事業に従事する者（第164条第４項及び第５項の規定
により電気通信事業に従事する者とみなされる者を含む。）は、その業務の取扱
上、他人の通信を容易に知ることができる立場にあるので、その者が秘密を侵し
たときは、その刑が加重される旨を規定している。

第4条の第1項と第2項との関係については、同条第2項は、電気通信事業に従事する者について、職務上正当行為としての知得行為は違法性がないこと、守るべき範囲は、通信の構成要素以外のものであってもそれを推知させるものを含むという同条第1項に対する特則を定めたものである。他方で、罰則の適用の関係については、本条第2項では、電気通信事業に従事する者については、本条第1項の「通信の秘密を侵した」場合に加重刑を科すとしている。したがって、電気通信事業に従事する者が通信の秘密の構成要素以外の他人の秘密を守らないことに対しては罰則の適用はない。

また、電気通信事業に従事する者であった者が退職した場合については、罰則の加重まではしない。退職により社会的重大性が軽減されているからである。しかしながら、電気通信事業に従事していた者が別の電気通信事業に従事するようになった場合、元の電気通信事業に従事する中で知得した通信の秘密を、別の電気通信事業に従事するようになってから漏えい等することは、この趣旨から、加重罰の対象となる。

本条で規定する罰則の概要は、次のとおりである。

第1項は、2年以下の拘禁刑又は100万円以下の罰金、

第2項は、3年以下の拘禁刑又は200万円以下の罰金（両罰規定の適用あり）

項	違反行為の内容
第1項	通信の秘密の侵害
第2項	電気通信事業に従事する者（電気通信事業に従事する者とみなされる者を含む。）の通信の秘密の侵害
第3項	前2項の未遂

第180条

第180条　(1) みだりに電気通信事業者の事業用電気通信設備を (2) 操作して (3) 電気通信役務の提供を妨害した者は、2年以下の拘禁刑又は50万円以下の罰金に処する。

2　電気通信事業に (4) 従事する者が、(5) 正当な理由がないのに電気通信事業者の事業用電気通信設備の (6) 維持又は (7) 運用の業務の取扱いをせず、

第180条

> 電気通信役務の提供に ⑻障害を生ぜしめたときも、前項と同様とする。
>
> 3　第1項の未遂罪は、罰する。

追加　平成15年法律第125号
改正　令和 3 年法律第 75号
令和 4 年法律第 68号（令和7年6月1日施行）

1　概　要

　電気通信事業者による電気通信役務の提供が、国民生活、国民経済に密接な関係を有しており、特に電気通信設備の電気通信事業における重要性に鑑み、設備を通じて提供を妨害等した者を罰することとしている。

　本条で規定する罰則の概要は、次のとおりである。

　2年以下の拘禁刑又は50万円以下の罰金（両罰規定の適用なし）

義務規定	違反行為の内容
第1項	電気通信役務の提供の妨害
第2項	電気通信事業に従事する者の電気通信役務の提供に障害を生ぜしめる行為
第3項	第1項の未遂

2　条文内容

〔第1項〕

(1)　みだりに

　「正当な理由なく」と同趣旨であって、その目的、方法、行為等が法律秩序の要求に違反する場合を指す。

(2)　操作

　電気通信設備本来の作動方法に従ってその機器を運用すること、あるいは、そのための具体的な動作をいう。

(3)　電気通信役務の提供を妨害した者

　一般人はもちろん、電気通信事業の従事者であってもその電気通信設備の操作の任にない者、又はその操作の任にある者であっても正常な職務上の操作でない場合の者が含まれる。

〔第2項〕

(4) 従事する者

電気通信事業者、電気通信事業者の使用人（役員、職員）及び電気通信事業者から事業の一部を委任された者をいう。ここに掲げる者であっても、電気通信設備の維持又は運用に直接係わらない事務（守衛、営業担当職員の事務等）のみを行っている場合には、設備の維持又は運用の業務の取扱いをしなかったことに「正当な理由」があるものとして構成要件には該当しないこととなる。

(5) 正当な理由

「正当な理由」がある場合とは、例えば、法人の使用人の勤務時間外である場合、病気、事故等により業務に従事することが困難な場合をいう。

(6) 維持

電気通信設備の機能を本来の水準に保っておくために行う保守、管理等の行為をいう。電気通信設備に機能障害が生じた場合の修理、取替え等はもちろん、定期点検、試験運転も「維持」に当たる。

(7) 運用

電気通信設備をその本来の目的に沿って、作動させ、操作することをいう。電気通信設備は、他人の通信の用に供することを目的として設けられる設備であり、この目的に沿って設備を作動、操作すべき者が、これを怠った場合、「運用の業務の取扱いをせず」に該当する。

したがって、電気通信設備の電源を入れなかったり、設備を決められた手順で作動させなかったりすることはもちろん、オペレーターが交換のための操作を怠ったような場合もこれに該当することとなる。

(8) 障害を生ぜしめた

単に通信が途絶する場合だけでなく、著しく通信品質が低下するような場合も障害を生ぜしめたことになる。

〔第3項〕

みだりに電気通信事業者の事業用電気通信設備を操作して電気通信役務の提供を妨害しようとした者は、既遂者と同様処罰される。

第181条

第181条　次の各号のいずれかに該当する場合には、当該違反行為をした者は、1年以下の拘禁刑又は100万円以下の罰金に処する。
　一　第54条（第61条及び第68条において準用する場合を含む。）の規定による命令に違反したとき。
　二　第60条第1項（第1号に係る部分に限る。）、第66条第1項（第1号に係る部分に限る。）又は第67条第1項の規定による禁止に違反したとき。

追加　第104条の2繰下げ改正　平成15年法律第125号
改正　令和4年法律第 68号（令和7年6月1日施行）
　　　令和4年法律第 70号

概　要

　技術基準適合認定を受けた者、認証取扱業者、届出業者が妨害防止命令に違反した場合、これを罰する旨を規定している（第1号）。

　認証取扱業者が認証設計に基づく端末機器の表示を付することの禁止に違反した場合、又は届出業者が届出設計に基づく特定端末機器の表示を付することの禁止に違反した場合、法律の規定によらず表示を付したことになり、これを罰する旨を規定している（第2号）。

　第190条の両罰規定の適用があり、行為者は、本条により、1年以下の拘禁刑（令和4年法律第68号の施行後。）又は100万円以下の罰金に処せられることになり、法人については、第190条の規定により、1億円以下の罰金に処せられることになる。

　本条で規定する罰則の概要は、次のとおりである。

１年以下の拘禁刑又は100万円以下の罰金（両罰規定の適用あり）

号	命令規定	違反行為の内容
第1号	第54条（第61条及び第68条において準用する場合を含む。）	技術基準適合認定を受けた者、認証取扱業者、届出業者に対する妨害防止命令に対する違反
第2号	第60条第1項（第1号に係る部分に限る。）、第66条第1項（第1号に係る部分に限る。）、第67条第1項	認証取扱業者、届出業者に対する表示禁止への違反

第182条

> 第182条　第78条第１項（第116条第１項において準用する場合を含む。）又は第116条の４の規定に違反してその職務に関し知り得た秘密を漏らした者は、１年以下の拘禁刑又は50万円以下の罰金に処する。
> ２　第85条の13第２項、第100条第２項（第103条において準用する場合を含む。）又は第116条の６第２項の規定による業務の停止の命令に違反したときは、当該違反行為をした者も、前項と同様とする。

追加　第104条の３繰下げ改正　平成15年法律第125号
改正　平成26年法律第　63号
平成30年法律第　24号
令和４年法律第　68号（令和７年６月１日施行）
令和４年法律第　70号

概　要

　指定試験機関により行われる試験事務、支援機関により行われる支援業務、認定送信型対電気通信設備サイバー攻撃対処協会により行われる送信型対電気通信設備サイバー攻撃対処業務の公正を期するため、これら事務・業務に関する秘密の漏えいを罰する旨を規定している（第１項）。第１項により罰せられる行為の主体は、各機関の役員・職員等であり、第190条の両罰規定の適用はないので、法人そのものは本項の適用を受けない。

　登録講習機関、登録認定機関、認定送信型対電気通信設備サイバー攻撃対処協会が業務の停止の命令に違反した場合、これを罰する旨を規定している（第２項）。第２項により罰せられる行為の主体は、各機関の役員・職員である。第1項とは異なり、第190条の両罰規定の適用がある。

　本条で規定する罰則の概要は、次のとおりである。

１年以下の拘禁刑又は50万円以下の罰金（第２項のみ、両罰規定の適用あり）

項	義務・命令規定	違反行為の内容
第１項	第78条第１項（第116条第１項において準用する場合を含む。）	指定試験機関、支援機関の役員又は職員等の秘密漏洩
	第116条の４	認定送信型対電気通信設備サイバー攻撃対処協会の役員又は職員等の秘密漏洩
第２項	第85条の13第２項	登録講習機関に対する事務停止命令

第2項		に対する違反
	第100条第2項（第103条において準用する場合を含む。）	登録認定機関に対する業務停止命令に対する違反
	第116条の6第2項	認定送信型対電気通信設備サイバー攻撃対処協会に対する業務停止命令に対する違反

第183条

第183条　削除

削除　平成30年法律第 24号

第184条

第184条　第84条第2項（第116条第1項において準用する場合を含む。）の規定による業務の停止の命令に違反したときは、その違反行為をした指定試験機関又は支援機関の役員又は職員は、1年以下の拘禁刑又は50万円以下の罰金に処する。

改正　平成13年法律第 62号
第106条繰下げ改正　平成15年法律第125号
改正　令和4年法律第 68号（令和7年6月1日施行）

概　要

　指定試験機関又は支援機関が業務の停止の命令に違反した場合、これを罰する旨を規定している。罰せられる行為の主体は、各機関の役員・職員であり、第190条の両罰規定の適用はないので、法人そのものは本項の適用を受けない。

　本条で規定する罰則の概要は、次のとおりである。

　1年以下の拘禁刑又は50万円以下の罰金（両罰規定の適用なし）

命令規定	違反行為の内容
第84条第2項（第116条第1項において準用する場合を含む。）	指定試験機関、支援機関に対する事務・業務停止命令に対する違反

814

第185条・第186条

第185条

第185条　次の各号のいずれかに該当する場合には、当該違反行為をした者
　は、6月以下の拘禁刑又は50万円以下の罰金に処する。
　一　第16条第1項の規定による届出をせず、若しくは虚偽の届出をして
　　電気通信事業を営んだとき、又は同条第2項の規定により読み替えて適
　　用する同条第1項の規定による届出をせず、若しくは虚偽の届出をした
　　とき。
　二　第73条の2第1項の規定による届出をせず、又は虚偽の届出をして、
　　第26条第1項各号に掲げる電気通信役務の提供に関する契約の締結の
　　媒介等の業務を行つたとき。

追加　　平成15年法律第125号
改正　　令和元年法律第　5号
令和4年法律第　68号（令和7年6月1日施行）
令和4年法律第　70号

概　要

　無届出・虚偽届出の電気通信事業、無届出・虚偽届出の媒介等業務委託に関す
る条項の実効を期するため、その違反行為を罰する旨を定めている。
　違反行為があったときには、行為者を罰するほか、第190条の両罰規定の適用
がある。
　本条で規定する罰則の概要は、次のとおりである。

　6月以下の拘禁刑又は50万円以下の罰金（両罰規定の適用あり）

義務規定	違反行為の内容
第16条第1項（同条第2項により読み替えて適用する場合を含む。）	無届出・虚偽届出の電気通信事業
第73条の2第1項	無届出・虚偽届出の媒介等業務受託

第186条

第186条　次の各号のいずれかに該当する場合には、当該違反行為をした者
　は、200万円以下の罰金に処する。

815

一　第13条第１項の規定に違反して第10条第１項第３号若しくは第４号の事項を変更したとき、又は第13条第２項の規定により読み替えて適用する同条第１項の規定に違反して変更登録を受けなかつたとき。

二　第19条第３項、第20条第５項又は第21条第６項の規定に違反して電気通信役務を提供したとき。

三　第19条第２項、第20条第３項、第21条第４項、第27条の７第１項若しくは第２項、第29条第１項若しくは第２項、第30条第５項、第31条第４項、第33条第６項若しくは第８項、第34条第３項、第35条第１項（第39条において準用する場合を含む。）若しくは第２項、第38条第１項（第39条において準用する場合を含む。）、第38条の２第４項、第39条の３第２項、第43条第１項（同条第２項において準用する場合を含む。）、第44条の２第１項若しくは第２項、第44条の５、第51条、第73条の４又は第121条第２項の規定による命令又は処分に違反したとき。

四　第27条の10第１項の規定に違反して特定利用者情報統括管理者を選任しなかつたとき。

五　第33条第９項、第34条第４項又は第40条の規定に違反して、協定又は契約を締結し、変更し、又は廃止したとき。

六　第44条の３第１項の規定に違反して電気通信設備統括管理者を選任しなかつたとき。

七　第45条第１項の規定に違反して電気通信主任技術者を選任しなかつたとき。

八　第50条の２第１項の規定に違反して電気通信番号を使用したとき。

九　第50条の６第１項の規定に違反して電気通信番号使用計画を変更したとき。

改正	平成 ７ 年法律第 82号
	平成 ９ 年法律第 97号
	平成10年法律第 58号
	平成12年法律第 79号
	平成13年法律第 62号
第107条繰下げ改正	平成15年法律第125号
改正	平成23年法律第 58号
	平成26年法律第 63号
	平成27年法律第 26号
	平成30年法律第 24号
	令和元年法律第 ５ 号

第186条

令和2年法律第 30号
令和4年法律第 70号

概　要

　本法の規定のうち、本条各号に規定する条項の実効を期するため、その違反行為を罰する旨を定めている。

　違反行為があったときには、行為者を200万円以下の罰金に処するほか、第190条の両罰規定の適用がある。

　本条で規定する罰則の概要は、次のとおりである。

200万円以下の罰金（両罰規定の適用あり）

号	義務・命令規定	違反行為の内容
第1号	第13条第1項（同条第2項により読み替えて適用する場合を含む。）	電気通信事業者の変更登録を行わないで行う登録事項の変更
第2号	第19条第3項、第20条第5項、第21条第6項	基礎的電気通信役務の届出契約約款によらない提供、指定電気通信役務の保障契約約款によらない提供、特定電気通信役務の認可料金によらない基準料金指数超の料金による提供
第3号	第19条第2項	基礎的電気通信役務の届出契約約款変更命令に対する違反
	第20条第3項	指定電気通信役務の保障契約約款変更命令に対する違反
	第21条第4項	基準料金指数超の特定電気通信役務の料金の変更命令に対する違反
	第27条の7第1項	情報取扱規程の変更命令に対する違反
	第27条の7第2項	情報取扱規程の遵守命令に対する違反
	第29条第1項	電気通信事業者に対する業務改善命令に対する違反
	第29条第2項	電気通信事業者又は第3号事業を営む者に対する業務改善命令に対する違反
	第30条第5項	禁止行為規定に違反する行為の停止・変更命令に対する違反
	第31条第4項	ファイアウォール規定等に違反する行為の停止・変更命令又は子会社に関する措置命令に対する違反

817

第186条

第3号	第33条第6項	第一種指定電気通信設備の認可接続約款の変更の認可申請命令に対する違反
	第33条第8項	第一種指定電気通信設備の届出接続約款の変更命令に対する違反
	第34条第3項	第二種指定電気通信設備の届出接続約款の変更命令に対する違反
	第35条第1項	電気通信設備との接続に関する協議命令に対する違反
	第35条第2項	
	第38条第1項	電気通信設備・電気通信設備設置用工作物の共用に関する協議命令に対する違反
	第38条の2第4項	特定卸電気通信役務を提供する電気通信事業者に対する業務改善命令に対する違反
	第39条において準用する第35条第1項	特定卸電気通信役務の提供に関する協議命令に対する違反
	第39条において準用する第38条第1項	特定卸電気通信役務以外の卸電気通信役務の提供に関する協議命令に対する違反
	第39条の3第2項	特定ドメイン名電気通信役務を提供する電気通信事業者に対する業務改善命令に対する違反
	第43条第1項	電気通信回線設備を設置する電気通信事業者の電気通信事業の用に供する電気通信設備に係る技術基準適合命令に対する違反
	第43条第2項において準用する同条第1項	基礎的電気通信役務を提供する電気通信事業又は内容、利用者の範囲等からみて利用者の利益に及ぼす影響が大きい電気通信役務を提供する電気通信事業の用に供する電気通信設備に係る技術基準適合命令に対する違反
	第44条の2第1項	事業用電気通信設備の管理規程の変更命令に対する違反
	第44条の2第2項	事業用電気通信設備の管理規程の遵守命令に対する違反
	第44条の5	電気通信設備統括管理者の解任命令に対する違反
	第51条	認定電気通信番号使用計画への適合命令又は認定電気通信番号使用計画変更命令に対する違反
	第73条の4	届出媒介等業務受託者に対する業務改善命令に対する違反
	第121条第2項	認定電気通信事業者に対する業務改善命令に対する違反

第186条・第187条

第4号	第27条の10第1項	特定利用者情報統括管理者選任義務への違反
第5号	第33条第9項	第一種指定電気通信設備の認可・届出接続約款によらない接続協定締結・変更
	第34条第4項	第二種指定電気通信設備の届出接続約款によらない接続協定締結・変更
	第40条	無認可の外国政府等との協定等の締結、変更又は廃止
第6号	第44条の3第1項	電気通信設備統括管理者選任義務への違反
第7号	第45条第1項	電気通信主任技術者選任義務への違反
第8号	第50条の2第1項	電気通信番号使用計画の認定を受けない電気通信番号の使用
第9号	第50条の6第1項	認定を受けない電気通信番号使用計画の変更

第187条

第187条　次の各号のいずれかに該当する場合には、当該違反行為をした者は、50万円以下の罰金に処する。

一　第16条第4項の規定による届出をしないで同条第1項第3号若しくは第4号の事項を変更し、若しくは虚偽の届出をしたとき、又は同条第5項若しくは同条第6項の規定により読み替えて適用する同条第4項の規定による届出をせず、若しくは虚偽の届出をしたとき。

二　第53条第3項又は第68条の8第2項の規定に違反して表示を付したとき。

改正　平成 7 年法律第 82号
平成10年法律第 58号
平成13年法律第 62号
第108条繰下げ改正　平成15年法律第125号
改正　平成26年法律第 63号
令和 4 年法律第 70号

概　要

　本法の規定のうち、本条各号に規定する条項の実効を期するため、その違反行為を罰する旨を定めている。

　違反行為があったときには、行為者を50万円以下の罰金に処するほか、第190

819

第187条・第188条

条の両罰規定の適用がある。

本条で規定する罰則の概要は、次のとおりである。

50万円以下の罰金（両罰規定の適用あり）

号	義務規定	違反行為の内容
第1号	第16条第4項	電気通信事業者の届出事項の変更届出義務への違反
	第16条第5項	電気通信事業用電気通信設備を適正に管理すべき電気通信事業者（内容、利用者の範囲等からみて利用者の利益に及ぼす影響が大きい電気通信役務を提供する電気通信事業者）として指定された者の届出義務への違反
	第16条第6項	検索情報電気通信役務又は媒介相当電気通信役務を提供する者として指定された者の届出義務への違反
第2号	第53条第3項	端末機器技術基準適合認定の虚偽表示等の禁止への違反
	第68条の8第2項	登録に係る特定端末機器を修理した旨の虚偽表示等の禁止への違反

第188条

第188条　次の各号のいずれかに該当する場合には、当該違反行為をした者は、30万円以下の罰金に処する。

一　第17条第2項、第18条第1項、第26条の4第2項、第27条の6第1項若しくは第2項、第27条の10第2項、第36条第1項、第37条第1項若しくは第2項、第38条の2第1項、第42条第3項（同条第4項から第6項（同条第7項の規定により読み替えて適用する場合を含む。）までにおいて準用する場合を含む。）、第44条第1項（同条第4項の規定により読み替えて適用する場合を含む。）若しくは第3項、第44条の3第2項、第45条第2項、第73条の2第3項若しくは第4項、第108条第3項、第120条第4項（第122条第4項において準用する場合を含む。）又は第124条第1項の規定による届出をせず、又は虚偽の届出をしたとき。

二　第19条第1項（第2号基礎的電気通信役務に係る部分に限る。）又は

第20条第1項の規定による届出をしなかつたとき。

三　第22条又は第33条第12項の規定による記録をせず、又は虚偽の記録をしたとき。

四　第23条第1項の規定に違反したとき。

五　第26条の2第1項の規定に違反して、書面を交付せず、又は虚偽の記載をした書面を交付したとき。

六　第28条第1項又は第31条第8項の規定による報告をせず、又は虚偽の報告をしたとき。

七　第33条第11項、第34条第5項又は第108条第3項の規定に違反して接続約款を公表しなかつたとき。

八　第36条第2項の規定に違反して計画を公表しなかつたとき。

九　第63条第3項の規定による届出をする場合において虚偽の届出をしたとき。

十　第63条第4項の規定に違反して、記録を作成せず、若しくは虚偽の記録を作成し、又は記録を保存しなかつたとき。

十一　第85条の10、第96条（第103条において準用する場合を含む。）又は第116条の5の規定に違反して、帳簿を備え付けず、帳簿に記載せず、若しくは記録せず、若しくは帳簿に虚偽の記載若しくは記録をし、又は帳簿を保存しなかつたとき。

十二　第85条の12第1項の規定による届出をしないで講習事務を廃止し、又は虚偽の届出をしたとき。

十三　第92条第1項（第103条において準用する場合を含む。）の規定による報告をせず、又は虚偽の報告をしたとき。

十四　第99条第1項（第103条において準用する場合を含む。）の規定による届出をしないで業務を廃止し、又は虚偽の届出をしたとき。

十五　第116条の3第3項の規定に違反してその名称中に認定送信型対電気通信設備サイバー攻撃対処協会の特定会員と誤認されるおそれのある文字を用いたとき。

十六　第141条第4項又は第143条の規定に違反したとき。

十七　第166条第1項、第2項（同条第3項において準用する場合を含む。）若しくは同条第5項において準用する同条第4項の規定による報告をせず、若しくは虚偽の報告をし、又はこれらの規定による検査を拒み、妨げ、若しくは忌避したとき。

第188条

十八　第167条第1項（同条第4項において準用する場合を含む。）の規
　　定による命令に違反したとき。

改正	平成10年法律第　58号
	平成12年法律第　79号
	平成13年法律第　62号
第109条繰下げ改正	平成15年法律第125号
改正	平成23年法律第　58号
	平成26年法律第　63号
	平成27年法律第　26号
	平成30年法律第　24号
	令和2年法律第　30号
	令和4年法律第　70号

概　要

　電気通信事業者等に対する総務大臣の監督の実効を期するための届出、報告、
検査、公表等に関し、その違反行為を罰することを定めている。

　違反行為があったときには、行為者を30万円以下の罰金に処するほか、第190
条の両罰規定の適用がある。

　本条で規定する罰則の概要は、次のとおりである。

30万円以下の罰金（両罰規定の適用あり）

号	義務・命令規定	違反行為の内容
第1号	第17条第2項	電気通信事業者の地位の承継の届出義務への違反
	第18条第1項	電気通信事業の休廃止の届出義務への違反
	第26条の4第2項	利用者の利益に及ぼす影響が大きい電気通信役務に係る電気通信業務の休廃止の届出義務への違反
	第27条の6第1項	情報取扱規程の届出義務への違反
	第27条の6第2項	情報取扱規程の変更の届出義務への違反
	第27条の10第2項	特定利用者情報統括管理者の選解任の届出義務への違反
	第36条第1項	第一種指定電気通信設備の網機能計画の届出義務への違反
	第37条第1項	第一種指定電気通信設備の共用協定の届出義務への違反
	第37条第2項	新たに第一種指定電気通信設備に指定された場合の共用協定の届出義務への違反

	第38条の2第1項	第一種指定電気通信設備又は第二種指定電気通信設備を用いる卸電気通信役務の届出義務への違反
	第42条第3項	電気通信回線設備を設置する電気通信事業者による電気通信設備の技術基準適合自己確認結果の届出義務への違反
	第42条第4項において準用する同条第3項	基礎的電気通信役務を提供する電気通信事業者による当該役務を提供するための電気通信設備の技術基準適合自己確認結果の届出義務への違反
	第42条第5項において準用する同条第3項	第一種適格電気通信事業者による第1号基礎的電気通信役務を提供するための電気通信設備の技術基準適合自己確認結果の届出義務への違反
	第42条第6項において準用する同条第3項（同条第7項により読み替えて適用する場合を含む。）	内容、利用者の範囲等からみて利用者の利益に及ぼす影響が大きい電気通信役務を提供する電気通信事業者による当該役務を提供するための電気通信設備の技術基準適合自己確認結果の届出義務への違反
	第44条第1項（同条第4項により読み替えて適用する場合を含む。）	事業用電気通信設備の管理規程の届出義務への違反
	第44条第3項	事業用電気通信設備の管理規程の変更の届出義務への違反
	第44条の3第2項	電気通信設備統括管理者の選解任の届出義務への違反
	第45条第2項	電気通信主任技術者の選解任の届出義務への違反
	第73条の2第3項	届出媒介等業務受託者の地位の承継の届出義務への違反
	第73条の2第4項	届出媒介等業務の廃止の届出義務への違反
	第108条第3項	第一種適格電気通信事業者（第一種指定電気通信設備又は第二種指定電気通信設備を設置する電気通信事業者以外の電気通信事業者に限る。）の接続約款の変更の届出義務への違反
	第120条第4項	認定電気通信事業開始の届出義務への違反
	第122条第4項において準用する第120条第4項	認定事項を変更した認定電気通信事業開始の届出義務への違反
	第124条第1項	認定電気通信事業休廃止の届出義務への違反
第2号	第19条第1項	第2号基礎的電気通信役務に関する契約約款の届出義務への違反

第188条

	第20条第1項	保障契約約款の届出義務への違反
第3号	第22条	特定電気通信役務の通信量等の記録義務への違反
	第33条第12項	第一種指定電気通信設備との接続に係る通信量等の記録義務への違反
第4号	第23条第1項	届出契約約款、保障契約約款又は基準料金指数超の特定電気通信役務の料金の公表・掲示義務への違反
第5号	第26条の2第1項	利用者への書面交付等義務への違反
第6号	第28条第1項	業務停止・重大事故の報告義務への違反
	第31条第8項	ファイアウォール規定等の遵守のために講じた措置及びその実施状況に関する報告義務への違反
第7号	第33条第11項	第一種指定電気通信設備の認可・届出接続約款の公表義務への違反
	第34条第5項	第二種指定電気通信設備の届出接続約款の公表義務への違反
	第108条第3項	第一種適格電気通信事業者（第一種指定電気通信設備又は第二種指定電気通信設備を設置する電気通信事業者以外の電気通信事業者に限る。）の接続約款の変更の公表義務への違反
第8号	第36条第2項	第一種指定電気通信設備の網機能計画の公表義務への違反
第9号	第63条第3項	技術基準適合自己確認の虚偽届出
第10号	第63条第4項	届出業者の検証記録の作成・保存義務への違反
第11号	第85条の10	登録講習機関の帳簿の備付け等義務への違反
	第96条	登録認定機関の帳簿の備付け等義務への違反
	第103条において準用する第96条	
	第116条の5	認定送信型対電気通信設備サイバー攻撃対処協会の帳簿の備付け等義務への違反
第12号	第85条の12第1項	登録講習機関の登録に係る講習事務の廃止の届出義務への違反
第13号	第92条第1項	登録認定機関の登録に係る技術基準適合認定の報告義務への違反
	第103条において準用する第92条第1項	登録認定機関の設計認証の報告義務への違反
第14号	第99条第1項	登録認定機関の登録に係る技術基準適合認定の業務の休廃止の届出義務への違反

第188条・第189条

	第103条において準用する第99条第1項	登録認定機関の設計認証の業務の休廃止の届出義務への違反
第15号	第116条の3第3項	認定送信型対電気通信設備サイバー攻撃対処協会特定会員と誤認されるおそれのある名称の使用の禁止への違反
第16号	第141条第4項	保護区域内の船舶のびょう泊等
	第143条	水底線路の敷設・修理中の船舶の近傍又は施設・修理中の水底線路の近傍における船舶の航行
第17号	第166条第1項	電気通信事業者、第3号事業を営む者又は媒介等業務受託者の報告義務への違反、検査拒否等
	第166条第2項	技術基準適合認定を受けた者の報告義務への違反、検査拒否等
	第166条第3項において準用する同条第2項	認証取扱業者、届出業者又は登録修理業者の報告義務への違反、検査拒否等
	第166条第5項において準用する同条第4項	登録講習機関、登録認定機関又は認定送信型電気通信設備サイバー攻撃対処協会の報告義務への違反、検査拒否等
第18号	第167条第1項	技術基準適合認定を受けた者に対する端末機器等の提出命令に対する違反
	第167条第4項において準用する同条第1項	認証取扱業者、届出業者又は登録修理業者に対する端末機器等の提出命令に対する違反

第189条

第189条　次の各号のいずれかに該当するときは、その違反行為をした指定試験機関又は支援機関の役員又は職員は、30万円以下の罰金に処する。
一　第81条（第116条第1項において準用する場合を含む。）の規定に違反して、帳簿を備え付けず、帳簿に記載せず、若しくは記録せず、若しくは帳簿に虚偽の記載若しくは記録をし、又は帳簿を保存しなかつたとき。
二　第83条第1項（第116条第1項において準用する場合を含む。）の規定に違反して試験事務又は支援業務の全部を廃止したとき。
三　第166条第4項の規定による報告をせず、若しくは虚偽の報告をし、

第189条・第190条

> 又は同項の規定による検査を拒み、妨げ、若しくは忌避したとき。

改正　平成10年法律第 58号
平成13年法律第 62号
第110条繰下げ改正　平成15年法律第125号
改正　平成30年法律第 24号

概　要

　指定試験機関又は支援機関に対する総務大臣の監督の実効を期するための帳簿の備付等、業務廃止許可、報告、検査に関し、その違反行為者を30万円以下の罰金に処することを定めている。

　罰せられる行為の主体は、各機関の役員・職員であり、本条に該当する違反行為について、第190条の両罰規定の適用はない。

　本条で規定する罰則の概要は、次のとおりである。

　30万円以下の罰金（両罰規定の適用なし）（処罰対象は、指定試験機関、支援機関の役員又は職員）

号	義務規定	違反行為の内容
第1号	第81条	指定試験機関の帳簿の備付等義務への違反
	第116条第1項において準用する第81条	支援機関の帳簿の備付等義務への違反
第2号	第83条第1項	指定試験機関の無許可の試験事務全部廃止
	第116条第1項において準用する第83条第1項	支援機関の無許可の支援業務全部廃止
第3号	第166条第4項	指定試験機関又は支援機関の報告義務への違反、検査拒否等

第190条

> 第190条　法人の代表者又は法人若しくは人の代理人、使用人その他の従業者が、その法人又は人の業務に関し、次の各号に掲げる規定の違反行為をしたときは、行為者を罰するほか、その法人に対して当該各号に定める罰金刑を、その人に対して各本条の罰金刑を科する。

一　第181条　　1億円以下の罰金刑
　　二　第177条から第179条まで、第182条第2項又は第185条から第188
　　　条まで　　各本条の罰金刑

第112条繰上げ改正　平成13年法律第　62号
第111条繰下げ改正　平成15年法律第125号
改正　平成30年法律第　24号
令和3年法律第　75号
令和4年法律第　68号（令和7年6月1日施行）
令和4年法律第　70号

概　要

　両罰規定として、法人の代表者又は法人若しくは人の代理人、使用人その他の従業者が、その法人又はその人の業務に関して次の表の規定の違反行為をしたときは、行為者を罰するほか、その法人又はその人に対して次の表の罰金刑を科するものである。

　両罰規定が適用されるのは、第177条から第179条まで、第181条、第182条第2項又は第185条から第188条までの規定の違反行為であり、科せられるのは、その性格上、罰金刑のみとしている。

号	違反行為をした規定	法人又は人の罰金刑	本条の刑
第1号	第181条	法人は1億円以下の罰金刑、人は本条の罰金刑	1年以下の拘禁刑又は100万円以下の罰金
第2号	第177条	各本条の罰金刑	3年以下の拘禁刑若しくは200万円以下の罰金又はこの併科
	第178条		2年以下の拘禁刑若しくは100万円以下の罰金又はこの併科
	第179条第1項		2年以下の拘禁刑又は100万円以下の罰金
	第179条第2項		3年以下の拘禁刑又は200万円以下の罰金
	第182条第2項		1年以下の拘禁刑又は50万円以下の罰金
	第185条		6月以下の拘禁刑又は50万円以下の罰金
	第186条		200万円以下の罰金
	第187条		50万円以下の罰金
	第188条		30万円以下の罰金

第191条

第191条　次の各号のいずれかに該当する者は、100万円以下の過料に処する。ただし、その行為について刑を科すべきときは、この限りでない。
一　第24条の規定に違反した者
二　第30条第６項、第33条第13項、第34条第６項又は第39条の３第３項の規定に違反して公表することを怠り、又は不実の公表をした者
三　第31条第１項の規定に違反して役員を兼ねた者

改正　平成４年法律第　61号
平成９年法律第　97号
平成９年法律第100号
平成12年法律第　79号
第113条繰上げ改正　平成13年法律第　62号
第112条繰下げ改正　平成15年法律第125号
改正　平成22年法律第　65条
平成27年法律第　26号

概　要

　会計の整理又は公表についての義務を負う電気通信事業者に当該義務を課していること及び第一種指定電気通信設備を設置する電気通信事業者の役員による特定関係事業者の役員の兼任禁止の実効を担保するため設けられた規定である。

　本条各号のいずれかに該当する者は、次の表のとおり、100万円以下の過料に処せられる。

　過料は行政上の秩序罰であり（非訟事件手続法（平成23年法律第51号））、刑事罰との併科は一般には違法ではないが、本条により、当該違反行為に他の刑罰規定が適用される場合には、本条の過料は併科されない。

100万円以下の過料

号	義務規定	違反行為の内容
第１号	第24条	指定電気通信役務若しくは特定ドメイン名電気通信役務を提供する電気通信事業者、指定された第二種指定電気通信設備設置電気通信事業者又は第一種指定電気通信設備設置電気通信事業者の会計の整理義務への違反
第２号	第30条第６項	指定された第二種指定電気通信設備設置電気通信事業者又は第一種指定電気通信設備設置電気通信事業者の会計の公表義務への違反

	第33条第13項	第一種指定電気通信設備との接続に関する会計の公表義務への違反
	第34条第6項	第二種指定電気通信設備との接続に関する会計の公表義務への違反
	第39条の3第3項	特定ドメイン名電気通信役務を提供する電気通信事業者の会計の公表義務への違反
第3号	第31条第1項	第一種指定電気通信設備設置電気通信事業者の役員による特定関係事業者の役員の兼任禁止への違反

第192条

> 第192条　次の各号のいずれかに該当する者は、30万円以下の過料に処する。
>
> 一　第63条第5項、第68条の6第4項、第68条の10第1項、第85条の6第2項、第90条第2項（第116条第1項において準用する場合を含む。）又は第116条の2第7項の規定による届出をせず、又は虚偽の届出をした者
>
> 二　第85条の9第1項若しくは第95条第1項の規定に違反して、財務諸表等を備えて置かず、財務諸表等に記載し、若しくは記録すべき事項を記載せず、若しくは記録せず、若しくは虚偽の記載若しくは記録をし、又は正当な理由がないのに第85条の9第2項若しくは第95条第2項の規定による請求を拒んだ者
>
> 三　正当な理由がないのに第116条の3第1項の規定による名簿の縦覧を拒んだ者

追加　第113条繰下げ改正　平成15年法律第125号
改正　平成26年法律第　63号
平成30年法律第　24号
令和4年法律第　70号

概　要

　届出業者、登録修理業者、登録講習機関、登録認定機関、支援機関及び認定送信型対電気通信設備サイバー攻撃対処協会に対して届出事項の変更届出等の義務を課していることの実効を担保するため設けられた規定である。

　本条各号のいずれかに該当する者は、次の表のとおり、30万円以下の過料に

第192条・第193条

処せられる。

30万円以下の過料

号	義務等規定	違反行為の内容
第1号	第63条第5項	届出業者の届出事項の変更届出義務への違反
	第68条の6第4項	登録修理業者の名称等の変更届出義務への違反
	第68条の10第1項	登録修理業者の事業廃止の届出義務への違反
	第85条の6第2項	登録講習機関の名称等の変更届出義務への違反
	第90条第2項	登録認定機関の名称等の変更届出義務への違反
	第116条第1項において準用する第90条第2項	支援機関の名称等の変更届出義務への違反
	第116条の2第7項	認定送信型対電気通信設備サイバー攻撃対処協会の名称等の変更届出義務への違反
第2号	第85条の9第1項	登録講習機関の財務諸表等の備付け等義務への違反
	第85条の9第2項	登録講習機関の財務諸表等の閲覧等の請求への拒否
	第95条第1項	登録認定機関の財務諸表等の備付け等義務への違反
	第95条第2項	登録認定機関の財務諸表等の閲覧等の請求への拒否
第3号	第116条の3第1項	認定送信型対電気通信設備サイバー攻撃対処協会の特定会員名簿の縦覧の拒否

第193条

第193条　次の各号のいずれかに該当する者は、10万円以下の過料に処する。

一　第13条第5項、第16条第3項、第18条第2項、第50条の6第3項又は第73条の2第2項若しくは第5項の規定による届出をせず、又は虚偽の届出をした者

二　正当な理由がないのに第47条（第72条第2項において準用する場合を含む。）の規定による命令に違反して電気通信主任技術者資格者証又は工事担任者資格者証を返納しなかつた者

三　第116条の3第2項の規定に違反してその名称中に認定送信型対電気通信設備サイバー攻撃対処協会と誤認されるおそれのある文字を用いた

第193条

者

四　第141条第3項の規定に違反した者

第114条繰上げ改正	平成13年法律第 62号
第113条繰下げ改正	平成15年法律第125号
改正	平成30年法律第 24号
	令和元年法律第 5 号
	令和 4 年法律第 70号

概　要

　本法により電気通信事業者等に課せられた義務のうち軽微なものに関する違反行為につき過料を科する旨を定めている。

　本条各号のいずれかに該当する者は、次の表のとおり、10万円以下の過料に処せられる。

　　10万円以下の過料

号	義務・命令規定	違反行為の内容
第1号	第13条第5項	第9条の登録を受けた電気通信事業者の名称等の変更及び登録事項の軽微な変更の届出義務への違反
	第16条第3項	第16条第1項の届出をした電気通信事業者の名称等の変更の届出義務への違反
	第18条第2項	電気通信事業者の清算人・破産管財人の電気通信事業者たる法人の解散の届出義務への違反
	第50条の6第3項	電気通信番号使用計画の認定を受けた電気通信事業者の名称等の変更の届出義務への違反
	第73条の 2 第 2 項	届出媒介等業務受託者の届出事項変更の届出義務への違反
	第73条の 2 第 5 項	届出媒介等業務受託者の解散の届出義務への違反
第2号	第47条	電気通信主任技術者資格者証の返納命令に対する違反
	第72条第 2 項において準用する第47条	工事担任者資格者証の返納命令に対する違反
第3号	第116条の3第2項	認定送信型対電気通信設備サイバー攻撃対処協会と誤認されるおそれのある名称の使用の禁止への違反
第4号	第141条第3項	認定電気通信事業者の保護区域を示す陸標の設置・位置公告義務への違反

附則　第1条～第3条

附則　第1条（施行期日）

（施行期日）
第1条　この法律は、昭和60年4月1日から施行する。

概　要

　本法の施行期日を昭和60年4月1日と定めている。

　昭和60年4月1日と定めたのは、本法と対をなす組織法において、ＮＴＴの設立を、我が国の会計年度にあわせ、この期日としたので、これと平仄をあわせたものである。

附則　第2条（検討）

（検討）
第2条　政府は、この法律の施行の日から3年以内に、この法律の施行の状況について検討を加え、その結果に基づいて必要な措置を講ずるものとする。

概　要

　本法が、従来の電気通信事業の一元的運営体制を変更し、競争原理を導入する法律であり、今後の技術革新の進展及び国民の通信需要の動向に常に適合するものとし、豊かな高度情報社会の形成の基盤となるべき法律であることに鑑み、施行後3年以内に、施行状況について検討を加え、その結果に基づいて必要な措置を講ずるものとすることを定めている。

附則　第3条（公衆電気通信法の廃止）

（公衆電気通信法の廃止）
第3条　公衆電気通信法（昭和28年法律第97号）は、廃止する。

附則　第3条・第4条

概　要

　旧公衆電気通信法は、電電公社、国際電電による電気通信事業の一元的運営を前提とし、事業者と利用者との間の契約約款を定めた、いわゆる約款法としての性格を有するものであって、電気通信事業の多元化の要請には対応できないため、本法の施行に伴い不要となるので、これを廃止する旨を定めている。

　旧公衆電気通信法の廃止に伴う必要な経過措置については、附則第4条以下に規定されている。

附則　第4条（経過措置）

> （経過措置）
>
> 第4条　この法律の施行の際現に解散前の日本電信電話公社（以下「旧公社」という。）が行つている公衆電気通信業務に係る事業であつて第一種電気通信事業に該当し、又はこれとみなされるものについては、この法律の施行の日（以下「施行日」という。）に日本電信電話株式会社（以下「日本電電」という。）が第9条第1項の許可を受けたものとみなす。
>
> 2　この法律の施行の際現に国際電信電話株式会社（以下「国際電電」という。）が行つている公衆電気通信業務に係る事業であつて第一種電気通信事業に該当し、又はこれとみなされるものについては、施行日に第9条第1項の許可を受けたものとみなす。
>
> 3　日本電電及び国際電電は、前2項に規定する事業に関し、郵政省令で定める事項を施行日から1月以内に、郵政大臣に届け出なければならない。

概　要

　本条以下では，本法の施行及び旧公衆電気通信法の廃止に伴い必要となる経過措置が定められている。本条では，電電公社及び国際電電が現に行っていた公衆電気通信業務に係る事業については、この法律の施行日に本法に基づく許可を受けたものとみなすことによって、事業の継続性を図ろうとしたものである。

　電電公社、国際電電が旧公衆電気通信法の規定に基づき提供していた公衆電気通信役務(電報を除く。)に係る公衆電気通信業務は、全て、本法制定当初に規定されていた第一種電気通信事業に該当し、電報の事業は、次条において、電気通

833

附則　第4条・第5条

信事業（本法制定当初は、第一種電気通信事業）とみなされている。

附則　第5条

第5条　電報の事業（配達の業務を含む。以下この条において同じ。）は、
当分の間、電気通信事業とみなし、当該事業に係る業務のうち受付及び配
達の業務については、東日本電信電話株式会社（日本電信電話株式会社
等に関する法律（昭和59年法律第85号）第1条の2第2項に規定する東
日本電信電話株式会社をいう。次項及び附則第9条第2項において同じ。）、
西日本電信電話株式会社（同法第1条の2第3項に規定する西日本電信
電話株式会社をいう。次項及び附則第9条第2項において同じ。）及び電
気通信分野における規制の合理化のための関係法律の整備等に関する法
律（平成10年法律第58号）第1条の規定による廃止前の国際電信電話株
式会社法（昭和27年法律第301号）により設立された国際電信電話株式
会社の電気通信事業者の地位を承継した者（以下この条において「国際電
電承継人」という。）のみがこれを行うことができる。この場合において、
電報の事業については、電気通信事業法及び日本電信電話株式会社等に関
する法律の一部を改正する法律（平成15年法律第125号）第2条の規定
による改正前のこの法律（以下この条において「旧法」という。）の規定
（第16条、第17条及び附則第5条第1項の規定を除き、罰則を含む。次項
において同じ。）はなお効力を有する。
2　前項の場合において、東日本電信電話株式会社、西日本電信電話株式
会社及び国際電電承継人（以下この条において「東日本電信電話株式会
社等」という。）が行う電報の取扱いの役務は旧法第2条第3号に規定す
る電気通信役務とみなし、当該役務の提供の業務は旧法第2条第6号に規
定する電気通信業務とみなし、東日本電信電話株式会社等が行う電報の
事業は旧法第6条第2項に規定する第一種電気通信事業とみなして、前
項の規定によりなお効力を有するものとされる旧法の規定を適用する。
3　東日本電信電話株式会社等は、旧法第15条第1項の規定にかかわらず、
総務省令で定めるところにより、電報の事業に係る業務の一部を委託する
ことができる。
4　前3項に規定するもののほか、電報の取扱いに係る業務又は役務に関し
必要な事項は、総務省令で定める。

附則　第5条

改正　平成 9 年法律第 98号
　　　平成10年法律第 58号
　　　平成11年法律第160号
　　　平成15年法律第125号
　　　令和 6 年法律第 20号

1　概　要

　電報は、利用者からの依頼を受け、文字、数字等の情報を符号化して電気信号に変えて伝送し、これを元の文字、数字等に復元した上で、利用者が指示する宛先に配達する役務であり、電気通信手段を用いる通信役務ではあるが、電気通信手段ではない配達を必須の要素とし、配達によってその役務の提供が完結する。

　電報の事業は極めて高い人力依存度を有する事業であり、また、電話等の普及した今日でも国民生活における最低限度の通信手段として、当分の間は全国あまねくその提供が確保されるべきものであることから、電報事業は、当分の間、電気通信事業とみなされ、そのうち受付及び配達の業務については、ＮＴＴ東日本・ＮＴＴ西日本及び国際電電の承継人が独占的に提供するという経過措置を規定している。

　平成10年に「電気通信分野における規制の合理化のための関係法律の整備等に関する法律」（平成10年法律第58号）により国際電信電話株式会社法が廃止された後、国際電電が平成10年に改称したケイディディ株式会社は、平成12年に第二電電株式会社に吸収合併され、現在はその合併後の事業者であるＫＤＤＩ株式会社が国際電報の事業を営んでいる。

　電報については、

① 　制度的にＮＴＴ東日本、ＮＴＴ西日本及び国際電電の承継人の独占を保障しているため、その料金の適正さを確保するために行政の関与が求められること

② 　暫定的な措置であること

から、平成10年法律第58号附則第 6 条による経過措置によって、その料金について、引き続き同法による改正前の本法（同条の「旧電気通信事業法」）の規定が適用されており、旧電気通信事業法第31条の規定による認可制が維持されている。

　料金を除くほかは、平成15年法律第125号による改正前の本法（旧法）の規定（第16条、第17条及び附則第 5 条第 1 項の規定を除き、罰則を含む。）がなお効力を有するとされ、電報の取扱いの役務、その提供の業務、電報の事業は、

835

附則　第5条

各々、旧法に規定する電気通信役務、電気通信業務、第一種電気通信事業とみなすこととしている。そして、例えば、料金等を除く提供条件については、契約約款を定めなければならないとし、旧法第31条の4の届出制・認可制が維持されている。

電気通信分野における規制の合理化のための関係法律の整備等に関する法律（平成10年法律第58号）附則第6条（抄）

第6条

1〜4　（略）

5　電気通信事業法及び日本電信電話株式会社等に関する法律の一部を改正する法律（平成15年法律第125号。以下「平成15年改正法」という。）第2条の規定による改正後の電気通信事業法附則第5条第2項の電報の取扱いの役務に関する料金については、同条第1項の規定により電報の事業が電気通信事業とみなされる間は、同条第1項の規定によりなお効力を有するものとされる平成15年改正法第2条の規定による改正前の電気通信事業法の規定は適用せず、旧電気通信事業法の規定はなお効力を有する。この場合において、旧電気通信事業法中「郵政省令」とあるのは「総務省令」と、「郵政大臣」とあるのは「総務大臣」とする。

平成10年法律第58号による改正前の電気通信事業法第31条（抄）

（料金の認可等）

第31条　第一種電気通信事業者は、電気通信役務に関する料金（第3項に規定する料金及び郵政省令で定める料金を除く。）を定め、郵政大臣の認可を受けなければならない。これを変更しようとするときも、同様とする。

2　郵政大臣は、前項の認可の申請が次の各号に適合していると認めるときは、同項の認可をしなければならない。

一　能率的な経営の下における適正な原価に照らし公正妥当なものであること。

二　料金の額の算出方法が適正かつ明確に定められていること。

三　特定の者に対し不当な差別的取扱いをするものでないこと。

3　第一種電気通信事業者は、電気通信役務のうちその内容、利用者（電気通信事業者との間に電気通信役務の提供を受ける契約を締結する者を

いう。以下同じ。）の範囲等からみて利用者の利益に及ぼす影響が比較的
少ないものとして郵政省令で定めるものに関する料金（第1項の郵政省
令で定める料金を除く。）を定めようとするときは、あらかじめ郵政大臣
に届け出なければならない。これを変更しようとするときも、同様とする。

4　第一種電気通信事業者は、第1項の規定により認可を受けるべき料金又
は前項の規定により届け出るべき料金については、それぞれ第1項の規定
により認可を受け又は前項の規定により届け出た料金によらなければ電
気通信役務を提供してはならない。ただし、第39条の3第2項の認可を
受けた契約により一般第二種電気通信事業者及び特別第二種電気通信事
業者（以下この節において「第二種電気通信事業者」という。）に電気通
信役務を提供する場合並びに次項の規定により電気通信役務の料金を減
免する場合は、この限りでない。

5　第一種電気通信事業者は、郵政省令で定める基準に従い、第1項の規定
により認可を受け又は第3項の規定により届け出た電気通信役務の料金
を減免することができる。

6・7　（略）

平成15年法律第125号による改正前の電気通信事業法第31条の4（抄）
（契約約款の届出等）

第31条の4　第一種電気通信事業者は、電気通信役務に関する提供条件（料
金並びに総務省令で定める事項及び第49条第1項又は第52条第1項第1号
の規定により認可を受けるべき技術的条件に係るものを除く。）について契
約約款を定め、総務省令で定めるところにより、その実施前に、総務大臣
に届け出なければならない。これを変更しようとするときも、同様とする。

2　総務大臣は、前項の規定による届出に係る契約約款が次の各号のいずれ
かに該当すると認めるときは、当該第一種電気通信事業者に対し、相当の
期限を定め、当該契約約款を変更すべきことを命ずることができる。

一　第一種電気通信事業者及びその利用者の責任に関する事項並びに電
気通信設備の設置の工事その他の工事に関する費用の負担の方法が適
正かつ明確に定められていないこと。

二　電気通信回線設備の使用の態様を不当に制限するものであること。

三　特定の者に対し不当な差別的取扱いをするものであること。

四　第8条第1項の通信に関する事項について適切に配慮されているものでないこと。

　　五　他の電気通信事業者との間に不当な競争を引き起こすものであり、その他社会的経済的事情に照らして著しく不適当であるため、利用者の利益を阻害するものであること。

3　第38条の2第2項に規定する第一種指定電気通信設備を設置する第一種電気通信事業者は、第1項の規定により定めるべき契約約款のうち当該第一種指定電気通信設備を用いる電気通信役務の提供に関するものについては、同項の規定にかかわらず、総務大臣の認可を受けなければならない。これを変更しようとするときも、同様とする。

4　総務大臣は、前項の認可の申請が第2項各号のいずれにも該当しないと認めるときは、前項の認可をしなければならない。

5　第1項の規定により契約約款で定めるべき提供条件について、総務大臣が標準契約約款を定めて公示した場合（これを変更して公示した場合を含む。）において、第一種電気通信事業者が、標準契約約款と同一の契約約款を定めようとして又は現に定めている契約約款を標準契約約款と同一のものに変更しようとして、あらかじめその旨を総務大臣に届け出たときは、その契約約款については、同項の規定により届け出、又は第3項の認可を受けたものとみなす。

6　第38条の2第1項の規定による電気通信設備の指定の際現に当該電気通信設備を設置する第一種電気通信事業者が定めている契約約款のうち当該電気通信設備を用いる電気通信役務の提供に関するものであつて第1項の規定により届け出ているものは、第3項の認可を受けた契約約款とみなす。

7　第38条の2第2項に規定する第一種指定電気通信設備であつた電気通信設備を設置している第一種電気通信事業者が同条第1項の規定による指定の解除の際現に定めている契約約款のうち当該電気通信設備を用いる電気通信役務の提供に関するものであつて第3項の認可を受けているものは、第1項の規定により届け出た契約約款とみなす。

8　第一種電気通信事業者は、第1項の規定により契約約款で定めるべき提供条件については、同項の規定により届け出、又は第3項の認可を受けた契約約款によらなければ電気通信役務を提供してはならない。

9・10　（略）

附則　第6条・第7条

附則　第6条

第6条　この法律の施行の際現にこの法律による廃止前の公衆電気通信法
　　（以下「旧公衆法」という。）第55条の13第2項の郵政省令で定める場合
　　に該当するものとして一般第二種電気通信事業に相当する事業を営んでい
　　る者は、施行日に第22条第1項の規定による届出をしたものとみなす。

概　要

　旧公衆電気通信法の下で、暫定的な特例措置として認められていたいわゆる
「中小企業VAN」について、施行日に一般第二種電気通信事業の届出があった
ものとみなす旨を定めている。

　「中小企業VAN」は、旧公衆電気通信法第55条の10第1号の特定通信回線使
用契約に係る電気通信回線を他人の通信の用に供する（他人使用）形態として、
昭和57年の「公衆電気通信法第55条の13第2項の場合等を定める臨時暫定措置
に関する省令」（昭和57年郵政省令第55号）により、中小企業者を主な対象とし
て制度化されたもので、本法の施行に伴い「中小企業VAN」の制度は不要とな
るので、これを廃止し、所要の経過措置を定めたものである。

　なお、平成15年法律第125号第2条の施行の際に一般第二種電気通信事業の
届出をして第二種電気通信事業を営んでいた者は、平成15年法律第125号附則第
6条第5項の規定により、上記施行の日に第16条第1項の届出をしたものとみ
なされている。

附則　第7条

第7条　この法律の施行の際現に旧公衆法第7条から第10条までの規定に
　　基づき旧公社又は国際電電が行つている公衆電気通信業務の一部の委託に
　　ついては、施行日において定められているその期限までの間は、日本電電
　　又は国際電電が第15条第1項の認可を受け、又は附則第5条第2項の規
　　定に基づいて行つている委託とみなす。

839

附則　第7条～第9条

概　要

　電電公社又は国際電電が旧公衆電気通信法に基づいて行っていた公衆電気通信業務の一部の委託について、施行日における委託契約の期限までの間（期限の定めのないものについては、当事者が当該契約を解除するまでの間）、本法制定当初の第15条第1項の認可を受けたもの（電報の委託については、本法制定当初の附則第5条第2項の規定により郵政省令で定めるところによるもの）とみなし、継続して委託できるよう措置している。

附則　第8条

第8条　附則第4条第1項又は第2項の規定により第9条第1項の許可を受けたものとみなされた第一種電気通信事業に係る電気通信役務の提供に関しこの法律の規定により認可を必要とする事項については、日本電電及び国際電電は、施行日から2月以内に、その認可の申請をしなければならない。

2　日本電電及び国際電電は、施行日から前項の申請に基づく認可に関する処分があるまでの間は、従前の条件でその電気通信役務を提供することができる。

概　要

　電電公社、国際電電が提供していた公衆電気通信役務の提供条件で、本法により認可が必要なものについては、ＮＴＴ、国際電電が2月以内に認可申請をすべきこと、及び、その認可があるまでは、従前の条件で電気通信役務を提供することができることを定めている。

附則　第9条

第9条　旧公社と締結した契約に基づく (1) 旧公衆法の規定による電話加入権については、当分の間、旧公衆法第38条から第38条の3までの規定は、施行日以後も、なおその効力を有する。この場合において、旧公衆法第38条第1項中「公社」とあるのは「日本電信電話株式会社法の一部を

840

附則　第9条

改正する法律（平成９年法律第98号）附則第５条第６項に規定する承継
計画において定めるところに従い当該電話加入権に係る権利及び義務を承
継した東日本電信電話株式会社（日本電信電話株式会社等に関する法律
（昭和59年法律第85号）第１条の２第２項に規定する東日本電信電話株
式会社をいう。以下同じ。）又は西日本電信電話株式会社（日本電信電話
株式会社等に関する法律第１条の２第３項に規定する西日本電信電話株式
会社をいう。以下同じ。）」と、同条第２項中「公社」とあるのは「東日本
電信電話株式会社又は西日本電信電話株式会社」と、同条第４項中「質権
の目的とすることができない」とあるのは「電話加入権質に関する臨時特
例法（昭和33年法律第138号）に定める場合を除き、質権の目的とする
ことができない」と、旧公衆法第38条の２及び第38条の３第１項中「電
話取扱局」とあるのは「東日本電信電話株式会社又は西日本電信電話株式
会社において電話に関する現業事務を取り扱う事務所」と、同項第３号中
「又は」とあるのは「若しくは」と、「命令書」とあるのは「命令書又は当
該電話加入権に対する差押え、仮差押え若しくは仮処分に関する裁判の内
容を記載した書面であつて裁判所書記官が当該書面の内容が当該裁判の内
容と同一であることを証明したもの」とする。

2　施行日以後に日本電信電話株式会社等に関する法律第１条の２第１項に
規定する日本電信電話株式会社と締結した契約に基づく権利及び日本電信
電話株式会社法の一部を改正する法律（平成９年法律第98号）の施行の
日以後に東日本電信電話株式会社又は西日本電信電話株式会社と締結する
契約に基づく権利であつて、(2) 前項の電話加入権に相当するものとして総
務省令で定める要件に該当するものについては、旧公衆法第38条から第
38条の３までの規定が同項の規定によりなおその効力を有する間は、同
項の電話加入権に関して適用されるこれらの規定の例による。

改正　平成９年法律第　98号
平成11年法律第160号
令和５年法律第　53号（令和10年６月13日までに施行）
令和６年法律　20号

1　概　要

旧公衆電気通信法に規定する電話加入権の譲渡及び電話加入権に対する質権

841

附則　第9条

の設定の取扱いについて、当分の間、従前の制度をそのまま引き継ぐこととしている。

　本条によってなおその効力を有することとされる公衆電気通信法の規定により、電話加入権の譲渡契約が効力を生じ、電話加入権が譲受人に移転するには、ＮＴＴ東日本又はＮＴＴ西日本の承認を受けることが必要であること等とされている。

　また、旧公衆電気通信法の特別法たる電話加入権質に関する臨時特例法（昭和33年法律第138号）も、これに合わせて、存続しており、同法の規定により電話加入権に質権を設定することができることとされている。

　本法施行後のＮＴＴ（昭和60年４月１日から平成11年６月30日まで）又はＮＴＴ東日本若しくはＮＴＴ西日本（平成11年７月１日から）との契約に基づく権利で電話加入権に相当するものについても、これらの規定によることとしている。

2　条文内容

〔第１項〕

(1)　旧公衆法の規定による電話加入権

　　旧公衆電気通信法第31条第３号において、電話加入権とは、「加入電話加入者が加入電話加入契約に基づいて加入電話により公衆電気通信役務の提供を受ける権利をいう」と規定されている。

〔第２項〕

(2)　前項の電話加入権に相当するものとして総務省令で定める要件に該当するもの

　　本法施行後の契約に基づく権利で電話加入権に相当するものとして、総務省令では、次に適合することを条件として総務大臣が指定する電話の役務（平成11年郵政省告示第600号により、平成11年７月１日付けで認可したＮＴＴ東日本の電話サービス契約約款第５条に掲げる加入電話及びＮＴＴ西日本の電話サービス契約約款第５条に掲げる加入電話を指定。）の提供を受ける契約に基づく権利であることとしている（施行規則第67条第１項）。

①　その交換に関する事務がＮＴＴ東日本又はＮＴＴ西日本の事務所において行われる電話であること

②　自動車、船舶、航空機その他の交通機関に設置する無線電話でないこと

附則　第9条

③　ＮＴＴ東日本又はＮＴＴ西日本と特定の者との契約により設置する電話であること

旧公衆電気通信法（昭和28年法律第97号）（抄）

（電話加入権の譲渡等）

第38条　電話加入権の譲渡は、公社の承認を受けなければ、その効力を生じない。

2　公社は、前項の承認を求められたときは、電話加入権を譲り受けようとする者が電話に関する料金の支払いを怠り、又は怠るおそれがあるときでなければ、その承認を拒むことができない。

3　電話加入権の譲渡があつたときは、譲受人は、加入電話加入者の有していた一切の権利及び義務を承認する。

4　電話加入権は、質権の目的とすることができない。

第38条の2　電話加入権の譲渡の承認の請求は、当該加入電話の加入に関する事務を取り扱う電話取扱局に対し、書面をもつてしなければならない。

第38条の3　加入電話の加入に関する事務を取り扱う電話取扱局は、その加入事務を取り扱う加入電話について左の各号の一に該当する書類を受け取つたときは、受け取つた順序により、その書類に受付の年月日及び受付番号を記載しなければならない。

一　第38条第1項の規定により、電話加入権の譲渡の承認を請求する書類

二　電話加入権に対する滞納処分（国税徴収法（昭和34年法律第147号）による滞納処分及びその例による滞納処分をいう。）による差押（参加差押を含む。）に関する書類

三　電話加入権に対する強制執行による差押又は仮差押若しくは仮処分に関する命令書

2　電話加入権の譲渡の承認は、受付番号の順序によつてしなければならない。

3　電話加入権の譲渡の承認があつたときは、その譲渡の承認は、第1項第2号の差押（参加差押を含む。）又は同項第3号の差押、仮差押若しくは仮処分との関係においては、当該電話加入権の譲渡の承認の請求に係る書

843

附則　第9条・第10条

　類を受け取つた時になされたものとみなす。

電話加入権質に関する臨時特例法（昭和33年法律第138号）（抄）
　（質権の設定）
第1条　電話加入権（電気通信事業法（昭和59年法律第86号。以下「事業
　　法」という。）附則第9条第1項又は第2項に規定する権利をいう。以下
　　同じ。）を有する者は、同条第1項の規定により事業法附則第3条の規定
　　による廃止前の公衆電気通信法第38条から第38条の3までの規定がなお
　　その効力を有する間は、この法律の定めるところにより、その電話加入権
　　に質権を設定することができる。
　（以下略）

附則　第10条

第10条　この法律の施行の際現に国際電電が旧公衆法第108条の認可を受
　　けて締結している協定又は契約については、当該協定又は契約に定められ
　　ている期限までの間は、第40条の認可を受けて締結しているものとみなす。

概　要

　旧公衆電気通信法の認可を受け、国際電電が外国政府又は外国人若しくは外国
法人との間に、電気通信業務に関する協定等を締結しているものについて、本法
施行後、一定の期間、本法第40条の認可を受けて締結しているものとみなす旨
を定めている。
　これは、旧公衆電気通信法の認可と本法の認可とが同趣旨であることから、一
定の継続性をもたせたものである。

附則　第11条～第13条

附則　第11条

第11条　日本電電又は国際電電についての第43条第１項の規定の適用については、同項中「事業の開始前に」とあるのは、「この法律の施行後、遅滞なく」とする。

概　要

　本法施行日において事業を行っているＮＴＴ、国際電電について、本法制定当初の第43条第１項の事業用電気通信設備の管理規程の届出の時期を調整している。

附則　第12条

第12条　第44条第１項の規定は、日本電電又は国際電電については、施行日から６月間は、適用しない。

概　要

　本法制定当初の第44条第１項の規定は、本法によって創設された電気通信主任技術者の選任義務に関する規定であり、本法施行日に事業を行っているＮＴＴ、国際電電について、一定期間、その適用を猶予することとしている。

附則　第13条

第13条　この法律の施行の際現に旧公衆法第55条の８、第55条の11第３項（旧公衆法第55条の18において準用する場合を含む。）、第55条の13の２第１項、第55条の21、第105条第１項若しくは第108条の２又は第55条の16若しくは第106条の規定に基づき、公衆電気通信役務の利用者等が設置し、電気通信回線設備に接続している端末設備又は私設有線設備については、第51条第１項前段（第52条第２項において準用する場合を含む。）の検査を受け技術基準に適合していると認められた端末設備又は自営電気通信設備とみなす。

845

附則　第13条～第15条

概　要

　旧公衆電気通信法の下で既に接続されている自営の端末設備及び自営電気通信設備については、本法の規定による技術基準適合検査が不要であることを定めている。

附則　第14条

第14条　この法律の施行の際現に旧公衆法第55条の17若しくは第105条第7項の規定又は第108条の2に規定する契約約款の条項に基づく工事担任者である者は、施行日から6月間に限り、従前の資格の範囲内において第53条第1項に規定する工事担任者とみなす。次項の規定による届出をした場合において、工事担任者資格者証の交付があるまでの間も、同様とする。

2　前項に規定する者は、郵政省令で定めるところにより、同項に規定する期間に郵政大臣に届出をしたときは、第54条第2項において準用する第45条第3項第3号の認定を受けたものとみなす。

概　要

　旧公衆電気通信法の規定等により工事担任者の資格を有している者について、一定期間、本法の工事担任者とみなすとともに、郵政大臣への届出により継続的に本法の工事担任者となることを定めている。

附則　第15条

第15条　この法律の施行前に旧公社又は国際電電が旧公衆法第100条第1項の規定により行つた届出は、日本電電又は国際電電が第85条第1項の規定により行つた届出とみなす。

概　要

　公用水面使用の届出について、本法施行前後の継続性をもたせている。

附則　第16条～第18条

附則　第16条

第16条　この法律の施行の際現に旧公衆法第101条第1項の規定により指定されている区域については、第86条第1項の規定による保護区域の指定があつたものとみなす。

概　要

保護区域の指定について、本法施行前後の継続性をもたせている。

附則　第17条

第17条　この法律の施行前に、旧公衆法又はこれに基づく命令により旧公社若しくは国際電電に対して行い、又はこれらの者が行つた処分、手続その他の行為は、この法律の相当する規定により、日本電電若しくは国際電電に対して行い、又はこれらの者が行つた処分、手続その他の行為とみなす。

概　要

前条までに規定する経過措置のほか、本法施行前後の連続性をもたせるため、旧公衆電気通信法又はこれに基づく命令に基づく処分、手続その他の行為は、本法において相当する規定に基づくものとみなすこととしている。

附則　第18条

第18条　この法律の施行前にした行為に対する罰則の適用については、なお従前の例による。

2　この法律の施行前の旧公社又は国際電電の取扱中に係る通信の秘密に関しては、旧公衆法第112条の規定は、施行日以後も、なおその効力を有する。この場合において、同条第2項中「公衆電気通信業務に従事する者」とあるのは、「電気通信事業法の施行の際公衆電気通信業務に従事していた者で同法の施行後引き続き電気通信事業に従事するもの」とする。

847

附則　第18条〜第20条

概　要

罰則の適用についての経過措置を定めている。

通信の秘密の罰則について、本法の施行日以後も旧公衆電気通信法の規定が効力を有することとされたのは、通信の秘密の侵害行為の中には、旧公衆電気通信法が廃止される前に適法に知得した通信の秘密（第4条の「電気通信事業者の取扱中に係る通信の秘密」に該当しない。）を同法廃止後に漏えいする態様があるためである。

附則　第19条

第19条　第12条第1項第1号及び第3号、第75条第2項第2号及び第4号イ並びに第87条第2項第1号及び第3号の規定の適用については、この法律の施行前に旧公衆法の規定により罰金以上の刑に処せられ、若しくはこの法律の施行後に前条の規定によりなおその例によることとされ、若しくはなおその効力を有することとされる旧公衆法の規定により罰金以上の刑に処せられた者（その執行を終わり、又はその執行を受けることがなくなつた日から2年を経過しない者に限る。）又はこれらの者をその役員に含む法人若しくは団体は、これらの規定に該当する者とみなす。

概　要

本法における許可、登録等の欠格事由に旧公衆電気通信法に違反し、罰金以上の刑に処せられた者等を含ませる旨を定めている。

附則　第20条（政令への委任）

（政令への委任）

第20条　附則第4条から前条までに規定するもののほか、この法律の施行に関して必要な経過措置は、政令で定める。

第20条・別表第1

概　要

　附則第４条から附則第19条までに規定する経過措置のほか、本法の施行に関して必要な細則的な経過措置を政令に委任している。

別表第１（第85条の２、第85条の３関係）

別表第１（第85条の２、第85条の３関係）

講習	科目	講師
一　伝送交換技術に係る電気通信主任技術者定期講習	イ　伝送交換設備及びその管理に関する科目	(1)　伝送交換技術に係る電気通信主任技術者として事業用電気通信設備の工事、維持又は運用に関する事項の監督の職務に従事した経験を１年以上有する者 (2)　学校教育法（昭和22年法律第26号）による大学（短期大学を除く。以下この表において同じ。）において電気工学又は通信工学を担当する教授若しくは准教授の職にあり、又はこれらの職にあつた者 (3)　(1)又は(2)に掲げる者と同等以上の知識及び経験を有する者
	ロ　電気通信事業法その他関係法令に関する科目	(1)　伝送交換技術に係る電気通信主任技術者として事業用電気通信設備の工事、維持又は運用に関する事項の監督の職務に従事した経験を１年以上有する者 (2)　学校教育法による大学において行政法学を担当する教授若しくは准教授の職にあり、又はこれらの職にあつた者 (3)　(1)又は(2)に掲げる者と同等以上の知識及び経験を有する者
二　線路技術に係る電気通信主任技術者定期講習	イ　線路設備及びその管理に関する科目	(1)　線路技術に係る電気通信主任技術者として事業用電気通信設備の工事、維持又は運用に関する事項の監督の職務に従事した経験を１年以上有する者 (2)　学校教育法による大学において電気工学又は通信工学を担当する教授若しくは准教授の職にあり、又はこれらの職にあつた者

849

別表第1

		(3) (1)又は(2)に掲げる者と同等以上の知識及び経験を有する者
	ロ 電気通信事業法その他関係法令に関する科目	(1) 線路技術に係る電気通信主任技術者として事業用電気通信設備の工事、維持又は運用に関する事項の監督の職務に従事した経験を1年以上有する者
		(2) 学校教育法による大学において行政法学を担当する教授若しくは准教授の職にあり、又はこれらの職にあつた者
		(3) (1)又は(2)に掲げる者と同等以上の知識及び経験を有する者

追加　平成26年法律第63号

1　概　要

登録講習機関の登録の基準等に関して、講習、科目、講師の区分を表にしている。

2　表の内容

〔科目の欄〕

電気通信分野では技術革新が著しいことから、電気通信主任技術者が果たすべき役割に必要な最新の法令上又は技術上の知識又は能力を補充するため、「伝送交換設備」又は「線路設備」「及びその管理に関する科目」並びに「電気通信事業法その他の関係法令に関する科目」について、登録講習機関の講習を実施するものとしている。なお、基礎的な科目については、本講習が対象とする資格取得者は基本的な知識・能力を有していることや、技術革新や法令改正による変化が少ないことから講習の科目に含めないこととしている。

〔講師の欄〕

本講習において、監督上必要となる技術面・法令面の知識・能力を身につけさせるためには、講師が十分な知識・能力を有していることが必要である。当該知識・能力を有している者としては、電気通信事業者の事業用電気通信設備の工事、維持又は運用に関する事項の監督の実務経験のある者が考えられる。また、大学教授等の学識経験者は、専門的知識を有している者であると考えられる。

これらについて、詳細な要件は、次のように定めている。

850

① 実務経験（「主任技術者として選任された期間」が1年以上）

実務経験の内容としては、「事業用電気通信設備の工事、維持又は運用に関する事項の監督の職務に従事した」経験としている。

電気通信主任技術者は、設備とそれを運用する人（技術者、作業者等）全体をマネジメントする仕事であり、一般的な作業従事者の業務とは大きく異なるため、その監督業務を行う者に対して講習を行う講師には電気通信主任技術者としての監督経験を要件としている。また、一般的な作業従事者としての経験は、特段、要件としていない。

また、実務経験の年数を1年以上としているのは、電気通信事業者が行っている事業用電気通信設備の設備投資や設備管理の計画は概ね年度単位であることから、監督の職務を1年以上経験していれば、電気通信主任技術者が果たすべき職務に一通り携わった経験を有していると考えられるためである。

② 「設備管理」科目の講師（学識経験者）の分野を「電気工学」「通信工学」とすること

電気工学は、電気や磁気現象を動力・熱・光・通信などのエネルギー源として利用する理論と応用を研究する工学の一分野である。通信工学は、電気信号によって音声や画像を伝達する技術を研究する学問である。科目名では、電気回路学、電子回路学、電磁気学、伝送工学、電波工学、交換工学、情報工学、通信工学等が該当し、学科名では、電気工学科、電子工学科、電気電子工学科、通信工学科、電気通信工学科、電子通信工学科等が該当する。

講習受講者である電気通信主任技術者は、事業用電気通信設備（原則、電気通信回線設備を含む。）の工事、維持及び運用に関する事項を監督する者であることから、その設備管理に関する科目の講習を行うに当たっては、同様の分野の学識経験者を講師の要件に加えることとしている。

別表第2（第87条、第91条関係）

別表第2（第87条、第91条関係）

一　学校教育法による大学（短期大学を除く。第3号において同じ。）若しくは旧大学令（大正7年勅令第388号）による大学において電気工学若しくは通信工学に関する科目を修めて卒業した者又は電気通信主任技

別表第2・別表第3

　　術者資格者証の交付を受けている者であつて、技術基準適合認定若しく
　　は設計認証又は端末機器の試験、調整若しくは保守の業務に従事した経
　　験（以下「業務経験」という。）を1年以上有すること。
二　学校教育法による短期大学（同法による専門職大学の前期課程を含
　　む。）若しくは高等専門学校又は旧専門学校令（明治36年勅令第61号）
　　による専門学校において電気工学又は通信工学に関する科目を修めて卒
　　業した者（同法による専門職大学の前期課程にあつては、修了した者）
　　であつて、業務経験を3年以上有すること。
三　学校教育法による大学に相当する外国の学校において電気工学又は通
　　信工学に関する科目を修めて卒業した者であつて、業務経験を1年以上
　　有すること。
四　学校教育法による短期大学又は高等専門学校に相当する外国の学校に
　　おいて電気工学又は通信工学に関する科目を修めて卒業した者であつて、
　　業務経験を3年以上有すること。

追加及び改正　平成15年法律第125号
別表第1繰下げ改正　平成26年法律第 63号
改正　平成29年法律第 41号

概　要

　登録認定機関については、その有すべき技術的能力の一つとして、本表各号の
いずれかの資格を有する者が認定業務を行うことが求められており（第87条及
び第91条）、本表は技術基準適合認定を行うことができる者の資格要件を規定し
ている。

　各号では、資格要件として、電気工学や通信工学に関する学歴又は一定の資格、
及びそれらに応じた技術基準適合認定等に関する業務経験を規定している。

別表第3（第87条関係）

別表第3（第87条関係）
一　(1) 電圧電流計
二　(2) オシロスコープ

852

別表第3

　　三　(3) インピーダンス分析器
　　四　(4) 絶縁抵抗計
　　五　(5) 光パワーメータ
　　六　(6) レベル計
　　七　(7) スペクトル分析器
　　八　(8) プロトコル分析器
　　九　(9) 発振器

追加及び改正　平成15年法律第125号
別表第2繰下げ　平成26年法律第 63号

1　概　要

　登録認定機関が技術基準適合認定に当たって使用すべき測定器その他の設備を規定している。登録に当たっては、これらの設備（適切に較正等されたもの）を備えていることが要件となる（第87条）。

2　条文内容

(1)　電圧電流計

　電気通信回線設備の損傷を防止するため、端末機器から送出される出力信号の電圧、電流を測定するものを指す。

(2)　オシロスコープ

　電気信号の電圧の時間的変化を画面に表示する装置を指す。電気信号の立ち上がり時間及び立ち下がり時間等を測定するために用いる。

(3)　インピーダンス分析器

　回路に交流電流を流した際に生じる抵抗（交流抵抗）等を測定する装置を指す。

(4)　絶縁抵抗計

　端末機器の漏電に関する抵抗値を測定する装置を指す。端末機器の電源回路からの過大な漏れ電流により電気通信回線設備の損傷や利用者への被害が生じないかを確認するために用いる。

(5)　光パワーメータ

　光の強度を計測する装置を指す。光ファイバの中に伝送される光が強過ぎる

853

別表第3

ことにより電気通信回線設備の機能に障害を与えることがないか等を確認するために用いる。

(6) レベル計

電気信号の大きさに対する雑音の大きさの比等を測定するための装置を指す。

(7) スペクトル分析器

信号の出力を周波数成分ごとに測定する装置を指す。端末機器が出す信号の周波数が基準の範囲内になっているか等を確認するために用いる。

(8) プロトコル分析器

端末機器を電気通信回線設備に接続した場合に、決められた通信手順によって通信が行われるかを確認するための装置を指す。

(9) 発振器

端末機器の出力電圧等の測定を行うために必要となる端末機器への入力信号を発生させるための装置を指す。

聴覚障害者等による電話の利用の円滑化に関する法律　第1条

聴覚障害者等による電話の利用の円滑化に関する法律（令和２年法律第53号）　逐条解説

第1章　総　則
第1条（目的）

（目的）
第1条　この法律は、⑴ 電話が即時に隔地者間の意思疎通を行う手段として重要な役割を担っていることに鑑み、⑵ 聴覚障害者等による電話の利用の円滑化に関し、⑶ 国等の責務、総務大臣による基本方針の策定、電話リレーサービス提供機関の指定、電話リレーサービスの提供の業務に要する費用に充てるための交付金の交付等について定めることにより、⑷ 聴覚障害者等の自立した日常生活及び社会生活の確保に寄与し、⑸ もって公共の福祉の増進に資することを目的とする。

1　概　要

　聴覚障害者等による電話の利用の円滑化に関する法律（令和２年法律第53号）（電話リレー法）の目的を規定している。

　電話は、国民の日常生活及び社会生活において、遠隔地にいながらの即時的な意思疎通を可能とする基幹的な手段であり、特に、緊急通報を利用することのできる手段として国民の生命・財産を直接的に保護する等、重要な役割を担っている。

　ただ、電話は、専ら音声による意思疎通を図る手段であるという特性を有しており、聴覚障害者等は、電話を利用するために発話等を代替する介助を要することから、電話を利用した日常生活のコミュニケーションや行政手続、職場における業務上のやりとり、緊急時の速やかな救助の要請等に困難を伴うといった課題がある。

　こうした課題を解消し、聴覚障害者等の自立した日常生活及び社会生活の確保に寄与し、もって公共の福祉の増進に資することが電話リレー法の目的であるため、その旨を規定している。

聴覚障害者等による電話の利用の円滑化に関する法律　第1条

2　条文内容

(1)　**電話が即時に隔地者間の意思疎通を行う手段として重要な役割を担っていることに鑑み**

　　電話は、遠隔地にいながらの即時的な意思疎通を可能とする基幹的な手段として、重要な役割を担っていることを規定しており、固定電話だけでなく携帯電話等の移動音声通信も電話リレー法の対象となる。

　　なお、その他代表的な意思疎通手段としては郵便や電子メールやウェブ掲示板等も存在するが、郵便は、情報の伝達に一定の時間を要するため、また、電子メールやウェブ掲示板は、相手が送信された情報の内容を即時に確認し、応答することが保証されていないため、いずれも即時に意思疎通を行う手段とは認められない。

(2)　**聴覚障害者等による電話の利用の円滑化に関し**

　　電話リレー法が、上記の電話の重要性を踏まえて、電話の利用において特別の困難を伴う聴覚障害者等が円滑に電話を利用できるようにするための措置について規定することを目的としている旨を記載している。

(3)　**国等の責務、総務大臣による基本方針の策定、電話リレーサービス提供機関の指定、電話リレーサービスの提供の業務に要する費用に充てるための交付金の交付等について定めることにより**

　　電話リレー法においては、聴覚障害者等による電話の利用の円滑化を図るため、国、地方公共団体、電話提供事業者及び国民の責務を明らかにし、総務大臣による基本方針の策定について規定するほか、電話リレーサービスについて、電話リレーサービス提供機関の指定及び交付金の交付等の措置について規定しており、ここでは、これらの規定内容について要約して記載している。

(4)　**聴覚障害者等の自立した日常生活及び社会生活の確保に寄与し**

　　(1)にあるように、電話は、即時性を有する意思疎通の手段であり、携帯電話の普及も相俟って、いつでもどこでも誰とでも意思疎通を行うことを可能とするものであるほか、離れた場所においても双方向のコミュニケーションを実現する手段として、就業機会の増大や生活の利便性の向上に貢献するものである。

　　とりわけ、聴覚障害者等が置かれている環境に鑑みれば、電話リレー法において規定する様々な措置により、聴覚障害者等による電話の利用の円滑化を図ることで、聴覚障害者等の他者とのコミュニケーション基盤を確保することにより、単に聴覚障害者等の利便性の向上を図るだけでなく、その自立的な日常

聴覚障害者等による電話の利用の円滑化に関する法律　第1条・第2条

生活及び社会生活の確保に寄与することが期待されることから、目的において特にこの点を記載している。

(5)　もって公共の福祉の増進に資することを目的とする

聴覚障害者等による電話の利用の円滑化が進むことは、聴覚障害者等の福祉の増進を図るものであるが、電話は双方向性のある意思疎通の手段であり、聴覚障害者等の意思疎通の相手方である健聴者等も受益するものであるため、聴覚障害者等の福祉とするのではなく、公共の福祉としている。

第2条（定義）

（定義）

第2条　この法律において「(1) 聴覚障害者等」とは、聴覚、言語機能又は音声機能の障害のため、音声言語により意思疎通を図ることに支障がある者をいう。

2　この法律において「(2) 電話リレーサービス」とは、次の各号のいずれにも該当するものをいう。

一　聴覚障害者等からの (3) 電気通信回線を通じた求めに応じ、当該聴覚障害者等が指定した者に (4) 電話をかけ、(5) 手話その他総務省令で定める方法により、当該聴覚障害者等と当該 (4) 電話を受けた者の意思疎通を仲介すること。

二　聴覚障害者等宛ての (4) 電話を受けて、当該聴覚障害者等に (3) 電気通信回線を通じてその旨を連絡し、手話その他総務省令で定める方法により、当該 (4) 電話をかけた者と当該聴覚障害者等の意思疎通を仲介すること。

3　この法律において「電話リレーサービス提供機関」とは、第8条第1項の規定による指定を受けた者をいう。

4　この法律において「電話リレーサービス提供業務」とは、第9条各号に掲げる業務をいう。

5　この法律において「電話リレーサービス支援機関」とは、第20条の規定による指定を受けた者をいう。

6　この法律において「電話リレーサービス支援業務」とは、第21条各号に掲げる業務をいう。

1　概　要

電話リレー法で使用される用語の定義を規定している。

電話リレー法は、聴覚障害者等による電話の利用の円滑化を目的とするものであり、その主たる手段として「電話リレーサービス」に関する制度の創設等の各種措置を講ずる。

本条では、電話リレー法における基本的概念として前条（目的）で用いられている用語のうち、同法の対象である「聴覚障害者等」について定義するほか、「電話リレーサービス」、その提供等の業務を担う「電話リレーサービス提供機関」、「電話リレーサービス提供業務」、「電話リレーサービス支援機関」、「電話リレーサービス支援業務」について定義する。

2　条文内容

〔第1項〕

(1)　聴覚障害者等

身体障害者福祉法（昭和24年法律第283号）において、「聴覚障害者等」とは、「聴覚、言語機能又は音声機能の障害のため、音声言語により意思疎通を図ることに支障がある身体障害者」とされている。このように、「等」を入れているのは、聴覚障害者のみならず、言語機能又は音声機能の障害のため、音声言語により意思疎通を図ることに支障がある者も含める趣旨である。

ただし、身体障害者福祉法では、「聴覚障害者等」の定義で用いている「身体障害者」の定義を、「18歳以上の者であつて、都道府県知事から身体障害者手帳の交付を受けたもの」としており、同法の「聴覚障害者等」には、18歳未満の者及び身体障害者手帳の交付を受けていない者が含まれない。

これに対して、電話リレー法では、18歳未満の者でも、電話の利用を円滑化することが必要であり、身体障害者福祉法の規定ぶりとは異なり、「聴覚障害者等」を「聴覚、言語機能又は音声機能の障害のため、音声言語により意思疎通を図ることに支障がある者」と定義し、18歳未満の者や身体障害者手帳の交付を受けていない者を除外していない。

ここで、聴覚障害者は、先天性の聴覚障害者のみならず、高齢者等、後天的に聴覚障害となった者も含む。

〔第2項〕

(2) 電話リレーサービス

　電話リレーサービスは、手話通訳者が通訳オペレータとなって手話又は文字と音声を通訳することにより、聴覚障害者等とその他の者（健聴者、緊急通報受理機関等）との意思疎通を仲介する仕組みである。

　具体的に、聴覚障害者等から健聴者に電話リレーサービスを用いて意思疎通を行う手順を例に挙げると、次のとおりである。

① 聴覚障害者等は通訳オペレータに対し、健聴者等に対して電話をかける旨の希望を伝える。（不正利用の防止等の観点から、予め登録した聴覚障害者等のみが利用できるようにすることも想定。）

② 通訳オペレータは聴覚障害者等が指定する健聴者等に電話をかける。

③ 通訳オペレータは聴覚障害者等からの電気通信回線を通じた手話又は文字による伝達内容を、電話を通じて健聴者等に伝達する。

④ 同様に、通訳オペレータは健聴者からの電話を通じた伝達内容を、電気通信回線を通じて手話又は文字により聴覚障害者等に伝達する。

⑤ いずれかが終話するまで継続する。

　逆に、健聴者から聴覚障害者等に電話リレーサービスを用いて意思疎通を行う手順の例は、次のとおりである。

① 健聴者は通訳オペレータに対し、聴覚障害者等に連絡したい旨の希望を伝える。

② 通訳オペレータは聴覚障害者等に当該求めがあった旨の連絡を行う。

③ 通訳オペレータは健聴者からの電話を通じた伝達内容を、電気通信回線を通じて手話又は文字により聴覚障害者等に伝達する。

④ 同様に、通訳オペレータは聴覚障害者等からの電気通信回線を通じた手話又は文字による伝達内容を、電話を通じて音声により健聴者に伝達する。

⑤ いずれかが終話するまで継続する。

　以上の基本的な構成は、次の概念図で示すとおりである。

(参考)電話リレーサービスの概要図

(「電話リレーサービス」(総務省HP)を加工して作成)

「リレーサービス」は「relay service」の音訳であり、また、国際電気通信連合(ITU)でも本サービスのようなサービスを「relay service」と定義している。

[参考] 国際電気通信連合(ITU)が策定した標準化勧告(ITU-T F.930)

　　relay service : is a telephone service that enables a person who is deaf or hard of hearing or whose speech is not clearly understood, or who prefers to use sign language, to place and receive telephone calls in real time.

(耳が聞こえない人、言葉がよく聞き取れない人、明瞭に話すことができない人、文字よりも手話を好む人が、リアルタイムに電話をかけたり受けたりできる電話サービス)

(3) 電気通信回線を通じ

電話リレーサービスは、聴覚障害者等と通訳オペレータの間において、電気通信回線を介して、手話映像又は文字情報を伝送することにより意思疎通を行うものであり、電気通信回線の利用が基本的な構成要素の一つであることから、電話リレーサービスの提供や利用に当たりこれを用いることを規定している。

この定義により、手話通訳者が聴覚障害者等に寄り添って直接介助することにより電話をかける又は受ける行為を支援するようなサービスは、電話リレーサービスに該当しない。

(4) 電話をかけ (4) 電話を受け

通訳オペレータと健聴者等の間は電話を利用することを規定している。この定義により、遠隔手話通訳は電話リレーサービスに該当しないことになる。なお、遠隔手話通訳は身体障害者福祉法に基づく聴覚障害者情報提供施設におけ

る便宜供与等により、社会福祉の観点から提供されている。

⑸　手話その他総務省令で定める方法

総務省令では、文字としている（聴覚障害者等による電話の利用の円滑化に関する法律施行規則（令和２年総務省令第110号）（電話リレー法施行規則）第２条）。

第３条（国の責務）

（国の責務）

第３条　国は、聴覚障害者等、地方公共団体、⑴ 電話提供事業者（電話の役務を提供する電気通信事業者（電気通信事業法（昭和59年法律第86号）第２条第５号に規定する電気通信事業者をいう。）であって、同法第50条の２第１項又は第50条の11の指定を受けた者をいう。第５条及び次章第２節において同じ。）その他の関係者と協力して、第７条第１項に規定する ⑵ 基本方針及びこれに基づく聴覚障害者等による電話の利用の円滑化のための施策の内容について、聴覚障害者等による電話の利用の円滑化の進展の状況等を勘案しつつ、適時に、かつ、適切な方法により検討を加え、その結果に基づいて必要な措置を講ずるよう努めなければならない。

２　国は、⑶ 教育活動、広報活動等を通じて、聴覚障害者等による電話の利用の円滑化に関する国民の理解を深めるとともに、その実施に関する国民の協力を求めるよう努めなければならない。

1　概　要

国が聴覚障害者等による電話の利用の円滑化のために果たすべき責務について規定している。

障害者基本法（昭和45年法律第84号）第22条第１項では、「国・・・は、障害者が円滑に情報を取得し及び利用し、その意思を表示し、並びに他人との意思疎通を図ることができるようにするため、・・・電気通信及び放送の役務の利用に関する障害者の利便の増進・・・が図られるよう必要な施策を講じなければならない」としている。

当該規定及び障害者基本法制定以降の社会環境の変化や技術進展を踏まえ、聴

覚障害者等による電話の利用の円滑化を達成するための施策や電話リレーサービス提供業務に関する基本的な事項等を基本方針として国が定めることとしており、基本方針やこれに基づく施策に必要な措置を講じることを国の責務として規定している。

基本方針やこれに基づく施策の内容は、社会環境等の変化に対応して適切に検討が加えられることが必要であるため、この旨も規定している。

併せて、聴覚障害者等による電話の利用の円滑化の実効性を高めるため、施策の意義や内容について、国民が十分に理解するよう普及啓発を行うとともに、電話リレー法第25条に定める負担金が電話料金に転嫁された場合における当該料金の支払等に対する協力を求めることが必要であることから、国の責務として規定している。

2 条文内容

〔第1項〕

(1) 電話提供事業者（電話の役務を提供する電気通信事業者（電気通信事業法（昭和59年法律第86号）第2条第5号に規定する電気通信事業者をいう。）であって、同法第50条の2第1項又は第50条の11の指定を受けた者をいう。・・・）

聴覚障害者等による電話の利用の円滑化を実現するためには、電話の利用者に対して直接的に電話の役務を提供している電話提供事業者の協力が不可欠である。

電話の利用者に対して直接的に役務提供している者を定義するに当たっては、法人・個人を問わず、電話番号（典型的には、0AB～Jの固定電話番号や090～等の携帯電話番号等）の利用が前提となっていることを踏まえ、総務大臣から電話番号の指定を受けて、利用者に付番して電話の役務を提供している者を電話提供事業者として定義している。（データ伝送携帯電話番号やIPアドレス等については、電気通信番号に該当するものの、電話の役務を提供するために用いられるものではないため、これらのみの指定を受けている電気通信事業者は電話提供事業者に該当しない。）

また、電話リレーサービスを実現するに当たり、緊急通報を可能とすることが求められるが（第10条解説を参照のこと。）、緊急通報を行うためには電話番号の利用が必要であり、こうした観点からも、電話番号の指定を受けた電話

提供事業者が果たすべき役割は大きい。

　なお、電話番号を使用して電話の役務を提供している電気通信事業者の中には、自ら電話番号の指定を受けた電話提供事業者以外にも、他の電気通信事業者から電話番号の卸を受けて役務提供を行う番号卸先事業者（ＭＶＮＯ等）も存在するが、電話リレー法においては、次の点から、これらを電話提供事業者から除外している。

①　電話番号は、可用な桁数が限られているという点で有限希少な資源であり、電話番号の指定を受けた電話提供事業者は、当該電話番号の効率的な使用を図るとともに、利用者が公平に電話番号を使用できるようにする責務を負う。

②　電話リレー法によって聴覚障害者等が電話を円滑に利用できるようにすることは、電話番号の効率的かつ公平な利用という責務の遂行に資するものであり、電話提供事業者が受益することになることを踏まえ、電話提供事業者に対して、責務（電話リレー法第５条）や負担金納付義務（電話リレー法第25条）を課している。

③　電話番号の指定を受けていないものの、電話番号の卸を受けて電話番号を使用しているＭＶＮＯ等についても、電話番号の効率的かつ公平な利用に資するという観点では、電話リレー法に基づく措置による一定の受益が認められるものの、当該受益は、卸契約を通じて最終的に番号卸元事業者が受けることとなるものであり、電話リレー法においては、受益者の範囲を規定する電話提供事業者の定義にＭＶＮＯ等を含めていない。

④　電話リレー法第25条は、電話提供事業者のうち一定の規模要件を満たす者に対して、負担金の負担を義務付けている。負担金の額は、電話リレーサービスの提供により電話の利便性が向上する点に鑑み、電話提供事業者がそれにより得る便益の有無と程度に応じて定めることが適当である。電話リレー法は、電話提供事業者が負担金の負担をどのように賄うかについては、経営判断に委ねることとし、特段の規定を置くものではないが、電気通信事業法と同様、利用者転嫁を許容することにより効率的な運用を図ることとしているところ、ＭＶＮＯ等の番号卸先事業者にも負担を求めた場合、番号卸先事業者としては、番号卸元事業者から提供された電話番号分についても利用者転嫁を行うことが想定され、番号卸元事業者との二重徴収となるおそれがあることから、利用者保護の観点から適当ではない。

(2) 基本方針及びこれに基づく聴覚障害者等による電話の利用の円滑化のための施策の内容について、聴覚障害者等による電話の利用の円滑化の進展の状況等を勘案しつつ、適時に、かつ、適切な方法により検討を加え、その結果に基づいて必要な措置を講ずるよう努めなければならない

　国は、基本方針及びこれに基づく聴覚障害者等による電話の利用の円滑化のための施策の内容について、必要な措置を講ずるように努める義務があることを定めている。

　加えて、聴覚障害者等による電話の利用の円滑化のためには、その主たる手段となる電話リレーサービスの適正かつ確実な提供の確保のための措置が重要であるところ、聴覚障害者等による電話の利用の円滑化のために関係者が講ずべき措置についても、技術進展により、具体的手段等が変化する可能性があるため、基本方針等について適切な方法により検討を加えることについても責務として規定している。

〔第2項〕

(3) 教育活動、広報活動等を通じて、聴覚障害者等による電話の利用の円滑化に関する国民の理解を深めるとともに、その実施に関する国民の協力を求めるよう努めなければならない

　聴覚障害者等による電話の利用の円滑化を図るためには、電話が双方向のコミュニケーションを実現する基幹的な意思疎通の手段であるという理解に立った上で、健聴者を含む国民が十分に施策の意義を理解し協力することにより、社会全体で実現していくことが重要である。

　具体的には、電話リレー法において、電話リレーサービス提供業務に要する費用は、特定電話提供事業者による負担金を原資とした交付金によって賄われることを想定しているところ、当該負担金が電話料金に転嫁された場合、負担金の最終的な原資は電話の利用者が支払う電話料金となるため、実質的な負担者である電話の利用者である国民が本制度の趣旨を理解し、協力することが制度の円滑な運用の前提となる。

　また、通訳オペレータから電話を受けた際に、健聴者等が当該サービスを理解し、受信拒否等を行うことがないようにすることが必要である。そのため、聴覚障害者等による電話の利用の円滑化に対する国民の理解の深化及び協力を実現するための教育活動、広報活動等を国が行う必要があることから、その旨を国の責務として規定している。

なお、ここでいう「教育活動」は、学校教育法（昭和22年法律第26号）に規定する学校における普通教育等に限らず、生涯学習や広く国民に対して行う啓発活動等も含まれる。

第４条（地方公共団体の責務）

（地方公共団体の責務）
第４条　地方公共団体は、(1) 国の施策に準じて、聴覚障害者等による電話の利用の円滑化のために (2) 必要な措置を講ずるよう努めなければならない。

1　概　要

地方公共団体が聴覚障害者等による電話の利用の円滑化のために果たすべき責務について規定している。

地方公共団体は、障害者基本法第22条では、国についてと同様に、第１項では、「地方公共団体は、障害者が円滑に情報を取得し及び利用し、その意思を表示し、並びに他人との意思疎通を図ることができるようにするため、・・・電気通信及び放送の役務の利用に関する障害者の利便の増進・・・が図られるよう必要な施策を講じなければならない」としている。

このため、国の施策に準じて、地方公共団体も聴覚障害者等による電話の利用の円滑化のために、必要な措置を講ずる責務を負うことを明確にしている。

2　条文内容

(1)　国の施策に準じて

障害者基本法において、地方公共団体には国と同等の責務が課せられており、電話リレー法においても国に準じた責務を課すこととしている。

聴覚障害者による電話の利用の円滑化については、国による基本方針の策定に加え、地方公共団体においても、電話リレーサービスの適正かつ確実な提供の確保等に関し、住民の理解の向上等の観点から地方の実情に即した周知等を行うことが有益であるほか、地方公共団体が運営・管理に関与する聴覚障害者情報提供施設がその取組を補完すること等、一定の役割を果たすことが期待さ

れる。期待される役割の程度や内容については、地域ごとの実情や環境の違い
に応じて、国に準じた責務を果たすことが期待されるため、その旨を明確にし
ている。

(2) 必要な措置

　地方公共団体が講ずるよう努めるべき措置として、具体的には、電話リレー
サービスについて、各地方公共団体が運営・管理に関与する聴覚障害者情報提
供施設と電話リレーサービス提供機関の連携に必要な措置や、聴覚障害者等の
電話の利用の円滑化に関して自治体住民の理解及び協力を得るための教育活動、
広報活動等の措置を想定している。

　また、電話リレーサービス提供機関には、緊急通報受理機関との接続が求め
られるところ、緊急通報受理機関である各地の警察本部及び消防本部は地方公
共団体の機関であるため、電話リレーサービス提供機関の緊急通報受理機関へ
の接続を実現するに当たっては、緊急通報受理機関の協力も含めて地方公共団
体の協力等の措置が必要となる。

第5条（電話提供事業者の責務）

（電話提供事業者の責務）
第5条　電話提供事業者は、(1) 聴覚障害者等による電話の利用の円滑化に
　おいて自らが果たす役割の重要性に鑑み、(2) 情報通信技術その他の技術
　を活用し、聴覚障害者等による電話の利用の円滑化のために必要な措置
　を講ずるよう努めなければならない。

1　概　要

　電話提供事業者が、聴覚障害者等による電話の利用の円滑化のために果たすべ
き責務について規定している。

　障害者基本法第22条第2項では、国や地方公共団体と並び、「電気通信・・・
その他の情報の提供に係る役務の提供・・・を行う事業者」に対し、「障害者の
利用の便宜を図るよう努めなければならない」旨を規定している。聴覚障害者等
による電話の利用の円滑化について、電話の役務の直接の担い手である電話提供
事業者においても積極的な取組を行うことが期待されるところである。

聴覚障害者等による電話の利用の円滑化に関する法律　第5条・第6条

このため、聴覚障害者等による電話の利用の円滑化の観点から、技術の進展等に対応し、その活用による取組が期待される電話提供事業者に対して、必要な措置を講ずることを努力義務として明確化している。

2　条文内容

(1)　<u>聴覚障害者等による電話の利用の円滑化において自らが果たす役割の重要性に鑑み</u>

　　障害者基本法第22条第2項の規定を受けて、電話提供事業者はその役務の提供に当たり、障害者の利用の便宜を図るよう努めなければならず、この責務を踏まえ、聴覚障害者等による電話の利用の円滑化に関して重要な役割を果たす必要がある。

　　具体的には、電話リレーサービスの適正かつ確実な提供のための財政的基盤の確保（例：負担金の納付）や技術的協力（例：緊急通報受理機関への円滑な接続の確保）等、必要な措置を講ずるよう努めなければならない旨を規定している。

(2)　<u>情報通信技術その他の技術を活用し</u>

　　電話提供事業者が電話リレー法に基づく責務を果たすに当たっては、電話リレーサービスにおける上記技術的協力や音声認識・ＡＩ等の意思疎通支援に関する先端的な技術開発等、情報通信技術を活用することが期待されることから、その旨を規定している。

第6条（国民の責務）

（国民の責務）
第6条　国民は、聴覚障害者等による電話の利用の円滑化の重要性について理解を深めるとともに、(1)<u>聴覚障害者等による電話の利用の円滑化に必要な協力をするよう努めなければならない。</u>

1　概　要

国民が聴覚障害者等による電話の利用の円滑化のために果たすべき責務につい

聴覚障害者等による電話の利用の円滑化に関する法律　第6条・第7条

て規定している。

　電話リレー法では、聴覚障害者等による電話の利用の円滑化の具体的手段として、電話リレーサービスを制度化しており、その適正かつ確実な提供を確保するためには、聴覚障害者等だけでなく、電話の利用者である国民が、制度の趣旨や必要性について理解し、協力することが不可欠である。

　具体的には、電話リレーサービス提供業務に要する費用に係る負担金は、特定電話提供事業者が負担することとなるが、当該負担金が電話料金に転嫁された場合、電話の利用者である国民が、当該制度の趣旨を理解し、支払いに協力することが不可欠となる。

　また、通訳オペレータの取次ぎに対する受信拒否等の事例が発生していること等から、認知の向上の課題を解決していくことも求められる。

　聴覚障害者等による電話の利用の円滑化については、国の責務として、国民の理解を深め、協力を求めるよう努めること等が規定されているところであり（電話リレー法第3条）、国民の責務として、聴覚障害者等による電話の利用の円滑化の重要性について理解を深めること及び必要な協力をすることに努める旨を規定している。

2　条文内容

(1)　聴覚障害者等による電話の利用の円滑化に必要な協力をするよう努めなければならない

　　国民による必要な協力の具体例としては、電話リレーサービス制度に基づく負担金が電話料金に転嫁された場合における当該料金の支払いに円滑に応じること、聴覚障害者等による電話の利用環境の整備に協力すること（聴覚障害者等からの電話リレーサービスを利用した連絡が来た際に受信拒否を行わないこと等）が挙げられる。

第7条（基本方針）

　（基本方針）

第7条　総務大臣は、聴覚障害者等による電話の利用の円滑化に関する基本的な方針（以下この条及び次章第1節において「基本方針」という。）を定めなければならない。

聴覚障害者等による電話の利用の円滑化に関する法律　第７条

2　基本方針においては、次に掲げる事項を定めるものとする。
一　(1)聴覚障害者等による電話の利用の円滑化の意義に関する事項
二　(2)聴覚障害者等による電話の利用の円滑化のための施策に関する基本的な事項
三　(3)電話リレーサービス提供業務の実施方法及び電話リレーサービスの利用に係る料金に関する事項その他電話リレーサービス提供業務に関する基本的な事項
四　(4)前３号に掲げるもののほか、聴覚障害者等による電話の利用の円滑化に関する重要事項
3　総務大臣は、基本方針を定めようとするときは、(5)あらかじめ、聴覚障害者等その他の関係者の意見を反映させるために必要な措置を講ずるとともに、厚生労働大臣に協議しなければならない。
4　総務大臣は、(6)基本方針を定めたときは、遅滞なく、これを公表しなければならない。
5　(7)前２項の規定は、基本方針の変更について準用する。

1　概　要

　聴覚障害者等による電話の利用の円滑化に関する基本方針の策定等について規定している。

　聴覚障害者等による電話の利用の円滑化を図るためには、多様な関係主体が相互に連携・協力することが不可欠である。そのため、電話リレー法第３条から第６条までにおいて関係主体の責務を規定しているところ、それらの関係主体が、電話の利用の円滑化の意義や本法で定める制度の趣旨を共有し、連携する必要があることから、国が策定する基本方針により、これらを明文化することとしている。

　具体的には、まず、聴覚障害者等による電話の利用の円滑化の意義を明確化し（第２項第１号）、次に、聴覚障害者等による電話の利用の円滑化を達成するための施策に関する基本的な事項を定め（同項第２号）、その上で、聴覚障害者等による電話の利用の円滑化の主たる手段である電話リレーサービスについて、提供業務の実施方法及び電話リレーサービスの利用に係る料金に関する事項その他電話リレーサービス提供業務に関する基本的な事項を定め（同項第３号）、最後に、その他重要事項を定める（同項第４号）こととしている。

第2項第2号の規定における「聴覚障害者等による電話の利用の円滑化のための施策」は、第3条において、国がその内容について措置を講ずるよう努めなければならないものとしているものである。

また、第2項第3号の規定は、第9条における電話リレーサービス提供業務の規定において「基本方針に従って、次に掲げる業務を行う」とされているほか、第10条に基づき認可を行う電話リレーサービス提供業務規程において定める「電話リレーサービス提供業務の実施方法及び電話リレーサービスの利用に係る料金に関する事項その他の総務省令で定める事項」が満たすべき基準となる。

2　条文内容

〔第2項〕

(1)　聴覚障害者等による電話の利用の円滑化の意義に関する事項

聴覚障害者等による電話の利用の円滑化に取り組むためには、その政策的意義を具体化し、国等の関係主体が共有した上で、適切に役割を分担し、必要に応じて連携・協力することが必要である。このため、聴覚障害者等による電話の利用の円滑化の意義に関する事項を基本方針で定めることとしている。

総務大臣の定めた基本方針では、「電話は、国民の日常生活及び社会生活において、即時性を有する意思疎通を遠隔地にいながら可能とする基幹的な手段である」ところ、「一方、電話は専ら音声により意思疎通を図る手段であるという特性を有しており、聴覚障害者等は、介助を受けずに電話を利用することが困難であることから、電話を利用した日常生活のコミュニケーションや行政手続、職場における業務上のやりとり、緊急時の速やかな救助の要請等に困難を伴うといった課題があ」ること等を挙げて、「手話及び文字を用いた聴覚障害者等による電話の利用の円滑化を実現することは、聴覚障害者等の自立した日常生活及び社会生活の確保に大きな意義を有する」としている。また、「聴覚障害者等による電話の利用の円滑化は、聴覚障害者等以外の者にとっても、聴覚障害者等との意思疎通の円滑化が実現するという点において大きな意義を有する」としている（令和2年総務省告示第370号）。

(2)　聴覚障害者等による電話の利用の円滑化のための施策に関する基本的な事項

電話リレー法は、聴覚障害者等による電話の利用の円滑化を図るため、関係主体が総合的な取組を講ずることについて規定するものであり、基本方針においても、上記円滑化の意義を踏まえ、その実現に向けた施策の基本的な事項を

聴覚障害者等による電話の利用の円滑化に関する法律　第7条

規定することとしている。

　総務大臣の定めた基本方針では、電話リレーサービスを「聴覚障害者等による電話の利用の円滑化の主たる手段として位置付け、公共インフラとしての電話リレーサービスの提供を図る」とし、「国は、法の適切な執行に努め、電話リレーサービス提供機関、電話リレーサービス支援機関、電話提供事業者等は、法を遵守し、国民を含むその他の関係者は、電話リレーサービスの円滑な提供の実現に積極的に協力していくことが必要である」としている。その上で、「音声認識技術やＡＩ（人工知能）等の進歩により、・・・将来的に、聴覚障害者等による電話の利用の円滑化を人を介さず効率的に実現する可能性がある」ことを挙げて、「こうした先進的な技術開発等の取組を推進することも、聴覚障害者等による電話の利用の円滑化に資する取組として重要である」とし、「電話リレーサービスの普及状況、技術開発動向等を踏まえて、必要に応じて施策を見直し、聴覚障害者等による電話の利用の円滑化を実現することが適切である」としている。

　さらに、「電話リレーサービスの提供に要する費用を電話提供事業者からの負担金を原資とした交付金によって賄っていくこと、聴覚障害者等が電話リレーサービスを介して電話した際に意思疎通の相手方に通話を拒否されること等がないようにする必要があること等」を挙げ、「国、地方公共団体、電話提供事業者、電話リレーサービス提供機関、電話リレーサービス支援機関等の関係主体は、連携して、聴覚障害者等による電話の利用の円滑化に関する国民の理解を深めるための周知広報等を行うことが必要である」としている（令和2年総務省告示第370号）。

(3)　電話リレーサービス提供業務の実施方法及び電話リレーサービスの利用に係る料金に関する事項その他電話リレーサービス提供業務に関する基本的な事項

　電話リレーサービス提供業務に関しては、当該電話リレーサービスが適正かつ確実に提供され、聴覚障害者等によって円滑に利用されるようになることが重要である。電話リレーサービスの提供条件については、特段の定めがない限り、国が指定する電話リレーサービス提供機関が定めることとなるが、電話の特性を踏まえ、聴覚障害者等の利便性を確保する必要がある。このため、基本方針において、電話リレーサービス提供業務の実施方法及び電話リレーサービスの利用に係る料金に関する事項その他電話リレーサービス提供業務に関する基本的事項を定め、電話リレーサービス提供機関の指定の申請を行おうとする

871

聴覚障害者等による電話の利用の円滑化に関する法律　第7条

者を含む関係者に対して広く示すこととしている。

　これらの事項は、第9条における電話リレーサービス提供業務の規定において「基本方針に従って、次に掲げる業務を行う」とされているほか、第10条の規定に基づいて電話リレーサービス提供業務規程を認可する上で満たすべき基準とすることにより、実効性を担保するものである。

　総務大臣の定めた基本方針では、電話リレーサービス提供機関による電話リレーサービスの提供については、次の要件を満たすことが求められるとしている（令和2年総務省告示第370号）。

① 　正当な理由がなければ、電話リレーサービスの提供を拒んではならず、利用者を公平に扱うこと。（サービス提供義務、利用の公平性）

② 　電話リレーサービスで利用できる電気通信番号及び言語（サービス提供の範囲）（電話リレーサービス提供機関は、固定電話番号、音声伝送携帯電話番号、特定IP電話番号及び緊急通報番号（110、118及び119）の電気通信番号が利用できるようにしなければならない。また、付加的役務電話番号のうち0120、0570及び0800並びに付加的役務識別番号のうち188（消費者ホットライン）及び189（児童相談所虐待対応ダイヤル）の電気通信番号が利用できるよう努めなければならない。電話リレーサービス提供機関は、電話リレーサービスにおいて、日本語の発話及び文字並びに日本の手話のみを扱うものとする。）

③ 　緊急通報受理機関に対する通報に対応していること。（緊急通報への対応）

④ 　常時双方向に利用可能であること。（サービス提供の継続性、双方向性）

⑤ 　一般の電話の通話料金と同等の利用料金であること。（低廉な利用料金での提供）（一般の電話の通話料金と同等の低廉な利用料金で提供できるようにしなければならない。利用料金体系は従量制に限定し、額は固定電話及び携帯電話の通話料金と同水準となるよう定めなければならない。番号維持等の実費負担額の基本料金を設けることを妨げない。利用者の所属等により差異を設けてはならない。利用料金に関して、利用規約に明示しなければならない。）

⑥ 　個人情報等に関する情報が保全されていること。（情報セキュリティの確保）

⑦ 　電話リレーサービスの品質を適正に担保すること。（サービス水準の確保）

⑧ 　利用の適正性を担保すること。（利用者の本人確認の実施）

聴覚障害者等による電話の利用の円滑化に関する法律　第7条

⑨　利用者が容易に利用可能となるシステムを整備すること。(システムのユーザビリティ確保)

⑩　適切に利用者への対応を行うこと。(適切な利用者対応)

⑪　電話リレーサービスの提供の一時的中断等について適切に総務大臣への報告及び利用者への周知を行うこと。(サービス提供状況等の適切な報告・周知)

　基本方針では、また、電話リレーサービス提供機関は、電話リレーサービスの提供に附帯する業務として、次の業務を行うものとしている。

①　聴覚障害者等による電話の利用の円滑化に関する動向の調査研究

②　電話リレーサービスに関連する技術の調査研究等

③　電話リレーサービスに係る周知広報

　基本方針では、更に、その他電話リレーサービス提供業務の在り方に関する事項として、次を挙げている。

①　効率的な予算の執行、コストの適正化等（電話リレーサービス提供機関は、適正なサービス水準を維持しつつ、費用の適正性を担保するとともに、効率的な予算の執行、コストの適正化及び透明性の確保に努めなければならない。）

②　電話リレーサービス提供機関の電話リレーサービス提供業務に必要な規則、細則等の扱い（電話リレーサービス提供業務に必要な規則、細則等を定め、又は変更したときは、これを総務大臣に提出しなければならない。）

③　電話リレーサービスに係る業務の委託（電話リレーサービス提供機関は、業務委託を行う場合には、業務委託先の管理を適切に実施しなければならない。業務委託先の情報セキュリティの確保義務を業務委託契約において明確化するとともに、そのために必要となる管理を適切に行わなければならない。通訳オペレータ業務の委託に当たっては、サービス水準の確保、法令・基本方針等を遵守すべきことを業務委託契約において明確化する。）

(4)　前3号に掲げるもののほか、聴覚障害者等による電話の利用の円滑化に関する重要事項

　本法は、附則において、政府が法の施行後5年を経過した場合において、施行状況について検討を加え、その結果に基づいて必要な措置を講ずることを規定しており、国において法の執行状況、電話リレーサービスの普及状況等の動向、関連する技術の進展、諸外国における制度化の動向等の把握に努めること

873

としている。これも踏まえ、本号において規定する重要事項として、総務大臣が定めた基本方針では、「総務大臣は、・・・必要に応じて、基本方針を見直し、適時、充実を図るものとする」としている（令和2年総務省告示第370号）。

〔第3項〕

(5) **あらかじめ、聴覚障害者等その他の関係者の意見を反映させるために必要な措置を講ずるとともに、厚生労働大臣に協議しなければならない**

　　基本方針においては、聴覚障害者等の電話の利用の円滑化に関し、電話リレーサービスの適正かつ確実な提供に向けた総合的な取組の方向性について定めることとなる。

　　こうした内容は、聴覚障害者等の利便性に係るものであり、基本方針で定めるサービス水準や提供条件等が、障害者福祉の観点からも適正・公平である必要がある。このため、主務大臣たる総務大臣は、基本方針を策定するに当たり、聴覚障害者等その他の関係者の意見を反映させるために必要な措置を講ずるとともに、障害者福祉政策を所管する厚生労働大臣に協議することとしている。

　　「あらかじめ、聴覚障害者等その他の関係者の意見を反映させるために必要な措置を講ずるともに、」の文言は、電話リレー法案の国会審議に際して、衆議院総務委員会（令和2年5月26日）において修正提案（議員提案）がなされ、可決されたことに伴い追加されたものである。

〔第4項〕

(6) **基本方針を定めたときは、遅滞なく、これを公表しなければならない**

　　基本方針の内容は、国民を含む関係主体に広く共有されるべきものであることから、総務大臣は、基本方針を策定したときは、遅滞なく、これを公表することとしている。

〔第5項〕

(7) **前2項の規定は、基本方針の変更について準用する**

　　基本方針の変更について、本条第3項及び第4項を準用する。

聴覚障害者等による電話の利用の円滑化に関する法律　第8条

第2章　指定法人
第1節　電話リレーサービス提供機関
第8条（電話リレーサービス提供機関の指定等）

（電話リレーサービス提供機関の指定等）

第8条　総務大臣は、(1) 一般社団法人又は一般財団法人であって、(2) 電話リレーサービス提供業務を適正かつ確実に行うことができると認められるものを、(3) その申請により、(4) 全国を通じて一個に限り、(5) 電話リレーサービス提供機関として指定することができる。

2　(6) 総務大臣は、前項の申請をした者が次の各号のいずれかに該当するときは、同項の規定による指定（以下この節において単に「指定」という。）をしてはならない。

一　第19条第1項又は第2項の規定により指定を取り消され、その取消しの日から5年を経過しない者

二　その役員のうちに、次のいずれかに該当する者がある者

　　イ　拘禁刑以上の刑に処せられ、又はこの法律の規定により罰金の刑に処せられ、その執行を終わり、又はその執行を受けることがなくなった日から5年を経過しない者

　　ロ　第14条第2項の規定による命令により解任され、その解任の日から5年を経過しない者

　　ハ　暴力団員による不当な行為の防止等に関する法律（平成3年法律第77号）第2条第6号に規定する暴力団員又は同号に規定する暴力団員でなくなった日から5年を経過しない者（次号において「暴力団員等」という。）

三　暴力団員等がその事業活動を支配する者

3　総務大臣は、指定をしたときは、(7) 当該指定を受けた電話リレーサービス提供機関の名称及び住所、電話リレーサービス提供業務を行う事務所の所在地並びに電話リレーサービス提供業務の開始の日を公示しなければならない。

4　電話リレーサービス提供機関は、その名称若しくは住所又は電話リレーサービス提供業務を行う事務所の所在地を変更しようとするときは、あらかじめ、その旨を総務大臣に届け出なければならない。

875

聴覚障害者等による電話の利用の円滑化に関する法律 第8条

5 総務大臣は、前項の規定による届出があったときは、その旨を公示しなければならない。

改正 令和4年法律第68号（令和7年6月1日施行）

1 概 要

電話リレーサービス提供業務を担う提供機関の総務大臣による指定等について規定している。なお、本条については、令和6年5月1日現在において未施行（令和7年6月1日施行）の刑法等の一部を改正する法律の施行に伴う関係法律の整理等に関する法律（令和4年法律第68号）の改正規定を反映した形での条文により記述を行っている。

2 条文内容

〔第1項〕

(1) 一般社団法人又は一般財団法人であって

電話リレーサービス提供機関の指定要件として、一般社団法人又は一般財団法人であることを規定している。

特定電話提供事業者から拠出された負担金を原資とした交付金の交付を受けて電話リレーサービス提供業務を行う者は、その公益的性格に照らし、営利を目的としない者であることが適切であるためである。

(2) 電話リレーサービス提供業務を適正かつ確実に行うことができると認められるもの

電話リレーサービス提供機関の指定要件として、業務を適正かつ確実に行うことができると認められることを規定している。

電話リレーサービス提供機関は、電話リレーサービス提供業務を交付金の交付を受けて行う等の公益的役割を担っていることから、財政的基盤や実施体制、経験等を総合的に勘案し、業務を適正かつ確実に行える者であることが必要であるため、提供機関の指定に当たっては、財政的基盤や実施体制、経験等を総合的に勘案し、適正かつ確実に行うことができる者を指定する必要がある。提供機関の指定に当たっては、総務大臣が申請内容を踏まえ、申請主体の業務遂行能力や実施方法の適正性について多角的な観点から総合的に判断する必要があり、要件としては「業務を適正かつ確実に行うことができると認められるも

の」とし、適否等に係る判断を総務大臣に委ねている。

　特に、電話リレーサービスは、サービス水準の段階的な向上が見込まれるため、本法においては、提供するサービス水準については、基本方針で定めた（第7条）上で、基本方針に従って適正かつ確実に業務を実施できる者を指定する（第8条）とともに、基本方針に適合する電話リレーサービス提供業務規程を認可する（第10条）こと等により適正性を担保し、さらに毎年度の事業計画書等の認可（第11条）を通じて適正性を確認することとしている。

(3)　その申請により

　ここでは、外形的に要件を満たす者を国が一方的に一者指定する方式ではなく、民間法人の自発的な申請を受けて、国が一者指定を行うこととしている。

　電話リレーサービス提供機関の指定については、民間の発意によって設立された法人が任意の申請を行い、その申請を受けて一定の基準を満たす者を総務大臣が指定することとしている。

(4)　全国を通じて一個に限り

　次に掲げる理由により、電話リレーサービスを提供する機関を一者に限って指定することとしている。

　①　手話通訳者数の不足

　　電話リレーサービスの開始時に確保可能な通訳オペレータの数は、少なく、各電話提供事業者にサービス提供を義務付けても要員数が不足すると見られ、通訳オペレータが確保できず義務を履行できない事業者が生じるおそれがある。

　②　聴覚障害者等の円滑な利用の確保

　　聴覚障害者等が電話リレーサービスを利用する場合の通訳オペレータや関係システム等に係るコストが高額と見込まれるのに対して、聴覚障害者等の円滑な利用を図るためには、利用料金を健聴者の電話の利用料金と同等の額程度に抑える必要がある。このため、電話リレーサービスでは、通訳オペレータや関係システム等に係るコストを聴覚障害者等から直接回収しないことを前提とする仕組みとした上で、このコストの最小化を図ることとし、各電話提供事業者が個別に提供するよりも、提供主体を集約し、全国を対象としたサービスを提供する者を一者に限ることとしている。

(5)　電話リレーサービス提供機関として指定

　令和3年1月13日に一般財団法人日本財団電話リレーサービスを指定して

聴覚障害者等による電話の利用の円滑化に関する法律　第8条・第9条

いる。

〔第2項〕

(6)　総務大臣は、前項の申請をした者が次の各号のいずれかに該当するときは、同項の規定による指定（以下この節において単に「指定」という。）をしてはならない

　　本法の規定による罰金の刑等に処された者は、公益的業務を担うに足る信用を喪失しているため、提供業務を行う者としての欠格事由とすることにより、提供機関の適正性を担保している。

〔第3項〕

(7)　当該指定を受けた電話リレーサービス提供機関の名称及び住所、電話リレーサービス提供業務を行う事務所の所在地並びに電話リレーサービス提供業務の開始の日を公示しなければならない

　　電話リレーサービス提供機関は、電話リレーサービス提供業務の遂行に当たって総務大臣の指定を受けていることの真正性を公に示す必要がある。このため、指定や名称及び住所等の変更に係る公示を行うこととしている。

　　また、提供機関を一者指定とする観点からも、当該指定を受けた者以外の者が当該指定の後に申請を行うことがないよう、指定の事実について公に周知する必要がある。このため、総務大臣は当該指定に係る公示を行うこととしている。

第9条（業務）

（業務）

第9条　電話リレーサービス提供機関は、(1) 基本方針に従って、次に掲げる業務を行うものとする。

一　電話リレーサービスを提供すること。

二　(2) 前号に掲げる業務に附帯する業務を行うこと。

1　概　要

　電話リレーサービス提供機関が行うべき電話リレーサービス提供業務の内容を、基本方針に従って電話リレーサービスを提供すること及びその附帯業務を行うことと規定している。

聴覚障害者等による電話の利用の円滑化に関する法律　第9条・第10条

2　条文内容

(1)　基本方針に従って

　　基本方針、電話リレーサービス提供業務の実施方法及び電話リレーサービスの利用に係る料金に関する事項その他電話リレーサービス提供業務に関する基本的な事項を定めることとしており、これを電話リレーサービス提供業務の実施に当たり満たすべき要件として遵守する必要があるため、その旨を規定している。

　　本条に加え、電話リレーサービス提供業務の適正性を担保するため、電話リレーサービス提供業務規程の認可要件として基本方針に適合することを規定し（第10条）、業務を適正かつ確実に実施できないと求められる際には取消し等を行うことができる旨を規定している（第19条）。

(2)　前号に掲げる業務に附帯する業務

　　基本方針では、電話リレーサービス提供機関は、電話リレーサービスの提供に附帯する業務として、次の業務を行うものとしている（令和2年総務省告示第370号）。

① 　聴覚障害者等による電話の利用の円滑化に関する動向の調査研究

② 　電話リレーサービスに関連する技術の調査研究等

③ 　電話リレーサービスに係る周知広報

第10条（電話リレーサービス提供業務規程）

（電話リレーサービス提供業務規程）

第10条　電話リレーサービス提供機関は、⑴ 電話リレーサービス提供業務を行うときは、その開始前に、電話リレーサービス提供業務の実施方法及び電話リレーサービスの利用に係る料金に関する事項その他の総務省令で定める事項に関する規程（以下この節において「電話リレーサービス提供業務規程」という。）を定め、総務大臣の認可を受けなければならない。これを変更しようとするときも、同様とする。

2　　総務大臣は、前項の認可の申請が次の各号のいずれにも適合していると認めるときは、当該認可をしなければならない。

879

聴覚障害者等による電話の利用の円滑化に関する法律　第10条

　一　⑵ 基本方針に適合し、かつ、電話リレーサービス提供業務の実施方
　　　法及び電話リレーサービスの利用に係る料金に関する事項が適正かつ
　　　明確に定められていること。
　二　⑶ 特定の者に対し不当な差別的取扱いをするものでないこと。
　三　⑷ 電話リレーサービスの利用者の利益を不当に害するおそれがある
　　　ものでないこと。
　3　総務大臣は、第1項の認可をした ⑸ 電話リレーサービス提供業務規程
　　が電話リレーサービス提供業務の適正かつ確実な実施上不適当となった
　　と認めるときは、電話リレーサービス提供機関に対し、これを変更すべ
　　きことを命ずることができる。
　4　電話リレーサービス提供機関は、⑹ 第1項の認可を受けたときは、遅
　　滞なく、当該認可を受けた電話リレーサービス提供業務規程を公表しな
　　ければならない。

1　概　要

　電話リレーサービス提供機関が行う電話リレーサービス提供業務について、電
話リレーサービス提供業務規程を定めて総務大臣の認可を受けなければならない
こと等を規定している。

　電話リレーサービス提供機関が特定電話提供事業者による負担金を原資とした
交付金の交付を受けて電話リレーサービス提供業務を行うに当たり、当該業務が
適正かつ公平なものでなければ、負担金を納付する特定電話提供事業者の理解及
び協力が得られず、制度自体の円滑な運用が妨げられることとなる。

　このため、電話リレーサービス提供業務の適正性や公平性を担保するため、提
供機関に対し、電話リレーサービス提供業務に係る電話リレーサービス提供業務
規程の策定を義務付けるとともに、総務大臣の認可及び公表に係らしめている。

2　条文内容

〔第1項〕

⑴　電話リレーサービス提供業務を行うときは、その開始前に、電話リレーサー
　ビス提供業務の実施方法及び電話リレーサービスの利用に係る料金に関する事
　項その他の総務省令で定める事項に関する規程（以下この節において「電話リ

レーサービス提供業務規程」という。）を定め、総務大臣の認可を受けなければならない

　電話リレーサービス提供機関が、業務の開始前に、電話リレーサービス提供業務規程を定めるだけでなく、総務大臣の認可を受ける必要があることを規定している。

　総務省令では、電話リレーサービス提供業務規程で定めるべき事項は、次のとおりとしている（電話リレー法施行規則第6条）。

① 　業務を行う時間に関する事項
② 　電話リレーサービス提供業務を行う事務所の所在地
③ 　電話リレーサービス提供業務の実施に係る組織、運営その他の体制に関する事項
④ 　電話リレーサービス提供業務に用いる設備に関する事項
⑤ 　電話リレーサービスの利用条件、料金及び手続に関する事項
⑥ 　附帯業務に関する事項
⑦ 　区分経理の方法その他の経理に関する事項
⑧ 　電話リレーサービス提供機関の役員の選任及び解任に関する事項
⑨ 　電話リレーサービス提供業務に関する秘密の保持に関する事項
⑩ 　電話リレーサービス提供業務に関する帳簿及び書類の管理に関する事項
⑪ 　電話リレーサービス提供業務に関する苦情及び紛争の処理に関する事項
⑫ 　その他電話リレーサービス提供業務の実施に関し必要な事項

〔第2項〕

(2) **基本方針に適合し、かつ、電話リレーサービス提供業務の実施方法及び電話リレーサービスの利用に係る料金に関する事項が適正かつ明確に定められていること**

　電話リレーサービス提供業務規程の認可については、基本方針で示した電話リレーサービス提供業務の実施方法及び電話リレーサービスの利用に係る料金に関する事項その他電話リレーサービス提供業務に関する基本的な事項に適合することを要件としている。

　これに加えて、電話リレーサービス提供業務の実施方法及び電話リレーサービスの利用に係る料金については、利用者利益に直結する内容であることから、基本方針で規定していない点についても総務大臣が確認し、適正性を判断することが必要であるため、これらについて適正かつ明確に定められていることを

聴覚障害者等による電話の利用の円滑化に関する法律　第10条

要件としている。

(3)　**特定の者に対し不当な差別的取扱いをするものでないこと**

　　電話リレーサービスの提供において、聴覚障害者等のうち特定の者のみを優遇する等の扱いは、本制度が交付金によって運営されている公益的制度である趣旨に鑑みて不適当であるため、本号において利用の公平性について規定している。

　　なお、電話リレーサービス提供業務規程の適正性については、第1号において包括的に判断することを可能としているが、当該利用の公平性は電話リレーサービスの公益性を担保する重要な要件として、電話リレーサービス提供機関が電話リレーサービス提供業務規程の策定を行うに当たって特に留意すべき事項である。このため、特に規律が必要な行為類型として、本規定を定め、予見可能性や制度の安定性を確保している。

　　また、第3号では対象を「電話リレーサービスの利用者」としているのに対し、第2号では対象を「特定の者」としているのは、例えば、電話リレーサービスを利用する聴覚障害者等の意思疎通相手や電話リレーサービスの利用契約前の者等についても不当な差別的取扱いが行われることを防ぐ趣旨である。

(4)　**電話リレーサービスの利用者の利益を不当に害するおそれがあるものでないこと**

　　電話リレーサービス提供業務の基本方針への適合性等（第2項第1号）や利用の公平（第2項第2号）に加え、利用者の利益を確保するために規定するものである。

　　具体的には、不当な差別的取扱いをしていないものの、例えば、制度の趣旨に反して適切に業務提供を行わないこと等により利用者の利用の機会を奪う等の行為は、利用者の利益を不当に害するおそれがあるため、これを防ぐ趣旨である。

　　なお、電話リレーサービス提供業務規程の適正性については、第1号において包括的に判断することを可能としているが、本号の規定は、第2号の規定と同様に、電話リレーサービス提供業務規程の策定に当たり特に留意すべき事項について行為類型を規定するものである。

〔第3項〕

(5)　**電話リレーサービス提供業務規程が電話リレーサービス提供業務の適正かつ確実な実施上不適当となったと認めるときは、電話リレーサービス提供機関に**

対し、これを変更すべきことを命ずることができる

　　電話リレーサービス提供業務規程を電話リレーサービス提供業務の開始前に策定することとし、総務大臣の認可に係らしめることは、業務の予見可能性を高めるとともに、サービス提供開始に先立って、業務の適正性を確保するものである。

　　ただ、電話リレーサービスの提供の在り方は、電話リレーサービスの利用状況や社会環境、関連する技術の動向等により、時代に応じて変化していくことが想定され、これに伴い、電話リレーサービス提供業務規程が妥当性を失う場合も考えられることから、総務大臣が必要に応じて電話リレーサービス提供業務規程の変更命令を行うことができることを規定している。

〔第4項〕

(6)　第1項の認可を受けたときは、遅滞なく、当該認可を受けた電話リレーサービス提供業務規程を公表しなければならない

　　電話リレーサービス提供業務規程については、総務大臣の認可により、内容の適正性を担保しているが、電話リレーサービスの利用者や提供機関の電話リレーサービス提供業務に要する費用に充てられる交付金の原資となる負担金を納付する特定電話提供事業者、当該負担金が電話料金に転嫁された場合に最終的な負担者となる国民等の関係主体が、必要に応じて電話リレーサービス提供業務規程の適正性を確認できるようにするため、認可後に電話リレーサービス提供業務規程を公表に係らしめるものである。

第11条（事業計画等）

（事業計画等）

第11条　電話リレーサービス提供機関は、(1) 毎事業年度、総務省令で定めるところにより、(2) 電話リレーサービス提供業務に関し事業計画書及び収支予算書を作成し、当該事業年度の開始前に（指定を受けた日の属する事業年度にあっては、当該指定を受けた後遅滞なく）、総務大臣の認可を受けなければならない。(3) これを変更しようとするときも、同様とする。

2　電話リレーサービス提供機関は、(4) 前項の認可を受けたときは、遅滞なく、当該認可を受けた事業計画書及び収支予算書を公表しなければな

聴覚障害者等による電話の利用の円滑化に関する法律　第11条

　　らない。

　3　電話リレーサービス提供機関は、(5) 毎事業年度、総務省令で定めると
　　ころにより、電話リレーサービス提供業務に関し事業報告書及び収支決
　　算書を作成し、当該事業年度の終了後3月以内に総務大臣に提出すると
　　ともに、これを公表しなければならない。

1　概　要

　電話リレーサービス提供機関が行う電話リレーサービス提供業務について、事
業計画書及び収支予算書を作成し、総務大臣の認可を受けなければならないこと
等を規定している。

　電話リレーサービスのサービス水準については、基本方針において定めた上で、
電話リレーサービス提供業務規程が基本方針に適合していること等を認可要件と
することにより、その適正性を担保することとしているところ、これに加えて、
毎事業年度、事業計画書等の認可及び公表を通じて経年的にサービスの進展状況
を含めた適正性を総務大臣が審査することとしている。

　また、電話リレーサービス提供機関が行う電話リレーサービスの提供の附帯業
務の適正な内容、規模を一律に示すことは困難であるため、これについても、事
業計画書及び収支予算書の認可及び公表を通じて、適正性を担保することとして
いる。

　併せて、電話リレーサービス提供機関の事業の適正性を事後的にも検証可能と
し、必要に応じて後年度の計画の改善に供する観点から、毎事業年度終了後に事
業報告書及び収支決算書を総務大臣に提出し、公表することとしている。

2　条文内容

〔第1項〕

(1)　毎事業年度、総務省令で定めるところにより

　　電話リレーサービス提供機関が、毎事業年度認可を受ける必要があることを
　規定している。

　　事業計画書及び収支予算書の認可に関する手続は、詳細な制度運用に関する
　事項として、総務省令に委任しており、申請書に、事業計画書及び収支予算書
　を添付して、毎事業年度開始の日の15日前までに（指定を受けた日の属する

884

事業年度にあっては、当該指定を受けた後遅滞なく）、総務大臣に提出しなければならないとしている（電話リレー法施行規則第7条第1項）。

(2) **電話リレーサービス提供業務に関し事業計画書及び収支予算書を作成し、当該事業年度の開始前に（指定を受けた日の属する事業年度にあっては、当該指定を受けた後遅滞なく）、総務大臣の認可を受けなければならない**

　　事業計画書とは、電話リレーサービス提供機関が当該事業年度内において実施することを予定する電話リレーサービス提供業務の概要等を記載する書類をいい、収支予算書とは当該事業年度における電話リレーサービス提供業務の支出の目的及び金額見積り並びにこれに応じた収入の金額見積りを記載する書類をいう。

　　なお、総務大臣の認可は、電話リレーサービス提供業務の適正な執行を確保することを目的としたものであることから、提供機関が複数の業務を行っている場合、本項により認可を受けなければならない事業計画書及び収支予算書の範囲は、電話リレーサービス提供業務に関する部分に限ることとする。

　　総務大臣は事業計画書及び収支予算書が提供機関の能力、業務内容等からみて適当である場合には、これを認可することになる。なお、電話リレーサービス提供機関が本項の規定に違反したときは、総務大臣は、監督命令（第18条）や指定の取消し等（第19条）を行うことができる。

(3) **これを変更しようとするときも、同様とする**

　　事業計画書及び収支予算書については、毎事業年度認可を受けることにより適正性を担保していることを踏まえ、当該認可を受けた内容を変更しようとするときも、認可が改めて必要である旨を規定している。

〔第2項〕

(4) **前項の認可を受けたときは、遅滞なく、当該認可を受けた事業計画書及び収支予算書を公表しなければならない**

　　事業計画書及び収支予算書が適正であることは、電話リレーサービスの利用者や交付金の原資となる負担金を負担する特定電話提供事業者、当該負担金が電話料金に転嫁された場合の電話の利用者等の関係主体にとって大きな関心事であることから、総務大臣による認可の後、事業計画書及び収支予算書を公表に係らしめている。

885

聴覚障害者等による電話の利用の円滑化に関する法律　第11条・第12条

〔第3項〕

(5)　毎事業年度、総務省令で定めるところにより、電話リレーサービス提供業務
　　に関し事業報告書及び収支決算書を作成し、当該事業年度の終了後3月以内に
　　総務大臣に提出するとともに、これを公表しなければならない

　　　事業報告書等の提出、公表を求めることは、総務大臣の認可に係らしめてい
　　る事業計画書に沿って適正に事業が行われてきたか等を検証し、支出の適正性
　　を確認することを担保しようとするものである。

　　　総務省令では、事業報告書及び収支決算書の総務大臣に提出し、又はこれを
　　公表しようとするときは、貸借対照表及び損益計算書を添付しなければならな
　　いとしている（電話リレー法施行規則第8条）。

第12条（業務の休廃止）

（業務の休廃止）

第12条　電話リレーサービス提供機関は、総務大臣の許可を受けなければ、
(1) 電話リレーサービス提供業務の全部又は一部を休止し、又は廃止して
はならない。

1　概　要

　電話リレーサービス提供機関の業務の休廃止について、総務大臣の許可を要件
として規定している。

　電話リレーサービス提供機関による電話リレーサービスの提供は、聴覚障害者
等による電話の利用の円滑化に大きな役割を果たすため、仮に電話リレーサービ
ス提供機関がその業務を休止等した場合、聴覚障害者等の電話の利用に重大な支
障が生じることが想定される。このため、提供機関の業務の休廃止について、総
務大臣の許可を要件としている。

　なお、電話リレーサービス提供機関の指定を受けるための申請は、民間法人に
よる任意の申請によることとしているところ、指定を受けた後は、電話リレーサー
ビス提供機関では、電話リレーサービスの適正かつ確実な提供に係る義務を負う
ことになる。このため、指定の申請は任意であったとしても、指定後の業務の休
廃止については、利用者保護の観点から総務大臣の許可を要件とする。

聴覚障害者等による電話の利用の円滑化に関する法律　第12条〜第14条

2　条文内容

(1)　電話リレーサービス提供業務の全部又は一部を休止し、又は廃止してはならない

　　「一部」の休廃止については、電話リレーサービスを提供する業務以外にも電話リレーサービスの技術向上に資する調査、研究等の附帯業務のみを休廃止する場合や、一部の期間を指定して休廃止する場合を想定している。

第13条（区分経理）

（区分経理）
第13条　電話リレーサービス提供機関は、電話リレーサービス提供業務以外の業務を行っている場合には、当該業務に係る経理と電話リレーサービス提供業務に係る経理とを区分して整理しなければならない。

概　要

　　電話リレーサービス提供機関が電話リレーサービス提供業務に係る経理と電話リレーサービス提供業務以外の業務に係る経理とを区分して整理することを規定している。

　　電話リレーサービス提供機関が、電話リレーサービス提供業務以外の業務を行う場合には、その業務の費用が電話リレーサービス提供業務に係る費用と混同され、負担金として特定電話提供事業者から徴収されてしまう等のおそれがある。このため、その業務に係る経理と電話リレーサービス提供業務に係る経理とを区分して整理すべき旨を規定している。

第14条（役員の選任及び解任）

（役員の選任及び解任）
第14条　電話リレーサービス提供機関の電話リレーサービス提供業務に従事する役員の選任及び解任は、総務大臣の認可を受けなければ、(1) その

887

効力を生じない。

2　総務大臣は、電話リレーサービス提供機関の電話リレーサービス提供業務に従事する役員が、この法律若しくはこの法律に基づく命令若しくはこれらに基づく処分に違反したとき、第10条第１項の認可を受けた電話リレーサービス提供業務規程に違反する行為をしたとき、又は電話リレーサービス提供業務に関し著しく不適当な行為をしたときは、電話リレーサービス提供機関に対し、当該役員を (2) 解任すべきことを命ずることができる。

1　概　要

電話リレーサービス提供機関の役員の選任及び解任の手続について規定している。

電話リレーサービス提供機関の公正性を確保し、電話リレーサービス提供業務の適正性を確保する観点から、電話リレーサービス提供業務に従事する役員の選任は慎重を期す必要があるため、その選任に総務大臣の認可を要件としている。

また、一度選任された役員が電話リレーサービス提供業務の利害関係者からの圧力等により不当に解任されることがないようにするため、その解任についても総務大臣の認可に係らしめている。

さらに、これらの者が役員として不適当になった場合を想定して、総務大臣による解任命令について規定している。

2　条文内容

〔第１項〕

(1)　その効力を生じない

総務大臣の認可を受けなければ、選任及び解任という法律行為の効力が発生しない。このため、例えば、総務大臣の認可を受けないで選任された役員が法人を代表して行った法律行為は、表見法理が働く場合は格別として、原則として無効となる。

〔第２項〕

(2)　解任すべきことを命ずることができる

本項の解任命令は、電話リレーサービス提供機関に対して発せられるもので

あり、直接、当該役員に対して発せられるものではない。

　なお、「この法律」「に違反したとき」に該当しうる条文としては、第32条及び第33条の罰則に該当する規定が挙げられる。

　また、本項の規定による命令に違反した電話リレーサービス提供機関に対して、総務大臣は指定の取消し等（第19条）の処分を行うことができる。

第15条（秘密保持義務）

（秘密保持義務）

第15条　(1) 電話リレーサービス提供機関の電話リレーサービス提供業務に従事する役員若しくは職員又はこれらの職にあった者は、(2) 正当な理由がなく、(3) 電話リレーサービス提供業務に関して知り得た秘密を (4) 漏らしてはならない。

1　概　要

　電話リレーサービス提供機関の役員及び職員等に対して課す秘密保持義務について規定している。

　電話リレーサービス提供機関は、電話リレーサービスの利用者の個人情報や緊急通報受理機関との接続に係る技術的情報等を扱うことが想定される。これらの情報はプライバシー保護や安全確保等の観点から秘密とすべき情報であり、当該秘密を漏らした場合、電話リレーサービス提供機関の信頼が大きく損なわれ、本制度の安定的な運用に支障を来すおそれがある。このため、電話リレーサービス提供機関の役員及び職員等に対して秘密保持義務を課している。

2　条文内容

(1)　電話リレーサービス提供機関の電話リレーサービス提供業務に従事する役員若しくは職員又はこれらの職にあった者

　電話リレーサービス提供機関が電話リレーサービス提供業務以外の業務を行うことが禁じられていない以上、全ての役職員に対して義務を課すことは適当ではないため、提供機関の役職員のうち、電話リレーサービス提供業務に従事する者に限る趣旨である。

職員とは、提供機関と雇用契約を締結している者等をいい、その具体的範囲は電話リレーサービス提供機関の就業規則等で定められることとなる。

　また、これらの職にあった者もその職を外れた後に秘密を漏らすことは当然許されないため、その旨を規定している。

(2) 正当な理由がなく

　正当な理由とは、令状による強制捜査等を指す。

(3) 電話リレーサービス提供業務に関して知り得た秘密

　ここでいう「秘密」とは、小範囲の者にしか知られていない事実で、本人が他に知られないことにつき客観的にみて相当の利益を有すると認められる事実をいう。

　電話リレーサービス提供業務に関して知り得た秘密としては、電話リレーサービスの利用者の個人情報や緊急通報受理機関との接続に係る技術的情報等が考えられる。また、電話リレーサービス提供業務規程で秘密事項を定めた場合や役員が個々に秘密事項を指定した場合にも「秘密」に該当するものと解される。

(4) 漏らしてはならない

　秘密を「漏らす」とは、他人に積極的に告げる場合のほか、他人が知り得る状態におくことをいう。

第16条（帳簿の備付け等）

（帳簿の備付け等）

第16条　電話リレーサービス提供機関は、(1) 総務省令で定めるところにより、帳簿（その作成に代えて電磁的記録（電子的方式、磁気的方式その他人の知覚によっては認識することができない方式で作られる記録であって、電子計算機による情報処理の用に供されるものをいう。）の作成がされている場合における当該電磁的記録を含む。次条第1項及び第33条第2号において同じ。）を備え付け、(2) 電話リレーサービス提供業務に関する事項で総務省令で定めるものを記載し、又は記録し、及びこれを保存しなければならない。

1　概　要

　電話リレーサービス提供機関が、電話リレーサービス提供業務に関する事項を記載した帳簿を備え付けること等を規定している。

　電話リレーサービス提供業務の実施状況を的確に記録することによって、業務の適正性を事後的にも検証可能とし、電話リレーサービス提供業務の適正な実施を確保するため、電話リレーサービス提供機関に対し、帳簿の備付け等を義務付けている。

2　条文内容

(1)　<u>総務省令で定めるところにより</u>

　　総務省令では、電話リレーサービス提供機関は、帳簿を各事業年度の末日をもって閉鎖するものとし、閉鎖後5年間保存しなければならないとしている（電話リレー法施行規則第11条第1項）。

(2)　<u>電話リレーサービス提供業務に関する事項で総務省令で定めるもの</u>

　　総務省令では、次に掲げる事項を定めている（電話リレー法施行規則第11条第2項）。

①　電話リレーサービス提供業務に関する収入及び支出

②　電話リレーサービスの利用者からの金銭の受領の記録

③　交付された交付金の額の総額

④　業務ごとに充てた交付金の額

⑤　電話リレーサービス提供業務の実施状況

⑥　電話リレーサービス提供業務の一部を委託等により他の事業者に行わせる場合にあっては、当該事業者の氏名又は名称及び住所並びに委託等に係る契約事項及び業務の実施状況

第17条（報告徴収及び立入検査）

（報告徴収及び立入検査）

第17条　総務大臣は、(1)<u>この法律の施行に必要な限度において</u>、電話リレーサービス提供機関に対し、電話リレーサービス提供業務に関し報告をさせ、又はその職員に、電話リレーサービス提供機関の事務所に立ち入り、

聴覚障害者等による電話の利用の円滑化に関する法律　第17条

> 電話リレーサービス提供業務の状況若しくは帳簿、書類その他の物件を
> 検査させ、若しくは関係者に質問させることができる。
> 2　前項の規定により (2) 立入検査をする職員は、その身分を示す証明書を
> 携帯し、関係者の請求があったときは、これを提示しなければならない。
> 3　第1項の規定による (3) 立入検査の権限は、犯罪捜査のために認められ
> たものと解釈してはならない。

1　概　要

　電話リレーサービス提供業務に関する報告及びその事務所への立入検査等につ
いて規定している。

　電話リレーサービスに係る制度の適正な運営を確保する観点から、総務大臣は、
電話リレーサービス提供機関の行う業務の内容の適正性等を的確に把握する必要
があるため、提供機関に対する報告徴収及び立入検査について規定している。

2　条文内容

〔第1項〕

(1)　この法律の施行に必要な限度において

　　報告徴収及び立入検査は、聴覚障害者等による電話の利用の円滑化に関し、
提供機関を適切に監督するための行政権の作用として行われるものであるから、
その行使範囲は「この法律の施行に必要な限度」に限定することとしている。

　　立入検査の対象については、電話リレーサービス提供業務の実施状況を的確
に把握するため、「業務の状況若しくは帳簿、書類その他の物件」と規定して
いる。

　　なお、本報告徴収は電話リレー法第31条で総務省令に委任された手続に関
連して実施される可能性があるため、「この節の施行に必要な限度において、」
ではなく、「この法律の施行に必要な限度において、」と規定している。

〔第2項〕

(2)　立入検査をする職員は、その身分を示す証明書を携帯し、関係者の請求が
あったときは、これを提示しなければならない

　　立入検査は、この法律の執行のための行政権の作用として行われるものであ
り、憲法第35条の適用はなく、令状は必要とされない。しかしながら、私権

892

が制約されることになることには変わりがないことから、身分を示す証明書の携帯、関係者の請求があったときの提示を義務付けることにより、立入検査をする職員の権限について疑義の生ずることを防ごうとしている。

〔第3項〕

(3) 立入検査の権限は、犯罪捜査のために認められたものと解釈してはならない

　　本条により総務大臣に認められている立入検査権は、電話リレー法の施行に必要な行政監督のためのものであり、司法警察員としての権限である犯罪捜査のために利用することは許されないことを明確にするために規定している。

第18条（監督命令）

（監督命令）
第18条　総務大臣は、この法律を施行するため必要があると認めるときは、電話リレーサービス提供機関に対し、(1) 電話リレーサービス提供業務に関し監督上必要な命令をすることができる。

1　概　要

　電話リレーサービス提供機関に対する総務大臣の監督命令権を規定している。

　電話リレーサービス提供機関に対してこのような包括的な監督命令権が付与されているのは、指定の取消要件に該当するような重大なものを含め、電話リレーサービス提供機関による非違行為が行われた場合において、直ちに電話リレー法第19条第2項の規定による指定の取消し等の行政処分を行うのではなく、改善命令又は適合命令を発することにより、できるだけ提供機関の存立及び電話リレーサービス提供業務の適正性の継続を図ることが適当な場合があるためである。

　なお、他の監督規定では対処し得ない事態が生じた場合（電話リレーサービス提供機関が行っている電話リレーサービス提供業務以外の業務に係る資料の提出を命ずる必要性が生じた場合等）に必要な監督命令を行う必要が生じた場合も、本条に基づくことになる。

聴覚障害者等による電話の利用の円滑化に関する法律　第18条・第19条

2　条文内容

(1)　**電話リレーサービス提供業務に関し監督上必要な命令**

　　本条の規定に基づく監督命令の行使に当たっては、電話リレーサービス提供機関に対する不当な干渉とならないように留意すべきであることを考慮し規定している。

　　なお、電話リレーサービス提供機関が本条の規定に基づく監督命令に違反したときは、総務大臣は、指定の取消し等の処分を行うことができる。

第19条（指定の取消し等）

（指定の取消し等）

第19条　総務大臣は、(1) 電話リレーサービス提供機関が第８条第２項第２号又は第３号に該当するに至ったときは、その指定を取り消さなければならない。

2　総務大臣は、電話リレーサービス提供機関が次の各号のいずれかに該当するときは、その指定を取り消し、(2) 又は期間を定めて電話リレーサービス提供業務の全部若しくは一部の停止を命ずることができる。

一　(3) 電話リレーサービス提供業務を適正かつ確実に行うことができないと認められるとき。

二　(4) 指定に関し不正の行為があったとき。

三　(5) この法律若しくはこの法律に基づく命令若しくはこれらに基づく処分に違反したとき、又は第10条第１項の認可を受けた電話リレーサービス提供業務規程によらないで電話リレーサービス提供業務を行ったとき。

3　(6) 総務大臣は、第１項若しくは前項の規定により指定を取り消し、又は同項の規定により電話リレーサービス提供業務の全部若しくは一部の停止を命じたときは、その旨を公示しなければならない。

4　第１項又は第２項の規定による指定の取消しが行われた場合において、(7) 電話リレーサービス支援機関が当該指定の取消しに係る法人に交付した交付金（第21条第１号に規定する交付金をいう。以下この条において同じ。）がなお存するときは、当該法人は、電話リレーサービス支援機関に当該交付金を速やかに返還しなければならない。

聴覚障害者等による電話の利用の円滑化に関する法律　第19条

> 5　⑻ 前項に定めるもののほか、総務大臣が、第1項又は第2項の規定により指定を取り消した場合における交付金の取扱いその他の必要な事項は、総務省令で定める。

1　概　要

　電話リレーサービス提供機関に対する指定の取消し等について規定している。

　電話リレーサービス提供機関が指定要件や監督規律等に対する重大な違反を生じた場合、指定を存続し、又は電話リレーサービス提供業務を継続させることは、電話リレーサービスに係る制度の適正な運営に支障を生じさせる可能性があるため、そのような場合における総務大臣による提供機関に対する指定の取消し又は業務の停止命令について規定している。

2　条文内容

〔第1項〕

(1)　**電話リレーサービス提供機関が第8条第2項第2号又は第3号に該当するに至ったときは、その指定を取り消さなければならない**

　　電話リレーサービス提供機関の指定後であっても、欠格事由に該当するに至った場合は、当該指定の取消事由になる旨を規定している。

〔第2項〕

(2)　**又は期間を定めて電話リレーサービス提供業務の全部若しくは一部の停止を命ずる**

　　「一部」の停止を命ずるとは、電話リレーサービスの提供の業務以外にも、電話リレーサービスの技術向上に資する調査、研究等の附帯業務のみを停止命令する場合や、一部の期間を指定して停止命令を行う場合を想定している。

(3)　**電話リレーサービス提供業務を適正かつ確実に行うことができないと認められるとき**

　　業務を適正かつ確実に実施する能力を有することは、電話リレーサービス提供機関の指定要件であり、申請者が電話リレーサービス提供業務を行う上で適当な者であるかどうかの判断基準であるため、電話リレーサービス提供機関の指定の継続の適否の判断基準ともなるものである。

　　なお、電話リレーサービス提供機関の指定後に電話リレーサービス支援機関

895

聴覚障害者等による電話の利用の円滑化に関する法律　第19条

の指定を取り消した場合、その再指定までは交付金の交付が受けられなくなる
ため、電話リレーサービス提供機関の財務状況等によっては「電話リレーサー
ビス提供業務を適正かつ確実に行うことができない」と認め、電話リレーサー
ビス提供機関の指定を取り消す事態が生ずることも考えられる。

(4)　指定に関し不正の行為があったとき

　　不正により指定を受けた者は、指定要件を満たしているか否かにかかわらず、
交付金の交付を受けて公益的業務を担うに足る信頼性を有していないと考えら
れ、電話リレーサービスに係る制度の適正な運営に支障を生じさせるおそれが
あることから、指定の取消し等の要件としている。

(5)　この法律若しくはこの法律に基づく命令若しくはこれらに基づく処分に違反
　したとき、又は第10条第1項の認可を受けた電話リレーサービス提供業務規
　程によらないで電話リレーサービス提供業務を行ったとき

　　電話リレーサービス提供機関が電話リレー法の規定や命令等に違反した場合、
聴覚障害者等による電話の利用の円滑化を実現する観点から、電話リレーサー
ビスの提供を担う者としての適正性が認められなくなる可能性がある。

　　さらに、電話リレーサービス提供業務規程の認可により電話リレーサービス
提供業務の適正性を担保しているにもかかわらず、電話リレーサービス提供業
務規程によらずに電話リレーサービス提供業務を行った場合も、電話リレー
サービス提供業務の適正性が担保されない場合が生じるため、指定の取消し等
の要件としている。

〔第3項〕

(6)　総務大臣は、第1項若しくは前項の規定により指定を取り消し、又は同項の
　規定により電話リレーサービス提供業務の全部若しくは一部の停止を命じたと
　きは、その旨を公示しなければならない

　　電話リレーサービス提供機関の指定の取消し等を行ったにもかかわらず、そ
の事実が示されない場合、例えば、指定を取り消されたことを電話リレーサー
ビス支援機関が認識せずに交付金の交付を行うことにより損害を被るおそれや、
指定を取り消された法人が適切なサービス水準でないにもかかわらず引き続き
サービス提供を行うことにより利用者が損害を被るおそれ等が生じる。このよ
うな事態を回避するため、電話リレーサービス提供機関の指定の取消し等に関
する公示について規定している。

896

聴覚障害者等による電話の利用の円滑化に関する法律　第19条

〔第4項〕

(7)　電話リレーサービス支援機関が当該指定の取消しに係る法人に交付した交付金（第21条第1号に規定する交付金をいう。・・・）がなお存するときは、当該法人は、電話リレーサービス支援機関に当該交付金を速やかに返還しなければならない

　　電話リレーサービス提供機関の指定が取り消された場合において、取消し前の電話リレーサービス提供機関であった法人に交付されたものの未支出の交付金が存在する場合、当該交付金は、本来ならば新たに電話リレーサービス提供機関が指定された場合における、当該電話リレーサービス提供機関の電話リレーサービス提供業務に要する費用に充てるべきものであることから、指定が取り消された旧電話リレーサービス提供機関に帰属させるのではなく、電話リレーサービス支援機関に返還させるのが適当であるため、その旨を規定している。

〔第5項〕

(8)　前項に定めるもののほか、総務大臣が、第1項又は第2項の規定により指定を取り消した場合における交付金の取扱いその他の必要な事項は、総務省令で定める

　　総務省令では、指定の取消しに係る法人は、次に掲げる事項を行わなければならないこととしている（電話リレー法施行規則第12条）。

①　交付金の返還を、当該指定の取消しを受けた日から起算して15日以内に行うこと。

②　総務大臣が新たに指定する電話リレーサービス提供機関に電話リレーサービス提供業務に関する帳簿、書類及び資料を引き継ぐこと。

③　その他総務大臣が必要と認める事項

聴覚障害者等による電話の利用の円滑化に関する法律　第20条

第2節　電話リレーサービス支援機関
第20条（電話リレーサービス支援機関の指定）

（電話リレーサービス支援機関の指定）

第20条　総務大臣は、(1) 一般社団法人又は一般財団法人であって、(2) 電話リレーサービス支援業務を適正かつ確実に行うことができると認められるものを、(3) その申請により、(4) 全国を通じて一個に限り、(5) 電話リレーサービス支援機関として指定することができる。

1　概　要

　電話リレーサービス提供機関に対する交付金の交付をはじめとする電話リレーサービス支援業務を担う電話リレーサービス支援機関の総務大臣による指定について規定している。

2　条文内容

(1)　一般社団法人又は一般財団法人であって

　　電話リレーサービス提供機関に対して交付金を交付し、特定電話提供事業者から負担金を徴収する者は、その公益的性格に照らし、営利を目的としない者であることが適切であるため一般社団法人又は一般財団法人としている。

(2)　電話リレーサービス支援業務を適正かつ確実に行うことができると認められるものを

　　電話リレーサービス支援機関は、交付金の交付及び負担金の徴収等の業務を滞りなく遂行する公益的役割を担っていることから、財政的基盤や実施体制、経験等を総合的に勘案し、業務を適正かつ確実に行うことができると認められることが必要である。電話リレーサービス支援機関の指定に当たっては、総務大臣が申請内容を踏まえ、申請主体の業務遂行能力や実施方法の適正性について多角的な観点から総合的に判断する必要があり、要件としては「業務を適正かつ確実に行うことができると認められるもの」とし、適否等に係る判断を総務大臣に委ねている。

(3)　その申請により

　　電話リレーサービス支援機関の指定については、民間の発意によって設立された法人が任意の申請を行い、その申請を受けて一定の基準を満たす者を総務

大臣が指定することとしている。

(4) **全国を通じて一個に限り**

　　電話リレーサービス支援機関が行う交付金の交付や負担金の徴収の業務を地域ごとに別の者が担うことは、負担の公平性やコスト効率化を図る観点から適切ではないことから、電話リレーサービス支援機関について、全国を通じた一者指定としている。

(5) **電話リレーサービス支援機関として指定**

　　令和3年1月13日に一般社団法人電気通信事業者協会を指定している。

　(補足) **関連する準用規定について**

　　電話リレーサービス提供機関と同様に指定の公示並びに変更の届出及び公示を定める必要があるため、電話リレー法第29条において、同法第8条第2項から第5項までを読み替えて準用する旨を規定している。

第21条（業務）

（業務）

第21条　電話リレーサービス支援機関は、次に掲げる業務を行うものとする。
　　一　(1)電話リレーサービス提供業務に要する費用に充てるための交付金を交付すること。
　　二　(2)電話リレーサービス支援業務に要する費用に充てるための負担金を徴収すること。
　　三　(3)前2号に掲げる業務に附帯する業務を行うこと。

1　概　要

　　電話リレーサービス支援機関が行う電話リレーサービス支援業務の内容として、交付金の交付、負担金の徴収及びそれらの附帯業務を行うことと規定している。

2　条文内容

(1) **電話リレーサービス提供業務に要する費用に充てるための交付金を交付すること**

　　交付金の交付は電話リレーサービス支援機関の主要な業務であることから、

交付金の交付の業務について規定している。

　単に、「費用に充てるための交付金」と規定することにより、費用の全部又は一部に充てるのかという点については、法律上特に定めていないが、交付金制度は、電話リレーサービス提供機関が電話リレーサービス提供業務を安定的に実施できるようにするための財政的基盤を構築することを目的とするものであり、必要以上の交付金を交付することは当然に想定されているものではない。

(2)　電話リレーサービス支援業務に要する費用に充てるための負担金を徴収すること

　交付金の交付の業務を行う上で、その原資となる負担金を徴収することは、電話リレーサービス支援機関の主要な業務の一つであるため、負担金の徴収業務を規定している。

(3)　前2号に掲げる業務に附帯する業務を行うこと

　交付金の交付の業務及び負担金の徴収の業務に附帯する業務として、電話提供事業者に対する資料の提出の求め等に係る業務、電話リレーサービスの交付金制度に関する国民の理解の増進を図るための広報活動等、交付金の交付及び負担金の徴収という目的を確実に遂行する上で必要となる業務を想定している。

第22条（電話リレーサービス支援業務規程）

（電話リレーサービス支援業務規程）

第22条　電話リレーサービス支援機関は、(1) 電話リレーサービス支援業務を行うときは、その開始前に、電話リレーサービス支援業務の実施方法その他の総務省令で定める事項に関する規程（第3項及び第4項において「電話リレーサービス支援業務規程」という。）を定め、総務大臣の認可を受けなければならない。これを変更しようとするときも、同様とする。

2　総務大臣は、前項の認可の申請が次の各号のいずれにも適合していると認めるときは、当該認可をしなければならない。

一　(2) 電話リレーサービス支援業務の実施方法が適正かつ明確に定められていること。

二　(3) 特定の者に対し不当な差別的取扱いをするものでないこと。

三 (4)聴覚障害者等及び電話提供事業者の利益を不当に害するおそれが
あるものでないこと。
3　総務大臣は、第1項の認可をした (5)電話リレーサービス支援業務規程
が電話リレーサービス支援業務の適正かつ確実な実施上不適当となった
と認めるときは、電話リレーサービス支援機関に対し、これを変更すべ
きことを命ずることができる。
4　電話リレーサービス支援機関は、(6)第1項の認可を受けたときは、遅
滞なく、当該認可を受けた電話リレーサービス支援業務規程を公表しな
ければならない。

1　概　要

　電話リレーサービス支援機関が行う電話リレーサービス支援業務について、電話リレーサービス支援業務規程を定めて総務大臣の認可を受けなければならないこと等を規定している。

　電話リレーサービス支援機関が、電話リレーサービス支援業務として、特定電話提供事業者から負担金を徴収する等の業務を行うに当たり、当該業務が適正かつ公平なものでなければ、特定電話提供事業者の理解及び協力が得られず、制度自体の円滑な運用が妨げられることとなる。同様に、交付金の交付についても、業務運営が不適正であることにより、交付に遅延や誤りがある場合、提供機関の安定的な業務運営に支障が生じることとなる。

　このため、電話リレーサービス支援機関に対し、電話リレーサービス支援機関の業務の適正性や公平性を担保するため、電話リレーサービス支援業務に係る業務規程の策定を義務付けるとともに、総務大臣の認可に係らしめている。

2　条文内容

〔第1項〕

(1)　電話リレーサービス支援業務を行うときは、その開始前に、電話リレーサービス支援業務の実施方法その他の総務省令で定める事項に関する規程（第3項及び第4項において「電話リレーサービス支援業務規程」という。）を定め、総務大臣の認可を受けなければならない

　電話リレーサービス支援機関が、支援業務の開始前に電話リレーサービス支

援業務規程を定め、総務大臣の認可を受ける必要があることを定めている。

総務省令では、次の事項を定めている（電話リレー法施行規則第15条）。

① 電話リレーサービス支援業務を行う時間及び休日に関する事項

② 電話リレーサービス支援業務を行う事務所の所在地

③ 電話リレーサービス支援業務の実施に係る組織、運営その他の体制に関する事項

④ 交付金の額及び負担金の額の算定方法に関する事項

⑤ 交付金の交付及び負担金の徴収の方法に関する事項

⑥ 附帯する業務に関する事項

⑦ 電話リレーサービス支援業務諮問委員会の委員の任免に関する事項

⑧ 区分経理の方法その他の経理に関する事項

⑨ 電話リレーサービス支援機関の役員の選任及び解任に関する事項

⑩ 電話リレーサービス支援業務に関する秘密の保持に関する事項

⑪ 電話リレーサービス支援業務に関する帳簿及び書類の管理に関する事項

⑫ その他電話リレーサービス支援業務の実施に関し必要な事項

〔第2項〕

(2) **電話リレーサービス支援業務の実施方法が適正かつ明確に定められていること**

電話リレーサービス支援業務の実施方法について、適正かつ明確に定められていることを求めている。

(3) **特定の者に対し不当な差別的取扱いをするものでないこと**

電話リレーサービス支援機関が電話リレーサービス支援業務を行うに当たり、負担金の算定等に関する電話提供事業者間の不公平な取扱い（例えば、小規模事業者に過度の負担を課したり、大手電話提供事業者を優遇したりすること等）等を行わないよう、本号において利用の公平性について規定している。

電話リレーサービス支援業務規程の適正性については、第1号において包括的に判断することとしているところ、電話リレーサービス支援機関が特定電話提供事業者に対して不当な差別的取扱いをすることは、交付金制度に対する社会的信頼を失わせるものとして制度全体の趣旨に反し特に許されない行為であり、電話リレーサービス支援機関が電話リレーサービス支援業務規程の策定を行うに当たって特に留意すべき事項であるため、特に規律が必要な行為類型として、本規定を定め、予見可能性や制度の安定性を確保している。

聴覚障害者等による電話の利用の円滑化に関する法律　第22条

(4)　**聴覚障害者等及び電話提供事業者の利益を不当に害するおそれがあるもので**
　ないこと

　　電話リレーサービス支援業務の適正性・明確性の確保（第2項第1号）や利
用の公平（同項第2号）に加え、聴覚障害者等や電話提供事業者の利益を確保
するために規定するものである。

　　具体的には、電話リレーサービス支援機関として、特定の電話提供事業者等
に対して不当な差別的取扱いを行っていないものの、電話リレーサービス支援
業務規程で定める負担金の扱いが不適切なものである場合（負担金の資産価値
を減ずる可能性がある投機等を行うこととしている場合等）や負担金の徴収か
ら交付金の交付までの期間が非常に長期間である場合等においては、電話リ
レーサービスを利用する聴覚障害者等や電話提供事業者の利益を不当に害する
おそれがあり、これを防止するため、本号において聴覚障害者等及び電話提供
事業者の利益の保護について規定している。

　　電話リレーサービス支援業務規程の適正性については、第1号において包括
的に判断することとしているところ、その第1号との関係では、第2号がそう
であるように、本号でも、電話リレーサービス支援業務規程の策定に当たり特
に留意すべき事項について行為類型を規定しているものである。

〔第3項〕

(5)　**電話リレーサービス支援業務規程が電話リレーサービス支援業務の適正かつ**
　確実な実施上不適当となったと認めるときは、電話リレーサービス支援機関に
　対し、これを変更すべきことを命ずることができる

　　電話リレーサービス支援業務規程を電話リレーサービス支援業務の開始前に
策定することとし、総務大臣の認可に係らしめることは、支援業務の予見可能
性を高めるとともに、サービス提供開始に先立って、支援業務の適正性を確保
するものである。

　　電話リレーサービス支援業務の在り方は、電話リレーサービスの利用状況や
社会環境、関連する技術の動向等により、電話リレーサービス提供業務の内容
が変動すること等に伴って変化していくことが想定される。これに伴い、電話
リレーサービス支援業務規程が妥当性を失う場合も考えられることから、総務
大臣が電話リレーサービス支援業務規程の変更命令を行うことができることを
規定している。

903

聴覚障害者等による電話の利用の円滑化に関する法律　第22条・第23条

〔第4項〕
(6)　第1項の認可を受けたときは、遅滞なく、当該認可を受けた電話リレーサービス支援業務規程を公表しなければならない
　　電話リレーサービス支援業務規程については、総務大臣の認可により、内容の適正性を担保しているが、電話リレーサービス支援機関の電話リレーサービス支援業務に要する費用に充てられる負担金を納付する特定電話提供事業者や、当該負担金が電話料金に転嫁された場合に最終的な負担者となる国民が、必要に応じて電話リレーサービス支援業務規程の適正性を確認できるようにするため、認可後に電話リレーサービス支援業務規程を公表に係らしめている。

第23条（事業計画等）

（事業計画等）
第23条　電話リレーサービス支援機関は、(1)毎事業年度、総務省令で定めるところにより、(2)電話リレーサービス支援業務に関し事業計画書及び収支予算書を作成し、(3)当該事業年度の開始前に（第20条の規定による指定を受けた日の属する事業年度にあっては、当該指定を受けた後遅滞なく）、総務大臣の認可を受けなければならない。これを変更しようとするときも、同様とする。
2　電話リレーサービス支援機関は、(4)前項の認可を受けたときは、遅滞なく、当該認可を受けた事業計画書及び収支予算書を公表しなければならない。
3　電話リレーサービス支援機関は、(5)毎事業年度、総務省令で定めるところにより、電話リレーサービス支援業務に関し事業報告書及び収支決算書を作成し、当該事業年度の終了後3月以内に総務大臣に提出するとともに、これを公表しなければならない。

1　概　要

　電話リレーサービス支援機関が行う電話リレーサービス支援業務について、事業計画書及び収支予算書を作成し、総務大臣の認可を受けなければならないこと

等を規定している。

　電話リレーサービス支援機関の業務のうち、交付金の交付については、交付金の額や交付方法が認可事項となっており、その適正性を確保することが可能であるが、周知広報等の附帯業務を含めた電話リレーサービス支援機関の事業全般については、電話リレーサービスの利用動向等を踏まえつつ、その具体的な実施内容等について、その適正性を確認する必要がある。

　このため、電話リレーサービス提供機関と同様、電話リレーサービス支援機関における毎事業年度の事業計画書及び収支予算書についても、総務大臣の認可や公表に係らしめている。

　併せて、電話リレーサービス支援機関の事業の適正性を事後的にも検証可能とし、必要に応じて後年度の計画の改善に供する観点から、毎事業年度終了後に事業報告書及び収支決算書を総務大臣に提出し、公表することとしている。

2　条文内容

〔第1項〕

(1)　**毎事業年度、総務省令で定めるところにより**

　　電話リレーサービス支援機関が、毎事業年度認可を受ける必要があることを規定している。総務省令では、電話リレーサービス支援機関は、認可を受けようとするときは、申請書に、当該認可に係る事業計画書及び収支予算書を添付して、毎事業年度開始の日の15日前までに（電話リレー法第20条の規定による指定を受けた日の属する事業年度にあっては、当該指定を受けた後遅滞なく）、総務大臣に提出しなければならないとしている（電話リレー法施行規則第16条第1項）。

(2)　**電話リレーサービス支援業務に関し事業計画書及び収支予算書を作成し**

　　事業計画書とは、電話リレーサービス支援機関が当該事業年度内において実施することを予定する電話リレーサービス支援業務の概要等を記載する書類をいい、電話リレーサービス支援業務の内容の適正性を毎事業年度確認するために作成を義務付けているものである。

　　また、収支予算書とは当該事業年度における電話リレーサービス支援業務の支出の項目及び予想額並びに収入の予想額を記載する書類をいう。収支予算書には、交付金の交付に係る交付金の額が記載されることとなるが、交付金の額のほか、電話リレーサービス支援機関の附帯業務（周知広報業務等）の経費や

聴覚障害者等による電話の利用の円滑化に関する法律　第23条

事務経費等の予想額が記載されることとなるため、交付金の額の認可とは別に収支予算書の認可を行う必要がある。

(3)　当該事業年度の開始前に（第20条の規定による指定を受けた日の属する事業年度にあっては、当該指定を受けた後遅滞なく）、総務大臣の認可を受けなければならない。これを変更しようとするときも、同様とする

　　事業計画書及び収支予算書の適正性を担保するため、毎事業年度認可を受けることとし、認可を受けた内容を変更しようとするときも、適正性を維持する観点からの認可が改めて必要である旨を規定するものである。

　　なお、総務大臣の認可は、電話リレーサービス支援業務の適正な執行を確保することを目的としたものであることから、電話リレーサービス支援機関が複数の業務を行っている場合、本項により認可を受けなければならない事業計画書及び収支予算書の範囲は、電話リレーサービス支援業務に関する部分に限られる。

　　また、このような場合であって、電話リレーサービス支援業務が他の業務との関係で不適正となっている等の場合には、別に定める監督命令（第29条で準用する第18条）の規定により、必要に応じて当該他の業務に関する事業計画書等の提出命令が発せられることも想定される。

　　総務大臣は、事業計画書及び収支予算書が電話リレーサービス支援機関の能力、業務内容等からみて適当である場合には、これを認可することになる。なお、電話リレーサービス支援機関が本項の規定に違反したときは、監督命令（第29条で準用する第18条）や指定の取消し等（第29条で準用する第19条）を行うことができる。

〔第2項〕

(4)　前項の認可を受けたときは、遅滞なく、当該認可を受けた事業計画書及び収支予算書を公表しなければならない

　　事業計画書及び収支予算書が適正であることは、電話リレーサービスの利用者や負担金を負担する特定電話提供事業者、当該負担金が電話料金に転嫁された場合における最終的な負担者である国民にとって大きな関心事であることから、総務大臣による認可の後、事業計画書及び収支予算書を公表に係らしめている。

906

〔第3項〕

⑸ 毎事業年度、総務省令で定めるところにより、電話リレーサービス支援業務に関し事業報告書及び収支決算書を作成し、当該事業年度の終了後3月以内に総務大臣に提出するとともに、これを公表しなければならない

　事業報告書においては、当該事業年度において実施した電話リレーサービス支援業務の概要等を記載することを想定しており、収支決算書においては、予算で定められた各項目の収支状況、予備費の使用の額及びその理由、翌事業年度への繰越額等を記載することを想定している。

　事業報告書及び収支決算書の提出、公表を定めることは、総務大臣による認可に係らしめている事業計画書に沿って適正に事業が行われてきたか等を検証し、支出の適正性を確認することにつながるものである。

　総務省令では、電話リレーサービス支援機関は、事業報告書及び収支決算書を総務大臣に提出し、又はこれを公表しようとするときは、貸借対照表及び損益計算書を添付しなければならないと規定している（電話リレー法施行規則第17条）。

第24条（交付金の交付）

（交付金の交付）

第24条　⑴ 電話リレーサービス支援機関は、毎年度（毎年4月1日から翌年3月31日までをいう。以下この条及び次条において同じ。）、総務省令で定めるところにより、電話リレーサービス提供機関に対して、第21条第1号に規定する交付金（以下この条及び第28条第2項において単に「交付金」という。）を交付しなければならない。

2　⑵ 電話リレーサービス支援機関は、毎年度、総務省令で定める方法により交付金の額を算定し、電話リレーサービス支援業務諮問委員会の議を経て、当該年度の開始前に（第20条の規定による指定を受けた日の属する年度にあっては、当該指定を受けた後遅滞なく）、総務省令で定めるところにより、交付金の額及び交付方法について総務大臣の認可を受けなければならない。

3　電話リレーサービス支援機関は、⑶ 前項の認可を受けたときは、総務

聴覚障害者等による電話の利用の円滑化に関する法律　第24条

省令で定めるところにより、当該認可を受けた交付金の額を公表しなけ
ればならない。

4　(4) 電話リレーサービス提供機関は、毎年度、総務省令で定めるところ
により、電話リレーサービス支援機関が交付金の額の算定をするための
資料として、当該算定に係る年度における電話リレーサービス提供業務
に要する費用の額の予想額及び電話リレーサービス提供業務により生ず
る収益の額の予想額その他総務省令で定める事項を電話リレーサービス
支援機関に届け出なければならない。

1　概　要

　電話リレーサービス支援機関が提供機関に交付する交付金の額及び交付方法に
ついて総務大臣の認可を受けるべきこと並びに交付金の額の算定に必要な資料を
電話リレーサービス提供機関が提出すること等について規定している。

　電話リレーサービス支援機関が提供機関に交付する交付金の額については、電
話リレーサービス提供機関の電話リレーサービス提供業務に要する費用の予想額
及び電話リレーサービス提供業務により生ずる収益の予想額等に基づいて算定を
行った上で、電話リレーサービス支援業務諮問委員会の議を経て、総務大臣に交
付金の額及び交付方法を申請し、認可を受けることとしている。

2　条文内容

〔第1項〕

(1)　電話リレーサービス支援機関は、毎年度（毎年4月1日から翌年3月31日
までをいう。・・・）、総務省令で定めるところにより、電話リレーサービス提
供機関に対して、第21条第1号に規定する交付金（以下この条及び第28条
第2項において単に「交付金」という。）を交付しなければならない

　電話リレーサービス提供機関が電話リレーサービス提供業務を行うに当たり、
電話リレーサービスの利用料金は、基本方針において健聴者等と同等の水準と
することを想定しているため、電話リレーサービス提供機関は、通訳オペレー
タの人件費をはじめとするコストを十分に回収できず、その収支は赤字となる
ことが想定される。

　このような前提に立ち、電話リレーサービスの適切かつ確実な提供を確保す

るため、提供機関の財政的基盤を安定的なものとする観点から、電話リレーサービス支援機関は、電話リレーサービス提供機関の業務に要する費用に充てるため、交付金の額や交付方法について認可を受けた上で、交付金の交付を行うものである。

なお、交付金の交付について、認可等の期間の単位を「事業年度」ではなく「年度（毎年4月1日から翌年3月31日までをいう。）」としているのは、交付金の交付や負担金の徴収には多数の関係者（電話リレーサービス提供機関、電話リレーサービス支援機関、特定電話提供事業者等）が関わるため、主体ごとに異なる可能性がある「事業年度」ではなく、具体的な期間を規定することにより、交付金の交付や負担金の徴収の業務の時期に係る予見可能性を高め、円滑な業務の遂行を担保するためである。

また、「事業年度」は事業計画書及び収支予算書の認可等の期間の単位であるため、本条では、「事業年度」とは別に「年度」として期間を定めている。

〔第2項〕

(2) 電話リレーサービス支援機関は、毎年度、総務省令で定める方法により交付金の額を算定し、電話リレーサービス支援業務諮問委員会の議を経て、当該年度の開始前に（第20条の規定による指定を受けた日の属する年度にあっては、当該指定を受けた後遅滞なく）、総務省令で定めるところにより、交付金の額及び交付方法について総務大臣の認可を受けなければならない

電話リレーサービス提供業務については、特定電話提供事業者等の負担を軽減する観点から、可能な限り効率化が図られるべきである一方、電話リレーサービス提供機関が電話リレーサービスを適正かつ確実に提供する上で十分な費用が適切に交付されることが重要であり、これらのバランスについて、電話リレーサービス支援業務諮問委員会における審議や、総務大臣の認可を通じて適正性を確認する必要がある。

このため、交付金の額及び実施方法について、総務大臣の認可に係らしめている。

交付金の額の算定方法について、総務省令では、算定に係る年度における電話リレーサービス提供業務に要する費用の額の予想額に電話リレーサービス提供業務に係る運営資金の返済の額の予想額を加えた額から、電話リレーサービス提供業務により生ずる収益の額の予想額及び電話リレーサービス提供業務に係る運営資金の借入れの額の予想額並びに前年度の電話リレーサービス提供業

務に係る繰越収支差額の予想額を控除するものとし、この額が零以下の場合にあっては、交付金の額は零とするとし（電話リレー法施行規則第23条）、その特例についても規定している（同第25条）。

〔第3項〕

(3) 前項の認可を受けたときは、総務省令で定めるところにより、当該認可を受けた交付金の額を公表しなければならない

　電話リレーサービス支援機関が、交付金の原資となる負担金の負担者である特定電話提供事業者や当該負担金が電話料金に転嫁された場合における最終的な負担者である国民との関係において、交付金の額等について周知を図るとともに、検証に供することは、交付金制度全体の透明性を確保し、負担者の理解を得ることにつながることから、交付金の額を公表に係らしめている。

　総務省令では、公表は、インターネットの利用その他の適切な方法により行わなければならないとしている（電話リレー法施行規則第31条）。

〔第4項〕

(4) 電話リレーサービス提供機関は、毎年度、総務省令で定めるところにより、電話リレーサービス支援機関が交付金の額の算定をするための資料として、当該算定に係る年度における電話リレーサービス提供業務に要する費用の額の予想額及び電話リレーサービス提供業務により生ずる収益の額の予想額その他総務省令で定める事項を電話リレーサービス支援機関に届け出なければならない

　交付金は電話リレーサービス提供機関の電話リレーサービス提供業務に要する費用に充てることを目的として交付されるものであり、電話リレーサービス提供機関の業務運営の安定性を確保する観点から、年度開始前に、電話リレーサービス提供業務に要する費用の額の予想額及び電話リレーサービス提供業務により生ずる収益の額の予想額に基づいて額を算出し、交付金の額の予見可能性を確保しておくことが望ましい。このため、電話リレーサービス支援機関が交付金の額の算定を行うに先立って、電話リレーサービス提供機関がこれらの予想額を電話リレーサービス支援機関に提出することにより、算定業務等の用に供することを規定している。

　電話リレーサービス支援機関は、これらの資料に基づき、交付金の額等の適正性を自ら確認するとともに、第28条で規定する電話リレーサービス支援業務諮問委員会に諮問することを通じて、専門的知識を有する者が中立的な立場から適正性を確認することとしており、総務大臣はそれらの審議結果も踏まえ

聴覚障害者等による電話の利用の円滑化に関する法律　第24条・第25条

て、認可の可否を最終的に判断することとなる。

　なお、本条により算出された交付金の額は、電話リレーサービス支援機関や提供機関の収支予算書に交付金として計上されることになる。

第25条（負担金の徴収）

（負担金の徴収）
第25条　電話リレーサービス支援機関は、毎年度、(1) 電話提供事業者であって、その事業の規模が総務省令で定める基準を超えるもの（以下この条及び次条において「特定電話提供事業者」という。）から、(2) 第21条第2号に規定する負担金（以下この節において単に「負担金」という。）を徴収しなければならない。
2　電話リレーサービス支援機関は、毎年度、(3) 総務省令で定める方法により負担金の額を算定し、電話リレーサービス支援業務諮問委員会の議を経て、当該年度の開始前に（第20条の規定による指定を受けた日の属する年度にあっては、当該指定を受けた後遅滞なく）、総務省令で定めるところにより、負担金の額及び徴収方法について総務大臣の認可を受けなければならない。
3　(4) 電話リレーサービス支援機関は、前項の認可を受けたときは、遅滞なく、総務省令で定めるところにより、納付すべき負担金の額、納付期限及び納付方法を特定電話提供事業者に通知しなければならない。
4　(5) 特定電話提供事業者は、前項の規定による通知に従い、電話リレーサービス支援機関に対し、負担金を納付する義務を負う。

1　概　要

　電話リレーサービス支援機関が特定電話提供事業者から、電話リレーサービス提供業務に要する費用に充てるための交付金の原資となる負担金を徴収すべきことを規定するとともに、特定電話提供事業者に対して当該負担金の納付を義務付けている。

911

2 条文内容

〔第1項〕

(1) **電話提供事業者であって、その事業の規模が総務省令で定める基準を超えるもの（以下この条及び次条において「特定電話提供事業者」という。）**

　　負担金の納付を義務付ける特定電話提供事業者は、電話提供事業者のうち総務省令で定める一定の事業規模の基準を上回っている者としている。

　　これは、新規参入直後の電話提供事業者等、事業規模の小さい電話提供事業者から負担金を徴収することは、当該事業者の収益を悪化させ、電話提供事業からの撤退を招くおそれがあるため競争促進の観点から好ましくないことに加え、徴収コストに比較して負担金の額も小さいため事務の効率が悪いと考えられるためである。

　　総務省令では、電話提供事業者の前年度における音声伝送役務・データ伝送役務・専用役務（再販によるものを除く。）の提供に係る収益の額（接続に関する協定又は卸電気通信役務の提供に関する契約により取得する金額又は料金を含む。）を合計する方法により算定した額が10億円であることを基準としている（電話リレー法施行規則第26条）。

(2) **第21条第2号に規定する負担金（以下この節において単に「負担金」という。）**

　　負担金の額は、電話リレーサービス提供機関に交付する交付金の額に電話リレーサービス支援業務に係る事務経費を加算して算定されることとなる。仮に電話リレーサービス支援機関が電話リレーサービス支援業務を実施するに当たり、何らかの収入（例：金利収入）が見込まれる場合には、当該収入を費用から差し引いた赤字相当額に充てることを想定して負担金を算定することとなる。

〔第2項〕

(3) **総務省令で定める方法により負担金の額を算定**

　　負担金の額の算定に当たっては、電話リレーサービス支援業務に要する費用を適切に賄う金額を全体として確保しつつ、特定電話提供事業者ごとの負担割合について、各事業者の受益の程度に応じた公平性と透明性が確保できるよう、明確な基準を定めておく必要があることから、総務省令において、特定電話提供事業者の事業実態等を踏まえて規定することとしている。

　　総務省令では、電話リレーサービス支援機関が算定する各月の一電気通信番号当たりの負担金の額に特定電話提供事業者ごとの毎月末の電気通信番号の数

聴覚障害者等による電話の利用の円滑化に関する法律　第25条

をそれぞれ乗じて得た額を合計することにより特定電話提供事業者ごとの負担金の額を算定するものとしている（電話リレー法施行規則第28条）。

〔第3項〕

(4)　電話リレーサービス支援機関は、前項の認可を受けたときは、遅滞なく、総務省令で定めるところにより、納付すべき負担金の額、納付期限及び納付方法を特定電話提供事業者に通知しなければならない

　　支援機関が負担金の額について認可を受けたときは、特定電話提供事業者の予見可能性を確保する観点から、できるだけ早期に負担金の額や納付期限等の情報を通知することが必要であり、その旨を規定している。総務省令では、通知は、認可を受けた事項を記載した書面を添付して行わなければならないものとしている（電話リレー法施行規則第30条）。

〔第4項〕

(5)　特定電話提供事業者は、前項の規定による通知に従い、電話リレーサービス支援機関に対し、負担金を納付する義務を負う

　　特定電話提供事業者による電話リレーサービス支援機関への負担金の支払いは、特定電話提供事業者が任意に支払うものではなく、法定の義務であることを明らかにしている。

　　電話リレーサービス提供機関が、電話リレー法に基づく交付金の交付を受けて電話リレーサービスを提供することは、聴覚障害者等による電話の円滑な利用を可能とし、これまで以上に聴覚障害者等と健聴者間の通話を容易なものとすることにより、電話の役務の利便性を高めることとなるため、電話提供事業者は、新規の電話利用者の獲得や既存の電話利用者の通話量の増加等による利益を受けることになる。このように、有限希少な電話番号の指定を受けて電話の役務を提供する電話提供事業者が、電話リレーサービスの実現により上記のような利益を受けることを踏まえ、交付金の原資となる負担金を電話提供事業者が負担することとしている。

　　ただし、新規参入直後の電話提供事業者等、事業規模の小さい電話提供事業者から負担金を徴収することは、効率性の観点から適当ではなく、負担金の納付を義務付ける特定電話提供事業者は、電話提供事業者のうち、一定の事業規模を上回っている者としている。

913

聴覚障害者等による電話の利用の円滑化に関する法律　第26条

第26条（負担金の納付の督促等）

（負担金の納付の督促等）

第26条　電話リレーサービス支援機関は、前条第３項の規定による通知を
　　　受けた特定電話提供事業者がその納付期限までに当該通知に係る負担金
　　　を納付しないときは、督促状により期限を指定してその納付を督促しな
　　　ければならない。

　２　電話リレーサービス支援機関は、前項の規定による督促をしたときは、
　　　当該督促に係る負担金の額に納付期限の翌日からその納付の日までの日
　　　数に応じ年14.5パーセントの割合を乗じて計算した金額の延滞金を徴収
　　　することができる。

　３　電話リレーサービス支援機関は、第１項の規定による督促を受けた特
　　　定電話提供事業者が同項の規定により指定された期限までにその納付す
　　　べき金額を納付しないときは、直ちに、その旨を総務大臣に報告しなけ
　　　ればならない。

　４　総務大臣は、前項の規定による報告を受けたときは、直ちに、当該報
　　　告に係る特定電話提供事業者の氏名又は名称及び当該特定電話提供事業
　　　者が第１項の規定により指定された期限までにその納付すべき金額を納
　　　付していない旨を公表しなければならない。

1　概　要

　負担金の確実な徴収を制度的に担保するため、督促、延滞金に関して規定する
とともに、最終的な担保手段として、負担金を納付しない特定電話提供事業者の
公表について規定している。

2　条文内容

〔第１項〕

　電話リレーサービスの適正かつ確実な提供や、特定電話提供事業者の負担の公
平性を確保する観点から、電話リレーサービス支援機関が負担金を確実に徴収す
ることが必要である。負担金納付を最終的に担保するための措置として、総務大
臣が負担金を納付しない特定電話提供事業者を公表することとしている（第４
項）が、一度公表を行うと当該特定電話提供事業者の社会的信用等に大きな影響

聴覚障害者等による電話の利用の円滑化に関する法律　第26条・第27条

を与えるため、当該措置を行う前に一定の期間を確保し、特定電話提供事業者に
納付を促すこととしている。このため、電話リレーサービス支援機関による督促
を義務付けている。

〔第2項〕

　負担金の支払いだけでなく、不払いにより生じた延滞金の支払いについても、
特定電話提供事業者の法定の義務であることを明らかにし、その利率を1年当た
り14.5%としている。

　延滞金の利率を無制限とすることは利用者保護の観点から不適当であるため、
特に保護の必要性が強いケースを想定して利率を定めている消費者契約の利率
（消費者契約法（平成12年法律第61号）第9条第1項第2号、14.6%超）等に満
たない利率とし、他の制度例（特定複合観光施設区域整備法（平成30年法律第80
号）第85条第4項、民間公益活動を促進するための休眠預金等に係る資金の活
用に関する法律（平成28年法律第101号）第5条、電気事業者による再生可能エ
ネルギー電気の調達に関する特別措置法（平成23年法律第108号）第34条第2
項等）と同様に、早期の納付を促す観点から、延滞金の利率は年14.5%としている。

〔第3・4項〕

　負担金納付を担保するための措置として、負担金を納付しない特定電話提供事
業者を総務大臣が必ず公表することとすることにより（第4項）、抑止的効果と
して、特定電話提供事業者に負担金の納付を促すこととしている。

第27条（資料の交付又は閲覧）

（資料の交付又は閲覧）

第27条　電話リレーサービス支援機関は、電話リレーサービス支援業務を
　　行うために必要があるときは、電話提供事業者に対し、資料の提出を求
　　めることができる。

2　前項の規定により資料の提出を求められた電話提供事業者は、遅滞な
　　く、当該資料を電話リレーサービス支援機関に提出しなければならない。

3　総務大臣は、電話リレーサービス支援機関から要請があった場合にお
　　いて、電話リレーサービス支援業務を行うために特に必要があると認め
　　るときは、電話リレーサービス支援機関に対し、(1) 必要な資料を交付し、

915

聴覚障害者等による電話の利用の円滑化に関する法律　第27条

又は閲覧させることができる。

1　概　要

　電話リレーサービス支援機関が、電話リレーサービス支援業務を行うために必要な資料を電話提供事業者が提出することを規定している。

　電話リレーサービス支援機関が負担金の額を算定するに当たり、負担事業者である特定電話提供事業者の範囲を決定するためには、各電話提供事業者の事業規模を的確に把握する必要がある。このため、電話リレーサービス支援機関が電話提供事業者の収益に関する資料等の提出を電話提供事業者に求めることができることを定めるとともに、電話提供事業者が当該資料を提出する義務を負うことを規定している。

　また、電話リレーサービス支援機関は、特定電話提供事業者から、当該特定電話提供事業者が有する電話番号の数に応じて負担金の徴収を行うことを想定している（電話リレー法第25条の解説を参照のこと）。各特定電話提供事業者の有する電話番号は総務大臣が指定しており、その数についても総務省が一元的に把握していることから、総務大臣は、電話リレーサービス支援機関の求めに応じて、電話提供事業者ごとの電話番号の数等の情報について、資料の交付等を行うことができる旨を規定している。

2　条文内容

〔第1項〕

　電話リレーサービス支援機関が電話リレーサービス支援業務として負担金の額を算定するに当たっては、電話リレー法第25条第1項において、負担者である特定電話提供事業者を「電話提供事業者であって、その事業の規模が総務省令で定める基準を超えるもの」と定義しているため、当該事業規模を把握する必要がある。

　このため、電話リレーサービス支援機関が電話提供事業者に対し、電話リレーサービス支援業務を行うために必要な資料として、電話提供事業者の事業に係る収益に関する資料等の提出を求めることができる旨を規定している。

〔第2項〕

　電話提供事業者が電話リレーサービス支援機関から求められた資料を提出する

聴覚障害者等による電話の利用の円滑化に関する法律　第27条・第28条

義務を負うことを規定している。

〔第3項〕

(1)　**必要な資料**

　各特定電話提供事業者に指定している電話番号の数等の資料を想定している。

第28条（電話リレーサービス支援業務諮問委員会）

（電話リレーサービス支援業務諮問委員会）

第28条　電話リレーサービス支援機関には、電話リレーサービス支援業務
　諮問委員会を置かなければならない。

2　電話リレーサービス支援業務諮問委員会は、電話リレーサービス支援
　機関の代表者の諮問に応じ、交付金の額及び交付方法、負担金の額及び
　徴収方法 (1) その他電話リレーサービス支援業務の実施に関する重要事項
　を調査審議し、及びこれらに関し必要と認める意見を電話リレーサービ
　ス支援機関の代表者に述べることができる。

3　電話リレーサービス支援業務諮問委員会の委員は、(2) 電話提供事業者
　及び聴覚障害者等の福祉に関して高い識見を有する者その他の学識経験
　のある者のうちから、(3) 総務大臣の認可を受けて、電話リレーサービス
　支援機関の代表者が任命する。

1　概　要

　電話リレーサービス支援機関に置く電話リレーサービス支援業務諮問委員会に
ついて規定している。

　電話リレーサービス提供業務に要する費用については、特定電話提供事業者等
の負担を軽減する観点から、可能な限り効率化が図られるべきである一方、電話
リレーサービス支援機関が支援業務を適正かつ確実に実施する上で十分な費用が
適切に交付されることが重要である。

　このため、交付金の額及び交付方法、負担金の額及び徴収方法等について総務
大臣による認可に係らしめているところであるが、当該認可の申請に先立って、
これらの内容を、専門的知識を有する者が中立的な立場から事前に確認すること
で、より適正性を担保できると考えられる。

917

このため、電話リレーサービス支援機関に電話リレーサービス支援業務諮問委員会を置き、電話提供事業者及び聴覚障害者等の福祉に関して高い識見を有する者その他の学識経験者であって総務大臣の認可を受けて電話リレーサービス支援機関の代表者が任命した者を構成員とすることとしている。

2　条文内容
〔第2項〕
(1)　その他電話リレーサービス支援業務の実施に関する**重要事項**
　　電話リレーサービス提供機関及び電話リレーサービス支援機関の事業計画書及び収支予算書の適正性を審議することを想定している。
〔第3項〕
(2)　**電話提供事業者及び聴覚障害者等の福祉に関して高い識見を有する者その他の学識経験のある者**
　　交付金の額や負担金の額等の事項は、電話提供事業者や聴覚障害者等の権利義務に大きな影響を与えることとなることから、電話提供事業者、聴覚障害者等の福祉に関して高い識見を有する者その他の学識経験を有する者が参加する電話リレーサービス支援業務諮問委員会において、調査審議し、必要に応じて意見を述べることができることとしている。
　　なお、サービスの直接の受益者である聴覚障害者等を電話リレーサービス支援業務諮問委員会の委員とすることは、客観性を担保する観点から望ましくないため、本項において聴覚障害者等を加えることとはしていない。
(3)　**総務大臣の認可を受けて、電話リレーサービス支援機関の代表者が任命する**
　　電話リレーサービス支援業務諮問委員会の委員の選任が、特定の利害関係者に偏ること等により、電話リレーサービスの提供に係る費用の負担の公平性・透明性の確保をはじめとする本制度の趣旨に照らして不適切なものとなっていないことを担保するため、電話リレーサービス支援業務諮問委員会の委員の任命には、総務大臣の認可を要する旨を規定している。

聴覚障害者等による電話の利用の円滑化に関する法律　第29条

第29条（準用）

（準用）

第29条　第8条第2項から第5項まで及び第12条から第19条までの規定は、電話リレーサービス支援機関及び電話リレーサービス支援業務について準用する。この場合において、第8条第2項中「前項」とあるのは「第20条」と、「同項」とあるのは「同条」と、第14条第2項及び第19条第2項第3号中「第10条第1項」とあるのは「第22条第1項」と、「電話リレーサービス提供業務規程」とあるのは「同項に規定する電話リレーサービス支援業務規程」と、同条第4項中「電話リレーサービス支援機関が」とあるのは「第25条第1項に規定する特定電話提供事業者が」と、「交付した」とあるのは「納付した」と、「交付金」とあるのは「負担金」と、「第21条第1号」とあるのは「第21条第2号」と、「法人は、」とあるのは「法人は、総務大臣が次条の規定により新たに指定する」と、「返還しなければ」とあるのは「引き渡さなければ」と、同条第5項中「交付金の取扱い」とあるのは「電話リレーサービス支援業務の引継ぎ」と読み替えるものとする。

1　概　要

　電話リレーサービス支援機関には電話リレーサービス提供機関に係る規律と同一の規律を多数課すこととなるため、準用規定を設けている。

　準用される条文の内容は、次のとおりである（具体的内容については、電話リレーサービス提供機関に関する各条の解説を参照のこと）。

- ・　第8条（電話リレーサービス提供機関の指定等）のうち、第2項から第5項まで（指定の欠格事由、公示、変更届）
- ・　第12条（業務の休廃止）
- ・　第13条（区分経理）
- ・　第14条（役員の選任及び解任）
- ・　第15条（秘密保持義務）
- ・　第16条（帳簿の備付け等）
- ・　第17条（報告徴収及び立入検査）
- ・　第18条（監督命令）

919

聴覚障害者等による電話の利用の円滑化に関する法律　第29条

・　第19条（指定の取消し等）

2　条文内容

〔指定の欠格事由、公示、変更届（第8条のうち、第2項から第5項までの準用）〕

　　電話リレーサービス支援機関は多数の特定電話提供事業者から負担金を徴収する業務等を行うが、当該業務遂行に当たっては、総務大臣の指定を受けていることの真正性を公に示す必要があるため規定している。

〔業務の休廃止（第12条の準用）〕

　　電話リレーサービス支援機関が行う交付金の交付は、電話リレーサービス提供機関の業務遂行にとって不可欠であり、仮に電話リレーサービス支援機関がその業務を休止等した場合、聴覚障害者等の電話の利用の円滑化に重大な支障が生じることが想定されるため、電話リレーサービスの利用者の適切な保護等の観点から、電話リレーサービス支援機関の業務の休廃止について、総務大臣の許可を要件としている。

〔区分経理（第13条の準用）〕

　　電話リレーサービス支援機関が、電話リレーサービス支援業務以外の業務を行う場合には、その業務の費用が電話リレーサービス支援業務に係る費用と混同され、負担金として特定電話提供事業者から徴収されてしまう等のおそれがある。特に、他業務において生じた損失の補填に本制度の交付金が充てられるような事態を防ぐことにより、電話リレーサービス支援業務の適正性を担保する必要があるため、電話リレーサービス支援業務に係る経理と他業務に係る経理とを区分して整理すべき旨を規定している。

〔役員の選任及び解任（第14条の準用）〕

　　電話リレーサービス支援機関の中立性、公正性を確保し、電話リレーサービス支援業務の適正性を確保する観点から、電話リレーサービス支援業務に従事する役員の選任は慎重を期す必要があるため、その選任を総務大臣の認可に係らしめている。また、一度選任された役員が電話リレーサービス支援業務の利害関係者からの圧力等により不当に解任されることがないようにするため、その解任についても総務大臣の認可に係らしめている。

　　さらに、これらの者が役員として不適当になった場合を想定して、総務大臣による解任命令について規定している。

聴覚障害者等による電話の利用の円滑化に関する法律　第29条

〔秘密保持義務（第15条の準用）〕

　　電話リレーサービス支援機関は、電話リレーサービス支援業務の実施を通じ
て秘密情報（電話リレーサービス提供機関のサービス提供に係る個人情報、第
27条の規定により提出を受けた電話提供事業者の収益に関する資料のうち非
公表情報等）を扱う可能性があり、当該秘密を漏らした場合、電話リレーサー
ビス支援機関の信頼が大きく損なわれ、本制度の安定的な運用に支障を来すお
それがある。このため、電話リレーサービス支援機関の電話リレーサービス支
援業務に従事する役員又は職員等に対して秘密保持義務を課している。

〔帳簿の備付け等（第16条の準用）〕

　　電話リレーサービス支援業務の実施状況を記録することによって、事後的に
業務の適正性等の検証を可能とし、電話リレーサービス支援業務の適正な実施
の確保に資するため、帳簿の備付け等を義務付けている。

　　電話リレーサービス支援業務に関する事項で総務省令で定めるものとして、
総務省令では、次に掲げる事項を定めている（電話リレー法施行規則第19条
第2項）。

①　電話リレーサービス支援業務に関する収入及び支出

②　交付金の額及び交付の年月日

③　負担金を納付すべき特定電話提供事業者の名称

④　③の特定電話提供事業者ごとの負担金の額及び納付の年月日

〔報告徴収及び立入検査（第17条の準用）〕

　　電話リレーサービス制度の適正な運営を確保する観点から、総務大臣は、電
話リレーサービス支援業務の内容が適正かどうか等を的確に把握する必要があ
るため、電話リレーサービス支援機関に対する報告徴収及び立入検査について
規定している。

〔監督命令（第18条の準用）〕

　　指定の取消要件に該当するような重大なものを含め、電話リレーサービス支
援機関による非違行為が行われた場合において、直ちに第29条で読み替えて
準用する第19条第2項の規定による指定の取消し等の行政処分を行うのでは
なく、改善命令又は適合命令を発してできるだけ電話リレーサービス支援機関
の存立及び電話リレーサービス支援業務の適正性の継続を図ることが適当な場
合があるため規定している。また、他の監督規定では対処し得ない事態が生じ
た場合（電話リレーサービス支援機関が行っている電話リレーサービス支援業

921

務以外の業務に係る資料の提出を命ずる必要性が生じた場合等）に必要な監督
命令を可能にするために設けている。

〔指定の取消し等（第19条の準用）〕

　　電話リレーサービス支援機関が監督規律等に違反した場合、指定を存続し、
又は電話リレーサービス支援業務を継続させることは、電話リレーサービス制
度の適正な運営上支障を生じさせる可能性があるため、総務大臣による電話リ
レーサービス支援機関に対する指定の取消し等について規定している。

第3章　雑則
第30条（連絡及び協力）

（連絡及び協力）
第30条　総務大臣及び厚生労働大臣は、この法律の施行に当たっては、聴覚障害者等の福祉の増進に関する事項について、相互に緊密に連絡し、及び協力しなければならない。

1　概　要

　聴覚障害者等による電話の利用の円滑化のため、施策の実施に当たり、聴覚障害者等の福祉の増進に関する事項について、総務大臣及び厚生労働大臣が緊密に連絡し、協力を行うことを規定している。

　聴覚障害者等による電話の利用の円滑化に係る施策は、聴覚障害者等の自立した日常生活や社会生活の確保に寄与するものであるところ、電話リレー法は、障害者の福祉の増進に関する施策全般との関係においても適切に位置付けられることが重要である。

　そのため、施策の実施に当たり、障害者の福祉の増進に関する施策に関連する場合には、総務大臣及び厚生労働大臣が相互に緊密に連絡を行うとともに、協力を行うことが必要であることから、その旨を規定している。

第31条（総務省令への委任）

（総務省令への委任）
第31条　この法律に定めるもののほか、第8条第1項の規定による電話リレーサービス提供機関の指定及び第20条の規定による電話リレーサービス支援機関の指定に関する申請の手続その他この法律の施行に関し必要な事項は、総務省令で定める。

1　概　要

　電話リレー法の規定により委任された総務省令のほかに、提供機関及び電話リレーサービス支援機関の指定に関する申請の手続等を総務省令で規定することを

聴覚障害者等による電話の利用の円滑化に関する法律　第31条

規定している。

　電話リレー法においては、法律を実施するために必要な細目的事項として、提供機関及び電話リレーサービス支援機関の指定（第8条、第20条、第29条において準用する第8条）や業務の休廃止（第12条、第29条において準用する第12条）、資料の交付又は閲覧（第27条第3項）等に関する申請の手続について、申請書の様式や申請方法等の手続的事項を総務省令として規定することが必要であることに鑑み、その委任根拠を明確にする観点から本条を規定している。

聴覚障害者等による電話の利用の円滑化に関する法律　第32条

第4章　罰則
第32条

第32条　次の各号のいずれかに該当する者は、１年以下の拘禁刑又は50万円以下の罰金に処する。

一　⑴ 第15条（第29条において準用する場合を含む。）の規定に違反して、電話リレーサービス提供業務又は電話リレーサービス支援業務に関し知り得た秘密を漏らした者

二　⑵ 第19条第２項（第29条において読み替えて準用する場合を含む。）の規定による業務の全部又は一部の停止の命令に違反した場合におけるその違反行為をした電話リレーサービス提供機関又は電話リレーサービス支援機関の役員又は職員

改正　令和４年法律第68号（令和７年６月１日施行）

1　概　要

　電話リレーサービス提供機関及び電話リレーサービス支援機関の秘密保持義務（第15条、第29条において準用する第15条）、電話リレーサービス提供業務及び電話リレーサービス支援業務の全部又は一部の停止命令（第19条第２項、第29条において準用する第19条第２項）への違反行為に対する罰則を規定している。

　なお、本条については、令和６年５月１日現在において未施行（令和７年６月１日施行）の刑法等の一部を改正する法律の施行に伴う関係法律の整理等に関する法律（令和４年法律第68号）の改正規定を反映した形での条文により記述を行っている。

　法定刑については、類似の制度を設けている法律を参考として、いずれも１年以下の拘禁刑（令和４年法律第68号の施行後。）又は50万円以下の罰金としている。

2　条文内容

⑴　第15条（第29条において準用する場合を含む。）の規定に違反して、電話リレーサービス提供業務又は電話リレーサービス支援業務に関し知り得た秘密を漏らした者

　電話リレーサービス提供機関及び電話リレーサービス支援機関が業務を行うに当たって、秘密情報を扱う可能性があり、当該機関の秘密の漏洩による信頼

925

聴覚障害者等による電話の利用の円滑化に関する法律　第32条・第33条

性の低下等により、本制度の安定的な運用を妨げること及び秘密の漏洩により利用者、関係者の利益が損なわれることを防ぐため、第15条（第29条において準用する場合を含む。）において当該機関の役員若しくは職員又はこれらの職にあった者に対して秘密保持義務を課しており、本号は、当該違反行為に対する罰則を規定している。

(2)　第19条第2項（第29条において読み替えて準用する場合を含む。）の規定による業務の全部又は一部の停止の命令に違反した場合におけるその違反行為をした電話リレーサービス提供機関又は電話リレーサービス支援機関の役員又は職員

　　総務大臣による電話リレーサービス提供業務及び電話リレーサービス支援業務の全部又は一部の停止命令に違反した場合におけるその違反行為をした電話リレーサービス提供機関又は電話リレーサービス支援機関の役員又は職員について、当該違反行為に対する罰則を規定している。

第33条

第33条　次の各号のいずれかに該当するときは、その違反行為をした電話リレーサービス提供機関又は電話リレーサービス支援機関の役員又は職員は、30万円以下の罰金に処する。
　一　(1) 第12条（第29条において準用する場合を含む。）の規定による許可を受けないで業務の全部又は一部を休止し、又は廃止したとき。
　二　(2) 第16条（第29条において準用する場合を含む。）の規定に違反して、帳簿を備え付けず、帳簿に記載せず、若しくは記録せず、若しくは虚偽の記載若しくは記録をし、又は帳簿を保存しなかったとき。
　三　(3) 第17条第1項（第29条において準用する場合を含む。以下この号において同じ。）の規定による報告をせず、若しくは虚偽の報告をし、又は同項の規定による検査を拒み、妨げ、若しくは忌避し、若しくは同項の規定による質問に対して答弁せず、若しくは虚偽の答弁をしたとき。

聴覚障害者等による電話の利用の円滑化に関する法律　第33条

1　概　要

　電話リレーサービス提供機関及び電話リレーサービス支援機関の業務の休廃止（第12条、第29条において準用する第12条）、帳簿の備付け（第16条、第29条において準用する第16条）、報告徴収及び立入検査（第17条第1項、第29条において準用する第17条第1項）への違反行為に対する罰則を規定している。

　法定刑については、類似の制度を設けている法律を参考として、いずれも30万円以下の罰金としている。

2　条文内容

(1)　第12条（第29条において準用する場合を含む。）の規定による許可を受けないで業務の全部又は一部を休止し、又は廃止したとき

　電話リレーサービス提供機関及び電話リレーサービス支援機関が当該業務の全部又は一部を休止又は廃止をする場合、電話リレーサービスの安定的な提供を図る観点から総務大臣の許可が必要である。この際、当該機関が許可を受けずに全部又は一部を休止又は廃止する場合、本制度の趣旨に違反することから、本条において罰則を規定している。

(2)　第16条（第29条において準用する場合を含む。）の規定に違反して、帳簿を備え付けず、帳簿に記載せず、若しくは記録せず、若しくは虚偽の記載若しくは記録をし、又は帳簿を保存しなかったとき

　電話リレーサービス提供業務及び電話リレーサービス支援業務の適正な運用を担保するため、その業務に関する帳簿の備付け及び保存について義務を課しているところ、当該義務に違反した場合の罰則を規定している。

(3)　第17条第1項（第29条において準用する場合を含む。以下この号において同じ。）の規定による報告をせず、若しくは虚偽の報告をし、又は同項の規定による検査を拒み、妨げ、若しくは忌避し、若しくは同項の規定による質問に対して答弁せず、若しくは虚偽の答弁をしたとき

　総務大臣は、この法律の施行に必要な限度において、提供機関及び電話リレーサービス支援機関に対して報告を求め、事務所等の立入検査を行うことができるところ、虚偽報告や検査拒否等についての罰則を規定している。

附　則

　（施行期日）
1　この法律は、公布の日から起算して９月を超えない範囲内において政令で定める日から施行する。
　（検討）
2　政府は、この法律の施行後５年を経過した場合において、この法律の施行の状況について検討を加え、その結果に基づいて必要な措置を講ずるものとする。

1　概　要

　第１項において、施行期日を規定している。

　電話リレー法の施行に必要な総務省令の検討・制定作業等に相当の期間を要することに加え、聴覚障害者等や多数の電話提供事業者等が影響を受けることとなるため、基本方針のパブリックコメント募集等、相当の準備・周知期間を必要とする一方で、聴覚障害者等による電話の利用の円滑化のためには速やかに施行する必要があることから、「公布の日から起算して９月を超えない範囲内において政令で定める日」から施行することとしている。これにより、電話リレー法は、令和２年12月１日に施行された。

　第２項は、施行後の本法に関する検討について規定している。

　電話リレー法が適切に運用され、聴覚障害者等による電話の利用の円滑化に資するものとなっているか、一定期間経過後に見直す旨を規定している。法施行後に電話リレーサービスに関する理解が進み、電話リレーサービスが普及するまで、５年前後を要すると予想されることから、「５年を経過した場合において」と規定している。

■ 監修　多賀谷　一照
■ 編著　電気通信事業法研究会
　　　　（岡﨑　俊一、岡崎　毅、豊嶋　基暢、藤野　克）
　　　　（改訂・再訂増補：岡﨑　俊一、藤野　克）

■ 略歴

多賀谷　一照
千葉大学名誉教授

昭和53年（1978）千葉大学に奉職、講師、同法経学部助教授、教授、副学長。NHK経営委員、獨協大学法学部教授を経て平成30年3月に獨協大学を退職。行政書士試験研究センター理事長。

関連する主著　『行政とマルチメディアの法理論』（弘文堂、平成7年（1995））『マルチメディアと情報通信法制』（第一法規、平成10年（1998）岡﨑俊一と共著）、『要説　個人情報保護法』（弘文堂、平成17年（2005））ほか

岡﨑　俊一
日本テレビ放送網（株）シニアアドバイザー

昭和56年（1981）郵政省（現総務省）入省。千葉大学法経学部助教授、内閣法制局参事官、東京大学公共政策大学院客員教授等を経て、関東総合通信局長を最後に総務省退職。令和4年（2022）より現職

主著『マルチメディアと情報通信法制』（第一法規、平成10年（1998）、多賀谷一照と共著）

岡崎　毅
東京海上日動火災（株）顧問

平成元年（1989）郵政省（現総務省）入省。東京大学情報学環助教授、内閣法制局参事官、厚生労働省サイバーセキュリティ・情報化審議官等を経て、内閣官房郵政民営化推進室長を最後に総務省を退職。令和5年（2023）より現職。コロンビア大学修士（経営学）

豊嶋　基暢
総務省大臣官房審議官（国際技術・サイバーセキュリティ担当）併任　大臣官房サイバーセキュリティ・情報化審議官

平成3年（1991）郵政省（現総務省）入省。慶應義塾大学メディア・コミュニケーション研究所准教授、文部科学省生涯学習政策局情報教育課長、総務省情報流通行政局情報通信政策課長、北海道総合通信局長等を経て、令和5年（2023）より現職。

主著『地域メディア力』（中央経済社、平成26年（2014）、菅谷実編著）

藤野　克
総務省大臣官房総括審議官

平成2年（1990）郵政省（現総務省）入省。在米国日本大使館参事官、総務省大臣官房審議官、郵政行政部長等を経て、令和5年（2023）より現職。シカゴ大学修士（社会科学）、早稲田大学博士（学術）。

主著『インターネットに自由はあるか　米国ＩＣＴ政策からの警鐘』（中央経済社、平成24年（2012））（大川出版賞受賞）、『情報通信ルールの国際戦略　日米のＦＴＡ戦略』（早稲田大学出版部、令和5年（2023））

平成20年1月3日　初版発行	不 複
平成30年8月20日　初版2刷発行	
令和元年5月22日　改訂版	許 製
令和6年6月12日　再訂増補版	

電気通信事業法逐条解説

（電　略　テ　ツ）

編 著 者　　監修　多賀谷一照
　　　　　　編著　電気通信事業法研究会

発 行 所　一　般　情報通信振興会
　　　　　財団法人

郵便番号　170-8480
東京都豊島区駒込2-3-10
電　　話　（03）3940-3951（販売）
　　　　　（03）3940-8900（編集）
ＦＡＸ　（03）3940-4055
振替口座　00100-9-19918
https://www.dsk.or.jp/
印　　刷　㈱エム.ティ.ディ

ISBN978-4-8076-0998-7 C3065

電子版 電気通信法令集

年間利用額　13,200 円(12,000 円)　　　（直接販売品）

電気通信法令集は電子版に移行し、好評発売中です。

電子版であるため持ち運び不要、インターネット環境があれば、いつでもどこでもご利用でき、テレワークでも便利です。また、法律から関係する政省令、告示へのリンク機能やスピーディな検索もできます。ガイドラインに加え、法令改正情報等も掲載されています。年2回（1月、7月）更新。

当会ホームページよりお試し版がご利用いただけます。